P9-CQI-334

TOUS LES POURQUOI DU MONDE

PREMIÈRE ÉDITION
Deuxième tirage

ISBN 2-7098-0557-X

TOUS LES POURQUOI DU MONDE

LES RÉPONSES À TOUTES LES QUESTIONS QUE VOUS VOUS POSEZ

PARIS • BRUXELLES • MONTRÉAL • ZURICH

Table des matières

Un univers terrifiant

Gros plan sur la planète Terre

Les mystères du corps et de l'esprit

À boire et à manger

Les mystères de la vie quotidienne

TOUS LES POURQUOI DU MONDE
est la traduction française de
WHY IN THE WORLD ?
publié par Reader's Digest (Australia), Pty limited

Nous remercions tous ceux qui ont contribué
à la réalisation de l'adaptation française.

Conseillers de la rédaction : Olivier REY et
le docteur Sophie NADLER-FLUTEAU

Traduction : Christine BERKOVICIUS, Nicole DUCLOS,
Barbara NASAROFF, Serge WOJCIECKOWSKI

Maquette : Gérard GAGNEPAIN

Correction : Nicole COULLE

Christophe CACHERA pour les textes : « Pourquoi le maillot du vainqueur est-il jaune ? », « Pourquoi la pétanque s'appelle-t-elle ainsi ? », « Le procédé bleu », « Pourquoi y a-t-il dix quilles au bowling ? », « Pourquoi dit-on que le polo est le sport des rois ? », « Pourquoi sert-on treize desserts le soir de Noël en Provence ? », « Pourquoi se déguise-t-on pour le carnaval ? », « Comment sont nés les journaux ? ».

ÉQUIPE ÉDITORIALE DE SÉLECTION DU READER'S DIGEST :

Responsable du projet : José-Antoine CILLEROS

Lecture-correction : Béatrice OMER, Catherine DECAYEUX

Couverture : Dominique CHARLIAT, Didier PAVOIS

Fabrication : Jacques LE MAITRE, Marie-Pierre DE SCEY

Iconographie : Nicole TESNIÈRE

UN UNIVERS TERRIFIANT

Le scintillement des étoiles PAGE 30

Les anneaux de Saturne PAGE 29

Le « bonhomme-Lune » PAGE 19

L'origine du temps

Qu'est-ce que le Big Bang ?

Aujourd'hui, la plupart des scientifiques admettent l'idée que l'Univers tout entier est issu d'une explosion originelle, un état initial infiniment concentré, extrêmement dense et incroyablement chaud, qui contenait en germe l'espace, le temps et la matière.

Cette représentation de l'Univers est due à l'astronome américain Edwin Hubble. En 1923, il a découvert que la terrifiante immensité du cosmos contenait des milliards de systèmes stellaires comparables à notre Voie lactée, galaxie regroupant à elle seule quelque 100 milliards d'étoiles. La lumière de ces autres galaxies présente, pour parler comme les astronomes, un spectre « décalé vers le rouge ». Pour comprendre ce que cela signifie, il faut savoir que la lumière d'une étoile qui se rapproche de nous est de plus en plus bleue à mesure que sa longueur d'onde diminue. A contrario, la lumière d'une étoile qui s'éloigne a une longueur d'onde de plus en plus grande et devient de plus en plus rouge. Cette application de l'effet Doppler à l'astronomie a permis à Hubble d'établir que la plupart des galaxies s'éloignaient de nous dans toutes les directions. L'Univers entier nous fuyait ! Ce qui revient à dire qu'elles étaient jadis beaucoup plus proches les unes des autres, et que l'Univers était beaucoup plus petit.

D'après les calculs des physiciens, cette expansion a commencé il y a quinze milliards d'années. Ils peuvent décrire les fractions de seconde qui ont suivi, à cet instant précis, la naissance de l'Univers. Au bout d'un centième de seconde, celui-ci avait à peu près la taille d'un petit pois. Quant à sa compression, sa densité et sa température, leur énormité défiait l'imagination. C'est de là (et du néant antérieur) que sont issus non seulement ce que nous considérons aujourd'hui comme notre Univers, mais encore le vide spatial, si vaste que la lumière met des milliards d'années à le traverser.

Les physiciens sont encore incapables de dire ce qui a donné naissance à cette minuscule boule de matière originelle. Ils ne peuvent guère non plus remonter au-delà du moment où l'Univers avait à peine un centième de seconde. À leur avis, un gigantesque fossé sépare cet instant de celui de la création proprement dite : le Big Bang (Grand Boum). Et il s'est produit davantage de choses durant cette fraction de seconde que pendant le million d'années qui a suivi.

Des années 1940 aux années 1960, bien des physiciens ont cru au caractère statique de l'Univers. D'après eux, il n'y avait jamais eu de Big Bang : l'Univers existait et existerait de toute éternité. Ils convenaient de son expansion, mais soutenaient qu'il ne changeait pas réellement, car, si des galaxies mouraient, de nouvelles prenaient leur place.

Cette théorie, connue sous le nom de création continue, n'a pas été sérieusement contestée avant le début des années 1960. À l'époque, Martin Ryle et son équipe étudiaient les puissantes ondes radio émises par de lointaines galaxies. Les sources, appelées radiogalaxies, sont si éloignées que leurs ondes mettent des milliards d'années à nous parvenir. Or, l'équipe découvrit que les zones les plus lointaines du cosmos contenaient beaucoup plus de radiogalaxies que les régions

Sur cette estampe médiévale, Dieu est l'ordonnateur d'un univers dont la Terre est le centre, comme on l'a cru pendant des siècles (bible de Martin Luther, 1534).

plus proches de nous. Elle en déduisit que, à cette époque vertigineusement reculée, l'Univers était sans aucun doute différent. Et, s'il avait changé, comment soutenir qu'il pouvait être statique ?

En 1965, un premier résultat expérimental permit de trancher le débat. Les deux astronomes américains Arno Penzias et Robert Wilson découvrirent des micro-ondes cosmiques en provenance de l'espace. Au cours de recherches sur les satellites de télécommunications, ils captèrent un étrange signal, un bruit de fond qu'aucun réglage ne parvenait à éliminer. Cette sorte de radiation ne semblait pas provenir d'une source unique, par exemple le Soleil. On la détectait quelle que soit l'orientation des instruments, comme si elle était émise par une couverture radioactive étalée dans le ciel tout entier. Ils acquirent la conviction d'avoir ainsi découvert les ultimes échos du Big Bang originel, instant cataclysmique où naquit notre Univers.

En 1990, vingt-cinq ans après la découverte du rayonnement fossile, le satellite Cobe en a apporté la preuve en photographiant les confins de l'Univers.

Pourquoi le Soleil ne s'éteint-il pas ?

Si un feu n'est pas entretenu, il finit fatalement par s'éteindre. Pourtant, voilà bien cinq milliards d'années que le gigantesque brasier du Soleil brûle sans interruption ni signe de faiblesse. Notre Terre n'absorbe qu'une infime partie de cette terrifiante production de chaleur et de lumière. Le reste se dissipe dans l'espace, au-delà des planètes.

Dans bien des civilisations, le Soleil était considéré comme un don des dieux, tout à fait différent – par nature – des feux de ce bas monde et par conséquent peu susceptible de faire défaut tant que l'on ne provoquerait pas la fureur divine. Nous savons aujourd'hui que le Soleil finira par s'éteindre. Les observations montrent que son rayonnement fluctue. Il connaît des variations de 0,1 % en fontion du cycle des taches solaires. Mais les spécialistes soupçonnent d'autres fluctuations sur des cycles beaucoup plus longs (quatre-vingts ans et plusieurs centaines d'années).

Le Soleil se compose à la surface de près de 75 % d'hydrogène et 25 % d'hélium, plus quelques traces d'oxygène, de carbone, de néon, d'azote, de magnésium, de fer et de silicium. C'est une étoile « au stade de la séquence principale », qui brille en brûlant de l'hydrogène. En son centre, l'hydrogène a subi jadis une compression si forte qu'une réaction nucléaire s'est déclenchée. Dans ce foyer géant, l'hydrogène se transforme par fusion nucléaire en un autre gaz combustible, l'hélium, au cours d'une réaction comparable à celle de la

LE MULETIER, L'ASTRONOME ET LA SCIENCE

La théorie du Big Bang et plusieurs autres éléments fondamentaux de l'astronomie moderne sont dus à l'une des associations les plus étonnantes de l'histoire des sciences : celle d'un ancien muletier, joueur et bagarreur, et d'un jeune universitaire brillant réunis par le hasard, en 1923, à l'observatoire du mont Wilson, près de Los Angeles.

Pendant la construction de l'observatoire, Milton Humason menait jusqu'au chantier, à flanc de montagne, des mules chargées de matériel. Il s'intéressait tant à ce matériel et au télescope, alors le plus grand du monde, qu'il devint bientôt balayeur et homme à tout faire de l'établissement. Un beau jour, l'assistant du télescope de nuit tomba malade, et le jeune homme prit tout naturellement sa place. Il y manifesta de telles dispositions qu'il fut nommé opérateur permanent du télescope puis assistant d'observation.

L'équipe qu'il formait avec l'astronome Edwin Hubble devait connaître pendant trente ans une renommée mondiale. Dans la manœuvre du télescope et la photographie de nébuleuses, Humason se montrait aussi compétent, sinon davantage, que n'importe quel astronome professionnel au monde. C'est avec son aide qu'Hubble réalisa sa célèbre découverte de l'expansion des galaxies, ensembles essentiellement constitués d'étoiles réunies par la gravitation et correspondant à des régions spatiales précises.

Les deux hommes effectuèrent une classification des galaxies avant de mesurer le spectre des plus lointaines, c'est-à-dire la somme et la fréquence de la lumière émise par leurs millions d'étoiles. À leur grande surprise, il s'avéra que celui-ci était décalé vers le rouge (chaque ligne spectrale ayant une longueur d'ondes supérieure à la normale). Donc, les galaxies s'éloignaient. En outre, plus elles étaient lointaines, plus leur vitesse de récession était élevée. Depuis lors, le rapport entre vitesse de récession et distance est appelé « constante d'Hubble ». Cette découverte est la base de la théorie du Big Bang, qui explique l'origine de l'Univers. Le temps écoulé depuis le Big Bang est également parfois appelé « temps d'Hubble ».

Avant sa mort, en 1953, Hubble a participé à la mise au point du télescope du mont Palomar. Décédé en 1972, son partenaire Humason laisse le souvenir d'un homme de condition modeste, qui a su saisir sa chance le moment venu.

Les découvertes de cet étonnant duo sont à l'origine de la théorie du Big Bang. À gauche, l'astronome Edwin Hubble et, à droite, l'ancien muletier Milton Humason. Ci-dessus, représentation d'un satellite remarquable : le télescope spatial Hubble, ainsi nommé en hommage au savant.

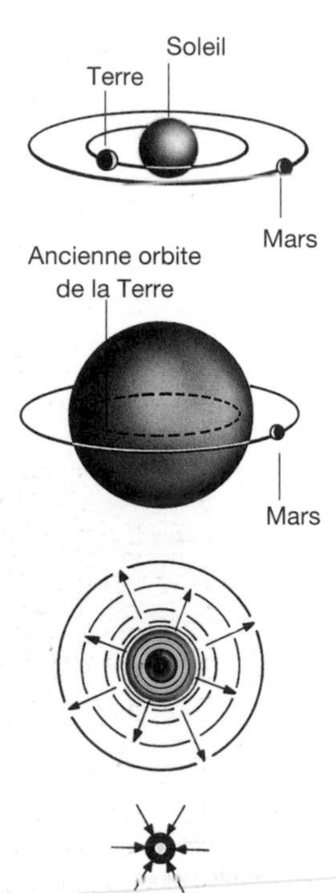

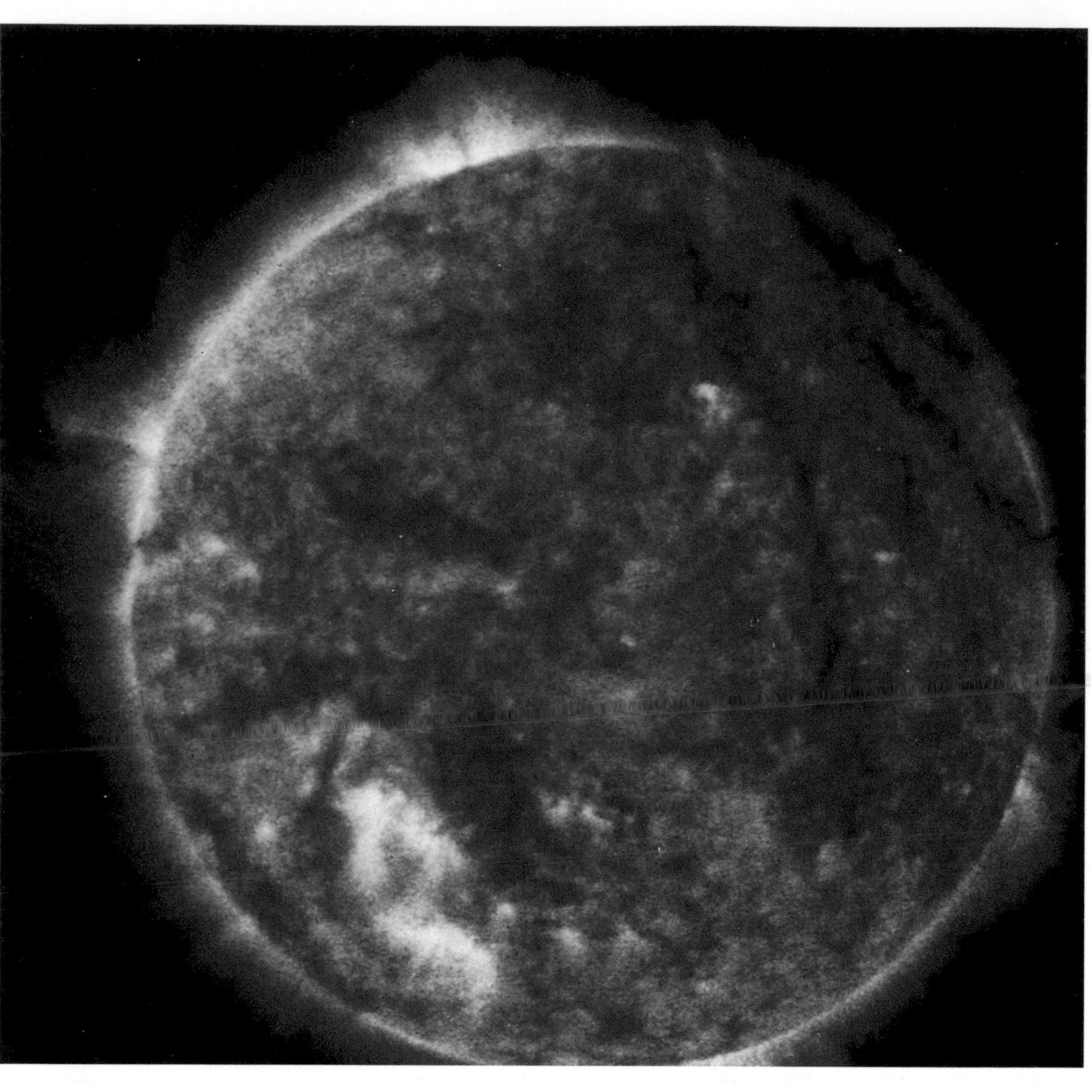

Gros plan du Soleil et de sa couronne (couche externe de l'atmosphère solaire), radiographiés par une fusée spatiale. L'agonie du Soleil (ci-dessus) le transformera en géante rouge cent fois plus grande. Sa périphérie disparaîtra ensuite pour ne laisser qu'une naine blanche.

bombe H. Tout en brûlant son carburant, le Soleil en crée donc un autre : tandis que sa réserve d'hydrogène diminue, celle d'hélium augmente. La lumière et la chaleur qu'il émet actuellement ont en fait été produites il y a des millions d'années en son noyau.

Quand nous faisons brûler du bois ou du charbon, nous le transformons partiellement en énergie. Plus le foyer a un bon rendement, plus il produit de chaleur. Le Soleil a un excellent rendement. Pourtant, l'hélium qu'il engendre pour s'autoalimenter ne représente que 92,3 % de l'hydrogène qu'il brûle. Les 7,7 % restants se dissipent en diverses formes d'énergie : chaleur, lumière et rayons X. Cette perte d'hydrogène est minime par rapport à l'énormité de la masse du Soleil. Bien qu'il se compose de gaz légers, il pèse environ 300 000 fois plus lourd que la Terre. Et il perd quelque 4 millions de tonnes de matière par seconde.

Les scientifiques estiment que ses réserves d'hydrogène lui permettront de tenir encore entre cinq et sept milliards d'années, soit à peu près l'équivalent de son âge actuel. Ensuite, une terrifiante apocalypse détruira toute vie sur la Terre.

Avant de s'éteindre, le Soleil se transformera en géante rouge et atteindra environ 100 fois sa taille actuelle. Il engloutira d'abord Mercure et Vénus, les planètes les plus proches. L'atmosphère de la Terre, qui la protège normalement de l'intense chaleur solaire, se dissipera. Portées à ébullition, les mers disparaîtront en vapeur. N'étant plus refroidie par son atmosphère et ses océans, la Terre elle-même deviendra une énorme boule de feu, avant que Mars se désintègre à son tour.

Le Soleil deviendra alors ce que les astronomes appellent une naine blanche, étoile au noyau minuscule chauffé à blanc. Très instable, il ne produira plus d'énergie. Peu à peu, tel un feu qui s'éteint, il changera de couleur en virant du blanc au jaune, puis au rouge, et disparaîtra aux regards éventuels sous forme de naine noire.

Que cette perspective ne vous déprime pas trop ! Si le Soleil s'éteignait tout à coup demain, il faudrait encore dix millions d'années avant que sa surface se refroidisse suffisamment pour que nous en ressentions les effets. Qui sait ? Dans cinq milliards d'années, l'humanité aura peut-être trouvé le moyen de conjurer le destin.

Pourquoi le Soleil ne grossit-il pas ?

Le Soleil est un gigantesque ballon d'hydrogène et d'hélium. Et il brûle. Si nous chauffons un ballon de gaz, il se dilate. C'est le principe de la montgolfière : dilaté par la chaleur, l'air qu'elle contient est plus léger que la normale et peut faire monter dans le ciel une nacelle chargée de passagers. De même, on pourrait croire que le Soleil se dilate sous l'effet de sa propre température. Nous savons qu'il n'en est rien. La plupart des gens le considèrent comme une source de lumière et de chaleur totalement fiable et constante.

C'est pendant les années 1920 que l'astronome britannique Arthur Eddington a découvert pourquoi le Soleil ne grossissait pas : logiquement, sa force de gravité devrait au contraire concentrer les gaz dont il est exclusivement composé en une boule à la fois petite et assez dense. Mais, comme cet effondrement ne se produit pas, c'est qu'une autre force maintient l'équilibre. Eddington et d'autres savants sont parvenus à la conclusion que cette force était la chaleur. L'attraction provoquée par la gravité est compensée par la poussée due à la chaleur. Jumelles et égales, ces deux forces s'annulent et font en sorte que le Soleil ne grossisse ni ne diminue, du moins tant qu'il ne touche pas à sa fin.

Ces déductions en ont entraîné d'autres. On connaissait déjà la force de gravité du Soleil. Eddington a donc calculé la quantité de chaleur correspondant à une force équivalente et contraire. Il est parvenu au chiffre de 15 millions de degrés au noyau de l'astre. D'après le physicien américain George Gamow, une tête d'épingle portée à une telle température (à supposer que cela soit possible) enflammerait tout à 100 km à la ronde. Mais la sphère solaire est si vaste, et donc la distance à parcourir par la chaleur si grande, que la température n'est plus que de 5 800 °C à sa surface.

Celle-ci est constamment agitée par des éruptions de gaz incandescents. Les gaz moins chauds, plus denses et donc plus lourds, retombent dans le brasier. Ces flux énormes sont visibles de la Terre et donnent au Soleil un aspect tacheté, les zones claires étant les plus chaudes.

Pourquoi le Soleil a-t-il des taches ?

Le Soleil n'est pas seulement une masse turbulente d'hydrogène et d'hélium. D'énormes courants électriques y engendrent de vastes champs magnétiques, qui vont et viennent sous la forme de taches sombres à sa surface. Elles forment des groupes dont l'intensité et le nombre culminent tous les onze ans.

Les taches solaires étaient déjà observées dans l'Antiquité. Bien que l'invention du télescope, au XVIIe siècle, en ait permis l'étude systématique, leur caractère cyclique n'a été découvert qu'au XIXe siècle. L'astronome amateur allemand Heinrich Schwabe, qui observait le Soleil dans l'espoir de voir passer une nouvelle planète devant, s'intéressa alors à certaines de ces taches, dont il releva la position et la densité pendant quelque dix-sept ans. En 1843, il avait établi leur évolution et remarqué que leur point culminant coïncidait avec de remarquables aurores boréales et australes, plus importantes que les autres.

Au début de ce siècle, l'astronome américain George Hale alla plus loin. Il découvrit que les taches solaires produisaient une activité magnétique intense, parfois 8 000 fois plus forte que le champ magnétique terrestre.

Depuis lors, nous avons appris que les taches solaires, dont beaucoup représentent plusieurs fois la taille de la Terre, témoignent de gigantesques tempêtes. De temps à autres, des champs magnétiques venus des profondeurs de l'astre remontent à sa surface. Ils bloquent l'afflux de chaleur et de lumière avant tant d'efficacité que les zones sombres où ils apparaissent présentent une différence d'au moins 1 000 °C avec les alentours.

Si les perturbations se produisent près du centre du disque solaire et face à la Terre, elles peuvent provoquer des orages magnétiques dans nos régions polaires. Les réceptions radio sont mauvaises, les boussoles s'affolent et le temps risque de changer brutalement.

Mais les particules à haute énergie des éruptions solaires menacent aussi les astronautes d'irradiation et de cancer. Les missions spatiales habitées sont généralement reportées si l'on prévoit des tempêtes solaires intenses.

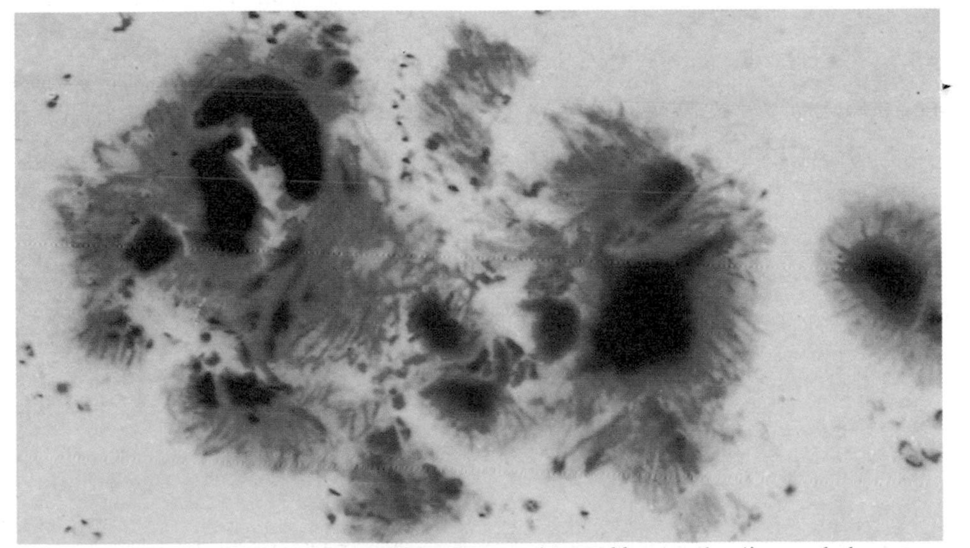

Les taches solaires sont d'immenses champs magnétiques bloquant lumière et chaleur. Leur taille dépasse généralement de plusieurs fois celle de la Terre.

Ce kaléidoscope céleste est une aurore boréale (ou aurore australe dans l'hémisphère Sud), due aux orages magnétiques solaires. Soumis à un vent solaire charriant des particules à charge électrique, les gaz de notre atmosphère produisent alors un chatoiement de lumières blanches ou multicolores.

Pourquoi le Soleil se lève-t-il à l'est ?

La Terre tourne non seulement autour du Soleil, mais aussi sur elle-même, à une vitesse d'environ 1 600 km/h à l'équateur. Les astronomes ont mis des siècles à l'établir. Vers l'an 350 avant J.-C., le philosophe grec Héraclide du Pont a été le premier à émettre l'hypothèse d'une rotation de la Terre, et non pas du ciel. Personne alors ne l'a pris au sérieux.

Dans les années 1620, Galilée a remarqué que les taches solaires changeaient de position. Il en a déduit que le Soleil tournait sur son axe et que la Terre faisait de même. En 1633, l'Église catholique l'a contraint à déclarer publiquement que notre planète était fixe : comment aurions-nous pu marcher dessus si elle avait constamment tourné comme une toupie ? Ce n'est qu'en 1992, après une interminable enquête, que le Vatican a fini par reconnaître son erreur.

Au fil des siècles, d'autres astronomes ont démontré que la Terre et les autres planètes tournaient, mais à des vitesses différentes. En 1851, à Paris, le physicien français Léon Foucault en a apporté une illustration saisissante. Il a suspendu au plafond du Panthéon un pendule géant, dont la pointe laissait en oscillant une trace dans un bac de sable. L'oscillation est un mouvement qui s'exerce toujours dans la même direction. Or, la trace changeait heure par heure : la Terre tournait sous le pendule, comme tous les visiteurs pouvaient le constater.

Sauf Vénus, dont la rotation sur elle-même s'effectue inexplicablement dans le sens rétrograde, toutes les planètes tournent d'ouest en est. C'est donc toujours l'est qui reçoit les premiers rayons du Soleil, quelle que soit la position de ce dernier dans le zodiaque ou celle de la Terre par rapport à lui.

Vous pouvez le vérifier avec une lampe de chevet et un globe terrestre. Allumez la lampe, qui jouera le rôle du Soleil (encore que celui-ci soit assez grand pour engloutir 1,3 million de planètes Terre). Faites lentement tourner votre globe terrestre, vu du dessus, dans le sens contraire des aiguilles d'une montre. Vous verrez que la lumière du Soleil éclaire toujours en premier la côte est d'un continent, et qu'elle se déplace peu à peu vers l'ouest. Un tour complet du globe représente une journée.

En 1851, le physicien français Léon Foucault a prouvé que la Terre tournait grâce à un pendule géant imprimant son parcours dans une couche de sable. La trajectoire changeait peu à peu pendant la journée, ce qui attestait la rotation de la planète.

VOTRE SIGNE DU ZODIAQUE

Cette carte fantaisiste du ciel austral, dressée en 1790 par James Barlow, dépeint les constellations et, en périphérie, les signes du zodiaque. Les Babyloniens avaient divisé l'orbite solaire en douze segments auxquels ils avaient donné les noms des groupes d'étoiles les plus proches du Soleil : Bélier, Taureau, Gémeaux, Cancer, Lion, Vierge, Balance, Scorpion, Sagittaire, Capricorne, Verseau et Poissons.

Nos ancêtres ont vite découvert que le Soleil se déplaçait de deux manières différentes dans le ciel. Il se lève chaque jour à l'est, atteint son zénith à midi, et se couche à l'ouest. Mais, au fil de l'année, il se déplace aussi vers l'est par rapport aux étoiles, ce que vous pouvez facilement vérifier.

Sortez juste après le coucher du Soleil, et repérez un groupe d'étoiles à l'ouest. Changez de place pour les aligner sur un objet précis, tel qu'un poteau télégraphique ou un réverbère. Si vous revenez les observer une semaine plus tard du même endroit, vous constaterez qu'elles sont plus proches de l'horizon et du Soleil. Quelques semaines après, elles auront disparu, car elles se seront couchées avant le crépuscule.

En relevant pendant un an la position du Soleil par rapport aux étoiles, vous verrez qu'elle forme un cercle, nommé écliptique par les astronomes. Les Babyloniens lui donnaient chaque mois un nom différent, que les astronomes utilisent toujours pour indiquer la position solaire, après l'avoir traduit et modifié au fil des siècles. Et les astrologues s'en servent pour établir l'horoscope.

Celui-ci a une explication simple. Le Soleil est directement au-dessus de l'équateur deux fois par an, le 21 mars et le 23 septembre, lors des équinoxes de printemps et d'automne. Lorsque les constellations ont reçu leur nom, l'équinoxe de printemps (21 mars) coïncidait dans l'hémisphère Nord avec l'entrée dans la constellation du Bélier. Celle-ci correspond donc au premier douzième de l'année solaire, qui débute le 21 mars, et les autres signes aux douzièmes suivants (Taureau en avril, Gémeaux en mai, etc.).

Dire que le Soleil est « dans le Bélier » signifie que tous deux sont à peu près dans la même direction. En fait, ces étoiles sont des millions de fois plus éloignées que la Terre l'est du Soleil.

Les secrets de la Lune

Pourquoi la Lune a-t-elle une face cachée ?

En 1609, peu après l'invention du télescope, Galilée lui donna sa première application astronomique en observant les étoiles. Les télescopes du célèbre astronome italien étaient rudimentaires (le premier ne grossissait les objets que trois fois), mais ils lui permettaient de voir les cieux comme nul ne l'avait fait auparavant. Cela dit, sa vision de la Lune était à peine plus nette que celle des astronomes babyloniens de l'an 2000 avant J.-C.

Qu'elle soit observée à l'œil nu ou avec les télescopes les plus puissants, la Lune présente toujours la même face, appelée face visible. Pour l'expliquer à un enfant, essayez cette comparaison, où vous jouerez le rôle de la Terre et lui, celui de la Lune. Sans vous déplacer, demandez à l'enfant de tourner autour de vous en vous regardant constamment. En même temps, pivotez sur vous-même pour toujours lui faire face. Après un cercle complet, vous serez revenus à votre position initiale sans qu'aucun de vous deux ait vu le dos de l'autre. Du moins si vos rotations sont parfaitement synchronisées : il suffit que l'enfant pivote de 99,999 % par tour pour que vous finissiez par lui voir le dos.

La Lune met vingt-sept jours un tiers à faire le tour de la Terre. Pendant ce temps, elle pivote une fois sur son axe. Un pivotement légèrement plus lent ou plus rapide permettrait d'en révéler peu à peu la face cachée. Mais ce n'est pas le cas. Les rotations de la Terre et de la Lune sont si parfaitement synchronisées qu'on les croirait reliées par un engrenage.

Est-ce une coïncidence ? Non, car les satellites naturels de bien d'autres planètes (par exemple ceux de Mars et de Jupiter) évoluent de la même façon, à cause de ce que les astronomes nomment les « gradients de gravité ».

Lorsque la Lune était composée de roches en fusion, un renflement se formait sur sa partie la plus proche de la Terre. C'était une marée de matière liquéfiée provoquée par l'attraction terrestre, plus forte de ce côté que sur la face cachée. Tandis que la Lune pivotait sur elle-même, ce renflement allait et venait en se frottant contre les matériaux des profondeurs lunaires et en freinant peu à peu la rotation de notre satellite sur son axe. Cette friction (et donc le ralentissement qu'elle provoquait) a continué tant qu'un décalage a subsisté entre le pivotement de la Lune sur elle-même et le temps qu'elle mettait à faire le tour de la Terre. Elle n'a cessé qu'avec leur synchronisation parfaite, et, depuis, toute une face de la Lune est toujours cachée à nos regards.

Pour toujours ? Pas vraiment : en 1959, la sonde spatiale soviétique Lunik 3 a envoyé les premières photographies de la face cachée de la Lune. Depuis, des dizaines d'autres missions soviétiques et américaines ont considérablement enrichi nos connaissances à son sujet.

Pourquoi y a-t-il des éclipses ?

On peut assister en une vie à environ 36 éclipses totales et 48 éclipses partielles de Lune. Celles de Soleil sont beaucoup plus rares. Comme tout objet solide exposé à la lumière, la Terre et la Lune, éclairées par le Soleil, projettent des ombres dans l'espace. La lumière solaire provenant d'un large disque, et non d'un point, l'ombre de la Terre est cernée d'une zone grisée, ou pénombre. Quand le Soleil, la Terre ou la Lune sont alignés, la Lune entre dans l'ombre de la Terre. Elle n'est plus éclairée par le Soleil et subit une éclipse totale en prenant un rouge cuivré dû à des rayons solaires réfractés par l'atmosphère, et dont certains atteignent sa surface. Si vous étiez à cet instant précis sur la Lune, vous assisteriez au spectacle extraordinaire de la Terre entourée d'une flamboyante couronne écarlate.

Si la Lune ne passe que dans la pénombre de la Terre, on peut voir son éclat diminuer à l'œil nu. C'est une éclipse partielle. Un astronaute qui s'y trouverait alors verrait le Soleil en partie caché par la Terre. Et un thermomètre lui permettrait de constater une chute brutale de la température extérieure, la surface lunaire perdant rapidement sa chaleur.

Les éclipses de Lune ne se produisent que quand celle-ci est pleine, c'est-à-dire quand la Lune et le Soleil sont de part et d'autre de la Terre. Notre planète étant beaucoup plus grande que la Lune, elle projette dessus une ombre importante, dont la taille varie selon la distance qui les sépare. C'est pourquoi la Lune peut mettre jusqu'à une heure quarante-cinq pour traverser le cône d'ombre de la Terre, soit

La face cachée de la Lune, ici photographiée en 1969 par les astronautes de la mission spatiale Apollo 11. Le grand cratère mesure environ 80 km de diamètre.

une durée très supérieure à celles des éclipses de Soleil. De plus, ses éclipses sont visibles de tout point de la Terre tourné vers la Lune.

Les éclipses de Soleil sont provoquées par le passage de la Lune entre le Soleil et la Terre. Tout s'assombrit, la Terre étant dans l'ombre de la Lune. Pendant environ sept minutes, le Soleil ne forme qu'un cercle vague faiblement éclairé à sa périphérie. L'éclipse n'est totale que dans une région d'environ 275 km de diamètre, et elle est partielle aux alentours.

On peut se demander pourquoi il n'y a pas d'éclipse de Lune tous les vingt-neuf jours et demi, c'est-à-dire à chaque pleine lune. Mais, pour qu'une éclipse ait lieu, il faut que la trajectoire de la Lune soit proche de ce que les astronomes appellent l'écliptique, c'est-à-dire la trajectoire du Soleil dans la sphère céleste. Or, l'orbite de la Lune est inclinée légèrement au-dessus ou au-dessous de celle-ci et ne la croise qu'en deux points (ou nœuds), ce qui la place dans l'ombre de la Terre.

La rareté relative des éclipses explique l'intérêt qu'elles ont toujours suscité. On en trouve la relation dès l'an 750 avant J.-C. Les Anciens y voyant des messages divins, les astronomes babyloniens et grecs leur prêtaient une grande attention et apprirent à les prévoir avec une grande précision. De même, on suppose que le site mégalithique de Stonehenge, en Angleterre, était un observatoire permettant de prédire ces phénomènes.

Aujourd'hui, nous sommes en mesure de dater avec exactitude les deux prochaines éclipses de Lune, qui auront lieu le 4 avril 1996 à 0 h 9 et le 27 septembre 1996 à 2 h 53.

Pourquoi la Lune change-t-elle de forme ?

Pour le comprendre, il suffit de regarder une balle de tennis sous différents angles à la lumière du jour. Sa partie éclairée prendra les aspects habituels de la Lune. Si le Soleil est derrière elle, on obtiendra un mince croissant. En bougeant légèrement, le croissant couvre la moitié de la balle, soit un quartier de Lune. Et si on a le Soleil presque derrière soi, on verra une Lune gibbeuse (où la zone d'ombre est convexe) : la lumière réfléchie en couvre plus de la moitié, mais elle ne va pas jusqu'au cercle complet.

Et pour comprendre pourquoi la Lune est visible en plein jour, tenez la balle à bout de bras de manière à ce qu'elle vous cache la Lune. La balle sera éclairée exactement de la même manière que la Lune : le Soleil étant très loin de l'une et de l'autre, sa lumière les atteint pratiquement sous le même angle.

En bougeant dans l'espace, le vaisseau spatial Terre nous permet de voir la Lune de différents endroits chaque jour. La partie éclairée que nous en apercevons prend donc constamment des formes variées, auxquelles nous donnons des noms conventionnels : la nouvelle lune correspond au croissant le plus mince en forme de D, qui commence à peine à grandir. Pendant les vingt-neuf jours et demi qui suivront (écart d'une nouvelle lune à l'autre appelé période synodique), notre satellite passera par toutes ses phases jusqu'à son ultime croissant en forme de C, avant de disparaître.

Le Soleil disparaît pendant une éclipse totale, mais sa couronne (son atmosphère extérieure, très étendue) reste visible et offre un spectacle grandiose. Le phénomène ne se produit que lorsque la Terre passe directement dans l'ombre de la Lune. Une éclipse de Soleil ne dure jamais plus de sept minutes quarante secondes et n'est totale que dans une zone d'environ 275 km de large. Noire en son centre, l'ombre de la Lune est entourée d'une région grisée, la pénombre. Dans la zone d'ombre, l'éclipse est totale. Dans la pénombre, elle est partielle.

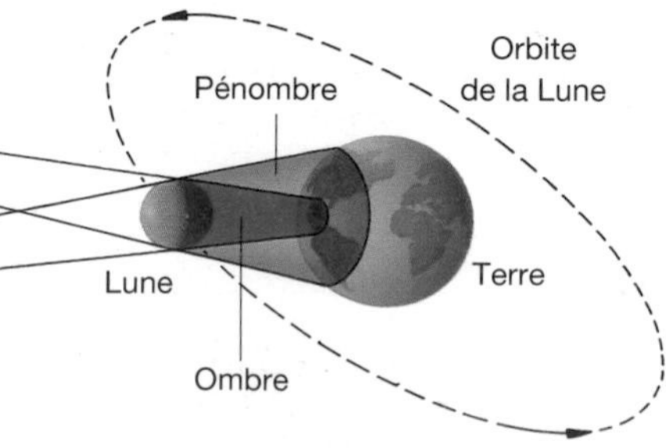

Pourquoi la Lune n'a-t-elle ni air ni eau ?

Bien avant que l'homme y pose le pied, en 1969, les astronomes supposaient que la Lune n'avait pas d'air, et, selon toute vraissemblance, pas d'eau.

Ils avaient vu juste. La Lune est dépourvue d'atmosphère et ses échantillons de

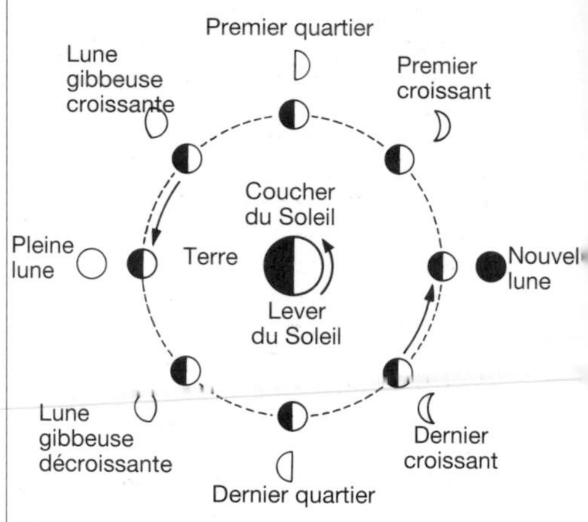

Les phases de la Lune : la Lune tourne autour de notre planète en vingt-sept jours et demi. Le cercle extérieur montre ses phases telles que nous les voyons.

roches rapportés par les astronautes ne contiennent pas d'eau (la plupart des roches terrestres en renferment 1 ou 2 %). Pour maintenir leur état d'origine, la NASA, l'administration spatiale américaine, les conserve en atmosphère d'azote totalement anhydre dans son laboratoire de matériaux planétaires de Houston.

S'il n'y a ni air ni eau sur la Lune, c'est que sa gravité est trop faible pour retenir la plus petite parcelle d'atmosphère ou le moindre nuage de vapeur. Cela est dû à ce qu'on nomme la « vitesse de libération ».

Ce terme désigne la vitesse minimale qu'un vaisseau spatial doit atteindre pour s'arracher à l'attraction exercée par la planète (ou le satellite) dont il décolle. Elle est de 11,2 km/s sur la Terre, mais d'à peine 2,4 km/s sur la Lune, soit 8 640 km/h. Certes, ce dernier chiffre paraît très impressionnant. Mais, en fait, les molécules de gaz sont généralement aussi rapides, et parfois bien plus. Quand le Soleil est au zénith, la température des roches lunaires peut monter à 130 °C. Or, tout accroissement de température implique une augmentation des vitesses moléculaires. Avec le temps, toute molécule de gaz ou d'eau présente sur la Lune finirait par dépasser sa vitesse de libération, et donc par disparaître à jamais dans l'espace. Par conséquent, l'atmosphère et l'eau ont peut-être existé sur la Lune, mais elles se sont évanouies dans le cosmos.

D'OÙ VIENT LA LUNE ?

Vénus et Mercure n'ont pas de lune, Mars en a deux petites, et les planètes géantes comme Jupiter, Saturne, Uranus et Neptune en ont respectivement 16, 23, 15 et 8. Mais celles-ci sont proportionnellement plus petites, par rapport à ces planètes, que notre Lune par rapport à la Terre, et surtout que Charon par rapport à la lointaine Pluton, naine du système solaire, dont elle représente environ la moitié.

Les astronomes ignorent la raison de ces disparités. Ils ne connaissent pas non plus avec certitude l'origine de ces lunes, satellites naturels de corps célestes plus importants.

L'astronome anglais George Darwin, qui a étudié le problème au siècle dernier, a conclu que la Lune serait en fait un morceau de la Terre, dont elle se serait jadis détachée en laissant un énorme trou, devenu l'océan Pacifique. Cette hypothèse a été rapidement abandonnée : la rotation de la Terre, inchangée depuis ses origines, est trop lente pour projeter en orbite un fragment de cette taille. De plus, l'analyse des roches lunaires révèle trop de différences avec celles de la Terre.

D'après une deuxième théorie, la Terre et la Lune se seraient formées séparément de toutes les planètes. Mais, dans ce cas, pourquoi sont-elles composées de matériaux différents (le noyau de la Terre est métallique et celui de la Lune rocheux) ? Une variante est parfois avancée, selon laquelle la Terre et la Lune se seraient formées de matériaux différents à des époques différentes. La Lune aurait suivi une orbite qui l'aurait rapprochée de la Terre, et elle aurait été « capturée » et satellisée par l'attraction terrestre.

Selon une hypothèse plus récente, un énorme astéroïde aurait heurté la Terre peu après sa création, il y a 4,6 milliards d'années. Cela aurait projeté dans l'espace une immense pluie de débris qui auraient fini par former la Lune.

Quelle que soit la raison que trouveront un jour les astronomes, l'accident, encore inexplicable, à l'origine de la formation de la Lune n'a pas fini de faire rêver baladins et poètes.

Source de poésie et de drame, la Lune occupe une place importante dans le Songe d'une nuit d'été, *de Shakespeare.*

Quand la Lune paraît aussi grosse que le Soleil

Le diamètre de la Lune est de 3 476 km, soit approximativement la distance Paris-Beyrouth. Avec 1,39 million de kilomètres, celui du Soleil est 400 fois supérieur. Pourtant, pleine, la Lune paraît à peu près aussi grande que le Soleil, qu'il lui arrive d'ailleurs d'occulter lors des éclipses totales.

À l'échelle de l'Univers, cette similitude apparente n'est que passagère. Elle est due à la différence de distance : le Soleil se trouve en moyenne à environ 150 millions de kilomètres de nous, soit 389 fois plus loin que la Lune.

Dans le passé, cette dernière était beaucoup plus proche. Il y a 1,2 milliard d'années, elle n'évoluait qu'à 18 000 km de la Terre, et nous aurait donc semblé 20 fois plus grande. Elle s'écarte peu à peu à cause des marées. En effet, l'attraction lunaire fait varier le niveau des océans, lesquels constituent 70 % de la surface terrestre. Quand la Lune passe par-dessus l'Atlantique, son attraction provoque le gonflement de ses masses d'eau (et, assez curieusement, de celles de l'océan Indien, aux antipodes, qui se gonflent aussi parce qu'elles sont moins attirées par la Lune que le reste de la Terre). C'est ce que nous appelons les marées. En exerçant une friction, elles freinent peu à peu la rotation de la Terre, ce qui allonge notre journée d'environ une seconde tous les 62 500 ans. Nous possédons des preuves géologiques de la variation de la vitesse de rotation de la Terre et de l'éloignement de la Lune. Il a ainsi été possible de déterminer qu'il y a environ trois cent quatre-vingts millions d'années la journée ne durait que vingt-deux heures, et l'année comptait quatre cents jours.

Ce ralentissement progressif permet à la Lune de tourner plus vite et de s'éloigner de la Terre d'environ 4 cm par an, selon les mesures effectuées depuis 1969 grâce aux réflecteurs laser déposés sur la Lune et qui permettent de mesurer la distance Terre-Lune à quelques centimètres près. Car la rotation de la Terre a aussi un effet sur les marées, qu'elle attire vers l'est. Cet important déplacement d'eau affecte la force d'attraction terrestre : cela exerce sur la Lune une traction latérale, qui la fait peu à peu accélérer sur son orbite. Dans ce processus, l'orbite lunaire s'agrandit. Si bien que, en dépit d'une vitesse supérieure, notre satellite met plus de temps à faire le tour de la planète. Une projection mathématique permet de penser que ce phénomène se poursuivra pendant plusieurs millions d'années, jusqu'à ce que la Lune mette cinquante-cinq jours à boucler son orbite, contre vingt-sept jours un tiers actuellement. Cela ne signifie pas que sa face cachée deviendra visible : parallèlement, la rotation de la Terre aura ralenti, et Terre et Lune resteront synchronisées, comme en un ballet parfaitement réglé.

Le disque de la Lune, ici prêt à sombrer en mer, étant jadis plus proche, semblait 20 fois plus grand.

Une pesanteur moindre

Si l'on pouvait organiser des jeux Olympiques sur la Lune, les résultats seraient stupéfiants : les performances au saut en hauteur seraient six fois supérieures, et on enregistrerait des distances prodigieuses au saut en longueur ou au lancer du poids et du javelot. C'est que la pesanteur sur la Lune n'est que le sixième de celle connue sur la Terre. Autrement dit, un sac de 6 kg de pommes de terre acheté sur un marché terrien ne pèserait plus que 1 kg dans une cuisine lunaire.

En 1665, Isaac Newton, à vingt-trois ans à peine, définit l'attraction universelle. Il élabore la formule mathématique portant son nom, par laquelle nous pouvons calculer l'attraction subie en n'importe quel point, et donc sur la surface lunaire. Newton explique que tout corps exerce sur tout autre corps une force d'attraction. Celle-ci dépend de leur masse (plus elle est grande, plus l'attraction est forte) et de leur distance, mesurée à partir du centre de chacun d'eux.

Le principe s'applique à la Terre comme à la Lune, et il est largement utilisé en exploration spatiale. Quand Apollo 8 est entré dans le champ d'attraction lunaire, l'astronaute Bill Anders a simplement déclaré : « Je pense qu'Isaac Newton effectue l'essentiel du pilotage maintenant. »

La chute d'un vaisseau spatial sur la Lune est plus lente, et l'impact est moins violent que sur la Terre, car la masse de notre satellite est nettement moindre. D'abord, la Lune est beaucoup plus petite : son diamètre n'est que de 3 476 km, contre 12 800 km pour la Terre. En outre, elle est constituée de matériaux plus légers. 1 cm^3 de roche lunaire ne pèse en moyenne que 3,3 g contre 5,5 g pour 1 cm^3 de roche terrestre.

Pour toutes ces raisons, la pesanteur est nettement moindre sur la Lune que sur la Terre. Dans les deux cas, on peut la calculer précisément grâce aux lois de Newton.

Pourquoi être d'abord allé sur la Lune ?

Annoncé le 25 mai 1961 par le président Kennedy, le but du programme Apollo était d'envoyer des hommes sur la Lune et de les en faire revenir sains et saufs avant la fin de la décennie. Personne n'aurait envisagé sérieusement une destination telle que Mars, Vénus ou Jupiter.

Le problème de la distance était essentiel. À 384 000 km (en moyenne) de nous, la Lune est l'élément du système solaire le plus proche de la Terre. Au-delà, notre plus proche voisine est Vénus, située, dans le meilleur des cas, à 38 millions de kilomètres ! Vient ensuite Mars, pour laquelle il faut compter au minimum 55 millions de kilomètres...

Apollo 11 a mis quatre jours à atteindre la Lune. Pour parvenir sur Mars, il en aurait fallu au moins 270 à Neil Armstrong et à son équipage. D'autre part, la pesanteur sur Mars ou sur Vénus est très supérieure à la pesanteur sur la Lune. Apollo aurait eu besoin de beaucoup plus de carburant, non seulement à cause de la longueur du trajet, mais aussi pour se libérer de l'attraction de l'une ou l'autre de ces deux planètes au début de son voyage de retour. Pour quitter la Lune, il faut atteindre une vitesse de libération de 2,4 km/s. Ce chiffre passe à 5,1 sur Mars et à 10,3 sur Vénus, soit plus de quatre fois plus.

Tenue correcte exigée

La Lune n'a pas d'atmosphère. Faute d'air, les astronautes auraient pu respirer grâce à des bonbonnes d'oxygène comme celles des plongeurs sous-marins. Mais d'autres dangers imposaient le port de combinaisons spéciales.

Leurs combinaisons étaient pressurisées afin de maintenir leur corps à la pression atmosphérique exercée sur la Terre, soit 1 kg/cm^2. S'ils les avaient quittées, les astronautes auraient subi bien pire que les problèmes de décompression familiers aux plongeurs : leur corps aurait pu éclater.

Il fallait aussi les protéger d'une chaleur intense. La Lune n'ayant pas d'atmosphère pour atténuer l'énergie solaire, en plein soleil, la température peut monter jusqu'à 130 °C, soit davantage que le point d'ébullition de l'eau.

Notre planète dispose d'un thermostat intégré pour tempérer l'ardeur du Soleil. Surtout composée d'oxygène et d'azote, notre atmosphère absorbe la chaleur de la surface terrestre. En outre, la Terre est recouverte à 70 % par des océans, dont l'eau absorbe une grande quantité de chaleur avant de se réchauffer. Ils ont donc pour effet d'atténuer les brusques variations de température.

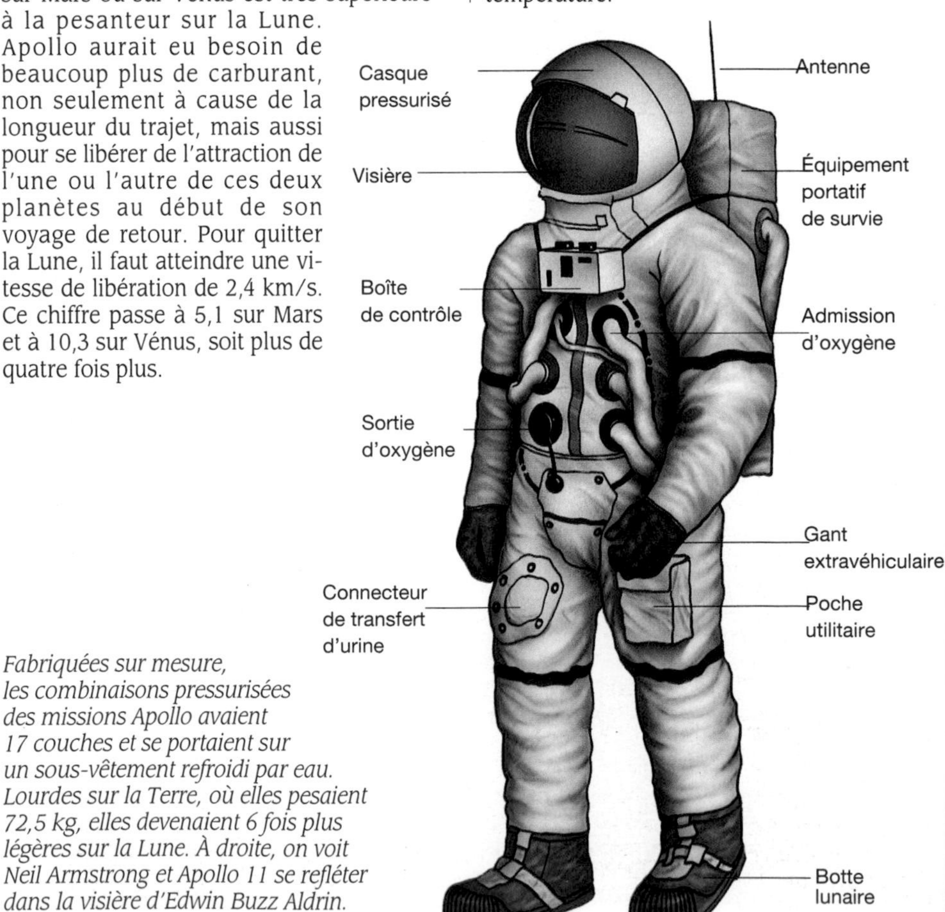

Fabriquées sur mesure, les combinaisons pressurisées des missions Apollo avaient 17 couches et se portaient sur un sous-vêtement refroidi par eau. Lourdes sur la Terre, où elles pesaient 72,5 kg, elles devenaient 6 fois plus légères sur la Lune. À droite, on voit Neil Armstrong et Apollo 11 se refléter dans la visière d'Edwin Buzz Aldrin.

La Lune n'offre aucun de ces avantages. Faute d'atmosphère pour filtrer les intenses rayons ultraviolets du Soleil, les casques des astronautes étaient équipés de visières filtrantes. Et le textile des combinaisons était assez épais pour les préserver de la chaleur, mais aussi des météorites, minuscules particules de poussière frappant la Lune à grande vitesse, si bien qu'un astronaute nu y aurait eu l'impression d'être décapé à la sableuse.

Pourquoi la Lune a-t-elle tant de cratères ?

La Lune est un véritable musée de cratères anciens, dont certains mesurent plus de 200 km de large. Leur origine a suscité d'ardents débats durant des siècles. À l'époque de Galilée, et jusque dans les années 1890, on y voyait la présence d'immenses volcans éteints. L'hypothèse était crédible, car ils ressemblent beaucoup aux volcans terrestres, par leur forme circulaire, toujours cernée d'une crête montagneuse escarpée.

Le géologue américain Grove Karl Gilbert a été le premier à contester cette théorie en se demandant pourquoi les cratères lunaires se trouvaient au niveau du sol et non au sommet de montagnes. Quelques années plus tard, en 1929 précisément, l'astronome américain Forest Moulton a justement avancé que des météorites frappant la Lune à 108 000 km/h créeraient des cratères circulaires entourés d'une crête montagneuse.

La plupart des cratères lunaires remontent à environ quatre milliards d'années. Auparavant, la Lune ne cessait de grossir, car elle attirait des débris flottant dans l'espace : rochers de toutes les tailles, poussières et astéroïdes. Certains de ces projectiles spatiaux ayant plusieurs centaines de kilomètres de diamètre, ils ont laissé des cratères si vastes qu'ils sont visibles de la Terre à l'œil nu.

Quand le bombardement a diminué d'intensité, les éléments radioactifs présents dans cet amas de débris ont provoqué d'énormes coulées de lave. Les rochers de la surface ont fondu jusqu'à une profondeur de 200 km. Pendant cinq cents millions d'années, le visage ravagé de la Lune a été inondé de lave. Celle-ci a nivelé certains cratères et formé les vastes étendues sombres, improprement appelées mers, si visibles de nos jours.

Voici environ trois milliards d'années que ces coulées de lave ont cessé. Les chutes de météores plus récentes ont creusé de nouveaux cratères, parfois très grands. Mais si des astronautes avaient aluni à une époque ancienne, ils y auraient trouvé un paysage très similaire à ce qu'il est aujourd'hui.

La Lune n'est pas seule à présenter les cicatrices d'un tel pilonnage. Des sondes spatiales ont révélé des phénomènes identiques sur d'autres planètes. C'est un indice évident de manque d'eau et d'air : au fil des millions d'années, leur érosion finit par modeler un nouveau paysage, comme c'est le cas sur la planète Terre.

Bombardée par des météores, la Lune est criblée de cratères datant de milliards d'années. Ératosthène, jeune cratère, a été photographié par les astronautes d'Apollo 17 en 1972.

La pleine lune luit ici en plein jour sur les pics de l'Oregon (USA). Mais, malgré son éclat, elle reflète très mal la lumière solaire.

Le Soleil a rendez-vous avec la Lune

La Lune n'émet pas de lumière. Ce que nous appelons clair de lune n'est que le reflet du Soleil à la surface de la Lune. Même s'il permet parfois d'y voir presque comme en plein jour, le pouvoir réfléchissant (ou albédo) de la Lune est très médiocre : elle ne réverbère qu'environ 7 % de la lumière qu'elle reçoit, soit à peu près autant que la roche volcanique sombre, alors que le pouvoir réfléchissant d'un champ de neige frise les 100 %.

Mais 7 % de la lumière solaire, c'est déjà très brillant ! Parfois, quand la Lune se lève en plein jour, son éclat est supérieur à celui du ciel qui l'entoure, ce qui permet de la voir, même si elle ne présente qu'un mince croissant.

Pourquoi la Lune ne tombe-t-elle pas ?

Le sens commun assurait naguère que tout ce qui monte finit par redescendre. Le lancement d'engins spatiaux et de satellites a prouvé que ce n'était pas toujours vrai : le ciel est maintenant encombré de ferraille qui, après y être montée, peut très bien ne jamais retomber.

Pourquoi la Lune, accrochée dans le ciel tel un ballon géant et soumise à l'attraction terrestre, ne vient-elle pas s'écraser sur nous ? Redoutée aux temps anciens, cette hypothèse se fonde sur une illusion. Immobile en apparence, la Lune se déplace en fait sur une orbite régulière autour de la Terre. C'est difficile à déceler, car elle évolue à une distance moyenne de 384 000 km. Or, plus un objet est proche, plus il semble se déplacer rapidement. Par exemple, un avion qui décolle paraît aller très vite aux yeux d'observateurs présents sur la piste. S'il vole très haut dans un ciel sans nuages, son déplacement est difficilement perceptible.

Le mouvement de la Lune autour de la Terre est très comparable à celui d'une balle qu'on ferait tournoyer au bout d'une ficelle. Elle essaie de partir en ligne droite, et c'est ce qui arriverait si la ficelle cassait, mais celle-ci la contraint à décrire des cercles. Supposons que l'attraction terrestre soit la ficelle. La vitesse de la Lune (environ 3 700 km/h) a tendance à propulser celle-ci constamment dans l'espace. Mais l'attraction terrestre, bien qu'amoindrie par la distance, est encore assez forte pour la maintenir en orbite.

Dans les années 1660, Isaac Newton s'est penché sur le problème. Il n'était pas le premier à observer que tout objet lancé en l'air retombait sur la Terre, et l'anecdote selon laquelle il a découvert la gravité quand une pomme lui est tombée sur la tête est sujette à caution. Mais peut-être a-t-il été inspiré par la chute d'une pomme en regardant par la fenêtre de son bureau. Il en a conclu que, si les objets de la Terre étaient soumis à son attraction, c'était peut-être aussi le cas pour la Lune.

D'autres physiciens avaient soutenu que cette force ne s'appliquait pas aux corps célestes, mais Newton était convaincu du contraire. Il établit notamment que la Terre et la Lune exerçaient l'une sur l'autre une attraction gravitationnelle, et que celle-ci maintenait leur interaction en parfait équilibre.

Le même principe s'applique aux satellites artificiels lancés autour de la Terre, auxquels on donne une vitesse suffisante pour les maintenir en orbite régulière. Cela ne signifie pas qu'ils ne tombent pas. Ils tombent bel et bien, mais, au fur et à mesure de leur chute, la courbure de la surface terrestre fait que celle-ci se dérobe constamment sous eux, si bien qu'ils ne s'en rapprochent pas.

La Lune peut-elle être bleue ?

Au fil des siècles, la Lune a été une source d'inspiration inépuisable pour les poètes, qui l'ont volontiers parée d'un éclat bleuâtre. L'image est jolie, mais peut-être pas très scientifique.

Pourtant, le 26 septembre 1950, à Édimbourg, l'astronome écossais Charles Wilson a braqué son télescope sur la Lune et en a mesuré le spectre, c'est-à-dire la décomposition des couleurs. Pas de doute : ce soir-là, elle était bleue. Par la suite, le savant a attribué cette coloration à des particules huileuses flottant à haute altitude dans l'atmosphère. Elles provenaient du Canada, où un incendie de forêt atteignait une telle intensité que fumée et poussières étaient emportées à plusieurs kilomètres de haut par des courants de convection.

La lumière que nous voyons est une combinaison de couleurs dont le spectre va du rouge au bleu, à l'indigo et au violet. La fine poussière atmosphérique a tendance à donner une teinte rougeâtre à la lumière du Soleil ou de la Lune : elle brise la combinaison des couleurs en dispersant le bleu et en faisant ressortir le rouge.

C'est pourquoi le ciel est souvent rouge à l'aube ou au crépuscule. Le Soleil est bas, et sa lumière traverse davantage de particules de poussière que lorsqu'il est haut dans le ciel. À l'autre extrême, des particules de vapeur d'eau dispersent pratiquement à égalité les couleurs de base de la lumière solaire, si bien que les nuages paraissent blancs (ou bien gris et brumeux).

Les particules de taille moyenne, comme celles de l'incendie de forêt, filtrent davantage la lumière rouge que la lumière bleue, qui disparaît dans l'obscurité de la nuit. Et cela donne le phénomène de la Lune bleue.

Pourquoi celui-ci est-il si rare ? Parce qu'il n'est guère habituel de retrouver des particules de taille moyenne dans l'atmosphère. La poussière fine peut facilement s'envoler haut dans le ciel. Quant à la vapeur d'eau, elle monte tout naturellement. L'air froid la condense en grosses particules, qui, quand elles sont assez lourdes, retombent sous forme de pluie ou de grêle. Mais il faut un énorme incendie ou une éruption volcanique pour propulser dans le ciel des particules d'une taille propre à alimenter les rêves des poètes.

Le « bonhomme-Lune »

Les livres pour enfants regorgent de dessins du « bonhomme-Lune » tant les zones claires et sombres du disque lunaire évoquent un visage humain qui, selon l'humeur de celui qui le contemple, peut être alternativement gai ou triste.

Constamment redécouverte par les yeux émerveillés de nouvelles générations, le « bonhomme-Lune » est toujours jeune. Mais il est aussi très ancien : il habite là-haut depuis la nuit des temps, aussi immortel que la caillasse et la poussière de l'astre des nuits. Il lui arrive aussi de faire des farces aux voyageurs : tout Européen arrivant en Amérique du Sud ou en Australie constatera que le personnage si familier dans l'hémisphère Nord a soudain la tête à l'envers.

Dans les livres d'images, la Lune prend volontiers un visage jovial. Ce personnage a été dessiné dans les années 1920.

La galaxie du savoir

L'astronomie est sans doute la science la plus ancienne : elle est née au moment où l'homme a levé les yeux vers le ciel. Nos lointains ancêtres s'intéressaient aux phases de la Lune, au lever du soleil ou à la disposition et à l'éclat des étoiles. Et très tôt, des esprits curieux ont voulu élucider ces mystères.

Au fil des siècles, philosophes, savants, techniciens et écrivains n'ont cessé de formuler des hypothèses sur l'existence de l'Univers offert à leurs regards. Grâce à eux, l'astronomie n'est plus l'apanage des théologiens et ses rudiments sont compréhensibles par tout un chacun.

Les premières archives astronomiques, dont la précision est stupéfiante, ont été établies voici quatre mille ans en Mésopotamie. Mais elles servaient moins aux savants qu'aux astrologues, à qui leur science conférait un grand pouvoir, car les guerres, les cérémonies religieuses, les périodes de semailles ou la saison des pluies se préparaient selon la position respective de Saturne ou de Mars.

Ce recours au surnaturel laissait les Grecs sceptiques. Le plus illustre de leurs astronomes (parmi lesquels Hipparque, Aristote ou Aristarque), Claude Ptolémée, vivait à Alexandrie au IIe siècle de notre ère. Les théories qu'il élabora ne furent pas remises en cause durant quelque mille quatre cents ans. Il supposa que la Terre était sphérique, qu'elle se trouvait au centre du cosmos et que toutes les planètes étaient soumises à un mouvement naturel de rotation. Il fut aussi le premier à concevoir un système permettant de prédire les mouvements planétaires, et auquel son nom fut donné.

Cette vaste machinerie géocentrique allait se perpétuer jusqu'au XVIe siècle, car l'Église chrétienne trouva dans ce modèle une vision de l'Univers en accord avec les Saintes Écritures. Déterminés à placer la Terre au centre de l'Univers, les dignitaires de l'Église réduisaient au silence quiconque en doutait, et les esprits hardis risquaient leur vie.

Ayant osé avancer que le Soleil régissait le système planétaire, le prêtre polonais Nicolas Copernic fut accusé d'hérésie, et son émule Giordano Bruno eut droit au bûcher. On ne s'étonnera guère que Copernic ait différé jusqu'à peu avant sa mort, en 1543, la publication de son œuvre majeure, *De revolutionibus orbium coelestivm (Des révolutions des corps célestes)*. Le livre fut mis à l'Index par le Vatican jusqu'en 1835.

Courageux et inspirés, les travaux de Copernic furent poursuivis par l'astronome danois Tycho Brahe. Ses études, de même que les observations collectées par

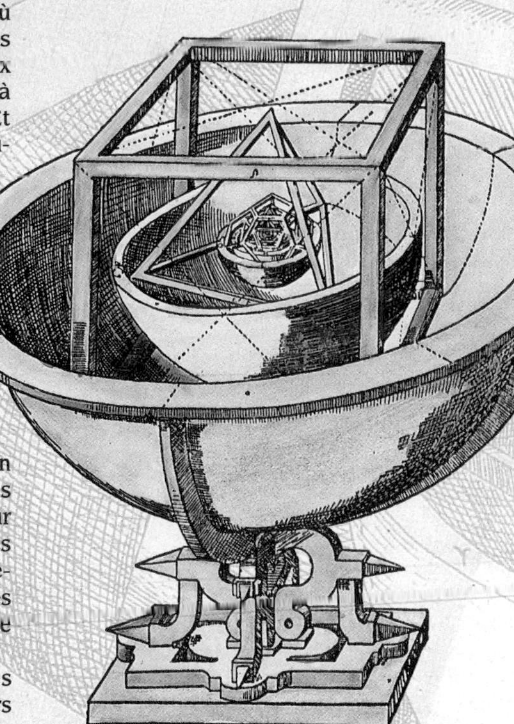

Cette ingénieuse maquette du système solaire fut construite en 1596 par Johannes Kepler. Il déclara que les six planètes alors connues étaient espacées selon les cinq polyèdres réguliers définis par la géométrie dans l'espace. Ses lois du mouvement planétaire devaient par la suite transformer l'astronomie en science moderne.

d'autres savants en divers pays d'Europe, contredisaient la tradition grecque d'un ciel constant et immuable.

Le roi Frederick II du Danemark versa, dit-on, plus d'une tonne d'or à Brahe pour édifier Uraniborg (le palais d'Uranie), le premier observatoire du monde. C'est là que, sur l'île de Hveen, Brahe et ses assistants relevèrent pratiquement à l'œil nu les positions précises des planètes à partir de 1576, et pendant plus de vingt ans. Ses travaux amenèrent Brahe à douter puis à rejeter la théorie copernicienne. Selon lui, le Soleil tournait autour de la Terre, et toutes les autres planètes autour du Soleil.

Brahe forma un assistant remarquable : Johannes Kepler, dont les trois célèbres lois des mouvements planétaires devaient révolutionner l'astronomie. En 1609, Kepler publia son *Astronomia nova*, où il démontrait que les mouvements du système solaire n'étaient ni uniformes ni parfaitement circulaires, comme on le croyait auparavant. L'astronomie devint une science fondée sur la physique.

Le mathématicien italien Galilée, premier utilisateur du télescope en astronomie (1609), construisit un instrument qui faisait paraître trente fois plus proches les objets lointains. Il observa la Lune, les planètes et les étoiles comme nul ne l'avait fait avant lui. Mais il se heurta lui aussi à l'Église. En 1633, il dut « abjurer, maudire et détester » devant l'Inquisition l'opinion selon laquelle la Terre tournait autour du Soleil. Ses théories du mouvement terrestre (accélération, vélocité, vitesse et inertie) n'en annonçaient pas moins les travaux de ses illustres successeurs, à commencer par le mathématicien Isaac Newton.

Né le jour de Noël 1642, Isaac Newton devait devenir l'un des plus grands scientifiques de tous les temps. Il mit pour toujours un terme à la notion de séparation et d'indépendance de la Terre et des autres planètes. Rendu célèbre par sa découverte des lois de la gravité, il a aussi résolu le problème des mouvements planétaires. Son ami Edmond Halley en tira parti pour

L'astronome grec Ptolémée croyait la Terre immobile au centre de l'Univers. Cette théorie prévalut pendant mille quatre cents ans.

Isaac Newton mit définitivement un terme à la séparation établie de longue date par les astronomes entre la Terre et les cieux. Ses lois du mouvement et de la gravité l'amenèrent à définir les principes qui régissent aujourd'hui les vols spatiaux.

calculer l'orbite de la comète portant son nom.

Pendant près de quatre cents ans, la connaissance de l'espace dépendit en quasi-totalité de l'observation au télescope. Celle-ci était en grande partie le fait d'astronomes amateurs, dont le plus célèbre fut sir William Herschel, un musicien de Hanovre qui s'était établi en Angleterre en 1575 pour échapper au service militaire allemand.

En littérature, on ne saurait passer sous silence trois siècles et demi de science-fiction. Kepler lui-même, dans *Somnium seu astronomia Lunari (Rêve ou astronomie de la Lune)*, imaginait des esprits voyageant de la Terre à la Lune (habitée) sur un pont d'ombre créé par une éclipse.

Au XVIIe siècle, Cyrano de Bergerac, dans *Voyage dans la Lune*, décrivit sept moyens d'atteindre la Lune, le dernier étant la fusée. Quelque deux cent cinquante ans plus tard, Jules Verne, ayant compris les problèmes posés par la vitesse de libération, écrivit *Autour de la Lune*, dans lequel un canon géant propulse un vaisseau spatial à partir d'une base située, prémonition étonnante, à 240 km à peine du centre spatial J.-F.-Kennedy. À la fin du siècle dernier, H.G. Wells publia le grand classique de la science-fiction : *la Guerre des mondes.*

Les fusées de feux d'artifice sont fabriquées depuis des siècles. Mais, dans les années 1930, les fusées à carburant liquide semblaient le seul moyen de conquérir l'espace. Des Allemands, notamment le capitaine Walter Dornberger et Wernher von Braun, mirent au point un tel engin dans un secret absolu. En 1944, l'Allemagne lança contre l'Angleterre le missile géant V2, chargé d'une tonne d'explosifs et volant à 5 800 km/h. Cette prouesse technologique, qui devait inspirer les futurs engins spatiaux, était aussi superbe que terrifiante.

Von Braun n'était pas seul à avoir compris l'avenir des fusées à carburant liquide. Les savants soviétiques aussi étaient à l'œuvre. En 1957, ils lancèrent Spoutnik 1, le premier satellite artificiel. Deux ans plus tard, ils enregistrèrent trois triomphes : Lunik 1 passa près de la Lune, à 6 000 kilomètres, Lunik 2 s'écrasa sur sa surface et Lunik 3 en photographia pour la première fois la face cachée.

La course devint acharnée. En 1961, le Soviétique Iouri Gagarine fut le premier homme envoyé dans l'espace. En 1969, les États-Unis réussirent un exploit fabuleux : sous le regard des téléspectateurs du monde entier, l'astronaute Neil Armstrong et son équipage furent les premiers à marcher sur la Lune. Depuis lors, il ne se passe pratiquement pas d'année sans qu'une sonde spatiale parte dans le cosmos. Les observations des télescopes terrestres et des vols habités sont complétées par les réalisations prodigieuses d'engins non habités et de robots. Chaque mission enrichit la connaissance de l'espace, dans une quête qui commença voici bien des millénaires, par un regard tourné vers les étoiles...

La science-fiction a stimulé la recherche spatiale. Dans Autour de la Lune, *Jules Verne imagine un vaisseau spatial propulsé par un canon.*

Von Braun perfectionna le V2, un missile à carburant liquide qui frappa l'Angleterre en 1944. Il collabora ensuite au programme spatial américain, et notamment à la préparation des premiers vols habités vers la Lune. C'est à cette époque que l'on imagina la navette spatiale, engin réutilisable. Ci-dessus, décollage de la navette Discovery en 1990.

Des voyages extraordinaires

Sommes-nous seuls ?

Dans les années 1950, l'astronome britannique Fred Hoyle observa que, lors de la création de la Terre, ses éléments présentaient exactement les proportions nécessaires à l'apparition de la vie. Dans les organismes vivants, atomes de carbone et d'oxygène sont en nombre pratiquement équivalent. Trop peu d'oxygène, et la Terre aurait été privée de roches et de sol ; trop d'oxygène, et les molécules fondamentales des organismes vivants n'auraient jamais existé.

Une à une, les sondes spatiales ont mis en évidence des environnements si différents de celui de la Terre que la vie – telle que nous la connaissons – semble improbable sur d'autres planètes de notre système solaire. Notre galaxie compte 100 milliards d'étoiles et d'autres corps célestes. Jusqu'à présent, nous n'avons étudié que relativement peu de planètes et de satellites, mais beaucoup de scientifiques estiment que la vie n'est éventuellement possible que sur 3 d'entre eux.

En 1976, les stations Viking 1 et Viking 2 ont recherché des indices de vie microscopique sur le sol de Mars. Ils n'en ont trouvé aucun, mais personne ne se risque encore à apporter une réponse définitive. Mars présente beaucoup d'environnements différents. L'un d'eux pourrait connaître quelque chose qui ressemble à nos bactéries.

Europe, un des satellites de Jupiter, et Titan, principal satellite de Saturne, constituent d'autres possibilités. Les sondes spatiales montrent sous la croûte d'Europe d'énormes quantités d'un liquide qui pourrait être de l'eau. Europe n'a pas d'oxygène et la chaleur du Soleil ne perce pas sa croûte. Pourtant, au fond de nos mers, certains endroits sombres et dépourvus d'oxygène connaissent une forme primitive de vie. Il en va peut-être de même dans l'obscurité des cavernes de ce monde lointain.

L'atmosphère de Titan se compose d'azote et de méthane. Sa surface ressemble à celle de la Terre : des masses terrestres entourées d'océans. Ces derniers ne contiennent pas d'eau, mais peut-être une sorte de pétrole formé grâce à l'action sur le méthane de la chaleur volcanique et du faible rayonnement solaire. Les scientifiques hésitent à exclure l'hypothèse d'une vie dans un tel milieu.

Malgré tous ces doutes, la NASA (agence spatiale américaine) a engagé en octobre 1992 un programme décennal de 100 millions de dollars pour rechercher les indices d'autres civilisations (programme abandonné en octobre 1993 sur décision du Congrès). Il a pour nom SETI (sigle anglais correspondant à « Recherche d'intelligence extraterrestre ») et comprend deux parties. L'une passe en revue 1 000 étoiles bien précises. L'autre sonde de vastes régions célestes. Le ciel boréal est examiné par le plus grand radiotélescope du monde, situé à Arecibo (Porto Rico), et par ceux de Greenbank (Virginie-Occidentale) et de Goldstone (en Californie, dans le désert Mohave). Quant au ciel austral, il est scruté par le radiotélescope australien de Parkes. Un système ultrasophistiqué d'analyse des signaux permet d'écouter 8 millions de fréquences en même temps. Les résultats sont analysés afin de différencier les messages éventuellement envoyés par une civilisation extraterrestre des phénomènes d'origine naturelle.

La vie dans l'espace est depuis longtemps source d'inspiration inépuisable pour les auteurs de science-fiction, comme en témoigne cette couverture d'illustré des années 1930.

Que recherche-t-on ? Avec de la chance, un message simple (mais bien extraterrestre) disant : « Nous sommes là. » Si cette quête ne donne rien, cela indiquera que les parties de l'Univers explorées ne recèlent pas d'intelligence. Ou du moins d'intelligence émettant des ondes radio. En attendant d'autres signes, notre Terre pourra nous sembler bien unique dans l'Univers. Raison de plus pour la protéger !

Le développement de la vie sur la Terre a nécessité la rencontre de tant d'éléments favorables et la combinaison d'une somme de hasards si grande, que l'existence de telles conditions sur une autre planète paraît bien improbable. Cependant, si nous considérons le temps à l'échelle de l'Univers (en milliards d'années) et les milliards de systèmes solaires existants, un nombre infini de possibilités se fait jour, tel qu'il est envisageable que des conditions de vie déjà réalisées sur la Terre puissent se retrouver ailleurs.

À saute-planète dans le cosmos

Faute des ressources magiques prévues dans les romans d'anticipation, nos engins spatiaux doivent se contenter de fusées à propulsion chimique. Que leur carburant soit solide ou liquide, elles fonctionnent toujours comme de simples fusées de feux d'artifice : la poussée des gaz d'échappement arrache le vaisseau spatial à l'attraction terrestre et le catapulte vers son objectif.

Cette technique a des limites pratiques et économiques. D'abord, la vitesse : Voyager 2, la sonde spatiale la plus rapide jamais lancée, se déplace à 18,5 km/s, soit 66 600 km/h. Certes, c'est très impressionnant, puisque cela équivaut presque à deux allers-retours Londres-Sydney en une heure. Mais à l'échelle spatiale, c'est

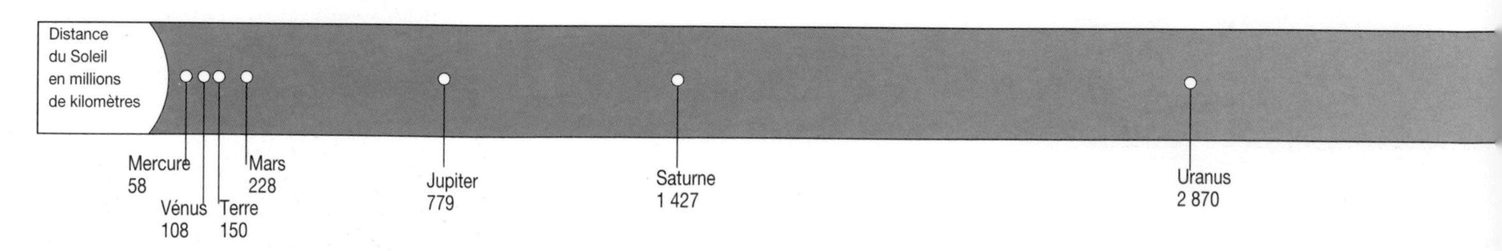

L'épopée spatiale filmée par Stanley Kubrick dans 2001, Odyssée de l'espace *est sortie en 1968, un an avant l'arrivée de l'homme sur la Lune.*

une allure d'escargot. Mars, qui est parfois la planète la plus proche de nous, se trouve en moyenne à quelque 78 millions de kilomètres. À supposer qu'un engin spatial puisse s'y rendre à 18 km/s en ligne droite, le voyage durerait soixante-dix-neuf jours. Les projets américains et russes de vols habités vers Mars on été établis sur la base d'un aller-retour en deux ans, mais ce n'est qu'une estimation. Les vaisseaux spatiaux doivent suivre une trajectoire incurvée, constituée de différentes orbites et généralement régie par la gravité solaire. Ils doivent aussi viser l'endroit où se trouvera leur objectif au moment voulu, et non celui où il se trouve à leur départ. Cela exige une navigation précise, afin d'éviter que l'engin ne rate sa cible et ne se perde pour toujours dans l'espace.

On peut raisonnablement tabler sur une amélioration des systèmes de propulsion. Mais, même dans les hypothèses les plus favorables (énergie illimitée, capacités d'accélération prodigieuses et possibilité de voler en ligne droite), personne ne connaît les limites de l'endurance humaine dans l'espace. Voyager plus vite implique de s'arracher plus rapidement aux contraintes de la gravité terrestre. Tous les automobilistes savent qu'un départ sur les chapeaux de roue les plaque sur leur siège. De même, un décollage ultrarapide crée au sein du vaisseau spatial une gravité artificielle qui comprime violemment ses occupants vers le bas. Sur une longue distance, la vitesse aurait pour effet de rendre les membres inutiles et risquerait de provoquer des troubles cardiaques.

Sans la résistance de l'air, un objet en chute libre accélère de 9,80 m/s (une pomme qui tombe, par exemple, atteindra la vitesse de 9,80 m/s au bout d'une seconde, de 19,60 m/s au bout de deux secondes, et ainsi de suite). Cette accélération est quantifiée sous la forme de 1 g (une fois la force de gravité) par les physiciens et correspond sans doute, d'après les spécialistes de l'espace, à la limite de la résistance humaine. Pour garantir une arrivée en douceur sur Mars, il faudra freiner et ralentir le vaisseau spatial à 1 g pendant la deuxième partie du parcours. À ce rythme, le voyage ne durerait que quarante-neuf heures et demie.

Mais qu'en est-il des missions plus

Voici nos voisines du système solaire. L'illustration de droite nous permet de comparer la taille de ces huit planètes à celle de la Terre. Le tableau ci-dessous montre la distance moyenne qui sépare chacune d'elles du Soleil, dont la force de gravitation les maintient en orbite autour de lui. L'orbite excentrée de Pluton la fait actuellement passer plus près du Soleil que Neptune.

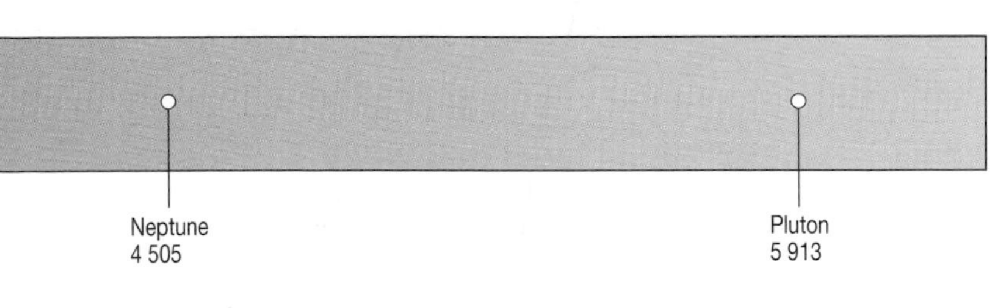

lointaines ? Si vous êtes candidat, emportez de quoi lire. En son point le plus proche de la Terre, Neptune est à 4,3 milliards de kilomètres, soit 55 fois plus loin que Mars. À 1 g et en ligne droite, le voyage prendrait quinze jours et demi. Quand votre commandant de bord (ou le centre de contrôle au sol) actionnera les freins, à mi-parcours, vous foncerez à la vitesse prodigieuse de 6 529 km/s.

Rejoindre d'autres étoiles serait plus extraordinaire encore, car, cette fois, la limite serait la vitesse de la lumière, soit 300 000 km/s. D'après Einstein, rien ne peut être plus rapide. Même à supposer que notre vaisseau spatial puisse accélérer à 1g jusqu'à ce qu'il atteigne 99 % de ce chiffre, puis ralentir à 1 g dans le dernier tronçon, il lui faudrait cinq ans et quatre mois pour atteindre Proxima du Centaure, l'étoile la plus proche de nous.

Tel serait du moins le temps de parcours mesuré sur la Terre. Dans l'espace, les astronautes trouveraient le voyage beaucoup plus rapide. Selon la théorie de la relativité définie par Einstein, l'horloge du vaisseau spatial retarderait par rapport à celles de la Terre. Un voyage dans l'ensemble de notre galaxie (soit 100 000 années-lumière) pourrait ne durer que le temps du petit déjeuner pour l'équipage. Dans ces conditions, les formidables distances intergalactiques, calculées en milliards d'années-lumière, pourraient devenir possibles. À leur retour des étoiles, après un voyage dans le cosmos qui leur aurait semblé ne durer que cinq ans, les astronautes retrouveraient un monde vieilli de plusieurs millions d'années.

On peut raisonnablement supposer que les plus rapides de nos engins spatiaux atteindront un jour 30 000 km/s, soit le dixième de la vitesse de la lumière. À cette allure, il faudrait à peu près la moitié d'une vie pour rejoindre l'étoile la plus proche. S'il n'y a aucun volontaire pour ce genre de grandes vacances, les scientifiques envisagent très sérieusement d'envoyer des équipes de robots jouer à saute-planète dans le cosmos.

La sonde Magellan nous a donné cette image de l'hémisphère Nord de Vénus. Capables de percer les épais nuages qui recouvrent la planète, les ondes radar révèlent un sol ravagé évoquant bien peu la déesse de l'Amour. En médaillon : détail de la Naissance de Vénus, *de Botticelli.*

La première équipe mettrait environ quarante ans à arriver. Elle construirait sur place une usine permettant de bâtir deux autres vaisseaux spatiaux, uniquement à partir de matériaux extraits d'un astéroïde. Chacun d'eux décollerait pour une autre destination, où l'opération recommencerait. Pendant ce temps, les robots-parents transmettraient à la Terre les données relatives à leur emplacement et au système environnant.

À supposer que tout se passe bien, le nombre de sondes spatiales doublerait tous les quarante ans. En mille ans, quelque 30 millions de laboratoires spatiaux et leurs robots trimeraient comme des fourmis parmi les étoiles.

Orbite de la Terre
Orbite de Vénus
Vénus à sa plus grande élongation est
Terre
Soleil
Vénus à sa plus grande élongation ouest

Également surnommée l'étoile du Berger, Vénus est parfois considérée comme la jumelle de la Terre. C'est aussi une planète, mais son orbite est beaucoup plus proche du Soleil. À sa plus grande élongation (angle par rapport au Soleil) est, elle brille le soir.
À sa plus grande élongation ouest, elle annonce l'aube.

L'étoile du Berger

Vénus, aussi appelée étoile du Berger, est le corps céleste le plus brillant après le Soleil et la Lune. Mais on ne la voit bien qu'à l'aube ou au crépuscule, d'où ses autres surnoms d'étoile du matin ou d'étoile du soir. Ces jolies dénominations venues du fond des âges sont impropres : Vénus n'est pas une étoile, mais, comme la Terre, une planète tournant autour du Soleil, dont elle est en moyenne plus proche d'environ les deux tiers (108 millions de kilomètres contre 149,6 pour la Terre).

Les astronomes peuvent relever sa position en mesurant l'angle séparant la ligne Terre-Vénus de la ligne Terre-Soleil. Vénus étant plus proche du Soleil que la Terre, le chiffre ainsi obtenu n'est jamais très supérieur à 45°, soit un huitième de cercle. Si l'on voit Vénus à l'est, le jour poindra moins de trois heures après. Si on l'aperçoit à l'ouest, la nuit n'est pas loin. Tout comme la Lune, cette planète a ses différentes phases, très visibles si on l'observe régulièrement avec une bonne paire de jumelles. C'est quand elle forme avec le Soleil un angle de 39° qu'elle est le plus brillante, au point d'être souvent visible à midi. Son croissant ressemble alors à celui de notre satellite cinq jours après la nouvelle lune. Ce fut Galilée qui le premier découvrit que Vénus passe par un cycle complet de phases, ce qui, à ses yeux, était une confirmation du système héliocentrique de Copernic.

Vénus et la valse à l'envers

Toutes les planètes du système solaire, y compris la Terre, tournent sur elles-mêmes d'ouest en est. Mais pas Vénus, qui évolue très lentement en sens inverse.

Assez bizarrement, le jour y est plus long que l'année. Alors que la Terre fait un tour complet sur elle-même en vingt-quatre heures, Vénus met un peu plus de deux cent quarante-trois de nos jours. Mais il ne lui en faut que deux cent vingt-cinq pour parcourir une révolution complète autour du Soleil, d'abord parce qu'elle en est plus proche que la Terre, ensuite parce que son orbite est presque circulaire – celle des autres planètes est elliptique, donc plus longue.

Bien que relativement proche de la Terre, Vénus est restée bien mystérieuse jusque très récemment. En effet, la très grande densité de sa couverture nuageuse empêchait les astronomes d'observer sa vitesse de rotation au télescope, et seules les ondes radar et de nombreuses sondes spatiales ont pu faire progresser leurs connaissances à cet égard.

On ne sait toujours pas pourquoi la rotation sur elle-même de Vénus se fait dans le sens rétrograde. On a supposé que, dans sa prime enfance, il y a environ 4,6 milliards d'années, et pendant la formation du système solaire, une collision avec une autre planète l'aurait stoppée net et aurait inversé sa rotation. Mais cette théorie a été réfutée par des mathématiciens qui ont analysé son mouvement en 1980. Parallèlement, les astronomes passent au crible les données collectées par les sondes spatiales et le dernier cri de la technologie. Mais en vain : la plus torride des planètes garde jalousement le secret de sa valse à l'envers.

La planète rouge

Même à l'œil nu, Mars présente généralement un aspect rougeâtre. Et les zones qui y paraissent vertes sont en fait rouges, en raison d'une illusion d'optique créée par le contraste entre régions claires et régions sombres.

Les astronomes ont avancé bien des explications à cette diversité de couleurs ; par exemple en imputant les zones vertes à une couverture végétale, et les régions rouges à des océans. Mais, en 1934, l'astronome américain Rupert Wildt a émis une nouvelle hypothèse qui permet d'expliquer les bruns, les jaunes et les rouges de Mars par la présence d'oxydes de fer, c'est-à-dire de rouille. Il suffit de regarder un vieux toit de tôle ondulée pour se rendre compte de la palette de couleurs que peut donner la rouille.

Quand les sondes Viking 1 et Viking 2 ont atterri sur Mars, en 1976, leurs instruments ont prélevé et analysé les matériaux de sa surface. Wildt avait vu juste : la planète rouge est bel et bien couverte de sable couleur rouille, souvent projeté à 30 km d'altitude par des vents soufflant à plus de 200 km/h.

Ces terribles tempêtes se produisent surtout quand Mars est à sa position la plus rapprochée du Soleil sur son orbite. La planète peut alors se cacher des mois durant sous des nuages de poussière. Lorsque les vents cessent, il faut des mois pour que la poussière se redépose, ce qui donne à la surface martienne un aspect rougeâtre pratiquement uniforme.

Coucher du soleil sur Mars, enregistré en 1976 par la sonde Viking 1, dont on voit une partie en bas et à droite de cette image aux couleurs exagérées. Les auréoles du Soleil sont dues au procédé de prise de vue. Les analyses effectuées par la sonde ont révélé un sol argileux riche en fer.

Cette vignette d'un paquet de cigarettes des années 1930 représente une vue imaginaire de Mars et de ses prétendus « canaux d'irrigation » – on en compte 500 ! –, auxquels le mythe des Martiens doit tant.

Les canaux de Mars

Par un soir de l'automne 1938, à New York, une voix d'homme fit cette déclaration stupéfiante à la radio : « Mesdames et messieurs, j'ai une information grave à vous communiquer. Aussi incroyable que cela puisse paraître, les êtres étranges qui ont atterri ce soir dans le New Jersey constituent l'avant-garde d'une invasion martienne. » Orson Welles diffusait en fait une adaptation radiophonique de *la Guerre des mondes,* le roman du Britannique H.G. Wells. Mais cela suscita la panique, tant l'hypothèse de la vie sur Mars était prise au sérieux depuis quelque soixante ans. En 1877, l'astronome italien Giovanni Schiaparelli avait annoncé avoir identifié des *« canali »* sur la planète rouge. En italien, ce mot désigne aussi des chenaux (éventuellement naturels). Mais sa traduction par canaux donna naissance au mythe : ils ne pouvaient qu'être l'œuvre de créatures intelligentes, capables d'effectuer de grands travaux publics, voire de construire des vaisseaux spatiaux pour envahir et attaquer la Terre. Les revues de vulgarisation pseudo-scientifique y virent des ouvrages destinés à transporter l'eau des pôles jusqu'aux régions arides et à sauver une planète à l'agonie. D'après elles, les agronomes martiens luttaient ainsi contre un perpétuel problème d'assèchement des terres arables : la pesanteur étant faible sur Mars (environ les 2/5 de celle de la Terre), la vapeur d'eau de l'atmosphère s'y dissipe rapidement dans l'espace.

Les observations de *canali* se multiplièrent. Dans son observatoire privé de Phoenix (Arizona), l'astronome américain Percival Lowell en prit des centaines de photographies. En 1896, il publia des cartes de Mars représentant un réseau de quelque 500 canaux ou aqueducs censés l'irriguer.

Observer la planète était difficile, ce qui ne faisait qu'épaissir le mystère. Les turbulences atmosphériques de la Terre et les nombreuses tempêtes de sable de Mars ne permettaient que de rares moments de clarté. Les astronomes qui avaient cru entrevoir des canaux artificiels n'avaient donc guère l'occasion de vérifier leurs hypothèses. Or, l'imagination humaine est trompeuse : elle peut très vite donner de la cohérence à une série de points épars, surtout s'ils sont brusquement occultés par de la poussière ou des nuages.

Comme bien des scientifiques, l'astronome britannique Edward Maunder imputait la vision des prétendus canaux à des illusions d'optique. Il dessina des cercles parsemés de taches irrégulières et ponctuelles, les montra à des écoliers d'assez loin pour qu'ils puissent à peine les discerner et leur demanda de dessiner ce qu'ils

UNE VOITURE DE MARTIENS DANS LA VALLÉE DE LA MORT

La Vallée de la Mort, en Californie, ressemble tant à la planète rouge que des essais y sont effectués en prévision d'une mission non habitée vers Mars, en 1996.

Organisée à l'initiative de la Russie, celle-ci implique également des scientifiques d'autres pays européens, notamment la France, mais aussi l'Autriche, l'Allemagne et la Finlande. La Société planétaire, dont le siège est en Californie, a invité les Russes à essayer un véhicule radiocommandé dans la Vallée de la Mort, sur le genre de terrain où la mission devra probablement évoluer. Au vu des données collectées par les sondes Viking sur la planète rouge, la NASA a en effet appelé « colline de Mars » une zone du désert californien.

Élaboré à Saint-Pétersbourg, le véhicule doit avoir une certaine autonomie de décision : grâce à ses caméras vidéo et à ses capteurs, il pourra reconnaître et éviter crevasses et obstacles. Ce sera en fait un robot mobile, que son vaste champ d'action rendra beaucoup plus efficace que les sondes stationnaires à la vue limitée par l'horizon.

Un robot radioguidé subit des essais dans la Vallée de la Mort, dont le relief ressemble aux paysages arides de Mars.

Lors de son passage de 1986, la comète de Halley brille de tous ses feux en filant dans le ciel. Elle porte le nom d'Edmond Halley, lequel avait compris en 1705 qu'elle réapparaissait tous les soixante-seize ans.
En médaillon : le célèbre astronome à environ soixante ans, par R. Phillips.

voyaient. Tous relièrent les taches par des lignes droites similaires à celles des cartes de Lowell.

Depuis lors, les sondes Viking et Mariner ont cartographié la planète rouge avec une précision implacable. Nous sommes maintenant certains que les canaux sur Mars n'étaient qu'illusion, mais que la planète recèle bien de l'eau... sous forme de glace. Quand Viking 1 et 2 se sont posées sur Mars, leurs caméras ont révélé un paysage aride et sinistre, sans le moindre petit homme vert sur ses immensités poussiéreuses. En revanche, rien ne dit que la vie n'y a jamais existé.

Pourquoi les comètes diminuent-elles ?

Les comètes ont longtemps inspiré la peur. À la différence des planètes et des étoiles, dont l'apparence immuable rassurait, ces flèches de lumière surgissaient brutalement et disparaissaient en quelques semaines.

Leur aspect fantomatique (une boule vaporeuse suivie d'une traînée lumineuse) évoquait pour certains le visage d'une furie hurlant un message céleste. Le mot comète vient du grec *kome*, qui signifie chevelure. D'après les Anciens, elles étaient associées à des événements exceptionnels, en général des catastrophes : épidémies, famines, tremblements de terre, guerres, morts de personnages illustres (Mahomet, Henri IV et Napoléon Ier, entre autres...).

Les astronomes ont mis des siècles à élucider leur mystère. Certains considéraient qu'une fois disparues aux regards elles avaient disparu pour de bon. Mais, en 1705, Edmond Halley émit l'hypothèse qu'une comète aperçue en 1682 était en réalité une vieille connaissance. La chronique relatait en effet le passage de comètes en 1456, 1531 et 1607. D'après lui, c'était toujours la même qui revenait à peu près tous les soixante-seize ans, si bien que sa prochaine apparition aurait lieu en 1758. Il ne se trompait pas : le soir de Noël 1758, seize ans après la mort de Halley, la comète qui porte aujourd'hui son nom fut repérée par un astronome amateur.

Les comètes suivent une orbite elliptique autour du Soleil. Leur trajectoire est parfois relativement courte. La comète de Biela, découverte en 1826, aujourd'hui éteinte, réapparaissait tous les six ans et neuf mois, mais d'autres ont une périodicité de plusieurs siècles.

Ce sont des amas de roches pris dans de la glace et des gaz gelés. Chaque fois qu'ils approchent du Soleil, les gaz se subliment, l'eau bout et s'échappe en vapeur d'eau. La matière emprisonnée est libérée parfois par pans entiers. En 1846, la comète de Biela s'est brisée en deux moitiés, qui ont effectué un tour d'honneur en 1852, avant de se désagréger.

Lors de son dernier passage le 9 février 1986, la comète de Halley était attendue par de nombreux satellites. La sonde européenne Giotto a fourni les résultats les plus spectaculaires en s'approchant à moins de 600 km du noyau et en réussissant à prendre plus de 2 000 photographies.

Pourquoi les comètes ont-elles une queue ?

L'une des merveilles de l'astronomie est de nous révéler la composition de planètes lointaines sans l'aide de sondes spatiales. Dès 1862, le physicien suédois Anders Angström a remarqué que les lignes sombres du spectre solaire correspondaient exactement à celles de la lumière traversant de l'hydrogène. Il en a justement déduit que ce gaz était un des principaux composants du Soleil.

Un procédé similaire nous révèle la composition des comètes, dont nous savons que la structure chimique diffère de celle des autres membres du système solaire. Après les avoir étudiées, l'astronome américain Fred Whipple les a qualifiées en 1950 de « boules de neige sale ». Il avait découvert qu'elles étaient essentiellement composées d'eau et de divers gaz, tous gelés à très basse température, et que des particules de poussière étaient prises dans ces glaces.

À l'approche du Soleil, une partie de la glace se vaporise, si bien que la comète est entourée d'un nuage d'eau et de gaz que la lumière solaire fait briller comme une auréole. Mais la chaleur s'accompagne d'un « vent solaire » provoqué par des particules à charge électrique partant dans toutes les directions. Ce vent étire le nuage en une traînée suivant la comète. C'est pourquoi la queue lumineuse de celle-ci est toujours dirigée dans la direction opposée au Soleil.

Au pays des géantes

Si vous aviez pu embarquer dans la sonde spatiale Voyager 1, Jupiter, seigneur du système solaire, vous aurait offert un spectacle très différent de celui de la Terre et de ses voisines Mercure, Vénus et Mars.

Nommées planètes telluriques en raison de leur composition rocheuse, ces dernières sont minuscules par rapport aux géantes gazeuses telles que Jupiter, Saturne, Uranus et Neptune, dont l'aspect n'a guère changé depuis leur formation, il y a quelque 4,6 milliards d'années. Comme environ 98 % de l'Univers, elles sont formées en grande partie d'hydrogène et d'hélium, gaz composés d'atomes très légers, donc très rapides, surtout s'ils sont chauffés. Seule une planète de taille importante et à la force d'attraction élevée peut les retenir. Elle le fera d'autant mieux qu'elle sera froide.

L'existence des géantes gazeuses passionne depuis longtemps les astronomes, qui se demandent pourquoi il existe une telle différence entre Jupiter, première d'entre elles, et Mars, dernière des planètes telluriques. Beaucoup estiment que le système solaire s'est créé à partir d'un vaste nuage de poussière et de gaz, dont la majeure partie s'est effondrée en son centre pour former le Soleil. Une partie du reste a été regroupée par l'attraction gravitationnelle et a constitué les planètes.

Le Soleil s'est contracté et est devenu de plus en plus chaud. Cela a provoqué une véritable explosion atomique, dont le souffle a dispersé la majeure partie de la poussière et des gaz environnants. En se réchauffant, les planètes proches du Soleil ont perdu leur hydrogène et leur hélium et n'ont conservé que leur noyau rocheux. Trop éloignées pour subir le même sort, les autres ont gardé leurs gaz légers, ce qui explique leur gigantisme. Jupiter, la plus grande du système solaire, a un diamètre d'environ 143 000 km, soit 11 fois celui de notre planète. Il faudrait plus de 1 000 planètes de la taille de la Terre pour occuper cet énorme volume.

La densité des géantes gazeuses est pourtant très faible : à peine 1,4 g/cm^3, soit environ le quart de celle des matériaux terrestres. De plus, ces monstres comportent une exception : Pluton, gardienne des ténèbres, est plus petite que notre Lune et extrêmement froide. Elle serait entièrement recouverte de méthane gelé, gaz qui se congèle à −182,5 °C. Les astronomes se demandent ce que cette naine perdue à la limite du système solaire fait parmi des géantes. Peut-être Pluton était-elle jadis un satellite de Neptune. Elle aurait échappé à son attraction lorsque Triton, principale lune neptunienne, aurait frôlé la planète. Mais cette théorie est contestée depuis la découverte en 1978 de Charon, satellite de Pluton.

Jupiter et quatre de ses satellites, photographiés par une sonde Voyager. Le satellite le plus éloigné est Io. Viennent ensuite Europa, Ganymède et, en bas à droite, Callisto.

Neptune, la planète bleue

Nous sommes en Californie, le soir du 24 août 1989. 27 millions de téléspectateurs se préparent à suivre « Neptune toute la nuit » : cette émission télévisée exceptionnelle va diffuser les premières images de la lointaine planète dès leur réception par 130 chercheurs du Jet Propulsion Laboratory (JPL) de Pasadena.

À 21 heures (heure de Californie), caméras en action, la sonde Voyager 2 survole le pôle Nord de Neptune, dont elle ne s'est jamais approchée d'aussi près. Mais la Terre étant à 4,4 milliards de kilomètres, il faut attendre 1 heure du matin pour que les images parviennent au JPL. Peu après, leur retransmission à la télévision provoque des cris de joie : personne ne s'attendait à découvrir une planète d'un bleu aussi spectaculaire.

Avant la fabuleuse mission de Voyager 2, un mystère quasi total entourait le monde glacé de Neptune, dont le diamètre est près de quatre fois supérieur à celui de la Terre. Galilée l'avait remarquée dès 1612, en observant les lunes de Jupiter, mais il s'était trompé à son sujet. Il avait en effet déclaré avoir aperçu une étoile, et avait même ajouté après une étude plus approfondie que celle-ci semblait avoir changé de position (comme seule une planète pourrait le faire). Craignait-il de voir s'aggraver ses démêlés avec l'Église ? En

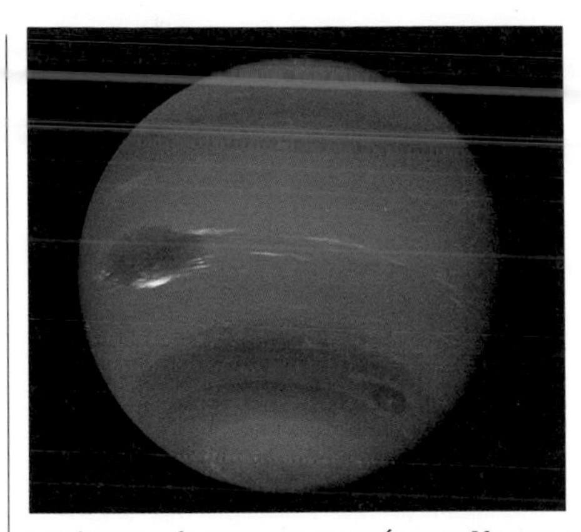

Les images de Neptune envoyées par Voyager 2 ont suscité l'émerveillement. Cette photo montre la véritable couleur de la planète.

tout cas, il ne devait pas pousser plus ses recherches, et Neptune n'a été identifiée en tant que planète qu'en 1846.

Nous savons Neptune constamment en butte à des tempêtes inexplicables, trois fois plus violentes que les plus terribles de nos cyclones. Tout comme Uranus, elle a une atmosphère essentiellement composée d'hydrogène et d'hélium. Mais on y trouve aussi de l'éthane, composant du méthane. Ce dernier absorbe la lumière rouge, ce qui donne à la planète ce bleu si caractéristique.

Les anneaux de Saturne

Pendant des siècles, les étranges anneaux qui entourent Saturne ont constitué une énigme pour les astronomes. Le télescope de Galilée était trop faible pour lui en donner une image claire. Il pensa d'abord que Saturne présentait un renflement de part et d'autre, puis qu'il voyait en fait trois planètes à la fois. Peu après, en 1614, l'astronome allemand Christoph Scheiner prit les renflements pour des croissants : Saturne était dotée de poignées ! Quarante ans plus tard, le mathématicien et physicien hollandais Christiaan Huygens braqua sur la planète un télescope plus puissant et devina la présence d'un anneau plat à son équateur. En 1675, l'astronome franco-italien Jean-Dominique Cassini alla plus loin en observant que l'anneau n'était pas uniformément lumineux : une ligne sombre le partageait en deux anneaux concentriques.

Plus lumineux que la planète elle-même, les anneaux de Saturne sont gigantesques : ils s'étendent sur quelque 272 000 km, soit plus de 20 fois le diamètre de la Terre. Depuis la découverte de Cassini, d'autres astronomes ont échafaudé toutes sortes d'hypothèses sur l'origine des anneaux de Saturne, mais aussi de ceux de Jupiter, d'Uranus et de Neptune.

En raison de leur taille, toutes ces planètes ont une force d'attraction énorme. Dans les années 1850, l'astronome français Édouard Roche s'est demandé ce qui se passerait si la Lune était plus proche de la Terre, et donc soumise à une force d'attraction beaucoup plus forte. Il conclut que l'effet de marée exercé par la planète sur son satellite (et qui tend à en soulever la surface, tout comme la gravité lunaire soulève nos océans) serait alors tel que la Lune se briserait en morceaux. En appliquant ce raisonnement aux anneaux de Saturne et à d'autres planètes, il estima qu'il ne pouvait s'agir de plaques de matière rigides.

Depuis lors, les sondes Voyager nous ont transmis une foule de données les concernant, mais personne n'a encore fourni d'explication convaincante sur leur formation. Inspirée des travaux de Roche, une théorie souvent admise suppose que des anneaux se forment quand un satellite ou une comète passent trop près d'une planète géante et sont détruits par la force d'attraction. Leurs débris sont alors propulsés sur des orbites indépendantes et, au fil de collisions constantes, ils finissent par devenir des nuages de poussière et de gaz. Ce phénomène n'existe qu'autour des planètes les plus grandes, dont la force d'attraction est la plus forte. Les anneaux présentent des différences troublantes (certains, extrêmement minces et sombres, ne réfléchissent pas la lumière), mais ils n'existent pas autour des planètes telluriques.

Selon une autre théorie, les anneaux se seraient formés à l'aube du système solaire à partir des matériaux constitutifs des planètes. Celles-ci auraient d'abord ressemblé à des disques de gaz et de poussière dont les éléments les plus solides se seraient peu à peu concentrés pour leur donner leur forme actuelle. Le reste aurait constitué les systèmes d'anneaux que nous connaissons.

Les anneaux de Saturne restent toujours mystérieux pour les astronomes. Sur ces images dues à Voyager 2, leurs couleurs normalement ténues sont exagérées par ordinateur. La grande variété des nuances pourrait être due à des impuretés dans la glace et les particules de poussière formant les anneaux. La photo ci-dessous a été prise à 43 millions de kilomètres de la planète, et celle de gauche à 5 000 km seulement.

Les joyaux de l'espace

Qu'est-ce qu'un pulsar ?

Les étoiles les plus massives finissent par exploser dans un éclat de lumière nommé supernova. Cela n'équivaut pas tout à fait à leur mort, mais c'est sans aucun doute le commencement de leur fin.

En mourant, une supernova laisse derrière elle une petite boule de matière extrêmement dense, composée entièrement de particules subatomiques appelées neutrons. Cette découverte a été réalisée en 1967 à Cambridge par les deux radioastronomes britanniques Anthony Hewish et Jocelyn Bell. Ils avaient alors capté des signaux bizarres et réguliers en provenance du cosmos. Écartant l'hypothèse de signaux émis par une civilisation extraterrestre, les deux hommes comprirent qu'ils avaient découvert une source d'énergie pulsatoire dans l'espace.

Depuis lors, les astronomes ont identifié des centaines d'autres sources radioélectriques de ce genre, et ils s'attendent à en découvrir encore environ 1 million. Ce sont des étoiles dont les signaux sont comparables à ceux d'un phare. Résidus de supernovae, elles ne mesurent que quelque 25 km de diamètre et ont des vitesses de rotation différentes. La plus rapide tourne 642 fois par seconde sur elle-même, mais d'autres n'effectuent qu'un tour par seconde.

Tout comme les phares, ces étoiles sont faciles à identifier, car leur radiation produit une impulsion radioélectrique très régulière dans l'immensité spatiale, d'où leur nom de pulsar (de l'anglais *pulsating star*, étoile pulsatoire).

La densité de leur matière est difficilement concevable : si nous pouvions en prélever un fragment gros comme une tête d'épingle, il pèserait sur la Terre à peu près 1 million de tonnes, soit l'équivalent d'une bonne douzaine de porte-avions nucléaires géants !

La force de gravité des pulsars est si intense qu'elle vous transformerait instantanément en bouillie si vous aviez le malheur de vous poser sur l'un d'eux. Votre corps s'aplatirait à l'extrême sur une surface très étendue, au point d'atteindre l'épaisseur d'à peine un atome.

Le scintillement des étoiles

Quoi de plus prodigieux qu'un ciel étoilé, par une nuit noire, à la campagne et loin des lumières de la ville ? Malheureusement, les endroits où l'on peut encore admirer ce spectacle sont de plus en plus rares. Il n'est donc pas surprenant que les passionnés d'astronomie soient prêts à parcourir de grandes distances pour retrouver ce plaisir magique.

Le ciel de nos nuits est empli d'étoiles d'âges très différents, mais dont la vie se mesure toujours en millions d'années. Les astronomes peuvent identifier les différentes phases de leur développement : la naissance, la force de l'âge et les soubresauts de la mort.

Les étoiles se forment lorsqu'un nuage de gaz (généralement de l'hydrogène) se comprime sous sa propre force de gravité. C'est ainsi que le Soleil est né, car il est lui aussi une étoile. Si vous avez jamais utilisé une pompe à bicyclette, vous savez qu'elle s'échauffe à mesure que l'air y est comprimé. C'est ce qui se produit quand un nuage de gaz se resserre en une masse de plus en plus dense. Lorsque son centre atteint une température de 10 millions de degrés, l'hydrogène y explose à la manière d'une bombe H. Cette réaction le transforme en hélium, ce qui alimente le foyer, et une étoile naît.

L'étude du Soleil nous renseigne sur les autres étoiles. Les plus massives brûlent avec plus d'ardeur et consomment plus rapidement leur combustible. Moins brillantes, les plus légères pourraient vivre 100 fois plus longtemps qu'une étoile comme notre Soleil.

Au début du XVIIIe siècle, l'astronome Edmond Halley a découvert que les étoiles

Ces filaments de gaz lumineux issus d'un noyau circulaire sont des vestiges de la supernova Vela, à 1 500 années-lumière.

bougeaient. Il en a conclu que les plus proches se trouvaient à des milliards de kilomètres. Et, pour qu'elles soient visibles d'aussi loin, ne serait-ce que sous la forme de points lumineux, elles devaient être aussi grandes que le Soleil.

À supposer que Sirius, la plus brillante, soit comparable au Soleil, elle devait se trouver, d'après Halley, à 19 000 milliards de kilomètres. Faute de pouvoir comparer correctement la brillance des deux étoiles, l'astronome se trompait lourdement : Sirius est en fait à 82 000 milliards de kilomètres de la Terre !

Si nous ne voyons pas scintiller le Soleil, c'est parce qu'il est très proche de nous. Quant aux planètes, elles réfléchissent sa lumière, et leur éclat est donc régulier. Mais les étoiles produisent leur propre lumière, dont l'intensité varie de l'une à l'autre. Et, que leur éclat soit vif ou faible, leur merveilleux scintillement est dû à la perte de puissance sur l'énorme distance à parcourir par la lumière. Il est surtout accentué par l'atmosphère terrestre, dont les couches successives de température, de densité et d'humidité différentes produisent une inégale réfraction des rayons lumineux. Cette scintillation est d'autant plus faible que l'atmosphère est plus calme.

Les étoiles guident les navires depuis des siècles. Sur cette estampe de 1575, on voit les marins utiliser un astrolabe, instrument servant à mesurer la hauteur du Soleil ou des étoiles au-dessus de l'horizon. Ci-contre, les étoiles qui, de la Terre, semblent les plus brillantes. Cela peut être dû soit à leur éclat particulier, soit à leur relative proximité.

LES DIX ÉTOILES LES PLUS BRILLANTES

NOM	*CONSTELLATION*
SIRIUS	Grand Chien
CANOPUS	Carène
RIGEL KENTARUS	Centaure
ARCTURUS	Bouvier
VÉGA	Lyre
CAPELLA	Cocher
RIGEL	Orion
PROCYON	Petit Chien
ACHERNAR	Éridan
AGENA	Centaure

QUAND L'ASTRONOMIE VOUS PORTE AUX NUES

Le soir de Noël 1980, en regardant les étoiles dans un télescope de sa fabrication, Roy Panther identifia une nouvelle comète. C'était la première fois depuis quinze ans qu'un astronome britannique amateur faisait pareille découverte. Trois semaines plus tard, de la fenêtre de sa chambre, David Branchett aperçut, grâce à de simples jumelles, une vive et étrange lueur dans le ciel. Toujours non identifiée, celle-ci a été baptisée Objet de Branchett.

Loin des sommes énormes consacrées à l'exploration spatiale, les astronomes amateurs du monde entier (ils sont 15 000 en Grande-Bretagne et 25 000 en France) continuent d'apporter une contribution remarquable à la connaissance du ciel.

C'est un passe-temps utile, fertile en aventures et en émotions. Une découverte majeure peut apporter l'immortalité : quatre comètes portent le nom de George Alcock, l'un des astronomes amateurs les plus célèbres du monde, qui les a toutes découvertes dans ses jumelles.

Point n'est besoin de matériel extrêmement perfectionné ou coûteux. Vous avez sûrement déjà l'essentiel : une chaise longue et une bonne paire de jumelles. Disponible dans bien des livres, une carte du ciel vous aidera à vous repérer. Pour ne pas être ébloui, trouvez un point d'observation à l'abri des éclairages publics ou privés, et consultez-la avec une torche de faible puissance afin de reconnaître ce que vous voyez. On discerne des milliers d'étoiles à l'œil nu, mais des jumelles donnent plus de précision.

Photographier les étoiles (pratiquement n'importe quel appareil conviendra) vous fera progresser et vous procurera de précieuses références pour vos futurs travaux. Fixez votre appareil à un point stable et utilisez un déclencheur souple pour éviter les vibrations. Essayez plusieurs temps de pose, de trente secondes à dix minutes, l'objectif réglé sur l'infini. Travaillez d'abord en noir et blanc : c'est facile à développer et à agrandir, ce qui vous donnera encore plus de satisfactions.

Pour faire des progrès rapides, inscrivez-vous dans une société astronomique, où des amateurs expérimentés seront heureux de vous conseiller, surtout à propos du matériel. Certaines ont d'ailleurs leur propre observatoire.

Regarder le ciel par une claire nuit sans lune est source d'études infinies, d'autant plus que les astronomes professionnels ne peuvent jamais l'observer tout entier.

De grandes découvertes ont été réalisées par des amateurs munis d'un matériel simple.

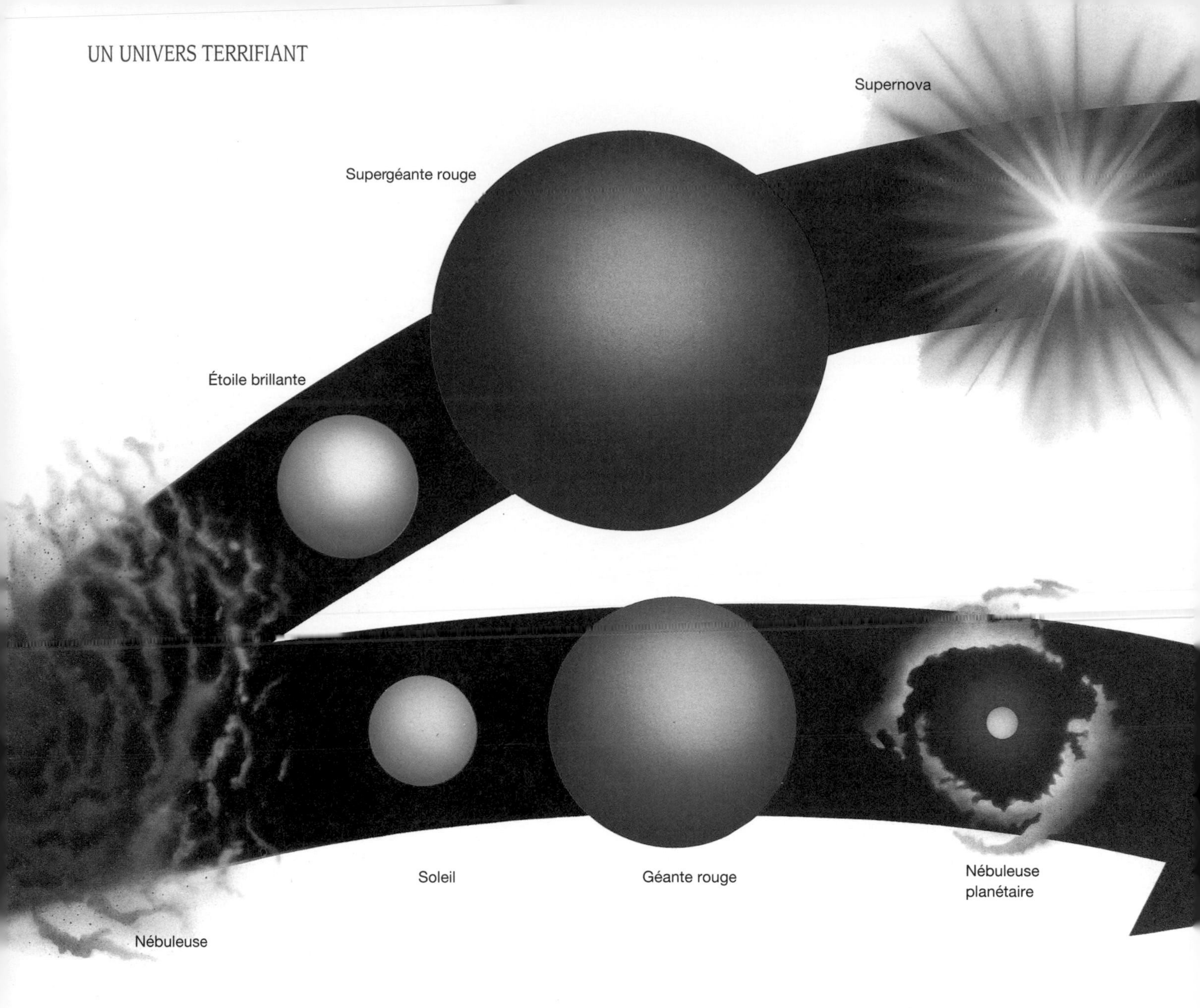

La mort des étoiles

Déterminée dès sa naissance, la durée de vie d'une étoile dépend de sa masse (quantité de matière qu'elle contient). Une étoile naît quand un nuage d'hydrogène explose par réaction nucléaire sous l'effet de la compression. Plus sa masse est importante, plus elle brûle avec intensité et plus sa vie est brève.

Comme notre Soleil, les autres étoiles brûlent du combustible et en recréent : la réaction nucléaire de leur origine transforme l'hydrogène en hélium. Mais, peu à peu, leur lumière et leur chaleur épuisent leur réserve d'hydrogène. À terme, elles s'éteindront toutes, comme le fera le Soleil dans quelque cinq milliards d'années.

Les étoiles géantes vivent environ mille fois moins longtemps que le Soleil. Les plus légères peuvent brûler cinq cents milliards d'années, soit cent fois plus, mais elle brillent beaucoup moins. Une étoile qui faiblit ne vacille pas. Sa taille augmente brutalement au centuple, pour donner une géante rouge. Le cœur du foyer meurt, mais les réactions nucléaires continuent loin du noyau, ce qui augmente le diamètre total. Les couches de gaz extérieures se dissipent dans l'espace et ne laissent qu'un noyau mort émettant encore de la lumière blanche, d'où son nom de naine blanche. En se refroidissant, celle-ci vire peu à peu au jaune, à l'orange et au rouge, avant de disparaître à jamais.

Les trous noirs

Imaginez ce cauchemar : dans une grotte toute noire, vous braquez une torche puissante vers les ténèbres du dehors. Mais en vain, car une force terrifiante empêche toute chose de quitter le gouffre. Y compris la lumière et vous-même. Si des sauveteurs arrivaient, ils seraient tous aspirés dans la caverne sans espoir de retour.

En pratique, il serait bien sûr impossible de survivre une fraction de seconde dans un environnement où la gravité serait si forte qu'elle retiendrait la lumière elle-même. D'après les astronomes, c'est le cas des trous noirs, cadavres d'étoiles éminemment bizarres : on ne peut les voir, car aucune lumière n'en sort.

Le terme « trou noir » a été utilisé pour la première fois en 1967 par le professeur John Wheeler, dans une réunion de l'Institut d'études spatiales de New York. Il décrivait des étoiles complètement effondrées sur elles-mêmes sous la force prodigieuse de leur propre gravité.

Depuis lors, d'autres astronomes ont estimé que, si le noyau d'une supernova (étoile qui explose) est trois fois plus lourd que le Soleil, il ne peut se transformer en pulsar, ou étoile à neutrons. Sa propre gravité le fait rétrécir pratiquement jusqu'au néant, mais il exerce alors dans

Pulsar/étoile à neutrons

Trou noir

Une étoile naît dans une nébuleuse, c'est-à-dire un nuage spatial de poussière ou de gaz lumineux. Celui-ci est surtout de l'hydrogène, qui se contracte en une masse compacte sous l'effet de sa propre gravité. Comme dans une pompe à vélo, cette compression le rend beaucoup plus chaud. La température monte à 10 millions de degrés et déclenche des réactions nucléaires. L'hydrogène se transforme en hélium, processus créant une énergie énorme. Et l'étoile se met à briller. Son évolution dépend de sa masse : une étoile « poids lourd », 20 fois plus massive que le Soleil, vit moins longtemps et connaît une fin spectaculaire – supernova – avant de devenir un trou noir.

Naine blanche

Naine noire

Une étoile meurt quand son combustible nucléaire s'épuise. Notre Soleil, qui est une étoile moyenne, a une masse de quelque 2 milliards de milliards de milliards de tonnes et une température centrale d'environ 15 millions de degrés. Dans les étoiles les plus massives, qui brûlent vite, celle-ci atteint 4 milliards de degrés. En épuisant leur combustible, toutes les étoiles deviennent d'énormes géantes rouges. Les étoiles de masse voisine de celle du Soleil se contractent ensuite peu à peu en émettant des anneaux de gaz, avant de devenir des naines blanches très denses. Celles-ci brillent encore faiblement pendant une très longue durée, avant de perdre leur ultime chaleur. Il n'en reste finalement qu'une naine noire et froide.

Dans cette image tirée d'un film de Walt Disney, un trou noir aspire un vaisseau spatial. La force d'attraction des trous noirs est telle que la lumière elle-même ne peut s'en échapper.

un rayon de plusieurs kilomètres une force de gravitation telle que rien ne peut y échapper, pas même la lumière.

Si on ne peut pas le voir, comment le détecter ? Les astronomes ont récemment trouvé la solution. Les trous noirs attirent le gaz des étoiles voisines, qui se réchauffe alors en émettant des rayons X. En recherchant ces derniers, on trouvera donc les trous noirs. De plus, la trajectoire d'une étoile visible dans la région d'un trou noir dévie légèrement sous l'action de celui-ci. En évaluant la taille de l'étoile, on peut calculer la force nécessaire pour la faire bouger. Dans la constellation du Cygne, une étoile tourne ainsi autour d'un compagnon invisible dont la force est dix fois supérieure à celle du Soleil.

En juillet 1992, deux astronomes américains ont repéré un trou noir ayant la masse d'un milliard de soleils et une puissance 100 fois supérieure à tout ce qu'on connaissait auparavant. Son volume engloutirait tout le système solaire. Il se trouve dans la galaxie référencée NGC 3115, à quelque 30 millions d'années-lumière de la Terre.

Aussi énorme que soit la masse des étoiles à neutrons, elle n'a rien à voir avec celle des trous noirs, dont la force d'attraction est fantastique. Cette dernière détermine le poids de toute chose. Par exemple, sur la Lune, où elle est faible, nous pèserions tous beaucoup moins. Mais, à 6 m de certains trous noirs, 1 kg de sucre pèserait 1 000 milliards de tonnes !

Quand une étoile explose

La mort des étoiles est toujours spectaculaire, mais certaines explosent avec une telle force et un tel éclat qu'on peut le voir à l'œil nu de la Terre.

En février 1987, dans l'hémisphère Sud, des astronomes ont vu une étoile de faible luminosité émettre brusquement une lumière vive, chargée de plus d'énergie que tout le reste de l'Univers visible. Jusqu'alors repérable uniquement au télescope, elle venait de devenir, en mourant, la Supernova 1987A. Ce fut pour les astronomes, qui attendaient une telle apparition depuis 1604, une véritable aubaine. L'étude de cette supernova allait permettre d'améliorer et de vérifier nos connaissances sur l'évolution stellaire.

C'était auparavant une étoile répertoriée sous le code Sanduleak – 69° 202 et environ 20 fois plus grande que le Soleil. Les étoiles géantes brûlent avec plus d'intensité et durent moins longtemps. Celle-ci n'avait vécu qu'environ onze millions d'années, alors que l'espérance de vie du Soleil est de dix milliards d'années. Quand une étoile commence à manquer d'hydrogène, elle s'étend et devient une supergéante rouge. Mais elle conserve un noyau d'hélium compact. Comme la pression et la température de l'étoile continuent d'augmenter, celui-ci se transforme par réaction nucléaire en carbone, puis en éléments plus lourds encore, notamment néon, silicium et fer.

En mourant, l'étoile réunit des couches concentriques de cinq ou six éléments différents, jusqu'à arrêt du processus. Elle cesse alors de produire de l'énergie et se met à brûler ce qui lui reste. Son centre devient brusquement très instable et tout explose en quelques secondes.

En 1885, la baronne hongroise Podmaniczky a découvert une remarquable supernova pendant une réception. Elle avait installé un télescope sur sa pelouse, à l'intention de ses invités. En le braquant sur la nébuleuse Andromède, elle aperçut la supernova la plus brillante jamais observée dans une autre galaxie. À quelque deux millions d'années-lumière de la Terre, celle-ci émit brièvement une lumière au moins 15 millions de fois plus vive que celle du Soleil

Les étoiles variables

D'après les astronomes qui les observent en permanence, certaines étoiles lointaines oscillent et dévient mystérieusement de leur trajectoire, en un déplacement si faible qu'il est à peine détectable. D'abord accueillies avec scepticisme, ces affirmations ont parfois été imputées à un mouvement du télescope lui-même.

On attribue aujourd'hui le phénomène au champ gravitationnel de corps célestes à la fois énormes et invisibles : l'oscillation serait due à la force d'attraction d'une planète tournant autour de l'étoile.

Même avec les télescopes les plus modernes, personne n'a encore pu observer de planète extérieure au système solaire, car l'éclat des étoiles occulte tout ce qui se trouve à proximité. Une analyse de leur lumière peut néanmoins fournir de précieux renseignements. La longueur d'onde de la lumière émise par une étoile variable évolue : elle diminue quand l'étoile se rapproche de la Terre et augmente quand elle s'en éloigne. C'est notamment le cas de l'étoile Gamma de Céphée, sans doute influencée par un corps 1,6 fois plus massif que Jupiter, planète géante, elle-même 318 fois plus massive que la Terre.

POURQUOI PAS UN ÉTERNEL RETOUR ?

Nous avons pour la plupart tant de difficultés à comprendre les théories des astronomes sur le Big Bang et l'expansion de l'Univers qu'ils s'efforcent de nous les expliquer en langage de tous les jours.

Voici une comparaison qui vous sera peut-être utile. Peignez sur un ballon à demi gonflé des taches de couleur figurant les corps célestes. Si vous continuez à le gonfler, les taches continuent à s'écarter à la fois du centre et les unes des autres. Naturellement, l'Univers est à trois dimensions. Il faut donc imaginer, à l'intérieur du ballon, un nuage de poussière en suspension dont chaque particule (toujours un corps céleste) subirait le même phénomène à mesure que le volume du ballon augmente.

Cette image présente cependant deux inexactitudes. D'abord, les taches peintes grossissent en même temps que le ballon. Ce qui n'est pas le cas dans l'Univers, où les galaxies s'éloignent constamment mais ne s'étendent pas. Ensuite, les particules de poussière à l'intérieur du ballon évoluent une par une vers l'extérieur. Dans l'Univers, l'espace intergalactique continue de croître, et la force de gravitation interne à chaque galaxie maintient la cohésion de ses composants et les empêche de dériver.

L'Univers s'étend à cause du cataclysme qui a accompagné sa naissance. Mais il ne faut pas considérer le Big Bang comme une sorte de bombe dont l'explosion propulserait des éclats dans l'espace. Jusqu'à cet instant, il y a quinze milliards d'années, il n'y avait pas d'espace. Le Big Bang l'a créé, de même que tout ce qui le constitue.

Les astrophysiciens se demandent si l'expansion de l'Univers durera éternellement. À leur avis, cela dépend de la force d'attraction exercée par tout corps sur un autre. Pour surprenant que ce soit, la force qui relie la Terre à la Lune, par exemple, agit aussi entre les galaxies. Sans elle, l'expansion de l'Univers serait sans doute beaucoup plus rapide.

Mais, en fin de compte, cette attraction universelle risque de freiner le mouvement au point de l'arrêter et de l'inverser. Les corps célestes amorceraient alors un long voyage de retour susceptible de revenir au point de départ : un autre Big Bang. Toutefois, la masse totale de l'Univers (ou de ses éléments) n'est, d'après certains scientifiques, pas assez grande pour que la force d'attraction universelle reprenne ainsi le dessus. Dans ce cas, l'expansion de l'Univers serait éternelle.

La poursuite de l'expansion de l'Univers, commencée avec le Big Bang, dépendra de la force de gravité. La plus petite des sphères ci-dessus représente l'Univers pratiquement à sa naissance. Les autres (dans le sens des aiguilles d'une montre) illustrent l'éloignement progressif des galaxies. À terme, la force de gravité pourrait inverser l'expansion. À moins que celle-ci soit éternelle (sphères les plus grosses).

GROS PLAN SUR LA PLANÈTE TERRE

De l'énergie à la vague PAGE 60

Quand le soleil se met au courant PAGE 70

En plein brouillard PAGE 57

Un monde bien étrange

Et pourtant, elle tourne !

Jadis, les astronomes croyaient que la Terre régissait l'Univers. Nous savons aujourd'hui que notre planète et ses huit compagnes du système solaire dépendent du Soleil depuis leur formation, il y a quelque 4,6 milliards d'années. Nous savons aussi qu'on ne saurait isoler le cas de la Terre. Les Anciens la considéraient comme fondamentalement différente du reste du cosmos et en ont tiré bien des conclusions erronées.

La Terre tourne sur elle-même, comme toutes les autres planètes. Le départ de ce gigantesque carrousel a été donné par la création du système solaire. Beaucoup de théories modernes tentent d'en expliquer le processus, du moins dans les grandes lignes, mais aucune d'entre elles ne peut décrire le détail de cette formation de manière satisfaisante.

La première de ces théories a pris naissance grâce au télescope. En 1612, peu après son invention, l'astronome allemand Simon Marius repéra dans la constellation d'Andromède une sorte de nuage lumineux, c'est-à-dire une nébuleuse. Des découvertes similaires suivirent. Près de deux siècles plus tard, en 1798, l'astronome français Pierre Simon de Laplace supposa que la force de gravité pouvait concentrer ces nuages gazeux en une matière solide : en tournant sur elle-même, la nébuleuse se condense en une masse de plus en plus compacte, mais elle émet aussi des anneaux de gaz, dont chacun se condensera lui aussi pour former une planète. C'est ce qu'on appelle l'hypothèse nébulaire avec anneaux.

Les théories de Laplace ont fait autorité pendant plus d'un siècle, avant d'être enrichies, notamment en 1944, par l'astronome allemand Karl von Weizsäcker. Celui-ci supposa qu'au sein de la nébuleuse se formaient d'abord des planétésimes, c'est-à-dire des corps de petite taille qui, en se regroupant, se transformaient ensuite en planètes.

Quelle que soit l'hypothèse qui finira par s'imposer, un élément demeure : les planètes viennent d'un nuage de gaz tournant sur lui-même et se sont formées par condensation et accrétion. Or, quand un corps en rotation se brise en plusieurs morceaux, ceux-ci continuent de tourner dans le même sens que lui. C'est ainsi que la Terre et les autres planètes tournent d'ouest en est, mais à des vitesses très différentes. Sauf Vénus, dont la rotation en sens inverse demeure inexplicable. Il a d'ailleurs fallu attendre le début des années 1960 pour connaître le sol de cette planète si mystérieuse en perçant ses épais nuages grâce à des rayons radar.

La Terre et le firmament vus de la Lune. Tout comme la Lune tourne autour de notre planète, la Terre et ses huit compagnes tournent autour du Soleil.

La tête à l'envers

Pour nous qui vivons dans l'hémisphère Nord, l'Australie et les antipodes évoquent souvent l'image étrange (et particulièrement stupéfiante et déconcertante pour les enfants) de gens qui, étant au-dessous de nous, marcheraient la tête en bas. Dès lors, une question s'impose : pourquoi ne tombent-ils pas ?

La force qui nous fait tous tenir debout sans partir dans l'espace ou glisser sur les flancs du globe est aussi celle qui fait de notre planète une sphère. Nous sommes maintenus en place par la gravité. Où que nous allions, nous sommes toujours irrésistiblement attirés vers le centre de la Terre, à 6 370 km sous nos pieds. Sans cette force, notre atmosphère aurait disparu depuis longtemps et nos mers se seraient répandues dans l'espace.

La gravité terrestre attire toute chose vers le centre de la planète. C'est pourquoi la Terre ne peut être qu'un globe. L'examen d'autres formes (cube, pyramide, œuf) vous convaincra que la sphère est la seule dont toutes les parties soient le plus près possible du centre.

Un globe aplati

Voilà près de deux mille cinq cents ans que des érudits grecs, notamment Pythagore et Aristote, ont, les premiers, établi que la Terre était ronde. Mais il a fallu attendre le début du XVIIe siècle pour que les savants pensent qu'elle n'était peut-être pas tout à fait sphérique. Les autres corps célestes, tels que la Lune ou le Soleil, étaient parfaitement ronds et on pouvait voir à l'œil nu qu'ils le restaient en se déplaçant dans le ciel. Il n'y avait pas de raison de penser que la Terre fût différente.

Dès que les astronomes ont braqué leurs télescopes vers le ciel, ils y ont vu des choses bien étranges : Jupiter et Saturne étaient elliptiques, et leur forme ne changeait jamais. Au XVIIe siècle, ils se sont aperçus que les planètes étaient renflées en leur milieu, le dessus et le dessous étant aplatis.

Isaac Newton découvrit la clé de l'énigme en prouvant que, si un objet tourne, ses éléments tendent à partir en ligne droite, et non en décrivant une courbe. La vie quotidienne nous en offre des exemples innombrables : dans une voiture qui prend un virage, on se sent projeté vers l'extérieur. Dans une essoreuse, le linge est propulsé sur le tambour au lieu de rester au centre. Plus la vitesse de rotation augmente, plus la force est importante. C'est pourquoi des enfants assis à la circonférence d'un manège risquent davantage de se faire éjecter que ceux installés près du centre.

Les lois newtoniennes du mouvement expliquent la nature exacte de cette force centrifuge :

Un point situé sur l'équateur de la Terre se déplace à 1 670 km/h. Près des pôles, il ira beaucoup moins vite et au pôle sa vitesse est nulle. Pourquoi ? Parce que tout objet situé sur l'équateur décrit un cercle plus grand à chaque tour de la Terre, et parcourt donc dans le même temps une distance plus longue.

Cette différence a tendance à créer un renflement là où la vitesse est le plus élevée, car la force centrifuge qui s'exerce sur l'équateur le pousse vers l'extérieur. Si la Terre avait une masse plus importante, l'attraction exercée par sa propre gravité compenserait cette poussée. Le Soleil, par

La rotation de la Terre crée une force centrifuge comparable à celle d'un manège et la déforme légèrement.

exemple, tourne très rapidement et atteint environ 7 260 km/h à son équateur. Mais sa propre gravité lui conserve plus ou moins sa forme. Jupiter tourne encore plus vite (45 770 km/h), mais sa force gravitationnelle est bien inférieure à celle du Soleil. Sa déformation est donc inévitable, et Saturne est dans le même cas.

En 1736, une expédition scientifique française se rendit en Laponie afin d'y calculer la courbure de la Terre près du pôle Nord. Au Pérou, une autre faisait de même près de l'équateur. Elles conclurent que le diamètre équatorial de la planète mesurait 43 km de plus que celui calculé d'un pôle à l'autre.

L'observation moderne par satellite a établi que c'est légèrement au sud de l'équateur que le renflement est le plus important : le diamètre y accuse un écart de 7,60 m. En 1959, la révélation de ce phénomène a incité la presse à parler d'un monde en forme de poire. C'est très excessif : pour un astronaute qui la contemple à l'œil nu, notre planète semble parfaitement sphérique.

Comment retomber sur ses pieds ?

La vitesse de rotation de la Terre atteint 1 670 km/h à l'équateur, où elle est le plus élevée. Avec un tel chiffre, on pourrait penser que quelqu'un qui sauterait en l'air retomberait en un autre endroit, la Terre ayant bougé sous ses pieds pendant la durée du bond.

Cet argument a souvent été avancé à l'encontre des premiers astronomes qui assuraient que la Terre tournait. Nous savons aujourd'hui que dans un objet en mouvement tout bouge. C'est pourquoi nous utilisons des ceintures de sécurité en voiture ou en avion. Un enfant qui n'est pas sanglé sur son siège est projeté en avant si la voiture freine brutalement : il se déplace à la même vitesse que le véhicule, comme tout ce que celui-ci contient. Si tel n'était pas le cas, il serait impossible, en train, de lancer une revue à un ami à travers le couloir. Et une balle de fusil dont la vitesse égalerait celle du train ne pourrait jamais sortir du canon.

Lorsqu'il dut s'expliquer à ce sujet, Galilée trouva un exemple convaincant. Supposons, dit-il, que vous grimpiez au nid-

LE PUITS ET LE CHAMEAU

Pendant des millénaires, la plupart des gens ont cru que la Terre était plate. Ce n'est pas étonnant : vu du haut d'une colline, le paysage en contrebas leur semblait s'étendre à perte de vue. Contemplée d'un cap ou d'un bateau, la mer, pourvu qu'elle fût calme, leur paraissait on ne peut plus plate. Et, si la Terre était ronde, comme certains l'assuraient, pourquoi ne tombions-nous pas ?

Il y a quelque deux mille cinq cents ans, des intellectuels grecs affirmaient déjà que la Terre était ronde. Pour le prouver, en 340 avant J.-C., Aristote fit valoir que pendant une éclipse de Lune la Terre projetait sur celle-ci une ombre arrondie. Or, la sphère est la seule forme qui projette une telle ombre de n'importe quel angle. Donc, la Terre ne pouvait qu'être sphérique. Mais restait à en calculer la circonférence. Vers l'an 240 avant J.-C., c'est ce qu'entreprit avec succès l'astronome grec Ératosthène, qui vivait à Alexandrie.

Au hasard d'un voyage à Syène (aujourd'hui Assouan) le jour du solstice d'été, il remarqua que le Soleil était à midi exactement à la verticale, puisqu'il éclairait le fond d'un puits. Un an plus tard, à la même date et à la même heure, l'ombre d'un cadran solaire d'Alexandrie lui montra que le Soleil était à environ 7,5° au sud, et non à la verticale. En supposant que la Terre était ronde – théorie communément admise par les astronomes grecs –, la distance de Syène à Alexandrie représentait donc 7/360 (soit environ 1/50) de sa circonférence.

Compte tenu du temps nécessaire pour relier les deux villes par les caravanes de chameaux, Ératosthène savait qu'elles étaient à 5 000 stades l'une de l'autre (un stade mesurant à peu près 1/16 de kilomètre, ou environ 167 m). Il en conclut que la Terre avait une circonférence de 250 000 stades (50 × 5 000), soit à peu près 42 000 km. Il était plus près de la vérité que Christophe Colomb : en mettant cap à l'ouest, en 1492, le navigateur pensait que le tour de la Terre n'était que de 29 000 km. En fait, le calcul d'Ératosthène était remarquable, puisque nous savons aujourd'hui que la circonférence à l'équateur est de 40 075 km.

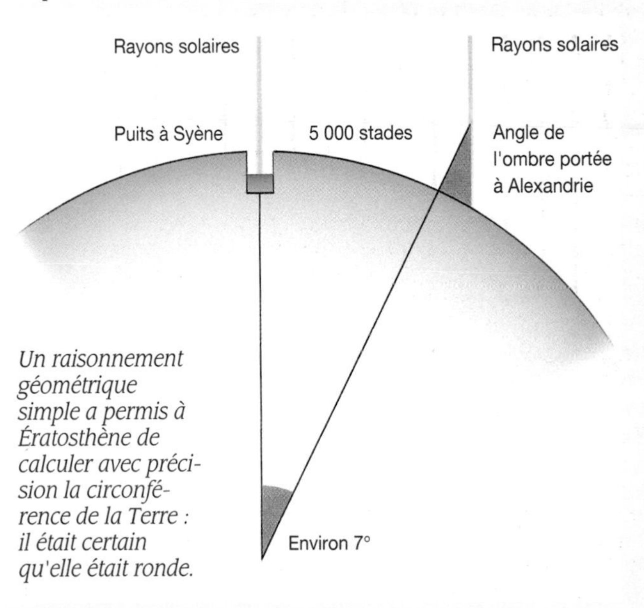

Un raisonnement géométrique simple a permis à Ératosthène de calculer avec précision la circonférence de la Terre : il était certain qu'elle était ronde.

de-pie d'un vaisseau voguant par mer calme, de telle sorte que le pont se trouverait droit sous vous. Si vous lâchiez quelque chose de là-haut, il tomberait sur le tillac, et non pas en mer. Pourtant, le voilier aurait avancé entre-temps.

Tout ce qui se trouve sur notre planète bouge à la même vitesse, y compris l'atmosphère. Si nous sautons sur place, nous retombons au même endroit, car nous conservons cette vitesse. Si nous lançons une balle ou un javelot sur un stade, ils parviendront là où nous les avons envoyés... compte non tenu du vent et de notre maladresse, naturellement !

La Terre est un aimant

Dans la Chine et la Grèce antiques, on savait déjà que la magnétite (une sorte de minerai de fer) présentait des propriétés que nous appelons aujourd'hui magnétisme : attiré par une force terrestre mystérieuse, cet aimant naturel indiquait de lui-même une position donnée, pour peu qu'on le laisse pivoter librement. Il fallut des siècles pour découvrir que la Terre elle-même était un aimant géant.

William Gilbert, physicien et médecin de la reine Élisabeth Ire d'Angleterre, fut le premier à s'en douter. En 1600, il déclara que la Terre se comportait comme une gigantesque barre aimantée. Cette théorie n'a été sérieusement contestée qu'au début du XXe siècle. Nous savons aujourd'hui que, à des intervalles se chiffrant en milliers ou en millions d'années, le champ magnétique de la Terre nous fait la surprise de s'inverser : en quelque deux mille ans, le pôle magnétique nord passe au sud, et vice versa. Cela réduit à néant l'hypothèse d'une énorme barre magnétique ou de gigantesques gisements de fer qui traverseraient le globe d'un pôle à l'autre, car la polarité d'un aimant est constante. D'autre part, un aimant perd ses propriétés magnétiques si on le chauffe (la température à laquelle une substance ferromagnétique perd ses propriétés s'appelle température de Curie. Elle est de 760 °C pour le fer, de 356 °C pour le nickel), et la chaleur intense du noyau terrestre le détruirait rapidement.

L'origine du champ magnétique terrestre demeura une énigme jusqu'aux années 1960. L'électromagnétisme permet peut-être de l'expliquer. Si on enroule du fil métallique autour d'une barre d'acier et qu'on y fasse passer un courant électrique, l'acier devient aimanté. Si on coupe le courant, le magnétisme disparaît.

On pense aujourd'hui que le champ magnétique de la Terre provient des courants électriques engendrés au plus profond de la planète. Nous savons que la partie externe du noyau terrestre est constituée d'une couche en fusion d'environ 2 200 km d'épaisseur. Probablement composée de nickel et de fer, elle sépare le manteau terrestre du noyau central, solide, mais chauffé à blanc.

Les différences de densité et de température entre la partie inférieure du manteau et le centre du noyau (ou graine) sont énormes. Elles provoquent des courants de convection dans la couche externe du noyau, si bien que celle-ci se déplace lentement. Compte tenu de la rotation de la Terre, la fluidité de cette couche permet à la croûte et au manteau de tourner plus vite que la graine. Un mouvement d'électrons dans celle-ci et le manteau forme une dynamo naturelle, génératrice d'électricité. L'alliage nickel-fer liquide du noyau externe est trop chaud pour devenir un aimant naturel, mais c'est un excellent conducteur électrique. Alimenté en énergie par la dynamo terrestre, il forme un immense électroaimant allant du nord au sud à travers la planète.

Le champ magnétique de la Terre lui aurait été offert dès sa naissance par le Soleil. En effet, notre planète est née d'un nuage de poussière contenant des particules métalliques. En traversant le champ magnétique solaire, elles ont créé leur propre courant électrique et formé le magnétisme terrestre. Aujourd'hui, le mouvement constant du noyau externe maintient l'électroaimant sous tension.

Et c'est heureux, car cela nous protège des dangereuses radiations propagées par le vent solaire.

Des courants électriques formés au sein de la planète à sa naissance donnent probablement à la Terre son vaste champ magnétique, dont les propriétés peuvent être comparées à celles des électroaimants (à gauche).

De quoi perdre le nord

À la fin du XVIIe siècle, l'astronome britannique Edmond Halley (qui donna son nom à la comète) fut le premier à étudier la théorie d'un déplacement du champ magnétique terrestre. L'observation moderne prouve que ce déplacement est d'environ un degré vers l'ouest tous les cinq ans. En outre, l'intensité du champ magnétique s'affaiblit : elle a diminué d'à peu près 6 % en cent cinquante ans. Les deux phénomènes sont probablement liés.

Le champ magnétique de la Terre n'est jamais très puissant. Les scientifiques le mesurent au magnétomètre, instrument si sensible que ses utilisateurs ne portent ni montre ni ceinture, dont le métal en affecterait la lecture. Il est gradué en fractions de tesla. Cette unité internationale définit l'énergie nécessaire pour positionner l'aiguille d'une boussole d'est en ouest, c'est-à-dire à angle droit par rapport à sa direction normale. Or, le champ magnétique de la Terre n'est que de 0,00005 tesla, soit une intensité plusieurs centaines de fois inférieure à celle d'un aimant fer à cheval ordinaire.

Il y a environ sept cent mille ans, le champ magnétique terrestre était inversé, ce qui est aujourd'hui le nord était le sud. Nous le savons grâce à la sensibilité du magnétomètre, qui permet aux géologues de mesurer l'aimantation la plus infime des roches. En se refroidissant et en se solidifiant, les roches autrefois en fusion ont emprisonné de minuscules particules de fer. Celles-ci se sont magnétisées en fonction de la position des pôles magnétiques de l'époque, ce qui nous en donne une image fossilisée. Grâce au paléomagnétisme (ou étude du champ magnétique par les roches anciennes), les scientifiques savent non seulement que le champ magnétique a changé de polarité, mais encore qu'il s'est affaibli en se déplaçant.

Ces modifications du champ sont irrégulières et extrêmement lentes. Chacune dure de mille à cinq mille ans. Depuis quatre millions d'années, il y a eu dix périodes d'inversion de polarité. Le champ magnétique du Soleil subit une évolution similaire, comme l'attestent les taches solaires qui apparaissent tous les onze ans.

Les mouvements internes de la Terre expliquent peut-être ce phénomène. On a vu précédemment que la couche liquide formant le noyau externe de notre planète se déplaçait et formait un gigantesque électroaimant.

Cela implique-t-il de graves dangers ? Les scientifiques n'en sont pas sûrs. Le danger provient des particules du vent solaire : si elles n'étaient pas déviées par notre champ magnétique, elles nous bombarderaient en permanence.

UNE BONNE VIEILLE MÉTHODE

Le compas magnétique figure toujours au tableau de bord des avions actuels.

Malgré les gigantesques progrès des transports modernes, l'instrument essentiel de la navigation demeure celui des marins médiévaux : la boussole, ou plutôt son équivalent maritime, le compas magnétique, dont rien n'a encore surpassé la simplicité et la fiabilité. Quand les étoiles sont cachées par les nuages ou quand le brouillard efface tout repère, c'est lui qui, sous le contrôle du champ magnétique terrestre, permet au voyageur de parvenir à bon port, que ce soit sur terre, sur mer ou dans les airs. Même les appareils de navigation les plus perfectionnés dépendent, dans une certaine mesure, du compas. Tous les gyrocompas utilisés dans les avions, les navires ou les engins spatiaux en utilisent un pour se stabiliser. Comme les taches solaires perturbent souvent les ondes radio, on ne peut attendre une fiabilité parfaite du matériel de navigation radioélectrique (radiogoniomètres, navigateurs par satellite, etc.). C'est pourquoi tout navire naviguant à plus de 9 km d'un abri doit être muni d'un compas de route. De plus, les pilotes d'avion apprennent à suivre un cap compas à 0,5° près. C'est indispensable : à 1 900 km/h, une erreur de 1° provoque un écart de 500 m en une minute.

Malgré sa fiabilité, un relèvement par compas peut induire en erreur, car c'est le pôle nord magnétique qui est indiqué. Or, la position de celui-ci change constamment. Les relèvements pris depuis quatre cents ans à Londres indiquent que son écart avec le pôle Nord géographique, écart appelé déclinaison magnétique, a varié de 35°. De plus, les phénomènes électromagnétiques de la haute atmosphère peuvent provoquer des perturbations à tout instant.

Tout utilisateur d'un compas ou d'une boussole, y compris le simple randonneur, doit composer avec la déclinaison, qui varie d'un endroit à l'autre. Pour trouver le Nord géographique (ou Nord vrai), il faut l'ajouter au nord magnétique ou l'en retrancher. Cette déclinaison, dont la variation prévisible est indiquée sur les cartes marines, est contrôlée à intervalle de quelques jours par les observatoires du monde entier. Pour les utilisateurs ayant besoin d'une information très précise, des modèles informatiques calculent les variations en permanence. Les résultats sont notamment utilisés dans l'aviation par les long-courriers et par la navette spatiale américaine.

Pourquoi un compas indique-t-il le nord ?

Le mot magnétisme tire son origine de la province grecque de Magnésie, aujourd'hui située en Turquie. En 800 avant J.-C., les Grecs y extrayaient la magnétite, un minerai de fer présentant une propriété remarquable : deux morceaux situés l'un près de l'autre s'accolaient brusquement, parfois en changeant d'orientation pour y parvenir.

Les Chinois, qui connaissaient aussi ce matériau, utilisaient déjà l'aimant il y a deux mille ans. Ils avaient découvert que, si on laissait pivoter librement une lamelle de magnétite, elle indiquait toujours la même direction. Ils auraient fabriqué la première boussole dès 1100 grâce à une parcelle de magnétite en équilibre sur une planche rabotée. Cependant, elle n'était pas utilisée par des navigateurs, mais par des devins. La boussole maritime, ou compas, n'est apparue que plus tard. L'universitaire anglais Alexander Neckham mentionne son utilisation en 1180.

En 1269, l'architecte militaire français Peter Peregrinus (Pierre le Pèlerin) décrit comment on peut magnétiser un morceau de fil de fer en le frottant avec de la magnétite. Si on le pose sur une lamelle de bois flottant sur l'eau, il se stabilise tout seul dans un axe nord-sud.

Simple et fiable, la boussole a peu changé depuis ce compas de 1750.

À peu près à la même époque, les Chinois aimantent de minces plaques de fer, les taillent en forme de poisson et les font flotter sur l'eau. Et les marins utilisent des compas rudimentaires, formés d'une aiguille de fer aimantée posée sur un bouchon flottant.

Cet instrument a sans aucun doute contribué aux grandes découvertes du XVe siècle. Mais les compas flottants étaient peu fiables, surtout par mer forte. Pendant les deux siècles qui suivent apparaissent d'abord le compas sec, formé d'un disque monté sur un pivot, puis le compas fixé sur cadran pour rester horizontal.

Qu'elle soit en magnétite ou en acier, l'aiguille d'une boussole est régie par les lois de l'attraction et de la répulsion magnétiques. Le pôle nord d'un aimant attire le pôle sud d'un autre : les polarités identiques se repoussent, et les polarités opposées s'attirent. Quand l'aiguille d'une boussole indique le nord, elle réagit au champ magnétique terrestre.

Les deux pôles magnétiques de la Terre ont été identifiés de manière incorrecte. D'après les lois du magnétisme citées plus haut, le pôle nord d'une boussole pointe vers ce que nous devrions appeler le pôle sud magnétique, et non le nord. Mais il est évident que rectifier ce point de vocabulaire serait aujourd'hui trop compliqué.

En fait, le pôle Nord géographique ne correspond pas au pôle nord magnétique, si bien que la boussole n'indique par le Nord vrai, comme les philosophes chinois l'ont constaté vers l'an 1050. Le pôle nord magnétique est actuellement situé dans le Nord-Est canadien, à environ 1 900 km du Nord géographique et le pôle sud magnétique en mer Australe, à 2 600 km du Sud géographique. Cette différence, appelée déclinaison magnétique, n'a pas la même importance selon le lieu où on se trouve. Sur l'équateur, par exemple, les deux pôles semblent très proches. Mais, dans l'Arctique ou en Antarctique, le voyageur doit absolument en tenir compte sous peine de se perdre très rapidement.

Quand le ciel vous tombe sur la tête

Il y a de cela quatre milliards d'années, la Lune a été littéralement bombardée par d'énormes rochers venus de l'espace. Ils ont provoqué les cratères aujourd'hui visibles de la Terre. Étant si proche, pourquoi notre planète a-t-elle échappé à ce pilonnage ?

On pourrait penser que les débris assez grands pour provoquer pareils dégâts se sont désintégrés ou ont brûlé au contact de l'atmosphère. C'est une erreur. Nous savons maintenant que des blocs de plus de 150 m de large arriveraient sur la Terre intacts... et y provoqueraient les dégâts que l'on devine.

Les météorites de fer sont les plus violents. Il y a quelque vingt-cinq mille ou cinquante mille ans, un météorite de fer et de nickel d'environ 50 m de diamètre a frappé les États-Unis à une vitesse d'environ 11 km/s près de ce qui est aujourd'hui Winslow, dans l'Arizona. Il nous a laissé en souvenir le cratère Barringer ou Meteor Crater, qui mesure 1,2 km de large sur 200 m de profondeur. Ce projectile était pourtant un nain comparé à ceux qui avaient déjà percuté la Terre il y a quatre milliards d'années. Certains mesuraient plusieurs centaines de kilomètres de diamètre. Si un tel monstre frappait aujourd'hui la France, il éliminerait d'un seul coup Paris, Bordeaux et Lyon. L'atmosphère n'aurait aucun effet sur lui : en fait, sa face arrière ne ressentirait l'impact que lorsque l'avant serait déjà enfoui à 20 km de profondeur.

Si la Terre n'est pas criblée de cratères, c'est parce que son visage a considérablement changé depuis lors. Les cratères de jadis se sont usés ou ont disparu sous la croûte terrestre. En effet, notre planète a une importante activité géologique. Les plaques tectoniques qui en composent la croûte se déplacent et se plissent, ce qui provoque des séismes. Parfois, elles plongent dans les profondeurs en entraînant avec elles ce qui se trouve en surface, et donc les cratères s'il y en a.

Dans l'ensemble, la physionomie de la Terre est relativement jeune. L'océan Atlantique, par exemple, n'a que 175 millions d'années. À la différence de la Lune, qui n'a ni air ni eau pour éroder ses cicatrices, la Terre présente un visage en perpétuelle évolution, et qui continuera à se patiner dans l'avenir, aussi lointain soit-il.

Le cratère de Barringer est dû à un impact de météorite. Celui-ci était pourtant un nain comparé à ceux qui avaient déjà frappé la Terre.

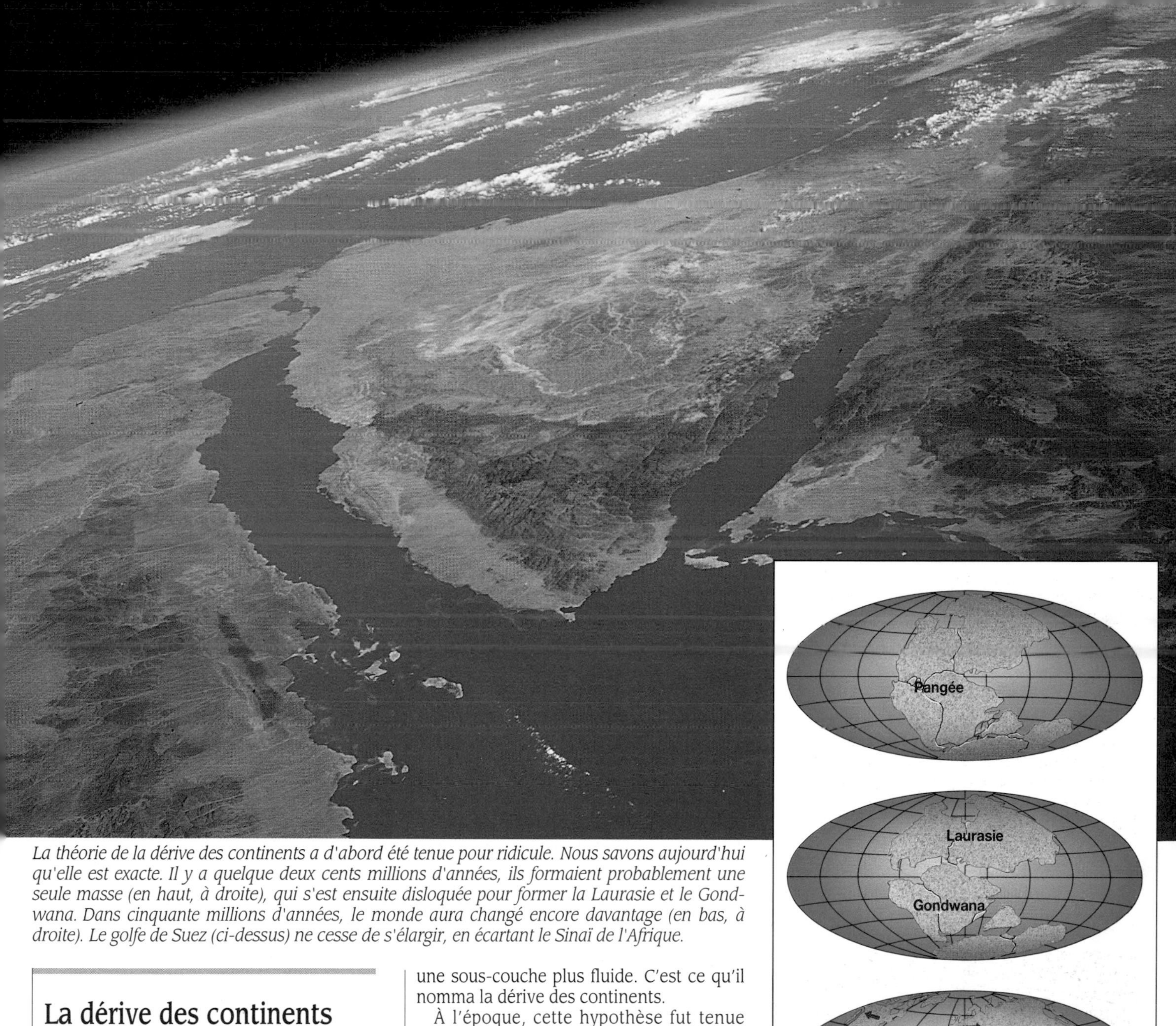

La théorie de la dérive des continents a d'abord été tenue pour ridicule. Nous savons aujourd'hui qu'elle est exacte. Il y a quelque deux cents millions d'années, ils formaient probablement une seule masse (en haut, à droite), qui s'est ensuite disloquée pour former la Laurasie et le Gondwana. Dans cinquante millions d'années, le monde aura changé encore davantage (en bas, à droite). Le golfe de Suez (ci-dessus) ne cesse de s'élargir, en écartant le Sinaï de l'Afrique.

La dérive des continents

Si on découpe une mappemonde à coups de ciseaux pour en détacher les continents, on obtient un puzzle très intéressant, car certains d'entre eux s'emboîtent parfaitement : la façade atlantique de l'Amérique du Sud correspond tout à fait à la côte occidentale de l'Afrique. Le sud de l'Australie s'imbrique dans l'Antarctique, l'Inde se niche sur la corne de l'Afrique. Et certains continents présentent des éléments permettant de penser qu'ils n'ont pas toujours eu leur emplacement actuel.

En 1620, le philosophe anglais Francis Bacon a été le premier à souligner la similitude de tracé entre l'Amérique du Sud et l'Afrique. Près de trois siècles plus tard, le météorologue allemand Alfred Lothar Wegener supposa que tous les continents avaient jadis formé un seul ensemble, qu'il appela Pangée (de « toute terre » en grec ancien), et formula une théorie selon laquelle ils se seraient écartés en flottant sur une sous-couche plus fluide. C'est ce qu'il nomma la dérive des continents.

À l'époque, cette hypothèse fut tenue pour ridicule. Pourtant, si Wegener s'était trompé dans l'explication du mouvement, il avait bel et bien vu juste à propos de la dérive. Pendant les années 1950, des géophysiciens entreprirent d'étudier le champ magnétique du fond des océans. Ils découvrirent que sa direction n'était pas toujours la même. Donc, les rochers avaient bougé depuis leur magnétisation par le champ magnétique de la Terre.

En 1956, le géologue américain William Ewing établit qu'une chaîne de montagnes serpentait au milieu de l'océan Atlantique, faisait le tour de l'Afrique et se poursuivait dans l'océan Indien. De là, elle continuait jusqu'en Antarctique et dans le Pacifique, formant ainsi un système sous-marin qui faisait le tour du monde, et dont certains sommets émergeaient pour former des îles. C'est ce qu'on nomma les dorsales océaniques. Depuis lors, d'autres études ont montré que la croûte externe de la Terre, ou lithosphère, était fractionnée en sections nommées plaques tectoniques, dont l'épaisseur moyenne était de 100 km. On en compte sept principales, et une dizaine de moindre étendue, que certains chercheurs redécoupent en plaques encore plus petites. La superficie de certaines d'entre elles peut atteindre 100 millions de kilomètres carrés.

Lorsqu'ils purent effectuer des forages sous-marins, les géologues se rendirent compte que les roches étaient plus jeunes aux abords des dorsales. Cela démontrait que des matériaux issus des profondeurs terrestres se répandaient lentement au fond des océans, et que leur poussée écartait peu à peu les plaques.

Les continents dérivent depuis au moins deux cent cinquante millions d'années et continuent de se déplacer à une vitesse allant de 20 à 75 mm par an. Mais ce mouvement n'est pas limité aux océans. Une partie de continent peut se détacher du reste en formant ce qu'on nomme un rift (fossé) envahi par les eaux. C'est ainsi qu'est né l'océan Atlantique, il y a cent soixante-quinze millions d'années. La mer Rouge s'est formée de la même manière et continue de s'élargir dans le prolongement du Grand Rift africain. Il en va de même pour le lac Baïkal, en Sibérie.

Le mouvement des plaques et des masses continentales qu'elles supportent n'implique pas un agrandissement de la Terre. Quand les plaques s'écartent en un endroit, elles convergent en d'autres. Et les collisions peuvent être catastrophiques : plissements de montagnes, énormes séismes, création de volcans ou de fosses abyssales. La plus haute chaîne de montagnes du monde, L'Himālaya, s'est formée par collision des plaques indienne et asiatique, il y a quelque cinquante millions d'années.

Pourquoi la Terre retient-elle l'atmosphère ?

Les premiers astronomes croyaient l'Univers empli d'air. À condition de trouver un véhicule approprié, il n'aurait donc été guère plus difficile de se rendre sur la Lune que dans quelque pays lointain, sans combinaison spatiale ni réserve d'oxygène.

La raréfaction de l'air avec l'altitude n'a été prouvée qu'en 1648, par le physicien et philosophe français Blaise Pascal. Il envoya son beau-frère Florin Périer mesurer la pression atmosphérique sur le puy de Dôme avec des tubes de mercure. Il estimait que, plus l'altitude augmenterait, moins la pression de l'air serait importante, ce qui ferait varier la hauteur de la colonne de mercure présente dans chaque tube. Si la pression restait constante, le niveau de mercure ne changerait pas.

Il avait naturellement raison. Si l'Univers était empli d'air, le mouvement orbital des planètes et des corps célestes en général ralentirait peu à peu. La Lune s'écraserait sur la Terre, qui succomberait inévitablement à la force d'attraction du Soleil et irait s'y consumer.

L'atmosphère terrestre a probablement évolué par paliers après la naissance de la planète, il y a 4,6 milliards d'années. Elle provient d'une interaction chimique entre solides et liquides. On estime qu'elle était à l'origine essentiellement composée d'hydrogène et d'hélium. Soumis à la chaleur intense du Soleil, ces gaz étaient suffisamment légers pour échapper à la force d'attraction terrestre, et la majeure partie s'est dissipée dans l'espace.

À mesure que la Terre s'est refroidie, d'énormes quantités de gaz carbonique, d'eau, de méthane et d'ammoniac ont jailli de ses profondeurs incandescentes, tout comme les gaz aujourd'hui dégagés par les volcans en activité. Ensuite, il y a environ 4,5 milliards d'années, lorsque la température terrestre est descendue au-dessous de 100 °C, la vapeur d'eau s'est condensée et est retombée en pluie. Les océans ont commencé à se remplir.

Il y a trois milliards d'années, l'atmosphère contenait encore peu d'oxygène.

Blaise Pascal (à gauche) suscita le scepticisme quand il affirma que l'air se raréfiait en altitude. Il prouva ses dires en constatant, dans un tube de mercure, une variation de niveau entre la plaine et la montagne. C'est ce phénomène qui oblige l'alpiniste à porter un masque à oxygène dans l'Himālaya.

Des interactions compliquées entre la lumière ultraviolette du Soleil, le méthane, l'ammoniac et l'eau créèrent peu à peu une couche d'ozone. Celle-ci barra le passage à la majeure partie des ultraviolets, qui sont nuisibles à la vie. L'azote, issu de l'ammoniac, devint le principal gaz de l'atmosphère terrestre.

L'étude géologique prouve qu'il y a environ deux milliards d'années une végétation primitive a progressivement transformé le gaz carbonique en oxygène. Ce processus est toujours en cours, si bien que notre atmosphère actuelle contient environ 78 % d'azote, 21 % d'oxygène et quelques traces d'autres gaz, comme l'argon.

Si on tourne le robinet à gaz d'une cuisinière, le gaz se répand rapidement dans la pièce. C'est que le brûleur n'exerce pas de force d'attraction, à la différence de la Terre, dont la gravité retient ses gaz autour d'elle. Pour y échapper, ils doivent atteindre la vitesse d'une fusée spatiale, soit au moins 11,2 km par seconde. Fort heureusement pour nous, ils ne sont pas près d'y parvenir.

UN POIDS DE MOINS À SUPPORTER

Chacun sait que le baromètre, autrefois présent dans presque tous les foyers, mesure la pression de l'air, c'est-à-dire le poids de l'atmosphère, variable selon l'altitude et la teneur en vapeur d'eau. Au niveau de la mer, elle est habituellement de 1 013 hPa, soit une hauteur de 760 mm sur une colonne de mercure.

Nous ne nous en rendons pas compte, mais l'atmosphère exerce sur nous tous une pression écrasante. Son poids total est d'à peu près 5 millions de milliards de tonnes. Chacun de nous soutient donc une colonne d'air d'environ 1 t. Au niveau de la mer, la pression atteint près de 1 kg/cm². À 5 500 m d'altitude, elle est deux fois moindre.

Nous vivons pour la plupart au fond d'un océan d'air dont le poids peut se comparer à la pression de l'eau sur un poisson. Celui-ci n'est pas écrasé parce que son organisme lui permet de compenser le poids de l'eau. De même, la pression interne de notre corps compense la pression atmosphérique et nous évite de la ressentir.

Dans l'ensemble, celle-ci ne nous perturbe que si nous quittons notre environnement habituel, par exemple pour passer des vacances en haute montagne. Comme la pression y est moindre et l'oxygène plus rare, nous risquons de nous essouffler, surtout au cours de randonnées ou d'activités sportives. La cabine non pressurisée d'un avion pose elle aussi des problèmes. N'étant plus égale à celle de l'extérieur, la pression corporelle donne alors une impression bizarre, voire douloureuse, dans les tympans. Mais il suffit de déglutir pour que tout rentre dans l'ordre.

Daniel Quare perfectionna le baromètre en concevant, en 1695, un modèle que l'on pouvait déplacer sans renverser de mercure. À droite, cette version améliorée date de 1705.

Le cosmos ne joue pas au billard

Une autre planète fonce droit sur la Terre. Il faut agir, et vite... Voilà un des thèmes préférés de la science-fiction.

Rassurez-vous, c'est impossible. Certes, la Terre est vulnérable à quantité d'astéroïdes, des corps relativement petits en orbite autour du Soleil. Les astronomes estiment qu'au moins 1 million d'entre eux ont un diamètre de plus de 100 m. Et, comme leur trajectoire croise parfois celle de la Terre, un gros carambolage n'est pas à exclure. Quant au risque de voir une autre planète du système solaire débouler dans votre deux-pièces-cuisine, il est négligeable et le restera pendant des milliers d'années, voire pour toujours.

Notre système solaire comprend 9 planètes : la Terre, Mercure, Vénus, Mars, Jupiter, Saturne, Uranus, Neptune et Pluton. Mais, pour l'instant, aucune des 8 autres n'a une orbite qui croise la nôtre. Vénus est la plus proche, mais elle passe au minimum à environ 40 millions de kilomètres (soit 110 fois plus loin que la Lune), ce qui laisse une confortable marge de sécurité.

Les plus pessimistes objecteront qu'on ne peut pas savoir si nos voisines ne vont pas changer d'orbite. Les savants reconnaissent, en effet, que le système solaire est chaotique, et qu'il est donc impossible de déterminer avec précision ce qui se passera dans l'immensité de l'avenir. Certaines études informatiques établissent que, dans un délai de 100 millions d'années, les planètes lointaines (Jupiter, Saturne, Uranus, Neptune et Pluton) manifesteront des signes d'oscillation orbitale et dévieront légèrement.

Nous aurions besoin d'ordinateurs plus puissants pour calculer, sur des millions d'années, les effets cumulatifs des champs gravitationnels de toutes les planètes. Quand nous en disposerons, ils nous diront très probablement que le système solaire est stable pour les 500 millions d'années à venir. Cela paraît assez long pour rassurer les plus anxieux.

Des forces aveugles

Pourquoi le centre de la Terre est-il chaud ?

Le forage de recherche géologique le plus ambitieux du monde a été entrepris en 1970 par l'Union soviétique. Il descend à quelque 13 km au-dessous de Zapolarny, sur la presqu'île de Kola, tout près de la frontière finlandaise. En 1995, il atteindra la profondeur de 15 km, mais ce ne sera qu'une piqûre d'épingle : on n'en sera qu'à la moitié de la croûte terrestre, et à guère plus de 0,23 % des 6 370 km qui nous séparent du centre de la Terre.

La structure de notre planète est comparable à celle d'un oignon, avec ses couches successives. Mais, alors que ces dernières sont très similaires, on note des différences considérables entre les quatre principales couches de la Terre : la croûte, le manteau, le noyau externe et le noyau central, ou graine. Proportionnellement, la croûte est bien plus fine qu'une pelure d'oignon et forme à peu près 1 % du total.

Au-dessous se trouve le manteau. Il représente 82 % du volume de la Terre et descend sur près de 3 000 km jusqu'au noyau externe, en fusion. Environ 2 000 km plus bas se trouve la graine, le cœur de la planète.

C'est peu de dire que ce noyau central est chaud : il présente la chaleur infernale d'un réacteur nucléaire, car ce n'est rien d'autre qu'une boule d'énergie produite par la décomposition d'éléments radioactifs. Les géophysiciens estiment sa chaleur à 4 000 °C au centre. Elle diminue ensuite progressivement, pour atteindre environ 3 000 °C à la limite entre le noyau externe et le manteau. Mais la décomposition radioactive n'est pas seule en cause. D'après certains scientifiques, l'essentiel de cette fournaise aurait été engendré lors de la naissance de la Terre, à partir d'un immense tourbillon de gaz. Selon toute probabilité, celui-ci a formé des planétésimes, corps de petite taille dont la brutale agglomération a dégagé une énorme énergie cinétique – et donc de la chaleur – tout en constituant les planètes du système solaire, dont la nôtre.

Au cours du XXe siècle, les chercheurs ont reconstitué la structure de la Terre en juxtaposant les informations issues de di-

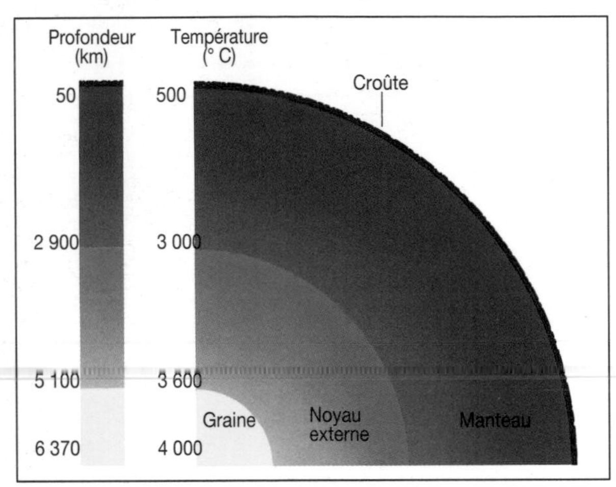

Cette vue en coupe de la Terre montre ses quatre couches principales. Le noyau central ou graine est un réacteur nucléaire naturel dégageant une chaleur prodigieuse.

DES CATASTROPHES À GRANDE ÉCHELLE

La magnitude d'un tremblement de terre caractérise l'énergie qu'il libère. On la définit généralement sur l'échelle de Richter, conçue en 1935 par le sismologue américain Charles F. Richter. Les mesures sont prises par un sismographe étalon situé à 100 km de l'épicentre. Pour plus de précision, on utilise en général plusieurs appareils.

Cette échelle n'a pas de limite supérieure ou inférieure. De plus, elle est logarithmique : chaque augmentation d'une unité représente une multiplication de la magnitude par 10, et à peu près une multiplication par 30 de l'énergie libérée sous forme d'ondes sismiques. Une secousse de magnitude 1 n'est décelable que par un sismographe. Quant à la magnitude 2 (donc 10 fois plus forte), c'est à peu près la plus faible que des humains puissent ressentir.

Un tremblement de terre de magnitude 8 a une amplitude 10 000 fois supérieure à un autre de magnitude 4. S'il frappe une région peuplée, il risque d'être terriblement meurtrier. Celui qui a fait quelque 650 000 morts en 1976 dans la ville chinoise de Tangshan avait une magnitude de 7,9. Le séisme le plus violent actuellement connu s'est sans doute produit au nord de Quito, en Équateur. Sa magnitude est estimée à 8,9, soit l'équivalent de 125 millions de tonnes de TNT. La bombe atomique d'Hiroshima avait une puissance explosive 10 000 fois moins importante.

Les scientifiques doutent que des séismes plus violents puissent se produire. Car, d'après eux, aucun volume rocheux de la croûte terrestre ne pourrait subir de contraintes plus importantes. Il éclaterait avant d'atteindre pareil niveau, ce qui libérerait certes une formidable énergie, mais nous épargnerait une explosion plus terrifiante encore.

L'échelle de Richter ne constitue qu'une méthode d'évaluation des secousses telluriques. D'autres procédés mesurent l'intensité du séisme, déterminée en évaluant à quel point la secousse est perceptible en un endroit donné, le niveau de déformation visible de la surface terrestre et les dégâts sur les immeubles. Alors que l'échelle de Richter ne donne qu'une mesure, les échelles d'intensité peuvent en donner plusieurs. Des points situés à égale distance de l'épicentre peuvent subir différents niveaux d'intensité, selon la géologie de la région. Les habitations construites en sol meuble, par exemple, souffriront davantage que celles bâties sur la roche.

Bien qu'on reproche aux échelles d'intensité leur manque de précision, leurs résultats n'en sont pas moins considérés comme précieux pour déterminer la vulnérabilité des régions.

Les ondes de choc d'un séisme sont décelées par des sismographes extrêmement sensibles, et mesurées selon l'échelle établie par Charles Richter (à droite).

Ce trou béant dans une rue d'Anchorage, en Alaska, a été ouvert en 1964 par un tremblement de terre. Le séisme provoqua un raz de marée à travers le Pacifique qui atteignit le Japon et l'Antarctique.

verses sources. Les séismes représentent un danger terrifiant pour nos villes, mais ils donnent à la science la clé des mécanismes internes de la planète. Les ondes sismiques primaires, appelées ondes de compression ou longitudinales (ondes P), traversent roches, gaz et liquides. Les ondes secondaires, dites ondes de cisaillement ou transversales (ondes S) sont moins rapides et ne traversent que les solides. S'ils captent les unes et non les autres, les géologues peuvent donc repérer les zones contenant gaz ou liquides. L'enregistrement sismographique des ondes P les renseigne également sur la nature et la densité de la graine. C'est ainsi que nous savons qu'elle est solide. Les matériaux les plus lourds ont sombré sous une mer de fer et de nickel en fusion.

Peut-on prévoir les tremblements de Terre ?

Aucune méthode actuelle ne permet de prévoir un séisme avec certitude. Pourtant, en 1975, les autorités chinoises y sont parvenues, à la stupéfaction générale : elles ont fait évacuer la ville de Haïcheng, en Mandchourie, et ont peut-être ainsi sauvé plus de 100 000 vies.

Les sismologues chinois avaient deux indices : une série de petites secousses et des variations de la nappe phréatique. Ils prédirent non seulement le séisme, mais encore sa magnitude exacte : 7,3 sur l'échelle de Richter. Pourtant, un an plus tard, un énorme tremblement de terre provoqua la mort d'environ 650 00 personnes à Tangshan, tout près de là. Cette fois, il n'y avait pas eu de signes avant-coureurs.

On recense chaque année plus d'un million de séismes dans le monde, dont 1 000 par jour uniquement au Japon. La plupart sont si faibles que seuls des instruments très sensibles les remarquent. D'autres, suffisamment forts pour dévaster une ville, ont lieu à peu près toutes les deux semaines, fort heureusement sous la mer ou loin de toute habitation.

Leur cause n'a été totalement élucidée qu'au cours des trente dernières années grâce à l'étude des plaques tectoniques. Leur mouvement provoque des contraintes très complexes dans les profondeurs terrestres. Parfois, l'une d'elles glisse au-dessus d'une autre, ce qui entraîne des compressions énormes. Elles peuvent aussi déclencher un cataclysme en se heurtant.

C'est précisément cette variété de possibilités qui rend les secousses telluriques si difficiles à prévoir. Difficulté supplémentaire, toute comme il n'existe pas deux séismes exactement identiques, on ne peut pas comparer les régions les plus exposées. La Californie, par exemple, chevauche deux plaques, et le Japon trois. En Amérique, la plupart des séismes commencent sur terre. Au Japon, ils viennent généralement du fond de la mer.

Le problème se résume à reconnaître une secousse sans gravité d'un tremblement de terre majeur, ce qui revient à chercher une aiguille dans une botte de foin. Tōkyō et Washington, en particulier, y ont consacré des sommes énormes. Il ne faut pas sous-estimer les petites secousses, car elles peuvent préluder à une catastrophe de grande ampleur. Mais il ne faut pas non plus les surestimer et faire évacuer une grande ville en prévision d'un séisme qui n'aura jamais lieu. Pour recenser les murmures de la croûte terrestre, les sismologues japonais ont enfoui des instruments de mesure dans des puits situés à 3 km de profondeur, loin des vibrations dues à la circulation routière.

La science n'est pas la seule source d'informations possible. On sait depuis des siècles que les animaux et les oiseaux ont un comportement bizarre quand va survenir une catastrophe, parfois plusieurs heures avant. Les chiens ont l'oreille plus fine que les humains. Peut-être les animaux perçoivent-ils le grondement lointain d'une onde de choc imminente, ce qui suscite leur panique. L'ennui, hélas, est que tous les séismes ne préviennent pas, qu'ils ne frappent pas toujours où on les attend, et qu'ils sont souvent meurtriers.

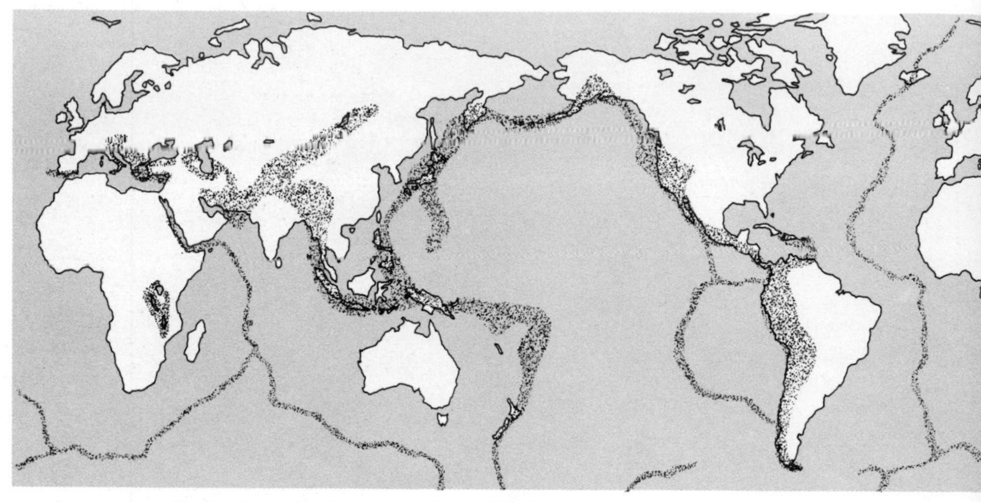

La plupart des séismes frappent des zones bien définies, ici, en grisé, faisant le tour de la Terre. Leur tracé correspond aux limites des plaques tectoniques, qui se heurtent souvent.

Attention, zones à risque

Les sismologues recensent quelque 3 000 tremblements de terre par jour, dont environ 90 % surviennent dans une région renfermant en quasi-totalité l'océan Pacifique. La plupart des autres ont lieu dans une bande allant de l'Espagne et des Balkans à l'Himālaya et à l'Indonésie.

Nous avons vu que les séismes sont dus aux chocs ou aux chevauchements des plaques tectoniques (sept grandes et une dizaine de petites), qui divisent la couche supérieure de la croûte terrestre, ou lithosphère. Probablement mues par des courants de convection thermique, ces plaques (et non les seuls continents, comme le croyait Wegener) glissent en effet sur l'athénosphère, la couche moins rigide du haut du manteau. Leurs limites correspondent aux zones de séismes.

Mais ces derniers peuvent aussi se produire sur les plaques elles-mêmes, par exemple en raison d'une violente poussée venue du dessous. En outre, on ne peut exclure des causes humaines : essais nucléaires souterrains, infiltration de déchets liquides au plus profond de la croûte terrestre, ou pression provoquée par le poids excessif d'une retenue d'eau.

Les tsunamis : des rouleaux compresseurs

Les vaguelettes de nos plages, l'été, sont dues à de petites brises sans importance, qui, quelquefois, annoncent du mauvais temps. Mais la côte est parfois frappée par des vagues géantes qui ne semblent venir de nulle part.

Ces monstres, souvent appelés à tort raz de marée, sont en fait des tsunamis (mot japonais signifiant « vague déferlant dans un port »). Ils sont provoqués au fond des mers par des séismes, ou plus rarement par des éruptions volcaniques. L'énergie de départ peut être assez forte pour faire faire à plusieurs vagues un aller-retour à toute vitesse du Japon à la Californie, traversant tout l'océan Pacifique. Plus l'océan où le choc s'est produit est profond, plus la vitesse des vagues sera élevée, au point de dépasser parfois 800 km/h en pleine mer.

Les vagues se suivent à intervalles variant de cinq minutes à une heure, mais elles passent généralement inaperçues des navires au large. En eau profonde, elles peuvent en effet ne dépasser les autres que d'une vingtaine de centimètres. Mais, quand un tsunami rencontre un plateau continental, sa vitesse de propagation ralentit considérablement, parfois jusqu'à 50 km/h, à mesure que les fonds remontent, et sa hauteur augmente énormément. Un tel phénomène provoque un resserrement brutal des vagues, qui se chevauchent et accumulent une énergie formidable, libérée en déferlant sur le rivage et dévastant tout sur son passage. C'est en avril 1771 que fut mesurée la vague la plus haute, au cours d'un tsunami qui frappa le Japon : elle atteignait 85 m.

Un tsunami fonce vers la côte. Estampe japonaise de Katsushika Hokusai, XIXe siècle.

Qu'est-ce qu'une éruption volcanique ?

Secouez une bouteille de champagne, libérez le bouchon et... pop ! il vient percuter le plafond. C'est tout le principe de bien des éruptions volcaniques.

Tout comme pour les séismes, il existe une relation directe entre les éruptions et les mouvements des plaques tectoniques. Lorsque l'une d'elles passe sous sa voisine, elle plonge en direction de la mer de matériaux en fusion sur laquelle toutes deux flottent. Et, plus elle descend, plus elle s'échauffe, au point de finir par fondre dans la chaleur infernale du manteau.

Dans ce processus, la plaque libère souvent de l'eau, qui se transforme instantanément en vapeur, dont le mélange avec la silice a des effets explosifs. De la proportion de silice dépend la viscosité de la roche en fusion : celle-ci peut être fluide et couler facilement, ou au contraire être dure et avoir la consistance du ciment.

S'il y a peu de silice et beaucoup d'eau, les bulles de vapeur joueront le même rôle que celles du champagne : elles se répandront dans la lave de faible viscosité et feront jaillir du volcan des débris incandescents en faible quantité. Dans le cas inverse, la lave s'accumulera autour du cratère et rendra le volcan de plus en plus haut. Mais, s'il y a beaucoup d'eau et de silice, l'épaisseur du mélange emprisonnera les bulles de vapeur jusqu'à ce que la pression devienne si forte que tout explose brutalement, éventuellement dans la fureur d'une éruption de grande envergure.

Des colères (presque) prévisibles

Les éruptions volcaniques semblent plus faciles à prévoir que les séismes. D'abord, les zones à risque sont plus faciles à identifier : nous savons que le volcan a déjà connu des éruptions, qu'il est toujours actif et qu'il peut recommencer. Le tout est de deviner à quel moment...

Les volcanologues estiment qu'il n'existe pas de recette universelle pour cela, mais que l'étude des événements annexes (tels que l'activité sismique) est précieuse. Elle ne permet pas de prédire le comportement du volcan, mais indique où la communauté scientifique doit concentrer ses ressources.

Au début du siècle, des scientifiques japonais ont remarqué qu'avant une éruption le sommet des volcans Usu et Sakurajima avaient tendance à enfler peu à peu. Après l'éruption, le phénomène disparaissait. Pendant la Seconde Guerre mondiale, les Japonais sont parvenus à mettre au point un clinomètre (indicateur de pente) assez sensible pour mesurer un gonflement infime du terrain sur lequel il était placé. Depuis lors sont apparus des modèles à laser encore plus perfectionnés, qui donnent aux volcanologues des mesures de très haute précision.

En utilisant ces deux techniques (suivi des tremblements de terre et données clinométriques), les spécialistes ont réalisé des progrès considérables dans la prévision des éruptions. Ils appliquent aussi d'autres méthodes, telles que l'étude du parcours des coulées de lave dans les zones volcaniques et l'analyse des gaz issus des fissures. Ils ont ainsi pu prévoir l'éruption du volcan hawaiien Kilauea, en décembre 1959, et celle survenue quelques semaines plus tard près du village voisin de Kapoho. Depuis, Hawaii abrite un centre de recherche où affluent des volcanologues de toutes les régions à haut risque.

La prévision précise demeure difficile, mais beaucoup de vies ont déjà été sauvées. De plus, il est possible de mettre en œuvre des techniques de prévention lorsque le risque d'éruption semble imminent. À plusieurs reprises, le volcan hawaiien Mauna Loa a été bombardé afin de réduire la pression de la lave près de son sommet. En 1973, sur une île située au large de l'Islande, des scientifiques sont parvenus à ralentir une coulée de lave en l'aspergeant d'eau froide.

Plus récemment, en Sicile, des volcanologues ont essayé quantité de recettes dans le même but sur l'Etna, le volcan le plus actif d'Europe. En 1992, celui-ci étant à nouveau en éruption, ils ont érigé des remblais et des barricades, et des hélicoptères ont largué des blocs de béton dans le flot de lave vomi par la montagne. Ces mesures sont souvent aléatoires, car nul ne sait exactement quelle direction la coulée prendra. Des milliers de personnes vivent à flanc du volcan ou y ont des résidences secondaires : en sauvant une communauté, on risque d'en mettre une autre en danger. Mais, malgré les critiques, les spécialistes sont persuadés que chaque nouveau combat les rapproche de la victoire contre l'Etna.

Ce transparent de lanterne magique illustre une furieuse éruption du Vésuve. Il a enseveli trois villes et fait des milliers de morts. Sa dernière éruption eut lieu en 1944.

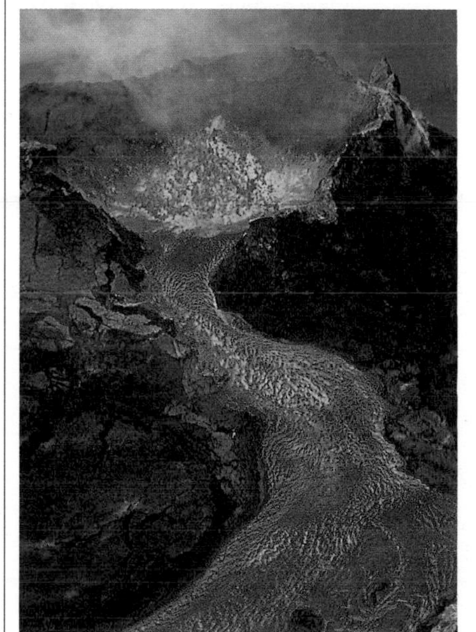

Coulée de lave sur le volcan hawaiien Kilauea, censé être la demeure de Pélé, déesse du feu hawaiienne.

Une activité omniprésente

On trouve des signes d'activité volcanique pratiquement sur toute la planète. Beaucoup de pays possèdent un certain nombre de cratères et des cônes de volcans éteints depuis longtemps. D'autres conservent les vestiges de gigantesques éruptions, sous la forme d'étranges aiguilles rocheuses, de vastes plaines de basalte ou d'affleurements de roches éruptives particulièrement impressionnants.

Environ 600 volcans crachent actuellement fumées sulfureuses et rejets incandescents dans l'atmosphère. Ils sont pour la plupart répartis sur les limites séparant les plaques tectoniques. Situées sur l'une d'elles, l'Indonésie et sa région comptent plus de 100 volcans en activité.

D'autre part, l'écartement de deux plaques provoque un jaillissement de magma (matière en fusion issue du manteau terrestre) dans la brèche ainsi ouverte. Cela se produit d'ordinaire sous l'eau, où, refroidi par la mer, le magma remodèle les grands fonds. C'est ainsi que s'est formée la dorsale atlantique, immense chaîne de montagnes sous-marines reliant l'Islande à l'Antarctique.

Il existe une relation étroite entre volcans et séismes. Tout comme ces derniers, qui se produisent parfois loin du bord des plaques tectoniques, les volcans peuvent surgir dans les endroits les plus inattendus. La chaîne des îles volcaniques hawaiiennes, par exemple, est située loin des limites de la plaque pacifique. Les géologues expliquent cette anomalie par la présence de points de faiblesse dans la structure de la plaque. Ils cèdent sous la pression du magma, qui remonte en surface et, durant des millions d'années, forme peu à peu des volcans de plus en plus vieux.

Une éruption volcanique peut être un véritable cataclysme et projeter des poussières de silicate et de l'acide sulfurique jusque dans la haute atmosphère. En juin 1991, celle du Pinatubo, aux Philippines, a augmenté d'au moins 60 fois la quantité de poussière et de brouillards acides de la stratosphère. En trois mois, elle devait entraîner un échauffement temporaire de 3 °C de la haute atmosphère. Pourtant, les volcans sont considérés comme essentiels au maintien de la vie : les éléments constitutifs de notre air et de notre eau se retrouvent souvent dans les mêmes proportions au sein des panaches de vapeur et de fumée émis par les cratères.

Voyage sur l'île Fumante

Ce n'est pas pour rien qu'en Nouvelle-Zélande l'île du Nord s'appelle aussi île Fumante. En effet, si vous jouez au golf dans sa zone thermale, votre balle risque de se perdre dans une mare en ébullition. À l'hôtel, l'eau de votre douche sera probablement chauffée par un geyser. Et, si vous pêchez une truite dans le lac Rotorua, vous pourrez la faire cuire dans une source chaude des environs.

Ce n'est pas un cas unique. En Islande, par exemple, les phénomènes hydrothermiques font partie de la vie quotidienne : ils procurent de l'eau chaude à bon marché et préservent les récoltes du gel. La ville de Lardarello, en Italie, est alimentée en électricité par une centrale géothermique depuis... 1904 !

Les sources chaudes jaillissent dans des régions volcaniques où les roches poreuses du sous-sol, chauffées par le magma, absorbent comme une éponge les eaux d'infiltration. La suite ressemble à ce qui se passe dans un autocuiseur, où l'eau bout à une température supérieure aux 100 °C habituels.

Comme elle subit à la fois la chaleur du magma et la pression des eaux situées au-dessus, l'eau des roches spongieuses peut atteindre 250 °C sans bouillir. Étant plus lourde, l'eau froide vient à son tour emplir les porosités, pendant que l'eau chaude remonte vers la surface tout en perdant peu à peu sa pression. Si cette perte est importante, on obtiendra une simple source d'eau bouillante. Si elle est faible, on verra jaillir un geyser.

L'Islande est parsemée de jets de vapeur et de sources d'eau bouillante. L'eau de cette lagune est assez chaude pour qu'on s'y baigne toute l'année.

Endormi depuis six cents ans, le mont Pinatubo s'est brutalement réveillé en 1991 et a craché des cendres dans la stratosphère. Cela risque d'affecter le climat mondial pendant des années.

Une île est née

L'activité volcanique, comme nous l'avons vu, est particulièrement importante au fond des océans, elle finit même par y créer des chaînes de volcans de plusieurs milliers de kilomètres. À mesure que leur cône se constitue, ces derniers peuvent finir par émerger et devenir des îles.

C'est le cas de l'île de Surtsey, au large de l'Islande. Elle a brusquement surgi des eaux de l'Atlantique Nord en 1963, dans un nuage de vapeur et de cendres. Mais la mort des îles volcaniques peut être tout aussi brutale et spectaculaire. En août 1883, le Krakatoa, dans l'archipel de la Sonde, a été anéanti par une explosion terrifiante, dont la violence est considérée comme un record mondial (probablement surpassé, toutefois, par le cataclysme ayant détruit l'île grecque de Santorin, vers 1400 avant J.-C.). Le raz de marée qui a suivi a fait 36 000 morts sur les côtes de Java et de Sumatra. Un panache de vapeur noire est monté à 80 km d'altitude, et un nuage de poussière volcanique a flotté sur le monde pendant des mois.

Émergé en 1928, près de l'emplacement du Krakatoa, ce volcan, à droite, est nommé Enfant du Krakatoa par les Malais et devrait encore grandir pendant six cents ans.

De la pluie et du beau temps

Le désert d'Arabie Saoudite connaît une température de 50 °C en été. En Antarctique, un record de froid à – 89,2 °C a été enregistré en 1983.

Un climat immuable

Vous avez beau trouver parfois l'été trop chaud, l'hiver trop rigoureux (ou l'inverse !), notre climat est dans l'ensemble idéal. La Terre compte peu d'endroits où la vie soit vraiment impossible. Même en Antarctique, où il gèle pratiquement en permanence, ou dans la fournaise du Sahara, où la température peut monter jusqu'à 55 °C, l'homme connaît les moyens de survivre.

C'est tout à fait différent dans l'espace. On pensait naguère que Mars et Vénus présentaient peut-être des conditions propices à la vie. Erreur. Les sondes spatiales nous ont appris que Mars est terriblement froid et connaît une température moyenne de – 60 °C. Sur Vénus, elle est de 460 °C, ce qui en fait un monde réellement infernal. L'analyse de leur atmosphère vient encore noircir le tableau.

En 1965, les ondes radio de Mariner 4 ont sondé l'atmosphère martienne et confirmé aux astronomes ce qu'ils avaient deviné une vingtaine d'années auparavant. Mars possède une mince couche de gaz carbonique mais très peu d'oxygène et d'azote. Sur Vénus, des expériences similaires ont établi que l'atmosphère est à peu près 90 fois plus dense que sur la Terre et contient environ 97 % de gaz carbonique. Celui-ci fait donc défaut sur l'une de nos voisines, mais est beaucoup trop abondant sur l'autre.

Le gaz carbonique est vital. Le Soleil chauffe la Terre, qui réémet une grande partie de cette chaleur. Cette énergie est piégée par le gaz carbonique, qui s'ajoute à la vapeur d'eau pour maintenir un climat tempéré : c'est l'effet de serre. La quantité de CO_2 dans l'atmosphère est normalement équilibrée malgré les échanges constants qui se produisent entre l'air, les forêts et les océans. Chaque année, 100 milliards de tonnes de carbone passent des mers chaudes dans l'atmosphère et retournent dans l'eau des mers froides. Les forêts échangent la même quantité en absorbant le CO_2 pour la photosynthèse et en le rejetant par la respiration et le pourrissement de l'humus.

Cet équilibre est fragile, mais il est peu perturbé par les autres émissions naturelles de gaz carbonique, comme celles – négligeables – des volcans ou des animaux. Le danger provient des activités de l'homme. 6 milliards de tonnes de carbone, soit 25 % supplémentaires de CO_2, arrivent chaque année dans l'atmosphère à cause de l'industrie et de la circulation. Cela a provoqué une augmentation en CO_2 de 25 % par rapport à tout ce qu'on a vécu depuis deux cent mille ans. Si l'homme persiste dans cette voie, il risque d'augmenter l'effet de serre jusqu'à un point incontrôlable.

Les aventures d'El Niño

Tous les nageurs savent que la présence de courants peut faire varier considérablement la température de la mer, même sur une courte distance.

Les courants marins, qu'ils soient chauds ou froids, exercent une énorme influence sur le climat mondial. Ces dernières années, les météorologues ont surveillé de particulièrement près un mystérieux courant de l'océan Pacifique, nommé El Niño. D'après certains scientifiques, il provoque de grands changements climatiques et a peut-être un rapport avec le réchauffement de la planète.

Il n'apparaît pas tous les ans, et son origine n'est pas formellement établie. Il pourrait être dû à une activité volcanique sous-marine ou à une interaction inexpliquée entre la mer et l'atmosphère. Selon une hypothèse contestée, son apparition de 1991 aurait été déclenchée par l'éruption du volcan Pinatubo. Mais ce courant a été découvert dès le XVIIe siècle par des pêcheurs installés dans les ports espagnols d'Amérique du Sud, sur la côte pacifique. Ils l'ont appelé El Niño (« le petit », surnom

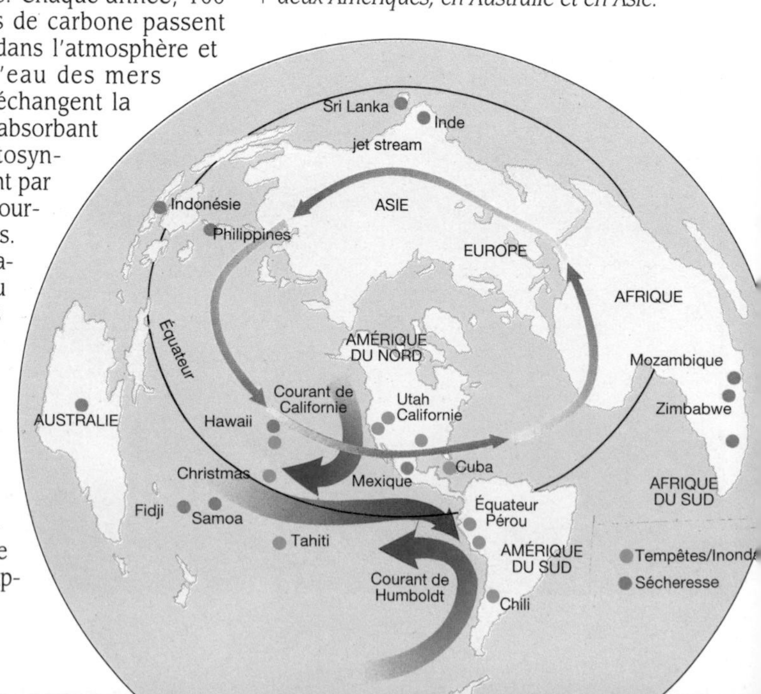

Sécheresse et inondations ont suivi l'apparition d'El Niño, en 1983. Des courants chauds ont balayé le Pacifique, modifié le régime des vents et perturbé le climat dans les deux Amériques, en Australie et en Asie.

D'après les Anciens, quatre anges régissaient les vents de la Terre. Voici l'un d'eux, représenté sur une carte de 1664.

donné à l'Enfant Jésus), car il se manifeste d'ordinaire aux environs de Noël. Il dure alors de quatorze à dix-huit mois et peut disparaître pendant trois à huit ans.

El Niño parcourt quelque 14 000 km à travers le Pacifique pour venir baigner les côtes péruviennes. Il semble coïncider avec un réchauffement de la mer au nord de la Nouvelle-Guinée, où la température de l'eau peut alors atteindre 30 °C.

Les archives météorologiques montrent qu'un printemps inhabituellement chaud dans les eaux du Pacifique, de l'océan Indien et de l'Atlantique, est suivi d'un été frappé de sécheresse en Afrique occidentale. Très puissant, El Niño charrie d'énormes volumes d'une eau exceptionnellement chaude. Il réchauffe ainsi l'air sur son parcours et le déplace vers le nord et le sud. Toute cette eau chaude s'accumule au large de l'Amérique latine, les courants plus froids restant dans l'ouest du Pacifique, le long de l'Australie orientale.

L'atmosphère terrestre formant un ensemble complexe, ce qui se produit dans une région peut influencer le monde entier. L'océan Pacifique, à lui seul aussi grand que l'ensemble des terres émergées, joue un rôle majeur dans le climat du globe. Certes, nul ne peut prouver ce qui provoque la sécheresse ici et des pluies diluviennes là, mais El Niño y est probablement pour quelque chose. En février 1992, des photos prises par satellite ont montré qu'il existait une relation évidente entre ce courant fantasque et les inondations du sud de la Californie, événement qui ne se produit qu'à peu près deux fois par siècle.

El Niño a une partenaire nommée La Niña. C'est un courant froid du Pacifique qui retourne vers l'ouest le long de l'équateur. Il a peut-être perturbé le climat mondial en 1990. Cette année-là, de violentes tempêtes ont frappé le nord de l'Europe, l'Australie a subi un vrai déluge et la sécheresse a frappé certaines parties d'Amérique du Sud. Malgré le perfectionnement de notre technologie, nous sommes encore bien loin de comprendre pourquoi le temps est ce qu'il est...

De la brise à la bise

Délicieux et caressant l'été, le vent peut devenir terrifiant dans la tempête et l'ouragan. Sa puissance est prodigieuse. Si nous pouvions capter l'énergie de tous les vents qui, dans le monde entier, soufflent régulièrement à 30 km/h, elle dépasserait à tout moment cinq mille ans de production d'une grande centrale électrique.

Les vents soufflent parce que la température varie d'un endroit à l'autre. Les températures élevées font monter l'air et diminuer la pression atmosphérique. Or, l'air chaud qui monte dans une région est remplacé par de l'air froid venu d'une autre. Celui-ci, à l'inverse, descend et fait monter la pression. L'atmosphère terrestre cherche constamment à équilibrer les zones de haute et de basse pression.

Dans ce processus, les courants d'air créent ce que nous appelons des vents locaux, que l'on connaît bien dans les régions côtières. Le jour, le sol s'y échauffe, ce qui diminue la pression atmosphérique. Plus lente à se réchauffer, la mer conserve un air plus frais et de pression plus élevée. C'est pourquoi la brise souffle souvent vers la terre en fin de journée et la nuit. En montagne, l'air froid dévale des sommets pendant la nuit pour remplacer l'air chaud qui monte des vallées.

Quand Christophe Colomb est parti pour l'Amérique, en 1492, il a trouvé des vents favorables soufflant d'est en ouest. À son retour, il a commencé par monter vers le nord, où il a retrouvé des vents d'ouest pour le ramener à bon port. Cette découverte des vents alizés devait avoir une im-

LA GIROUETTE, LE COQ ET L'ÉVANGILE

La girouette qui orne la plupart des clochers pour indiquer le sens du vent est une des silhouettes les plus familières de nos campagnes. La figurine surmontant sa flèche représente généralement un coq, selon une tradition religieuse dont l'origine est souvent ignorée.

L'explication se trouve dans l'Évangile selon saint Marc, à la narration de la Cène. Attablé avec ses disciples, Jésus dit à Pierre : « Je te le déclare : aujourd'hui, cette nuit même, avant que le coq chante deux fois, toi, tu auras affirmé trois fois que tu ne me connais pas. » Au IXe siècle, le pape Nicolas Ier décida de commémorer cette prédiction en ordonnant qu'un coq coiffe le clocher le plus élevé, ou pinacle, de toute cathédrale, abbaye ou église de la chrétienté. Comme on utilisait déjà des girouettes, on les surmonta du coq, afin qu'il fût plus haut que tout le reste.

Nos ancêtres les plus lointains savaient déjà que si le vent soufflait d'une direction donnée, on pouvait attendre tel ou tel type de temps. C'est pourquoi les premières girouettes avaient pour fonction d'annoncer davantage les changements de temps que les changements de vent.

Le coq des girouettes est apparu au IXe siècle, sur ordre du pape.

L'air chaud vibre sur une plaine où des émeus sont en quête de broussailles. La chaleur de l'été vient surtout du rayonnement par le sol.

portance considérable sur le développement du commerce maritime : dorénavant, les marins savaient qu'ils pouvaient compter sur des vents réguliers pour transporter leurs cargaisons.

En 1686, Edmond Halley se dit que si l'air avait une chaleur uniforme, nous n'aurions pas de vent du tout. L'air tropical étant plus chaud, pensa-t-il, l'air froid vient prendre sa place. Mais il ne pouvait pourtant expliquer pourquoi les vents dominants ne soufflent pas en permanence des pôles vers l'équateur.

En 1735, un avocat britannique nommé George Hadley s'intéressa à son tour au problème. Sachant que la rotation de la Terre d'ouest en est était plus rapide à l'équateur qu'aux pôles, il supposa qu'une masse d'air qui arrive des pôles prend du retard sur la surface terrestre et paraît ainsi arriver de l'est. C'est pourquoi au nord de l'équateur les vents alizés soufflent régulièrement du nord-est, et qu'au sud ils viennent du sud-est. Quant à leur point de rencontre, dans le pot au noir, c'est une zone de calme.

L'air qui vient de l'équateur pour remplacer celui des pôles subit un phénomène opposé. Comme la Terre tourne moins vite aux pôles, l'air qui va à leur rencontre se déplace plus vite que le sol. Ainsi naissent les vents d'ouest. En 1835, le physicien français Gaspard Coriolis calcula l'influence de la vitesse de rotation de la Terre sur les vents dominants. C'est ce que les scientifiques appellent aujourd'hui « force de Coriolis ».

Dans la chaleur de l'été

Pourquoi fait-il plus chaud en été qu'en hiver ? La première explication venant spontanément à l'esprit est que, sans doute, le Soleil est alors plus proche et donc plus bienfaisant : plus on est près du feu, plus il nous réchauffe. Aussi logique que cette réponse paraisse, ce n'est pas la bonne. Deuxième argument : pourtant le Soleil est sans aucun doute plus proche, puisqu'en été il est pratiquement directement au-dessus de nous.

C'est effectivement le fond du problème. La différence entre été et hiver ne dépend pas de la distance du Soleil par rapport à la Terre, mais de l'angle sous lequel nous recevons ses rayons. Le 21 juin, jour le plus long dans l'hémisphère Nord, le Soleil est à la verticale au-dessus du tropique du Cancer et darde ses rayons droit sur cette zone. Dans l'hémisphère Sud, il faut attendre le 21 décembre pour qu'il retrouve la même position au-dessus du tropique du Capricorne. Le Nord ne reçoit alors ses rayons que sous un angle très prononcé, si bien que sa chaleur y est répartie sur une surface beaucoup plus grande. Pendant que l'hémisphère austral connaît les joies de l'été, l'hémisphère boréal se drape dans les brumes de l'hiver, et vice versa.

Deux autres facteurs contribuent à la chaleur de l'été. Le premier est que, compte tenu de la position du Soleil, les jours sont plus longs, et la chaleur solaire est donc disponible plus longtemps. La plupart d'entre nous s'imaginent que son effet bienfaisant provient de l'échauffement de l'air par le soleil. Pas tout à fait. La majeure partie de cette douce chaleur est en fait irradiée par le sol, au-dessus duquel vous avez sûrement déjà vu l'air vibrer quand le soleil tape très fort. Ce phénomène est l'indice d'une chaleur radiante, et l'échauffement direct de l'air par le soleil est relativement faible.

La chaleur solaire nous parvient sous forme d'ondes courtes, dont certaines – les rayons infrarouges – sont exactement de même nature que celles émises par un radiateur électrique. Elles traversent l'atmosphère et atteignent la Terre, qu'elles réchauffent très rapidement en été. Le sol renvoie bien vite la chaleur, mais sous forme de radiation à ondes longues qui réchauffent l'air. Celui-ci monte et est remplacé par de l'air froid qui s'échauffe à son tour. Peu à peu, ce déplacement constant des masses d'air fait monter la température ambiante. Si des nuages bas piègent la chaleur, le réchauffement est encore plus sensible. C'est pourquoi, en été, une chaleur oppressante va souvent de pair avec un ciel couvert.

Le Mo

22 Le Monde • Mardi 25 août 1992 ••

Après avoir causé la mort de plusieurs personnes aux Bahamas

Le cyclone « Andrew » est arrivé sur la Flo

où un million de personnes ont été évacuées pré

« Andrew », le premier cyclone tropical des Caraïbes de 1992, est arrivé sur la côte sud-est de la Floride au sud de Miami à 4 h 45 heure locale (10 h 45 heure de Paris), lundi 24 août. Les vents soufflaient alors à ... comprises entre 250 et ... Même le Centre national des Hurricanes de Floride a été endommagé par Andrew. L'alerte au cyclone a été tendue à une partie de la côte ouest de Floride. Dans la journée du 23 août, les autorités américaines avaient ordonné l'évacuation de 1 million de personnes vivant sur les côtes est de l'État. Des avions venus d'États voisins avaie... des hôpitau... l'après-mi... « Andrew ... particulie... heureuse... quatre p...

...dables déchaînements d'...

• *Classe V* : vents dépassant ...mètres à l'heure et pres... ...hectopascals.

Un cyclone prénommé Andrew

Si vous voulez qu'une tempête soit vraiment prise au sérieux, donnez-lui un nom. D'après les spécialistes, la population courra se mettre à l'abri ou quittera les régions côtières les plus exposées si on lui annonce l'arrivée de l'ouragan Claude ou du cyclone Amanda. En revanche, nul ne se souciera d'une tempête anonyme, aussi pessimistes que soient les prévisions.

Ouragan, cyclone et typhon sont synonymes du même phénomène météorologique : un tourbillon furieux de vent et de pluie soufflant près de l'équateur, sur une mer dont la température atteint au moins 27 °C en surface. Il tourne dans le sens des aiguilles d'une montre dans l'hémisphère Sud et en sens contraire dans l'hémisphère Nord. Son centre, ou œil, est une zone relativement calme d'environ 30 km de diamètre. Elle attire autour d'elle des vents capables d'atteindre 320 km/h.

Le premier météorologue ayant donné des noms aux tempêtes cycloniques est sans doute l'Australien Clement L. Wragge, au XIXe siècle. Il choisissait des noms bibliques tels que Rakem, Sakar, Talman et Ulphaz. La mode actuelle de prénoms plus courants serait apparue aux États-Unis pendant la Seconde Guerre mondiale : durant la diffusion d'un avis de tempête destiné à l'aviation américaine, on entendit l'opérateur-radio siffloter *Louise*, le dernier « tube » à la mode outre-Atlantique. Le prénom était tout trouvé...

De 1963 à 1979, le Bureau météorologique des États-Unis n'a donné que des prénoms féminins aux ouragans. Mais, en 1975, son homologue australien a commencé à répartir équitablement prénoms masculins et féminins. L'Organisation météorologique mondiale (OMM) a suivi cet exemple en 1978. Les prénoms sont donnés par ordre alphabétique et ne servent qu'une fois en cas de cyclone particulièrement destructeur. Les plus courants s'épuisant assez vite, nous aurons sans doute droit bientôt à des choix plus exotiques.

Qu'on les nomme hurricanes (en Amérique) ou typhons (dans l'Est asiatique), les cyclones tropicaux sont particulièrement fréquents à la fin de l'été, et chacun d'eux est désigné par un prénom (Ida, Hugo ou Andrew...).

La rosée scintille sur l'herbe dans la lueur de l'aurore. Les perles de rosée (médaillon) sont dues à la vapeur de l'atmosphère, et non à l'humidité des plantes.

Le philosophe et la rosée

Aristote a donné une définition assez juste de la rosée. Elle n'apparaît, a-t-il dit, que par temps serein et dans des endroits calmes. Même si on a l'impression (surtout en regardant ses chaussures...) que l'herbe du matin est toujours couverte de rosée, il n'en est rien. La vraie rosée exige plusieurs conditions.

Elle ne se forme qu'après une journée belle et chaude, suivie d'une soirée et d'une nuit tranquilles et fraîches, par ciel clair ou très peu nuageux. Si vous sortez alors au crépuscule, sur une pelouse ou un pré, tenez donc un objet froid (un miroir) juste au-dessus du sol. Vous le verrez se couvrir de gouttelettes d'eau formées par la condensation de la vapeur.

Par nuit claire, le sol irradie vers le ciel la chaleur reçue le jour. Il se rafraîchit, si bien que la vapeur se condense. Si le ciel est couvert, les nuages renvoient la chaleur au sol, qui ne se refroidit pas assez pour former de la rosée.

Mais pourquoi celle-ci n'apparaît-elle que sur une pelouse et non, par exemple, sous des parterres de fleurs ? Ce n'est pas parce que l'herbe attire la rosée, mais parce que les massifs conservent à la terre sa chaleur. On peut le vérifier en abritant un carré d'herbe. Il suffit pour cela d'un morceau de coton – une nappe fera l'affaire – et de quelques baguettes. Un soir où les conditions semblent réunies, tendez la nappe sur les baguettes à environ 30 cm de la pelouse. Le lendemain matin, avant que le soleil n'ait tout asséché, vous verrez que l'herbe est entièrement couverte de rosée, sauf sous la nappe.

Et pourquoi trouve-t-on parfois une gelée blanche ? Parce qu'il a fait de plus en plus froid au cours de la nuit. Une couche d'air froid, donc lourd, s'est formée au niveau du sol et a transformé en gelée blanche la vapeur d'eau qui, dans d'autres conditions, serait devenue rosée.

Dans le creuset des climats

Rien n'affecte plus notre vie que le temps qu'il fait. C'est de lui que dépend une bonne part des activités, comme l'agriculture et l'aviation. Ses revirements régissent notre humeur, nos loisirs et notre bien-être. Il détermine notre lieu de vie et la solidité de nos maisons. En bien des points du globe, c'est une question omniprésente de vie ou de mort. Le fait est que nous devons composer avec lui en permanence, et que demain, voire dans une heure, il risque d'avoir changé.

Certains se demandent parfois pourquoi nous n'avons pas le même temps en permanence, puisque l'atmosphère de la Terre tourne à la même vitesse qu'elle. Mais, fort heureusement pour nous, son évolution est constante. Si le temps nous apporte de furieuses tempêtes, il peut aussi nous donner des pluies bienfaisantes, le silence étouffé de la neige, un ciel pommelé ou un soleil radieux.

Notre climat est régi par l'interaction de quatre facteurs. Le premier est le Soleil, dont la taille est supérieure de 1,3 million de fois à celle de la Terre. Le cœur de ce prodigieux réacteur nucléaire sécrète une température de quelque 15 millions de degrés. Bien qu'il se trouve à 150 millions de kilomètres de nous, il nous transmet à chaque heure qui passe quelque 281 000 milliards de kilojoules (environ 78 000 milliards de kW/h), soit à peu près l'énergie consommée en un an dans le monde entier. Encore cette débauche de puissance n'est-elle estimée qu'au deux milliardième d'une production totale défiant l'imagination.

Le deuxième élément est la Terre. Elle tourne non seulement autour du Soleil, mais aussi sur elle-même, d'ouest en est et à une vitesse de 1 670 km/h à l'équateur. Cette rotation crée la « force de Coriolis », du nom du mathématicien français Gaspard Coriolis. En 1835, il observa qu'un objet en mouvement sur une surface qui tourne dévie à gauche ou à droite, selon le sens de cette rotation. Si la Terre était stationnaire, les vents alizés souffleraient de chaque pôle vers l'équateur.

Sur sa trajectoire orbitale, la Terre conserve toujours la même inclinaison (un angle de 23,5° par rapport au plan de son orbite). Une partie de la planète est donc plus proche du Soleil, et l'autre un peu plus loin. Cette inclinaison explique le mécanisme des saisons, les différentes régions de la Terre recevant plus ou moins d'énergie solaire selon sa position.

Troisième facteur, essentiel à la vie même : l'atmosphère terrestre. Cette couche d'air joue un rôle de couverture et maintient la planète au chaud. Il est presque impossible de dire jusqu'où elle monte. Les 5/6 de sa masse demeurent au-dessous de 12 km d'altitude. Au-delà, sa densité diminue peu à peu, mais on en trouve encore de faibles traces à plus de 3 000 km dans l'espace.

Mais l'atmosphère ne se contente pas d'assurer la respiration de tout ce qui vit ou pousse : c'est aussi un excellent isolant. Sans elle, la température de certains points du globe serait portée à plus de 80 °C par les rayons solaires le jour et chuterait à environ – 140 °C la nuit.

La gravité, en empêchant qu'il ne se disperse dans l'espace, maintient fermement en place ce mélange gazeux, formé d'à peu près 4/5 d'azote et de 1/5 d'oxygène. Parmi ses composants minoritaires, le gaz carbonique joue un rôle essentiel en contribuant à stabiliser les températures près du sol et en haute atmosphère.

L'influence la plus importante de l'atmosphère sur notre climat provient de son énorme réserve d'eau, qui monte jusqu'à plus de 8 000 m d'altitude sous forme de vapeur, de gouttes et de cristaux de glace.

Il y a environ 13 000 à 15 000 km³ d'eau dans l'atmosphère. La couverture atmosphérique est composée de plusieurs couches. La plus basse est la troposphère, dont l'épaisseur varie entre quelque 8 km sur les pôles et le double sur l'équateur. Ce n'est qu'une mince pellicule par rapport à la hauteur de l'atmosphère, mais elle re-

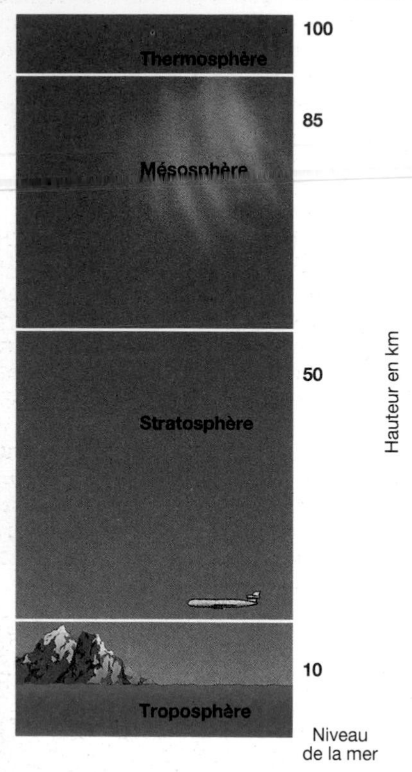

Cette photo, prise à 180 km d'altitude par Apollo 7, montre l'ouragan Gladys tourbillonnant sur la Floride. Ci-dessus, vue en coupe de l'atmosphère terrestre. Les perturbations météorologiques interviennent surtout dans la troposphère.

présente 80 % de son poids total et renferme la quasi-totalité de sa vapeur d'eau.

L'air de la troposphère est plus froid et plus lourd, et ses molécules sont plus denses. C'est pourquoi son épaisseur varie selon la température. C'est un véritable creuset planétaire, et c'est en elle que se fabriquent les climats du monde. Près de l'équateur et au-dessus des déserts, la température atteint 40 °C. Dans ces régions tropicales, l'air chaud monte et crée de gigantesques courants ascendants. Aux pôles, où la température peut chuter à – 70 °C, l'air est plus lourd. D'énormes masses d'air sec et froid dévalent vers la Terre et, dans le hurlement furieux des tempêtes, traversent les immensités glacées à des vitesses terrifiantes en direction de l'équateur. En effet, bien que près de 20 000 km séparent les régions les plus chaudes des régions les plus froides de la planète, les échanges thermiques sont constants entre elles, sur les ailes des vents.

Le dernier facteur influençant le climat de la Terre est son relief, constitué de longues chaînes de montagnes, de vastes plaines, d'océans et de lacs. L'eau se réchauffe lentement et se refroidit plus lentement encore. C'est pourquoi les riverains des mers et des grands lacs jouissent d'étés frais et d'hivers cléments. Les courants chauds, tel le Gulf Stream de l'Atlantique, protègent beaucoup d'endroits des rigueurs de l'hiver. De même, les chaînes de montagnes barrent la route à la bise et préservent certaines régions de la neige et de la glace. Elles sont souvent cause de pluies fines sur un versant, tandis que des vents secs et brûlants balaient l'autre.

Nous n'avons pas encore appris à contrôler le temps, mais du moins savons-nous de mieux en mieux le prévoir grâce à toute une gamme d'instruments météorologiques, de satellites d'observation et de sondes spatiales. Ils nous avertissent de la terrible imminence d'un cyclone ou d'une tempête tropicale et nous font aussi mieux connaître, année par année, les arcanes du climat en perçant peu à peu tous ses secrets.

Le rythme et la durée des saisons régissent la vie de ce poirier et de toute la faune et la flore de sa région.

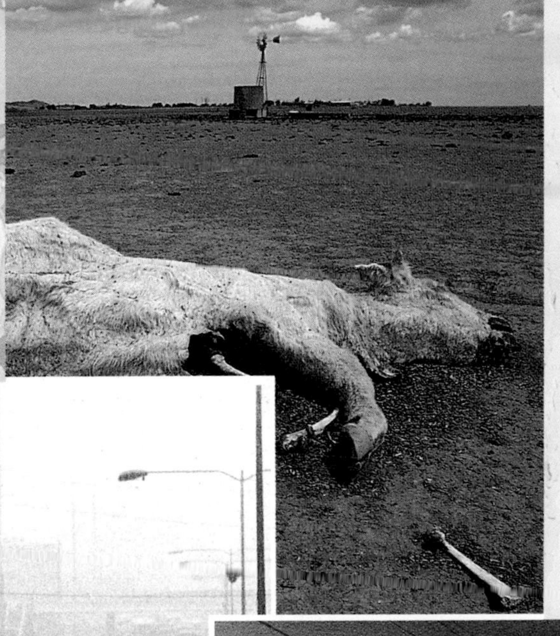

Si nous prévoyons de mieux en mieux inondations, périodes de sécheresse et tornades, nous pouvons rarement les éviter. En septembre 1990, des inondations ont frappé Manille, capitale des Philippines, la sécheresse a décimé le cheptel australien et une tornade (phénomène fréquent dans le sud-est des États-Unis) a dévasté Edmonton, dans le Kentucky.

Ce tournoiement de nuages lenticulaires sur l'Antarctique évoque une pile d'assiettes. Il témoigne d'une alternance de couches d'air humide et sec dans l'atmosphère. La formation progressive de stratus dans le ciel nord-américain (en médaillon) annonce pluie ou neige.

La formation des nuages

Le temps qu'il fait tous les jours se résume à trois principaux ingrédients : la chaleur, le vent et les nuages. Pour mesurer les deux premiers, il faut des instruments. Mais chacun sait depuis toujours que, quand le ciel se couvre de gros nuages noirs, la pluie est imminente.

Les raisons de la formation des nuages et de la pluie sont plus difficiles à cerner par les météorologues. Quand ils les maîtriseront avec précision, ils pourront sans doute, avec de plus en plus d'exactitude, prévoir le temps.

Le processus est connu depuis 1830 grâce au météorologue américain James Epsy, qui a alors établi une relation entre courants de convection formés par l'air ascendant et condensation de vapeur d'eau dans l'atmosphère.

Quand il fait chaud, la Terre accumule la chaleur solaire de manière inégale. Le terrain ferme s'échauffe plus vite que le sol spongieux et friable. Lacs et océans s'échauffent lentement, mais conservent leur chaleur plus longtemps. Quand elles ont stocké autant de chaleur qu'elles le peuvent, toutes ces surfaces l'irradient dans l'atmosphère, ce qui réchauffe l'air.

En s'échauffant, celui-ci se dilate et monte. Mais, comme l'atmosphère tente constamment d'uniformiser sa pression, il est aussitôt remplacé par de l'air plus frais.

Tout air contient des molécules de vapeur d'eau. Si elles sont chauffées, elles se déplacent plus vite. Ce faisant, elles peuvent occuper un espace plus restreint tout en continuant à tourbillonner. C'est pourquoi l'air chaud contient davantage de vapeur.

Dans son ascension, l'air se refroidit et les molécules de vapeur d'eau ralentissent considérablement. Si elles rencontrent des particules de poussière ou d'autres molécules de vapeur, elles unissent leurs forces en se condensant.

Plusieurs millions de particules grouillent dans notre haute atmosphère sous bien des formes : poussière venue de sols dégradés, carbone libéré par la fumée des incendies de forêts, les échappements de voitures, les usines et les centrales électriques, et, surtout, sel issu des océans. Sur ces particules, nommées noyaux de condensation, les molécules de vapeur s'accrochent sous forme de minuscules gouttelettes d'eau. La vapeur, gaz invisible, s'est condensée pour devenir nuage visible.

Les gouttelettes sont si fines qu'elles flottent dans l'air. En grossissant, elles deviennent trop lourdes pour qu'il puisse encore les soutenir et retombent en pluie.

De neige en pluie

La pluie commence généralement son parcours sous forme de neige. Jusqu'au milieu des années 1930, les météorologues s'interrogeaient sur ce qui déclenchait exactement les précipitations au sein du nuage : pourquoi les molécules d'eau le quittaient-elles soudain pour retomber, tantôt presque en brouillard, tantôt à torrents ?

Il y a une soixantaine d'années, le Suédois Tor Bergeron rechercha l'existence d'un catalyseur, c'est-à-dire d'une substance qui déclenche un processus chimique sans se modifier elle-même. Même par temps chaud, les nuages situés en haute altitude contiennent des cristaux de glace. Bergeron savait que, pour des raisons complexes, ceux-ci provoquent l'évaporation de gouttelettes d'eau. La vapeur de ces dernières gelant à leur contact, ils deviennent de plus en plus gros.

Assez curieusement, les gouttelettes d'eau pure contenues dans un nuage ne gèlent pas à 0 °C, mais elles sont si petites qu'elles peuvent rester liquides jusqu'à – 40 °C. Et, brusquement, en présence d'à peine quelques cristaux de glace, elles s'agglutinent pour se transformer en neige. Chaque flocon qui tombe peut être issu d'un million de minuscules gouttelettes d'eau hyperrefroidies qui, comme dans la glace, forment des cristaux de structure régulière. Les flocons contiennent plus d'air que de neige, ce qui explique la délicatesse de leur chute et la légèreté de la neige

Vu au microscope, un cristal de neige révèle une structure caractéristique à six branches.

fraîche, qui est aussi un mauvais conducteur thermique : si elle n'est pas trop abondante, elle assure une excellente protection aux plantes en emprisonnant la chaleur du sol sous une couverture légère.

Pour que la neige puisse atteindre le sol, la température de l'air doit être inférieure à 0 °C. Comme c'est rarement le cas, elle fond en chemin et devient de la pluie. Selon la température de l'air, cette fonte est parfois partielle, ce qui donne le mélange de neige et de pluie nommé grésil.

La grêle est issue de nuages orageux pouvant monter jusqu'à 16 km. Les cristaux de glace sont secoués de bas en haut par les violents courants de convection agitant ces énormes masses. Prises dans un courant ascendant, les gouttelettes d'eau gèlent, puis fondent en surface en tombant ; mais elles se rechargent de glace en remontant encore, jusqu'à devenir assez lourdes pour chuter. Si l'on coupe en deux un grêlon fraîchement tombé, on y voit des couches concentriques révélatrices de sa naissance tumultueuse.

En plein brouillard

Le point de rosée joue un rôle essentiel dans la formation non seulement de la rosée, mais aussi du brouillard et des nuages. C'est la température à laquelle la vapeur d'eau d'une masse d'air donnée commence à se condenser. Cela dépend de la quantité de vapeur contenue par cette masse et de la qualité de l'air : la condensation est plus rapide en air pollué, car l'air filtré, contenant moins de poussière, « fixe » moins la vapeur.

Le brouillard est un nuage bas, parfois au ras du sol, il se forme généralement la nuit et peut être provoqué par le contact entre un sol froid et un air chaud chargé de vapeur d'eau. Il apparaît le plus souvent à basse altitude au-dessus de rivières, dans des vallées ou en terrain marécageux. Ce sont toujours des régions où l'air contient naturellement beaucoup d'eau accumulée par évaporation pendant la chaleur du jour. De nuit, l'air frais, plus lourd, descend des hauteurs. À une certaine température – le point de rosée –, la vapeur invisible se condense en minuscules gouttelettes tourbillonnantes. Pour peu qu'elle trouve une surface où s'accrocher (particules de poussière, fumée, boucles de cheveux...), elle peut aussi former de grosses gouttes d'eau, comme on en voit sur les clôtures ou les rebords de fenêtre par temps de brouillard.

Les habitants des grandes villes savent que le brouillard y est aujourd'hui moins fréquent et moins épais. C'est que le chauffage au charbon y est en voie de disparition. L'air contient donc moins de rejets de poussières sur lesquelles la vapeur est susceptible de se condenser. De plus il y a beaucoup moins d'eau susceptible de s'évaporer en ville qu'à la campagne. Il y fait également plus chaud (de 4 à 6 °C de différence entre Paris et sa banlieue).

Le smog (mélange de fumée et de brouillard) a fait des milliers de morts en 1952 à Londres. On s'en préservait souvent par un masque.

PLUIE, BOMBES ET BALIVERNES

Pendant la Première Guerre mondiale, le front devenait vite un bourbier. Beaucoup de soldats croyaient que la canonnade faisait pleuvoir.

Beaucoup d'hypothèses farfelues ont été avancées pour expliquer la pluie. Dans l'Antiquité grecque, Plutarque l'imputait aux guerres : il avait remarqué qu'une grande bataille était souvent suivie d'averses. Cette croyance persista, et certains soldats, lors de la guerre de 14-18, croyaient que la canonnade provoquait des déluges capables de transformer les champs de bataille en cloaques.

Juste avant la Grande Guerre, le magnat américain de l'agro-alimentaire Charles W. Post décida de vérifier cette théorie. À plusieurs années d'intervalle, il fit bombarder à la dynamite des nuages situés au-dessus de Battle Creek, dans le Michigan. Il plut. Mais son triomphe fut de courte durée, car la presse fit rapidement état d'averses généralisées de la côte ouest aux Grands Lacs.

Plus récemment, on a souvent accusé les essais nucléaires. Mais l'explication la plus réjouissante a été formulée en 1903 par le quotidien londonien *Evening News*, aux débuts de la radio : « La théorie la plus récente pour expliquer la persistance de la pluie est que les activités de télégraphie sans fil du *signor* Marconi en sont responsables. »

Des millions de volts en plein ciel

Les orages sont causés par d'énormes cumulo-nimbus, généralement consécutifs à des périodes de temps chaud et sec. On les reconnaît facilement à leur taille et à leur forme d'enclume.

Ces nuages se forment par une sorte de rebond atmosphérique. Des poches d'air échauffées par le sol montent dans le ciel, les unes par-dessus les autres. Comme chacune d'elles se refroidit en haute alti-

Un éclair libère environ 125 millions de volts. Sa vitesse est telle qu'on ne peut voir qu'il monte en fait du sol vers les nuages.

tude, elle retombe, puis se réchauffe et reprend son ascension. Certains météorologues y voient une bataille entre des airs de différentes températures, et ce combat se poursuit parfois à plus de 16 km en plein ciel. Ces nuages d'orage sont le théâtre d'une turbulence extraordinaire. Les parachutistes qui y ont été pris ont vécu l'enfer en montant et en retombant continuellement au gré des courants de convection. Furieusement agitées par ces incessants mouvements verticaux, les millions de gouttelettes du nuage passent constamment de l'eau à la grêle et inversement. Ce processus engendre de l'énergie électrique.

Tant que les particules de glace restent à l'intérieur du nuage, elles gardent toutes une charge électrique positive ou négative. Les particules à charge positive attireront les particules à charge négative au sein du même nuage, entre deux nuages, ou entre le nuage et la terre. Il en résulte une décharge de foudre d'une puissance phénoménale, manifestée par un éclair. Celui-ci est constitué de canaux d'énergie de 5 cm de diamètre et mesure de 60 m à 30 km de long. Il déchire l'air à 145 000 km/s, si vite qu'il est impossible de voir que la foudre monte du sol vers les nuages.

La foudre frappe le sol 30 fois par seconde, un peu partout sur terre, soit plus de 2 millions et demi de fois par jour. Même si chaque éclair perd 75 % de son énergie sous forme de chaleur, il produit encore une décharge électrique de 125 millions de volts. Un orage moyen dégage 12 fois plus d'énergie que la bombe d'Hiroshima, et les statistiques en recensent 1 700 chaque seconde dans le monde. Pendant son parcours à travers le ciel, la foudre échauffe brutalement l'air, qui se dilate à une vitesse supersonique en produisant les grondements du tonnerre.

Pourquoi n'entend-on ceux-ci qu'après avoir vu l'éclair ? Parce que la vitesse de la lumière est sans commune mesure avec celle du son (300 000 km/s contre 0,3 km/s pour le son), et que la lueur de l'éclair nous parvient donc beaucoup plus vite que le bruit du tonnerre. Si les deux sont très rapprochés, c'est que le cœur de l'orage n'est pas loin, et le tonnerre est alors assourdissant. On peut en calculer la distance approximative, en kilomètres, en divisant par trois le nombre de secondes entre éclair et tonnerre.

Des arbres antigel

Même par grand froid, il arrive souvent que le sol ne gèle pas autour des arbres, car ils émettent des rayons infrarouges.

Il peut paraître étrange qu'un arbre froid et nu dégage de la chaleur. Mais c'est le cas de toute chose, sous forme d'ondes de fréquences différentes : ondes radio, micro-ondes, rayons infrarouges et même lumière visible.

Les micro-ondes d'un arbre sont trop faibles pour cuire quoi que ce soit et sa lumière bien trop ténue pour être visible. Mais il s'illuminerait tout entier si nos yeux voyaient les infrarouges. Ce serait d'ailleurs la même chose pour la plupart des objets, car leur rayonnement se situe surtout dans cette fréquence.

Tout comme l'arbre envoie sa chaleur infrarouge à l'herbe, celle-ci la lui renvoie et un échange mutuel de chaleur s'opère. L'herbe d'un terrain découvert émet des rayons infrarouges, mais, sans arbre pour les réverbérer, la chaleur dégagée ne suffit pas à éviter le gel.

La lutte contre l'hiver est un thème éternel, ici illustré par le dessinateur George Cruikshank vers 1850.

L'eau

Les chutes du Niagara, l'un des sites naturels les plus célèbres du monde, ont un débit d'environ 2 800 m³ d'eau par seconde.

Une répartition inégale

Quand un endroit vient à manquer d'eau, comme cela arrive souvent sur la planète, d'autres subissent peut-être de terribles inondations. Ces événements ont rarement un rapport direct, mais ils font partie d'un mécanisme naturel qui dure depuis des centaines de millions d'années.

Le processus ressemble à celui d'une machine à vapeur qui ne s'arrêterait jamais. La pluie tombe des nuages, alimente les rivières et les océans, s'évapore de la mer, redevient nuages, et ainsi de suite. Depuis que le premier nuage a donné la première averse, les ressources de la Terre en eau ont à peine changé. L'eau que vous buvez aujourd'hui vient peut-être, en quelque sorte, de thermes romains vieux de deux mille ans.

Il y a dans le monde 1 360 millions de kilomètres cubes d'eau. La quasi-totalité est salée ou contenue dans les glaciers et les calottes glaciaires (97,7 %). Il reste donc 2,3 % d'eau douce utilisable, dont environ 13 000 à 15 000 km³ dans l'atmosphère. Toutes ces réserves, de manière générale, restent à la même place. Le cycle hydrologique n'en met en circulation qu'une infime partie à tout moment. Cela ne signifie pas que nous utilisions en permanence la même eau : à terme, grâce à la gigantesque pompe alimentée par la chaleur solaire, la moindre goutte circulera dans l'ensemble du système.

Pouvons-nous considérer que nous disposons de bien plus d'eau qu'il ne nous en faut ? Bien sûr que non. Nous en consommons davantage chaque année. Depuis la Seconde Guerre mondiale, la demande est largement supérieure à l'offre. Des rivières au débit naguère vigoureux sont devenues moins larges, car on y pompe de l'eau pour l'agriculture, l'industrie ou les besoins des particuliers. De plus, certains programmes d'irrigation ont eu pour effet de saturer en sel de l'eau autrefois potable. Le dessalement de l'eau coûte cher et consomme beaucoup d'énergie.

Il nous faut une eau douce, abondante et facilement disponible. Le malheur est qu'elle tombe en abondance là où elle est inutile. L'eau douce représente moins de 3 % du total mondial. Tout le reste est salé et contenu dans les océans. Sur les 500 000 km³ de précipitations annuelles, environ 100 000 km³ retombent sur les continents.

Environ un tiers finit par se retrouver dans des cours d'eau qui se jettent dans la mer. De plus, la pluviométrie annuelle des terres émergées est loin d'être équitable. À peine mesurable dans les endroits les plus arides, elle atteint 11 770 mm à Tutunendo, en Colombie, qui est l'endroit le plus humide de la planète.

Pour disposer d'autant d'eau que nous le souhaitons, nous devons donc gérer soigneusement nos ressources et prendre garde à les préserver constamment de toutes formes de pollution.

Le rythme des marées

La force de gravitation de la Lune, en orbite autour de la planète, exerce une traction sur notre sol et sur les océans. Par ailleurs, la force de gravitation de la Terre, plus importante que celle de son satellite, le retient comme un chien en laisse et l'empêche de s'échapper dans l'espace.

La baie de Fundy (Canada) connaît les marnages les plus importants du monde. L'écart entre marée basse (à gauche) et marée haute peut atteindre 15 m.

Les marées sont dues à l'attraction lunaire. Les vives-eaux ont lieu quand le Soleil et la Lune sont alignés et les basses-eaux quand ils forment un angle droit.

L'attraction lunaire est sensible non seulement sur les mers, mais aussi sur la croûte terrestre, où elle provoque des « marées » infimes, mais mesurables. Naturellement, ce phénomène est sans commune mesure avec les variations de niveau de plusieurs mètres que chacun peut constater au bord de la mer. Il ressemble en fait à celui qu'exerce un aspirateur en soulevant un tapis sur son passage.

La marée haute correspond au soulèvement des masses d'eau océaniques attirées par la Lune. Ce mouvement est progressif, selon la position par rapport à notre satellite des régions soumises à son influence, et atteint son maximum quand la Lune est au zénith. Quant à la marée basse, elle se produit dans les zones situées à angle droit avec la Lune (par rapport au centre de la Terre).

Le contour des océans affecte considérablement ce phénomène. La marée, par exemple, est à peine sensible en Méditerranée, mer presque fermée, et le golfe du Mexique ne compte qu'une marée haute par jour.

Assez curieusement, la marée haute se produit aussi aux antipodes de la région où la Lune est au zénith, soit à quelque 13 000 km de distance. Le champ gravitationnel de la Lune y est pourtant plus faible de 7 %, mais la force centrifuge de la Terre y propulse les océans vers l'extérieur, comme dans un gigantesque manège. S'il n'en était pas ainsi, il n'y aurait qu'une marée haute et une marée basse par jour lunaire (lequel dure 24 h et 50 min), et non deux, comme cela se produit sur nos côtes, où marée haute et marée basse ont en moyenne 6 h 12 min d'écart.

Sans l'influence de la Lune, les marées existeraient quand même, mais elles seraient beaucoup plus faibles. Il faut en effet aussi compter avec l'attraction solaire. Bien que beaucoup plus importante à sa source, elle est nettement moins sensible que celle de la Lune, tout simplement parce que le Soleil est très loin. Elle renforce ou diminue les marées provoquées par l'attraction lunaire.

Quand les deux astres sont alignés par rapport à la Terre (c'est la nouvelle lune ou la pleine lune), leurs actions s'additionnent et donnent des marées exceptionnellement hautes. C'est ce qu'on nomme les grandes marées, ou vives-eaux. Quand ils sont en quadrature, c'est-à-dire à angle droit par rapport à la Terre (premier ou dernier quartier de la Lune), leurs actions se contrarient et donnent des marées de faible amplitude, ou mortes-eaux.

D'où viennent les vagues ?

Les vagues sont dues à l'action du vent sur la mer. Le moindre zéphyr en provoque, comme on peut le voir sur une simple mare. Sur les grands océans, comme le Pacifique, de furieuses tempêtes peuvent pousser sur d'immenses distances des vagues d'une dizaine de mètres, qui finissent par s'écraser sur des îles ou déferler sur des plages.

En regardant une vague, on pourrait croire que c'est l'eau qui se déplace. Après tout, le ressac que chacun peut observer sur une plage prouve bien que la mer avance et recule. Mais, en fait, l'eau bouge très peu, comme le savent tous les surfeurs : il leur faut être très habiles pour attraper une vague et profiter de son énergie ! Les débutants, qui n'arrivent pas à faire « décoller » leur planche au bon moment, restent à peu près toujours au même endroit : la vague leur passe dessous et fonce toute seule vers le rivage. De même, les objets flottants sont rarement pris dans une vague, sauf si le vent les pousse brusquement, et les oiseaux de mer font du surplace. Quand une vague passe, ils se balancent dessus. Quant aux phoques et aux dauphins, ils plongent dessous à son approche pour éviter le choc, tout comme les surfeurs qui tentent de s'éloigner du rivage.

Un surfeur file sur l'avant d'une déferlante dont l'énergie le propulse. Les vagues dues au vent engendrent chaque jour autant de puissance qu'une bombe H.

Pourquoi la mer est-elle salée ?

Si tous les océans s'asséchaient faute de pluie, ils nous laisseraient assez de sel pour recouvrir les continents d'une couche de plusieurs dizaines de mètres d'épaisseur. Nos mers comptent en moyenne de 3 à 5 % de sel. Ce pourcentage monte à 25 % dans la mer Morte, qui est à la fois l'étendue d'eau la plus salée et le point le plus bas du monde (– 400 m d'altitude).

Le sel des océans et des lacs salés provient de la dissolution des rochers qui en constituent le fond et des cours d'eau qui s'y jettent. À mesure que l'eau s'évapore, la teneur en sel augmente. La pluie qui tombe sur les terres voisines s'infiltre dans le sol et y dissout davantage de sel, qui aboutit en mer via les cours d'eau.

Malheureusement, le sel n'est pas le seul produit à migrer ainsi dans l'eau : dans les régions d'agriculture intensive, engrais et pesticides suivent le même chemin, ce qui entraîne de graves effets à long terme sur la vie marine. D'autre part, l'arrosage constant du même terrain avec de l'eau de rivière en augmente la teneur en sel et en autres minéraux, ce qui finit par empoisonner le sol ou par polluer la nappe phréatique.

Un iceberg flotte dans l'Antarctique. Si, comme les autres substances, l'eau devenait plus dense en gelant, les icebergs couleraient et les océans seraient surtout formés de glace.

Comment se forme la glace ?

En hiver, l'eau des flaques et des mares gèle au point de devenir parfois assez solide pour supporter le poids de patineurs. Pourquoi réagit-elle ainsi et non pas en se vaporisant et en disparaissant peu à peu dans l'air par évaporation, comme lorsque la température augmente ?

Imaginez un groupe d'enfants turbulents en train de courir dans une cour de récréation où l'institutrice veut rétablir le calme. Elle leur donne l'ordre de marcher sans courir, car elle sait que les écoliers ne pourront se mettre en rang que s'ils commencent par ralentir.

Les molécules d'eau réagissent un peu de la même manière. Si l'eau se refroidit, elles ralentissent au point de pouvoir connaître un ordonnancement régulier, un peu comme les enfants dans leur cour de récréation. Elles se constituent alors en trois dimensions, selon une structure où chacune d'elles est reliée à quatre autres.

Cette structure cristalline, que nous appelons glace, est en fait comparable à celle du diamant : la glace est un cristal formé non pas de carbone, mais d'oxygène et d'hydrogène. Le diamant est la substance la plus dure de la nature. S'il en est ainsi, c'est parce que les atomes de carbone ont des liaisons moléculaires plus solides que l'eau.

La glace ne se forme pas à des températures supérieures à 0 °C : les molécules d'eau se déplacent encore trop vite. Et, même lorsque l'eau gèle vraiment, il y a toujours un peu d'évaporation. Tout comme il se trouvera toujours dans la cour de récréation un ou deux enfants pour ne pas rester en rang, certaines molécules d'eau sont toujours plus rapides que la moyenne et ont suffisamment d'énergie pour s'échapper dans l'atmosphère.

L'eau vive ne gèle pas

En hiver, regardez donc une rivière dont le courant est rapide. Ses rives ont beau être enneigées et ses bords couverts de glace, le centre coule toujours aussi vite.

Il y a trois raisons à cela. D'abord, un courant rapide contient davantage d'air. Cela abaisse son point de congélation, comme le ferait d'ailleurs n'importe quelle autre substance dissoute dans l'eau, par exemple le sel. C'est pour cette raison que la mer gèle plus lentement et que l'on sale les routes en hiver pour empêcher le verglas.

D'autre part, l'eau vive a tendance à briser les cristaux de glace à mesure qu'ils se forment. Si l'eau du bord des rivières gèle la première, c'est parce qu'elle stagne. Enfin, l'eau coule sous l'effet d'une énergie produite soit par la force de gravitation, soit par une hélice ou une pagaie. On peut tirer profit de cette agitation pour augmenter sa température : si vous la brassez vigoureusement, l'eau se réchauffera, mais cela exige beaucoup d'efforts. De l'eau tombant en cascade sera sans doute légèrement moins froide que celle contenue dans un creux de rocher voisin. Par grand froid, vous n'aurez plus besoin d'un thermomètre pour le vérifier : l'eau du creux de rocher sera gelée, mais pas la cascade.

En hiver, une rivière ne gèlera pas si son débit est rapide, car son énergie la réchauffe.

UNE ASSOCIATION HORS DU COMMUN

Décrire l'eau et ses propriétés revient à poser une série de devinettes : Qu'est-ce qui est commun et pourtant extraordinaire ? Qui s'évanouit dans l'espace sans jamais disparaître totalement ? Qui peut être dure ou fluide, visible ou invisible ? Qui est indispensable à la vie mais pourtant la détruit ? Qui, douce et vaporeuse, peut cependant niveler des montagnes et pulvériser des rochers ?

Pour expliquer la nature rebelle de l'eau, nous devons d'abord comprendre sa structure. Comme l'indique sa formule chimique (H_2O) c'est un composé de deux atomes d'hydrogène et un atome d'oxygène. À eux trois, ils forment une molécule.

L'hydrogène et l'oxygène se combinent facilement pour former de l'eau. Craquez une allumette en leur présence et ils se transformeront en eau. Une fois formée, la molécule d'eau est extrêmement solide. Il faut beaucoup d'énergie pour la briser (en fait, exactement la quantité libérée pour sa formation).

Les atomes d'hydrogène et d'oxygène sont solidement unis par une liaison dite covalente. Autour du centre de l'atome d'hydrogène (ou noyau) gravite un seul électron. Mais il y a assez de place pour deux.

De même, l'atome d'oxygène compte six électrons, mais il pourrait en accueillir huit. Les vides sont rapidement occupés selon une sorte d'accord de partage de l'espace : les électrons de deux atomes d'hydrogène se joignent à la molécule d'oxygène, et deux électrons de l'atome d'oxygène se mélangent à ceux des atomes d'hydrogène. Une fois les vides remplis, les trois atomes ont acquis force et stabilité.

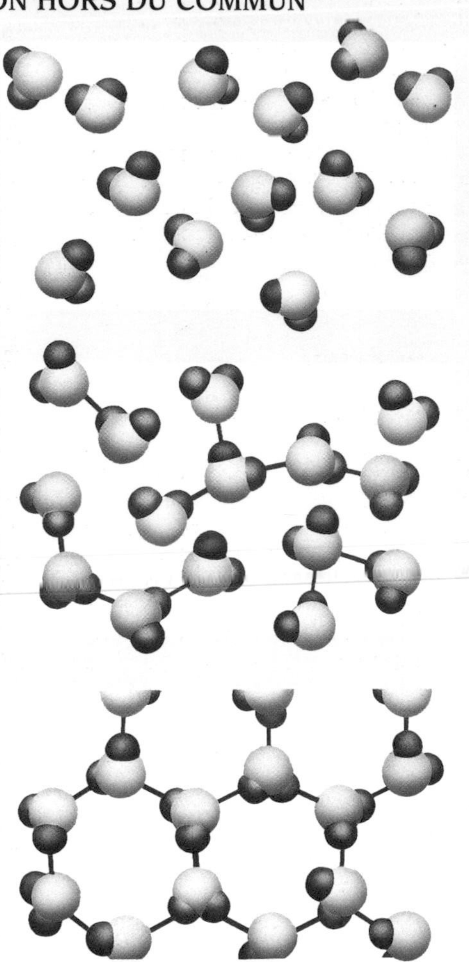

Les molécules d'eau ont deux atomes d'hydrogène et un d'oxygène. Leur association varie selon l'état de l'eau : gazeux sous forme de vapeur (en haut), liquide (au centre), ou solide sous forme de glace.

La molécule d'eau est déséquilibrée car les deux atomes d'hydrogène sont disposés d'un côté de l'atome d'oxygène. La charge électrique des atomes d'hydrogène est positive et celle de l'atome d'oxygène est négative, de telle sorte que la molécule se comporte un peu comme un aimant : si vous avez déjà essayé de rapprocher deux aimants, vous avez constaté que, s'ils sont disposés d'une certaine façon, ils s'attirent vivement. Retournez l'un d'eux, et ils se repousseront. Les molécules d'eau réagissent de manière similaire.

Le caractère déséquilibré de l'eau et ses charges électriques provoquent différents schémas d'association de ses molécules, ce qui explique pourquoi l'eau a tant de propriétés inhabituelles. Pour un liquide composé de molécules aussi petites, elle bout à une température extrêmement élevée. D'autre part, elle se dilate en gelant alors que la plupart des autres liquides font le contraire.

Quand l'eau gèle, chacune de ses molécules se connecte à trois autres, et ce groupe se joint à ceux qui sont construits de manière similaire. Leur attraction est électrique et constitue ce que les scientifiques appellent une liaison hydrogène. Cette force agit comme une sorte de « colle forte » moléculaire, et donne à l'eau une partie de ses étranges caractéristiques.

Le dessus du panier

Pourquoi la glace se forme-t-elle en surface des flaques et non pas au fond ? Et pourquoi, quand une bouteille est exposée au froid, trouve-t-on de la glace dans le goulot, mais pas plus bas ?

Ce phénomène est une chance pour nous tous : si l'eau se comportait comme les autres liquides qui gèlent, elle se solidifierait en quasi-totalité. De la glace se formerait au fond des rivières et des mers et s'étendrait peu à peu jusqu'en surface. Nous ne disposerions que d'une mince couche d'eau, là où le soleil d'été parviendrait à la faire fondre.

Entre 0 et 4 °C, l'eau réagit bizarrement. À 0 °C les molécules de glace sont largement espacées, ce qui rend leur structure plus légère. Si la température monte, leur structure cristalline se brise. Certaines molécules restent cependant associées deux par deux. Ce ne sont plus des cristaux de glace, mais elles sont plus légères et plus espacées que les molécules d'eau plus chaude. À 4 °C, les molécules d'eau atteignent leur densité maximale. Elles se déplacent au hasard, sans aucune structure. À température plus élevée, l'eau se comporte comme un liquide normal. Ses molécules accélèrent et entrent en collision, ce qui accroît leur distance, de telle sorte que l'eau se dilate.

Quand une mare gèle, ses différentes couches d'eau se livrent à une véritable danse et il se produit le phénomène suivant : à 4 °C, la surface se refroidit la première et, comme elle est plus dense et plus lourde, elle coule. La couche qui lui succède fait de même. Au bout d'un moment, la mare entière est à 4 °C, si bien que l'eau est à sa densité maximale. Quand la couche supérieure s'est refroidie suffisamment (soit environ 3 °C), elle reste en surface, car elle est plus légère que l'eau située en dessous. Tout en demeurant à la même place, elle finit par se transformer en glace et flotte très facilement sur le reste.

Le processus du gel commence alors à se ralentir, car la glace isole l'eau de l'air froid. C'est pourquoi il est rare qu'une mare gèle jusqu'au fond, ce qui tuerait ses poissons. Mais, si vous voulez patiner, il faut vous armer de patience : tous les patineurs savent que la glace n'est sûre qu'à partir de 5 cm d'épaisseur, ce qui peut prendre énormément de temps.

L'Europe a connu de 1450 à 1850 une chute très importante des températures. La rigueur de l'hiver 1812 décima l'armée napoléonienne pendant la retraite de Russie. Cette scène d'hiver du début du XVIIe siècle est due au peintre hollandais Hendrick Avercamp.

Quand l'eau bout-elle ?

Selon un vieux dicton, « bouilloire trop veillée jamais ne bout ». Cela vient sûrement du temps étonnamment long qu'il faut pour faire bouillir une petite quantité d'eau : alors que le fond de la bouilloire est brûlant, son contenu est encore presque froid.

Cette capacité de l'eau à absorber la chaleur sans que sa propre température varie beaucoup en fait un très bon refroidissant, par exemple dans les radiateurs de voiture ou les centrales électriques. Les vastes étendues d'eau (grands lacs et océans) rendent les terrains environnants plus frais en été et plus chauds en hiver. En revanche, les déserts arides connaissent une chaleur torride l'été et un froid mordant l'hiver.

Une substance se réchauffe quand ses molécules subissent un mouvement énergique. L'exposition à la chaleur produit cet effet, mais certaines molécules réagissent plus vite que d'autres. Sous leur forme liquide, les molécules d'eau ont une structure irrégulière et tourbillonnent un peu comme dans les danses d'autrefois : chaque groupe rejoint les autres avant de continuer. Ce phénomène, que les chimistes appellent une liaison hydrogène, assure la cohésion de l'eau liquide.

Tant mieux pour nous. Si les liaisons hydrogènes étaient plus faibles, il serait plus facile de briser les molécules d'eau, et celle-ci bouillirait plus vite... aux températures polaires.

Pourquoi l'eau fait-elle des bulles ?

Si nous faisons bouillir une casserole d'eau sur la cuisinière, son réchauffement se manifeste d'abord par la montée de minuscules bulles d'air vers la surface.

Il y a de l'air dans l'eau, mais, plus elle est chaude, moins elle peut en contenir. C'est pourquoi, par temps très chaud, les poissons d'un étang présentent des signes de faiblesse ou viennent près de la surface pour mieux respirer.

L'eau bouillante n'est pas toujours chaude. Dans le vide, l'eau froide bout à gros bouillons.

À mesure que l'eau chauffe, l'air dissous en elle monte en quantités de plus en plus grandes vers la surface. Mais elle ne commence vraiment à bouillonner qu'à 100 °C (du moins au niveau de la mer). À cette température, des bulles de vapeur chaude se forment dans l'eau et ont une pression supérieure à celle de l'atmosphère. Auparavant, la vapeur n'a pas assez d'énergie pour former des bulles, et elle monte simplement de la surface.

Même l'eau froide en dégage, et c'est pourquoi elle s'évapore lentement. On peut aussi la faire bouillir en réduisant la pression atmosphérique. Un verre d'eau froide placé sous vide d'air bouillira joyeusement. Et, en haute montagne, où la pression atmosphérique est inférieure à celle du niveau de la mer, l'eau bout à température plus basse : 70 °C à peine au sommet de l'Everest.

L'eau est-elle humide ?

L'eau ne donne pas toujours une sensation d'humidité. Plongez le bras dans une baignoire, essayez de ne pas bouger et vous aurez peut-être du mal à ressentir ce que nous qualifions habituellement d'humidité, surtout si l'eau est à la température du corps. Prenez une goutte d'eau dans le creux de la main et vous aurez le même problème.

La sensation de ce qui est mouillé ou non vient surtout de l'évaporation de l'eau. Celle-ci a une viscosité faible, c'est-à-dire qu'elle coule facilement. Si on en renverse sur ses vêtements, elle s'y diffuse vite, grâce non seulement à cette caractéristique, mais aussi à la capillarité (la capacité à remonter les fibres et les pores du tissu). Ainsi, elle se disperse et s'évapore plus vite en profitant de la chaleur corporelle. Donc, si vous vous mouillez, vous aurez froid et vous vous sentirez humide jusqu'à complète évaporation de l'eau.

Un excellent solvant

L'eau ne dissout pas tout, mais ce n'est pas faute d'essayer. À peu près la moitié des substances chimiques du monde peuvent être dissoutes dans l'eau.

C'est parfois un grave problème, notamment lorsque les sous-produits des métaux lourds rejetés par l'industrie polluent l'eau potable ou atteignent les poissons et se retrouvent ainsi dans la chaîne alimentaire. Mais, d'autre part, notre survie, et celle de toutes les espèces animales et végétales, dépend de la capacité de l'eau à dissoudre les substances nutritives. Si vous mettez de l'engrais sur les oignons de votre jardin par exemple, leurs racines ne le capteront que s'il est dissous dans l'eau.

Si l'eau est un aussi bon solvant, c'est parce que beaucoup de produits ont une structure moléculaire assez comparable à la sienne. En leur présence, ses molécules se comportent un peu comme des policiers en train de contenir une foule surexcitée. Si, par exemple, vous mettez un morceau de sucre dans votre tasse de café (surtout composé d'eau, naturellement), les molécules d'eau feront irruption dans un groupe de molécules de sucre et les empêcheront de regrouper leurs forces avec d'autres molécules de sucre. Le sucre formant une forte liaison hydrogène avec l'eau, les deux variétés de molécules agissent l'une sur l'autre : le sucre devient en partie de l'eau et l'eau devient sirupeuse.

L'eau dissout aussi d'autres substances, telles que des sels et des métaux, par réaction ionique. Les atomes de sel de table, par exemple, sont maintenus ensemble par leurs charges électriques opposées. Ces atomes à charge positive ou négative sont appelés des ions. Les molécules d'eau, dont les atomes d'hydrogène ont une charge positive et les atomes d'oxygène une charge négative, perturbent cette attraction et forcent les atomes de sel à se séparer, ce qui les dissout.

L'huile et l'eau

Si on verse du vinaigre, du vin ou du jus de fruits dans un bol d'eau, le mélange se fait sans difficulté. Il n'en va pas de même avec l'huile : on aura beau agiter le contenu du bol, celle-ci finira toujours par flotter à la surface. Ce phénomène n'est pas très important dans notre vie quotidienne, mais il devient évidemment essentiel s'il s'agit, par exemple, de lutter contre une marée noire.

Le problème est que les molécules d'huile (ou de pétrole, qui est une variété d'huile) n'ont pas de polarité, c'est-à-dire pas de charge positive ou négative, et ne subissent donc pas de réaction ionique avec les molécules d'eau. Celles-ci conservent leur cohésion et laissent de côté les molécules d'huile.

On peut remédier au problème en utilisant un émulsifiant. Il modifie l'eau et l'huile de manière à ce qu'elles puissent se « mouiller » mutuellement.

*En 1978, la marée noire de l'*Amoco Cadiz *a souillé la côte bretonne. Dix ans après, la reproduction des poissons n'était pas redevenue normale.*

Le mur du son

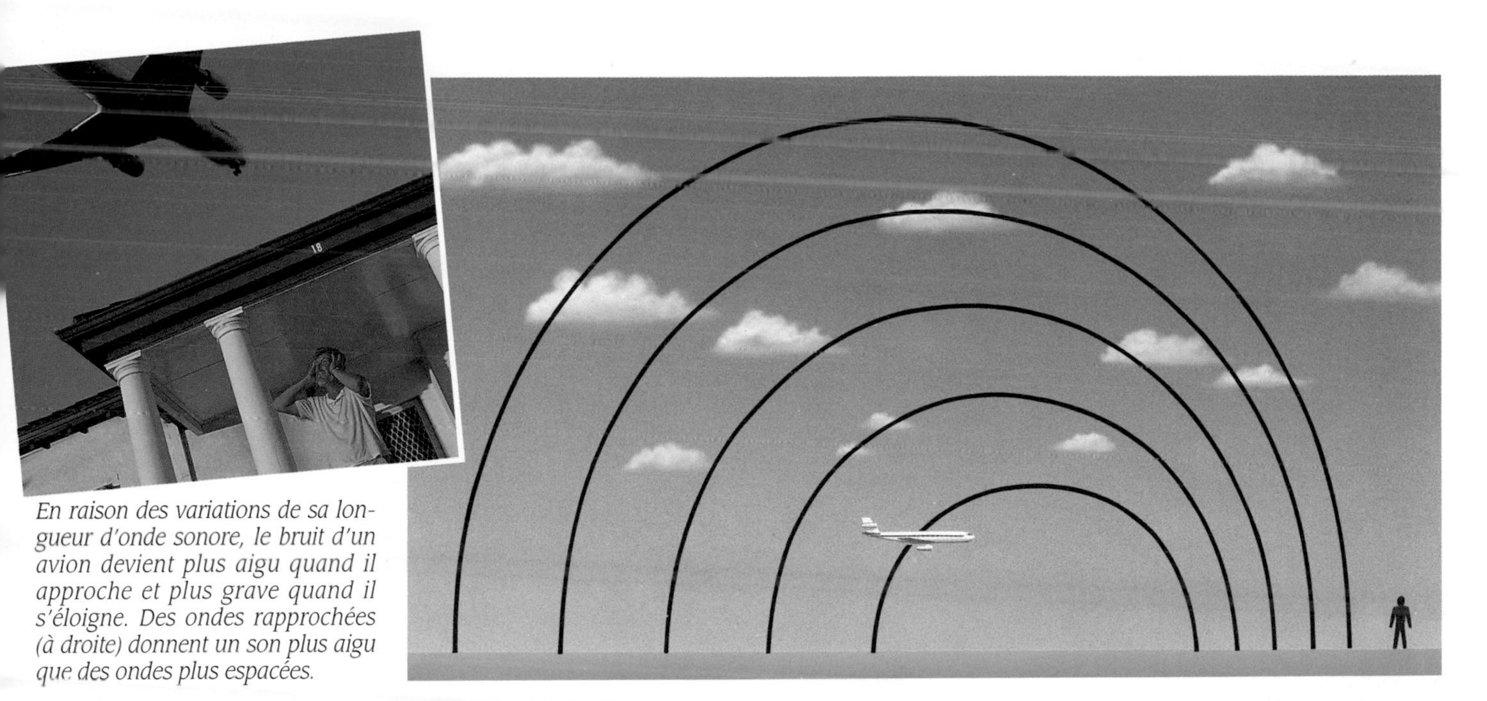

En raison des variations de sa longueur d'onde sonore, le bruit d'un avion devient plus aigu quand il approche et plus grave quand il s'éloigne. Des ondes rapprochées (à droite) donnent un son plus aigu que des ondes plus espacées.

Un bruit de plus en plus aigu

Un train express fonce sur la voie ferrée dans un bruit de tonnerre. Le son est de plus en plus aigu à mesure qu'il approche et, dès qu'il est passé, redevient de plus en plus grave.

Ce phénomène est dû à une variation de l'écart séparant les ondes sonores envoyées par le train. Si celui-ci ne bougeait pas, la tonalité du bruit serait constante, les ondes sonores qu'il émet étant envoyées de manière régulière dans toutes les directions. En traçant leur diagramme, on obtiendrait des stries concentriques régulières ayant le train pour centre.

Quand le train avance, le centre de chaque onde sonore change. Celles qui sont devant lui sont de plus en plus resserrées, tandis que celles qui sont derrière s'écartent. Cet effet augmente avec la vitesse. Si vous êtes au bord de la voie au moment où le train approche, les ondes qui vous parviennent à chaque seconde sont de plus en plus nombreuses. Comme ce nombre par seconde – la fréquence – détermine la tonalité, le son devient de plus en plus aigu. À l'inverse, une fois le train passé, vous recevez de moins en moins d'ondes et le son se fait plus grave.

Si, dans un véhicule rapide, vous vous dirigez vers une source de bruit immobile, l'effet est identique.

Cette curieuse caractéristique s'appelle effet Doppler, d'après le physicien autrichien Christian Johann Doppler, qui fut le premier à l'expliquer en 1842. Il fit rouler un train transportant un groupe de trompettistes et plaça au bord de la voie des musiciens à l'oreille particulièrement exercée, qui confirmèrent avec précision la variation des aigus. Ce phénomène a des applications médicales telles que la détermination de la circulation sanguine par ultrasons. En navigation, c'est aussi le principe de sonars perfectionnés servant à calculer la vitesse et la direction des navires voisins. L'effet Doppler est aussi utilisé en astronomie.

Pourquoi le son passe-t-il les murs ?

Le déplacement du son dans l'air est assez comparable à celui d'une vague dans l'eau, en beaucoup plus rapide (environ 1 240 km/h, avec des variations selon la température).

Le son a besoin d'un support tel que l'air, dont les molécules peuvent transmettre le message. Mais comment fait-il pour traverser un mur rigide ? Ce n'est possible que si le mur vibre légèrement : il active ainsi les molécules d'air situées de l'autre côté et le son passe, par exemple, de l'appartement du voisin au vôtre.

Tous les murs ne vibrent pas aussi facilement. S'ils sont épais et lourds, ils ont beaucoup d'inertie (résistance naturelle au mouvement) et il faut une puissance considérable pour les faire bouger. Mais un son de volume moyen, par exemple celui du téléviseur du voisin, suffit à faire vibrer une cloison. S'il le peut, le son s'infiltrera par les fissures et autres ouvertures, par exemple les espaces imparfaitement bouchés autour des tuyaux d'eau et de gaz. Pour insonoriser une pièce sans y bâtir des murailles, on peut utiliser plusieurs couches de matériaux légers. Des cloisons formées de deux plaques de plâtre clouées sur des carcasses distinctes bougeront de manière indépendante et réduiront le pont acoustique entre des pièces voisines.

C'est pourquoi, en ville, beaucoup d'immeubles ont aujourd'hui des doubles vitrages, qui insonorisent mieux que les vitrages ordinaires. Ils assurent aussi une bonne isolation thermique si les deux vitres ont au moins 15 cm d'écart et si les châssis sont parfaitement ajustés.

Dans la vie quotidienne, rien ne nous perturbe davantage que le bruit venant de chez un voisin.

VOIR AVEC LES OREILLES

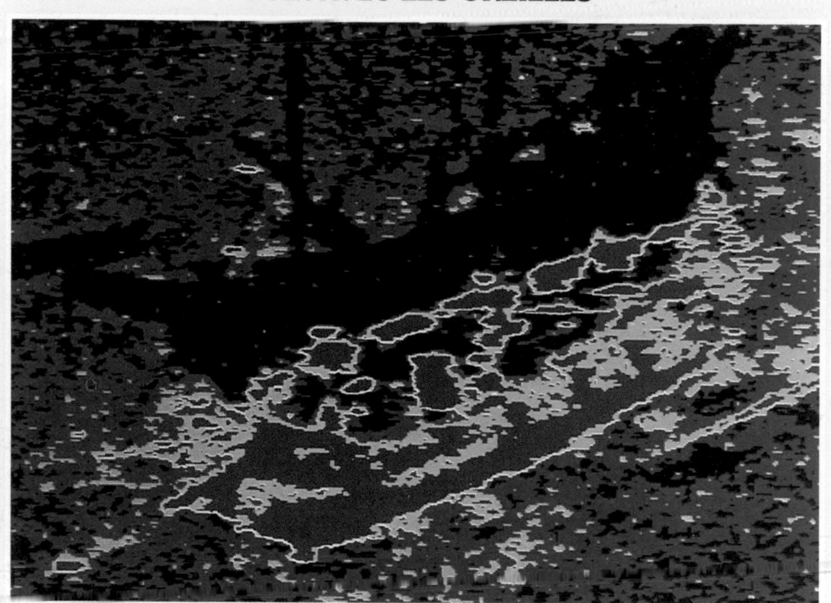

Un balayage au sonar a révélé la présence d'une épave de voilier. L'écho d'ondes à haute fréquence braquées vers le fond des mers permet à un ordinateur de créer une image. Les zones colorées sont dues au traitement informatique.

Beaucoup d'animaux, notamment les marsouins et les chauves-souris, se guident grâce à leur capacité à capter les échos. Le son leur tient lieu de vue. Les chauves-souris émettent des sons suraigus, dont la fréquence est souvent de trois à quatre fois supérieure à ce que nous pouvons entendre, et captent les échos renvoyés par les obstacles ou les proies.

Leurs cris ont une longueur d'ondes d'environ 6 mm, ce qui est extrêmement court. Une longueur d'onde plus élevée ne serait pas renvoyée par les petits insectes (moustiques ou phalènes). Les zoologues ont éprouvé l'efficacité de ce système de localisation, par exemple en lançant des vers en l'air la nuit. Les chauves-souris en ont attrapé 95 %. Lors d'une autre expérience, elle ont évité des fils de fer d'à peine 1 mm de diamètre.

Pendant la Seconde Guerre mondiale, les alliés se sont inspirés des systèmes d'écholocation des marsouins pour traquer les sous-marins allemands. Après avoir essayé toute une série de dispositifs, ils ont finalement abouti au sonar : les chasseurs de sous-marins envoyaient dans l'océan des faisceaux de sons à haute fréquence, un peu comme la DCA balayait le ciel de ses projecteurs. Il suffisait de chronométrer l'écho pour calculer la distance de l'objectif.

Les longueurs d'ondes des sons audibles par l'homme vont de 20 à environ 20 000 Hz. On appelle infrasons et ultrasons les sons trop graves ou trop aigus pour que nous puissions les entendre. Certaines araignées captent les infrasons dans la nature, essentiellement ceux causés par les séismes, et d'autres réagissent à des fréquences pouvant atteindre 45 000 Hz.

Les ultrasons ont beaucoup d'applications pratiques. L'eau absorbant peu les ultrasons, on s'en sert pour établir le relevé topographique du fond des océans.

Ils sont également très précieux aux médecins. Grâce à une technique dérivée du sonar (l'échographie), un gynécologue peut examiner un fœtus dans l'utérus de sa mère et diagnostiquer d'éventuelles anomalies. Les ondes ultrasoniques traversent le corps de la mère sans intervention chirurgicale et ne sont dangereuses ni pour elle ni pour son bébé. Dans l'industrie, ces mêmes ondes permettent aussi de déceler des défauts dans les métaux.

Les infrasons permettent surtout aux géologues d'étudier la croûte terrestre. Une explosion souterraine engendre des ondes infrasoniques, dont la propagation est différente dans les solides ou dans les liquides. En déclenchant une explosion en un point et en calculant la vitesse à laquelle ses ondes infrasoniques sont captées en d'autres points, les géologues peuvent cartographier des zones situées à grande profondeur.

La vitesse du son et de la lumière

Si vous regardez, par exemple, un navire approcher du port en actionnant sa sirène, vous verrez une bouffée de vapeur sortir de celle-ci avant de l'entendre. De même, la lumière de l'éclair précède toujours le grondement du tonnerre. Dans les deux cas, le départ des ondes sonores et lumineuses est simultané, mais la lumière est beaucoup plus rapide.

Une onde sonore se propage à la fois en poussant et en écartant des atomes et des molécules. Ces particules s'entrechoquent, un peu comme des gens dans une foule. La vitesse du son dépend de la rapidité avec laquelle elles peuvent bouger ou vibrer. Et, comme cette dernière dépend de la densité et de l'élasticité du matériau, la vitesse du son est variable.

Au niveau de la mer et à une température de 20 °C, le son se déplace à 344 m/s. Dans l'hydrogène, qui est moins dense que l'air, sa vitesse est presque trois fois supérieure. En outre, il se propage plus vite

Dans un laboratoire d'acoustique dépourvu de fenê

Le Concorde, avion de ligne le plus rapide du monde, vole à environ deux fois la vitesse du son et relie Paris à New York en un peu plus de trois heures. À la vitesse de la lumière, le voyage durerait une fraction de seconde.

dans les solides que dans les gaz : environ 5 000 m/s dans l'acier. Ce métal est dense, mais ses atomes ont beaucoup de cohésion et n'ont pas besoin de vibrer énormément pour transmettre une onde sonore. La température est également en cause. Par un froid glacial, la vitesse du son n'est que de 331 m/s. Mais, à 100 °C, elle parcourera environ 39 m/s de plus.

La lumière se déplace de manière très différente, sous forme de perturbations électromagnétiques. À la différence du son, elle peut se propager dans le vide, à près de 300 000 km/s. On ne connaît aucune vitesse supérieure. Son passage à travers une substance transparente telle que le verre la ralentit, car elle est absorbée, puis réémise un instant plus tard par les électrons rencontrés sur son passage. Quant à l'air et aux autres gaz, ils ne présentent pour elle qu'un obstacle insignifiant, et elle les traverse pratiquement à sa vitesse maximale.

chercheur entame une série de tests. Des matériaux insonorisants tapissent toutes les parois du local.

Pourquoi certains locaux sont-ils si bruyants ?

Peu de choses perturbent autant notre bien-être que le bruit. Il ne peut qu'être élevé dans certains locaux, tels que les salles de restaurant au sol carrelé, aux tables à plateau de verre et aux accessoires en acier inox. Leur propriété de transmission des bruits d'impact est alors très grande. Les pas y résonnent, les couteaux cliquettent et il faut élever considérablement la voix pour se faire entendre. Mais en d'autres endroits, le son est étouffé par d'épais tapis et des meubles capitonnés. En revanche, nous savons tous qu'une pièce vide est plus bruyante parce qu'aucun meuble n'y amortit les sons.

Une onde sonore se déplace par vibration rythmique des molécules d'air. Si elle rencontre une surface dure, elle rebondit dans une nouvelle direction.

Les matériaux insonorisants empêchent ce rebond. Ils sont généralement très poreux, avec une structure ouverte. Quand une onde sonore les frappe, les molécules d'air en vibration se heurtent à la surface interne des pores. Chaque collision ôte aux molécules un peu de leur énergie, qui ne disparaît cependant pas, mais se transforme en chaleur. Si l'onde sonore contraint les fibres du matériau lui-même à vibrer, elle perd encore plus d'énergie et crée encore davantage de chaleur. Mais celle-ci est infime et le matériau insonorisant l'irradie rapidement et silencieusement dans l'air ambiant.

Le son et le vide

On se perd en conjectures depuis des siècles sur la nature exacte du son. Un âpre débat oppose même philosophes et acousticiens sur le fait de savoir s'il existe quand personne n'est là pour l'entendre. Si un gros rocher dévale une montagne loin de toute présence humaine, fait-il du bruit ? Et si c'est le cas, comment peut-on le prouver ?

Une telle discussion se termine rarement sur un accord, car cela implique que l'on s'entende au préalable sur la définition que l'on donne au son. D'après certains philosophes, il n'existe pas en lui même mais seulement si on l'entend. Plus pragmatiques, les physiciens le définissent comme une forme d'énergie existant en dehors de toute perception humaine.

L'enregistrement des messages nous prouve constamment que l'énergie sonore est présente même quand nous ne sommes pas là pour l'entendre. Pourtant, la confusion perdure, car le son est à la fois cause et effet. C'est d'une part la vibration d'atomes et de molécules dans un milieu donné, tel que l'atmosphère, un solide, ou l'eau, et qui constitue une source sonore. Mais c'est aussi la sensation éprouvée par l'auditeur, c'est-à-dire la réaction de son oreille et de son cerveau à ces vibrations extérieures.

Dans les substances élastiques telles que les gaz, beaucoup de liquides et la plupart des solides, le mouvement des atomes et des molécules est constant. Un son, qu'il soit émis par une voix humaine ou par le tonnerre, projette une molécule sur sa voisine. Cela déclenche une réaction en chaîne : quand la molécule se rapproche de sa voisine, celle-ci la repousse, mais rebondit en même temps vers une autre molécule. Ce mouvement de va-et-vient rythmique se propage et transporte l'énergie de l'onde sonore.

Celle-ci nous est normalement transmise par l'air. Sans lui, nous n'entendrions aucun des bruits qui nous sont si familiers. Si on pompe tout l'air d'un récipient pour y créer le vide, aucun son ne pourra jamais s'en échapper, car il n'y aura rien pour le propager. Le physicien Robert Boyle a démontré ce point en 1660 en accrochant dans le vide une montre dotée d'une forte sonnerie. À l'heure où la montre a sonné, l'auditoire n'a rien entendu.

Une onde sonore se propage par réaction en chaîne. L'énergie fait se heurter les molécules d'air et l'onde se déplace. Mais, si l'air vibre, il ne bouge pas.

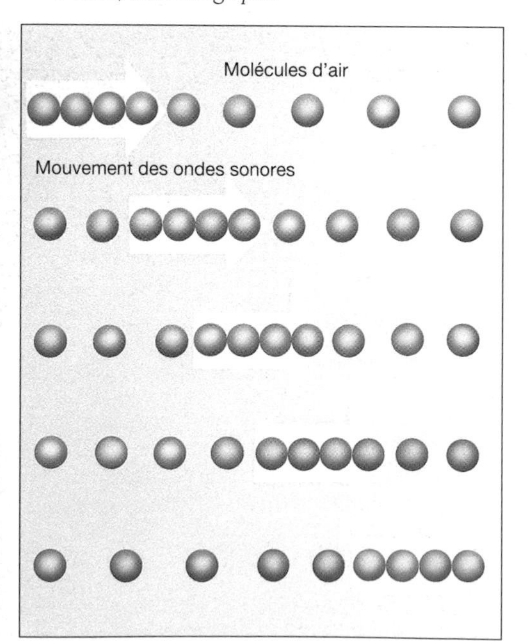

Dans la cathédrale Saint-Paul, à Londres, le moindre chuchotement, si ténu soit-il, prononcé dans la Galerie des murmures s'entend à l'autre bout de celle-ci, 32 m plus loin. Le dôme focalise les échos, dont le son se répercute tout autour du mur circulaire.

Écho, es-tu là ?

Beaucoup d'endroits sont célèbres pour leur écho, et plus précisément par la durée qui sépare le son d'origine de son écho, lequel peut d'ailleurs être multiple dans certaines vallées.

Si on crie dans un tel endroit, le son se répète parce que l'onde sonore rencontre une surface dure et revient à son point de départ, un peu comme la lumière que le miroir renvoie ou la vague qui rebondit sur la rive. Dans une vallée, la surface dure en question sera le versant opposé. Plus on en est loin, plus l'intervalle entre son et écho sera long. La vitesse du son dans l'air sec étant d'environ 344 m/s, une surface située à 17 m renverra un écho un dixième de seconde plus tard. Si l'écart est d'une seconde, c'est que le réflecteur est à 172 m. Dans une vallée étroite, un écho multiple s'explique par le fait que le son, s'il est suffisamment fort, a fait plusieurs fois l'aller et le retour entre les deux versants.

Dans la vie quotidienne, nous entendons sans aucun doute davantage d'échos que nous en avons conscience. Chez nous et en ville, nous sommes souvent entourés par une grande quantité de surfaces dures, lisses et rigides qui renvoient parfaitement les ondes sonores.

Après qu'un son a été émis, notre oreille le conserve encore pendant environ un vingtième de seconde. Si un écho nous revient pendant ce laps de temps parce que le réflecteur est tout proche, le délai est trop court pour que nous puissions faire la différence avec le son d'origine. Pour cela, il faudrait que les deux soient séparés par un bref silence. Sans lui, le son réfléchi prolonge le son d'origine et crée ce que nous appelons une réverbération.

C'est un facteur très préoccupant pour les architectes de salles de concert, où la qualité sonore a évidemment une importance capitale. Le comportement des ondes sonores étant comparable à celui des autres ondes, ils évaluent parfois l'acoustique de leur projet sur une maquette qui le représente en coupe. Ils plongent celle-ci dans un bac et observent comment les différentes surfaces réfléchissent ou absorbent les ondes de l'eau. Pour améliorer l'acoustique d'un auditorium, on accroche souvent des disques de plastique ou d'autres matériaux réfléchissants par-dessus la scène ou derrière elle.

Chacun sait que le bruit ne se dissipe pas aussi vite à l'intérieur d'un immeuble qu'en plein air. Le temps de réverbération mesure la vitesse à laquelle un son tombe au millionième de son intensité initiale. Dans un grand bâtiment, une cathédrale par exemple, cela peut durer dix secondes, contre à peine une demi-seconde, voire moins, dans une pièce pourvue de tapis et de meubles capitonnés.

Le temps de réverbération donne plus de richesse à la musique s'il est long, et plus de clarté à la parole s'il est court. C'est pourquoi les salles de concert ne conviennent pas toujours aux pièces de théâtre et aux conférences.

Une énergie qui illumine notre vie

Les « coups tordus » de la lumière

On savait déjà dans la Grèce antique que la lumière se déplace en ligne droite. Dès l'an 300 avant J.-C., Euclide avait remarqué que, si la lumière frappait un miroir ou toute autre surface réfléchissante, elle était renvoyée selon un angle identique : c'est pourquoi on ne peut se voir dans une glace que si on se tient devant elle.

Un autre phénomène intriguait les Grecs. Ils avaient remarqué qu'une baguette inclinée plongée dans l'eau semblait brisée au niveau de la surface : sa partie immergée n'était pas dans l'alignement de sa partie émergée. Tout le monde le constatera avec le manche d'une brosse à dents trempée dans un verre d'eau.

Il a fallu plusieurs siècles pour trouver l'explication scientifique de cette anomalie. En 1621, le physicien hollandais Willebrord Snell découvrit que la lumière ne se déplaçait pas de la même manière dans toutes les substances transparentes. Si la baguette semble plier, c'est parce que les rayons de lumière qu'elle renvoie à l'œil changent de direction au point de contact entre l'air et l'eau.

Snell vérifia sa théorie avec différentes substances et établit que certaines « plient » la lumière davantage que d'autres. Il découvrit aussi que cette distorsion, qu'il appela réfraction, variait selon l'angle : placée verticalement dans l'eau, la baguette ne semble pas du tout brisée. Plus on l'incline, plus le phénomène est important. Son compatriote Christian Huygens trouva l'explication. Le mathématicien et philosophe français René Descartes avait déjà calculé l'échelle numérique (ou indice de réfraction) selon laquelle l'angle de la lumière varie dans différentes substances. Huygens établit que l'indice de réfraction d'une substance témoigne de la vitesse à laquelle la lumière s'y déplace : autrement dit, la lumière ne se propage pas à la même vitesse dans tous les corps.

Autre point important : si l'on admet cette hypothèse ainsi que le fait que la lumière est constituée de petites ondes, et non pas de particules, cela permet d'expliquer que la réfraction varie selon la couleur de la lumière. Un rayon rouge qui traverse un épais morceau de verre a une réfraction moins importante qu'un rayon bleu, alors que tous deux frappent le verre sous le même angle.

Une illusion d'optique donne un aspect brisé à ce crayon. L'eau réduit de 25 % la vitesse de la lumière, ce qui réfracte ses rayons.

Le sable et l'eau

En marchant sur une plage, on peut voir tout de suite jusqu'où la prochaine vague est susceptible d'aller : le sable mouillé est à la fois beaucoup plus ferme et plus sombre que le sable sec.

Pourtant, leur seule différence est que l'un d'eux est revêtu d'eau. Pourquoi un liquide clair fonce-t-il le sable à ce point ?

La réponse n'a rien à voir avec la pureté de l'eau, et le résultat sera toujours identique, même avec une mer d'une limpidité exceptionnelle. L'eau fonce le sable parce qu'elle a tendance à en cacher les grains, qui nous renvoient moins bien la lumière. Au lieu d'être réfléchie, celle-ci est absorbée. Plus cette absorption est importante, plus le sable paraît foncé. À l'inverse, plus la lumière est réfléchie, plus il paraît clair. Par grand soleil, c'est le sable le plus sec, au-delà de la limite de marée haute, qui nous éblouit, car il réfléchit plus de lumière que celui du bord de l'eau.

L'eau n'est pas le seul liquide à avoir cet effet. Certains liquides transparents, comme le benzène, fonceront même le sable encore davantage. C'est parce que leur réfractivité, ou capacité à faire diverger les rayons de lumière, est beaucoup plus proche de celle du sable.

Mais ne vous avisez pas de le vérifier ! Le benzène est dangereux ; il est inflammable, toxique et cancérigène.

Zones humide et sèche se distinguent nettement sur les plages. Le sable blanc et sec réfléchit mieux la lumière et favorise les coups de soleil.

Concentré de lumière

La notion de réfraction de la lumière joue un rôle fondamental dans l'élaboration de tous les instruments d'optique, à commencer par les télescopes.

Une lentille concave, plus mince en son centre que sur ses bords, éparpille la lumière (on parle de lumière divergente). Une lentille convexe, plus épaisse au centre, la concentre en un seul point (lumière convergente). Ce genre de lentille est utilisé dans certaines lampes-torches. Si son épaisseur était uniforme, toute la lumière issue de l'ampoule électrique poursuivrait son chemin droit devant elle et la lampe n'aurait pas de faisceau. L'ampoule émet en effet une masse de rayons lumineux dans toutes les directions. La courbure de la lentille les réfracte, de telle sorte qu'ils convergent au lieu de conserver la même direction. Pour obtenir le même effet, certaines lampes-torches sont équipées d'un miroir incurvé derrière une lentille plate.

Mais une lentille convexe peut aussi faire converger les rayons du soleil en un seul point, et concentrer ainsi leur chaleur. Une bouteille brisée, et en particulier son fond plus épais, agira comme une lentille de ce type.

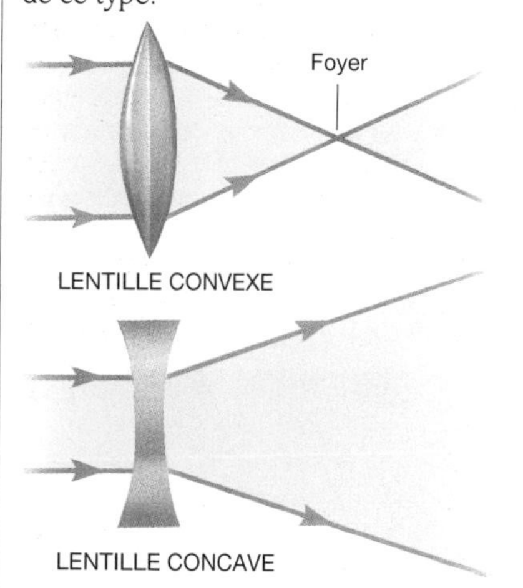

La fonction essentielle d'une lentille est de réfracter la lumière (changer la direction de ses rayons). Convexe, elle les concentre ; concave, elle les fait diverger.

La saison du blanc

Pour avoir moins chaud par grand soleil, portez du blanc. Le noir nous paraît noir parce qu'il absorbe beaucoup de lumière. À l'inverse, c'est le blanc qui en absorbe le moins. La lumière est une forme d'énergie, que l'absorption par les vêtements de diverses couleurs transforme en chaleur. Quand les atomes et les molécules d'un tissu opaque absorbent de la lumière, le supplément d'énergie qu'ils reçoivent les fait vibrer davantage, ce qui donne une impression de chaleur. Mais, si la lumière a une énergie suffisamment forte, certains matériaux peuvent dégager des électrons, selon un effet photoélectrique bien connu des physiciens. C'est lui qui fait fonctionner les capteurs électriques servant à ouvrir les portes de magasins ou à déclencher les systèmes de sécurité.

L'énergie de la lumière est inversement proportionnelle à sa longueur d'onde. La lumière bleue, dont la longueur d'onde est faible, émet par exemple davantage d'énergie que la lumière rouge, dont la longueur d'onde est supérieure.

Certains matériaux, notamment le silicium, conduisent mieux l'électricité quand ils sont exposés à la lumière, car leurs électrons sont alors plus mobiles. Traité avec certaines impuretés, le silicium génère de l'électricité. C'est tout le principe des panneaux solaires.

Une idée lumineuse

La lumière solaire est issue d'un mélange de rayons lumineux différents. Les rayons infrarouges, invisibles, accélèrent la vibration des atomes et des molécules, ce qui produit de la chaleur. Le soleil réchauffe la mer parce que certaines molécules de la surface absorbent tant d'énergie lumineuse que leurs vibrations les font sortir du liquide et s'évaporer.

En concentrant les rayons solaires sur une chaudière d'eau grâce à tout un jeu de miroirs, on peut produire de la vapeur à haute pression, entraîner ainsi des turbines et obtenir de l'électricité. Cela ne fait que transformer une forme d'énergie en une autre. De même, l'agriculture transforme la lumière solaire en produits alimentaires. En brûlant du charbon ou du pétrole dans une centrale électrique, nous utilisons l'énergie solaire stockée par les plantes dont ces combustibles sont issus.

Ce sont des moyens indirects de transformer la lumière en énergie. Les cellules photovoltaïques l'exploitent de manière plus directe. Elles sont utilisées non seulement dans les vaisseaux spatiaux, mais aussi dans les régions ensoleillées.

Également connues sous le nom de photopiles, elles sont formées de deux couches de silicium, dont l'une est imprégnée d'un élément tel que le bore, et l'autre d'arsenic. Lorsque ces couches sont exposées à la lumière, leurs électrons migrent de l'une à l'autre, ce qui produit de l'électricité. Pour que cette dernière soit exploitable, il faut connecter beaucoup de cellules entre elles et former ainsi un panneau solaire.

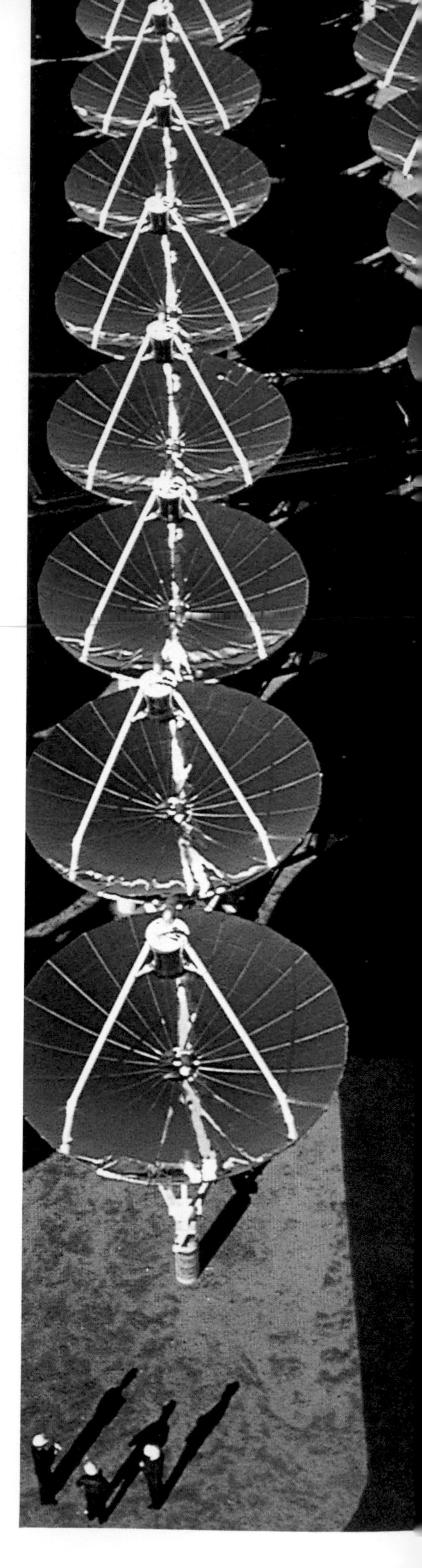

Cette série de réflecteurs suit le Soleil afin d'accumuler sa chaleur et de produire de l'électricité. L'agrandissement d'une cellule de silicium amorphe (en haut) révèle les petits cristaux de sa surface. Le nouvel « œil solaire » allie efficacité et miniaturisation.

Encore balbutiante, l'énergie solaire propulse déjà des voitures, et même des avions. Un projet futuriste envisage de satelliser des panneaux solaires dans l'espace pour y capter de l'énergie et la renvoyer sur terre sous forme de micro-ondes. Vingt-cinq satellites d'une surface de 65 km^2 chacun pourvoiraient aux besoins en électricité de toute l'Amérique.

La grande bleue

Toutes les couleurs du monde viennent de la lumière. Sans elle, l'herbe la plus verte, une plume de paon, un bouquet de fleurs ou un arc-en-ciel radieux nous paraîtraient atones. Trois facteurs déterminent les couleurs que nous voyons : la lumière, les matériaux qu'elle touche et la capacité de notre œil à distinguer les teintes.

Un rayon de lumière nous paraît incolore. Mais, s'il traverse un prisme, il se démultiplie en un éventail de couleurs évoquant l'arc-en-ciel. C'est même l'explication de celui-ci : un rideau de pluie traversé par la lumière solaire la décompose en toutes les longueurs d'onde du spectre. Si une tomate mûre est rouge vif, c'est parce que sa peau reflète la lumière rouge du spectre et absorbe toutes les autres couleurs. L'herbe n'est pas verte en soi, et la myriade de couleurs de notre monde ne fait pas partie de la nature intrinsèque des choses. La texture de surface de tout objet reflète des longueurs d'onde lumineuse données. C'est pourquoi certains d'entre eux semblent changer de couleur si on les incline par rapport à la lumière. Un tissu chatoyant, par exemple, semblera vert sous un angle et bleu sous un autre.

Si on change la source de lumière, la couleur d'un objet peut considérablement se modifier. Une femme qui achète des rideaux a tout intérêt à les examiner à la lumière du jour : l'éclairage fluorescent des magasins renforce les bleus, et la lumière solaire les rouges.

Les voyageurs savent aussi que la mer est vert sombre en certains endroits et bleu turquoise en d'autres. La Méditerranée est célèbre pour son bleu intense. Le reflet du ciel dans l'eau y est pour quelque chose : par temps gris et orageux, la grande bleue prend un teint de plomb.

L'eau reflète une grande partie des rayons lumineux qu'elle reçoit, au point d'éblouir. Seule une partie de la lumière qui perce sa surface est absorbée. Le reste se disperse et est renvoyé vers le haut. C'est cet éparpillement lumineux sous la surface qui donne sa couleur à la mer.

Différentes longueurs d'onde lumineuse pénètrent à différentes profondeurs. Si l'eau est claire, les longueurs d'onde correspondant au rouge et au vert sont vite absorbées, et seule la lumière bleu-vert est renvoyée. C'est pourquoi les mers claires semblent plus bleues.

L'aspect de l'océan dépend aussi des saisons. Si l'eau est riche en produits nutritifs, éventuellement apportés par les substances chimiques drainées par les rivières, la croissance des algues en sera peut-être encouragée au printemps et en été. De plus, de fines particules en suspension dans l'eau en altéreront la couleur. La floraison d'algues microscopiques, par exemple, peut brusquement rougir la mer.

L'association des algues rougeâtres et du ciel bleu donne parfois à des mers telles que la Méditerranée une teinte magenta ou pourpre. Les alluvions charriées par les rivières côtières, riches en particules végétales et minérales, peuvent aussi rendre les flots brunâtres un jour et presque jaunes le lendemain. Et, plus près du rivage, la clarté du sable fera virer le bleu vers le vert.

Si vous n'êtes pas d'accord avec un ami sur la couleur de la mer, vos yeux en sont sans aucun doute responsables. Notre perception des couleurs varie selon la répartition des cellules photosensibles sur la rétine. Ce qui paraît bleu sombre à l'un peut être gris-bleu pour l'autre.

LES POUVOIRS STUPÉFIANTS DE LA LUMIÈRE

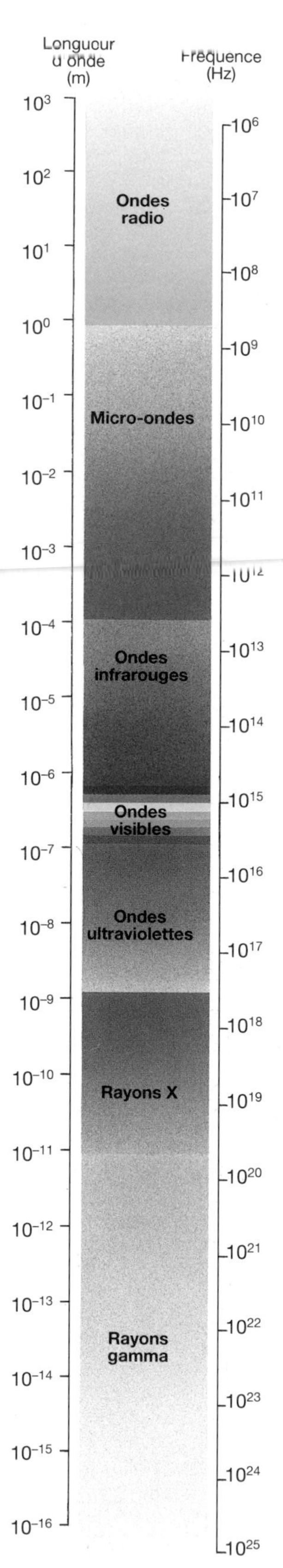

La lumière nous informe sur la complexité du monde, l'immensité de l'espace, la forme et la couleur de tous les objets. Mais elle a aussi bien des talents cachés.

C'est de l'énergie pure qui rayonne dans l'espace. Elle prend bien des aspects mais se déplace toujours sous forme d'ondes définies par leur fréquence et leur longueur. La fréquence nous donne le nombre de vibrations effectuées par ces ondes en une seconde. La longueur d'onde définit la distance entre deux « pics » ou deux « creux » (si on représente l'onde comme une ligne sinueuse).

La lumière visible est constituée de toutes les couleurs de l'arc-en-ciel. Chacune d'elles a une gamme de longueurs d'onde distincte. Celles du rouge et du violet sont respectivement d'environ 700 et 400 nanomètres (ou milliardièmes de mètre). Les autres couleurs visibles se situent entre les deux.

Un rayon de lumière blanche décomposé par un prisme révèle un arc-en-ciel. Chaque couleur a une longueur d'onde différente, le rouge ayant la plus longue, et le violet la plus courte. La lumière visible ne constitue qu'une part infime du spectre électromagnétique, comme on peut le voir à gauche.

Nous ne pouvons voir ni les rayons infrarouges ni les rayons ultraviolets, dont les longueurs d'onde sont supérieures au rouge pour les premières, et inférieures au violet pour les secondes. Ces deux catégories sont néanmoins très importantes. La longueur d'onde des infrarouges, qui dégagent de la chaleur, va de 700 nanomètres à près de 1 mm. De 1 mm à environ 10 cm, on trouve les micro-ondes, utilisées non seulement dans les appareils ménagers, mais aussi dans les radars et de nombreux dispositifs de télécommunication, notamment les relais de télévision. Les ondes de radio et de télévision ont une longueur variant de 3 cm à plusieurs milliers de kilomètres. Des antennes spéciales nous permettent de capter l'ensemble de cette gamme. Quant aux lignes qui transmettent le courant alternatif, elles propagent des ondes dont la fréquence n'est que de 50 cycles par seconde, mais la longueur d'environ 6 millions de kilomètres.

La lumière ultraviolette, parfois appelée lumière noire, peut tuer les microbes, donner des coups de soleil et rendre certains matériaux fluorescents, en différentes couleurs (notamment des encres spéciales utilisées en imprimerie et dans le textile, des minéraux et des phosphores). Cette propriété permet des effets spéciaux au théâtre : tout est noir, mais les objets fluorescents exposés aux ultraviolets émettent une lueur fantomatique.

Les rayons X, dont la longueur d'onde est inférieure, traversent plus facilement les muscles et les viscères que les os, ce qui permet de diagnostiquer les fractures, mais aussi dans l'industrie de contrôler l'état interne des pièces mécaniques. Les rayons gamma, plus courts encore, peuvent traverser un mur de béton de 1 m d'épaisseur.

Ces différentes formes de lumière se déplacent toutes à environ 300 000 km/s. Elles sont produites quand une particule à charge électrique (électron ou proton) subit une accélération ou une vibration. Chacune de ces particules est entourée d'un champ électrique, c'est-à-dire d'une zone subissant son influence. Ce dernier se modifie en même temps que l'énergie de la particule. Ces variations créent automatiquement des modifications du champ magnétique. Leur amplitude croissant et décroissant au même rythme, ces différents champs se comportent comme une onde.

Toutes ces ondes se propagent dans l'espace sous la forme de perturbations électromagnétiques. La vitesse d'oscillation de l'onde électromagnétique dépend de la rapidité de vibration ou d'accélération de la particule. Plus les oscillations sont rapides, plus l'énergie de l'onde est importante, ce qui implique une fréquence plus grande et une longueur d'onde plus courte.

La lumière visible n'est qu'un des aspects de ce gigantesque flux de rayonnements électromagnétiques, dont la majeure partie vient du soleil.

LES MYSTÈRES DU CORPS ET DE L'ESPRIT

À quoi sert le sang ? PAGE 88

À quoi sert notre nez PAGE 118

Pourquoi la peau se ride-t-elle ? PAGE 75

Une barrière fragile : la peau

À quoi sont dues les taches de rousseur ?

Si vous avez des taches de rousseur, ou éphélides, vos ancêtres sont les seuls responsables. En effet, les taches de rousseur sont très probablement héréditaires. Elles apparaissent pendant l'enfance et, en règle générale, avant la fin de l'adolescence. On peut toutefois assister à la formation de taches pigmentées à l'âge adulte, surtout chez les sujets qui s'exposent souvent au soleil, mais ces taches sont plus clairsemées que les taches de rousseur ordinaires.

Les taches de rousseur ne présentent aucun danger, et elles ne manquent pas de charme. Elles sont plus fréquentes chez les blonds et les roux, et elles ressortent davantage après une exposition prolongée au soleil.

Chez la plupart des individus, le soleil stimule la production de mélanine, le pigment qui fait bronzer la peau et la protège. Cependant, les peaux claires ou laiteuses des blonds et des roux bronzent difficilement, ou pas du tout. En effet, chez eux, les cellules des pigments ne réagissent pas au rayonnement solaire ou répartissent la mélanine d'une façon irrégulière. Et, au lieu de produire un bronzage uniforme, le pigment s'agglomère et forme de petites taches sombres. Si les taches de rousseur sont inoffensives, elles rendent particulièrement sensible au soleil et il faut s'en protéger en portant un chapeau et en s'enduisant de produit solaire pour éviter les brûlures.

Les taches de rousseur sont fréquentes chez les individus qui ont les cheveux roux et la peau claire. Elles sont indélébiles. Certains produits qui prétendent les effacer peuvent abîmer la peau.

Qu'est-ce que l'acné ?

Peu d'adolescents échappent à cette affection banale mais souvent mal vécue qu'est l'acné et qui se caractérise par l'apparition de boutons et de points noirs localisés essentiellement sur le visage et la partie supérieure du thorax. En principe, le problème disparaît à l'âge adulte, mais certains sujets peuvent faire des poussées d'acné toute leur vie.

L'acné va de pair avec la puberté : la testostérone est transformée dans la cellule sébacée grâce à une enzyme, la 5-alpha-réductase, en un dérivé plus actif induisant les synthèses cellulaires, et donc l'excrétion sébacée. Chez les acnéiques, l'activité de cette enzyme étant considérablement accrue, les glandes sébacées situées à la base du follicule pileux sécrètent davantage de sébum. Le visage, le front, le décolleté et les épaules sont particulièrement touchés, car ce sont des zones à forte concentration de glandes sébacées.

En temps normal, le sébum s'écoule par les pores pour former un film gras à la surface de la peau, préservant son hydratation. Mais lorsque les pores sont obstrués par des impuretés ou par une hypersécrétion sébacée, les bactéries prolifèrent, induisant la formation de substances irritantes, responsables de processus inflammatoires locaux.

Le temps est le meilleur remède contre l'acné, mais quelques précautions élémentaires peuvent freiner son évolution et accélérer la cicatrisation. Un nettoyage soigné des zones infectées – pas plus de deux fois par jour, toutefois – empêchera l'affection de s'étendre. Si le soleil, à doses raisonnables, par l'effet antiseptique des ultraviolets, améliore la plupart des acnés, il provoque également un épaississement de la couche cornée, favorisant secondairement la rétention de sébum, ce qui se traduit par une rechute de l'acné en automne. En cas d'acné rebelle ou sévère, le médecin prescrira des antibiotiques ou des médicaments à base d'acide rétinoïque. Pendant les six premières semaines d'utilisation, ces produits peuvent être responsables d'une irritation et d'une desquamation de la peau. Puis, au fur et à mesure que la peau se dilate, les pores se débouchent et les foyers acnéiques s'assèchent. Les médicaments contre l'acné doivent tous être utilisés avec précaution. Il faut enfin éviter de percer les boutons.

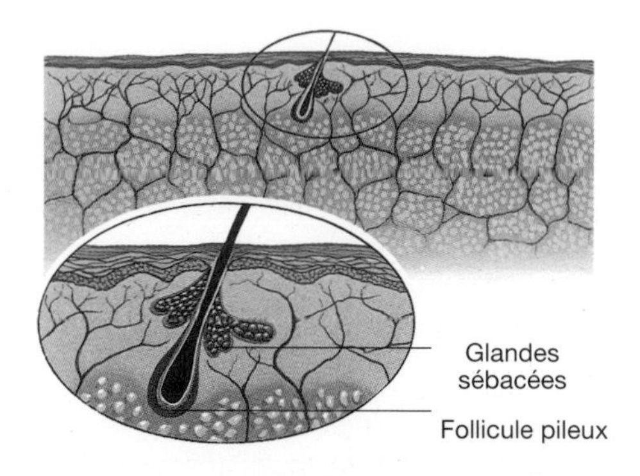

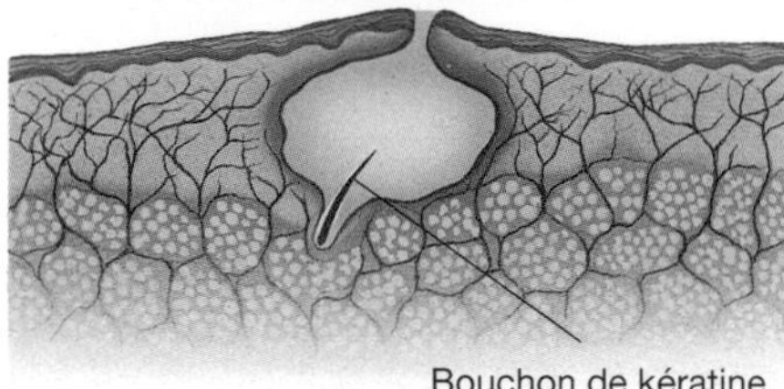

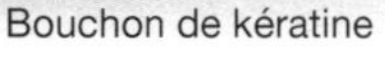

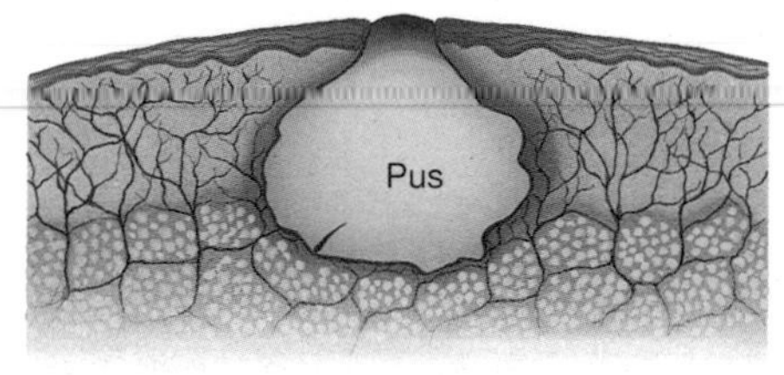

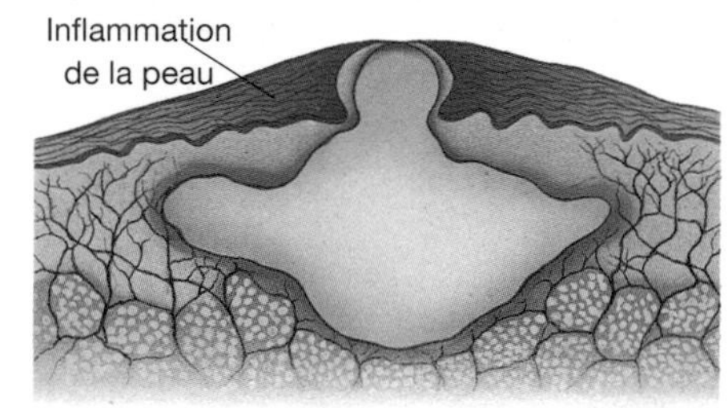

L'acné se développe généralement pendant la puberté, quand les glandes sébacées augmentent leur production de sébum, sécrétion grasse qui passe par les follicules pileux pour former un enduit à la surface de la peau. Une hypersécrétion de sébum peut former un bouchon qui obstrue le pore. La prolifération des bactéries provoque alors l'éruption d'un bouton. Le point noir – ou comédon – est constitué de mélanine et non d'impuretés.

Quelles peuvent être les causes d'une transpiration excessive ?

La transpiration a pour double fonction de garder constante la température du corps et de nettoyer les pores de la peau. Elle augmente quand il fait très chaud, pendant un exercice physique soutenu ou sous l'effet d'une émotion violente – on parle alors de « sueurs froides ». Dans ces conditions, l'élimination de la sueur est un phénomène normal et nécessaire. En revanche, une transpiration excessive sans raison apparente peut être le symptôme de troubles latents et nécessite une visite chez un spécialiste.

Les individus qui transpirent excessivement souffrent d'hyperhydrose. L'hypersudation peut alors se limiter à certaines régions du corps, comme les aisselles, le visage et la paume des mains, ou affecter toutes les zones pourvues de glandes sudoripares. Plusieurs facteurs peuvent être mis en cause : l'anxiété, une infection ou le port de vêtements en tissu synthétique. En règle générale, l'hyperhydrose touche surtout les adolescents et disparaît à l'âge adulte. Les sujets concernés doivent s'imposer une hygiène rigoureuse et utiliser des antiperspirants. Si l'hypersudation se révèle particulièrement gênante et invalidante, un médecin prescrira un traitement approprié.

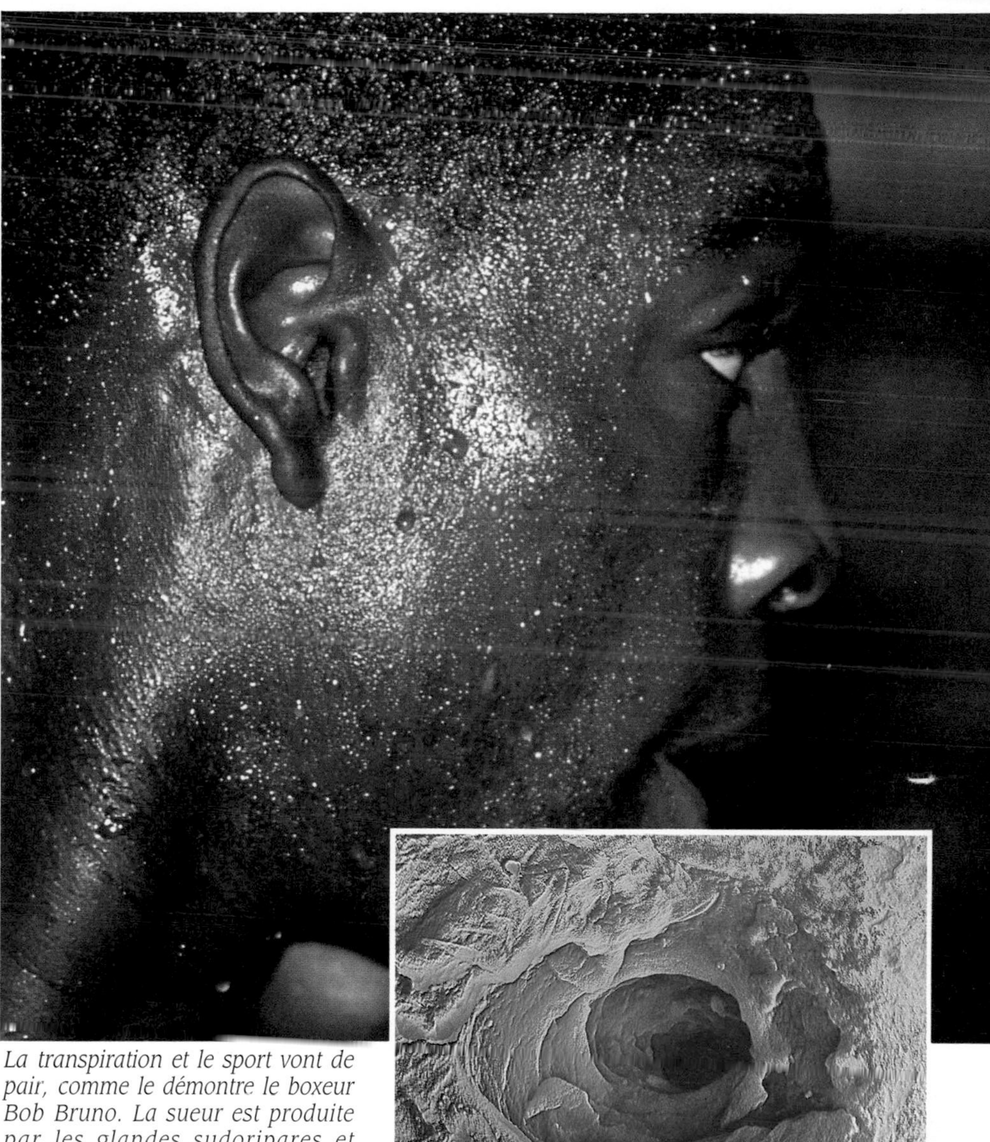

La transpiration et le sport vont de pair, comme le démontre le boxeur Bob Bruno. La sueur est produite par les glandes sudoripares et s'écoule par les pores. À droite, un pore sudoripare agrandi.

Qu'est-ce qu'un bouton de fièvre ?

Les boutons de fièvre ou feux sauvages – petites vésicules banales mais douloureuses, groupées en bouquet localisé autour des lèvres – sont causés par un virus de la famille des herpès-virus. Ils peuvent surgir sans raison apparente mais, en règle générale, il n'est pas difficile de trouver la cause de l'éruption.

Après avoir été inoculé lors d'une première contamination, qui peut passer inaperçue ou s'accompagner d'un état fébrile, le virus de l'herpès reste en sommeil dans les cellules nerveuses jusqu'à ce qu'un facteur déclenchant – exposition au soleil, stress, fièvre ou infection – le réactive : le virus se développe, et les vésicules apparaissent au bout d'un ou deux jours.

Le bouton de fièvre, ou herpès labial, est une affection bénigne qui dure entre une semaine et dix jours, au bout desquels les vésicules forment secondairement des érosions, puis des croûtes arrondies, avant de disparaître. Il faut cependant insister sur le fait que le virus est transmis par simple contact : il est donc très contagieux, et il faut prendre des précautions pour éviter de contaminer son entourage.

L'herpès génital est transmis par contact sexuel avec un partenaire infecté. Il se caractérise par l'apparition, sur les organes génitaux, de petites vésicules dont la rupture laisse des ulcérations. Cette forme d'herpès, tout comme l'herpès labial, est incurable. Cependant, un traitement précoce peut réduire la violence des poussées. Il est recommandé à toute femme en période d'activité génitale, c'est-à-dire de la puberté à la ménopause, mais plus particulièrement aux femmes contaminées de faire pratiquer des frottis cervico-vaginaux au moins une fois par an, car l'herpès génital est associé à une fréquence plus élevée de cancer du col de l'utérus.

Pourquoi la peau se ride-t-elle ?

La peau est le plus grand organe du corps. C'est un revêtement complexe formé de deux couches composées de cellules très diverses. La peau recouvre et protège le corps et elle en régularise la température.

La couche superficielle, ou épiderme, a une épaisseur variable. Elle est essentiellement composée de kératine, une protéine fabriquée par certaines de ses cellules. La kératine est le principal composant des cheveux et des ongles, qui sont en réalité des prolongements de la peau.

Sous l'épiderme se trouve le derme, qui contient des tissus conjonctifs, des follicules pileux, des glandes sébacées, du sang, des vaisseaux lymphatiques et des nerfs. Le derme est essentiellement constitué de collagène, une substance qui représente un tiers des protéines du corps. Le collagène donne à la peau son élasticité : il lui permet de s'étirer, de se tordre ou de frissonner, et de reprendre sa place.

Avec le temps, le collagène perd une partie de son eau. Ce phénomène, appelé polymérisation, a pour résultat de détendre les chaînes formées par les molécules de collagène. Le collagène se comporte alors comme un élastique qu'on aurait oublié au soleil : il perd sa tonicité et sa flexibilité.

La peau est isolée des os et des organes internes par un capitonnage de tissu sous-cutané, l'hypoderme, qui se trouve sous le derme et qui contient un fort pourcentage de cellules adipeuses. Avec le temps, ce tissu perd une partie de sa graisse : l'épaisseur de l'hypoderme diminue, et la peau se relâche. Moins tonique, la peau se creuse et dessine une ride ou un pli dont la profondeur s'accroît au fur et à mesure que disparaît la graisse qui forme la couche sous-cutanée.

Les rides ne sont pas toujours dues au vieillissement ou au soleil. Elles peuvent apparaître après un séjour prolongé dans l'eau. Heureusement elles disparaissent quand nous séchons.

Le vieillissement cutané est accéléré par les expositions répétées au soleil et les intempéries. Évitez le bronzage intensif.

À quoi est dû le cancer de la peau ?

Il existe trois formes principales de cancer de la peau. Des coups de soleil à répétition et des années d'exposition solaire excessive sans protection peuvent favoriser le développement d'une tumeur sur tous les types de peaux.

Le carcinome basocellulaire est une tumeur d'évolution lente qui peut apparaître sur le visage, les paupières, le cou, le nez ou les oreilles, épargnant les muqueuses. Au départ, elle a la taille d'un petit bouton, puis elle grossit, pour former un nodule ferme et translucide dans lequel peut se développer un ulcère. Elle ne métastase pas, mais, comme pour les autres cancers de la peau, seul un diagnostic précoce peut assurer la réussite du traitement.

Le carcinome spino-cellulaire touche surtout les sujets âgés. Il se présente sous la forme d'une tumeur bourgeonnante et ulcérée en son centre, se développant volontiers sur une lésion préexistante (brûlure, ulcère de la jambe...) et sur des régions découvertes (le dos des mains, le sommet du crâne, le visage, les oreilles, les lèvres), voire sur les muqueuses. Ce type de cancer, généralement indolore, qui peut s'étendre à la peau et aux tissus sous-jacents, se soigne bien s'il est traité précocement.

Les mélanomes malins se développent à partir d'un grain de beauté ou sur une peau saine. Le grain de beauté ou la tache pigmentée deviennent alarmants lorsqu'ils changent de taille, dépassant 1 cm, lorsque les bords présentent des encoches et à l'apparition d'un aspect polychrome. Ils peuvent saigner ou démanger. Ils peuvent toucher n'importe quel point de la peau ou des muqueuses, cependant, ils sont plus fréquents sur le dos chez l'homme et sur les membres inférieurs chez la femme. Un traitement d'urgence s'impose, car ce type de cancer évolue rapidement et dissémine dans tout le corps.

Les carcinomes basocellulaires et spino-cellulaires sont les cancers de la peau les plus fréquents. Ils sont favorisés par des expositions excessives et répétées aux rayons ultraviolets. Ils affectent rarement les individus de couleur. Chez les Blancs, on constate que les peaux mates sont beaucoup moins touchées que les peaux claires.

La couleur de la peau et celle des cheveux sont étroitement liées. Elles sont déterminées par le type auquel appartient l'individu et par la répartition de la mélanine – le pigment qui fait bronzer la peau et la protège contre les effets du soleil – dans le tissu cutané. Quand l'épiderme est riche en mélanine, ce qui est le cas chez les personnes de couleur, il offre une protection accrue contre les effets néfastes des rayons ultraviolets.

Bain de soleil sur une plage d'Espagne : peu d'estivants prennent la précaution de porter un chapeau ou de s'abriter derrière un parasol.

Dans le cas, extrêmement rare, où un carcinome spino-cellulaire se développe chez un individu de race noire, la tumeur élit domicile sur d'anciennes lésions cutanées — blessures ou ulcères — qui ont cicatrisé sans se repigmenter complètement. Le mélanome malin, qui est lui aussi très peu fréquent chez les Noirs, prendra naissance, le cas échéant, dans un tissu très peu pigmenté : plante du pied, paume de la main ou muqueuses.

Si le soleil a des effets néfastes, il ne faut pas s'en protéger complètement pour autant. En permettant la synthèse de la vitamine D, le soleil exerce une action antirachitique indispensable à la santé. Pour limiter les risques de cancer de la peau, évitez les expositions excessives aux ultraviolets, protégez-vous la tête par forte chaleur et utilisez des produits solaires adaptés à votre type de peau.

Les cheveux : un patrimoine à préserver

Pourquoi la calvitie ne frappe-t-elle pas les femmes ?

Contrairement à une idée reçue, la calvitie n'épargne pas les femmes. Mais, alors que la plupart des hommes ne cherchent pas à dissimuler leur calvitie parce qu'ils se sentent soutenus par leurs nombreux compagnons d'infortune, les femmes la vivent souvent très mal et cachent leur disgrâce sous une perruque.

Il est vrai, cependant, que la calvitie frappe moins les femmes que les hommes, chez qui elle est souvent liée à l'activité des androgènes, hormones mâles que la femme produit normalement en faible quantité. Lorsqu'une femme devient chauve, c'est généralement à la suite d'un choc, d'une maladie comme le psoriasis ou d'une chimiothérapie.

Si les anémies ou les carences en fer parfois liées à la menstruation ont des effets désastreux sur l'état des cheveux, il est rare qu'une femme devienne complètement chauve. Même en cas de chute sévère, comme celle qui suit la ménopause, le résultat final est plus discret qu'une calvitie, puisqu'il se limite généralement à une chevelure plus clairsemée.

À quoi est due la calvitie ?

« La calvitie est un signe d'intelligence », ont coutume de rétorquer les chauves quand on se moque de leur crâne dégarni. Mais, bien qu'ils incriminent tour à tour l'hyperactivité de leurs neurones, les chapeaux trop serrés, les pellicules, un cuir chevelu trop sec ou trop gras... en vérité, la plupart des chauves ne doivent leur infortune qu'à un seul coupable : l'hérédité.

Choisissez un chauve au hasard et vous n'aurez pas à remonter très loin dans son album de photos de famille pour comprendre la cause de son malheur. Parfois, le phénomène saute une génération ou deux mais, en règle générale, la prédisposition est évidente d'un côté ou de l'autre de la filiation.

Un cuir chevelu normal compte environ 100 000 cheveux. Chaque cheveu prend racine dans un follicule, qui stocke des éléments nutritifs dans sa base en forme de bulbe. Sur une chevelure en bonne santé, 5 follicules sur 6 sont en phase de croissance : le sixième est en phase de repos. Quand un cheveu atteint sa maturité, son follicule se met en repos, et le cheveu tombe. Nous perdons en moyenne 50 cheveux par jour.

Un homme qui présente des signes d'alopécie de type masculin ou androgénique – forme de calvitie liée à l'hérédité – ne perd pas plus de cheveux que la moyenne, mais ses follicules en phase de repos restent définitivement inactifs. Certains médicaments et des maladies comme la syphilis, le psoriasis et la teigne peuvent entraîner une chute de cheveux assez importante, mais la pousse reprend dès que la cause de la chute est supprimée. Dans le cas d'une alopécie androgénique, les cheveux ne se renouvellent pas.

Le phénomène peut s'amorcer dès l'adolescence mais, en règle générale, il survient surtout entre vingt et trente ans, au moment où les follicules produisent des quantités excessives d'enzyme 5-alpha-réductase, qui, combinée avec une hormone mâle appelée testostérone, forme de la dihydrotestostérone, l'ennemi numéro un des hommes qui perdent leurs cheveux. Sous son influence, certains follicules dépérissent et produisent des cheveux de plus en plus fins, qui finissent par ressembler à du duvet. D'autres follicules se mettent définitivement au repos.

Comment lutter contre la calvitie ? Les implants constituent une solution qui s'apparente davantage à un camouflage qu'à un traitement. L'opération consiste à prélever des touffes de cheveux sur les bords sains pour les greffer sur les parties dégarnies. Sur un crâne chauve, on pratique en moyenne 250 implants. Les nouveaux cheveux qui poussent sur le sommet de la tête finissent par recouvrir les zones sur lesquelles on a pris les implants. Une autre méthode est connue sous le nom de réduction. La peau qui couvre le sommet de la tête est remplacée par la peau plus chevelue des tempes et du cou.

De nouveaux médicaments semblent prometteurs pour lutter – mais au prix fort – contre la chute des cheveux. Il y a quelques années, 70 % des malades absorbant du Minoxidil, un médicament contre l'hypertension, ont constaté un épaississement de leur chevelure. Le laboratoire qui commercialise le produit s'est aussitôt engouffré dans un marché fructueux en

De tout temps, des produits miracles en tout genre ont exploité la détresse des chauves. La calvitie ne préoccupait guère les sœurs Sutherland. Elles totalisaient 11 m de longueur de cheveux !

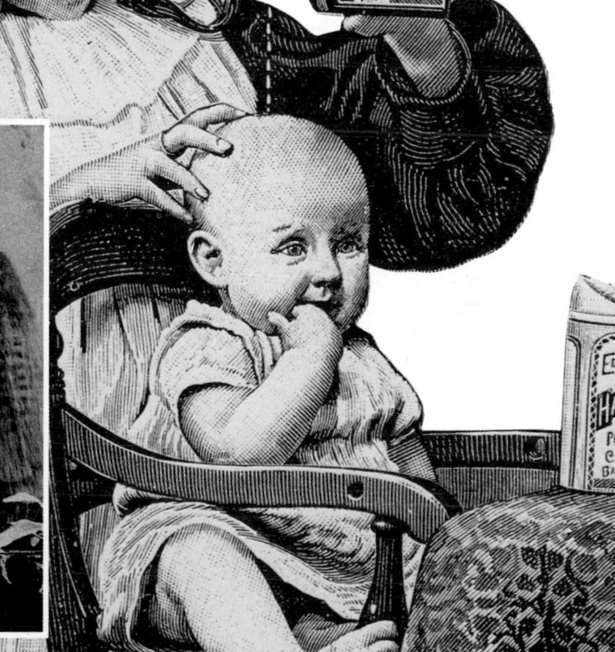

adaptant le Minoxidil à l'usage externe. Le traitement est cependant réservé aux hommes jeunes dont la calvitie est récente et il doit être suivi à vie. En effet, la chute reprend dès l'arrêt du médicament.

Pourquoi les cheveux blanchissent-ils ?

Chez certains individus, les premiers cheveux blancs apparaissent dès l'adolescence. À l'âge de trente ans, un quart de la population présente des signes avant-coureurs de canitie. 29 % d'entre nous verront blanchir la totalité de leur chevelure.

Si vos parents ou vos grands-parents ont des cheveux blancs, il est probable que vous connaîtrez le même sort à peu près au même âge, et selon le même schéma. La moitié des Caucasiens ont 50 % de cheveux grisonnants ou blancs à cinquante ans. Chez les Noirs, le blanchiment s'amorce vers la quarantaine, six ans plus tard que chez les Blancs.

Mais pourquoi les cheveux deviennent-ils gris ou blancs et non pas bleus, par exemple ? Leur couleur est déterminée par des cellules appelées mélanocytes. Ces cellules fabriquent deux pigments de base, l'eumélanine et la phéomélanine, dont le mélange produit une infinie variété de couleurs. L'eumélanine est responsable des teintes qui vont du noir de jais au châtain clair ; la phéomélanine colore le cheveu en blond, en doré ou en roux. Le volume, la forme, l'éclat et la densité des pigments se combinent pour donner à chaque individu une couleur de cheveux qui lui est propre.

Quand les mélanocytes deviennent moins actifs, comme c'est le cas vers la trentaine, la concentration en pigments s'appauvrit et les cheveux de remplacement qui émergent des follicules pileux sont gris. Quand les mélanocytes cessent complètement de fonctionner, phénomène qui est inscrit dans nos gènes ou qui s'observe à la suite d'un choc ou d'une maladie, le cheveu pousse sans pigments : il est alors de couleur blanche, comme sa protéine. Sur certaines couleurs de cheveux, le blanchiment est plus difficile à détecter.

Tout comme le teint, la couleur et la vigueur des cheveux trahissent souvent notre état général. Un choc grave peut faire blanchir les cheveux. Une canitie peut également survenir à la suite de maladies comme la grippe, le diabète, le typhus, la malaria et certaines formes d'herpès, ainsi qu'en cas de malnutrition, d'hyperthyroïdie ou d'anémie. Les radiations – accidentelles ou thérapeutiques – peuvent entraîner le blanchiment ou la chute des cheveux.

La chevelure peut-elle devenir blanche en l'espace d'une nuit ? À vrai dire, la canitie totale ne s'installe pas en si peu de temps, mais son évolution peut être désespérément rapide. C'est le cas chez les sujets atteints d'alopécie aiguë, chute des cheveux souvent consécutive à un traumatisme psychique. Les cheveux les plus anciens, donc les plus foncés, tombent en l'espace de quelques jours. Si la victime a déjà beaucoup de cheveux blancs ou grisonnants, on peut effectivement avoir l'impression que sa tête a blanchi en une nuit.

La couleur de nos cheveux trahit souvent notre âge. Les cheveux d'une jeune fille blonde comme les blés quand elle était enfant peuvent foncer à l'adolescence, avant de blanchir avec le temps.

Les têtes blanches ou grisonnantes peuvent-elles espérer retrouver un jour leur couleur naturelle ? Tout n'est pas perdu, en effet, à condition que la calvitie ne vienne pas ajouter à leur malheur. De récentes recherches ont trouvé un moyen de stimuler la repousse, et même de redonner aux cheveux leur teinte naturelle quand le blanchiment est dû à une maladie. Ainsi les anémiques par carence en vitamine B12 à qui on administre cette vitamine retrouvent progressivement leur couleur.

Les 40 % de femmes et 8 % d'hommes qui ont recours à la teinture disposeront bientôt d'un nouveau type de produit, qui imprégnera le cheveu de mélanine naturelle et pourra reproduire presque toutes les teintes.

La peur fait-elle dresser les cheveux sur la tête ?

D'innombrables histoires macabres décrivent, illustrations à l'appui, les cheveux dressés sur la tête de sujets victimes d'une grande frayeur. Ce phénomène est un pur produit de l'imagination des écrivains perpétué par la tradition et les bandes dessinées. Aujourd'hui, tous les médecins sont formels : les cheveux ne peuvent absolument pas se dresser, et encore moins rester dressés sur le cuir chevelu.

La chair de poule, phénomène qui se manifeste sous l'effet du froid ou d'une émotion forte, est le seul exemple connu de poils dressés sur la peau chez l'homme. Cette sensation est provoquée par l'action des muscles arrecteurs des poils, ou muscles horripilateurs, qui, tendus à la partie moyenne du follicule pileux, en se contractant redressent le poil. La peau prend alors une apparence granuleuse qui évoque la chair d'une poule plumée, et les poils hérissés deviennent rêches.

Quels facteurs déterminent la longueur des cheveux ?

De nombreux facteurs influencent la pousse des cheveux. Les carences alimentaires, les maladies et les déséquilibres hormonaux peuvent ralentir la vitesse de croissance. La prise de stéroïdes favorise le développement du système pileux sur l'ensemble du corps, mais il freine l'activité des follicules du cuir chevelu. Toute chute de cheveux anormale devrait faire l'objet d'une consultation médicale.

Si certains sujets ne réussissent pas à avoir des cheveux aussi longs qu'ils le souhaiteraient, c'est la plupart du temps à l'hérédité et non à une maladie ou à un traitement médicamenteux qu'ils doivent cet échec. Ce sont en effet nos gènes qui déterminent nos caractères physiques, y compris la croissance des cheveux. Chez certains individus, les cheveux ont une phase de croissance plus courte – deux ans au lieu de six, par exemple, avec une croissance de 1 cm par mois en moyenne – et ils tombent quand ils atteignent une longueur de 30 cm environ. Les follicules prennent alors un temps de repos plus ou moins long avant de produire des cheveux de remplacement.

On croit à tort qu'il suffit de couper fréquemment les cheveux pour stimuler la pousse. Si cette pratique se révèle efficace pour les arbres ou pour les plantes, elle est sans intérêt pour les cheveux. La croissance et la durée de vie du cheveu sont programmées, et rien ne peut les modifier.

Pourquoi a-t-on des cheveux fins ou frisés ?

Les cheveux sont raides ou frisés en fonction de l'activité des papilles dermiques qui forment le fond du sac folliculaire et auxquelles adhère la racine du cheveu. Si les follicules ont un rythme de croissance régulier, les cheveux seront raides, si la pousse est irrégulière, ils seront frisés. Deux facteurs influencent la texture des cheveux : le diamètre des follicules et l'épaisseur de l'enveloppe externe. Si le diamètre des follicules est petit, les cheveux seront fins, difficiles à discipliner et sensibles aux agressions externes.

Chaque cheveu est composé d'une enveloppe externe, la cuticule, et d'une substance interne fibreuse et souple, le cortex. Les cheveux fins ont 40 % de cuticule et 60 % de cortex ; les cheveux épais ont 10 % de cuticule et 90 % de cortex.

Signe de bonne santé et source d'admiration, une belle chevelure a besoin d'un brossage régulier pour garder son éclat. Un brossage en douceur stimule les glandes sébacées du cuir chevelu. Trop brutal, il casse les cheveux.

Le brossage fait-il briller les cheveux ?

Cent coups de brosse le soir avant d'aller dormir permettaient, assurait-on jadis, de donner aux cheveux un éclat et un brillant incomparables au réveil.

Ce résultat était attribué à l'action lustrante des poils de la brosse que l'on assimilait à celle d'un léger abrasif sur le métal. En fait, le brossage stimule les glandes sébacées du cuir chevelu, faisant ainsi paraître les cheveux plus brillants ; il élimine la poussière et les pellicules, qui ternissent la chevelure. Mais il ne faut cependant pas en abuser. Selon l'avis des spécialistes capillaires, un brossage trop fréquent, surtout avec une brosse dure, fait plus de mal que de bien. Il fragilise les cheveux et en casse les pointes.

Pourquoi les cheveux deviennent-ils ternes et secs en été ?

L'été est souvent synonyme de vie au grand air. Les expositions prolongées au soleil dessèchent non seulement les cheveux, mais aussi le cuir chevelu. L'eau de mer et le chlore des piscines n'arrangent rien, surtout quand la baignade est suivie d'une séance de bronzage sur une plage parfois balayée par le vent.

Pour vous protéger les cheveux et la peau, évitez les bains de soleil trop fréquents. Couvrez-vous la tête, appliquez une huile protectrice quand vous vous exposez au rayonnement solaire, et mettez un bonnet de bain pour nager. Rincez-vous soigneusement les cheveux à l'eau douce après chaque baignade.

Si votre chevelure est abîmée par le soleil et l'eau de mer, commencez par couper les pointes fourchues pour améliorer son aspect général.

Les cheveux sont résistants, mais le soleil et le chlore peuvent les abîmer. Évitez de vous baigner sans bonnet.

Pourquoi n'avons-nous pas davantage de poils ?

Dès la naissance, la quasi-totalité de notre peau est recouverte d'une fine couche de poils. Leur diamètre varie de 0,005 mm pour le lanugo du bébé – le duvet du nouveau-né, qui disparaît au bout de quelques semaines – à 0,2 mm pour les poils de barbe. Le duvet qui recouvre notre corps est pratiquement invisible. Il n'en a pas toujours été ainsi. Les hommes préhistoriques avaient des poils drus partout, sauf sur les globes oculaires, les lèvres, la paume des mains et la plante des pieds.

Les poils avaient la même fonction chez l'homme que chez les autres primates : ils servaient à tenir chaud et à protéger la peau des agressions climatiques. En satisfaisant ces besoins de base, le chauffage et les vêtements ont rendu cette épaisse couverture superflue. Les poils se sont clairsemés, et les cheveux sont devenus beaucoup plus fins. Ce processus devrait encore évoluer, et les anthropologues supposent que les hommes du futur seront chauves mais que leur boîte crânienne augmentera de volume pour pouvoir abriter un cerveau plus développé.

UNE QUESTION DE VIE ET DE MORT

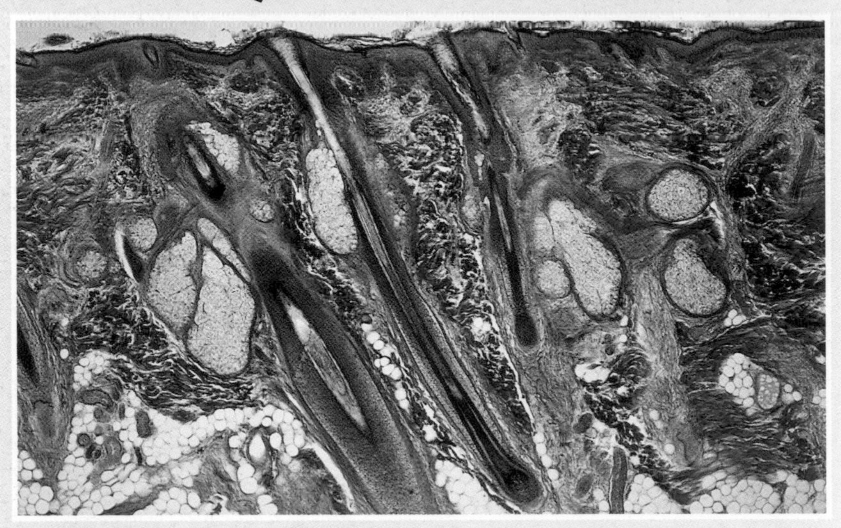

Trois follicules pileux sont mis en évidence sur cette vue microscopique de la peau. Le cheveu prend racine dans un bulbe. Les grains blancs sont des glandes sébacées.

Qu'ils soient fins ou drus, tous les poils poussent de la même manière et à partir de la même structure. Chaque poil occupe un follicule pileux. Sa partie profonde, ou bulbe, adhère au fond du sac folliculaire, dont la nutrition est assurée par les papilles dermiques, richement vascularisées. La croissance du cheveu, comme celle des autres poils, comprend trois phases distinctes. La première est la phase anagène, au cours de laquelle le nouveau cheveu se dégage du follicule et pousse à la vitesse de 1 cm par mois environ. Après une période comprise entre deux et six ans, la croissance s'arrête. La machine se met momentanément au repos : c'est la phase catagène. Puis, environ deux semaines plus tard, se produit la troisième phase, ou phase télogène, qui va durer trois mois et au cours de laquelle la racine du cheveu se détache de la papille ; un nouveau cheveu se constitue alors dans le même follicule. Le cycle reprend, et une nouvelle phase anagène commence : le cheveu de remplacement expulse le cheveu mort. Le renouvellement et la chute des cheveux sont permanents et diffus. Normalement, 80 % des follicules sont en phase anagène.

La coupe au bol était très à la mode dans les années 1920. Ce sont les Siciliens qui ont ouvert les premiers salons de coiffure en 454 avant J.-C.

Pourquoi une coupe de cheveux est-elle indolore ?

La quasi-totalité de notre corps est recouverte de poils, mais certains sont si fins qu'ils sont à peine apparents. Sur les 5 millions de follicules pileux qui assurent le renouvellement des poils, environ 100 000 sont situés dans le cuir chevelu. Quand le poil se dégage du follicule, il est donc constitué d'une substance protéique, sans innervation : il est déjà mort, et, contrairement à ce que prétendent les publicités, aucun massage, tonique ou produit miracle ne peut redonner à notre chevelure une seconde jeunesse. La vie du système pileux est concentrée dans les follicules, situés sous la peau, qui assurent le renouvellement permanent des cellules.

Les cheveux poussent de 12 à 15 cm par an. Ils continuent à pousser après leur mort, car ils sont chassés par les cheveux de remplacement. Si vous coupez un cheveu caduc, vous ne sentirez rien, mais si vous arrachez une racine, vous pousserez un cri de douleur.

Chaque fois que vous peignez vos cheveux, vous en perdez une cinquantaine. Tant que cette chute n'est pas excessive, il n'y a pas lieu de vous inquiéter. Les cheveux tombent une fois que leurs racines sont entrées en phase de repos.

Pourquoi les cheveux foncent-ils avec l'âge ?

Nombreux sont les bruns qui affirment avoir été blonds quand ils étaient enfants. Un enfant blond comme les blés garde rarement cette teinte de cheveux toute la vie. La plupart des adolescents blonds deviennent châtains ou roux, et ce changement de teinte les rend parfois perplexes...

La couleur des cheveux est déterminée par un pigment appelé mélanine et sécrété par les mélanocytes, cellules présentes dans le bulbe des follicules pileux. En règle générale, nos cheveux foncent à l'adolescence, quand les mélanocytes deviennent plus actifs. Le processus ralentit après vingt ans, mais, chez certains sujets, il évolue encore pendant une vingtaine d'années. Les blonds deviennent alors châtain foncé et les roux, auburn.

Qu'est-ce que l'hirsutisme ?

Le développement de poils durs chez la femme à des endroits où ils n'existent normalement que chez l'homme – sur le visage, sur le thorax et sur les membres – est appelé hirsutisme.

Cette pilosité excessive est rarement l'objet d'inquiétude. Elle a peu de conséquences pour l'homme, elle peut cependant avoir davantage de répercussions chez la femme. L'épilation de certaines régions du corps, tout comme la longueur des cheveux, est souvent une affaire de mode ou de tradition. L'hirsutisme peut être d'origine génétique ou lié à un désordre hormonal, à la prise de stéroïdes ou à la ménopause. Les femmes complexées par une pilosité abondante ont le choix entre la pince à épiler, parfaitement adaptée pour le duvet du visage, les produits dépilatoires ou décolorants, la cire froide ou chaude, ou l'épilation électrique par électrolyse ou thermolyse, qui, en détruisant le bulbe pileux, est la seule méthode qui donne des résultats définitifs. Le rasoir est la solution la plus simple : contrairement à une idée reçue, les poils ne repoussent ni plus vite ni plus dru.

Le développement du système pileux est déterminé par le patrimoine génétique. Ces trois Birmans de Mandalay illustrent parfaitement la notion « d'air de famille ». L'hirsutisme est souvent héréditaire. Le rasage des poils n'affecte ni leur vitesse de croissance ni leur épaisseur.

Le miracle de la vision

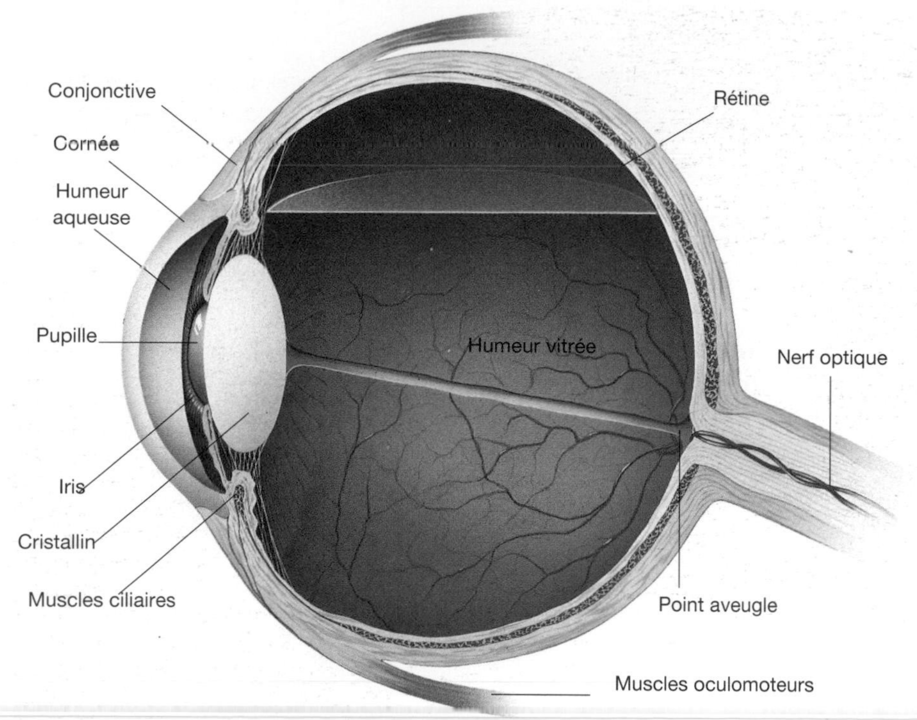

L'anatomie de l'œil montre la complexité de cet organe. Les yeux d'un homme sont légèrement plus grands que ceux d'une femme. Un nouveau-né a les yeux plus ronds qu'un adulte.

Quelle est l'origine des « mouches volantes » ?

Si vous regardez fixement un ciel bleu immaculé ou un papier blanc, vous verrez peut-être de petites taches grises traverser votre champ de vision. Si vous bougez les yeux rapidement, les taches se déplacent aussi. Essayez de les fixer, et vous aurez l'impression qu'elles vont et viennent dans votre champ visuel. C'est la raison pour laquelle ces ombres projetées sur la rétine portent le nom de mouches volantes.

Malgré la gêne qu'il occasionne, ce phénomène est normal et sans danger. Les mouches volantes sont de minuscules fragments de tissu ou de débris qui flottent dans l'humeur vitrée, la partie de l'œil transparente et gélatineuse située en arrière du cristallin.

L'apparition de mouches volantes dans le champ de vision peut cependant avoir pour origine un décollement de la rétine. Dans ce cas, les taches se regroupent pour former un nuage et elles sont accompagnées de scintillements et d'éclairs lumineux. En présence de ces symptômes, une visite chez un ophtalmologiste s'impose de toute urgence.

La rétine est une membrane sensible à la lumière, qui tapisse la partie postérieure de la face interne de l'œil. Elle peut être comparée à la pellicule d'un appareil photo. À travers la cornée et le cristallin les images sont projetées sur la rétine. Les cellules nerveuses de la rétine convertissent alors la lumière en influx, qui se dirigent vers le cerveau par l'intermédiaire du nerf optique. Certains éléments de la rétine sont solidement fixés sur l'œil ; d'autres sont maintenus en place par la pression du corps vitré.

Le décollement de la rétine peut être consécutif à un choc sur l'œil ou sur la tête, mais, la plupart du temps, il est dû à une déchirure de la rétine, généralement provoquée par une dégénérescence qui a fragilisé la membrane. Le décollement de la rétine s'observe surtout chez les sujets atteints de myopie, qui ont un globe oculaire plus long et donc une rétine plus fragile ; il intervient en règle générale vers cinquante à soixante ans et après certaines opérations de la cataracte. Il n'est pas douloureux, et il arrive qu'il passe inaperçu jusqu'au stade où le malade constate qu'un voile noir obscurcit son champ visuel du côté de l'œil atteint. La chirurgie donne d'excellents résultats, mais les chances de réussite de l'intervention sont fonction de la précocité du diagnostic.

Pourquoi certains collyres donnent-ils un regard ébahi ?

Les patients qui quittent le cabinet d'un ophtalmologiste pour sortir en pleine lumière ont souvent des difficultés d'accommodation qui leur font arrondir les yeux.

Tous les collyres ne donnent pas cet air ébahi, mais certains produits que les ophtalmologistes utilisent pour pratiquer un examen des yeux entraînent une dilatation et une paralysie provisoires des pupilles. En temps normal, la pupille fonctionne comme le diaphragme d'un appareil photo : elle ne laisse entrer que la quantité de lumière admise par l'œil. Si la lumière est violente, la pupille se contracte, en myosis ; si elle est faible, elle se dilate, en mydriase.

Pour examiner l'intérieur de l'œil et surtout la rétine – la membrane sur laquelle les images viennent se former –, l'ophtalmologiste se sert d'un instrument appelé ophtalmoscope. Cet appareil est muni

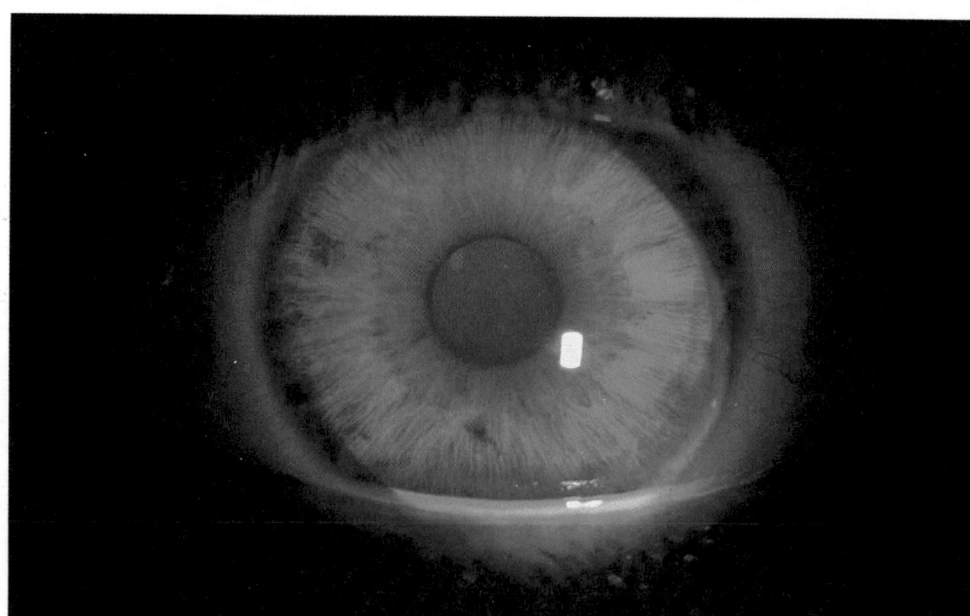

Une solution teintée permet de mettre les lésions en évidence. Exposées à des ultraviolets, elles se colorent en vert. Quand l'œil est sain, comme celui-ci, seuls les bords sont fluorescents.

Un œil sain a une vision périphérique du village sans avoir besoin de tourner la tête. Un sujet atteint de glaucome n'aura qu'une vue partielle du même paysage.

d'une lampe très lumineuse qui provoquerait une contraction des pupilles si le médecin n'injectait pas quelques gouttes de tropicamide ou de cyclopentolate, produits qui ont la propriété d'empêcher les pupilles de réagir à la lumière et qui maintiennent ainsi grandes ouvertes les « fenêtres » derrière lesquelles l'ophtalmologiste veut regarder.

Parfois, après un examen ophtalmologique, le patient a des taches orange sur les paupières. Pour mettre en évidence une éventuelle érosion ou ulcération de la cornée, le médecin a utilisé quelques gouttes d'une teinture inoffensive appelée fluorescéine, qui colore les ulcères de la conjonctive en jaune. Si vous souffrez d'une érosion ou d'un ulcère de la cornée, ils apparaîtront en jaune-vert sous une lumière blanche, tandis que les ultraviolets les rendront fluorescents.

Qu'est-ce qu'un glaucome ?

La pression exercée par les différents milieux liquidiens à l'intérieur du globe oculaire maintient ses constituants en place et prévient les distorsions de la vision. Il peut arriver, pour différentes raisons, que cette pression augmente, notamment dans la portion antérieure du globe. Ce phénomène détériore les petits vaisseaux sanguins qui alimentent les fibres du nerf optique en oxygène et en glucose, altérant ensuite les fibres optiques elles-mêmes. Cette affection, appelée glaucome, est l'une des plus graves maladies de l'œil.

Le type de glaucome le plus fréquent est le glaucome chronique. Il est d'autant plus dangereux qu'il progresse lentement et sans symptômes flagrants : le malade prend conscience de son état quand il est frappé de cécité partielle, avec rétrécissement concentrique du champ visuel périphérique pouvant aboutir à une cécité complète, et il est alors trop tard. Tout individu appartenant à une famille à risque devrait se soumettre à un examen de routine une fois par an. Il en va de même pour les sujets âgés de quarante ans et plus, car les risques de glaucome chronique augmentent avec l'âge. La maladie frappe 2 % des individus de plus de quarante ans, et 10 % des plus de soixante ans. Des examens réguliers au cours desquels l'ophtalmologiste prend systématiquement la tension des yeux constituent le seul moyen de dépister précocement la maladie et d'éviter les séquelles graves.

Des collyres permettent de lutter efficacement contre le glaucome chronique et de stopper son évolution, mais le traitement – une ou deux gouttes par jour dans un œil ou dans les deux yeux – doit être suivi à vie. Si les médicaments sont insuffisants, une intervention chirurgicale s'impose : l'ophtalmologiste fait chuter la pression en débouchant le canal d'évacuation de l'humeur aqueuse, qui est obstrué. Le

À LA RECHERCHE DU POINT AVEUGLE

Dans des sports de balle, il arrive qu'au moment crucial la balle disparaisse du champ visuel pour un quart de seconde seulement, mais assez longtemps pour faire perdre le point – et, en tout cas, pour fournir une bonne excuse !

Nous avons tous un point aveugle au fond de chaque œil, et il vous sera facile de trouver les vôtres à l'aide des deux balles de tennis ci-dessous. Fermez ou cachez l'œil gauche. Si vous fixez la balle rouge avec l'œil droit tout en rapprochant la page de votre visage, la balle jaune disparaîtra. Continuez à rapprocher la page, et vous verrez la balle jaune réapparaître. Procédez de la même façon pour trouver le point aveugle de votre œil gauche.

Quand vous déplacez la page, l'image de la balle se forme sur la rétine, mais, quand l'image se projette sur une zone de la rétine correspondant au départ du nerf optique, l'image

n'est pas enregistrée. Car, à la différence des autres éléments de la rétine, le point aveugle est dépourvu de récepteurs visuels, ces cellules qui sont sensibles à la lumière. Il est très utile de pouvoir localiser son point aveugle, car si l'œil présente une autre zone d'insensibilité totale, il est préférable de consulter rapidement un ophtalmologiste.

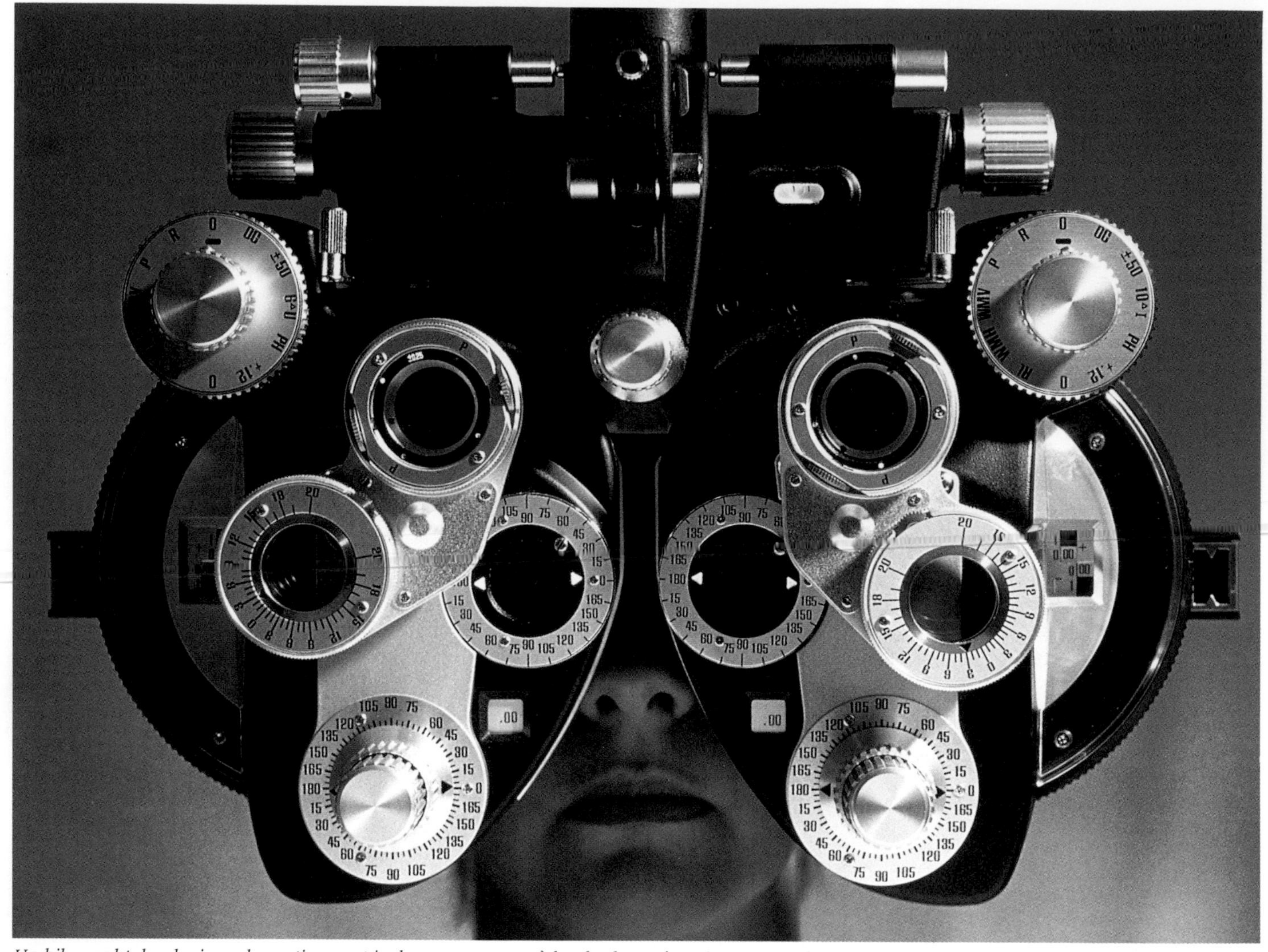

Un bilan ophtalmologique de routine peut inclure un examen à l'ophtalmomètre, instrument équipé d'un assortiment de lentilles.

glaucome aigu est moins fréquent et il s'accompagne de signes d'alerte. Le malade a des nausées, il ressent une vive douleur dans l'œil et sa vision se trouble. C'est une urgence qui requiert un traitement médical immédiat. Une fois la tension retombée, il est souvent nécessaire de pratiquer une intervention chirurgicale, ou au laser, sur l'œil atteint puis sur l'autre, à visée prophylactique (l'atteinte étant bilatérale dans 50 % des cas quatre ans plus tard).

Pourquoi clignons-nous des yeux ?

Nous clignons des yeux environ 15 fois par minute. Ce réflexe sert souvent à protéger l'œil, dont la plus grande partie est contenue dans une orbite, cavité osseuse tapissée de graisse qui elle-même est protégée par le crâne. Mais quand nos yeux, nos organes les plus sensibles, sont grands ouverts, un dixième de leur surface totale est exposé aux agressions climatiques et à la poussière.

L'œil doit être constamment lubrifié, et sa partie antérieure, qui capte la lumière, doit rester claire comme le cristal pour assurer une bonne vision. Le clignement des yeux satisfait à ces deux besoins. En s'ouvrant et en se fermant, les paupières enduisent l'œil d'une pellicule de larmes qui nettoient et lubrifient sa surface et qui évacuent les impuretés.

Pourquoi la cataracte fait-elle moins peur qu'avant ?

Il y a quelques années, la cataracte était une cause majeure de cécité, principalement chez les sujets de plus de soixante ans. Cette affection se caractérise par une altération des fibres du cristallin, qui devient alors progressivement opaque. Les personnes atteintes perçoivent la lumière, mais leur vision devient floue. Elles distinguent des formes vagues, comme si elles regardaient les objets à travers une fenêtre givrée ou un écran de brouillard.

La cataracte affecte généralement les deux yeux, mais l'un est toujours plus atteint que l'autre. Comme les rhumatismes ou l'arthrose, la cataracte fait partie du processus de vieillissement. Heureusement, elle est indolore.

Une bonne nouvelle peut rassurer les victimes de la cataracte : depuis quelques années, la chirurgie a fait d'énormes progrès. L'intervention, qui peut revêtir plusieurs formes selon l'état du cristallin, dure environ une heure. Les chances de réussite avoisinent les 95 %. Une des techniques consiste à prélever la totalité du cristallin au moyen d'un cryoextracteur. On peut aussi pratiquer l'extraction de la partie opaque avec une ventouse. Enfin, une troisième méthode utilise un vibrateur ultrarapide pour fragmenter la cataracte avant de l'aspirer avec une aiguille creuse. Et de nouvelles opérations au laser permettent d'améliorer les interventions sur le cristallin opacifié. L'opération détruisant une partie du cristallin, une solution de remplacement doit être envisagée pour que le malade puisse retrouver son acuité visuelle. Parfois, l'ophtalmologiste prescrit des verres épais ou des lentilles de contact. Dans d'autres cas, une lentille en plastique est implantée dans l'œil.

L'âge n'intervient pas dans le choix d'une chirurgie de la cataracte, mais l'état général du patient peut avoir une influence déterminante sur la technique à utiliser. Les chirurgiens ont implanté avec succès des lentilles de plastique chez des centenaires.

À quoi est due la fatigue oculaire ?

Vous pouvez regarder la télévision, lire ou travailler sous une lumière faible pendant des heures, vous ne risquez pas de vous abîmer les yeux. Selon les ophtalmologistes, faire un usage intensif de ses yeux, ne pas porter ses lunettes ou lire dans la pénombre n'a aucune incidence sur la vue. Il ne faut pas négliger ses yeux pour autant. Un éclairage bien adapté permet en effet d'éviter cette sensation de douleur diffuse à laquelle on donne le nom de fatigue oculaire.

Les globes oculaires sont maintenus en place par six muscles, qui, comme tous les autres muscles du corps, sont sujets à la fatigue et peuvent déclencher des maux de tête. Mais ce phénomène n'est pas le seul responsable de la sensation d'inconfort que nous éprouvons parfois au niveau des yeux : la fatigue oculaire peut également être provoquée par une inflammation des paupières, par une consommation excessive d'alcool ou de tabac ou par un séjour prolongé dans une atmosphère enfumée. Une infection comme la conjonctivite peut également être à l'origine du problème.

Pourquoi est-on daltonien ?

Nous identifions les couleurs grâce à des récepteurs visuels situés dans les couches profondes de la rétine, au fond de l'œil, et que la lumière vient frapper après avoir traversé les différents milieux transparents de l'œil (la cornée, l'humeur aqueuse, le cristallin, le vitré). Ces récepteurs sont de deux types : cellules à cône ou cellules à bâtonnet.

La perception des couleurs relève essentiellement des cônes, qui sont divisés en trois groupes, chaque groupe contenant des pigments sensibles à une couleur particulière. L'un des groupes réagit surtout à la lumière rouge (grandes ondes), un autre à la lumière verte (ondes moyennes) et le troisième à la lumière bleue (ondes courtes). Toutes les couleurs que nous percevons – entre 120 et 150 teintes – sont le résultat d'une synthèse de ces trois couleurs fondamentales, mêlées en proportions variables selon les cônes stimulés.

L'absence d'un type de cônes entraîne l'impossibilité de percevoir la couleur qui lui correspond. L'achromatopsie — c'est ainsi que l'on nomme l'absence totale de perception des couleurs — est extrêmement rare : les sujets qui en sont atteints voient tout en dégradé de gris. Le daltonisme, ou impossibilité de différencier le rouge et le vert, est une anomalie plus fréquente. Elle peut avoir pour origine une lésion de la rétine ou du nerf optique, et, dans la majorité des cas, c'est une anomalie héréditaire. Elle est peu fréquente chez les Asiatiques, et extrêmement rare chez les Noirs. Une femme peut transmettre le gêne à ses enfants sans être daltonienne elle-même.

Dans les formes les plus sévères, un daltonien a du mal à distinguer les orangés, les verts, les bruns et les rouges clairs. Les sujets dont les cônes sensibles au rouge sont déficients ne distinguent pas les rouges vifs : tous les rouges leur semblent ternes. Le daltonisme est incurable, mais une lentille de contact spéciale peut aider la personne atteinte à faire la distinction entre le vert et le rouge. Elle doit être portée sur un œil seulement. Elle ne rétablit pas une vision normale, mais, en faisant paraître le vert plus foncé que le rouge, elle permet aux daltoniens de bien différencier les deux couleurs.

Une douleur dans l'œil est rarement synonyme de maladie grave, mais son origine est souvent difficile à identifier.

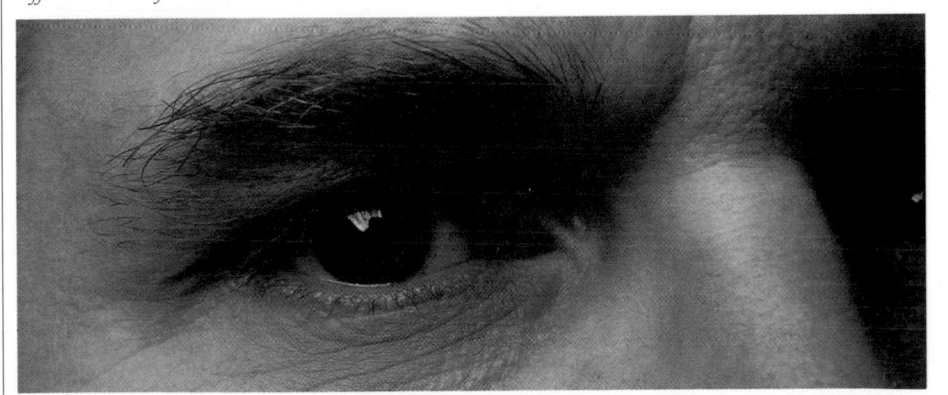

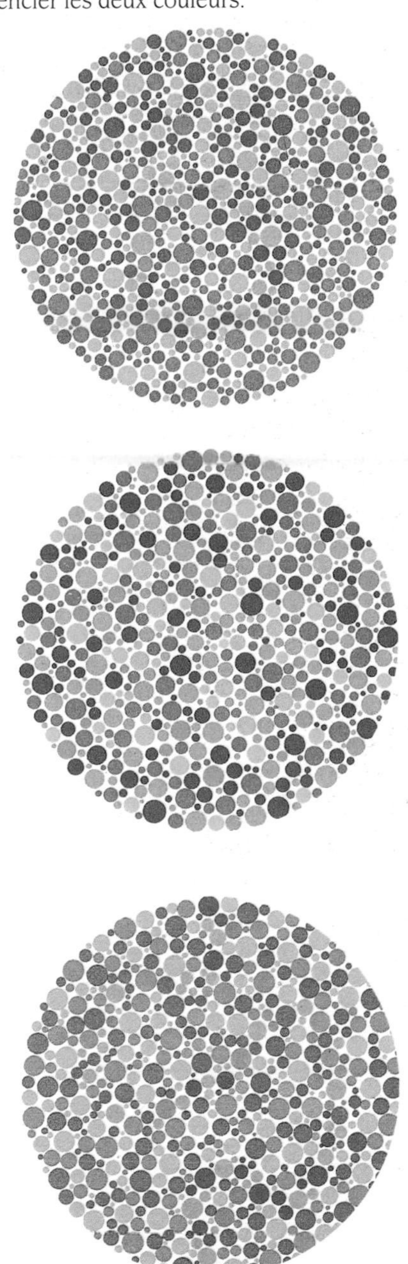

L'altération de la vision chromatique est mise en évidence par des tests effectués à la lumière. Sur la planche du haut, le sujet normal voit un 8 ; le daltonien un 3. Le chiffre est illisible pour un sujet atteint d'achromatopsie. Sur la planche du milieu, il faut voir un 16. Sur la planche du bas, les individus qui présentent des anomalies du sens coloré ne distinguent pas la ligne qui serpente d'un X à l'autre.

Comment expliquer le succès des greffes de la cornée ?

Les greffes de la cornée ont redonné une vision normale à des centaines de milliers d'individus à travers le monde. C'est une intervention banale qui est pratiquée dans la plupart des hôpitaux.

L'opération consiste à remplacer la cornée, membrane protectrice transparente que la lumière traverse pour atteindre le cristallin puis la rétine, par un greffon. Pour assurer une bonne vision, la cornée doit rester totalement claire et garder une forme parfaite. Mais ses tissus, extrêmement fragiles, sont à la merci des infections, des impuretés, des brûlures chimiques et autres accidents.

La greffe de la cornée est la seule parade efficace contre le kératocône, une grave maladie héréditaire qui se caractérise par une déformation en cône de la cornée, responsable d'une distorsion de la vision. D'autres troubles en augmentation constante justifient l'opération. Certains sont liés à notre mode de vie : l'engouement que suscite le sport, par exemple, décuple les risques de traumatisme oculaire, tout comme le port intensif de lentilles de contact contre l'avis du médecin.

Pour réaliser une greffe, le chirurgien doit disposer d'une cornée prélevée sur le corps d'un donneur et conservée dans une banque des yeux. Le greffon peut se substituer à la totalité ou à une partie seulement de la cornée du patient. L'opération la plus courante, connue sous le nom de kératoplastie perforante ou transfixiante, consiste à remplacer toute l'épaisseur de la cornée ; une autre technique, appelée kératoplastie lamellaire, consiste à ne changer qu'une petite lamelle superficielle de cornée.

Les pansements sont enlevés un ou deux jours après la greffe : à ce stade, le malade voit, mais il ne peut pas accommoder. Il retrouve une vue normale en l'espace de quelques mois. Les points de suture sont laissés en place pendant un an environ, le temps que la cornée cicatrise complètement.

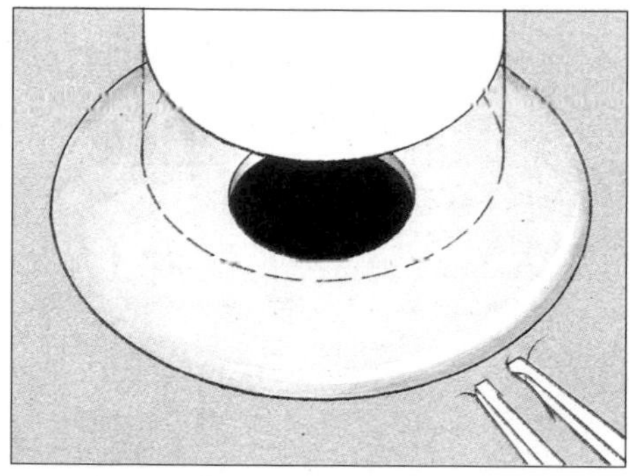

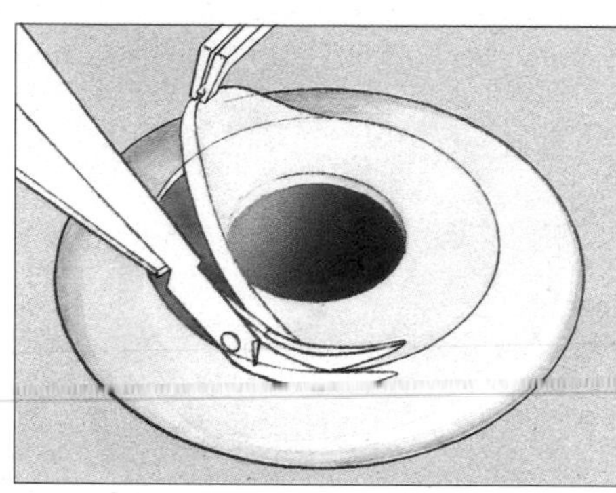

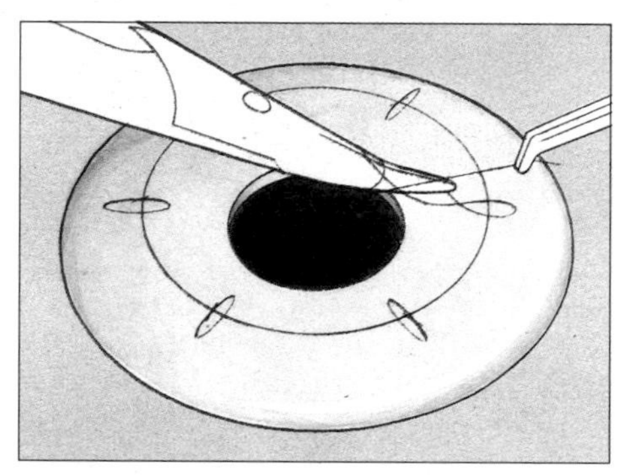

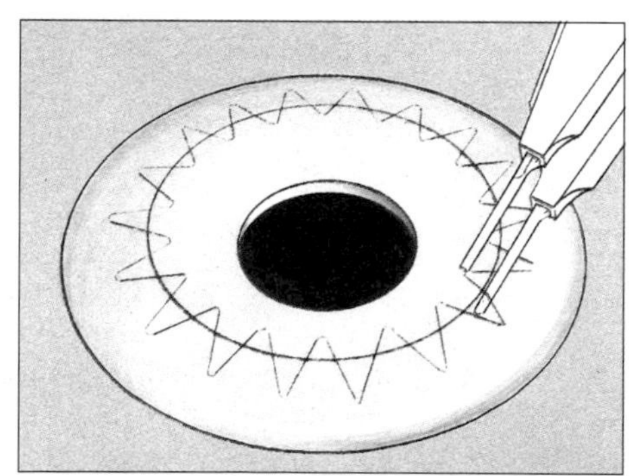

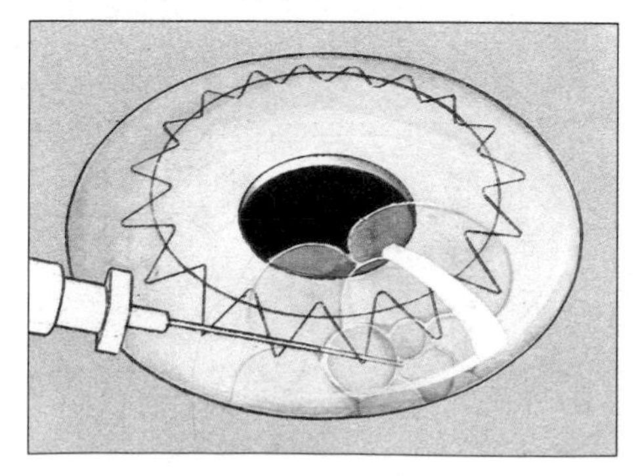

Une greffe de la cornée est une opération rapide et banale. Elle comporte plusieurs stades. Le chirurgien commence par prélever la cornée malade avec un petit cutter et une paire de ciseaux. La cornée du donneur est ensuite mise en place et fixée par des points de suture. Puis le chirurgien vérifie la tension de chaque point et la position du greffon. Enfin, une injection de liquide empêche l'iris et le cristallin de se coller sur la cornée fraîchement greffée.

Les greffes de la cornée sont rarement rejetées. L'absence de vascularisation, qui caractérise une cornée saine, élimine l'éventualité d'une réaction des globules blancs, cellules habituellement responsables des rejets de greffe.

Pourquoi la vue baisse-t-elle avec l'âge ?

Passé la quarantaine, la vision de près devient plus difficile. C'est la presbytie qui s'installe et qui gêne certaines activités comme la lecture : le presbyte doit tenir son livre à bout de bras pour en déchiffrer les caractères.

Avec l'âge, le cristallin perd son élasticité et une partie de son pouvoir accommodateur, propriété qui permet à l'œil de voir nettement des objets situés à des distances différentes. En règle générale, ce changement intervient aux alentours de la quarantaine et, au début, il est surtout sensible pour la lecture. Les caractères deviennent flous et, plutôt que de faire un effort d'accommodation, le presbyte éloigne son journal ou son livre de quelques centimètres. Plus tard, la vision nette de près devient totalement impossible.

D'autres sujets deviennent myopes avec le temps. Le myope a une bonne acuité visuelle de près, mais il voit mal les objets situés plus loin. Ce trouble tire son nom d'un mot grec signifiant « fermer l'œil » : les myopes doivent en effet cligner des yeux pour avoir une vision plus nette des objets éloignés. La myopie est une anomalie de la réfraction souvent due à un œil trop long : l'image qui se forme en avant

Les bébés sont hypermétropes à la naissance. Pendant trois à six mois, ils ne distinguent pas les objets rapprochés.

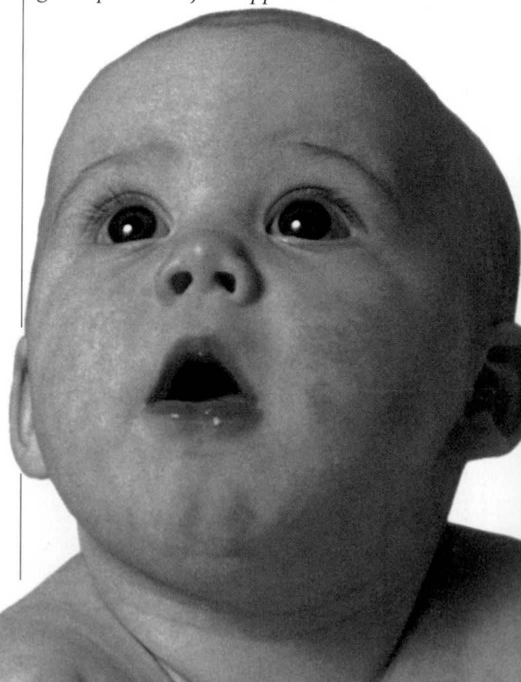

de la rétine est par conséquent floue. Elle ne devient nette que si l'on approche l'objet de l'oeil. En vieillissant, les myopes ont rarement besoin de lunettes pour lire, ils compensent leur presbytie.

Les hypermétropes connaissent le problème inverse. Leur œil, trop court, permet une bonne vision des objets éloignés, mais l'image des objets rapprochés se forme derrière la rétine. Les bébés sont hypermétropes à la naissance. Pendant de trois à six mois, leurs yeux n'accommodent pas de près. Au cours des mois qui suivent, il arrive que les mouvements des yeux ne soient pas coordonnés : l'enfant louche alors légèrement mais cette forme de strabisme disparaît spontanément.

Quels facteurs déterminent la couleur des yeux ?

Les yeux constituent l'atout essentiel d'un visage, et leur beauté est souvent liée à leur couleur. Celle-ci dépend de l'iris, membrane circulaire située entre la cornée et le cristallin et délimitant en son centre la pupille, orifice qui permet à la lumière de pénétrer dans l'œil. L'iris est fait de collagène, protéine fibreuse et dense qui est également présente dans les tendons et dans les tissus conjonctifs. Les différentes fibres musculaires de l'iris permettent soit la dilatation, soit la fermeture de la pupille, contrôlant ainsi la quantité de lumière qui pénètre dans l'œil.

La couleur marron, bleue ou verte de l'iris est déterminée par un pigment appelé mélanine, qui est également responsable de la couleur de la peau et des cheveux. Chez un individu qui possède une grande quantité de mélanine, les yeux seront marron ou noisette ; si son pigment mélanique est peu abondant, le sujet aura les yeux bleus ou vert clair.

La production de mélanine est déterminée par l'hérédité. Deux parents aux yeux marron auront normalement un enfant aux yeux marron. Deux parents aux yeux bleus auront presque toujours des rejetons aux yeux bleus. Si l'un des parents a les yeux marron et l'autre les yeux bleus, la progéniture du couple aura probablement des yeux marron, leur transmission se faisant suivant un mode héréditaire dominant, d'où l'importante proportion des yeux noisette à travers le monde.

Il existe de rares cas où les yeux ne sont ni marron, ni bleus, ni verts mais rougeâtres. Cette anomalie, qui porte le nom d'albinisme, est une maladie génétique qui inhibe la production de mélanine. À la naissance, les albinos ont des yeux presque transparents. Ils souffrent de nombreux troubles de la vue : strabisme, myopie et intolérance à la lumière.

DES IMAGES TROMPEUSES

Les illusions d'optique n'abusent pas seulement l'œil : elles piègent aussi le cerveau. L'œil transmet au cerveau une information que ce dernier ne sait pas comment traiter car elle est contradictoire. Promenez-vous dans un musée et vous constaterez que la plupart des œuvres d'art exposées sont des trompe-l'œil. L'artiste utilise la perspective pour nous donner l'impression que la scène est en trois dimensions, comme dans la réalité, alors que la peinture est réalisée sur une toile dépourvue de relief.

Les illusions ne se limitent pas à la perception visuelle. Notre comportement est souvent conditionné par nos présomptions. Par exemple, si nous pensons qu'une valise est pleine, nous bandons les muscles des bras en prévision de l'effort à faire pour la soulever ; si nous savons qu'elle est vide, le mouvement du bras est plus rapide et plus souple.

Selon les psychologues, notre réaction face à une illusion est un réflexe sain dans la mesure où l'illusion est sans danger. Quand nous sommes confrontés à des situations contradictoires, nous cherchons une solution. Le fait d'avoir à résoudre des problèmes rapidement, comme nous le faisons mille fois par jour, est un mécanisme essentiel pour notre sécurité et notre survie.

Les illustrations bizarres peuvent dérouter le cerveau et l'amener à faire des conclusions erronées. A priori, rien n'est illogique dans cette lithographie de M. C. Escher ou dans le triangle ci-dessus : pourtant, plus on regarde ces deux dessins, plus ils sont déconcertants.

Une légion de messagers infatigables

À quoi sert le sang ?

Le liquide qui circule dans les 95 000 km de vaisseaux sanguins sillonnant le corps humain peut être comparé à un train de marchandises toujours en mouvement qui transporterait une légion d'ouvriers infatigables travaillant d'arrache-pied vingt-quatre heures sur vingt-quatre. Une seule goutte de sang contient plus de 250 millions de cellules, chacune d'elles ayant une tâche bien précise à accomplir. Le sang représente 7 % du poids total d'un adulte et son volume varie de 3,5 à 6 l. Ce travailleur de force est réapprovisionné en nouvelles cellules au rythme de 3 millions par seconde.

Le sang fournit à notre organisme les protéines, le glucose, les sels minéraux et les vitamines dont il a besoin. Ces éléments sont transportés par le plasma, qui constitue 55 % du volume total du sang. Le plasma est un liquide de couleur jaunâtre qui contient environ 95 % d'eau et une concentration en sel comparable à celle de l'eau de mer. C'est lui qui donne au sang son goût salé. Il renferme également divers éléments nutritifs, des acides aminés, des enzymes, des hormones, des lipides et des pigments. Chargé d'huiler les rouages de la machine, le plasma assure la bonne circulation du sang.

Les globules rouges sont le principal constituant des 45 % de sang qui restent. Ils sont entre 700 et 900 fois plus nombreux que le troisième élément : les globules blancs. Les globules rouges, encore appelés érythrocytes ou hématies, contiennent de l'hémoglobine, une protéine servant au transport de l'oxygène vers les tissus et présente chez tous les animaux, des insectes aux vers de terre en passant par les oiseaux, les poissons et les mammifères. C'est son pigment riche en fer qui donne aux globules une couleur rouge plus ou moins foncée en fonction de la quantité d'oxygène transportée.

Un globule rouge contient en moyenne 350 millions de molécules d'hémoglobine fabriquées dans la moelle osseuse à partir de molécules d'hème et de globine. Le travail de cette armée rouge consiste à se charger d'oxygène, mission dont elle s'acquitte avec une grande efficacité : chaque molécule d'hémoglobine peut en effet transporter 4 molécules d'oxygène. Les tissus ont besoin d'oxygène quand leurs cellules brûlent du glucose et d'autres éléments nutritifs pour produire de l'énergie.

Ce phénomène entraîne la production de gaz carbonique. Après avoir livré leur oxygène, les molécules d'hémoglobine ne repartent pas à vide. Elles se chargent de gaz carbonique, qu'elles véhiculent vers les poumons pour qu'ils l'expulsent. Durant cette opération, l'hémoglobine est moins rouge. Ce travail épuise les globules rouges, qui, pendant les quatre mois que dure leur vie, parcourent 300 000 fois le circuit dessiné par l'appareil circulatoire.

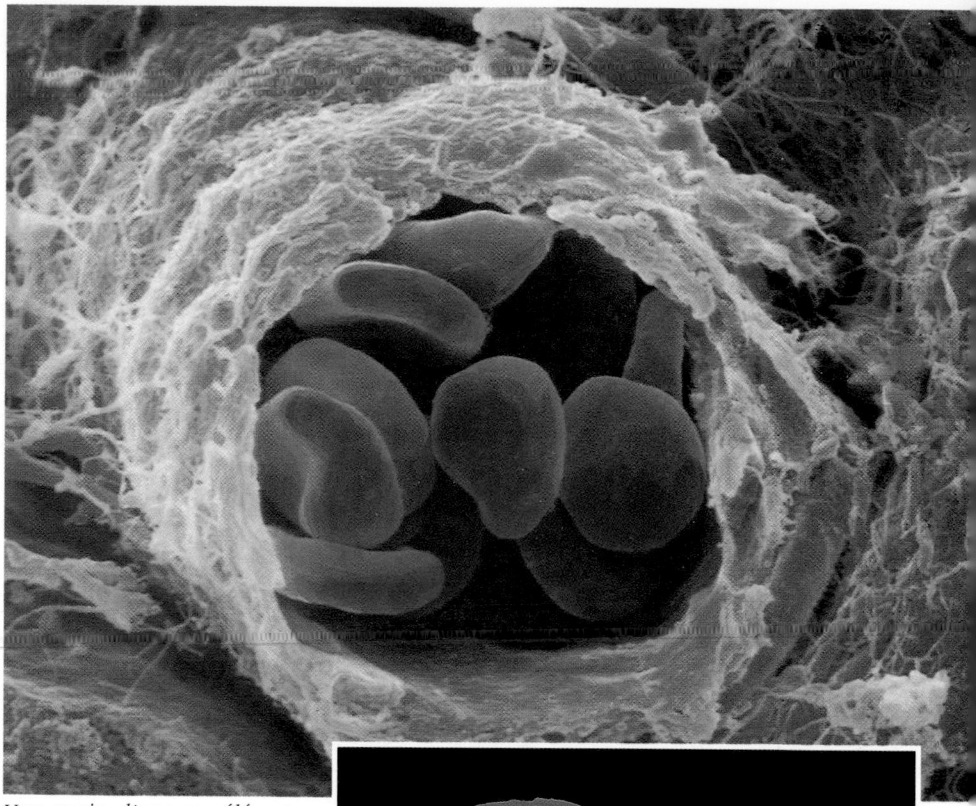

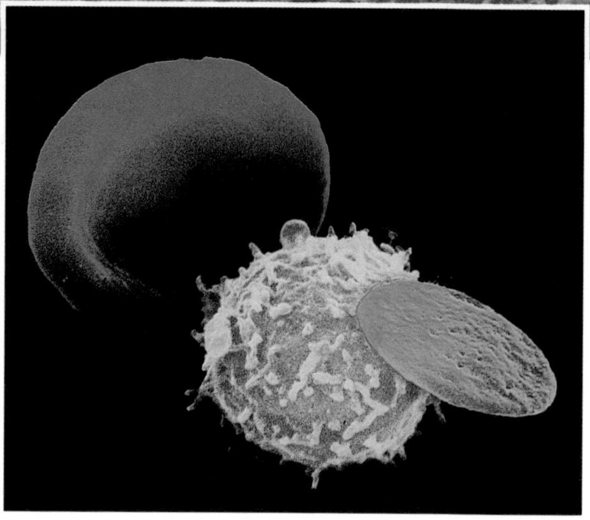

Une main-d'œuvre zélée et efficace travaille d'arrache-pied dans notre système sanguin. Ci-dessus, *des globules rouges circulent dans une artère. À droite, un globule rouge, un globule blanc et une plaquette. Ces deux images sont agrandies et colorisées. En livrant de l'oxygène dans tous les endroits de l'organisme, un globule rouge parcourt 15 km par jour.*

Leurs collègues, les globules blancs, constituent les troupes de défense de l'organisme. Et comme toute armée efficace, ils sont groupés en bataillons. L'un d'entre eux est chargé de détruire les envahisseurs ennemis, comme les bactéries. Un autre fait office de service de nettoyage et débarrasse le corps des cellules mortes. D'autres unités neutralisent les substances toxiques. Les globules blancs, ou leucocytes, sont fabriqués en différents endroits de l'organisme, tels la moelle osseuse, les ganglions lymphatiques, le thymus et la rate. Les amygdales, par exemple, produisent des globules blancs.

En 1952, l'hématologiste Jean Dausset a mis en évidence le constituant des globules blancs qui combat les agents étrangers, dont les infections. Connue sous le nom de système HLA (Human Leucocyte Antigens), c'est la principale structure de reconnaissance immunologique. Les différents antigènes qui la composent, situés à la surface du globule blanc (ou des plaquettes, ou de toute cellule à noyau), peuvent se combiner de 150 millions de manières différentes. Les autres composants du sang – les enzymes et les plaquettes – présentent des variations similaires. Les combinaisons possibles sont si nombreuses qu'on ne retrouve jamais deux fois exactement le même schéma sanguin, sauf bien sûr chez les vrais jumeaux.

L'hypertension artérielle

La tension artérielle est l'état de pression qui règne dans les artères au passage de l'onde sanguine propulsée par le cœur. Elle oscille entre deux valeurs. Quand le cœur se contracte, la tension atteint sa valeur maximale, qui correspond à la pression systolique. Entre deux contractions, le cœur se relâche et la tension artérielle atteint sa valeur minimale, ou pression diastolique. Le médecin mesure ces pressions en millimètres de mercure avec un instrument appelé tensiomètre. Les valeurs moyennes pour un adulte jeune et en bonne santé sont de 12 à 14 mm de mercure pour la pression systolique et de 7 à 9 mm pour la pression diastolique. De nombreux facteurs peuvent faire varier la tension artérielle. L'exercice physique la fait monter en obligeant le cœur à accroître son débit pour fournir davantage d'oxygène. La tension augmente également avec l'âge : cette hausse liée au vieillissement est normale tant qu'elle n'est pas trop importante.

On parle d'hypertension artérielle en présence d'une augmentation permanente de la tension au-dessus de 16 pour la pression systolique et de 9 pour la valeur diastolique. L'hypertension peut favoriser les accidents vasculaires cérébraux, l'insuffisance cardiaque et, à un moindre degré, l'infarctus du myocarde. Elle peut aussi être responsable du gonflement d'un vaisseau sanguin (anévrisme vasculaire) qui, en éclatant, provoque une hémorragie dans les tissus avoisinants. Cet accident est généralement fatal.

Pour réduire les chiffres tensionnels, il faut commencer par modifier son hygiène de vie. L'hypertension affecte 15 % des adultes. Parfois, elle n'a pas de cause évidente. Mais la plupart des sujets hypertendus peuvent réduire les risques de complications en perdant du poids – l'obésité fatigue le cœur – ou en arrêtant de fumer, le tabac étant un facteur aggravant.

Comment sont déterminés les groupes sanguins ?

Les premières véritables transfusions sanguines datent du XVIIe siècle. Si quelques expérimentations furent couronnées de succès, la plupart échouèrent sans raison apparente et firent tellement de victimes que certains pays comme la France, l'Angleterre ou l'Italie les interdirent complètement. En 1900, le pathologiste australien Karl Landsteiner trouva la clé du mystère qui déconcertait les médecins. En mélangeant des échantillons de sang prélevés sur différents sujets, il découvrit que certains types de sang étaient compatibles entre eux et pas d'autres.

Ses recherches l'amenèrent à diviser le sang en quatre groupes : A, B, AB et O. En règle générale, les transfusions ne sont possibles qu'à l'intérieur d'un même groupe, à deux exceptions près : O peut donner du sang à tous les groupes – il est dit donneur universel – et AB peut recevoir du sang de tous les autres groupes – il est dit receveur universel. Ce système de classement est le plus utilisé.

Il existe, à la surface des globules rouges, des signes distinctifs permettant de différencier les groupes. Ce sont les antigènes, qui protègent les cellules en provoquant une réaction immunologique en présence, par exemple, de bactéries. Les globules rouges du groupe A portent des antigènes A et le plasma contient une protéine appelée anticorps anti-B. Le groupe B se caractérise par des antigènes B et des anticorps anti-A. Le groupe AB présente les deux types d'antigènes mais il n'a pas d'anticorps. Le groupe O n'a aucun antigène à la surface de ses globules rouges mais il possède les deux sortes d'anticorps dans son plasma.

Quarante ans plus tard, Landsteiner découvrit le facteur Rhésus (Rh). Ce système fut ainsi baptisé pour avoir d'abord été mis en évidence sur les singes *Macacus rhésus*. Le facteur Rhésus est un antigène présent chez 85 % des individus : on dit alors qu'ils sont Rhésus positif (Rh^{+}). Leur sang contient de l'antigène D. Environ 15 % des sujets sont Rhésus négatif (Rh^{-}) : leur sang est dépourvu de ce facteur.

Le facteur Rhésus est déterminé génétiquement et si, en règle générale, il a peu d'incidence sur la vie d'un individu, il a une grande importance en cas de grossesse. Une femme enceinte, de Rhésus négatif, peut porter un enfant qui est Rhésus positif. En réaction, la mère fabrique des anticorps contre le sang du bébé. Si ce phénomène est sans conséquence immédiate lors de la première grossesse, la réaction immunologique se fait plus intense au cours des maternités suivantes. Les anticorps anti-D produits par la mère à la suite de la première grossesse peuvent se fixer sur les globules rouges de l'enfant à naître. Celui-ci est alors menacé par la maladie hémolytique, qui détruit les globules rouges. C'est la raison pour laquelle, dès la naissance du premier enfant, on administre à la mère des anticorps spécifiques afin d'écarter tout risque.

Les premières transfusions sanguines datent du Moyen Âge. À la fin du XVIIe siècle, certains médecins utilisaient des chiens comme donneurs. Après le décès d'un de ses patients, Jean-Baptiste Denis, le médecin de Louis XIV, avait été accusé d'homicide. Il fut disculpé par la suite mais on interdit les transfusions dans de nombreux pays d'Europe.

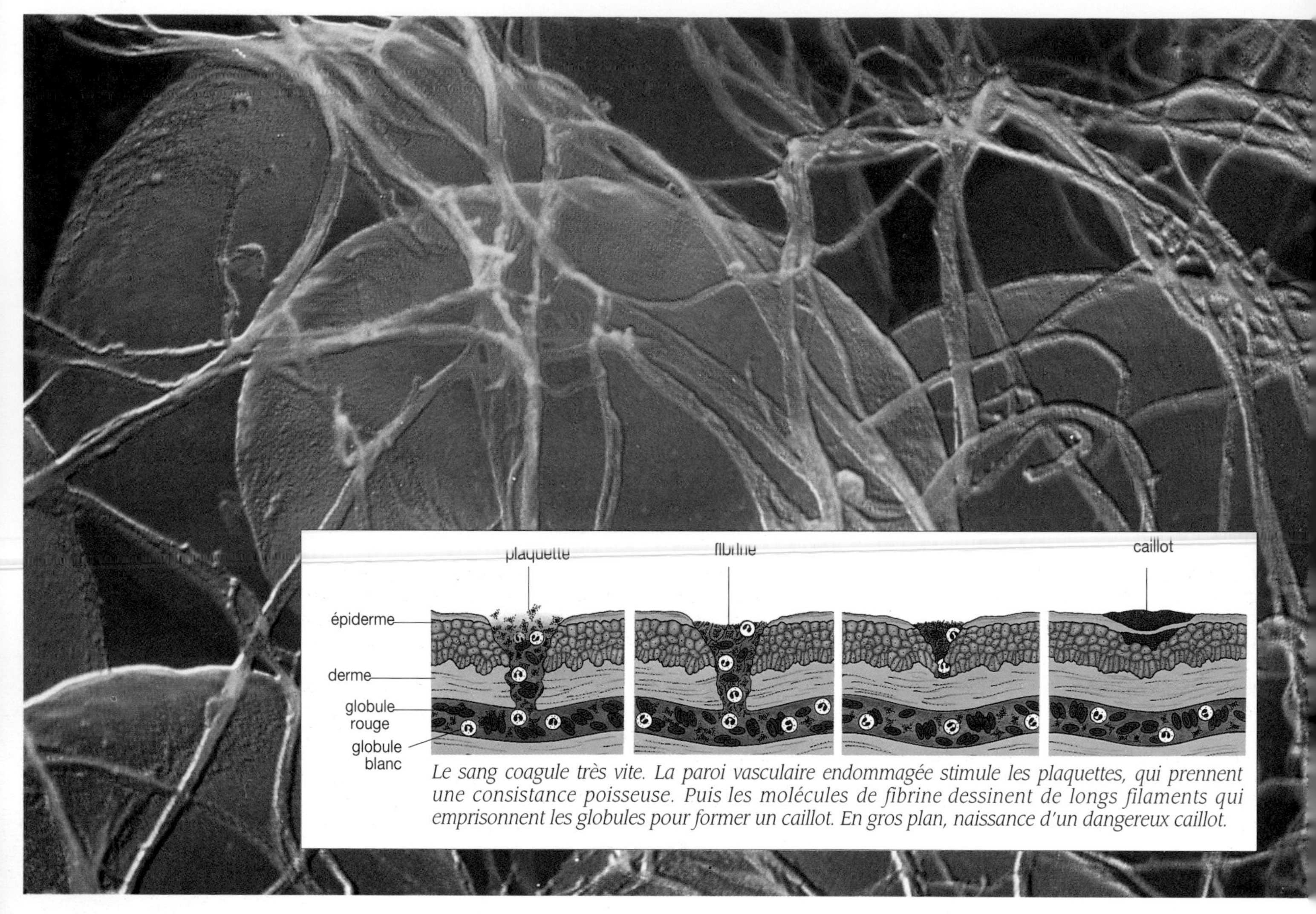

Le sang coagule très vite. La paroi vasculaire endommagée stimule les plaquettes, qui prennent une consistance poisseuse. Puis les molécules de fibrine dessinent de longs filaments qui emprisonnent les globules pour former un caillot. En gros plan, naissance d'un dangereux caillot.

Comment s'effectue la coagulation du sang ?

En cas d'écorchure ou de coupure superficielle, et sous réserve que nos éléments sanguins soient normaux, de minuscules cellules appelées plaquettes – ou thrombocytes – vont se mobiliser pour nous porter secours. Ces éléments de forme variable, qui constituent les plus petites cellules sanguines, se regroupent en quelques secondes pour obstruer la plaie. Mais pour que les plaquettes entrent en action, il faut un facteur déclenchant, comme une lésion dans la paroi d'un vaisseau sanguin.

Les premières plaquettes qui détectent une fuite dans une paroi vasculaire prennent une consistance poisseuse pour adhérer à la plaie. Elles se transforment alors en boules hérissées de pointes afin de s'agréger les unes aux autres. Pendant ce temps, d'autres plaquettes sont sollicitées pour venir colmater la brèche. Une seule goutte de sang contenant environ 15 millions de plaquettes, les renforts ne mettent jamais longtemps à arriver. Si la plaie est superficielle, ce service d'urgence règle très vite la situation. Après le temps plaquettaire survient la coagulation proprement dite : à ce stade, le sang se fige pour former un caillot qui va obstruer la blessure. La coagulation est un phénomène complexe faisant intervenir plusieurs phases au cours desquelles le plasma produit une protéine filamenteuse appelée fibrine, constituant principal des caillots sanguins.

Des anomalies de la constitution sanguine peuvent être responsables d'un écoulement sanguin trop lent ou de la formation de caillots dangereux. La diminution du nombre de plaquettes augmente le temps de saignement. Le plus connu des troubles de la coagulation est l'hémophilie, maladie qui se caractérise par un retard ou une absence de coagulation du sang.

Pour tester la première phase plaquettaire de la coagulation du sang, le médecin pique la peau de l'oreille ou de l'avant-bras, puis il détermine le temps que met le saignement pour s'arrêter. Chez un sujet en bonne santé, le caillot se forme au bout de trois à huit minutes.

Pourquoi les artères se bouchent-elles ?

Chargées de véhiculer dans les organes et les tissus le sang propulsé par le cœur, les artères remplissent une fonction vitale. Schématiquement, ce sont des conduits semi-rigides, constitués de trois tuniques suffisamment élastiques pour se dilater lors du passage de l'ondée sanguine et reprendre leur diamètre lorsque le cœur se relâche. La pression du sang à l'intérieur de l'artère est soumise à des fluctuations importantes. La plupart du temps, nous percevons à peine les battements de notre cœur ; en d'autres occasions, au cours d'un exercice physique par exemple, le cœur augmente son débit et on a l'impression qu'il cogne.

Sous une enveloppe extérieure fibreuse, les artères ont une tunique intermédiaire plus épaisse et élastique, tapissée d'une paroi intérieure lisse pour faciliter la circulation du sang. Cette paroi est fragile : sous l'effet de différents facteurs, comme

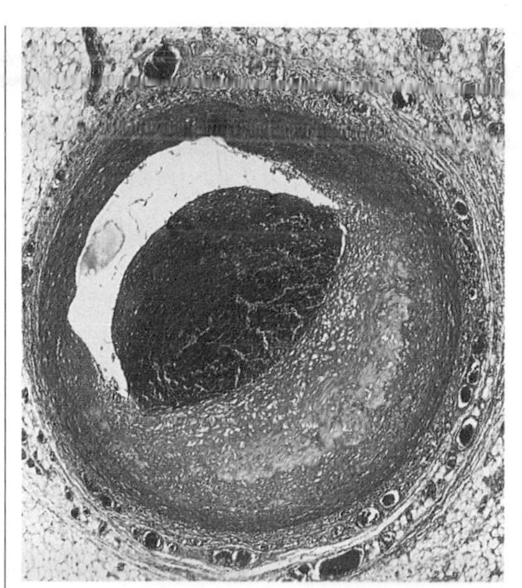

Début de thrombose dans une artère coronaire. Le vaisseau est obstrué par la plaque (en rose) et une hémorragie (en rouge) a provoqué la formation d'un caillot.

la tension artérielle, le tabac, l'hérédité et sans doute le stress, elle s'épaissit et entraîne aussi un rétrécissement du diamètre de l'artère.

Le cholestérol, qui est élaboré par le foie et intervient dans la production de nouvelles cellules et de certaines hormones, est un autre facteur de risque. Un régime riche en produits laitiers, en œufs et en viande fait monter le taux de cholestérol. Bien que la nocivité du cholestérol soit régulièrement remise en question, les médecins maintiennent qu'un taux anormalement élevé favorise les risques de coronarite et d'infarctus du myocarde.

Les parties malades de l'artère se couvrent de masses jaunâtres et grumeleuses appelées plaques d'athérome. Elles sont constituées de dépôts gras et de déchets divers : cellules musculaires et tissus fibreux dégénérés. Deux types de cellules sanguines accélèrent le processus : les globules blancs, appelés macrophages, et les plaquettes, qui constituent les plus petites cellules sanguines et jouent un rôle essentiel dans la coagulation du sang.

Avec l'âge, les plaques d'athérome se multiplient et épaississent. Certaines se calcifient et se transforment en une substance calcaire qui obstrue les artères. Le rétrécissement des artères rend la circulation du sang difficile. Là où les plaques dessinent des goulots d'étranglement, on assiste à la formation de caillots qui migrent dans le système cardio-vasculaire avant d'obstruer un vaisseau sanguin plus fin en aval.

Le cœur et le sang remplissant des fonctions vitales, les maladies cardio-vasculaires sont toujours très graves, et elles ne touchent pas uniquement les sujets âgés. Une bonne hygiène de vie est le meilleur moyen de combattre ces fléaux.

LE RETOUR DES SANGSUES

Si vous avez déjà été mordu par une sangsue, vous avez sûrement retenu ce détail très surprenant : la victime ne se rend compte de l'incident qu'après le départ du parasite.

La morsure de sangsue est indolore et, dès l'époque romaine, les médecins ont cherché à tirer parti de cette particularité. Jusqu'à la seconde moitié du XIXe siècle, on attribuait de nombreuses maladies à la présence de mauvais sang dans l'organisme et l'on s'imaginait naïvement que le traitement le plus efficace consistait à le purger en pratiquant une saignée. Le remède était souvent pire que le mal. Saignés à blanc, de nombreux patients rendaient l'âme.

Les médecins français et britanniques étaient de farouches partisans de la saignée à la sangsue. Vers 1820, la Grande-Bretagne, à court de sangsues, dut en importer. À l'époque, les apothicaires et les barbiers vendaient des sangsues à usage domestique et l'animal avait sa place dans la pharmacie familiale. Aussi répugnant que cela paraisse, une sangsue appliquée sur un œil au beurre noir ou sur une ecchymose est un remède efficace.

Les sangsues sont des vers qui vivent dans l'eau douce sous nos climats et dans la terre des forêts tropicales. Toutes les sangsues ne sont pas exclusivement hémophages mais aucune ne laissera passer l'occasion de déguster le sang d'un vertébré.

Une fois sa victime choisie, la sangsue se cramponne avec ses ventouses. Puis elle pratique une incision dans la peau à l'aide des mâchoires rétractiles qui entourent sa bouche. Une trompe semblable à celle du moustique pompe le sang. Pendant la saignée, qui dure entre dix minutes et une heure, la sangsue se transforme en une sorte de grosse limace.

Quand elle est rassasiée, elle tombe, abandonnant sa victime avec une plaie qui démange et peut saigner plusieurs heures. Ce phénomène et l'absence de douleur sont dus à une substance anticoagulante, appelée hirudine, que l'animal injecte avec sa salive.

Les sangsues sont passées de mode au milieu du XIXe siècle mais les chercheurs ont continué à s'intéresser aux propriétés anticoagulantes de leur salive. À l'heure actuelle, des dérivés d'hirudine sont utilisés pour éviter la formation de caillots sanguins chez les sujets à risque.

Depuis les années 1980, certains chirurgiens réhabilitent la sangsue parce qu'on a découvert que sa salive possède non seulement la propriété de fluidifier le sang, mais aussi celle de dilater les veines.

Si une sangsue s'accroche à vous après une baignade ou une promenade à la campagne, une allumette, de l'alcool, du vinaigre ou du sel lui feront lâcher prise. Extirpez-la doucement pour ne pas casser la ventouse et la trompe, qui pourraient rester incrustées dans la peau et provoquer une infection. Un crayon hémostatique arrêtera le saignement.

La saignée à la sangsue était considérée jadis comme le meilleur remède contre tous les maux. L'animal faisait partie de la pharmacie familiale. En 1837, un hôpital de Londres utilisa 96 000 sangsues sur 50 557 patients.

Un bourreau de travail qui régit notre vie

Vous pouvez oublier les chansons, les contes et les cartes postales qui font du cœur le siège des sensations et des émotions. L'organe qui bat dans notre poitrine n'a rien à voir avec les sentiments, bien qu'ils influencent souvent ses réactions. Le cœur est une infatigable bête de somme, une pompe qui bat inlassablement et régulièrement, soixante-dix fois par minute, vingt-quatre heures sur vingt-quatre, pendant presque un siècle. C'est le muscle le plus actif du corps et il génère assez d'énergie en une journée pour tracter une charrette sur 32 km.

Il se contracte 700 000 fois par semaine, autrement dit plus de 2 500 millions de fois au cours d'une vie. C'est un bourreau de travail, mais il n'a pas le choix. En propulsant du sang chargé d'oxygène et d'éléments nutritifs à travers des centaines de kilomètres de vaisseaux et en récupérant le sang chargé de déchets pour le purifier dans les poumons, le cœur assure un service de livraison permanent. Quelle autre machine effectue, sur une longue période, un travail aussi fiable en exigeant si peu d'entretien ?

Malgré sa puissance, le cœur est un muscle de petite taille : il n'est pas plus grand qu'un poing fermé. Et malgré son importance, nous connaissons très mal son anatomie. Nous avons tendance à le considérer comme un organe simple alors qu'en fait, il comprend deux pompes, le cœur droit et le cœur gauche, chacune d'elles étant divisée en deux cavités : l'oreillette et le ventricule.

Si vous demandez à quelqu'un de poser la main sur son cœur, il touchera inévitablement la partie gauche de sa poitrine. En fait, le cœur se trouve presque au centre du thorax, tout en débordant légèrement sur la gauche. Nous le situons habituellement du côté gauche parce que c'est l'endroit où nous le sentons battre.

Les préjugés qui entourent le cœur et ses fonctions ne datent pas d'hier. Jusqu'au XVIIe siècle, les médecins pensaient que le sang était produit par le foie et que le cœur le distribuait une fois pour toutes dans différents réservoirs de l'organisme. En 1553, Michel Servet – connu également sous le nom de Michel de Villanueva – fut condamné et brûlé pour hérésie. Il avait, entre autres, déclaré – à juste titre – que le sang traverse les poumons pour passer du cœur droit dans le cœur gauche. Son destin tragique dissuada d'autres médecins de soutenir sa thèse, ce qui contribua ainsi à perpétuer des idées fausses sur le rôle du cœur.

Le cœur fonctionne comme la plupart des pompes : il est muni de valvules qui obligent le sang à circuler dans une seule direction. Mais, à l'inverse des pompes à eau, qui fonctionnent en continu, le cœur

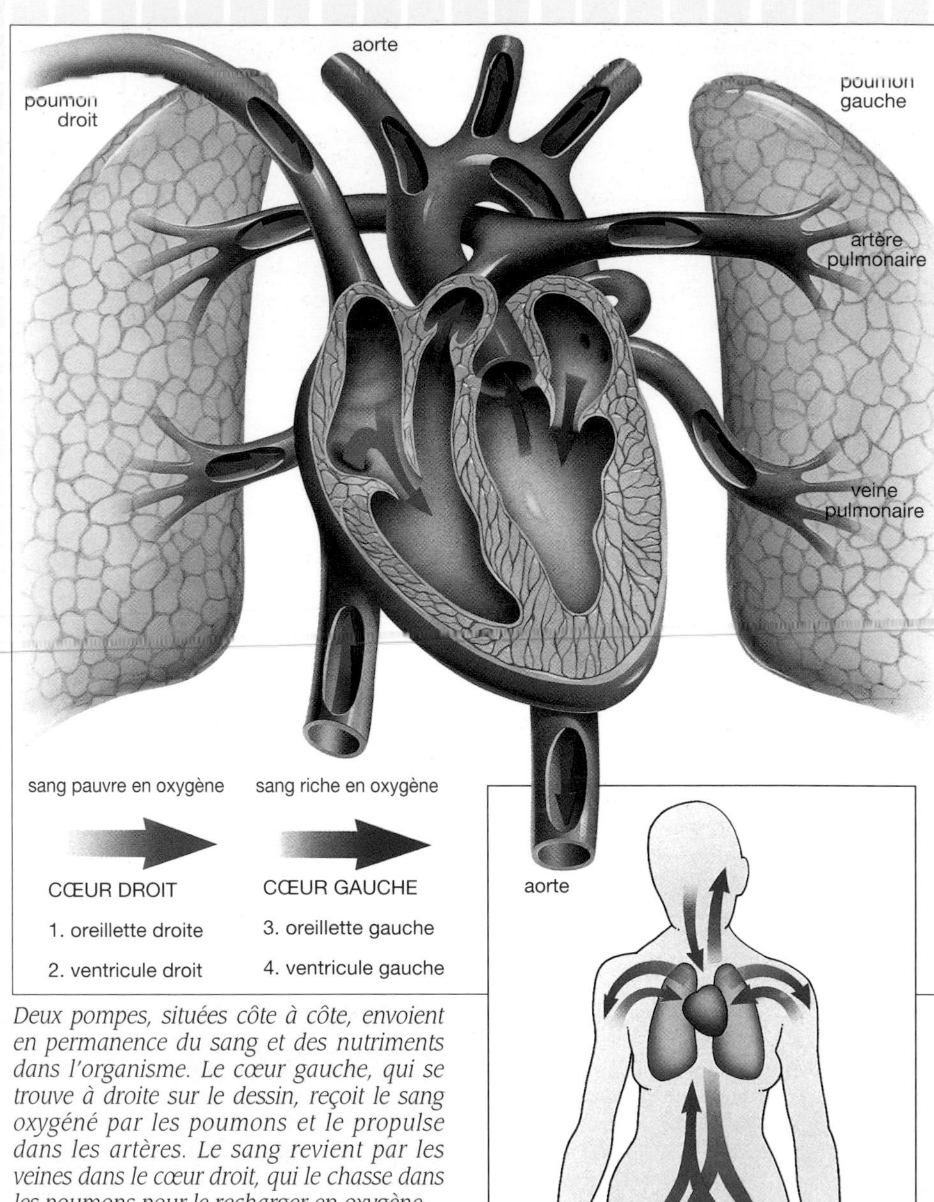

Deux pompes, situées côte à côte, envoient en permanence du sang et des nutriments dans l'organisme. Le cœur gauche, qui se trouve à droite sur le dessin, reçoit le sang oxygéné par les poumons et le propulse dans les artères. Le sang revient par les veines dans le cœur droit, qui le chasse dans les poumons pour le recharger en oxygène.

pompe puis se relâche. Sa contraction est provoquée par des impulsions électriques dispensées par le nœud sinusal, stimulateur cardiaque naturel situé au sommet de l'oreillette droite.

À chaque contraction, le cœur envoie du sang dans l'organisme et dans les poumons. Ce processus se décompose en deux temps : la systole ventriculaire, ou temps d'éjection du sang des ventricules dans les artères, et la diastole ventriculaire, ou temps de remplissage des ventricules, améliorée par la systole auriculaire, en fin de diastole. Dans un cœur sain, ces deux phases sont parfaitement synchronisées. D'autre part, les quantités de sang pompées par chaque partie du cœur doivent être rigoureusement identiques, même si la force requise pour chasser le sang dans les poumons, où il sera oxygéné, est inférieure à la force requise pour le propulser dans le reste de l'organisme.

Le cœur est conçu pour faire face à ce problème et éviter un trop-plein de sang d'un côté et une rupture de stock dans l'autre. Le cœur gauche, qui livre le sang dans l'organisme, se contracte avec plus de force que le droit. C'est ce qui explique pourquoi la partie gauche du cœur est plus musclée, donc plus volumineuse, que la droite. Que le cœur batte deux cents fois par mi-

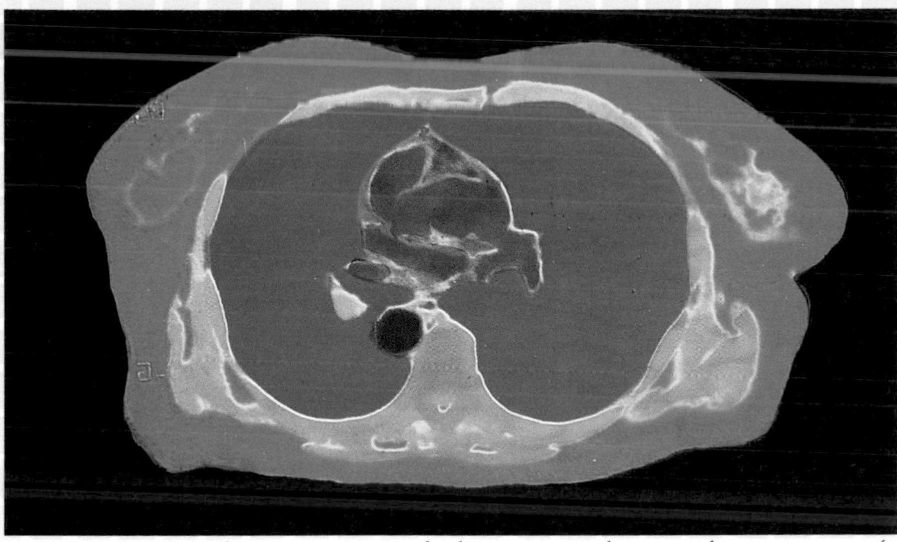

Le cœur se trouve pratiquement au centre du thorax. L'aorte, le cœur et les poumons ont été respectivement colorisés en rouge, orange et bleu.

nute pendant un exercice physique soutenu ou trois fois moins au repos, il doit conserver une cadence régulière. Il lui faut aussi adapter son débit aux circonstances. Quand nous faisons du sport, nos muscles réclament davantage d'oxygène. Pour fournir le surplus, le cœur pompe davantage de sang, parfois jusqu'à 50 l par minute contre 6 l quand il est au repos.

Ces changements de rythme et de débit sont gérés de deux manières. Quand il chasse davantage de sang vers l'organisme, le cœur augmente d'autant le volume envoyé vers les poumons. Toute augmentation de la quantité de sang expulsée entraîne une augmentation de la quantité pompée. De plus, un noyau de cellules nerveuses localisées dans le tronc cérébral surveille le cœur à partir d'un centre cardiorégulateur. Ces neurones font partie du système nerveux autonome, qui gouverne, sans notre intervention, un certain nombre de fonctions essentielles. Quand nous sommes au repos, le cœur ralentit automatiquement. Quand nous faisons de l'exercice, la sécrétion de deux hormones – l'adrénaline et la noradrénaline – accélère le rythme cardiaque et la force des contractions.

La mesure du débit cardiaque, autrement dit du volume de sang éjecté sur une période donnée, est un paramètre indispensable pour évaluer l'état de santé du cœur. Elle dépend du rythme cardiaque et du volume de sang éjecté à chaque contraction. Le débit cardiaque est de 4,5 l à la minute en moyenne, soit 6,5 t par jour.

Le cœur est un muscle creux dont l'anatomie est unique et parfaite. Aussi avancée que soit notre technologie, nous ne savons pas fabriquer de cœur artificiel dont les performance égalent celles d'un organe naturel.

Malgré son efficacité et sa résistance, le cœur peut tomber malade comme toutes les autres parties du corps, à la différence près que le cœur est un organe vital. Quatre minutes d'arrêt cardiaque suffisent pour entraîner la mort ou provoquer des lésions cérébrales irréversibles.

C'est la raison pour laquelle les maladies cardio-vasculaires sont si redoutables. Elles constituent la première cause de mortalité dans le monde et sont responsables d'un tiers des décès chez l'adulte, avec une tendance à la hausse dans les pays développés et en voie de développement. Ces décès sont souvent prématurés car ils concernent surtout des adultes âgés de quarante à soixante ans. Dans cette tranche, les hommes sont quatre fois plus touchés que les femmes.

Les maladies cardio-vasculaires étant directement liées à notre hygiène de vie, elles sont évitables et de nombreux pays organisent des campagnes d'information sur les moyens de les prévenir.

Ces quelques règles de vie vous aideront à préserver la santé de votre cœur :

Arrêtez de fumer. Le tabac est nocif pour le cœur, le système cardio-vasculaire, les poumons et le cerveau. Même si vous fumez depuis trente ans, il n'est jamais trop tard pour arrêter.

Surveillez votre alimentation. Faites évaluer votre taux de cholestérol. S'il est élevé, diminuez les viandes grasses, les œufs et les laitages entiers. Choisissez des produits allégés et riches en fibres. En perdant vos kilos superflus, vous soulagerez considérablement votre cœur.

Faites de l'exercice. Laissez votre voiture au garage et faites de la marche à pied. Préférez les escaliers à l'ascenseur. Remplacez les déjeuners copieux par des repas légers.

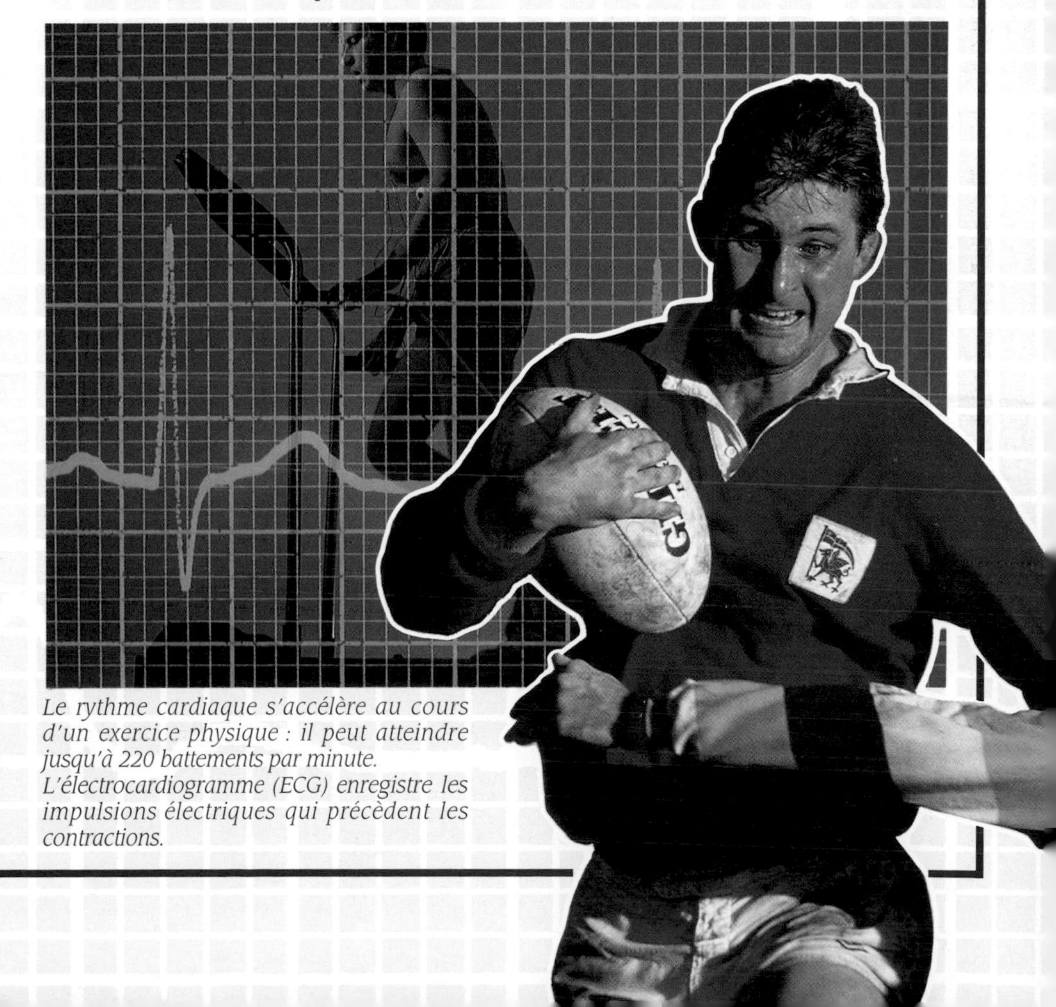

Le rythme cardiaque s'accélère au cours d'un exercice physique : il peut atteindre jusqu'à 220 battements par minute. L'électrocardiogramme (ECG) enregistre les impulsions électriques qui précèdent les contractions.

Un sourire éclatant

Qu'est-ce qu'une carie ?

De l'avis des spécialistes, nos dents n'ont jamais été aussi saines. Dans les pays industrialisés, certains adolescents atteignent l'âge adulte sans un plombage. La régression des caries est le résultat d'une meilleure hygiène bucco-dentaire et de la fluorisation de l'eau et des dentifrices.

La plupart des caries sont dues à la plaque dentaire, enduit formé de débris alimentaires, de salive et de bactéries, qui se dépose sur l'émail. Ces bactéries – des bacilles se développant exclusivement dans la bouche – se nourrissent de débris de sucre et d'amidon logés entre les dents et produisent un acide qui attaque l'émail. Une fois l'émail percé, la carie se lance à l'assaut de la couche suivante, l'ivoire, avant d'évoluer vers la pulpe de la dent.

En règle générale, le premier stade de la carie passe inaperçu : pour que la douleur se manifeste, il faut souvent attendre que le trou creusé par la carie mette le nerf à vif. La sensibilité de la dent au chaud, au froid et au sucre doit faire soupçonner un problème. Pour soigner une dent cariée, le dentiste enlève la partie abîmée, puis il obture la cavité afin de reconstituer la dent. La prévention des caries passe par des visites régulières chez le dentiste et une hygiène bucco-dentaire rigoureuse dès le plus jeune âge : voilà pourquoi il faut apprendre très tôt à un enfant à ne pas manger trop de sucreries en dehors des repas et à se brosser soigneusement les dents matin et soir.

Pourquoi les gencives saignent-elles ?

Le saignement des gencives pendant le brossage des dents peut être le premier symptôme d'une inflammation des gencives plus ou moins localisée appelée gingivite. À l'instar d'autres infections microbiennes, la gingivite fait partie d'un ensemble de maladies que les spécialistes regroupent sous le nom de parodontopathies. Ces affections, qui touchent deux adultes jeunes sur trois, passent souvent inaperçues en raison de l'absence de phénomènes douloureux et de la lenteur de leur évolution.

Depuis quelques années, les parodontopathies, qui attaquent non seulement les gencives mais aussi l'appareil de soutien des dents, ont été l'objet de recherches approfondies. Chez les adultes de plus de trente-cinq ans, elles constituent la première cause de chute spontanée des dents. Celles-ci peuvent être en parfaite santé mais la parodontopathie les rend mobiles. Quand les tissus de soutien sont trop atteints, la dent tombe.

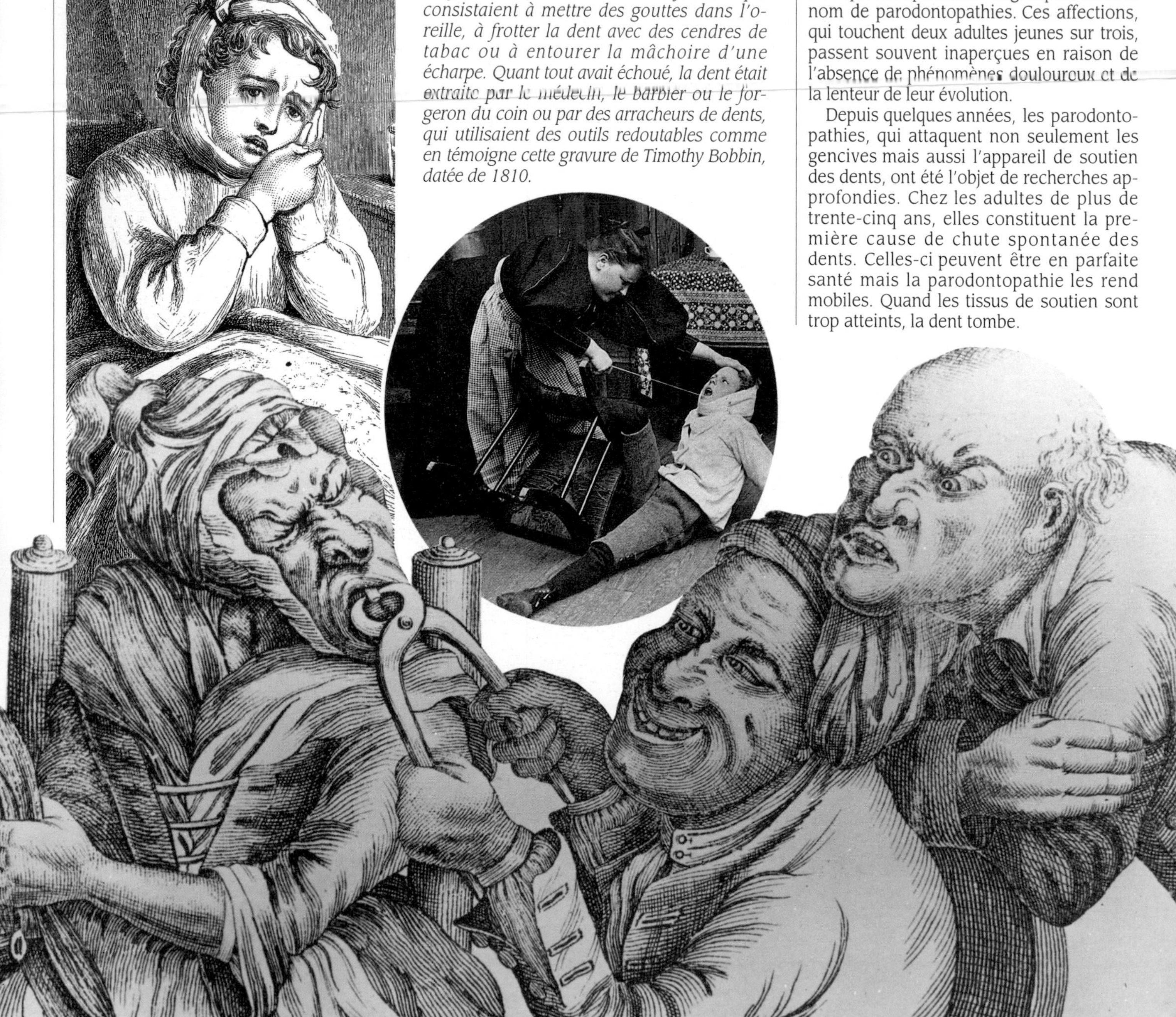

Le mal de dents était autrefois soigné au moyen de remèdes de bonne femme qui consistaient à mettre des gouttes dans l'oreille, à frotter la dent avec des cendres de tabac ou à entourer la mâchoire d'une écharpe. Quant tout avait échoué, la dent était extraite par le médecin, le barbier ou le forgeron du coin ou par des arracheurs de dents, qui utilisaient des outils redoutables comme en témoigne cette gravure de Timothy Bobbin, datée de 1810.

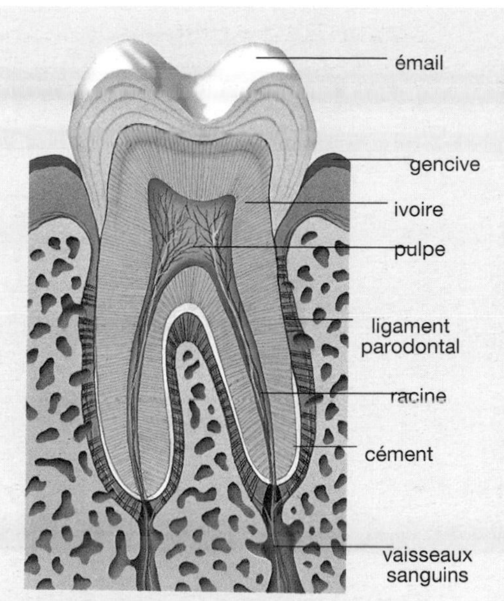

Une dent est une structure complexe faite d'ivoire et d'émail qui protègent une pulpe richement vascularisée et innervée.

DES OUTILS PARFAITS

Nos premières dents de lait apparaissent environ six mois après la naissance et les autres pendant les deux à trois années qui suivent. Vers l'âge de six ans, la dentition de lait est progressivement remplacée par les dents définitives.

Ces dents, au nombre de trente-deux, comprennent huit incisives en forme de ciseau situées sur la partie antérieure de la mâchoire et dont le rôle est de couper les aliments : quatre canines, longues et pointues, qui déchirent la nourriture ; huit prémolaires ; et enfin douze molaires situées au fond de la bouche. Prémolaires et molaires effectuent le broyage des aliments. Les dents de sagesse, qui font partie des molaires, sont les dernières dents à apparaître. Chez certains sujets, elles ne poussent jamais.

Toutes les dents ont la même structure de base. Au centre de la dent se trouve la pulpe, tissu richement innervé et vascularisé. Elle est enfermée dans une substance dure, de couleur jaune clair, appelée ivoire ou dentine. La dent est fixée dans la gencive par des racines qui sont implantées dans des alvéoles creusées dans les maxillaires. Les racines sont entourées de cément, un tissu osseux très résistant. Le ligament parodontal a deux fonctions : il unit le cément à la gencive et au maxillaire et il absorbe les chocs quand les dents frottent les unes contre les autres pendant la mastication.

L'émail, qui est le plus dur tissu du corps, recouvre la partie apparente de la dent. Malgré sa résistance, l'émail a un ennemi mortel : le sucre, dont les résidus fermentent et fabriquent un acide qui l'attaque. Des dents saines constituent un capital précieux : elles nous permettent non seulement de manger avec appétit mais aussi d'arborer un sourire irréprochable.

La plupart des maladies du parodonte résultent de la combinaison de plusieurs facteurs : une prédisposition plus ou moins héréditaire ; des causes générales comme le diabète, des carences alimentaires pendant la puberté ou la grossesse, l'ostéoporose ; et surtout des facteurs locaux, avec la constitution d'une plaque dentaire faite de dépôts microbiens, puis la formation de tartre, qui se dépose sur la face interne des dents et est favorisé par une hygiène bucco-dentaire déficiente ou des malpositions dentaires gênant le brossage. La plaque provoque une inflammation des gencives. Des poches se forment entre la gencive et les dents : en retenant la plaque, elles aggravent l'inflammation. Les gencives congestionnées saignent facilement, même si le brossage des dents est effectué avec une brosse douce. Si le premier stade de l'inflammation passe inaperçu, l'infection s'étend et avec le temps la dent se déchausse.

Un détartrage approfondi et des soins appropriés empêchent la maladie d'évoluer, mais dans les cas les plus sévères une intervention chirurgicale est souvent nécessaire. Elle consiste à remodeler les gencives pour que le patient puisse les brosser efficacement dans les moindres recoins. Une hygiène bucco-dentaire rigoureuse reste la meilleure prévention.

Elle commence par un brossage soigné qui insiste sur les espaces interdentaires et dont l'efficacité peut être testée au moyen de pastilles ou de gouttes qui, en colorant la plaque, mettent en évidence les endroits que la brosse n'atteint pas.

Les bactéries sont à l'origine de nombreux problèmes dentaires. Sur cette microphotographie colorisée, on voit les bactéries apparaissant sous forme de bâtonnets rouges, grossis environ cent fois, sur le fond jaune d'une dent.

Comment peut-on radiographier les dents ?

Il y a quelques années, la visite annuelle chez certains dentistes comprenait toujours une radiographie des dents. Les radiographies mettant souvent en évidence des problèmes invisibles à l'œil nu, cette pratique semblait justifiée.

De même que les examens radiographiques du poumon ne font plus systématiquement partie des bilans effectués par la médecine du travail, les radiographies des dents sont de moins en moins pratiquées. Les rayons X présentant des dangers de radiations, médecins et spécialistes essaient de limiter leur utilisation.

Un nouveau système de radiographie électronique présente moins de risque. En permettant de visualiser les dents sur un écran d'ordinateur, il met à la disposition du dentiste une technique d'exploration plus rapide et moins dangereuse. Les radiations sont réduites d'un tiers, voire de moitié par rapport aux radiographies conventionnelles. Dans ce système informatisé, un petit senseur électronique remplace la pellicule. Les rayons X sont projetés sur le senseur, qui est relié à un micro-ordinateur. L'image est instantanée. À partir de l'écran ou d'un tirage sur imprimante, le dentiste peut expliquer précisément au patient les soins qui doivent être entrepris.

Quels facteurs déterminent la couleur des dents ?

Certains individus ont les dents plus éclatantes que d'autres mais, tout comme la peau, les dents ne sont jamais vraiment blanches. Leur couleur varie à l'intérieur d'une gamme de jaunes, de beiges et de gris. Comme la couleur de la peau, la couleur des dents est héréditaire.

Les dents foncent avec l'âge parce que la pulpe rouge qui est au cœur de chacune et qui lui donne sa brillance descend progressivement dans la racine. Elle est remplacée par de l'ivoire, ce tissu résistant qui entoure la pulpe de la dent. Cette deuxième couche d'ivoire, ou ivoire secondaire, est plus sombre et moins translucide que l'ivoire d'origine, qui se trouve juste sous la couche d'émail.

Au fil des années, des brossages trop violents avec une brosse dure et un dentifrice abrasif abîment l'émail. L'ivoire perce alors à travers l'émail sous la forme de taches jaunes qui ternissent les dents.

Certaines stries ou taches blanches sont parfois causées par des anomalies du développement des dents. Les germes des dents de lait se forment avant la naissance, vers la douzième semaine de la vie intra-utérine. Les dents définitives, à l'exception des dents de sagesse, se développent pendant les quatre premières années de la vie. Des cristaux de phosphore et de calcium, charriés par le système sanguin, constituent 70 % de l'ivoire et 95 % de l'émail de ces deux séries de dents. Une quantité insuffisante ou trop importante de cristaux peut être à l'origine d'une décoloration des dents. Si les taches blanches sont trop prononcées, des traitements esthétiques peuvent les estomper.

Mais les colorations anormales des dents sont surtout dues à l'alimentation et au tabac. Le thé et le café, ainsi que les liquides qui contiennent du fer et certains médicaments, font jaunir les dents. Absorbés pendant le développement des dents, les antibiotiques de type tétracyclines leur donnent une teinte jaune ou marron. Une absorption excessive de fluor pendant la formation des dents peut tacheter l'émail. Cette perturbation porte le nom de fluorose. Les dentifrices qui prétendent blanchir les dents peuvent tout au plus leur rendre leur couleur naturelle.

Le blanchiment est la seule méthode qui permette d'éclaircir la couleur des dents. Le dentiste utilise de puissants agents de blanchiment qu'il applique sur l'émail. Il peut renforcer l'action des produits en exposant les dents à une source de chaleur ou à des ultraviolets. Une autre technique, qui se pratique chez soi, consiste à porter une gouttière remplie d'une préparation élaborée par le dentiste. Celui-ci peut améliorer la couleur des dents en les coiffant de jaquettes ou de couronnes en porcelaine ou en résine.

Le brossage des dents matin et soir est le meilleur moyen d'éviter les caries et les maladies des gencives ; et d'arborer un sourire irréprochable en toute occasion...

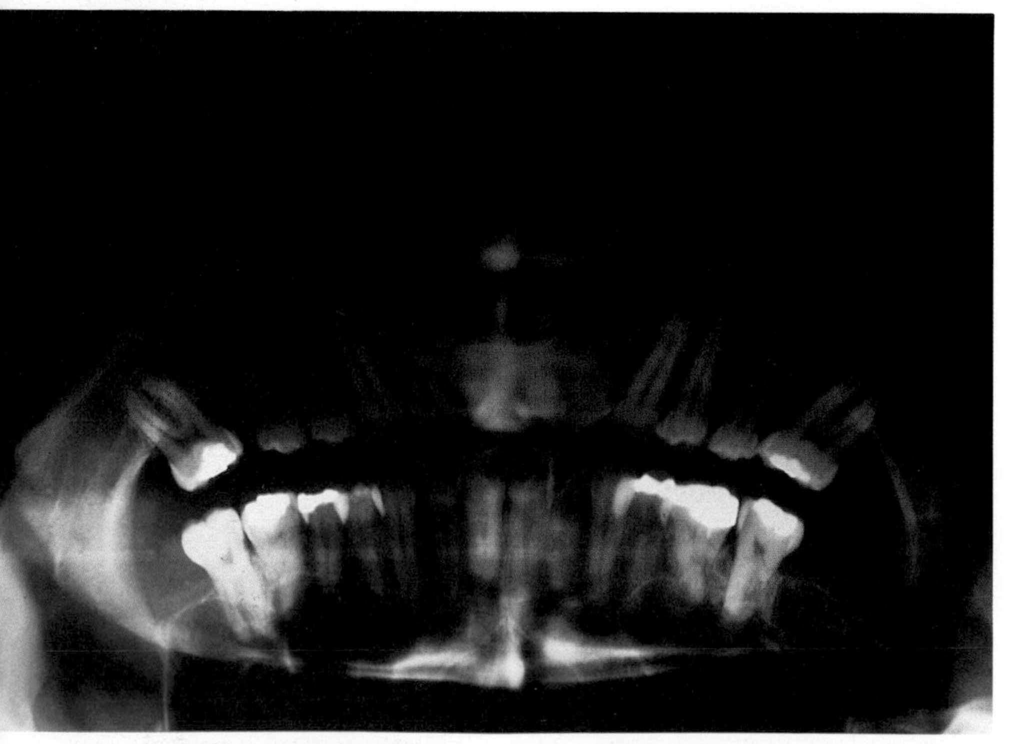

Une radiographie panoramique permet de visualiser l'intégralité de la dentition et des tissus avoisinants sur une même pellicule. Pris avec un appareil spécial qui balaie toute la mâchoire, ce cliché permet au dentiste de détecter les kystes, les fractures et les tumeurs.

Les mystères de l'oreille

Quel rôle joue chacune des trois parties de l'oreille ?

L'oreille est un organe extrêmement complexe qui comprend trois parties : l'oreille externe, l'oreille moyenne et l'oreille interne. Le pavillon, partie visible de l'oreille fait de peau et de cartilage, est l'élément le plus important. Très musclé et mobile chez l'animal, il joue un rôle tellement insignifiant chez l'homme que son amputation accidentelle affecterait à peine l'audition. Le pavillon et le conduit auditif forment l'oreille externe.

Les parties vitales de l'oreille – celles qui commandent l'audition et l'équilibre – se trouvent à l'intérieur du crâne. Ce sont des chefs-d'œuvre de miniaturisation. L'oreille moyenne a un système d'amplification constitué de trois os en chaîne, les osselets, logés à l'intérieur d'une cavité si petite que quatre ou cinq gouttes d'eau suffiraient pour la remplir. L'oreille interne, pas plus grosse qu'un petit pois, est constituée d'un réseau de circuits comparable à celui d'un central téléphonique.

Le son est d'abord capté par l'oreille externe. Puis les ondes sonores frappent le tympan et le font vibrer. Les vibrations du tympan déclenchent une réaction en chaîne des osselets. Le marteau relaie la vibration à l'enclume, qui la transmet à l'étrier. Les noms de ces trois os ont été inspirés par leur forme.

L'oreille interne est un des organes les mieux protégés du corps. C'est indispensable car elle joue un rôle essentiel dans le maintien de l'équilibre et elle abrite, entre autres, la cochlée.

La cochlée, appelée aussi limaçon, est un dispositif remarquable qui ressemble à une petite coquille d'escargot. Elle contient 20 000 cellules garnies de cils qui réagissent aux ondes sonores. Certaines sont étroites et rigides et activées par les sons aigus. D'autres, plus larges et plus flexibles, captent les sons graves. Quand ces récepteurs sensitifs vibrent, ils créent des influx que le nerf auditif transmet au cerveau.

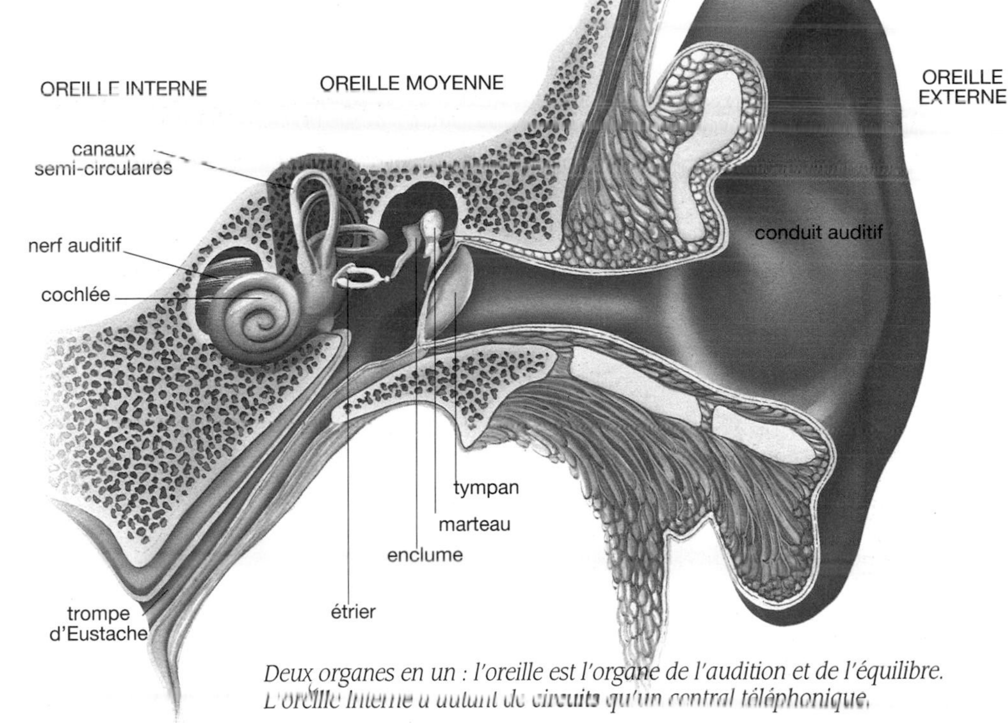

Deux organes en un : l'oreille est l'organe de l'audition et de l'équilibre. L'oreille interne a autant de circuits qu'un central téléphonique.

Par quoi sont provoqués les bourdonnements d'oreille ?

Il nous arrive parfois de percevoir d'étranges sensations auditives. Ces bourdonnements, sifflements ou tintements se produisent en l'absence de toute vibration de l'air environnant : ils naissent à l'intérieur même de l'oreille et, en général, disparaissent aussi vite qu'ils ont surgi.

Les médecins regroupent ces sensations sous le nom d'acouphènes et leur attribuent plusieurs origines : un bouchon de cérumen, la prise de certains médicaments comme l'aspirine ou la quinine, un bruit soudain et assourdissant. Dans ce cas, l'audition normale est rétablie dès que le facteur déclenchant est supprimé.

Certains sujets ne parviennent jamais à se débarrasser de la sensation d'acouphènes. Dans les cas les plus sévères, elle constitue un véritable handicap. Pour une raison inconnue et en l'absence de toute vibration extérieure, le nerf auditif envoie en permanence des impulsions au cerveau. Souvent, la cause est difficile à mettre en évidence mais, en règle générale, il faut soupçonner une lésion de l'oreille, du nerf auditif ou du cerveau.

Une exposition permanente au bruit, généralement liée à l'activité professionnelle, est un facteur de risque. L'otospongiose – une maladie dégénérative de l'étrier –, l'anémie, le diabète, certaines allergies et l'hypertension peuvent occasionner des acouphènes. Dans de rares cas, les acouphènes ont pour origine une tumeur au cerveau qui comprime un vaisseau.

À quoi est due la surdité ?

La surdité totale est très rare : ses victimes sont généralement des sujets sourds de naissance, infirmité qui touche un individu sur mille. La surdité partielle procède du processus normal de vieillissement. Quand elle survient chez un adulte jeune, elle est souvent due à une maladie, comme une infection de l'oreille moyenne, ou à un accident.

La surdité existe sous deux formes : la surdité de transmission et la surdité de perception. Dans le cas d'une surdité de transmission, une lésion du tympan ou de l'oreille moyenne empêche les ondes sonores d'atteindre l'oreille interne. Ce type de surdité peut avoir pour origine la formation d'un bouchon de cérumen ou une infection qui a provoqué un écoulement de pus dans l'oreille moyenne (otite).

La surdité de perception est généralement due à une lésion de l'oreille interne

La surdité de Beethoven obligea le musicien à abandonner sa carrière de pianiste pour se consacrer à la composition.

UNE QUESTION D'ÉQUILIBRE

Le funambule Blondin traverse les chutes du Niagara en 1859.

L'équilibre est un phénomène complexe qui exige la circulation permanente de signaux dont le cerveau est l'expéditeur ou le destinataire. Si, par exemple, un faux pas nous fait tomber sur le côté, notre premier réflexe est de tendre le bras du côté opposé pour rétablir l'équilibre. La synchronisation des réactions d'équilibration atteint la perfection chez le funambule.

Le cerveau est informé de la position du corps par trois sources. Les yeux fournissent des données visuelles. Des récepteurs sensitifs de la peau, des muscles et des articulations rendent compte de la position et du mouvement des diverses parties du corps. Enfin, des cellules réceptives très sensibles situées dans l'oreille interne déclenchent des influx nerveux pour aviser le cerveau des mouvements de la tête. La moindre lésion de l'oreille, en particulier de l'oreille interne, peut perturber notre équilibre. Le labyrinthe de l'oreille interne comprend trois canaux semi-circulaires remplis de fluide. À chaque mouvement de la tête, ces fluides se déplacent et stimulent les cellules ciliées, qui alertent immédiatement le cerveau. Les cellules sensitives de la cochlée – la partie en spirale de l'oreille interne qui change les vibrations sonores en influx nerveux – interviennent également dans le maintien de l'équilibre.

ou du nerf auditif. Certains enfants présentent ce type de surdité dès la naissance, soit parce que la mère a contracté la rubéole au cours des trois premiers mois de grossesse, soit à la suite d'un problème pendant l'accouchement.

Certaines maladies comme l'encéphalite, la maladie de Ménière et quelques infections virales peuvent endommager la cochlée et d'autres mécanismes fragiles de l'oreille interne et provoquer une surdité de perception. Enfin, le vieillissement s'accompagne souvent d'une dégénérescence de l'organe sensoriel – oreille interne – et des centres d'intégration. L'oreille atteinte de cette forme de surdité perçoit moins bien les sons aigus que les sons graves.

L'audiométrie identifie rapidement le type de surdité qui est à l'origine de la diminution ou de la suppression de l'audition. Le volume de la voix peut être un indice : le malade atteint de surdité de transmission parle doucement parce que sa voix lui paraît forte. Le patient atteint de surdité de perception a tendance à crier car il a l'impression de parler à voix basse.

Pourquoi avons-nous mal aux oreilles ?

Le mal d'oreille est l'une des plus fréquentes et des plus douloureuses maladies de l'enfance. L'infection de l'oreille moyenne – ou otite moyenne aiguë – en est la cause la plus courante. Une douleur lancinante, une forte fièvre et une diminution de l'acuité auditive peuvent précéder une perforation spontanée du tympan suivie d'un écoulement de pus.

Parfois, l'infection atteint le conduit auditif, provoquant son inflammation et la formation d'un abcès très douloureux ou d'un furoncle.

L'éruption de vésicules herpétiques dans le conduit auditif est plus rare mais, dans ce cas, la douleur persiste longtemps après la disparition de l'infection.

L'oreille externe et les zones voisines étant innervées par des nerfs communs, le mal d'oreille peut aussi être dû à un problème dentaire, à une infection de la gorge, à un problème de mâchoire ou de cou. Un rhume, la grippe, la scarlatine, les oreillons et la rougeole peuvent donner mal aux oreilles. Comme l'oreille, le nez et la gorge communiquent entre eux, il est facile pour les virus et les bactéries de remonter par les trompes d'Eustache pour se fixer dans l'oreille moyenne, où ils se multiplient. La muqueuse qui tapisse l'oreille moyenne se défend et il s'ensuit une formation de pus. L'augmentation de pression dans l'oreille moyenne entraîne une sensation douloureuse et une surdité provisoire. Un mal d'oreille persistant ne doit pas être négligé. Une infection des oreilles peut évoluer vers une mastoïdite, une méningite et parfois même un abcès au cerveau.

Le barotraumatisme

Si vous montez au dernier étage d'un gratte-ciel ou si vous descendez dans un puits de mine, il vous faut avaler plusieurs fois votre salive pour contrebalancer une sensation de gonflement des tympans et d'oreilles bouchées.

Toutes ces activités ont un point commun. Quand nous nous déplaçons très vite vers le haut ou vers le bas, nous modifions la pression de l'air contre nos tympans. La pression de l'air diminue avec l'altitude ; elle s'élève sous l'eau ou sous terre. Lorsque la pression extérieure baisse (au décollage d'un avion par exemple), l'air qui est dans l'oreille moyenne est en surpression ; il pousse le tympan vers l'extérieur. Lorsque la pression extérieure augmente (avion qui atterrit, plongée...), l'air ambiant pousse la membrane du tympan vers l'intérieur.

Normalement, l'équilibre entre les pressions extérieure et intérieure est rétabli par la trompe d'Eustache, qui relie l'oreille moyenne et le pharynx. En escaladant une montagne par exemple, nous avons le réflexe d'avaler notre salive plusieurs fois. Ce mouvement de déglutition ouvre un orifice à l'extrémité de la trompe d'Eustache qui laisse entrer ou expulse de l'air pour harmoniser les pressions interne et externe. Si les variations de pression sont faibles, les mouvements spontanés de déglutition suffisent. Si elles sont rapides, les mouvements doivent être volontaires et répétés. Dans ce cas, nos tympans se chargent de nous rappeler à l'ordre.

Ce phénomène est connu sous le nom de barotraumatisme. En principe, il s'estompe rapidement après quelques déglutitions ou bâillements, mais il peut présenter un danger en raison du lien étroit qui unit la gorge, le nez et les oreilles. Sous l'effet d'un barotraumatisme, une infection des voies aériennes peut entraîner des troubles de l'oreille interne ou une rupture de tympan.

Voyage au centre du cerveau

Pourquoi le cerveau est-il un organe unique ?

Le cerveau est le seul organe qui assure la supériorité de l'homme sur les autres espèces. En effet, comparés à ceux des animaux, nos membres, nos yeux, nos oreilles ou nos poumons n'ont rien d'exceptionnel. Les oiseaux ont, par exemple, une meilleure vue que nous, et la plupart des bêtes sauvages possèdent des capacités physiques supérieures aux nôtres. Mais l'homme est la seule créature à posséder la faculté de raisonner, de juger, de créer, de composer de la musique ou d'apprécier la poésie. Hippocrate, le père de la médecine, a écrit un jour : « C'est dans le cerveau, et nulle part ailleurs, que naissent nos plaisirs, nos joies et nos rires, mais aussi nos chagrins, nos douleurs, nos peines et nos peurs. » Le cerveau est l'organe central, qui contrôle et coordonne l'activité de tous les autres organes et de tous les systèmes.

On a souvent comparé le cerveau humain à un ordinateur. Mais un ordinateur traite une donnée à la fois, après avoir été programmé pour le faire, et ne peut ni rejeter sa chaîne de programmes ni refuser de travailler. Il est incapable de rire et il ne tombera jamais amoureux. Alors que si, par un hasard étrange, nous trouvions un ordinateur sur la Lune sans en avoir jamais vu auparavant, il ne nous faudrait pas longtemps pour percer ses mystères, aussi déconcertants soient-ils ; le cerveau humain est la structure la plus complexe de l'Univers, et la dernière grande barrière biologique qui soit.

Notre cerveau envoie et reçoit autour de 50 millions de messages par seconde. Il contrôle nos pensées et nos émotions, il stocke nos souvenirs et dirige chacun de nos mouvements conscients et inconscients. Sans cerveau, nous ne pourrions ni respirer, ni digérer, ni éliminer.

Les chercheurs commencent seulement à comprendre le fonctionnement précis du cerveau et ses mécanismes. Avant la fin de la décennie, ils espèrent être en mesure de dessiner avec l'exactitude et la minutie d'un cartographe les millions de sillons microscopiques qui parcourent cet univers inexploré. Cette aventure est une immense gageure. Plus de 100 milliards de cellules nerveuses – ou neurones – sont enchevêtrées à l'intérieur du cerveau. Chaque cellule est prolongée par un réseau d'environ 100 000 fibres. Le rôle des cartographes du cerveau est de déterminer les fonctions spécifiques de chaque zone en identifiant, par exemple, les pièces du puzzle qui interviennent quand nous extirpons un souvenir de notre mémoire.

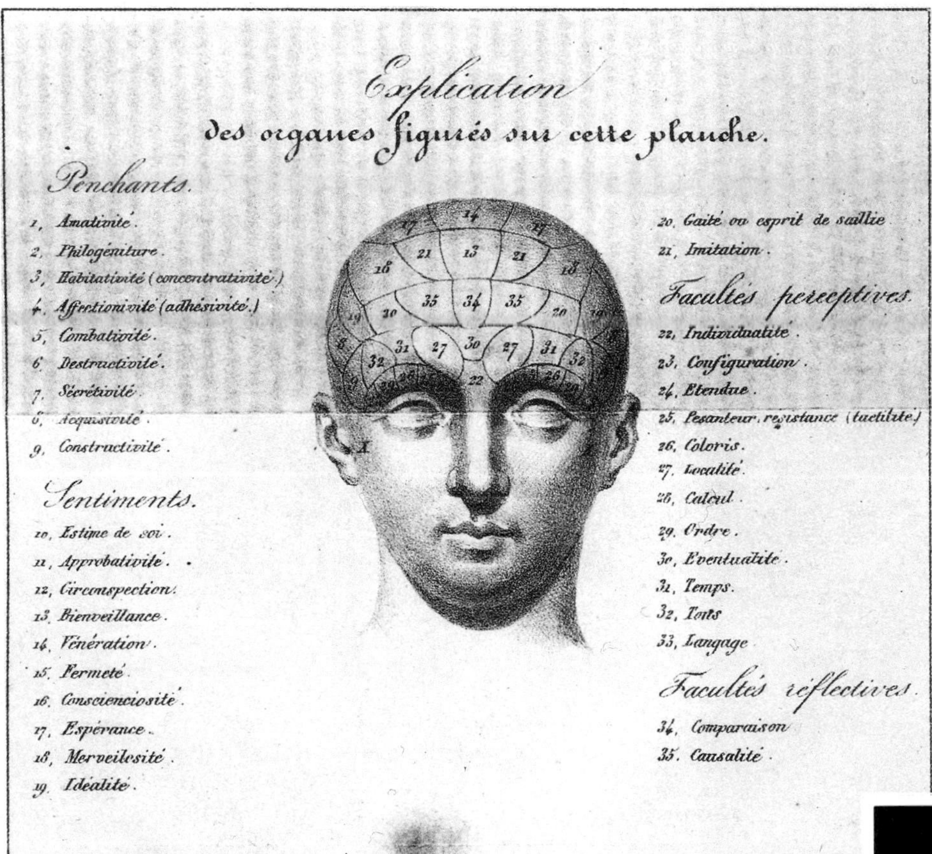

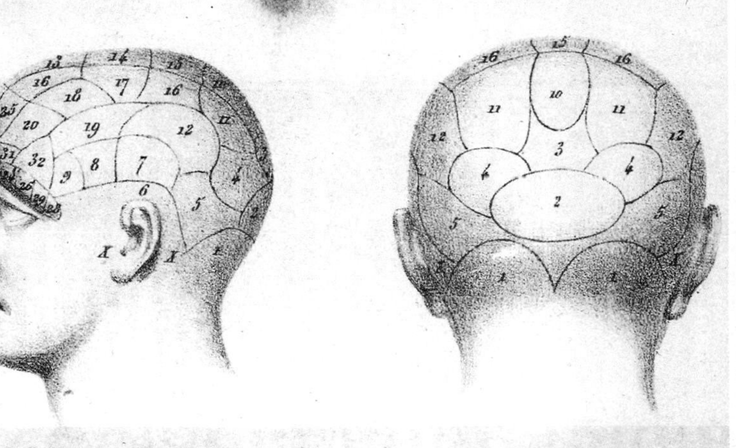

N.B. En avant et en arrière de l'oreille, on voit deux XX dont le premier correspond à l'alimentivité, et le second à l'amour de la vie organes douteux.

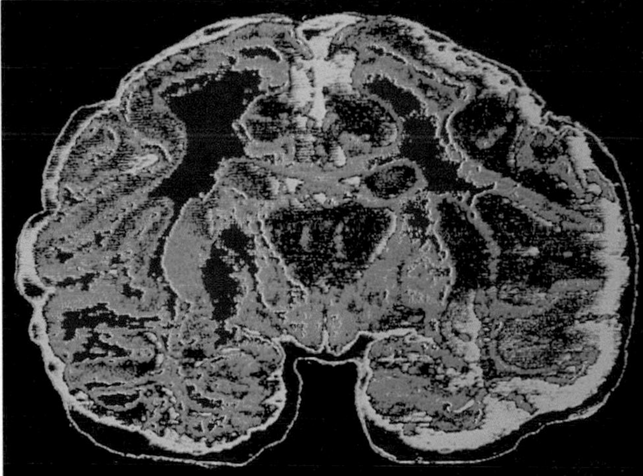

Les IRM (images par résonance magnétique) permettent aux spécialistes de tester les réactions des diverses zones du cerveau et de détecter des troubles d'ordre psychiatrique. Sur la planche de gauche, une vue encore naïve des théories sur les localisations cérébrales.

Pour dessiner cette carte, les chercheurs ne partent pas de zéro. Depuis le XIXe siècle, de grands progrès en neurologie ont fait avancer l'exploration de la géographie du cerveau. Dans un premier temps, l'autopsie du cerveau pratiquée sur des sujets paralysés par un accident vasculaire cérébral, ou victimes de troubles neurologiques, a permis aux spécialistes de mettre en évidence des tumeurs ou d'autres types d'anomalies.

Plus récemment, les médecins ont pu établir des liens entre diverses lésions cérébrales et la disparition de certaines facultés. Parallèlement à ces recherches, des neurochirurgiens ont effectué des stimulations électriques sur des patients au cours d'opérations du cerveau. Ces deux types de travaux ont permis de déterminer le rôle spécifique joué par chaque zone du cerveau dans le contrôle de l'activité physique et mentale.

Grâce à des procédés d'exploration comme le scanner, on a pu obtenir des images superbes de l'anatomie du cerveau. D'autres méthodes ont fait leur apparition depuis : elles sont fondées sur l'analyse de l'activité électrique, magnétique et chimique, grâce à laquelle le cerveau fait circuler ses messages.

La technique de la TEP (tomographie par émission de positons) permet aux chercheurs de localiser les cellules nerveuses qui interviennent dans l'accomplissement de diverses fonctions. Les cellules actives consomment davantage de glucose, qui est la principale source d'énergie de l'organisme. Après avoir injecté à des volontaires une petite quantité de glucose radioactif, qui va servir de traceur, le médecin effectue différents tests. Un scanner TEP suit le glucose pour repérer les cellules nerveuses qui réclament de l'énergie. Le scanner indique les zones de consommation de glucose à un ordinateur, qui dessine alors une carte de l'activité cérébrale. Ce type d'exploration peut également être utilisé pour suivre le flux sanguin cérébral et enregistrer ses innombrables impulsions magnétiques et électriques.

Quand la carte sera complète, nous en saurons davantage sur les mystérieuses circonvolutions du cerveau. La science aura fait un grand pas en avant, mais ses réalisations – aussi remarquables soient-elles – n'égaleront jamais le miracle du cerveau, qui, après tout, dirige sa propre exploration.

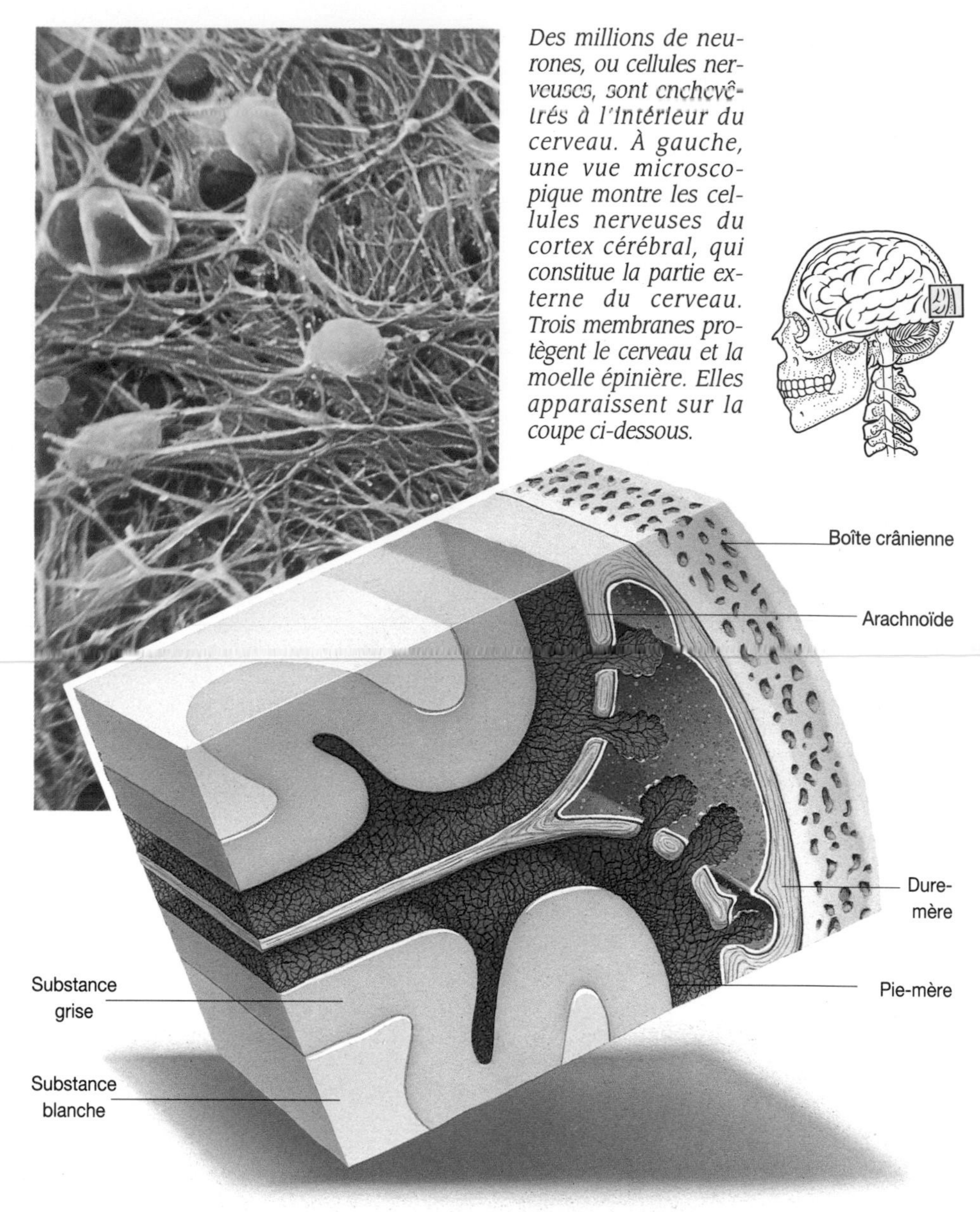

Des millions de neurones, ou cellules nerveuses, sont enchevêtrés à l'intérieur du cerveau. À gauche, une vue microscopique montre les cellules nerveuses du cortex cérébral, qui constitue la partie externe du cerveau. Trois membranes protègent le cerveau et la moelle épinière. Elles apparaissent sur la coupe ci-dessous.

Qu'est-ce que la matière grise ?

Si vous assistiez à une opération du cerveau, vous verriez, dans un premier temps, les chirurgiens percer un ou plusieurs petits trous dans la tête du patient avant de découper la boîte crânienne avec une scie, dite de Gigli, constituée d'un fil tranchant. Le volet osseux serait alors soit basculé sur le côté, soit complètement enlevé.

À travers l'ouverture ainsi pratiquée, vous auriez un premier aperçu du cerveau en découvrant tout d'abord la dure-mère : ce tissu fibreux et résistant constitue la couche externe des méninges, les trois solides membranes qui enveloppent et protègent le cerveau et la moelle épinière.

Une fois que le chirurgien aurait découpé la dure-mère, cautérisé les vaisseaux et repoussé la gaine durale, vous verriez apparaître une substance brillante de couleur gris clair qui émet des pulsations lentes : c'est la partie externe du cerveau, appelée cortex. Le même terme est employé pour désigner la zone périphérique d'autres organes, comme les reins ou les glandes surrénales. Le cortex cérébral a 3 mm d'épaisseur et il contient des millions de cellules nerveuses réparties sur six couches. Il est le siège des fonctions cérébrales majeures, comme la pensée, les sensations et le mouvement.

Alors que sur les schémas détaillés certains éléments du cerveau portent des noms savants, comme corps calleux, gyrus, scissures, le cortex est appelé tout simplement substance ou matière grise, même dans les ouvrages spécialisés. Sous la substance grise du cortex se trouve la substance blanche. Elle est constituée de réseaux de fibres nerveuses qui dessinent de petits tentacules. Ces fibres assurent les connexions, d'une part, entre les différentes cellules de la matière grise et, d'autre part, entre la matière grise et les autres centres nerveux du cerveau ainsi que du tronc cérébral.

Pourquoi le cerveau a-t-il besoin d'oxygène ?

La respiration est une fonction vitale qui, lorsqu'elle s'arrête, doit être impérativement rétablie le plus rapidement possible. Un asphyxié qui reprend conscience après une réanimation intervenue trop tardivement présentera des lésions cérébrales irréversibles. Le cerveau est le seul organe qui, en principe, ne peut pas survivre plus de quatre à cinq minutes sans oxygène.

Les autres organes ne sont pas aussi fragiles et, de nos jours, les progrès accomplis dans le domaine de la microchirurgie permettent de greffer des doigts, des mains ou des membres entiers sectionnés depuis plusieurs heures. Si le membre amputé a été soigneusement conservé – c'est-à-dire enveloppé dans du plastique et stocké dans de la glace –, il retrouvera ses fonctions.

Le cerveau est composé de millions de cellules constamment actives, que l'organisme soit en état de veille ou de sommeil. Chaque globule rouge sanguin est constitué de plusieurs millions de molécules d'hémoglobine, qui transportent chacune quatre molécules d'oxygène. L'oxygène fournit l'énergie nécessaire pour déclencher les réactions chimiques de toutes les cellules vivantes. Si les cellules du cerveau sont privées d'oxygène, elles meurent. Comme elles sont interdépendantes, la mort de certaines cellules en condamne d'autres.

Jusqu'à une époque récente, les médecins pensaient que quelques minutes sans oxygène suffisaient pour occasionner des lésions cérébrales irréversibles. Ils ont dû réviser leur théorie à la faveur de quelques exemples qui ont fait exception à la règle : on a vu, par exemple, des noyés revenir à la vie après une demi-heure ou plus de mort apparente. Ces survies ont été essentiellement observées après des noyades en eau froide. En effet, le froid engendre une hypothermie qui réduit les métabolismes. Ce phénomène est exploité par les chirurgiens, qui, au cours de certaines interventions, abaissent artificiellement la température du corps du patient ; on parle alors d'hypothermie provoquée. Dans le cas des asphyxies par noyade en eau froide, l'abaissement de la température du corps ralentit les métabolismes et réduit les besoins en oxygène du cerveau et des autres organes.

Le cerveau se met alors à tourner au ralenti et d'autres parties du corps, comme les membres, renoncent à leur ration d'oxygène pour l'envoyer là où il est indispensable. Tous les secouristes savent que, lorsque la tête du noyé est hors de l'eau, l'hypothermie n'agit plus : la réanimation doit alors commencer immédiatement.

Qu'est-ce que la sensation de membre fantôme ?

Les sujets amputés d'un membre – ou même d'un doigt seulement – ont parfois l'impression désagréable que l'élément sectionné est toujours là. Cette sensation de membre fantôme est souvent exacerbée par le froid.

Pendant la Première Guerre mondiale, des milliers de jeunes soldats ont subi des amputations, et les médecins militaires attribuaient la sensation de membre fantôme à la lésion des terminaisons nerveuses. Pour essayer de prévenir ce désagrément chronique et souvent

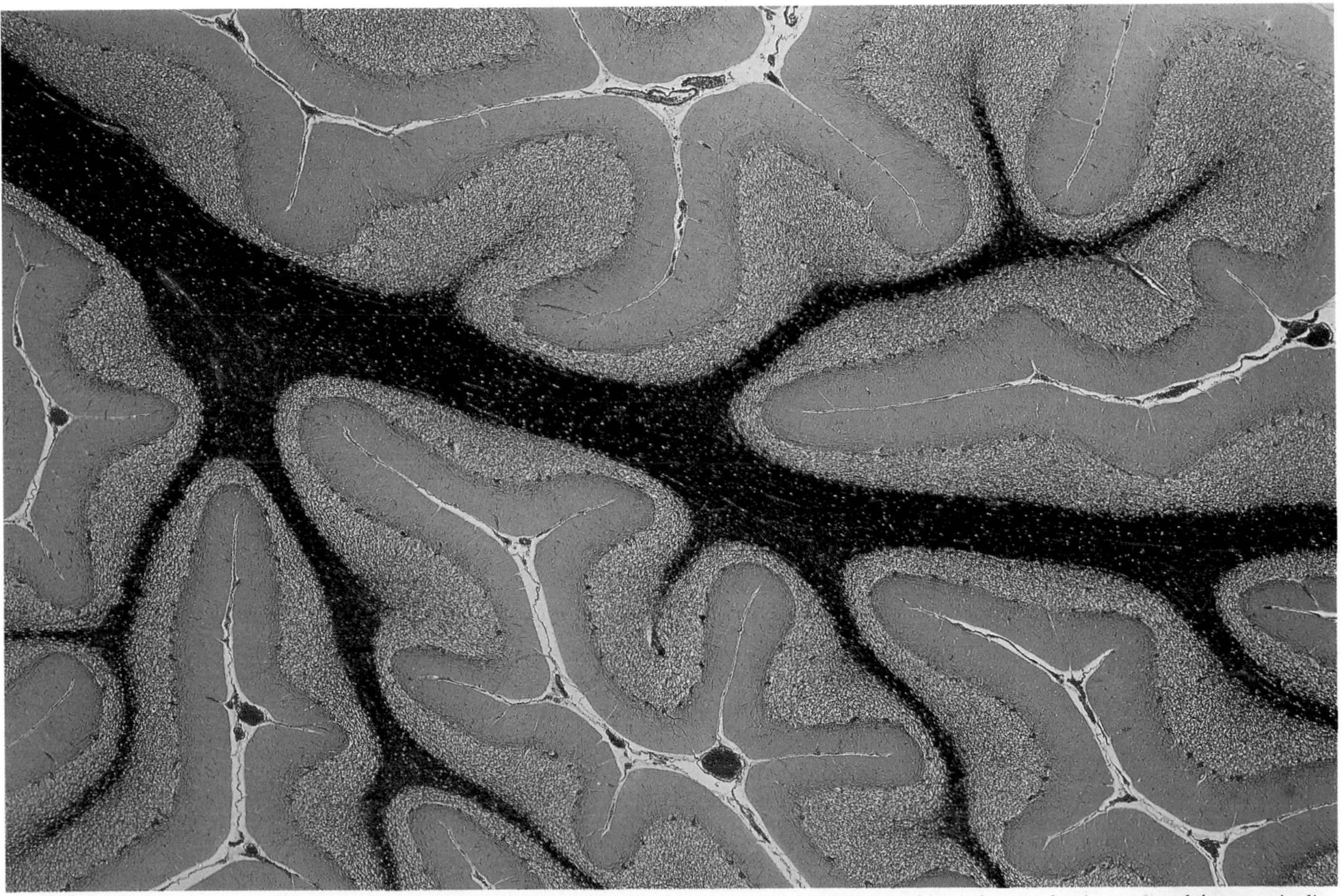

Nos gestes quotidiens sont contrôlés par le cervelet, dont les cellules nerveuses, sur microphotographie ci-dessus, dessinent un schéma particulier. Les lésions du cervelet se traduisent par une mauvaise coordination des mouvements et un état de pseudo-ébriété à la marche.

douloureux, ils cautérisaient les terminaisons nerveuses des moignons. Mais cette pratique n'apportait aucune amélioration.

De nos jours, les neurochirurgiens ont découvert que, s'ils ouvrent le crâne d'un malade et qu'ils touchent légèrement le centre du lobe pariétal avec une aiguille, le sujet ressentira une sensation de picotements dans un membre. Si le médecin déplace l'aiguille, le patient ressentira les mêmes fourmillements à un autre endroit. Tout se passe comme si un plan du corps était dessiné à la surface du cerveau. Le seul moyen de supprimer la sensation de membre fantôme serait de la neutraliser à la source, autrement dit d'intervenir directement sur le cerveau.

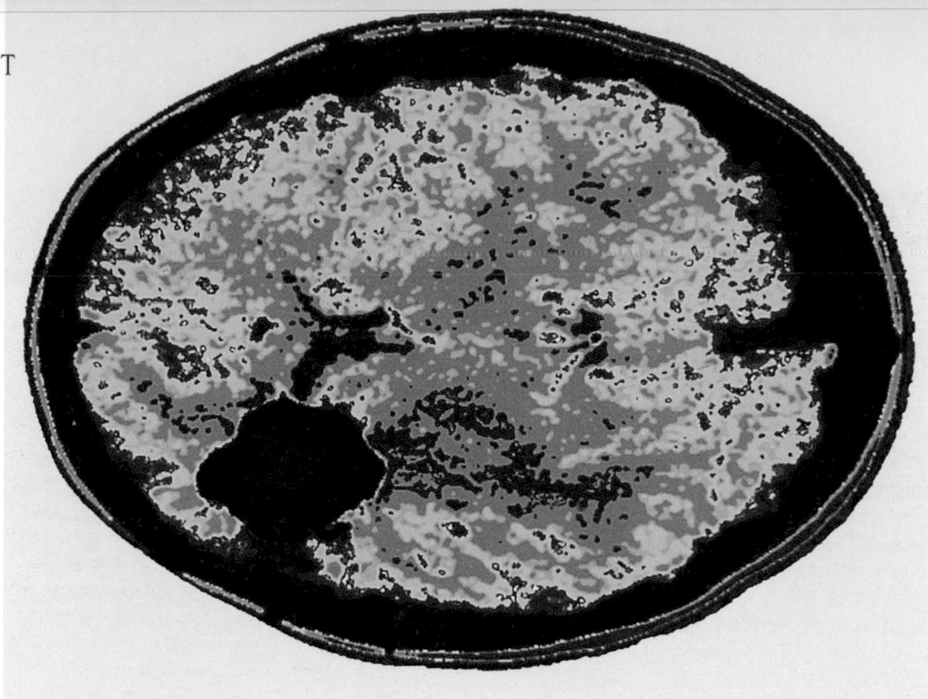

Le scanner a révolutionné le diagnostic des tumeurs cérébrales. Sur cette image tomodensitométrique du cerveau d'une adolescente de seize ans, la tumeur forme une masse ronde et bleue.

Comment se développe une tumeur du cerveau ?

Les tumeurs du cerveau ne sont pas plus fréquentes que les tumeurs des autres organes, mais elles sont souvent beaucoup plus difficiles à traiter.

Toutes les tumeurs cérébrales ne sont pas malignes : en fait, la moitié d'entre elles sont des tumeurs primitives, bénignes pour la plupart. En revanche, elles sont toutes graves. Le cerveau est un organe compact, encastré dans le crâne, où il occupe un espace limité. Si tel n'était pas le cas, il subirait des agressions continues et brutales, principalement au cours d'activités ou d'exercices physiques violents. Une tumeur qui se développe sur ou dans le cerveau crée un point de compression : le tissu cérébral est alors comprimé contre un autre tissu, contre les méninges ou la boîte crânienne.

Dans un premier temps, le malade se plaint de légers maux de tête. Puis la douleur s'intensifie rapidement, le champ visuel peut être amputé dans certaines zones, la vision peut devenir trouble dans un œil ou dans les deux, pour aboutir parfois à la cécité. Dans certains cas, on peut aussi observer une modification radicale, ou même une perte, de l'audition et de l'odorat. Aussi est-il indispensable en cas de mal de tête chronique de consulter rapidement un médecin. Il procédera à une série de tests sur les réflexes et sur les muscles. Un généraliste ne pourra cependant pas examiner le cerveau, car il ne dispose pas des outils de diagnostic utilisés dans les établissements hospitaliers. S'il soupçonne l'existence d'une tumeur, il orientera le patient vers un spécialiste. Ces dernières années, des techniques de pointe comme l'imagerie par résonance magnétique (IRM) ont révolutionné l'exploration du cerveau et de tous les organes en général. Une IRM du cerveau fournit des images très précises en coupe transversale, qui mettent en évidence des anomalies indétectables autrement.

Une fois que les spécialistes ont localisé une tumeur, deux problèmes se posent : d'une part, pour que l'ablation soit envisageable, il faut que la tumeur soit accessible, et surtout qu'elle ne siège pas dans une région vitale du cerveau. C'est en fonction de ces critères que le chirurgien décide ou non d'opérer. D'autre part, le caractère bénin ou malin de la tumeur ne peut être confirmé qu'après son ablation et son analyse.

Les tumeurs bénignes sont plus facilement identifiables. Leur ablation donne de bons résultats, surtout si la grosseur est localisée à la surface du cerveau. Les tumeurs cancéreuses débordent généralement sur d'autres tissus cérébraux, et le pronostic est nettement moins favorable : un seul patient sur cinq est actuellement encore en vie un an après que le cancer a été diagnostiqué. Plusieurs méthodes permettent de résorber des grosseurs difficilement accessibles. L'une d'entre elles consiste à pulvériser la tumeur au moyen d'un rayon laser guidé par un ordinateur. D'autres techniques permettent de bombarder l'excroissance de radiations ou de produits de chimiothérapie.

Aussi graves que soient les tumeurs du cerveau, les malades doivent cependant garder espoir : certaines parties du cerveau, auparavant inaccessibles, sont couramment opérées aujourd'hui.

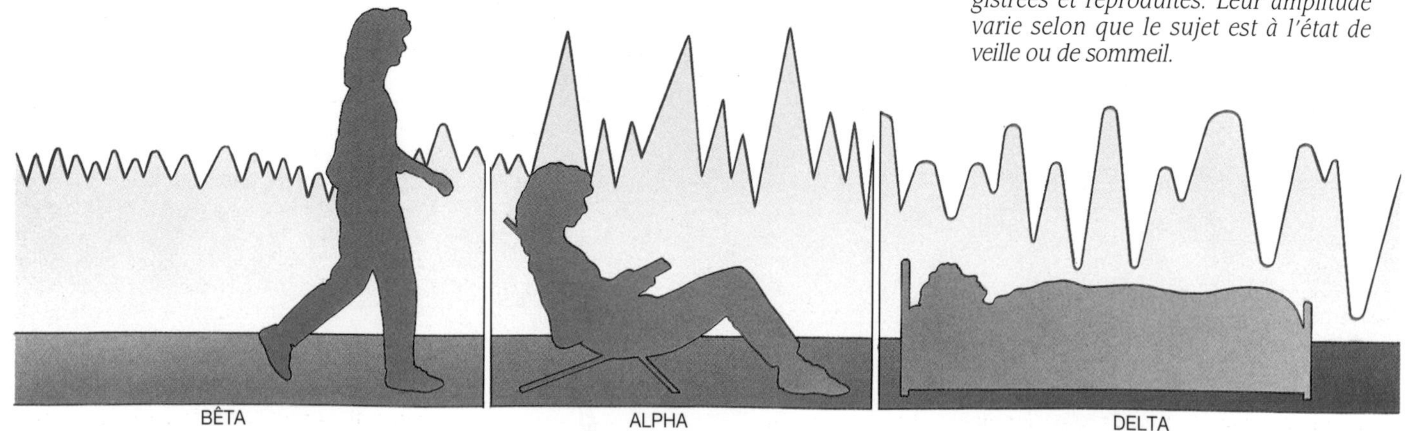

Les ondes cérébrales peuvent être enregistrées et reproduites. Leur amplitude varie selon que le sujet est à l'état de veille ou de sommeil.

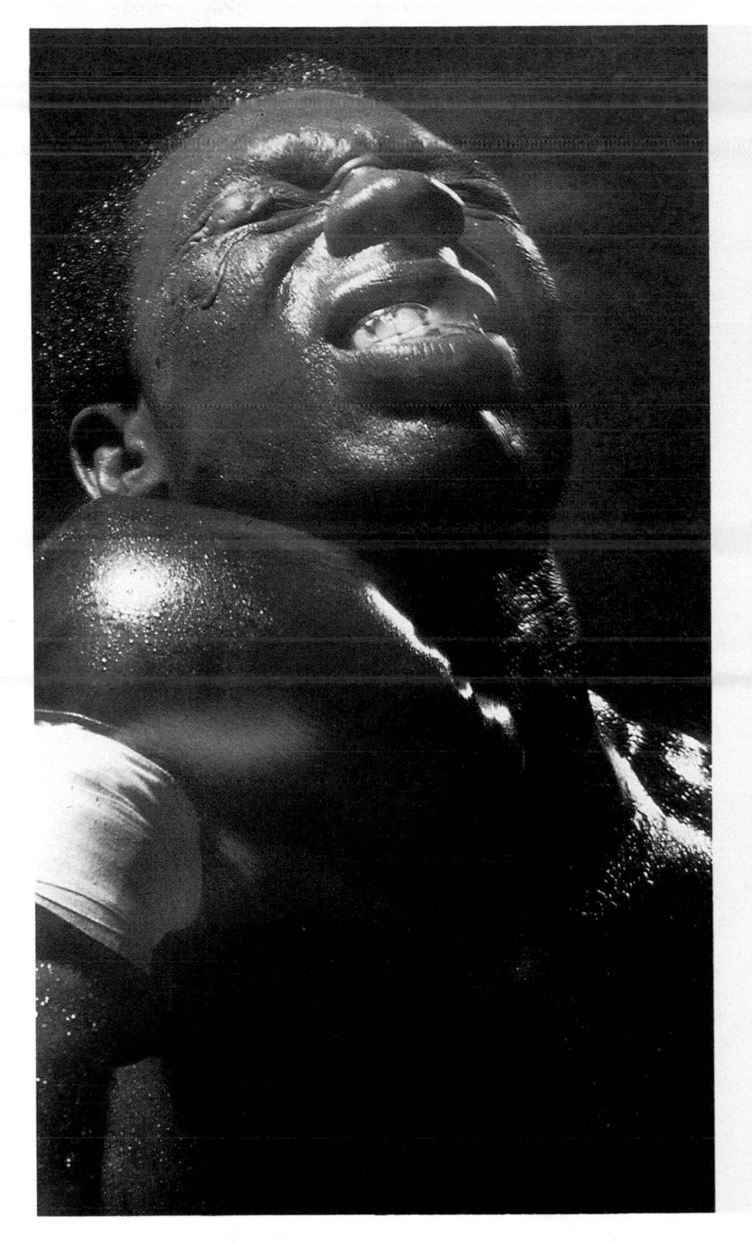

LA MÉMOIRE QUI FLANCHE

Au cours d'un match de football, il n'est pas rare de voir un joueur ayant reçu un coup brutal sur la tête rester hébété pendant quelques minutes. Les spectateurs ont alors l'impression qu'il ne sait plus où il est, et c'est parfois effectivement le cas. Le blessé souffre d'une commotion cérébrale. Selon la violence du choc, la commotion est légère, et elle se limite à la sensation passagère de mouches volantes dans le champ visuel, ou elle est plus grave, et ses effets durent alors plusieurs heures, voire plusieurs jours. Une commotion cérébrale sévère peut entraîner une syncope suivie d'une amnésie. Le footballeur ne se souvient plus de l'incident ni des détails du match. En règle générale, cette perte de mémoire est temporaire. Néanmoins, tout choc violent à la tête doit faire l'objet d'une consultation médicale pour détecter une éventuelle fracture. Si l'amnésie persiste au-delà d'une semaine, elle peut être le symptôme d'une grave lésion cérébrale.

Le cerveau a une impressionnante panoplie de défenses. C'est l'organe le mieux protégé du corps. Dans un premier temps, il est abrité par le crâne, formation osseuse qui constitue le squelette de la tête. Le crâne est extrêmement solide. La majorité des fractures dont il est victime sont des fractures simples, sans déplacement des parties cassées. Les fractures avec déplacement sont plus sérieuses, car des fragments d'os peuvent perforer l'enveloppe externe du cerveau.

À l'intérieur du crâne, le cerveau et la moelle épinière sont protégés, tels des colis fragiles, par plusieurs épaisseurs d'emballage. L'enveloppe superficielle est constituée par la dure-mère, très épaisse et très résistante, sous laquelle on trouve deux autres solides membranes : l'arachnoïde et la pie-mère, séparées par une couche de liquide céphalo-rachidien.

Malgré ces protections, un traumatisme cérébral violent peut provoquer des lésions provisoires ou définitives dans la zone du cerveau qui contrôle la mémoire.

L'amnésie n'est pas toujours due à un traumatisme crânien : elle peut être causée par la maladie d'Alzheimer, une encéphalite, une attaque ou une tumeur du cerveau. L'alcoolisme chronique et le vieillissement affectent aussi la mémoire.

La grimace de douleur d'un boxeur. Le cerveau est un organe particulièrement bien protégé, mais des traumatismes répétés peuvent engendrer des troubles irréversibles.

Qu'est-ce qu'une onde cérébrale ?

Il y a une soixantaine d'années, des chercheurs ont confirmé que le cerveau émettait des impulsions électriques. Ces ondes cérébrales fournissent des renseignements intéressants pour établir le diagnostic de certaines maladies.

L'activité électrique du cerveau est enregistrée et mesurée par une électroencéphalographie (ou EEG), technique qui consiste à appliquer de petites électrodes sur le cuir chevelu du patient. Ces électrodes sont reliées à des instruments qui mesurent et amplifient les impulsions cérébrales au cours d'une série de tests indolores durant environ une heure. Dans un premier temps, le patient est allongé, les yeux tantôt ouverts, tantôt fermés. Puis les réactions sont enregistrées quand le patient est exposé à une source de lumière violente. Parfois, les impulsions sont également analysées en phase de sommeil. Une succession de zigzags tracés par un stylet sur un cylindre de papier donne une représentation de l'activité cérébrale.

Chez un sujet détendu et éveillé, mais qui a les yeux fermés, le cerveau émet des ondes alpha. Les ondes bêta tracent des lignes rapides, qui signifient que le patient est actif. Si les tests sont effectués sur un sujet endormi ou anesthésié, le graphique fait apparaître des ondulations lentes et régulières : ce sont des ondes delta. Un tracé semblable mais plus ramassé est caractéristique des ondes thêta, qui dominent chez les jeunes enfants ; chez l'adulte, elles peuvent être le signe d'un trouble cérébral.

Les effets de l'alcool sur le cerveau

Des études récentes ont démontré que l'alcool, quand il est consommé en très faible quantité, n'est pas vraiment nocif pour l'organisme. Un verre de vin par jour peut même être bénéfique pour le cœur et diminuer les risques de maladies coronariennes. La plupart des médecins restent cependant assez sceptiques sur la valeur de ces découvertes, et ils insistent sur les ravages sérieux et prouvés de l'alcool sur certains organes vitaux. Il est souvent à l'origine de problèmes graves, comme la mésentente familiale, la délinquance et la maltraitance des enfants.

L'alcool exerce un effet dépresseur sur le système nerveux central en ralentissant son activité. Il a une action relaxante et euphorisante qui lui confère une place privilégiée dans la vie sociale.

L'alcool agit rapidement parce qu'il traverse la barrière méningée, véritable bouclier protecteur du cerveau. Le cerveau a besoin d'un environnement stable et préservé. De nombreuses substances étrangères et légèrement toxiques pénètrent quotidiennement dans le flux sanguin. Si elles atteignent le cerveau, ces substances peuvent provoquer des lésions graves. La barrière méningée empêche les substances constituées de grosses molécules de migrer du sang vers le cerveau, comme elles peuvent le faire vers la plupart des autres organes, qui ont des vaisseaux fins et poreux. La barrière hémato-encéphalique refoule les grosses molécules nocives, mais elle laisse passer les substances composées de petites molécules, comme l'oxygène ou l'alcool.

Si l'alcool ne pouvait pas s'infiltrer dans le cerveau, il n'aurait alors aucun effet décontractant et plus aucun intérêt.

L'attaque cérébrale

Une attaque cérébrale est une interruption de l'irrigation sanguine dans une partie du cerveau qui entraîne un ramollissement rapide des tissus privés d'oxygène et d'éléments nutritifs.

Une attaque cérébrale peut avoir trois causes principales. Dans environ 45 % des cas, un caillot sanguin détaché d'une plaque formée sur la paroi d'une artère migre, venant obstruer une artère cérébrale de diamètre plus petit en aval et réalisant un infarctus cérébral. Le plus souvent, ce caillot vient d'une grosse artère extracrânienne à destinée cérébrale, comme la carotide ou les artères cérébrales du cou. Dans 20 % des cas, le caillot est d'origine cardiaque, migrant à partir d'un cœur qui bat irrégulièrement ou en mauvais état. Enfin, dans 35 % à 40 % des cas, il s'agit d'une hémorragie cérébrale. La paroi d'un vaisseau sanguin artériel se dilate, formant une poche appelée anévrisme, dont la rupture entraîne une hémorragie cérébrale. L'anévrisme peut être lié à l'hypertension artérielle ou correspondre à une malformation des vaisseaux eux-mêmes.

Comme l'attaque endommage une partie spécifique du cerveau, les fonctions contrôlées par les cellules nerveuses de cette zone ne répondent plus. Selon les centres nerveux atteints, le sujet sera alors frappé d'aphasie (troubles ou perte du langage), de cécité, ou de paralysie partielle ou totale. Le cerveau est divisé en deux hémisphères : le droit et le gauche. Si les lésions sont localisées dans l'hémisphère gauche, la motricité de la partie droite du corps peut s'avérer impossible ou réduite. Cette paralysie unilatérale, fréquemment observée après une attaque, porte le nom d'hémiplégie.

Parfois, les effets de l'attaque s'estompent au bout d'une journée. Ce phénomène, que les médecins appellent accident ischémique transitoire, doit cependant être considéré comme une urgence et nécessite un traitement approprié.

Les attaques cérébrales constituent une des premières causes de mortalité dans les pays industrialisés. Dans la majorité des cas, l'hypertension et l'athérosclérose – ou rétrécissement des artères – sont à l'origine de l'accident.

Tel un ballon rouge, l'anévrisme cérébral est mis en évidence par une angiographie, procédé de visualisation des vaisseaux après injection d'un produit de contraste opaque aux rayons X.

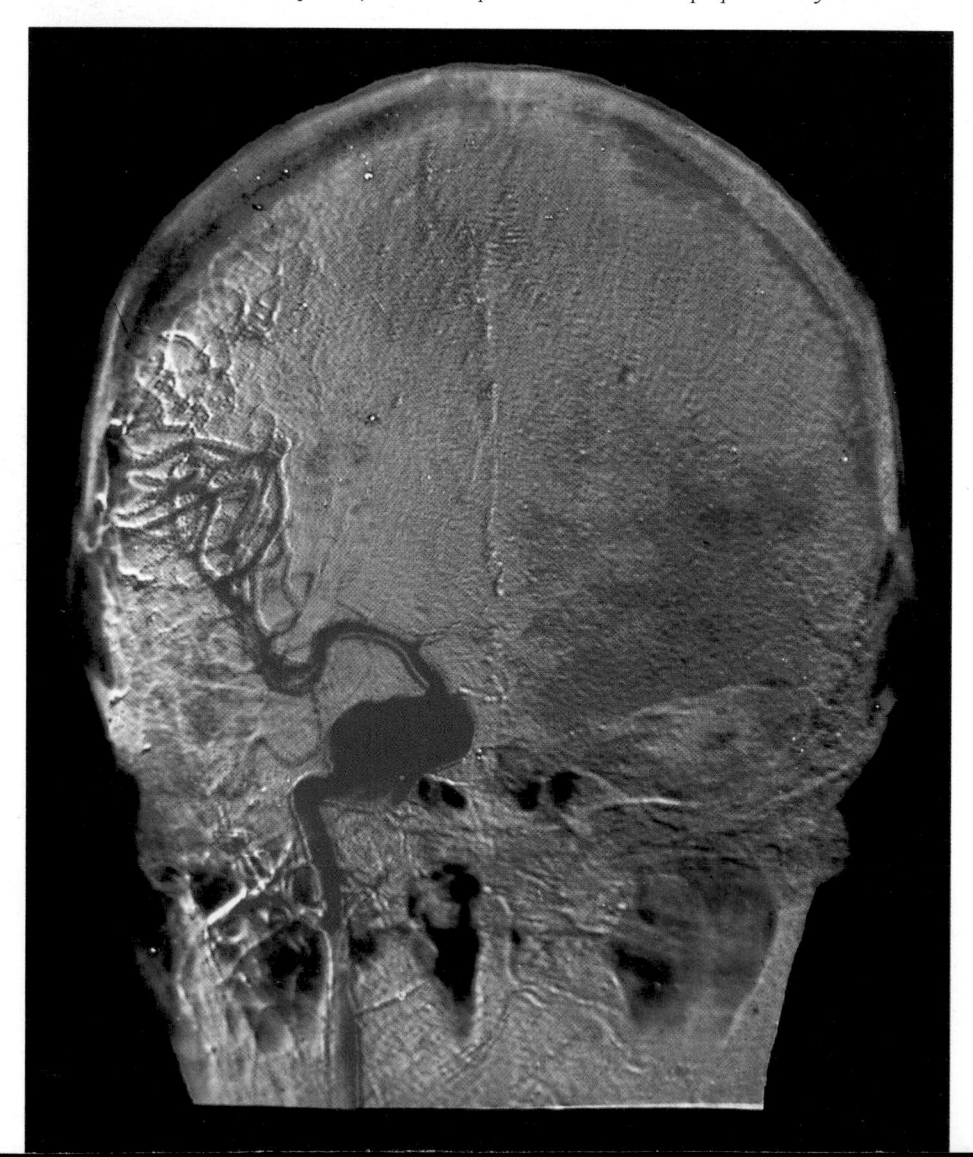

Quelles sont les causes du mal de tête ?

Le mal de tête est une affection fréquente à laquelle peu d'entre nous échappent. En règle générale, sa cause n'est pas difficile à identifier : nuit blanche, consommation abusive d'alcool, séjour dans une pièce enfumée ou mal aérée... Une céphalée peut également survenir après un travail prolongé et soutenu ayant entraîné une fatigue oculaire ou après des heures passées devant un écran.

Les maux de tête sont associés au cerveau parce qu'on a l'impression qu'il est le siège de la douleur. Pourtant, ce n'est pas le cerveau qui fait mal. Le cerveau perçoit des troubles dans toutes les parties du corps, mais il est incapable d'enregistrer et de signaler un problème dans sa propre structure, parce qu'il est dépourvu de nerfs sensoriels. Seuls les téguments cutanés, les méninges et les vaisseaux sont munis de nerfs sensoriels qui les rendent susceptibles d'être douloureux.

Le mal de tête peut être causé par une tension des muscles du cou, du visage ou du cuir chevelu, consécutive à un stress mental ou physique : on parle alors de céphalée d'origine psychique. Si le mal de tête est provoqué par une dilatation des

Le mal de tête, selon un croquis de George Cruikshank datant de 1819. Les migraines sont particulièrement douloureuses, et certaines crises peuvent durer plusieurs jours.

vaisseaux, il s'agit d'une céphalée vasculaire, dont la forme la plus répandue est la migraine. Une infection peut également être à l'origine d'une céphalée et, pour la plupart d'entre nous, le mal de tête est le premier symptôme de la grippe.

Si la plupart des céphalées sont sans gravité, une consultation médicale s'impose si le mal de tête est rebelle aux traitements habituels ou accompagné de troubles de la vue, de vomissements, d'un état de confusion ou d'engourdissement, d'une forte fièvre ou d'une raideur de la nuque.

Qu'appelle-t-on réflexe rotulien ?

Sous l'effet du froid, il nous arrive d'être pris de tremblements incontrôlables. C'est une réaction automatique et involontaire : nous ne décidons pas de trembler. Comme certains de nos mouvements, le tremblement est un réflexe inné qui se déclenche sans ordre conscient.

Quand le médecin frappe nos rotules avec un petit marteau de caoutchouc, il teste un autre mouvement réflexe contrôlé par le système nerveux central. Le coup provoque l'étirement d'un tendon du muscle de la cuisse, adressant ainsi un signal à la moelle épinière. Celle-ci renvoie un message, qui contracte le muscle et entraîne une extension de la jambe. L'ensemble de ce phénomène, du stimulus à la réponse, porte le nom d'arc réflexe. L'absence de réaction de la jambe peut faire soupçonner une lésion du système nerveux. Dans ce cas, le médecin demande un bilan neurologique complet.

Le test de réflexe rotulien est souvent associé à d'autres examens : les plus courants consistent à projeter une lumière violente dans les yeux du patient pour vérifier que ses pupilles se contractent, et à exciter la plante des pieds pour s'assurer que les gros orteils se recroquevillent.

Chez le bébé, on parle de réflexes archaïques pour désigner certaines réponses à des stimulations déterminées, comme la réaction qui consiste à serrer tout objet qui exerce une légère pression sur la paume de la main (réflexe d'agrippement) ou à tourner la tête pour sucer un doigt qui effleure les commissures de la bouche (réflexe de succion, qui permet également au bébé de trouver le sein de sa mère). Ces actes ne sont observés que pendant les premiers mois. À un certain stade de l'évolution de l'homme, ils devaient être indispensables pour assurer la survie du bébé.

Les réflexes archaïques sont un signe de bonne santé. Ils disparaissent avec le développement du système nerveux. Leur persistance au-delà d'un certain âge – au plus tard le sixième mois – nécessite une consultation médicale et la recherche d'une éventuelle lésion cérébrale.

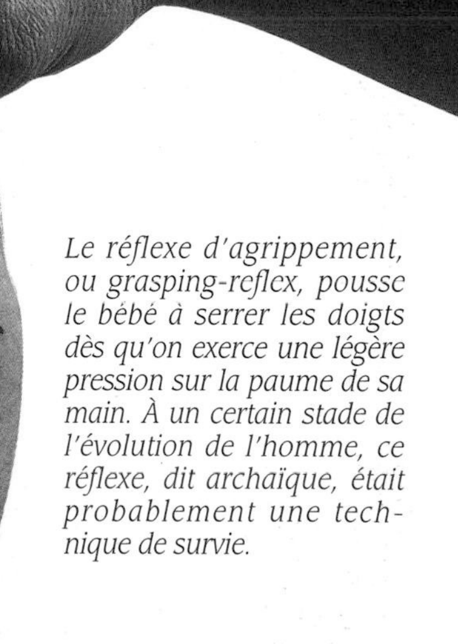

Le réflexe d'agrippement, ou grasping-reflex, pousse le bébé à serrer les doigts dès qu'on exerce une légère pression sur la paume de sa main. À un certain stade de l'évolution de l'homme, ce réflexe, dit archaïque, était probablement une technique de survie.

Histoires d'os

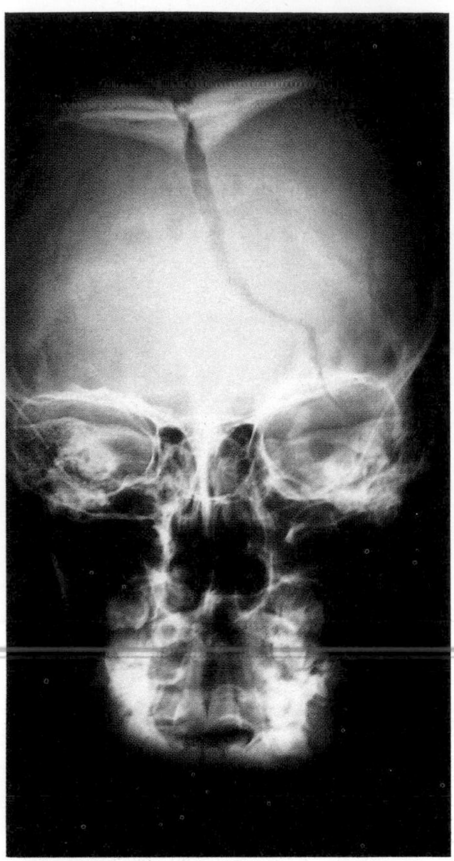

Un coup violent, probablement administré par un marteau ou une lourde matraque, a provoqué cette importante fracture du crâne, mise en évidence par la radiographie.

Quels sont les différents types de fractures ?

Un os peut se briser à la suite d'un choc direct, comme un coup violent, ou indirect, en cas de torsion trop importante. Quand la fracture casse l'os en deux mais qu'il reste plus ou moins en place et qu'aucun fragment ne traverse la peau, on a affaire à une fracture simple. Dans le cas d'une fracture dite ouverte, l'os brisé déchire la peau et ouvre une plaie, qui peut s'infecter.

À l'intérieur de ces deux grandes catégories, on trouve plusieurs sortes de fractures. Elles sont classées en fonction de leur forme, qui est généralement déterminée par la nature du traumatisme. Un choc très violent, du type accident de voiture, brise l'os en plusieurs morceaux, provoquant une fracture dite comminutive. Un coup sec et direct ou une tension prolongée, à force de courir par exemple, provoquent une fracture transversale, qui se caractérise par un trait de fracture net et deux extrémités osseuses qui ne sont plus alignées. Les enfants sont parfois victimes de fractures dites incomplètes : dans ce cas, la torsion d'un os entraîne une cassure qui se limite à la surface externe.

La réparation d'un os brisé commençant immédiatement après le traumatisme, sous la forme d'un cal fibreux qui se développe spontanément et qui va souder la fracture, il est indispensable de remettre les morceaux cassés en place le plus rapidement possible. Il faut éviter de manipuler le blessé, surtout si on soupçonne une fracture de la colonne vertébrale, et il est préférable de ne rien lui donner à boire ni à manger au cas où une anesthésie générale serait nécessaire.

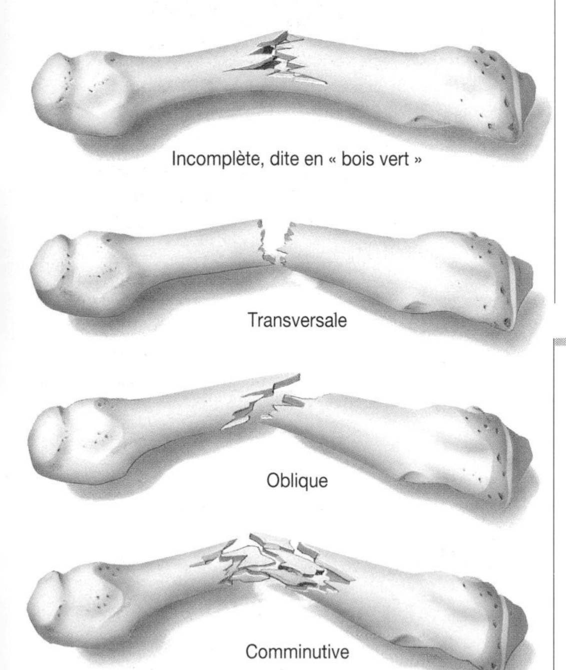

Les fractures sont classées en fonction de leur forme. Elles consolident en quelques jours chez un enfant. Les os des bras se ressoudent plus vite que ceux des jambes.

Comment soulager le mal de dos ?

Si vous avez mal au dos, bienvenue dans le club le plus fréquenté du monde ! Les problèmes de dos font souffrir – occasionnellement ou en permanence – 80 % des habitants de la planète, et ce pourcentage est en constante augmentation. Alors que la médecine a fait d'énormes progrès dans le traitement de certaines maladies graves, les praticiens reconnaissent que leurs efforts pour soulager le mal de dos ne sont pas encore concluants.

Le mal de dos n'est pas une maladie, mais un symptôme. Il est difficile à traiter parce que, dans 90 % des cas, son origine est introuvable. Dans les 10 % de cas restants, la cause de la douleur est évidente. Elle est due à une lésion de la colonne vertébrale ou des muscles qui la soutiennent. Un des disques qui séparent les vertèbres est alors légèrement déplacé, et il appuie sur un nerf rachidien qui part de la colonne vertébrale.

Si ce phénomène se produit dans la nuque, la douleur peut irradier dans les bras. Mais il affecte plus généralement le bas du dos, et la douleur est alors localisée dans la zone lésée, dans les fesses ou le long du nerf sciatique, qui descend dans les cuisses, les jambes et les orteils. Chez les personnes âgées, les lombalgies du bas du dos sont souvent dues à une ostéoarthrose de la colonne vertébrale.

Quand la cause du mal de dos est évidente, les massages, la physiothérapie ou la chirurgie donnent de bons résultats. Parfois, des bains chauds, des analgé-

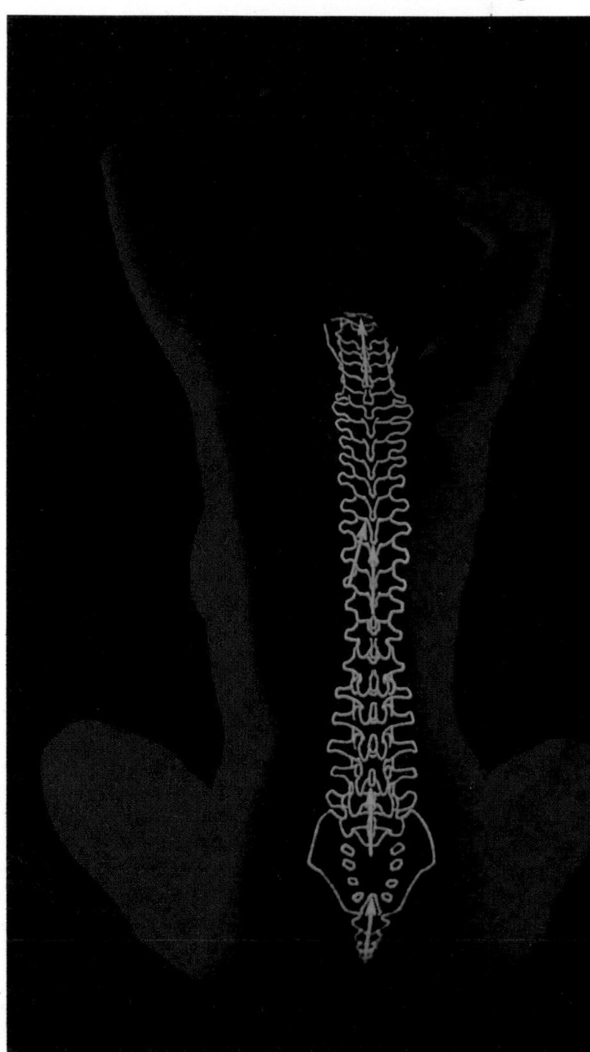

Une radiographie de la colonne vertébrale permet d'affiner le diagnostic en cas de douleurs chroniques du dos.

FRACTURES : TECHNIQUES DE POINTE

Une bonne irrigation sanguine du foyer de fracture est indispensable pour qu'un os cassé se consolide. C'est pourquoi certains os du squelette ne se réparent pas spontanément. Quand un os cassé a besoin d'être stimulé pour se reconstituer, les chirurgiens greffent sur la partie fracturée un morceau d'os prélevé sur un autre endroit du squelette, généralement sur la hanche ou les côtes.

La greffe, maintenue en place par des vis ou du fil de fer, fournit une protéine qui stimule la formation du cal. Parfois, le greffon meurt, mais il forme une trame sur laquelle le nouvel os peut pousser. En cas de dégénérescence osseuse, les chirurgiens peuvent aussi greffer un matériau artificiel voisin de la céramique, pour donner une structure de base à l'os naturel. Mais la céramique a un inconvénient : elle n'est pas poreuse, et le nouvel os se forme autour de l'implant et non à l'intérieur, comme il serait souhaitable. Récemment, les chercheurs ont découvert un greffon naturel et poreux, dont la structure se rapproche de l'os humain. Ce matériau provient du squelette d'animaux marins, comme l'oursin et le corail, ou de certaines algues.

Ces squelettes sont faits de carbonate de calcium, qui se détériore dans l'organisme humain, mais ils peuvent être transformés en phosphate de calcium, qui est une substance chimiquement stable. Ils peuvent également fournir des moules dans lesquels on pourra couler une nouvelle génération d'implants artificiels.

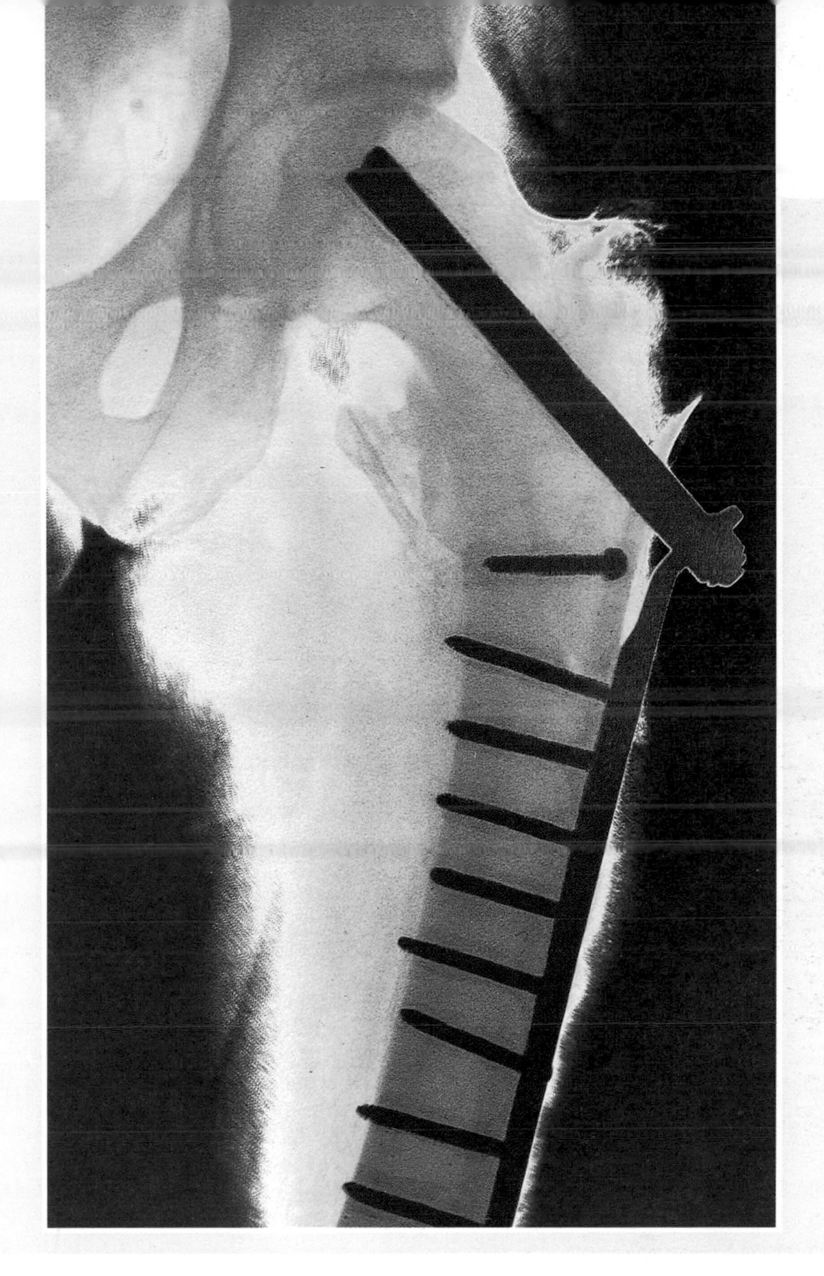

Les fractures graves, comme cette fracture de la tête du fémur, pourront un jour être consolidées par injection de composés ossifiants. Les clous (en rouge) fixent solidement la tête cassée sur le fémur.

siques légers, comme l'aspirine, et quelques jours de repos au lit, sur un plan ferme, suffisent pour calmer la douleur. Certains médecins sont partisans d'un traitement plus radical, qui privilégie l'exercice physique, dont les effets à long terme sont souvent bénéfiques.

Ce conseil est d'ailleurs valable aussi bien pour les sujets qui souffrent du dos que pour les autres. Si vous n'avez jamais mal au dos, vous conserverez ce privilège en entretenant votre forme et en apprenant à utiliser votre corps convenablement. Une bonne posture en toute circonstance est la meilleure des protections. Ne vous penchez jamais en avant pour ramasser une lourde charge. Approchez-vous de l'objet à soulever, écartez légèrement les pieds et fléchissez doucement les genoux, en gardant le dos bien droit. Faites travailler vos jambes et non votre colonne vertébrale.

La natation est un sport excellent pour le dos. Si vous nagez la brasse, cependant, gardez la tête dans l'eau pour éviter de cambrer le dos et d'aggraver le mal.

Qu'est-ce qu'une entorse ?

Les os sont reliés entre eux par des articulations entourées de ligaments. Ces ligaments sont élastiques, mais une tension excessive ou brutale peut les endommager. C'est la raison pour laquelle les sportifs commencent toujours leur entraînement par quelques exercices d'échauffement. L'entorse est une élongation ou une déchirure des ligaments.

Les médecins font des radiographies d'une entorse pour éliminer l'éventualité d'une fracture. Les entorses les plus courantes sont celles de la cheville : la victime se tord le pied, tout le poids du corps se porte donc sur la cheville, et le sang afflue dans la zone blessée. Le liquide synovial, dont le rôle est de lubrifier les articulations, peut alors s'échapper de la capsule articulaire. Très vite, la cheville enfle et prend une couleur bleu noirâtre. Dans un premier temps, le meilleur remède consiste à réduire le gonflement avec de la glace et à rester allongé, les jambes surélevées. Un bandage compressif permet d'immobiliser l'articulation et de calmer la douleur. Quand la cheville a désenflé, il faut se forcer à marcher pour accélérer la circulation du sang.

La douleur causée par une entorse n'est pas toujours proportionnelle à sa gravité. Les entorses bénignes – communément appelées foulures –, avec élongation et non déchirure des ligaments, font parfois plus mal et enflent davantage que les entorses compliquées, ou luxations.

Quelles sont les différentes douleurs articulaires ?

Le terme arthrite ne désigne pas une seule maladie, il regroupe toutes les affections infectieuses ou inflammatoires chroniques ou aiguës qui frappent les articulations.

L'arthrite peut revêtir plusieurs aspects et englober aussi d'autres maladies, comme la goutte, qui ne sont pas toujours

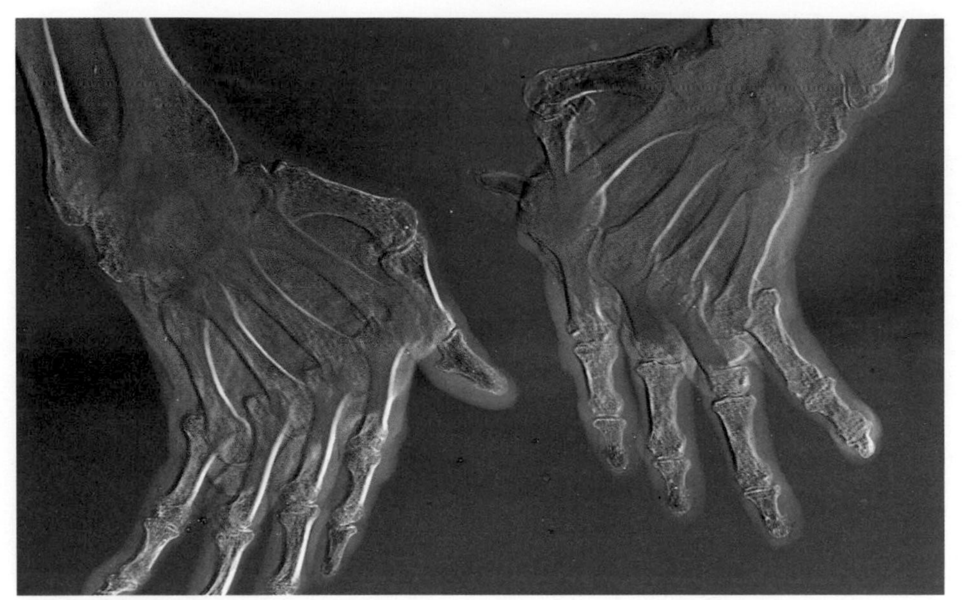

Radiographie des mains d'un sujet atteint de polyarthrite rhumatoïde avancée. Selon certains spécialistes, l'angoisse et la dépression pourraient parfois déclencher la maladie.

considérées comme faisant partie de la famille. Les deux formes les plus courantes sont l'ostéo-arthrose qui est une atteinte localisée d'une ou de plusieurs articulations, et la polyarthrite rhumatoïde, encore appelée polyarthrite chronique évolutive, une maladie couramment répandue qui affecte simultanément plusieurs articulations et certains tissus.

L'ostéo-arthrose, qui a tendance à se développer dans la seconde moitié de la vie, est souvent douloureuse et débilitante. Elle est généralement due à l'usure, surtout au niveau des articulations très sollicitées, comme celles de la hanche, de la colonne vertébrale et des genoux. Elle apparaît aussi sur les mains noueuses des individus qui ont effectué de durs travaux manuels pendant des années. Le cartilage qui enrobe les articulations disparaît, et le frottement des os les uns contre les autres fait enfler la région atteinte.

Pour le moment, les médecins n'ont trouvé aucun moyen de prévenir l'ostéo-arthrose. Seul le repos combiné avec une activité physique modérée, comme la natation, dans laquelle le corps est porté par l'eau, peut en atténuer les effets.

La polyarthrite rhumatoïde, tout aussi douloureuse, s'installe brutalement. Elle affecte des adultes jeunes et elle est deux ou trois fois plus fréquente chez la femme que chez l'homme. Une inflammation est à la base du problème. La membrane synoviale qui tapisse l'articulation devient sensible et enfle. L'inflammation touche initialement les articulations périphériques (mains, poignets, pieds), mais elle peut atteindre rapidement les coudes, les épaules, les genoux, voire le bassin et le rachis cervical. Elle ne s'arrête malheureusement pas là. Dans les formes les plus graves, la polyarthrite rhumatoïde finit en effet par affecter les artères, les organes internes, et, mais rarement, les yeux.

Une autre forme d'arthrite assez courante est la spondylarthrite ankylosante, une maladie inflammatoire de la colonne vertébrale. Ses victimes de prédilection sont les hommes entre vingt et trente ans qui ont hérité d'un terrain favorable. Certaines formes pourraient être déclenchées par une affection intestinale. Le traitement consiste à maintenir la souplesse de la colonne vertébrale. S'il n'est pas entrepris assez tôt, la colonne se raidit, et le malade souffre d'une cyphose dorsale, qui peut être invalidante.

Pourquoi les os deviennent-ils fragiles ?

Avec l'âge, les os deviennent moins compacts. À soixante-dix ans, le squelette a perdu un tiers de sa densité. Le calcium joue un rôle primordial dans la solidité des os, mais l'organisme en a également besoin pour assurer le processus de coagulation du sang et le bon fonctionnement des muscles et du système nerveux.

Pour différentes raisons, le vieillissement s'accompagne souvent de carences en calcium : d'une part, parce que les sujets âgés ne surveillent pas assez leur alimentation et qu'ils ne tiennent pas compte de leurs besoins accrus en calcium – un sel minéral présent essentiellement dans les produits laitiers, les œufs, les légumes verts et les agrumes ; d'autre part, parce qu'ils ont moins d'activité physique : trois heures de marche hebdomadaires sont nécessaires pour entretenir la densité des os. Pour absorber efficacement le calcium, l'organisme a besoin de vitamine D. C'est la raison pour laquelle les médecins associent souvent un traitement à base de calcium avec la prise d'huile de foie de morue ou d'une autre source de vitamine D. Les rayons ultraviolets du soleil permettent à l'organisme de synthétiser la vitamine D. Or, les personnes âgées, qui ont tendance à rester enfermées, ne profitent pas assez de l'action antirachitique du soleil.

Quand l'organisme manque de calcium, il fait appel aux réserves stockées dans les os, qui deviennent alors plus fragiles et parfois plus poreux, auquel cas le sujet souffre d'ostéoporose.

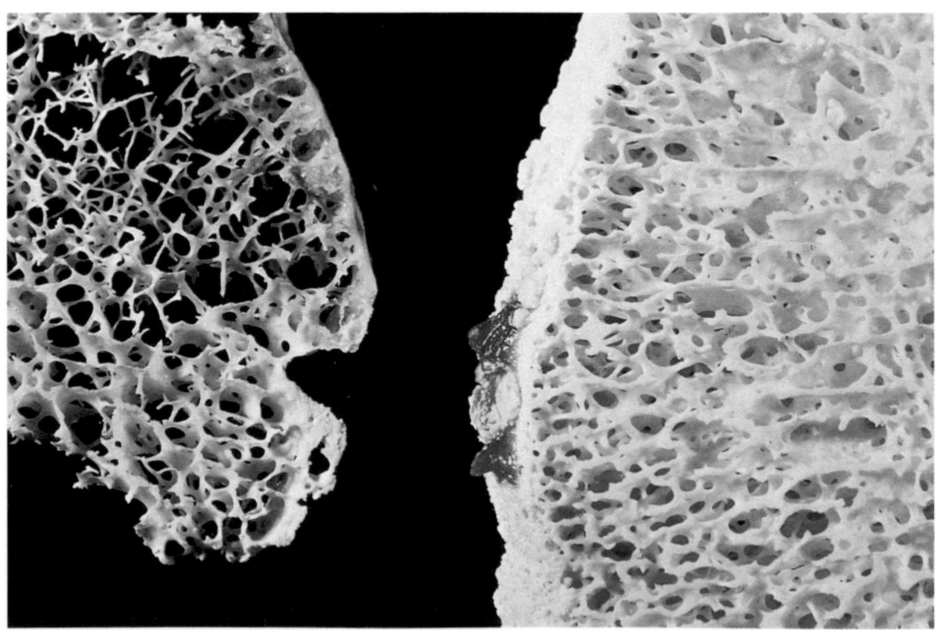

Le manque de calcium fragilise les os. S'ils deviennent poreux, le sujet souffre d'ostéoporose (à gauche.) Les femmes ménopausées pallient ce déficit avec des hormones de synthèse.

Petits bobos et maladies graves

L'éternuement est un important facteur de propagation des germes. Chaque éternuement contient 5 000 gouttelettes, qui peuvent circuler rapidement à travers une pièce.

Un remède efficace contre le rhume ?

D'année en année et au fil des siècles, le rhume tourmente inlassablement l'espèce humaine. Bien sûr, chaque époque connaît son lot de maladies autrement plus graves et plus dévastatrices, mais le rhume est sans aucun doute l'affection la plus tenace et la plus contagieuse qui soit. Les statistiques montrent que les enfants scolarisés peuvent avoir jusqu'à dix rhumes par an et les adultes jeunes, en particulier s'ils sont pères ou mères de famille, au moins deux ou trois.

De tout temps, les hommes ont eu recours à d'innombrables expédients pour mettre le rhume en échec. Les Grecs pratiquaient la saignée. L'historien romain Pline le Jeune recommandait d'embrasser le museau velu d'une souris ! Pendant plus de quarante ans, entre 1946 et 1990, des volontaires se sont relayés au Centre de recherche sur le rhume, installé à Wiltshire, en Angleterre : au cours d'une période d'isolation de dix jours, ces cobayes attrapaient volontairement des rhumes pour aider la recherche scientifique. Le manque de fonds a obligé le Centre à fermer avant d'avoir pu mettre au point un remède efficace.

Tous ces efforts ont quand même permis de gagner quelques batailles. Nous savons désormais que nous ne combattons pas une poignée de guérilleros, mais une armée d'irréductibles. Pas moins de 200 virus peuvent en effet être à l'origine d'un rhume. En s'attaquant aux muqueuses qui tapissent le nez et le pharynx, ils provoquent un écoulement nasal, une irritation de la gorge et des maux de tête.

Le virus du rhume se transmet généralement par la vapeur d'eau contenue dans l'haleine. C'est pourquoi les rhumes sont plus fréquents en hiver, quand nous restons enfermés dans l'atmosphère confinée d'un appartement ou d'un bureau que nous partageons avec d'autres victimes en puissance. Pour être atteint par le germe, il suffit d'entrer en contact avec une serviette de toilette, un combiné téléphonique ou tout autre objet précédemment manipulé par un sujet contaminé. En effet, le rhume ne survient pas à la suite d'un refroidissement : les tests effectués sur des volontaires ont démontré que les pieds humides, les cheveux mouillés, les douches froides ou les courants d'air ne sont pas des facteurs déclenchants.

Tout semble prouver qu'avec l'âge nous nous immunisons contre la plupart des virus du rhume. On a constaté en effet que les enfants sont les sujets de prédilection du rhume, alors que l'affection ne touche pratiquement pas les sujets âgés. Parmi les divers remèdes testés, deux se sont révélés prometteurs. L'interféron, une substance protéique que l'organisme produit pour se défendre contre les infections virales, serait efficace pour prévenir le rhume et limiter ses effets ; en déclenchant une réaction immunologique, les antigènes synthétiques ont également donné des résultats encourageants.

Le soleil fait-il éternuer ?

L'éternuement est déclenché par une irritation des muqueuses nasales. La poussière, le poivre ou le pollen font partie des substances irritantes les plus courantes. Il arrive aussi que le nez soit obstrué par du mucus, auquel cas l'éternuement est un réflexe de l'organisme pour le dégager. L'éternuement est une inspiration brusque suivie d'une expiration par le nez et par la bouche destinée à expulser la cause de la nuisance.

Si nous regardons le soleil, la soudaine augmentation d'intensité déclenche un signal électrique à haute tension, qui se propage le long des nerfs optiques. Les fibres nerveuses nasales qui se trouvent à proximité captent une partie de cet influx. Elles transmettent alors un message au cerveau, qui l'interprète comme une irritation des fosses nasales et envoie l'ordre d'éternuer en retour.

Quels sont les différents virus de la grippe ?

La grippe est une maladie infectieuse causée par trois virus de base, appelés A, B et C. En règle générale, les infections de type A sont plus graves que celles de type B, qui sont elles-mêmes plus sérieuses que celles de type C. La grippe à virus C peut passer pour un rhume : les deux affections ont les mêmes symptômes.

En cas d'infection par la grippe, notre organisme fabrique des anticorps spécifiques, qui nous immunisent définitivement contre le virus en cause. Une grippe de type C confère une immunité totale et durable : un même sujet ne peut pas

COMMENT SE PROPAGE
et comment se traite
LA GRIPPE "ESPAGNOLE"

Le professeur Widal
de l'Académie de médecine nous l'explique

L'épidémie de grippe qui sévit actuellement en Europe et qui a pour point de départ l'Espagne offre toutes les manifestations et se présente avec la même force de diffusion et de généralisation que l'influenza de 1889 qui, partie des grands cen-

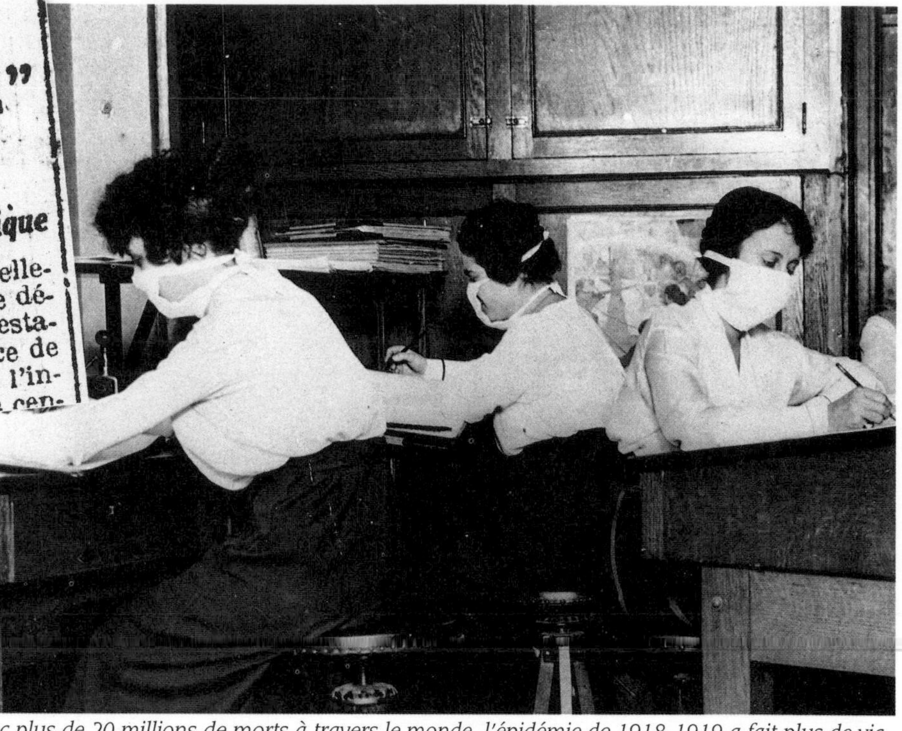

Avec plus de 20 millions de morts à travers le monde, l'épidémie de 1918-1919 a fait plus de victimes que la Première Guerre mondiale. Dans ce bureau de New York comme ailleurs, on portait des masques pour éviter la contamination.

l'attraper deux fois, car son virus est stable. Malheureusement, les virus A et B développent sans cesse de nouvelles souches, qui peuvent traverser nos défenses immunitaires. Certains de ces envahisseurs sont parfois très virulents.

Le virus A est particulièrement dangereux parce qu'il change constamment de forme. Avec plus de 20 millions de victimes à travers le monde, la pandémie de 1918-1919 – la « grippe espagnole » – a fait plus de morts que la Première Guerre mondiale. Les épidémies de grippe asiatique de 1957 et de grippe de Hongkong en 1968 étaient également des infections de type A, qui ont décimé les populations à risque que constituent les personnes âgées et les malades chroniques. Sans être aussi instable, le virus B opère suffisamment de mutations pour être préoccupant.

En règle générale, la grippe est une maladie bénigne, mais les virus A et B peuvent être accompagnés de symptômes violents, comme une fatigue intense et des poussées de fièvre jusqu'à 40° et plus.

La rubéole est-elle dangereuse pendant la la grossesse ?

La rubéole est une maladie infectieuse qui se caractérise par une poussée de fièvre discrète et une éruption cutanée sous forme de petites taches roses. C'est une affection bénigne, sauf quand elle survient chez la femme enceinte pendant les douze premières semaines de la grossesse. Dans ce cas, elle peut avoir des conséquences redoutables. Plus la maladie est contractée tôt, plus le risque de fausse couche et de lésions de l'embryon est élevé.

Si le virus de la rubéole atteint l'embryon, il peut être responsable de malformations congénitales graves. La plus fréquente est la surdité. Mais on peut également observer des lésions cérébrales, des troubles oculaires et des malformations cardiaques et dentaires.

La rubéole est une affection virale qui n'est pas facile à diagnostiquer, car elle peut être confondue avec d'autres maladies qui présentent les mêmes symptômes. Seule une analyse de sang peut établir le diagnostic avec certitude.

Disponible dans de nombreux pays, le vaccin contre la rubéole assure une immunité définitive contre la maladie. L'infection a elle aussi un caractère immunitaire durable : un même sujet ne peut l'attraper deux fois. Toute femme qui souhaite avoir un enfant et qui n'a pas de protection naturelle doit préventivement se faire vacciner avant la grossesse.

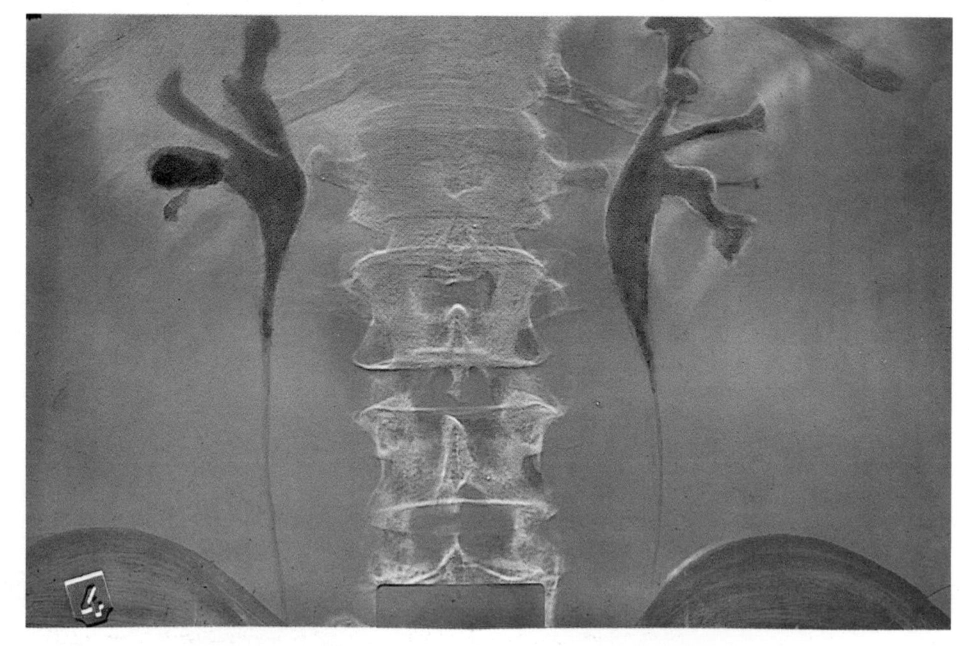

Un calcul rénal forme une tache orange sur la gauche de cette radiographie, qui est obtenue par injection d'un produit de contraste. Les calculs rénaux peuvent être responsables d'épisodes très douloureux, mais les techniques modernes permettent de les extraire sans recourir à la chirurgie.

Comment se forment les calculs ?

La plupart des calculs qui se forment dans les reins, dans l'uretère et dans la vessie sont tellement petits qu'ils sont éliminés spontanément par l'organisme. D'autres, qui ont 25 mm ou plus de diamètre, sont responsables de douleurs violentes. Des calculs gros comme des grains de sable peuvent également faire atrocement mal lorsqu'ils sont pointus.

L'hygiène de vie et l'alimentation jouent un rôle déterminant dans la formation de calculs. Les sujets régulièrement déshydratés par des travaux physiques exténuants ou les habitants des régions tropicales sont des victimes de prédilection. Dans tous les cas, les hommes courent trois fois plus de risques que les femmes. Les gros calculs, qui peuvent peser jusqu'à 1,5 kg quand ils sont localisés dans la vessie, mettent des années à se développer ; d'autres se forment en l'espace de quelques semaines. En règle générale, les médecins ne peuvent pas déterminer de cause précise, mais ils ont pu mettre en évidence un certain nombre de facteurs communs. Les calculs se forment surtout en été – sans doute parce que l'organisme élimine une partie de son eau par transpiration et que l'urine est plus concentrée – et ils sont moins fréquents chez les sujets qui boivent beaucoup d'eau : la quantité recommandée est de 1,5 l par jour.

Le rire donne-t-il le hoquet ?

De l'avis des médecins, ce n'est pas le rire qui donne le hoquet, mais l'atmosphère qui l'engendre. Un excès de boisson et de nourriture peut irriter le diaphragme, ce muscle plat qui sépare le thorax et l'abdomen. Le sujet perd le contrôle de son diaphragme, qui se contracte brutablement et provoque une soudaine fermeture des cordes vocales qui déclenche un « hic ! » sonore et parfois embarrassant.

La plupart des crises de hoquet n'ont pas de cause identifiable. Mais, à moins d'être fréquent ou persistant, le hoquet n'a rien d'inquiétant.

Les remèdes de bonne femme ne manquent pas. Celui qui consiste à retenir sa respiration a un fondement médical sérieux. Le gaz carbonique expulsé par nos poumons bloque le hoquet. En retenant notre respiration, nous accumulons du gaz carbonique dans notre organisme. D'autres méthodes, comme inspirer puis expirer dans un sac en papier, sont fondées sur le même phénomène.

Quels dangers présentent les stéroïdes ?

Les stéroïdes de synthèse sont des équivalents, mais plus puissants, des hormones fabriquées par l'organisme. Les stéroides anabolisants pris par certains sportifs imitent les effets de la testostérone, hormone mâle. La testostérone stimule le développement des caractères sexuels masculins et favorise la croissance des os et des muscles.

Certains culturistes prennent des stéroïdes anabolisants pour accroître leur masse musculaire et améliorer leur aspect physique. Ces médicaments sont très dangereux pour la santé.

Certains champions sportifs, en particulier les haltérophiles et les athlètes comme les lanceurs de disque ou de marteau, absorbaient des stéroïdes anabolisants pour accroître leur force musculaire. Une surconsommation de ces médicaments, qui peuvent avoir de graves effets secondaires, est néfaste pour la santé : l'abus de stéroïdes provoque des lésions du foie et un dysfonctionnement des glandes surrénales, il peut également rendre les hommes impuissants et stériles. Les femmes qui se dopent aux hormones mâles deviennent beaucoup plus masculines : elles ont la voix plus grave, une pilosité plus développée et il arrive qu'elles perdent leurs cheveux.

Les stéroïdes anabolisants ont été bannis des compétitions sportives pour deux raisons : les sportifs qui les utilisent mettent leur santé en danger et ils disposent d'un avantage injuste sur les autres concurrents, qui ne peuvent les égaler sans avoir recours aux mêmes expédients.

Les dangers de la somnolence au volant

Bien que les chiffres exacts soient difficiles à établir, les statistiques montrent que la somnolence au volant fait des milliers de victimes chaque année. Pour parvenir à ces estimations, les chercheurs se fondent sur les accidents de la route n'impliquant qu'un seul automobiliste. La voiture percute un arbre ou une barrière centrale, elle enjambe un talus sans qu'on relève de traces de freins sur la route. La plupart de ces accidents en apparence inexplicables ont lieu en ligne droite et dans de bonnes conditions de visibilité.

Toutes les 2 heures, la pause s'impose !

La somnolence au volant est à l'origine de milliers d'accidents de la route chaque année. Selon les médecins, les risques sont plus élevés très tôt le matin et en début ou en fin d'après-midi, quand notre horloge intérieure nous intime de dormir. « Toutes les deux heures, la pause s'impose » est un conseil de sagesse.

Les statistiques montrent qu'entre 4 heures et 6 heures du matin un automobiliste a dix fois plus de risques de s'assoupir et d'avoir un accident qu'à tout autre moment de la journée. Le risque est également élevé en début et en fin d'après-midi.

Notre horloge intérieure, qui contrôle toutes nos fonctions, nous conseille de dormir deux fois par jour : le soir et en début d'après-midi. L'envie de faire une petite sieste n'est pas conditionnée par un repas trop copieux, bien que l'alcool puisse l'exacerber : le sommeil de l'après-midi, profond et très reposant, correspond à un besoin physiologique de l'organisme. La sieste est une institution dans certaines sociétés, qui ont compris ses bienfaits.

Les accidents dus à la somnolence au volant impliquent souvent des chauffeurs routiers. Dans de nombreux pays, des lois ont été mises en place pour limiter leur nombre d'heures de conduite. Mais ces mesures ne prennent pas en compte le moment de la journée où les routiers effectuent ces heures, et elles ne peuvent pas leur imposer des périodes de sommeil obligatoires. Les chercheurs ont élaboré un scénario de l'accident type dû à la somnolence. Un routier se lève tôt le matin, il participe au chargement de son véhicule et il prend la route trois ou quatre heures plus tard. Il conduit ensuite trois ou quatre heures d'affilée, il livre sa marchandise, et il attend que le camion soit rechargé. Il roule encore deux heures et se repose deux heures. Vers 22 heures, généralement seize heures après avoir quitté son dépôt, il a terminé sa journée de travail et dort dans son camion sur un parking. Il ne se réveille pas quand il n'a plus sommeil mais quand d'autres camions démarrent. Il reprend alors la route pour rentrer plus tôt chez lui et, pendant ces heures dangereuses du petit matin, il s'endort au volant.

Les routiers ne sont pas les seuls à s'endormir au volant. Si les lois qui réglementent leurs horaires s'appliquaient à tous les conducteurs, beaucoup seraient en infraction. Tout automobiliste qui conduit trop longtemps et sans avoir pris suffisamment de repos court des risques. Les autoroutes sont doublement dangereuses, car elles sont conçues pour aller vite et que leur monotonie engendre la somnolence. Les paupières du conducteur se ferment alors irrésistiblement, malgré les vitres grandes ouvertes et l'autoradio à fond.

En conclusion, il ne faut jamais conduire trop longtemps sans se ménager des temps de repos et, dans la mesure du possible, se relayer au volant et éviter les heures dangereuses.

À quoi est dû le mal des transports ?

Le scénario est classique : vous roulez depuis une demi-heure quand, soudain, un de vos passagers se plaint d'avoir la nausée et la tête qui tourne. Vous pensez tout d'abord à une indigestion, mais il est probable qu'il s'agisse du mal des transports, un état qui peut se prolonger sans que le malade vomisse.

Les médecins sont perplexes sur les raisons qui font que certains individus sont plus sensibles que d'autres au mal des transports. Les conducteurs sont rarement malades et les passagers arrière, surtout si ce sont des enfants, sont plus touchés que les passagers avant.

Les chercheurs ont découvert que le mal des transports était dû à une excitation anormale du labyrinthe, la membrane vestibulaire de l'oreille interne qui contrôle l'équilibre. Surchargé d'informations contradictoires envoyées par plusieurs centres sensitifs, le labyrinthe répond par des sensations vertigineuses et des nausées. D'autres facteurs, l'angoisse d'être malade, par exemple, ont une influence non négligeable.

La plupart des marins et des pêcheurs ont un truc pour éviter le mal de mer, qui n'est qu'un aspect particulier du mal des transports et peut survenir sur une mer d'huile : ils regardent alternativement la mer puis l'horizon, les objets rapprochés puis les objets éloignés.

Cette tactique permet de comprendre pourquoi le conducteur d'une voiture n'est pas affecté alors que les passagers arrière sont malades. Les sujets assis à l'arrière ont une visibilité limitée. Si les sièges avant sont occupés, ils doivent se contenter de regarder à travers les vitres latérales, derrière lesquelles le paysage défile vite, obligeant le cerveau à assimiler une foule d'informations. Les passagers avant bénéficient d'une vue plus panoramique et plus statique.

Le mal des transports était un problème majeur pendant la Seconde Guerre mondiale : les soldats qui débarquaient sur les plages après un long voyage en mer étaient parfois trop malades pour se battre. La recherche médicale a alors développé un médicament efficace à base d'atropine, mais, comme la plupart des autres remèdes élaborés depuis, il provoquait une importante somnolence.

Si vous devez faire un long voyage en voiture et que vous ayez le mal des transports, demandez à votre médecin de vous prescrire un traitement préventif. Asseyez-vous à l'avant. Arrêtez-vous toutes les heures pour vous détendre les jambes et prendre l'air. Portez des vêtements chauds de façon à laisser toujours une vitre entrouverte et, surtout, n'essayez pas de lire. Si vous voyagez avec des enfants, faites en sorte qu'ils puissent regarder à travers une vitre. Cependant, contre le mal des transports, la seule arme vraiment efficace est la bonne humeur.

Le mal des transports pose des problèmes aux spationautes, car l'oreille interne se base sur la gravité pour nous donner le sens de l'équilibre. Dans ce simulateur équipé d'une douche, les futurs astronautes américains font l'expérience de l'apesanteur pendant environ trente secondes.

Vaincre le cancer

De toutes les maladies qui nous menacent, aucune n'est plus redoutée que le cancer. Au cours des deux dernières décennies, la recherche médicale a fait de grands pas en avant en matière de pathogénie, de dépistage et de traitement du cancer. Pourtant, alors que les chances de survie des malades sont plus élevées que jamais, le taux de mortalité par cancer ne cesse de croître.

Paradoxalement, l'augmentation des malades du cancer va de pair avec une amélioration de notre état de santé. Notre espérance de vie est plus longue. Les grands fléaux humains comme le choléra, la poliomyélite, la typhoïde ou la pneumonie ne présentent plus de danger dans les pays industrialisés. Mais, comme nous vivons plus vieux, nous sommes menacés par des maladies dont les pics de fréquence se situent entre cinquante et soixante-dix ans, comme les troubles cardio-vasculaires ou le cancer sous ses multiples formes.

La plupart des individus craignent davantage le cancer que l'infarctus ou l'accident vasculaire cérébral parce qu'ils s'imaginent à tort qu'il est incurable. La mortalité par cancer reste certes élevée : en Europe et en Amérique du Nord, le cancer est responsable d'environ un décès sur cinq. Mais il n'est que la deuxième cause de mortalité, derrière les maladies cardio-vasculaires, et 50 % des malades qui ont bénéficié d'un traitement précoce sont encore en vie cinq ans après que la maladie a été diagnostiquée. Passé ce délai de cinq ans, on considère que le cancer a peu de risques de récidiver.

Le cancer est aussi particulièrement redouté parce qu'il peut prendre de multiples formes. Il n'y a pas qu'une maladie, mais plus de cent, qui ont un facteur commun : l'existence d'une tumeur maligne.

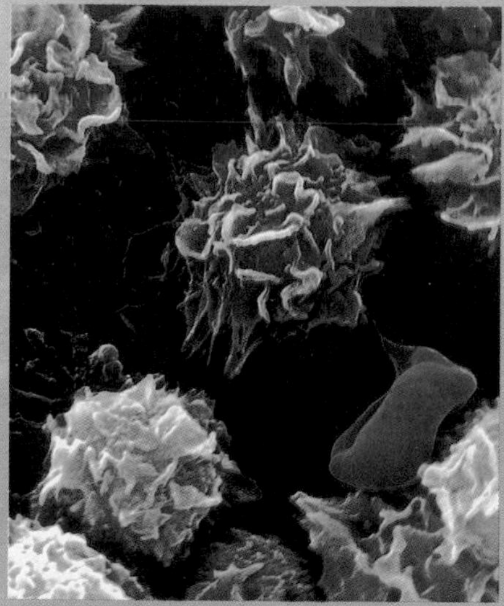

Signes révélateurs de leucémie à tricholeucocytes, mis en évidence par une analyse de sang. Les boules crêpues sont des lymphocytes malades. Les lymphocytes sont une variété de globules blancs qui jouent un rôle essentiel dans le système immunitaire.

Une tumeur est une excroissance des tissus due à une prolifération excessive des cellules. Il existe deux formes de tumeurs : l'une est bénigne et constituée de tissu ressemblant au tissu normal, se développant lentement, souvent bien limitée et n'envahissant pas les tissus voisins. Alors que la tumeur cancéreuse est maligne, ses cellules sont différentes des cellules du tissu normal, son développement est souvent rapide, avec possibilité de récidive après ablation et risque d'envahissement non seulement des tissus voisins, mais aussi de tout autre organe du corps, même à distance, comme les poumons, le foie, les os, les ganglions ou l'estomac. Cette dissémination à distance se manifeste par l'apparition de métastases. Elles correspondent à une prolifération à partir de quelques cellules cancéreuses du foyer primitif, qui, s'étant détachées de celui-ci, ont migré par le biais de la circulation sanguine ou lymphatique pour venir se greffer sur d'autres organes.

Le rôle de l'hérédité n'est pas encore clairement défini. Il semble qu'il existe une prédisposition, un terrain qui favorise l'apparition d'un cancer, tout comme il prédispose à certaines affections. Il existe indiscutablement des familles plus frappées que d'autres par certains types de cancer, mais l'hérédité cancéreuse n'est pas prouvée pour autant.

Nous possédons tous au moins 50 000 gènes, qui déterminent chaque caractère de notre patrimoine génétique. La formation d'une tumeur maligne serait due au dérèglement d'une centaine d'entre eux. Certains gènes dits proto-encogènes, existant à l'état normal chez tout être, contrôlent le développement, la multiplication et la différenciation des cellules. Certaines altérations du génome cellulaire sont à l'origine de l'activation inappropriée du proto-encogène, appelé alors encogène. Sous leur action, certaines cellules se mettent soudain à grossir anormalement et à proliférer de façon anarchique. Elles envahissent les tissus et détruisent impitoya-

Ci-dessus : les rayons X font apparaître une tumeur du sein sous la forme d'une petite tache blanche. Une culture des cellules cancéreuses du sein montre, à gauche, leur dissémination progressive.

Arme redoutable contre le cancer, l'accélérateur linéaire de particules est une technique de radiothérapie. Le traitement consiste à irradier au maximum la tumeur cancéreuse, tout en minimisant les risques pour les tissus sains.

blement les cellules saines, dont elles prennent la place. L'évolution de la maladie cancéreuse dépend de la vitesse à laquelle ce phénomène se produit. En règle générale, cette transformation se fait lentement, et elle s'accompagne très vite de signes d'alerte.

Une meilleure connaissance de la maladie a permis d'établir que, dans certaines circonstances, des facteurs déclenchants pouvaient pousser une cellule à se mettre hors la loi. Ces agents favorisants, appelés carcinogènes, ne provoquent pas nécessairement le cancer, et c'est là un des grands mystères de la maladie. Par exemple, le tabac est un carcinogène reconnu, mais nous connaissons tous des gros fumeurs qui n'ont pas de cancer du poumon. D'un autre côté, pour un fumeur qui vit vieux, il y en a des dizaines qui meurent jeunes. Les médecins pensent que le risque qu'un carcinogène provoque ou non un cancer est fonction du terrain génétique. Au fil de leurs investigations, les chercheurs identifient de plus en plus de facteurs favorisant le cancer. Les produits radioactifs sont en tête de liste, comme ne cesse de nous le prouver le terrible accident de Tchernobyl. D'autres formes de radiations, comme les rayons X et les ultraviolets du soleil, sont en bonne position. La liste comprend aussi des substances chimiques présentes dans les pesticides, les déchets industriels, les gaz d'échappement, certains matériaux de construction comme l'amiante et la laine de verre, et dans les aliments qui ont subi des traitements.

Les habitudes sexuelles ont une incidence sur le cancer du col de l'utérus : la multiplicité des partenaires est un facteur de risque élevé. La fréquence des cancers du sein est plus importante chez les femmes qui ont eu une première grossesse tardive. Enfin, une irritation chronique peut provoquer un cancer. Par exemple, un appareil dentaire mal ajusté peut être à l'origine d'un cancer de la bouche ou des lèvres. D'année en année, l'identification de nouveaux facteurs déclenchants nous permet d'affûter nos défenses.

Une alimentation équilibrée constitue un bon facteur préventif. La gamme des aliments et des additifs alimentaires est cependant trop étendue pour qu'on puisse identifier des coupables irrécusables. Cependant, les régimes riches en graisses animales – viandes grasses, huiles, produits laitiers – pourraient augmenter les risques de cancer du côlon et du rein. Il est également préférable de limiter la consommation d'aliments en conserve, fumés ou traités avec des nitrates.

À l'opposé, certains aliments auraient une action bénéfique contre le cancer. C'est le cas des aliments riches en fibres, comme les céréales, les fruits et les légumes, qui protègent contre le cancer du côlon. Ceux qui consomment beaucoup de vitamine A, qui est abondante dans les foies de poisson, le beurre frais, les épinards, les poivrons, les choux de Bruxelles et les brocolis, semblent moins touchés par le cancer de l'appareil respiratoire, digestif et de la peau. La vitamine C aurait un rôle protecteur contre le cancer gastrique. Le risque de cancer de la peau est accru pas des expositions fréquentes et prolongées au soleil. Des précautions simples, comme le fait de porter un chapeau, d'utiliser des produits solaires adaptés et de limiter les séances de bronzage sans protection suffisent pour diminuer les risques.

Malheureusement, le cancer peut se manifester sous de multiples formes, qui ne peuvent pas toutes être évitées. Une autre mesure efficace de lutte contre le cancer est le dépistage précoce. Des examens réguliers du col de l'utérus, des seins et du côlon réduisent beaucoup le taux de mortalité par cancer de l'un de ces organes.

Le cancer donne des signes d'alerte. Une perte de poids soudaine et inexpliquée, une plaie ou une ulcération qui met du temps à cicatriser, un enrouement chronique, une douleur persistante, une grosseur ou un saignement anormaux nécessitent une consultation médicale.

Aujourd'hui, la moitié des cancers peuvent être guéris définitivement. Les traitements disponibles sont de plus en plus variés et de plus en plus efficaces. Ils donnent de meilleurs résultats quand ils sont entrepris dès le début de la maladie. Un dépistage précoce et quelques précautions élémentaires sont nos meilleurs atouts pour triompher d'une maladie certes redoutable, mais en aucun cas invincible.

Les travaux de Marie Curie sur la radioactivité sont responsables de la leucémie qui l'a emportée. Ses recherches ont fait avancer le traitement du cancer.

Le sport pour la santé

Le sport suscite un engouement sans précédent. À travers le monde, des millions d'individus consacrent plusieurs heures par semaine à la pratique d'une activité sportive.

Tout exercice physique intense qui fait travailler le cœur et les poumons procure un sentiment d'euphorie. Toutefois, avant d'entreprendre une activité sportive, il est indispensable de consulter un médecin, qui testera la résistance de l'organisme à l'effort. Le jogging, le cyclisme, la natation et la marche rapide sont particulièrement bénéfiques pour les systèmes cardio-vasculaire et respiratoire. Ils accélèrent la circulation sanguine, chaque contraction cardiaque délivrant davantage de sang et d'oxygène pour satisfaire les besoins accrus des muscles soumis à l'effort, et ils fortifient la cage thoracique en améliorant la ventilation pulmonaire.

Chez les grands sportifs, on observe un ralentissement du rythme cardiaque. Ainsi, le cœur de certains athlètes de haut niveau n'émet que 40 battements par minute au lieu de 60 à 80 chez un sujet normal. Quand le cœur bat plus lentement et plus efficacement, il s'use moins vite et il ménage les artères.

Comme le cœur pompe davantage pendant l'exercice physique, le sang coule à flots dans les artères. Ce phénomène prévient la formation de plaques d'athérome, cette substance jaunâtre et grumeleuse qui se fixe sur les parois des artères et qui, en réduisant le flux sanguin, peut provoquer des infarctus. Le sport augmente la sécrétion d'endorphines, substances produites par le système nerveux qui exercent une action analgésique et euphorisante analogue à celle de la morphine. Cela explique pourquoi les sportifs se sentent si bien après l'effort, mais aussi pourquoi ils éprouvent un sentiment de manque quand ils arrêtent l'entraînement et qu'ils sont privés de l'état de béatitude induit par les endorphines.

Qu'est-ce que le sida ?

Le sida, acronyme signifiant syndrome d'immuno-déficience acquise, a été identifié pour la première fois en 1981. Des chercheurs du Centre de contrôle des maladies d'Atlanta, aux États-Unis, ont analysé des rapports faisant état d'une infection des poumons extrêmement rare apparue au sein de la communauté homosexuelle mâle de Los Angeles, puis de New York. La maladie était due à un agent ayant déjà causé chez certains sujets une pneumonie que leur système immunitaire n'avait pas combattue. Dans les années qui suivirent, on a vu apparaître une série d'infections qualifiées d'opportunistes : des agents infectieux, qui ne présentent pas de danger pour un organisme dont le système immunitaire est efficace, provoquent des infections graves chez certains sujets. Les victimes ne sont pas que des homosexuels ; la maladie frappe également les toxicomanes qui se droguent par injection intraveineuse et les hémophiles qui ont subi des transfusions sanguines. Les chercheurs en déduisent que la maladie est transmise par les rapports sexuels et par le sang. À quelques mois d'intervalle, en 1983 et 1984, les médecins français et américains identifient un virus qu'ils appelleront plus tard HIV (Human Immunodeficiency Virus ou, en français, VIH pour virus de l'immunodéficience humaine).

La première victime connue du sida est un marin de vingt-cinq ans décédé à Manchester en 1959. Sa mort mystérieuse avait conduit les médecins à conserver ses reins, sa moelle et sa bile. Des analyses effectuées en 1990 ont démontré qu'il était mort du sida.

Le virus HIV attaque certains globules blancs qui jouent un rôle fondamental dans le mécanisme de l'immunité. Une fois contracté, le virus ne donne pas tout de suite le sida. Il peut rester en sommeil chez certains sujets ou provoquer une légère fièvre, un amaigrissement et une sensation de fatigue chez d'autres. Une fois déclarée, la maladie se caractérise par la survenue répétée d'infections et l'apparition de certains types de cancer. Toute perte de poids inexpliquée ou l'apparition de ganglions lymphatiques doivent faire envisager la possibilité d'une infection par le virus HIV.

Le test de dépistage consiste à rechercher dans le sang des anticorps fabriqués par l'organisme en réaction à la présence du virus. Si le résultat est positif, il devra être confirmé par des tests plus spécifiques. Un test négatif n'exclut pas définitivement la présence du virus HIV : il a pu être effectué trop tôt. Si le patient fait partie d'un groupe à risque, on lui conseille de se soumettre à un autre test six mois plus tard.

Le sida est un fléau mondial à plusieurs titres : d'une part, il est incurable et la recherche médicale n'a pas encore trouvé de vaccin pour le prévenir. D'autre part, ses modes de transmission sont nombreux : dans 80 % des cas, le sida est contracté au cours de rapports homosexuels ou bisexuels. 8 % des victimes ont été contaminées par une transfusion sanguine ; 2 % sont des toxicomanes qui ont pratiqué l'échange de seringues. Ces dernières années, le nombre de cas de sida a augmenté chez les hétérosexuels des deux sexes et on a vu naître des enfants infectés par des mères séropositives. Enfin, dans de rares cas, le sida a été contracté par ac-

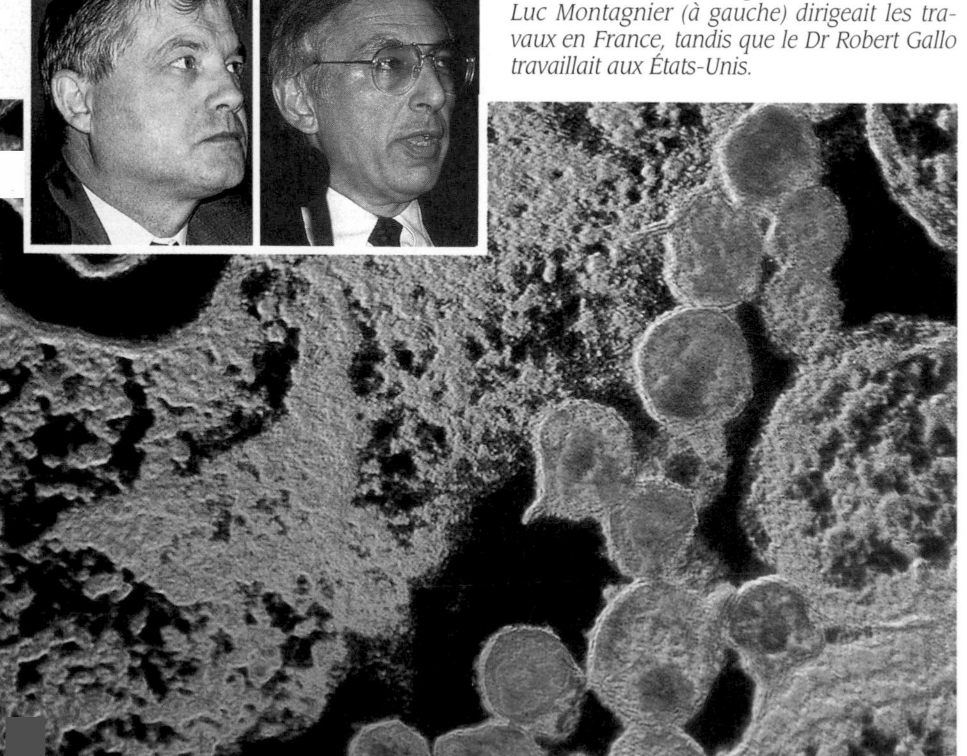

Deux équipes de chercheurs ont découvert le virus du sida (en orange ci-dessous). Le Pr Luc Montagnier (à gauche) dirigeait les travaux en France, tandis que le Dr Robert Gallo travaillait aux États-Unis.

DES TROUPES DE CHOC CONTRE LA MALADIE

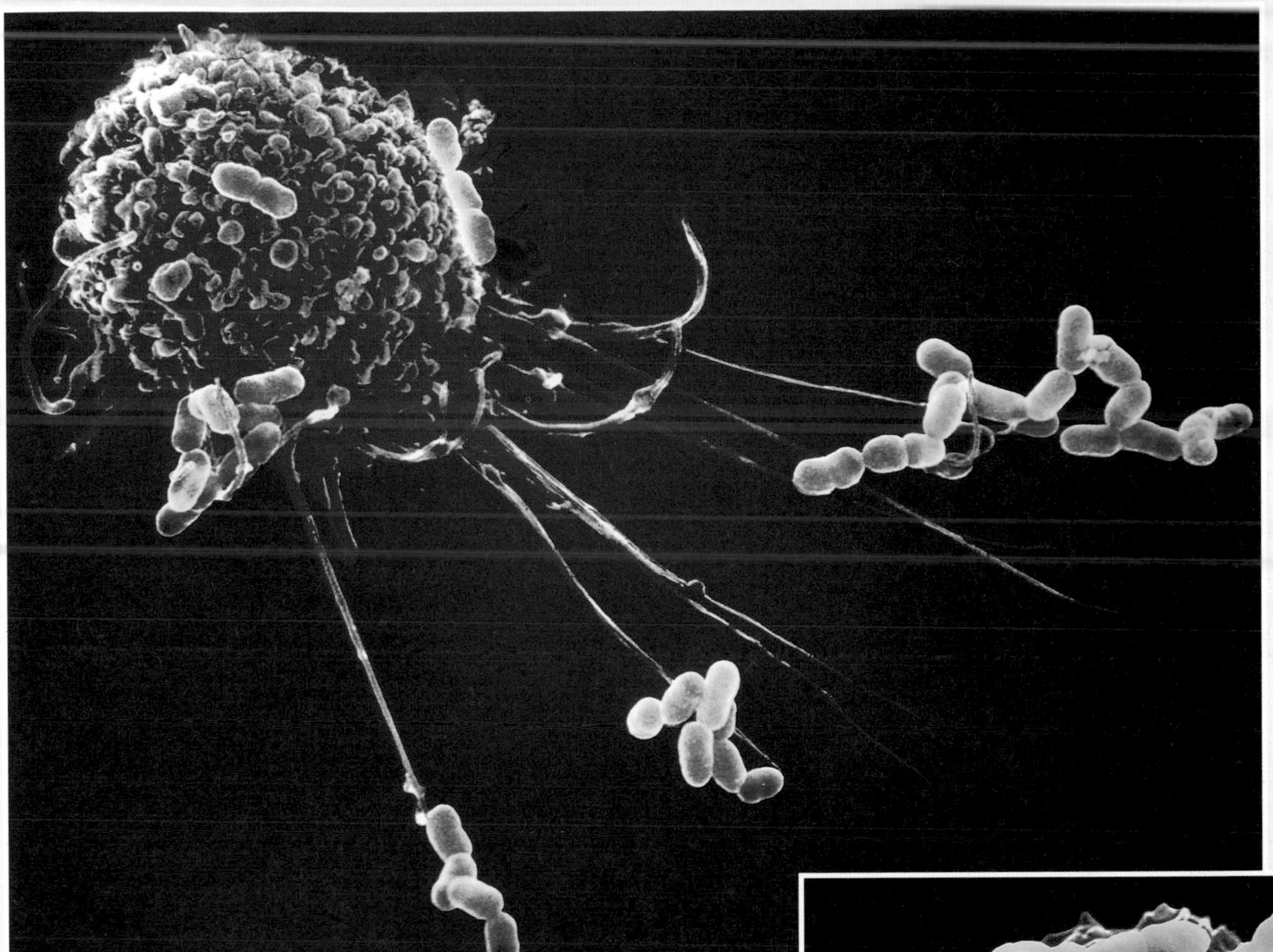

Le cerveau et le système immunitaire, dont le rôle est de nous protéger contre la maladie, sont étroitement liés. Une équipe de chercheurs américains a mis cette interdépendance en évidence en 1984, à la faveur d'une remarquable série d'expériences destinées à conditionner des souris pour qu'elles renforcent leurs défenses immunitaires.

Dans un premier temps, on a injecté aux rongeurs un produit qui décuple l'activité des lymphocytes et des macrophages, véritables troupes de choc du système immunitaire, qui débarrassent l'organisme d'intrus comme les virus et les bactéries. En même temps, les chercheurs faisaient respirer du camphre aux souris. Par la suite, quand les souris sentaient l'odeur du camphre, elles augmentaient automatiquement leurs défenses immunitaires sans qu'on leur injecte de produit.

D'autres chercheurs ont découvert que le cerveau et le système immunitaire communiquaient par l'intermédiaire d'hormones appelées thymosines ainsi que d'autres éléments du sang. L'intérêt de ces travaux est d'avoir éclairci un mécanisme que les médecins ont constaté depuis longtemps sans pouvoir l'expliquer : plus un malade se bat contre la maladie, plus ses chances de guérison sont élevées.

Cette découverte explique aussi pourquoi certains sujets sont plus fragiles que d'autres. Le stress psychologique sème la panique dans le système immunitaire. Une étude portant sur 117 sujets atteints de mélanomes malins s'est intéressée à 40 d'entre eux, qui bénéficiaient du même pronostic. En deux ans, 20 sont décédés. Les 20 sujets qui ont succombé étaient beaucoup plus angoissés par leur tumeur que les 20 autres, qui ont survécu.

Les défenses naturelles de l'organisme envoient les macrophages au combat. Les cellules étendent leurs pseudopodes pour phagocyter puis digérer les débris cellulaires et les corps étrangers. Les deux étapes de l'élimination d'une bactérie sont représentées ci-dessus : en haut, la neutralisation ; en bas, l'absorption finale.

cident, en se piquant avec une aiguille infectée, par exemple.

S'il est important de connaître les modes de transmission du sida, il faut aussi mettre un terme aux idées reçues : une poignée de mains ou un baiser sans échange de salive ne transmettent pas le sida. On ne l'attrape pas non plus sur le siège des toilettes ni en partageant la vaisselle, les vêtements ou la literie d'une personne séropositive. De nouveaux tests sanguins ont permis d'enrayer la contamination par transfusion et, partout dans le monde, les médecins redoublent de vigilance en matière d'asepsie.

En attendant la mise au point d'un remède efficace ou d'un vaccin contre le sida, la prévention, l'information, notamment celle des jeunes, et l'utilisation de préservatifs restent les seuls moyens efficaces de lutter.

« Quand papa ronfle, le reste de la famille passe une nuit blanche », affirme ce dessin humoristique du début du siècle. D'après les statistiques, [illegible] % des hommes et 50 % des femmes ronflent.

À quoi sert notre nez ?

De tous les organes des sens, le nez est celui auquel nous accordons le moins d'intérêt. Nous prenons grand soin de nos yeux et de nos oreilles, mais nous ne faisons aucun cas de notre nez. Les yeux, les oreilles et la bouche ont une connotation poétique, alors que le nez n'est qu'une fourmi laborieuse.

Cette désaffection à l'égard du nez vient peut-être du fait qu'il ne nous pose pas de problèmes particuliers et qu'au fil des années il continue à fonctionner parfaitement, alors qu'entre-temps les yeux ont eu besoin de lunettes. Chaque jour, le nez nettoie 15 m³ d'air, autrement dit le contenu d'une petite pièce. Qu'il gèle à pierre fendre ou qu'il fasse une chaleur caniculaire, ce climatiseur miniature maintient la température de l'air à 35 °C et son taux d'humidité à 80 %.

Un testeur de parfums travaille sur quelques-unes des 4 000 odeurs que l'odorat humain peut détecter rapidement.

Alors que les climatiseurs industriels présentent l'inconvénient de brasser des bactéries, nos narines jouent le rôle de filtres qui empêchent les impuretés d'atteindre les poumons. Le nez purifie l'air en deux étapes. Dans un premier temps, les poils qui tapissent l'intérieur des narines arrêtent la poussière et les pollens. Si l'intrus est particulièrement agressif, il peut être expulsé par un éternuement.

Tout corpuscule étranger qui parvient à franchir cette première barrière rencontre un ennemi plus coriace : la muqueuse pituitaire, tapissée de mucus visqueux, qui agit comme du papier tue-mouches. Pour humidifier l'air et fabriquer le mucus qui recouvre la membrane, le nez sécrète 1 l d'humidité par jour. Le mucus retient les bactéries et les détruit avec une enzyme appelée lysozyme.

Pour que la muqueuse reste efficace, le nez produit une nouvelle dose de mucus toutes les vingt minutes. Une colonie de balais microscopiques formés de petits filaments appelés cils vibratiles emprisonnent alors la couche de mucus précédente, et ils la balaient vers la gorge à la cadence de 1 000 mouvements par minute.

En principe, les cils vibratiles font progresser le mucus à la vitesse de 6 mm par minute. Une consommation excessive de tabac et d'alcool ralentit le processus, affaiblissant ainsi les défenses de l'organisme contre les maladies qui pénètrent dans l'organisme par les voies aériennes.

En plus de son rôle de climatiseur, le nez détermine notre timbre de voix et, en tant qu'organe de l'odorat, il peut identifier 4 000 odeurs différentes.

Que peut-on faire contre les ronflements ?

En dépit de tous les désagréments qu'il engendre, le ronflement est un problème négligé. Il concerne pourtant des millions d'individus qui ronflent et des millions d'autres qui sont contraints de les supporter. Certains ronflements peuvent émettre jusqu'à 87 décibels, c'est-à-dire deux fois plus qu'une conversation normale et autant qu'un marteau piqueur.

Les individus qui ronflent dorment la bouche ouverte. Une obstruction des voies nasales ou de la gorge causée par un rhume ou une allergie peut effectivement contraindre le ronfleur à respirer par la bouche. Mais, la plupart du temps, il suffit qu'il dorme sur le dos pour qu'il se mette à ronfler. Dans cette position, la mâchoire inférieure est pendante. La langue n'est plus à plat dans la bouche, mais elle obstrue partiellement la trachée. L'air qui entre par la bouche fait vibrer le voile du palais et la luette, petit appendice charnu qui pend à l'entrée de la gorge. Dans les cas les plus sévères, certains médecins proposent une petite intervention chirurgicale, qui consiste à élargir le pharynx en supprimant la luette.

Si vous ronflez, une solution consiste à coudre une petite balle sur votre veste de pyjama de façon à provoquer une sensation d'inconfort quand vous dormez sur le dos. Deux exercices peuvent vous aider à garder la bouche fermée : coincez un crayon entre vos dents pendant dix minutes ou appuyez fermement votre langue contre vos incisives inférieures pendant deux minutes.

Nos rêves les plus fous

Que révèlent les rêves et les cauchemars ?

Aucun phénomène n'est plus étrange que le rêve et les situations imaginaires qu'il engendre. Certaines sont agréables et nous plongent dans un univers de bonheur et de volupté, que nous quittons à regret quand sonne l'heure du réveil.

D'autres rêves sont déconcertants : ils font resurgir des personnes que nous avions oubliées depuis des années ou mettent en scène des individus bizarres qui sont un amalgame de plusieurs de nos relations. Les périodes de notre vie se mélangent de façon totalement anachronique et nous faisons des choses que nous n'oserions jamais faire dans la réalité. Enfin, certains rêves peuvent apporter une solution à un problème ou à un souci.

Le psychanalyste Sigmund Freud, qui s'est beaucoup intéressé au contenu et à la signification des rêves, affirmait que certains rêves sont l'accomplissement d'un désir étroitement lié à des réactions émotionnelles remontant à l'enfance. Selon sa théorie, les rêves expriment des sentiments et des pensées réprimés pendant la journée et qui se manifestent sous une forme déguisée pendant le sommeil.

De nombreux psychologues considèrent aujourd'hui les rêves comme un prolongement de l'état de veille, un processus au cours duquel les idées, les sentiments et les impressions accumulés en vrac pendant la journée sont triés. Les rêves sont peuplés d'événements incohérents et inexplicables parce que la conscience est endormie : les actions qu'elle réprimerait pendant les heures de veille peuvent alors s'exprimer librement.

Certains véritables cauchemars puisent leur origine dans l'enfance et restent très imprécis. D'autres trouvent leur source dans des expériences vécues et traumatisantes, comme un accident de voiture ou la mort d'un proche. Des études ont montré que certains types de personnalité – en particulier les individus qui exercent des activités artistiques – sont plus susceptibles de faire des cauchemars que d'autres. L'analyse de l'activité électrique du cerveau par électroencéphalographie a

Des chauves souris et des vampires assaillent le rêveur de la Vision fantastique *de Goya. Les rêves sont plus fréquents pendant les phases paradoxales. Sur ce graphique représentant les cycles du sommeil, la ligne du haut met en évidence les périodes pendant lesquelles le sujet rêve. La ligne du milieu indique les phases de sommeil paradoxal, caractérisées par des mouvements oculaires rapides. La nuit d'un sujet normal est divisée en 4 ou 5 cycles successifs.*

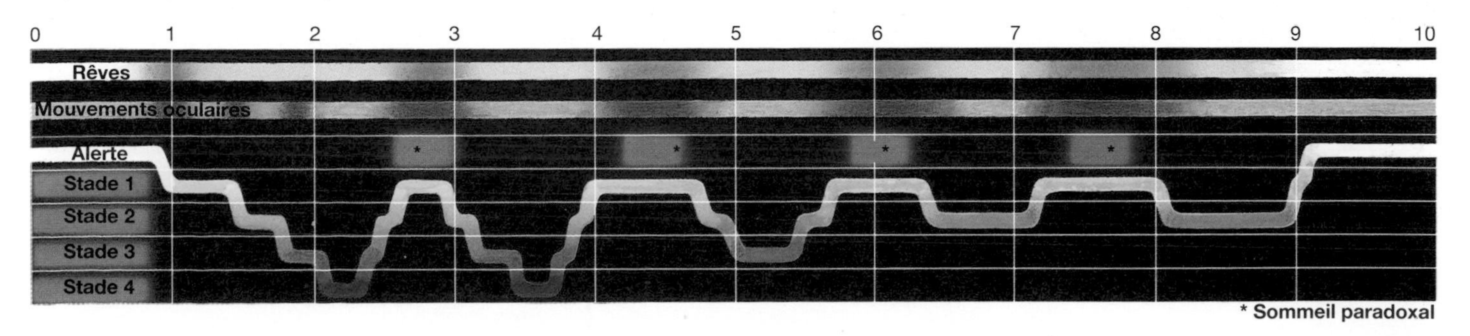

permis de diviser le sommeil en plusieurs phases et de découvrir que la plupart des rêves ont lieu pendant les périodes dites de sommeil paradoxal, qui se reproduisent 4 ou 5 fois par nuit et qui durent en moyenne vingt minutes chacune. Pendant les phases de sommeil paradoxal, le cerveau est très actif.

Si l'on réveille un sujet endormi au moment de la phase paradoxale, ses rêves seront encore très présents, et il pourra les raconter en détail. Si on le réveille après cette phase, l'évocation des rêves sera plus difficile. Les rêves dont nous nous souvenons le mieux sont ceux qui ont lieu pendant une phase paradoxale proche de l'heure de réveil.

Chez les bébés et les victimes de traumatismes crâniens, les phases paradoxales durent plus longtemps. Certains chercheurs en déduisent que le sommeil paradoxal joue un rôle primordial dans le développement de l'activité cérébrale. Les impressions perçues par le bébé et enregistrées pendant les phases paradoxales peuvent établir des structures mentales qui auront une influence déterminante sur la personnalité de l'enfant.

En analysant l'activité cérébrale pendant le sommeil, les chercheurs pensent avoir trouvé la localisation exacte du moi. Le système limbique, qui est situé dans un demi-cercle au centre du cerveau, en serait le siège. Selon cette théorie, cette zone est le centre exécutif du cerveau : elle décide si un événement doit être stocké en mémoire ou oublié. Dans ce cas, le rêve est indispensable au bon fonctionnement des structures cérébrales.

Altercation entre le manager d'une équipe de base-ball et l'arbitre du match. Selon les psychologues, les champions sportifs et les individus qui réussissent sont particulièrement agressifs.

Les hommes sont-ils vraiment plus agressifs que les femmes ?

Le comportement d'un individu n'obéit pas à des règles immuables, mais la plupart des psychologues et des éducateurs – hommes et femmes confondus – admettent l'existence de différences évidentes entre les deux sexes. Ils affirment que les filles s'expriment plus aisément que les garçons, qu'elles apprennent plus vite à lire et qu'elles sont plus douées pour résoudre des problèmes complexes ; alors que les garçons leur sont supérieurs en mathématiques, qu'ils sont doués pour lire les cartes géographiques, ont le sens de l'orientation et sont plus agressifs physiquement et verbalement. Mais il y aura toujours des exceptions qui confirmeront la règle et, si les statistiques donnent des tendances générales, elles ne suffisent pas pour préjuger définitivement des aptitudes d'un individu.

Certains chercheurs donnent des explications biologiques aux différences de comportement entre les femmes et les hommes. Selon eux, l'agressivité masculine est conditionnée par les androgènes, hormones mâles qui assurent le développement des caractères sexuels secondaires, comme la musculature du thorax et des épaules, la voix grave et la pilosité du visage et de la poitrine. La testostérone est la plus importante des hormones androgènes. Une étude effectuée sur un certain nombre de jeunes délinquants a démontré que les adolescents les plus agressifs sont ceux qui présentent les taux de testostérone les plus élevés.

L'agressivité de l'homme peut remonter à la préhistoire et aux lois de la sélection naturelle, qui n'épargnait que les plus forts. Aux savants qui réfutent la théorie biologique, les anthropologues opposent une évidence : dans toutes les sociétés, ce sont les hommes qui chassent et qui se battent. Les femmes font rarement la guerre. L'existence de telles similitudes dans des cultures radicalement différentes corroborerait la thèse selon laquelle le comportement est influencé par des facteurs biologiques et non pas exclusivement par le milieu.

D'autres études démontrent en revanche que, jusqu'à l'âge de deux ans, les deux sexes font preuve de la même agressivité, mais que par la suite les parents encouragent inconsciemment l'agressivité chez un garçon alors qu'ils la répriment chez une fille. L'éducation et l'environnement joueraient alors un rôle déterminant dans le développement de l'agressivité masculine.

Le rire est-il bon pour la santé ?

L'influence de la santé mentale sur la santé physique n'est plus à prouver. Les dossiers des médecins sont remplis d'exemples de patients dont les maladies semblent avoir pour origine un état dépressif général. Une étude effectuée par des médecins a démontré que les maladies chroniques sont 6 fois plus fréquentes chez les chômeurs que chez les sujets qui ont un emploi.

L'organisme répond au stress en sécrétant davantage de cortisol et d'adrénaline. Entre autres fonctions, ces hormones ont la propriété d'accélérer le rythme cardiaque et d'élever la pression artérielle pour accroître nos défenses et nous permettre de faire face à l'agression. Un stress prolongé ou violent entraîne une production d'hormones trop importante, qui, au lieu d'augmenter notre efficacité, nous empêche de réagir. C'est pourquoi certains individus qui affrontent une situation où leur vie est en danger sont incapables d'avoir une réaction rationnelle.

Le rire stimule certaines zones de notre cerveau, qui déclenchent une réaction en chaîne. Les glandes endocrines libèrent alors des analgésiques et des sédatifs naturels. D'autres sécrétions favorisent la digestion et les artères se détendent, facilitant ainsi la circulation du sang. Aucun médecin ne prétendra jamais que le rire est un remède contre tous les maux, mais aucun ne contestera non plus ses effets bénéfiques sur la santé.

Pourquoi rougissons-nous ?

Le rougissement est un phénomène complexe que les psychologues expliquent de différentes manières. On sait cependant avec certitude qu'il n'affecte pas les animaux, que l'homme ne rougit que lorsqu'il est en compagnie, et que, plus on essaie de s'empêcher de rougir, plus le visage devient écarlate. Le fait de rougir est une réaction involontaire dictée par une partie du cerveau sur laquelle nous n'exerçons aucun contrôle. Les minuscules vaisseaux sanguins qui irriguent le visage et les zones voisines se dilatent, provoquant ainsi un afflux de sang qui empourpre les joues, et parfois les oreilles et le cou.

Pour aussi insignifiant qu'il soit, cet attribut propre à l'espèce humaine a beaucoup intrigué Charles Darwin. Les femmes rougissent plus facilement que les hommes, et Darwin était curieux de savoir si ce phénomène s'arrêtait au niveau du cou ou s'il se propageait plus bas. Sir James Paget, un médecin de ses amis, lui répondit que « chez les femmes qui deviennent cramoisies sur le visage, les oreilles et la nuque, le rougissement ne descend pas plus bas ».

Darwin constata que les handicapés mentaux et les enfants trop jeunes pour comprendre les subtilités de la morale ne rougissent pas. Il a conclu de ces observations « qu'il faut se méfier des sujets qui rougissent, car on peut les soupçonner d'avoir dérogé aux bonnes mœurs ou d'avoir commis quelque délit ». Nous savons aujourd'hui que le fait de rougir est une réaction instinctive chez certains sujets qui commettent un impair ou chez les individus d'une grande modestie.

Quelle est la signification exacte du rougissement ? Selon le Dr Murray Blimes, « le plus intrigant dans le rougissement est son ambiguïté : d'un côté, le sujet a envie de se cacher et, de l'autre, il attire l'attention sur lui ».

Pourquoi est-on gaucher ?

Des échographies réalisées sur des fœtus de trois mois ont prouvé qu'ils avaient déjà tendance à privilégier l'utilisation d'une main plutôt que de l'autre. Ces observations sembleraient confirmer la thèse selon laquelle la gaucherie pourrait être d'origine génétique, mais d'autres statistiques minimisent au contraire le rôle de l'hérédité. 84 % des gauchers ont des parents droitiers et, chez les vrais jumeaux, l'un est droitier et l'autre gaucher dans 12 % des cas.

Si l'origine de la gaucherie reste une énigme, sa rareté est encore plus déconcertante. En France, elle concerne 10 % de la population. La moitié des chimpanzés préfèrent une main à l'autre. Il en va de même pour la plupart des espèces animales. Pour tenter d'élucider les mystères qui entourent encore la gaucherie, les chercheurs étudient le système nerveux central et sa latéralité croisée, autrement dit, le phénomène selon lequel la main droite est contrôlée par l'hémisphère gauche du cerveau, et vice versa.

Chez 95 % des droitiers, le centre du langage est dans l'hémisphère gauche du cerveau. Malgré la dominance de leur hémisphère cérébral droit, 20 à 30 % des gauchers seulement présentent une latéralité croisée et ont le centre du langage à droite. Chez les 70 % qui restent, le centre du langage est dans l'hémisphère gauche.

Les gauchers, dit-on, seraient plus intelligents que les droitiers. La société Mensa, dont les membres doivent justifier d'un quotient intellectuel supérieur à la moyenne, compte 20 % de gauchers, pourcentage 2 fois plus élevé que dans l'ensemble de la population. Nombreux sont les grands personnages de l'histoire qui étaient gauchers : c'était le cas d'Alexandre le Grand, de Jules César, de Charlemagne et de Jeanne d'Arc.

Parmi les gauchers célèbres, on peut citer notamment Charlie Chaplin, Jeanne d'Arc, Paul McCartney et Napoléon Bonaparte. Autrefois, les gauchers étaient considérés comme des parias qui commerçaient avec le diable. Aujourd'hui, dans un monde fait pour les droitiers, les gauchers endurent bien des ennuis.

En fait, bon nombre d'entre nous sont presque ambidextres sans le savoir. Un test simple peut le prouver. Prenez une grande feuille de papier et munissez-vous d'un crayon dans chaque main. En partant du centre de la feuille vers les côtés, signez votre nom avec la main droite tout en reproduisant les mêmes mouvements – mais de façon inversée – avec la main gauche. Avec un peu d'entraînement et en regardant votre signature de la main gauche dans un miroir, vous serez surpris de constater qu'elle ressemble à s'y méprendre à la signature effectuée par la main droite !

Pourquoi bâillons-nous ?

Le bâillement est un acte réflexe provoqué par la fatigue ou l'ennui. Il se caractérise par une ouverture large et involontaire de la bouche, qui s'accompagne d'une aspiration d'air prolongée suivie d'une profonde expiration de gaz carbonique. Le rythme cardiaque s'accélère légèrement, les muscles du visage se contractent, les yeux sont larmoyants.

Le bâillement peut avoir plusieurs causes. Il peut être provoqué par une gêne de la respiration, qui a pour effet d'augmenter le taux de gaz carbonique contenu dans le sang. Dans ce cas, une profonde aspiration suivie d'une longue expiration permet de rétablir les besoins en oxygène. Certains bâillements sont d'origine digestive : ils traduisent des troubles gastriques ou, plus simplement, une sensation de faim.

Le bâillement est provoqué par la fatigue ou l'ennui. Il n'est pas l'apanage de l'homme : les singes bâillent aussi.

Pourquoi oublie-t-on facilement les noms ?

Nous sommes tous confrontés régulièrement à cette situation terriblement embarrassante : nous rencontrons, dans la rue ou ailleurs, une personne que nous connaissons incontestablement mais dont nous sommes incapables de nous rappeler le nom.

Parfois, nous nous souvenons de détails sans importance, comme la marque de sa voiture ou son musicien préféré, mais, plus nous cherchons son nom, plus il nous échappe. La panique, phénomène bien connu des candidats aux examens, nous empêche de retrouver des faits élémentaires. À l'inverse, une émotion forte sert souvent d'aide-mémoire. Selon les psychologues, l'évocation de notre première année universitaire fait souvent la part belle aux souvenirs amoureux, qui évincent les détails du programme des études.

Le fait de se remémorer un visage parmi tant d'autres est déjà extraordinaire en soi. La plupart d'entre nous n'ont aucun mal à reconnaître instantanément des milliers de personnes, mais le processus d'identification se fait beaucoup moins spontanément. Par exemple, un sujet qui regarde une photographie de John McEnroe commencera par dire : « C'est un joueur de tennis. » Puis il précisera qu'il s'agit de « celui qui se dispute tout le temps avec les arbitres ». Le nom viendra éventuellement après.

Pour une raison inconnue, il semble que les informations concernant les noms propres soient stockées dans un compartiment spécifique du cerveau. Pour accéder à cette case, il nous faut d'abord traverser les autres.

Dans certains cas, l'oubli d'une catégorie de souvenirs, comme les noms propres, peut avoir pour cause une lésion cérébrale organique qui prive le malade de certaines fonctions. Au cours d'une expérience, un sujet a été capable de diviser une pile de photographies en deux groupes, en mettant d'un côté les gens célèbres et de l'autre les personnages inconnus, mais il a eu beaucoup de mal à identifier un seul visage. En revanche, des tests du même ordre ont prouvé que tout sujet capable de nommer un individu est systématiquement en mesure d'ajouter d'autres détails le concernant, comme sa profession ou sa nationalité.

L'espérance de vie des femmes

Dans la plupart des pays du monde, que l'espérance de vie tourne autour de trente-cinq ans, comme dans certains pays en voie de développement, ou autour de quatre-vingts ans, comme c'est le cas au Japon, les femmes vivent en moyenne cinq ans de plus que les hommes. La seule exception à la règle est l'Inde, où l'espérance de vie est de cinquante-neuf ans pour les hommes et de cinquante-huit ans pour les femmes. En France, la longévité des femmes est actuellement de soixante-dix-huit ans – c'est la plus élevée d'Europe – tandis que celles des hommes est de soixante-treize ans.

Les médecins proposent plusieurs théories pour expliquer cet écart de longévité. Les filles sont plus résistantes que les garçons à la naissance et, par la suite, les femmes sont moins vulnérables aux maladies cardio-vasculaires que les hommes. Non seulement elles sont favorisées par leur patrimoine génétique mais elles mènent aussi, pour une grande majorité d'entre elles, des vies moins périlleuses.

Les hommes courent davantage de risques susceptibles de mettre leur santé, voire leur vie, en péril. Qu'ils soient maçons, mineurs ou conducteurs d'engins, ils exercent souvent des professions dangereuses. À la maison, ils se chargent des gros travaux de bricolage et de jardinage, escaladant des échelles pour repeindre des fenêtres ou tailler des haies, ou grimpant sur le toit pour installer une antenne ou déboucher une gouttière. Enfin, à moto ou en voiture, les hommes ont statistiquement 3 fois plus d'accidents mortels de la circulation, alors que les femmes détiennent seulement le record des petits accrochages en tout genre.

Les hommes travaillent à plein temps, ils font souvent les trois-huit en usine, rythme très néfaste pour la santé. Ils prennent leur retraite plus tard que les femmes. Enfin, ils vont au combat en cas de guerre. Jusqu'à une époque récente, ils fumaient davantage que les femmes et étaient les victimes de prédilection du cancer du poumon. Mais, ces dernières années, ce paramètre a évolué : en l'espace de vingt ans, l'augmentation du tabagisme féminin a doublé la fréquence du cancer du poumon chez la femme. Sur ce terrain, les femmes risquent donc de perdre leur avantage à brève échéance.

Un autre facteur important a eu une influence déterminante sur la longévité féminine depuis le début du siècle : dans la plupart des pays du monde, l'accouchement ne présente plus de danger, ni pour la mère ni pour l'enfant.

À BOIRE ET À MANGER

D'où viennent les pâtes ? PAGE 128

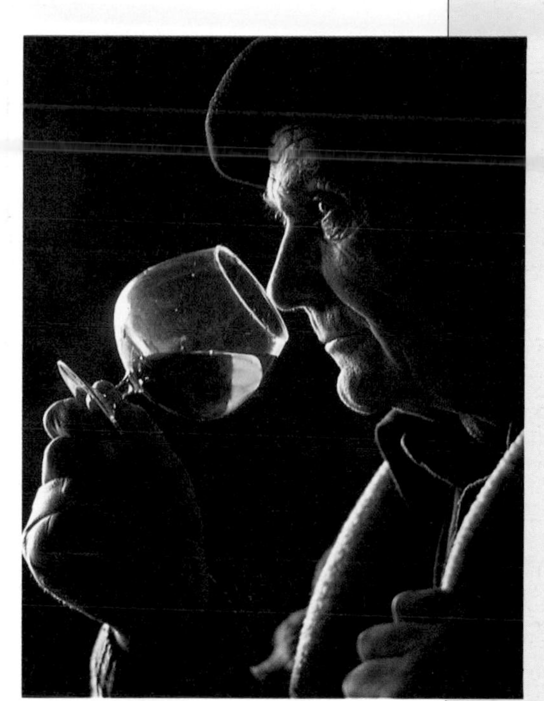

Curry à l'indienne
PAGE 125

Pourquoi y a-t-il
tant de vins ?
PAGE 138

Des bactéries au menu

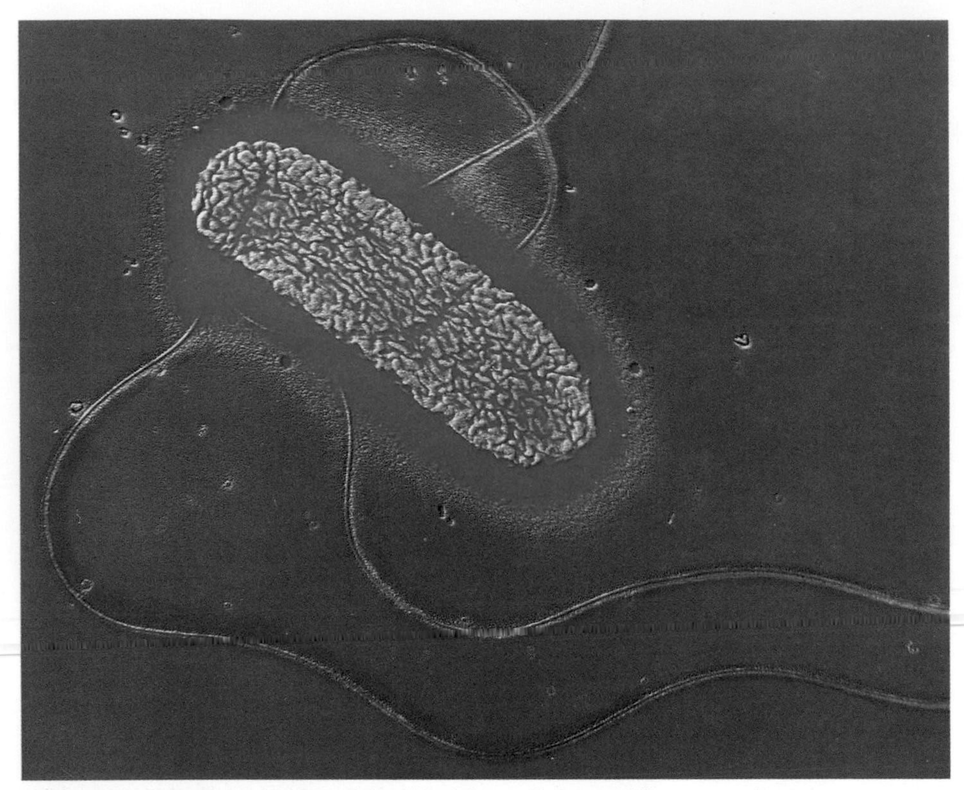

Une empoisonneuse en plein travail (bactérie Salmonella enteritidis *vue au microscope).*

À l'abri de l'air

Certains aliments s'altèrent à cause de leurs enzymes et beaucoup sont détériorés par l'oxygène de l'air. Son action sur les corps gras, par exemple, fait rancir le beurre ou l'huile. Mais les enzymes et les rayons ultraviolets de la lumière solaire y sont aussi pour quelque chose. C'est pourquoi les boîtes hermétiques favorisent la conservation des denrées alimentaires : celles-ci ne sont pas au contact de l'oxygène, exception faite du peu d'air présent dans le conditionnement.

L'oxygène exerce aussi une action sur certaines substances chimiques produites par les moisissures, levures, bactéries et autres micro-organismes. Et ces substances peuvent altérer le goût, l'odeur et la couleur des aliments. Tant qu'ils demeurent peu nombreux, la plupart des micro-organismes ne sont guère toxiques, mais leur prolifération peut être très rapide. Certaines bactéries se multiplient par deux toutes les vingt minutes, si bien qu'une seule d'entre elles donnera en sept heures naissance à un million d'autres. Des colonies de plusieurs millions de microbes décolorent les aliments et les parsèment de taches duveteuses ou gluantes, surtout lorsque l'humidité favorise l'apparition de moisissures. Là encore, une boîte hermétique protège les denrées d'un air chargé d'humidité et de microbes. L'air abonde en spores de moisissures et de champignons, qui ne demandent qu'à se déposer. Pour peu qu'il y ait assez d'air, les moisissures se développeront même sur des condiments acides.

De plus, une boîte hermétique a le mérite d'empêcher le dessèchement d'aliments qui sont meilleurs quand ils restent un peu humides. Et elle préserve aussi des insectes, dont les excrétions et les sécrétions chimiques, si elles leur permettent peut-être de mieux digérer, ne sont pas du tout à notre goût. Sans parler des œufs, des cocons ou des larves qu'ils peuvent généreusement nous offrir...

Cela dit, des aliments conservés à l'abri de l'air finissent aussi par s'altérer : ce conditionnement n'empêche pas les réactions métaboliques naturelles qui brûlent les sucres. Il ne neutralise pas non plus les enzymes responsables du mûrissement, ni n'arrête l'activité des organismes déjà présents.

Le froid quatre étoiles

Inventée par Charles Tellier, la congélation alimentaire a fait ses débuts commerciaux en 1878, avec l'expédition de viande congelée de Buenos Aires au Havre.

La congélation et la surgélation (ou congélation ultrarapide) bloquent l'évolution des micro-organismes et enzymes responsables de l'altération des aliments. Les processus chimiques des organismes vivants sont pratiquement tous ralentis par des températures inférieures à 0 °C, point de congélation de l'eau. À – 10 °C, peu d'entre eux sont encore opérants : moisissures, bactéries et autres microbes ne peuvent plus se reproduire. La durée de congélation des aliments conservés par ce moyen est variable. L'exemple extrême est celui de la viande de mammouth restée prise dans les glaces sibériennes pendant vingt mille ans et demeurée comestible !

La congélation modifie sensiblement la saveur des aliments. Toutefois, la cryogénisation donne de meilleurs résultats à cet égard que les procédés conventionnels, surtout avec la viande, les fruits de mer et le pain. Cette méthode utilise de l'azote liquide, un gaz inodore et sans saveur, porté à une température proche du zéro absolu (– 273 °C). Une application aussi macabre qu'insolite lui a valu la célébrité : la conservation de cadavres dans l'attente hypothétique d'un remède miracle permettant leur résurrection...

La lyophilisation est une autre technique du froid. Elle produit des aliments déshydratés ultralégers, que l'on peut reconstituer en les plongeant dans l'eau bouillante. Ils sont congelés en atelier

Inventé en Suède en 1923, le réfrigérateur électrique a constitué un gros progrès dans la conservation des aliments. Celui de cette photo est un modèle américain des années 1930.

sous vide, entre des plaques réfrigérées, puis chauffées, si bien que la glace contenue dans les aliments se transforme directement en vapeur, laquelle est pompée hors de l'atelier. Le procédé est surtout efficace avec des légumes tels que les petits pois. En mûrissant, leurs sucres naturels se transforment en amidon, ce qui les rend plus durs et moins savoureux. On les blanchit dans l'eau bouillante dans les deux heures qui suivent la cueillette, afin d'inhiber les enzymes, avant de les surgeler.

Curry à l'indienne

Que leur goût soit subtil ou volcanique, les currys, autrefois appelés épices, ne se limitent pas à la cuisine indienne. On en trouve une grande variété dans toute l'Asie, d'où ils sont parvenus sur tous les continents.

Leur usage remonte à des millénaires, comme en témoigne la plus ancienne des recettes connues, notée en caractères cunéiformes il y a 3 700 ans sur une tablette d'argile babylonienne : celle de navets braisés et épicés au curry, servis avec un ragoût d'agneau. Le *Rāmāyaṇa*, épopée indienne rédigée en sanscrit vers 300 avant J.-C., fait allusion à un pilaf de viande accommodé au poivre, au safran, à la muscade et à la poudre de mangue crue.

Le mot curry utilisé en Occident vient du tamoul *kari* (sauce), ce qui explique que nous l'associons à l'Inde, premier producteur d'épices. D'autre part, beaucoup de variétés très connues (notamment la cardamome, le safran et le curcuma) viennent de ce pays. Leur arrivée dans la cuisine occidentale est due à la présence coloniale anglaise dans le sous-continent, jusqu'à l'indépendance de l'Inde et du Pakistan, prononcée en 1947.

Les épices, ici vendues à profusion sur un marché de Bombay, se négociaient naguère à prix d'or et ont changé le cours de l'histoire. Aujourd'hui, elles jouent un rôle économique important dans bien des pays orientaux et figurent habituellement sur les tables du monde entier.

Du séchage à la conserve

Si commune dans les rayons de nos supermarchés, la boîte de conserve est une invention bien plus ancienne qu'on le croit. Elle est due au Français Nicolas Appert, qui mit le procédé au point en 1805 pour les armées de Napoléon Ier. En campagne, celles-ci avaient en effet besoin d'un procédé de conservation plus efficace et plus commode que les vieilles méthodes par salaison ou séchage à la fumée.

L'idée de génie de Nicolas Appert fut d'associer deux opérations : le conditionnement en boîte soudée ou en bocal de verre (récipients étanches dont nous avons vu les propriétés) et l'action de la chaleur, qui détruit ou inhibe enzymes, micro-organismes et toxines.

Son procédé (appelé aujourd'hui encore appertisation par les spécialistes) dépassa toutes les espérances, puisqu'il permet une conservation de plusieurs années sans le moindre problème. De plus, contrairement à une idée encore très répandue, il préserve de 70 à 90 % des vitamines. Mais, attention : si les conserves industrielles sont très fiables, une conserve maison insuffisamment stérilisée est cause de botulisme, une intoxication très grave, voire mortelle.

La preuve par l'œuf

Pour savoir si un œuf est frais, placez-le dans un bol d'eau. S'il flotte, jetez-le. Quand un œuf non incubé reste en surface, c'est qu'il a commencé à se décomposer : le blanc et le jaune sont en train de se transformer en hydrogène sulfuré, à l'odeur particulièrement nauséabonde.

Quant à un œuf fertilisé, il se met à flotter peu après le début de l'incubation. En se développant, le poussin absorbe de l'oxygène par les vaisseaux sanguins et exhale du gaz carbonique. L'extrême porosité de la coquille permet le passage de ces deux gaz. D'autre part, pendant l'incubation, l'œuf perd de l'eau par la coquille, et donc du poids. Si cette perte est trop importante, le poussin se déshydrate et meurt. L'eau ainsi évaporée est remplacée par une poche d'air à l'intérieur de l'œuf. Juste avant l'éclosion, le poussin perce cette poche du bec et y aspire ses premières bouffées d'air.

UN VOLCAN DANS LA BOUCHE !

Poivre de Cayenne, paprika, poivre rouge, poivre noir et autres chilis proviennent tous d'une des nombreuses variétés de *Capsicum piper*, qui fit sensation lors de son importation en Europe, au XVIe siècle, par les conquérants espagnols du Nouveau Monde.

Leur goût volcanique est dû à un alcaloïde, la capsicine, dont les divers composants affectent de manière différente les zones de la bouche et de la gorge. L'impression qu'ils laissent va de la brûlure brève et aiguë à une morsure plus durable et moins intense. La répartition de ces éléments varie selon les sortes de poivre, ce qui pourrait expliquer leur différence de goût.

Environ 90% de l'ingrédient « chaud » sont concentrés dans la partie blanche du *Capsicum*, à laquelle les graines sont attachées. Le reste se trouve dans les graines et les baies. Pour un plat peu épicé, on n'utilisera donc que l'extérieur des grains de poivre (qui en sont les baies séchées). Mais, si l'on n'a pas peur d'avoir un volcan dans la bouche, la baie entière s'impose.

Les piments doivent leur goût volcanique à la capsicine, également utilisée en pharmacie.

L'art du chocolatier peut donner bien des aspects à la tentation. Selon certains diététiciens, le chocolat contient des stimulants.

Le grand voyage du chocolat

En 1519, Fernand Cortés vit Montezuma, empereur-dieu des Aztèques, se faire servir dans un gobelet d'or une boisson nommée *xocoatl*. À son retour en Espagne, en 1528, il ramena quelques fèves de cacao, dont était issu ce breuvage. Christophe Colomb avait déjà fait de même en 1502. Mais, comme on ignorait alors le secret de leur préparation, ces fèves étaient passées inaperçues. Celles de Cortés donnaient une boisson amère, qui n'en fit pas moins fureur auprès de l'aristocratie espagnole dès qu'elle l'eut sucrée pour l'adoucir. La cour d'Espagne parvint à en garder la fabrication secrète jusqu'à ce que les Italiens en 1606 réussissent à extraire de fèves torréfiées et broyées une boisson similaire. En France, celle-ci remporta un grand succès après le mariage, en 1615, de Louis XIII et d'Anne d'Autriche, fille du roi d'Espagne.

Si, en 1657, un négociant français commence à vendre des barres de chocolat à Londres, c'est au XIXe siècle, avec le développement des techniques, que le traitement de la pâte de cacao allait devenir industriel. C'est à cette époque que furent créées les entreprises familiales qui sont restées jusqu'à aujourd'hui les grands noms du chocolat : celle du Hollandais Van Houten en 1815, celle du Français Meunier en 1824, celles des Anglais Cadbury et Rowntree, celles des Suisses Suchard, Nestlé, Lindt et Kohler. C'est au docteur Peter que l'on doit l'invention du chocolat au lait en 1875.

Le goût si ensorcelant du chocolat est l'aboutissement d'un processus compliqué impliquant beaucoup d'additifs. La culture du cacaoyer a commencé il y a plus de trois mille ans, chez les Mayas et les autres ethnies d'Amérique centrale. Cet arbre donne des cabosses, fruits durs et lourds contenant chacun de vingt à soixante fèves.

On laisse fermenter ces dernières avant de les sécher au soleil, de les concasser et de les moudre. Cela donne une pâte qui se solidifie pour former un bloc, qui constitue un mélange de beurre de cacao jaunâtre et au parfum subtil et de composés bruns à la saveur forte (hydrates de carbone, protéines et sels minéraux). Ce produit naturel a un goût beaucoup plus âcre que le chocolat à croquer dit amer : malgré sa dénomination, il peut contenir 40 % de sucre (ce pourcentage pouvant monter jusqu'à 70 % dans les autres variétés).

Le chocolat à boire, amélioré aux Pays-Bas par Conrad Van Houten, contient lui aussi une certaine proportion de sucre. On le fabrique en extrayant de la pâte de cacao la majeure partie de ses graisses, et en réduisant ce qui reste en une poudre facilement soluble dans le lait.

Le chocolat à croquer est enrichi par réincorporation de beurre de cacao (jusqu'à 35 %). Quant au chocolat au lait, il peut contenir jusqu'à 22 % de lait sec. Ces ajouts ont pour effet de diminuer l'amertume naturelle du cacao, dont la saveur se marie aussi très bien, notamment, avec celles du café, des amandes ou de la vanille, déjà très prisée des Aztèques.

Le mélange final est râpeux, mais la douceur veloutée qui le rend si délicieux lui est donnée par broyage, agitation et malaxage. Le beurre de cacao se liquéfie à une température inférieure à celle du corps, ce qui explique pourquoi le chocolat fond si facilement dans la bouche. En s'étalant sur les papilles gustatives, il s'évapore partiellement et communique à l'odorat des arômes complexes. Car c'est le nez, plutôt que la langue, qui est déterminant dans l'impression générale que nous appelons saveur.

Le chocolat contient un peu de caféine et de théobromine (alcaloïde proche de la caféine), qui stimulent le système nerveux. Contrairement à une opinion très répandue, il est facile à digérer et procure des apports appréciables en vitamine E, phosphore, calcium et fer. Très riche en sucre et en graisses saturées, il a de fortes propriétés énergétiques (525 calories pour 100 g de chocolat). En revanche, son sucre favorise la prolifération de bactéries sur la plaque dentaire, car elles produisent des acides et des toxines qui attaquent l'émail des dents et les gencives.

Le régime idéal

Un homme de constitution moyenne dépense chaque jour une énergie de 1 450 à 1 700 kcal uniquement pour maintenir son métabolisme de base et assurer les fonctions cardiaques respiratoires et digestives. S'il a une activité modérée, il brûlera environ 2 750 kcal par jour. Comme les femmes pèsent en général moins lourd que les hommes et ont un pourcentage de graisse corporelle plus élevé, leur dépense d'énergie est moindre : environ 2 000 kcal chez une jeune femme de constitution moyenne. Et si les personnes actives sont d'ordinaire plus minces que les autres, c'est parce qu'elles brûlent plus d'énergie.

Tout excès d'énergie se transforme en graisse stockée par le corps, ce qui mène à l'obésité si on n'y prend pas garde. Les Occidentaux ont le plus souvent un apport énergétique trop riche et une activité trop faible. Dans la plupart des pays, les principaux apports d'énergie sont donnés par les hydrates de carbone (sucres, amidon et alcool) et les graisses, qui en forment la source la plus concentrée. Elles procurent en effet 9 calories par gramme, contre 4 calories pour les hydrates de carbone et les protéines. Un régime alimentaire qui en serait totalement dépourvu serait toutefois trop pauvre en vitamines, surtout celles des groupes A, D, E et K, dites liposolubles. Celles-ci sont en effet absorbées avec les graisses qui les rendent solubles au niveau de l'intestin grêle.

Les protéines présentes dans la viande, les œufs ou le fromage apportent à notre corps la matière première nécessaire à sa croissance et à la régénération des tissus. En perpétuelle rénovation, le corps ne cesse en effet de reconstituer ce qu'il perd. La surface de l'intestin grêle, par exemple, se remplace toutes les quarante-huit heures. Les plaquettes sanguines vivent environ dix jours. Certains ligaments et tissus protecteurs des principales articulations mettent approximativement une décennie à se régénérer.

Si l'on ne prend pas à la fois des protéines et des hydrates de carbone, les acides aminés seront brûlés pour nous apporter de l'énergie au lieu de servir à la constitution et à la régénération des cellules. Les protéines ne sont métabolisées dans le corps qu'avec l'aide des vitamines et des sels minéraux. Les vitamines jouent un rôle essentiel dans les réactions chimiques extraordinairement compliquées qui maintiennent en bonne santé organes et tissus. Beaucoup de ces processus moléculaires nécessitent également la présence de sels minéraux, tels que le calcium dans les os et les dents ou le fer dans le sang.

Graisses, hydrates de carbone, protéines, sels minéraux et vitamines sont tous indispensables à un bon régime alimentaire. De leur équilibre dépendent notre santé, notre longévité et notre résistance à la maladie. Pour conserver un poids correct, il ne faut pas consommer trop d'aliments exagérément riches en calories : ce sont eux qui font grossir. La plupart des plats servis dans les fast-food sont à classer dans cette catégorie.

Un solide coup de fourchette et une absence d'exercice constituent la meilleure recette pour arriver à l'obésité.

Pour faire lever la pâte

C'est probablement un boulanger égyptien qui, voici quelque quatre mille ans, découvrit comment faire lever la pâte. Depuis lors, notre pain et nos pâtisseries sont pleins... d'espace vide. Regardez une tranche de pain ou de gâteau, et vous verrez qu'elle est pleine de trous. C'est leur formation, avant et pendant le cuisson, qui fait lever la pâte et la rend légère et poreuse.

Le meilleur moyen pour y parvenir est d'incorporer à la pâte un agent levant avant la cuisson.

La texture spongieuse du pain est due à des bulles de gaz, et sa bonne odeur à la cuisson à l'alcool produit par la fermentation de la pâte.

Pour le pain, c'est traditionnellement de la levure de boulanger. En pâtisserie, on utilise plutôt la levure chimique, mélange de bicarbonate de soude et d'un acide organique (notamment l'acide tartrique). Ces deux agents dégagent du gaz carbonique, ce qui forme des bulles à l'intérieur de la pâte.

La levure provoque une fermentation des sucres présents dans la farine, et par conséquent une formation de gaz carbonique et d'alcool. C'est ainsi qu'on peut déjà voir la pâte lever pendant qu'elle repose avant la cuisson. La chaleur du four tue la levure, mais elle dilate le gaz carbonique, si bien que la pâte lève encore plus. La cuisson modifie la structure des protéines et des amidons et donne naissance au pain, tandis que l'évaporation du peu d'alcool produit pendant la fermentation dégage la bonne odeur caractéristique du pain frais. L'action levante étant plus lente et la pâte plus élastique, les pains fabriqués à la levure de boulanger sont plus gros et ont une texture plus légère que ceux fabriqués avec de la levure chimique.

Biscuits et gâteaux n'ont pas besoin d'une période de fermentation avant la cuisson, car la levure chimique produit du gaz dès qu'elle est humidifiée. Le pâtissier peut donc enfourner sa pâte dès que tous les ingrédients ont été mélangés. Mais la texture finale sera plus grossière et donnera davantage de miettes qu'avec une levure traditionnelle.

Certaines pâtes lèveront même sans levure, notamment si elles comportent beaucoup de blancs d'œufs battus, et donc beaucoup de bulles d'air. En effet, celles-ci se dilatent à la chaleur du four, et le gâteau prend le volume désiré.

D'où viennent les pâtes ?

La *pasta* italienne des spaghettis, macaronis ou autres cannellonis est simplement une pâte fabriquée avec de la farine et de l'eau. On la connaît depuis dix mille ans, mais les origines de sa transformation en pâtes alimentaires sont obscures. En Italie, la variété vendue en paquets est la *pasta secca* (pâte sèche), exclusivement fabriquée avec de la semoule de blé dur. Sa production industrielle implique une durée de séchage relativement longue, pouvant aller de quarante à quatre-vingts heures, selon les formes concernées, aux noms italiens toujours très évocateurs : spaghettis (petites ficelles), fusillis (spirales), vermicellis (petits vers), helliches (hélices) ou pennes (plumes).

Depuis peu, la *pasta secca* est parfois rendue plus appétissante encore par des colorants végétaux aussi inoffensifs que le jus d'épinard ou de betterave. On peut aussi y ajouter des œufs, comme dans la *pasta fresca* (pâte fraîche). Cette dernière est souvent fabriquée à la maison, avec des œufs et de la farine de froment ultrafine. Mais on peut aussi utiliser du *semolino* (farine de blé dur, à ne pas confondre avec la semoule), seul ou mélangé à la farine de froment, dont le goût est très raffiné. La *pasta fresca* est ensuite découpée en rubans de dimensions variées (par exemple, les tagliatelles), utilisée en feuilles dans les lasagnes ou en habillage pour les raviolis ou les tortellinis.

Au vu de peintures murales, certains archéologues pensent que lasagnes et tagliatelles étaient connues des Étrusques, civilisation de l'actuelle Toscane antérieure à celle de Rome. Quoi qu'il en soit, ils n'ont pas transmis leurs recettes aux Romains, qui, très certainement, ne mangeaient pas de pâtes.

On retrouve des traces des pâtes en Chine dès la fin du Iᵉʳ siècle avant J.-C. ; selon la tradition, Marco Polo les aurait importées à Venise à son retour d'Orient, en 1295, mais, en fait, elles étaient alors déjà connues en Italie : un document de 1279 fait état de *pasta secca* à Gênes, où certains chercheurs situent leur origine. D'autres universitaires les croient venues de Sicile, où elles seraient arrivées au IXᵉ siècle avec les invasions arabes. Les pâtes alimentaires, en effet, ont peut-être été inventées au Proche-Orient ou en Asie centrale, et elles auraient connu une évolution différente en Italie.

De Sicile, la *pasta secca* est arrivée à Naples, où l'avènement de la production industrielle lui a apporté un immense succès au début du XIXᵉ siècle. Les Siciliens l'appelaient *maccheroni*, ce qui désigne toujours dans le sud de l'Italie une *pasta secca* fabriquée sans œufs. Dans le reste de la péninsule, où la consommation de pâtes ne s'est généralisée qu'au XXᵉ siècle, cela a donné les macaronis, c'est-à-dire tout simplement les nouilles, longues ou courtes.

Dans le nord de l'Italie, la culture du riz et du maïs est plus importante que celle du blé dur, qui n'y pousse pas aussi bien que dans les régions plus méridionales de la péninsule. En fait, la production de *pasta secca* est surtout concentrée sur la côte de Campanie, près de Naples, où le climat est idéal pour son séchage.

Les pâtes italiennes (dont l'origine se situe peut-être en Orient) prennent une myriade de formes et de couleurs. Les meilleures sont fabriquées à la maison ou dans les cuisines des restaurants.

La tomate, fruit ou légume ?

Le botaniste et le cuisinier ont des critères radicalement différents. Pour le premier, toute partie d'une plante issue d'un ovaire est un fruit. Donc, pas de doute : la tomate fait partie de cette catégorie. Mais le cuisinier n'est pas d'accord, car seule la saveur l'intéresse. Celle de la tomate n'évoquant guère le goût habituellement sucré des fruits, il la considère comme un légume.

Et il la cuisine aussi comme telle, qu'elle soit crue, grillée, farcie, en potage, en sauce ou mijotée avec toutes sortes de viandes. Ce n'est pas le seul fruit vendu au rayon des légumes : piments, cornichons, avocats ou courgettes le sont aussi.

La tomate est originaire des Andes, d'où elle a été importée en Europe au XVIᵉ siècle par les conquérants espagnols. Son nom vient du mot aztèque *tomatl*, mais les Français l'ont d'abord appelée pomme

d'amour, et les Italiens la nomment toujours pomme d'or *(pomodoro)*.

Pendant des siècles, les Européens l'ont considérée comme vénéneuse et ne l'ont cultivée que pour son aspect décoratif. En Angleterre, on la croyait même responsable de la goutte et du cancer, entre autres amabilités ! Mais la Sérénissime République de Venise avait su reconnaître ses mérites : dès 1544, on y recommandait de la consommer « frite dans l'huile avec du sel et du poivre ». La pomme d'or venait de faire une entrée fracassante dans la cuisine italienne.

Aujourd'hui, c'est aux États-Unis qu'elle bat tous les records de consommation : l'Américain moyen en mange environ 14,5 kg par an, sous forme de ketchup, de sauce ou de plats tout préparés.

Pourquoi trois repas par jour ?

Le corps humain a besoin d'aliments pour entretenir les fonctions vitales, lui donner de la chaleur et lui procurer l'énergie nécessaire aux déplacements et au travail. Bien avant l'épuisement de nos réserves d'énergie, notre cerveau nous envoie des signaux, qui se traduisent par une sensation de faim. Nous commençons généralement à avoir faim quatre ou cinq heures après notre dernière prise de nourriture. D'où l'habitude des trois repas par jour.

Naturellement, les influences sociales et l'époque jouent aussi un rôle considérable. De plus, les besoins alimentaires varient selon l'activité : ils sont, par exemple, différents chez le travailleur manuel, l'agriculteur, l'employé de bureau ou l'acteur.

Nous n'avons pas toujours consommé trois repas par jour. Benito Mussolini en recensa naguère cinq chez les Britanniques. Et, pendant les années 1950, un voyageur français s'émerveilla d'en répertorier sept chez les Néo-Zélandais, qui aiment bien prendre une tasse de thé et un biscuit avant leur petit déjeuner, entre les repas et avant de se coucher. Les diététiciens conviennent que des collations légères et fréquentes valent mieux que des repas à la fois solides et plus espacés, où les excès alimentaires sont plus fréquents. Il s'avère aussi que la plupart des obèses prennent la majeure partie de leur alimentation quotidienne en soirée.

Dans beaucoup de pays, le repas du soir est le plus important de la journée. Mais cela n'a pas toujours été le cas. Au Moyen Âge, dans les grandes occasions, les ripailles des seigneurs féodaux commençaient dès 11 heures du matin et duraient des heures. C'est aux XVe et XVIe siècles que le repas principal commença peu à peu à se déplacer vers la soirée.

À LA TABLE DES INCAS

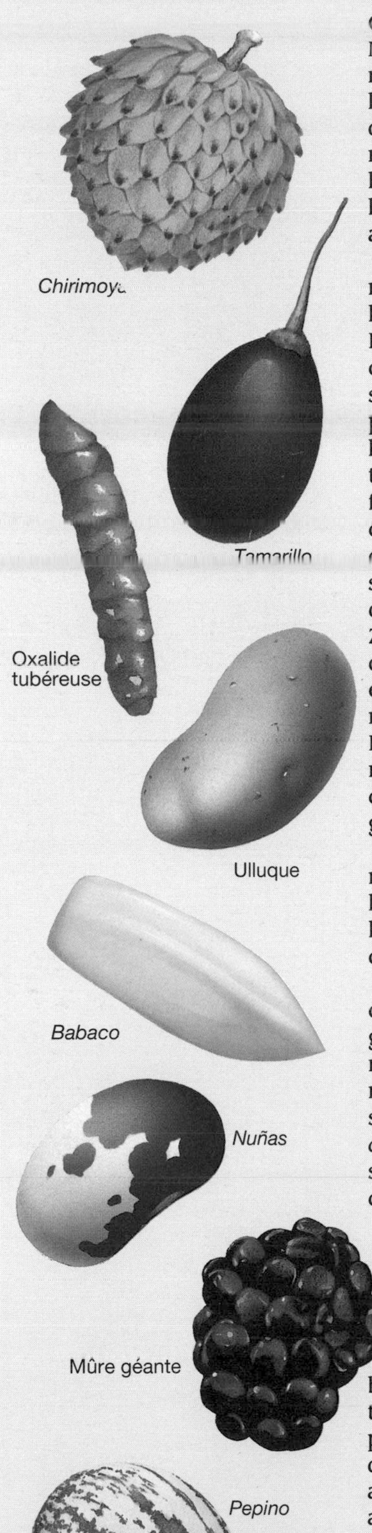

Qui se souvient aujourd'hui que c'est au Nouveau Monde que nous devons des plantes aussi communes que la citrouille, la courge, la courgette, le maïs, l'artichaut, les haricots ou la pomme de terre, sans même parler du poivre ou de la tomate ? Depuis leur importation, au XVIe siècle, par les conquistadors, toutes ont connu bien des évolutions et donné naissance à quantité de variétés, aux goûts et aux propriétés culinaires différents.

La pomme de terre constituait la base de l'alimentation des Incas, dont l'empire s'étendait sur la cordillère des Andes, sur la majeure partie du Pérou, de l'Équateur et de la Bolivie actuels. Les conquérants espagnols la conservèrent, mais ils supprimèrent la culture de beaucoup d'autres plantes. Elles survivent néanmoins dans les hauts plateaux andins et sont même parfois cultivées au-delà de l'Amérique latine, sans toutefois jamais connaître un grand succès commercial. Dans la famille des solanacées, on peut citer le *tamarillo*. Il produit un fruit rouge sombre, ovoïde et de saveur forte, dont les qualités nutritives sont très prisées en Nouvelle-Zélande. Quant à l'oxalide tubéreuse, variété d'oxalide à tubercules roses, elle est acide quand elle est fraîche, mais sa chair blanche et farineuse prend ensuite un goût rappelant la figue. L'ulluque est un autre tubercule des Andes. On le récolte après que le gel a tué ses feuilles. Sa chair jaune citron, de texture collante, évoque le goût de la pomme de terre nouvelle.

En haute altitude, où l'eau bout à une température trop basse pour la cuisson des haricots, les Indiens font frire dans l'huile des fèves appelées *nuñas*. Elles éclatent et révèlent une chair comparable à l'arachide grillée.

Citons encore la mûre géante et le *babaco*, cousin de la papaye, dont la section est pentagonale et la peau jaune et cireuse. Jaune également, sa chair rappelle à la fois la papaye, l'ananas et la fraise. On retrouve un mélange de saveurs comparable dans la chair veloutée de la *chirimoya* (anone). Ce fruit de basse altitude ressemble à un cône de pin vert et rebondi, tout comme le corossol.

Le *pepino* a lui aussi pu s'acclimater en dehors du Pérou, dont il est originaire. On l'appelle parfois melon d'arbre, et son goût délicat réunit ceux du citron, de l'ananas... et du melon.

Le potentiel de développement et d'exploitation de toutes ces plantes des Andes intéresse beaucoup les agronomes. Elles font partie des très rares variétés (environ 200 sur 380 000 espèces connues) qui aient jamais été exploitées de manière systématique par l'homme à des fins alimentaires. Aujourd'hui, 20 espèces à peine assurent 90 % de l'alimentation du globe.

Agriculteurs habiles, les Incas cultivaient environ 80 espèces de plantes différentes, soit beaucoup plus qu'en Europe ou en Asie à l'époque. Leurs produits commencent à peine à s'exporter.

Les céréales, aliment omniprésent

À elles seules, trois espèces végétales assurent plus de la moitié des besoins alimentaires de l'humanité : le blé, le riz et le maïs sont soit consommés directement par l'homme, soit donnés en pâture à des animaux de boucherie. L'avoine, le seigle, l'orge, le millet ou le sorgho, pour ne citer que ces exemples, apportent également une contribution importante à la nutrition. Tous ces végétaux sont appelés céréales, d'après Cérès, déesse des Moissons.

Dans toute graine céréalière, un endosperme sec et riche en amidon entoure le germe, ou embryon, qui est la semence proprement dite. Quand la graine germe, des enzymes commencent à transformer l'amidon en maltose et en substances poisseuses nommées dextrines. En fait, elle se compose de trois éléments : environ 2 % de germe, 13 % de balle et 85 % d'amidon. Son taux d'humidité est faible, ce qui en favorise la conservation.

Voilà quelque neuf mille ans, les peuplades de la vallée de l'Euphrate, qui vivaient de chasse et de cueillette, ont constaté que certaines graines, pour peu qu'on les entreposât soigneusement, demeuraient comestibles presque indéfiniment. Parmi elles figurait une forme primitive de blé, dont elles commencèrent la culture il y a au moins six mille ans. Aujourd'hui, la variété alimentaire la plus cultivée dans les pays développés est un froment dont le nom scientifique est *Triticum vulgare*. Il est riche en gluten, protéine complexe présentant la particularité de devenir élastique lorsque l'on y ajoute une certaine quantité d'eau.

Si on fait de la pâte avec de la farine, de l'eau et de la levure (ou tout autre agent levant), sa légère fermentation dégage du gaz carbonique. Le gluten, devenu élastique, s'étend et emprisonne dans la pâte les bulles de gaz ainsi formées. Une farine riche en gluten donnera un pain volumineux, à la structure spongieuse. Une farine pauvre en gluten conviendra mieux aux biscuits et à la pâtisserie.

Le blé est la céréale la plus cultivée au monde : on en récolte chaque année quelque 600 millions de tonnes, sur environ 230 millions d'hectares. Il aime les climats tempérés, où la pluviométrie est de 300 à 900 mm par an. Le blé dur, riche en protéines, pousse dans les climats secs et convient parfaitement à la fabrication de pâtes alimentaires. Le sarrasin, dont la farine sert notamment à faire des galettes bretonnes, n'est pas exactement une céréale, mais est utilisé comme tel.

Le riz sauvage mangé par les Indiens d'Amérique n'a que de lointains rapports avec le riz d'Asie, aliment de base d'à peu près la moitié du monde. En Inde, on le cultivait déjà trois mille ans avant J.-C. Comme il lui faut beaucoup de soleil et d'eau, il se plaît particulièrement dans les zones où l'irrigation est facile. Germées en pépinières, les jeunes pousses de vingt-

cinq à cinquante jours sont repiquées dans des rizières recouvertes de 50 à 100 mm d'eau, où elles achèvent de mûrir. Le riz est pauvre en gluten et en vitamines A, C et B12. Il contient aussi moins de protéines, de graisses et de fibres que la plupart des autres céréales.

Quant au maïs, sa valeur nutritive est encore inférieure et il ne contient pas de gluten. C'est l'aliment essentiel des Aztèques, des Mayas et des autres civilisations précolombiennes. Nous savons qu'il était déjà cultivé voici sept mille ans, mais sa variété moderne est un hybride développé à partir de plusieurs espèces voisines. L'une d'elles était peut-être une plante nommée téosinte, à partir d'un nom aztèque signifiant « oreille de blé de Dieu ». Au Mexique, on l'appelle couramment *madre de maiz* (mère du maïs). Dans le classement mondial des productions céréalières, le maïs arrive en deuxième position derrière le blé. Les États-Unis en produisent à eux seuls environ 200 millions de tonnes par an, soit près de la moitié des récoltes mondiales, dont une partie sert à l'alimentation du bétail.

Le rendement, les conditions climatiques et les habitudes alimentaires locales déterminent la répartition géographique des cultures. L'orge, par exemple, s'accommode de climats plus froids et de sols plus pauvres que le blé. Son utilisation en boulangerie est plus ancienne, mais il ne contient pas assez de gluten pour donner un pain qui lève bien. De nos jours, il sert surtout à l'alimentation animale ou à la fabrication du whisky ou de la bière, pour laquelle on le fait germer afin d'obtenir du malt.

COMPOSITION ET VALEUR NUTRITIVE DES CÉRÉALES (aux 100 g)

CÉRÉALES	EAU %	PROTÉINES %	GRAISSES %	SUCRE %	FIBRES %	VALEUR ÉNERGÉTIQUE KCAL	KJ
Avoine	13,0	13,0	7,5	63,7	1,4	374	1566
Blé dur	11,5	13,0	2,9	70,8	3,3	361	1511
Blé tendre	12,0	12,3	2,6	71,5	2,8	359	1503
Maïs	12,5	9,2	3,3	73,0	2,2	363	1520
Orge perlé	12,2	10,5	1,4	74,0	0,7	347	1453
Riz glacé	12,9	7,0	0,6	77,9	0,2	345	1444
Seigle	13,7	11,6	1,7	71,1	2,1	346	1449

Maïs — Blé tendre — Seigle — Orge — Blé dur — Avoine — Riz

La culture des céréales a constitué un pas de géant dans l'histoire. Dans la province de Guizhou et du Guangxi, à gauche, les Chinois cultivent le riz sur des terrasses irriguées. Cette gravure de 1853 montre comment les Amérindiens protégeaient leurs champs de maïs des corbeaux. Et, en 1859, Vincent Van Gogh a peint une scène très courante à l'époque : un moissonneur dans un champ de blé.

Jusqu'au milieu du XIXe siècle, les Européens mangeaient surtout du pain de seigle. Plus résistant au froid, celui-ci est la céréale qui pousse le plus près des pôles. Il contient un peu de gluten et donne un pain dense. L'avoine, cultivée depuis le Moyen Âge, ne renferme pas de gluten, mais est néanmoins nutritive. Si quelques-unes de ses variétés servent à faire des céréales pour le petit déjeuner, la plupart sont cultivées pour nourrir le bétail. L'avoine pousse bien en milieu froid et humide, au contraire du sorgho, qui résiste à des chaleurs extrêmes et à une grande aridité. Le millet, issu de plusieurs espèces céréalières à petits grains, est cultivé en sol pauvre. Sa farine donne du pain sans levain, mais on peut aussi le manger en bouillie.

Il y a des siècles que l'on cuit les céréales dans de l'eau pour en faire du porridge, lequel n'est autre que le gruau des romans du XVIIIe siècle. Produit typiquement anglo-saxon, les céréales toutes prêtes pour le petit déjeuner sont apparues en 1829 dans le Connecticut : le révérend Sylvester Graham, féru de diététique, fabriqua un biscuit sec auquel il donna son nom. Il se fit plus tard le champion de la farine de blé complet non raffinée, que l'on appelle toujours farine Graham aux États-Unis.

C'est encore une religieuse, mère Ellen Harmon White, membre de l'Église adventiste, qui fonda en 1866 un institut hygiéniste dans le Michigan. Devenu le sanatorium de Battle Creek sous la direction du Dr John Harvey Kellogg, on y prescrivait des régimes végétariens aux patients. Kellogg s'efforçait de mettre au point des repas à la fois diététiques et appétissants.

En 1898, Kellogg avait commencé à servir aux patients un nouveau petit déjeuner nommé Corn Flakes (flocons de maïs), que son frère William commercialisa huit ans après. On les fabrique en faisant cuire dans de l'eau l'enveloppe et l'endosperme de grains de maïs aromatisés. Une fois refroidis, les flocons sont aplatis et séchés à haute température.

Ce secteur a connu une explosion commerciale dans les années 1950 lorsque, pour plaire aux enfants, les fabricants ont orné les paquets de personnages de dessins animés et mis des pochettes-surprises à l'intérieur. Côté parents, la publicité vantait les qualités nutritives et la commodité des produits, tout en organisant des concours. Apparurent ensuite des céréales aux formes inhabituelles, très enrichies en arômes et en sucre (au point d'en contenir parfois plus que de céréales, ce qui laisse planer un doute sur leur caractère diététique). De nos jours, une meilleure connaissance de la nutrition a provoqué un retour vers des produits moins élaborés et plus naturels.

En 1892, l'apparition de la marque Shredded Wheat a constitué un tournant dans l'histoire des céréales. Elle devait rapidement avoir une horde de concurrents.

LE PLATEAU DE FROMAGES

1 Mimolette.
2 Cantal.
3 Emmenthal.
4 Livarot.
5 Feuille de Dreux.
6 Époisses.
7 Selles-sur-Cher.
8 Bleu d'Auvergne.
9 Cendré de Champagne.
10 Lucullus.
11 Rollot.
12 Édam.
13 Valençay.
14 Murol.
15 Monségur.
16 Boulette d'Avesnes.
17 Broccio.
18 Brie de Meaux.
19 Carré de l'Est.
20 Chaource.
21 Gaperon.
22 Camembert.
23 Cœur de Bray.
24 Picodon.
25 Munster.
26 St-Marcellin.
27 Le Nantais.
28 Port-Salut.
29 Bondon de Neufchâtel.
30 Langres.

Le fromage est l'un des aliments les plus anciens et les plus recherchés. Anthelme Brillat-Savarin avait coutume de dire : « Un dessert sans fromage est une belle à qui il manque un œil. »

De quoi faire tout un fromage

Le premier fromage, selon une légende arabe, est dû à un Bédouin qui transportait du lait dans une outre taillée dans une panse de chèvre. La présure contenue dans la panse et la chaleur du soleil ont séparé petit-lait et lait caillé. Le lait caillé et égoutté est le plus simple des fromages (c'est le fromage frais), dont il constitue toujours la base. La France compterait à elle seule 340 sortes de fromages, mais on peut les répertorier en cinq familles principales : les fromages frais(fromage blanc ou petit-suisse), fondus (gruyère), à pâte molle (munster ou livarot), à pâte persillée (bleu d'Auvergne), et à pâte pressée cuite ou non cuite (tommes, comté, ou emmenthal). Qu'il soit de vache, de brebis ou de chèvre, le lait est mis à cailler naturellement ou en le traitant à la présure ou à l'acide lactique. Les protéines se coagulent alors pour donner la caséine du lait caillé. Traité à l'acide lactique, celui-ci donnera des fromages friables et poreux. Avec de la présure, la pâte est plus ferme et plus élastique. On peut aussi hâter la coagulation en chauffant légèrement le lait.

Les bactéries jouent un rôle prépondérant, car ce sont elles qui donnent à chaque fromage son caractère. Un fromage jeune s'adoucit à mesure que les bactéries se nourrissent de ses acides lactiques et brisent la caséine. Certains fromages sont « mûris en surface » par l'introduction délibérée de certaines bactéries ou moisissures. Un processus chimique compliqué transforme alors la caséine de la surface en d'autres composés, ce qui forme une croûte. Celle-ci fait office de barrière contre l'air et l'humidité et exerce un effet subtil sur l'affinage (ou mûrissement en cave). Variétés à pâte molle, le camembert et le brie en sont des exemples parfaits : les moisissures, qui ont besoin d'oxygène, s'y développent en surface et leurs enzymes se diffusent dans la pâte, qu'elles font peu à peu mûrir.

Les moisissures vertes ajoutées dans les fromages persillés se développent en suivant les craquelures naturelles de la pâte. Le fromage mûrit alors par l'intérieur, ce qui donne leur saveur caractéristique au roquefort, au bleu d'Auvergne ou à la fourme d'Ambert (ou encore au stilton et au gorgonzola).

Les fromages de grande taille ne sont affinés que par les bactéries et les enzymes. Leur croûte est souvent lavée, grattée, huilée ou cirée pour arrêter l'action des moisissures. De nos jours, on les recouvre fréquemment d'une pellicule imperméable pour empêcher la formation d'une croûte. Quoi qu'il en soit, un affinage lent et progressif donnera toujours un fromage plus ferme, plus odorant et à la saveur plus forte qu'un affinage mené rapidement.

La meilleure des entrées : la soupe

Les paysans du Moyen Âge n'avaient souvent pour tout repas qu'une soupe (le mot désignant alors une simple tranche de pain) trempée dans un brouet (potage plus ou moins riche). Dans la plupart des cuisines, on conservait une marmite où l'on versait ce qu'on avait sous la main. Brouets ou ragoûts se renouvelaient ainsi en permanence pendant des mois. À l'époque, on faisait la cuisine dans la cheminée ou dans un four de brique, le poêle de fonte n'apparaissant que vers 1860.

Pour les banquets, le brouet était remplacé par un grand plat de bouillon, dans lequel viande ou poisson avaient cuit avec des légumes. Les convives y plongeaient tour à tour leur cuiller. On servait beaucoup de plats en même temps, et les invités chargeaient un valet de leur apporter ce qu'ils désiraient.

Au XVIIIe siècle, le repas fut divisé en trois services : le premier regroupait potages, poisson et autres plats légers, et le deuxième, le principal, associait volaille et tranches de viande. Étant associée aux repas des armées en campagne, la soupe (telle que nous la connaissons aujourd'hui) fit fureur dans les dîners mondains de la France napoléonienne.

Au XIXe siècle, le service à table fut remplacé par le service dit à la russe popularisé en France par le prince Alexandre Borisovitch Kourakine : les serveurs prenaient tour à tour les plats disposés sur une desserte et les présentaient aux invités. Le nombre de plats par service s'en trouva diminué, mais on considéra toujours potage ou soupe comme indispensables en début de repas. En 1877, un auteur anglais peut ainsi écrire : « Dans les dîners tardifs, les convives sont souvent défaillants et irritables au moment de passer à table ; et ceux qui ont observé la rapidité à laquelle un peu de nourriture liquide les restaure ne se résoudront jamais à se passer de soupe, qui constitue la meilleure des entrées. »

Les vertus de l'ail

Proche parent de l'oignon dans la famille des liliacées, l'ail est originaire d'Asie et du Bassin méditerranéen. On le mentionne dans les écrits de l'Antiquité chinoise, indienne, grecque, assyrienne, égyptienne et hébraïque. Près de trois mille ans avant la naissance du Christ, il fut l'objet du premier conflit social dont l'histoire ait gardé la trace : leurs rations ayant été diminuées, les esclaves du chantier des pyramides égyptiennes de Gizeh s'étaient mis en grève. L'ail occupe aussi une place de choix dans les mythes et les superstitions : n'est-il pas, notamment, censé repousser les vampires ?

Ses propriétés médicinales sont connues depuis au moins cinq mille ans, et certaines ont été confirmées par la recherche moderne. Les huiles volatiles de l'ail contiennent plusieurs composés soufrés complexes, et il s'est révélé être un antibiotique et un antiseptique puissant. Beaucoup de personnes y voient un moyen de défense efficace contre rhumes, nausées et diarrhées, et un remède contre les maux de gorge. Il semble aussi pouvoir réduire le taux de cholestérol, la tension artérielle et améliorer l'état du système cardio-vasculaire. Bref, l'ail est toujours considéré comme une panacée, ainsi que l'affirmait déjà au Ier siècle Dioscoride.

Dans ce détail de la Noce villageoise*, peinte au XVIe siècle par le Flamand Bruegel l'Ancien, on apporte des bols de soupe sur une porte dégondée.*

On attribuait naguère des pouvoirs magiques à l'ail, notamment celui d'écarter les mauvais esprits.

Le maïs et le pop-corn

Parmi les diverses variétés de maïs, toutes ne conviennent pas pour faire du pop-corn ou maïs soufflé : celles qui ont les grains les plus résistants sont les seules à faire l'affaire, car l'intérieur jaune de l'enveloppe doit être raide. Sous la « peau » de la graine se trouve l'endosperme, coloré à la carotène, qui sert de nourriture au germe blanchâtre.

L'endosperme se compose de protéines, d'amidon, de sucre et d'eau. Plus il est solide, plus il contient de protéines et moins il renferme de sucre. Le meilleur maïs à pop-corn aura un taux d'hygrométrie de 11 à 14 %.

Si l'on chauffe le grain à feu vif, l'eau de l'endosperme commence à cuire les granulés d'amidon. Ensuite, à mesure que la température augmente, cette eau se transforme en vapeur et se dilate rapidement. Le tissu de protéines entourant l'amidon et l'eau résiste à cette pression jusqu'à ce qu'elle devienne trop élevée. C'est alors que la vapeur fait éclater le grain, ce qui provoque une expansion de tout l'endosperme. Puis la vapeur disparaît, pour ne laisser qu'une masse de pop-corn chaud, sec et duveteux que l'on peut caraméliser et qui se déguste en amuse-gueule.

La variété de maïs utilisée pour cela présente la proportion requise de protéines et d'amidon : quand les grains cuisent, ils explosent au lieu de frire. Du moins, en principe... Car, si l'enveloppe du grain est endommagée, la vapeur s'échappera sans monter en pression. Et, si les grains ont absorbé ou perdu de l'eau pendant leur stockage, le résultat n'est pas garanti.

Les amateurs de pop-corn se consoleront en pensant qu'il ne fait pas grossir : pauvre en calories, il est riche en fibres.

L'oignon sans larmes

La forte odeur de l'oignon frais lui est donnée par l'huile soufrée qu'il contient. La cuisson ou l'épluchage libèrent cette huile, qui s'évapore très vite et atteint les yeux.

Son acidité irrite les terminaisons nerveuses de la conjonctive (le tissu transparent qui protège l'œil et l'intérieur de la paupière). Elles réagissent en envoyant instantanément des signaux aux glandes lacrymales, qui produisent des larmes pour rejeter l'intrus.

Nos yeux sont humectés en permanence par des sécrétions pouvant atteindre un quart de cuiller à café par jour, afin de chasser corps étrangers et bactéries. En temps normal, ce fluide est entièrement évacué par les canaux lacrymaux. Mais, si les larmes sont sécrétées plus vite qu'elles ne peuvent être évacuées, l'excès déborde de l'œil et coule sur le visage. Il suffit de se regarder dans un miroir pour voir le canal lacrymal de chaque œil : il se trouve près du nez, au bord de la paupière inférieure. C'est un trou, ou une dépression minuscule, situé sur le côté intérieur de l'œil.

Pour peler des oignons sans pleurer, il suffit de les maintenir sous l'eau. Elle retiendra la majeure partie de l'huile... et vos larmes par la même occasion !

Pourquoi consommons-nous du sel ?

Avec l'amertume et l'acidité, le goût salé ou sucré est le plus facile à reconnaître et a toujours intéressé l'homme.

Depuis l'Antiquité, le sel est une denrée précieuse. Dans la Rome antique, les soldats touchaient une partie de leur rémunération sous forme d'un *salarium* (de *sal*, sel, littéralement : argent pour acheter du sel), ce qui a donné le mot salaire par extension de sens.

Il y a des millénaires, les Chinois ont commencé à obtenir du sel par évaporation en faisant chauffer de l'eau de mer. En moyenne, 1 l de celle-ci contient 35 g de sel. Qu'il soit obtenu par évaporation artificielle ou naturelle, le sel de mer forme des paillettes cassantes. Le sel gemme, extrait de lacs salés desséchés, donne des blocs durs et cristallins.

Utilisé avec modération, le sel fait ressortir les autres saveurs. Il permet aussi de conserver les aliments, ce qui lui conférait une importance primordiale dans les sociétés rurales. De la Chine à l'Europe, le lard et la viande conservés par salaison permettaient d'éviter la disette en hiver.

Aujourd'hui, la réfrigération est plus commode et les salaisons ont perdu de leur intérêt. Nous aimons néanmoins toujours le goût salé du salami, du bacon, du jambon, des anchois, des harengs, des olives, de certains fromages, des chips, ou de légumes en conserve, même si leur consommation ne nous est plus imposée par les saisons.

Le sel est également nécessaire à la santé. Dans le fluide entourant les milliards de cellules qui composent notre corps, les principaux conducteurs d'électricité sont le sodium et le chlore, éléments constituant le sel de table, ou chlorure de sodium. Mais si nous avons besoin de sel pour maintenir notre teneur en eau, nous ne devons pas non plus en consommer trop, car il fait monter la tension artérielle. D'après les diététiciens, une alimentation normalement diversifiée contient assez de sel pour que nous n'ayons pas besoin d'en rajouter.

Des miels de toutes les couleurs

Tous les apiculteurs vous diront qu'un bon miel dépend du nectar recueilli par les abeilles dans la multitude de fleurs, de plantes et d'arbres qui les entourent. C'est lui qui donne au miel saveur, arôme et couleur – laquelle peut varier de la transparence totale au brun sombre dans la même localité, mais à partir de plantes différentes. L'analyse alimentaire peut très facilement révéler l'origine d'un miel par identification de ses pollens.

Toutes les gammes de jaune, d'ambre et de brun sont présentes dans le miel. Les professionnels utilisent un appareil permettant de classer leur miel en au moins sept teintes différentes, le colorimètre. D'autres types d'instruments définissent son taux d'hygrométrie, qui détermine ses capacités de conservation, et sa fluidité ou sa granulation.

Le nectar de trèfle, dont il existe plus d'une dizaine de variétés, donne généralement le miel le moins coloré. Le miel ambré provient du peuplier, de l'eucalyptus, du magnolia, de la verge-d'or ou du souci. Les miels de bruyère, très parfumés et très chers, ont une couleur sombre, de même que le miel de sarrasin, produit aux États-Unis et dans certains pays d'Europe. En France, cette dernière variété est très prisée des pâtissiers pour la confection du pain d'épice même si les apiculteurs leur certifient que les autres miels sombres font tout aussi bien l'affaire.

La couleur du miel varie selon les variétés de nectar récoltées par les abeilles.

Le roi des champignons : la truffe

Pour le botaniste, la truffe est un champignon souterrain comestible de l'espèce *Tuber*, de l'ordre des tubérales et de la classe des ascomycètes. On en trouve différentes variétés dans la majeure partie de l'hémisphère Nord, mais, pour le gourmet, il n'y en a que deux : la truffe d'été, ou *Tuber aestivum*, et surtout l'incomparable truffe noire du Périgord, ou *Tuber melanosporum*. La première se trouve surtout dans le nord de l'Italie, et la seconde dans le sud de la France.

De forme globuleuse et de couleur brune ou noire, la truffe a une surface rêche et grumeleuse. Elle se plaît dans les terrains arborés et calcaires, généralement près des racines de chênes. Comme elle pousse souvent à 30 cm de profondeur, voire plus, elle est très difficile à trouver. Si elle est très proche de la surface, un œil exercé peut parfois la repérer à la forme du terrain. Même si elle est enterrée, certains humains ont l'odorat assez développé pour déceler son odeur. Mais la méthode traditionnelle, et aussi la plus efficace, est de dresser un animal pour qu'il la recherche. C'est généralement un cochon en France, et un chien en Italie. On arrive parfois à la cultiver en réimplantant des spores et des truffes arrivées à maturité dans des plantations de chênes spécialement destinées à cet effet. Mais l'opération met au moins cinq ans à porter ses fruits, et le rendement n'atteint son maximum qu'une décennie plus tard.

Le prix élevé des truffes est essentiellement dû à leur rareté, à la difficulté de leur culture et à la nécessité de les cueillir à la main. Certes, ce sont des produits de luxe, mais leur saveur exquise le justifie amplement. Elles sont incomparables si on peut les manger fraîchement cueillies. Toutefois, la France met en conserve et exporte actuellement le tiers de sa production.

Les véritables amateurs, suivant en cela l'exemple du célèbre cuisinier Escoffier, qui recommandait de les préparer très simplement, préféreront la truffe entière et fraîche, soit crue, avec du beurre frais et en salade, soit cuite sous la cendre et à l'étouffée, au vin blanc ou au champagne. Comme le disait Colette : « Foin des hachis, des lamelles, des rognures, des pelures de truffe ! Ne saurait-on pas l'aimer pour elle-même ? »

Pour dénicher des truffes, à droite, rien ne vaut une truie : elle est immanquablement séduite par une substance chimique musquée commune au roi des champignons… et à la salive du verrat.

À votre santé

Comment naissent les bulles ?

Quand on les verse dans un verre, la plupart des boissons gazeuses pétillent au point de dégager des bulles humides dans l'air. Cette effervescence est provoquée par une libération de gaz carbonique.

Dans un processus nommé carbonatation, le gaz se mélange à l'eau à haute pression et basse température, conditions dans lesquelles l'eau peut en contenir davantage. Il suffit pour s'en convaincre de comparer ce qui se produit quand on décapsule une bouteille de boisson gazeuse tiède et une autre sortant du réfrigérateur : la première dégagera un véritable jet de mousse, alors que la seconde ne libèrera qu'un chuintement de gaz.

Si on la secoue énergiquement, la bouteille froide se comporte comme la bouteille tiède. Cela fait se dissoudre dans le liquide un peu plus de gaz contenu audessus de lui. Comme il y a plus de gaz que l'eau ne peut normalement en dissoudre, une chute brutale de la pression le fera s'échapper à toute vitesse... et beaucoup de liquide avec lui. Si une bouteille ou une boîte de boisson gazeuse a été secouée, mieux vaut la laisser un certain temps au réfrigérateur. L'excès de gaz contenu dans le liquide finira par le quitter et par retourner dans le haut de la bouteille.

Le champagne n'a pas besoin qu'on y ajoute du gaz carbonique : il en contient naturellement. Les vins de la province de Champagne étaient déjà connus et appréciés des Romains, mais ils étaient dépourvus de l'effervescence et de l'éclat qui ont rendu célèbre leur illustre descendant. La bonne société du XVIIe siècle en raffolait. On dit même qu'après y avoir goûté Louis XIV n'en but plus jamais d'autre. Sous son règne, les vignerons découvrirent que des raisins noirs pouvaient produire un vin presque blanc, pourvu que la vendange commence peu après l'aube et cesse avant que le soleil provoque la fermentation des grappes. Le vin ainsi obtenu avait une couleur rosée, dite œil de perdrix, et commençait à pétiller dans un délai de quelques mois.

On ne tarda pas à se rendre compte que le sol calcaire de la région jouait un rôle important dans la qualité des vins de Champagne. On constata aussi que ces derniers, obtenus à partir de raisins blancs et noirs, avaient une tendance naturelle à conserver un peu de sucre après leur première fermentation. La seconde était arrêtée par l'hiver, mais accentuée par le retour du temps chaud. Les vignerons appelaient saute-bouchon ce vin fermenté deux fois, en raison de sa propension à déboucher les bouteilles tout seul.

En 1668, le moine bénédictin dom Pierre Pérignon devint maître de cave à l'abbaye d'Hautvillers. Il parvint à contrôler la seconde fermentation et à l'accélérer ou à la ralentir à son gré. Ses principes sont toujours en vigueur aujourd'hui. D'abord, il faut évaluer la teneur en sucre du vin qui ne pétille pas encore. Pour cela, on y ajoute un vin vieux additionné de sucre de canne. Une concentration d'environ 25 g de sucre par litre donne un pétillement joyeux. Trop peu de sucre, et on n'aura pas de bulles ; trop de sucre, et les bouteilles risqueront d'exploser. En digérant le sucre ajouté au liquide, les levures du vin produisent du gaz carbonique, qui finit par provoquer une pression non négligeable dans l'espace restreint de la bouteille. Dom Pérignon produisait un vin d'une telle qualité que le champagne était à l'époque appelé vin de Pérignon.

La bière produit également son propre gaz carbonique, mais elle reçoit parfois l'aide du brasseur. Sa seconde fermentation se fait dans de larges cuves, et on laisse se développer beaucoup moins de gaz carbonique, et donc de pression, que dans le champagne. Avec les méthodes de brassage traditionnelles, les odeurs désagréables qui se dégagent petit à petit sont éliminées en ouvrant brièvement la cuve. Les méthodes modernes permettent de s'en débarrasser en provoquant une gazéification artificielle de la bière, quitte à la parfumer par la suite en y ajoutant parfois

Le champagne peut jaillir de bien des goulots (par ordre croissant) : quart, demi-bouteille, magnum, jéroboam, réhoboam et mathusalem.

La découverte du champagne par dom Pierre Pérignon, vue par un illustrateur de presse français. En médaillon : vieillissement de bouteilles de champagne après la seconde fermentation du vin.

des extraits de houblon. C'est avec du gaz carbonique liquéfié que l'on dissout l'arôme du houblon. Une fois le gaz évaporé, l'arôme demeure.

Les eaux naturellement pétillantes sont produites par la dissolution des gaz libérés par l'activité volcanique dans les nappes phréatiques. Mais, en fait, beaucoup d'eaux gazeuses vendues dans le commerce sont minéralisées et gazéifiées artificiellement.

Cependant, que les bulles de votre verre proviennent de levures, de la Terre, de carboglace ou d'une bonbonne de gaz, c'est toujours le gaz carbonique qui les fait pétiller sous votre nez.

Des bulles de plus en plus grosses

La prochaine fois que vous prendrez une coupe de champagne, regardez les bulles. En montant tels de petits ballons, elles grossissent, car le gaz carbonique qu'elles contiennent est plus léger que le liquide. Dès qu'une bulle se forme, elle collecte de plus en plus de gaz dissous dans la boisson, et prend donc de l'ampleur.

En outre, elle devient de plus en plus active, et a ainsi tendance à accélérer en montant. C'est pourquoi vous constaterez aussi que des bulles issues d'un même point du verre s'écartent peu à peu. Néanmoins, plus une bulle monte vite, plus le liquide qui l'entoure lui oppose de résistance. Si vous avez jamais ramé, vous savez que plus vite on souque, plus c'est dur. C'est la même chose pour la bulle. La résistance du liquide fait office de limitation de vitesse : les bulles de telle taille peuvent aller à telle allure, mais pas plus.

Des bouteilles qui explosent !

Quiconque s'est déjà risqué à fabriquer de la bière connaît les aléas de la fermentation. Si l'on n'y prend pas garde, les bouteilles font sauter leur bouchon ou explosent sous la pression du gaz.

Ce problème était très préoccupant au début de la production champenoise. Pour maintenir le pétillement du vin, on commença par fermer les bouteilles avec des bouchons de liège. C'est dom Pérignon qui fut le premier à les utiliser en Champagne. On raconte que cette inspiration lui était venue d'Angleterre, où on employait déjà des bouchons, ou d'Espagne, où les pèlerins s'en servaient pour fermer leur gourde. Auparavant, les vignerons bouchaient leurs bouteilles avec des chevilles de bois mal dégrossies enveloppées de chanvre huilé. Mais, en stimulant l'effervescence, on fit aussi éclater de plus en plus de bouteilles, si bien que les pertes s'élevèrent jusqu'à 80 % de la production !

Après les guerres napoléoniennes, un droguiste nommé François de Châlons

LE VIN DES GRANDES OCCASIONS

Le champagne était naguère quasiment réservé à la noblesse. Mais la révolution industrielle au XIXe siècle apporta la fortune à des gens qui ne l'avaient jamais connue. Sa réputation aristocratique valut alors au champagne de devenir le vin des grandes occasions : ouverture d'usines, lancement de navires, mariages ou baptêmes.

Charles-Camille Heidsieck, fondateur de la marque du même nom, se dépensa sans compter pour que champagne devienne synonyme de fête. Au milieu du XIXe siècle, il parcourut la majeure partie du monde en vantant les innombrables mérites de son vin favori. Cela lui valut le sobriquet de Champagne Charlie, qui donna naissance à une chanson dans le monde anglo-saxon, ce qui ne fit que servir davantage sa cause.

Le pétillement du champagne convenait à merveille aux instants de fête, et sa délicatesse permettait d'en boire à toute heure. Depuis lors, sa célébrité ne s'est jamais démentie. N'ayant guère besoin de se faire connaître, il échappe aux énormes budgets publicitaires qui grèvent si lourdement ses rivaux. Mais un champagne de grande qualité coûte cher à vinifier. Le raisin est cher, et seuls des experts peuvent mener le vin à la perfection. Un bon champagne vieillit au moins six ans en bouteilles avant que le vigneron puisse commencer à amortir ses investissements.

À supposer que l'on puisse réduire les coûts de production, cela entraînerait-il une baisse des prix ? Ce n'est pas sûr, car certains professionnels estiment que le prix du champagne l'aide à conserver sa réputation. Et, après tout, qui sera prêt à fêter une occasion exceptionnelle avec quelque chose d'aussi bon marché qu'une bouteille de bière ?

Pour souligner le caractère aristocratique du champagne, cette publicité de 1897 va jusqu'à représenter le futur roi Édouard VII d'Angleterre.

trouva le moyen d'évaluer la teneur du vin en sucre et de calculer sa future effervescence. Sachant que le sucre produisait du gaz carbonique, et que celui-ci demeurait dissous dans le vin, il parvint à contrôler à la fois la teneur en gaz et la teneur en sucre. De ses travaux est issue la classification toujours en vigueur de nos jours : brut, sec, demi-sec et doux.

La pression du champagne étant de cinq à six fois supérieure à celle de l'atmosphère, aucune bouteille normale ne peut y résister. Après les travaux de François de Châlons, on utilisa des bouteilles plus résistantes, capables de conserver l'effervescence sans exploser pour autant.

Blonde ou brune ?

Comme celle de tout liquide translucide, la couleur de la bière dépend de la quantité : une seule goutte en paraît incolore, mais un verre entier deviendra jaune ambré ou brun sombre, selon le brassage. Et la même bière sera blonde dans un petit gobelet et rousse dans une chope.

Quant à la mousse, elle paraît blanche parce qu'elle se compose d'une multitude de bulles de gaz carbonique réparties dans une quantité de bière beaucoup trop infime pour que la lumière devienne jaune. Autrement dit, celle-ci n'a pas le temps de changer de couleur.

L'eau peut présenter les mêmes particularités : une seule goutte est transparente, mais un verre entier ne le sera que si son contenu est pur. Néanmoins, si on regarde à travers un tube de plusieurs mètres de long rempli d'eau, on observera une teinte bleuâtre. Plus le tube est long, plus le bleu est sombre. C'est ce qui se passe dans l'océan ; plus on plonge profondément, moins il fait clair. Dans les grands fonds, l'obscurité est totale, toute la lumière ayant été absorbée par les masses d'eau situées au-dessus. Dans l'océan de bière d'un rêve d'ivrogne, la lumière, d'abord blonde, deviendrait rousse, puis brune, avant de disparaître dans le noir. Mais l'écume de la mer est tout aussi blanche que la mousse de la bière : dans les deux cas, la lumière n'a pas traversé assez de liquide.

Chaque année, en octobre, Munich vit au rythme de la fête de la bière. Naguère limitée à une journée, elle en dure aujourd'hui seize.

Comment faire des bulles ?

Si l'on s'amuse à saupoudrer de sel un verre de bière, on voit tout de suite des bulles se former sur la trajectoire de chaque grain. Il n'y a aucune réaction chimique là-dessous, comme on peut facilement s'en rendre compte en remplaçant le sel par des grains insolubles.

Les bulles sont provoquées par la dissolution du gaz carbonique contenu dans la bière, à une pression environ deux fois supérieure à celle de l'atmosphère. Pour se former, elles ont besoin de s'accrocher à quelque chose (il leur faut un « site de nucléation », comme disent les physiciens). Si votre verre présente un défaut ou un relief granulé, c'est sur ses aspérités que les bulles se formeront. Elles peuvent aussi prendre naissance sur les débris de bouchon ou autres impuretés éventuellement contenues dans la bière. Ce principe s'applique de la même manière à toutes les boissons gazeuses.

Pour illustrer le phénomène, remplacez le sel par du sable. En tombant, ses grains forment des bulles. Mais, à la différence du sel, le sable ne se dissout pas et se dépose au fond du verre, d'où les bulles continuent à monter.

Si on ne l'y encourage pas, le gaz carbonique en dissolution n'a pas assez d'énergie pour faire des bulles, c'est-à-dire pour écarter un minuscule volume de bière et en occuper l'espace. Dès qu'une bulle se forme sur un site de nucléation, le gaz carbonique afflue et en accroît le volume. C'est exactement comme lorsque vous voulez gonfler un ballon : c'est au début que c'est le plus difficile.

Des œnologues évaluent les millésimes dans une foire commerciale de Londres. Les meilleurs se fient plus au nez qu'à la bouche. Le souvenir des grands crus est également important quand il s'agit de comparer les mérites de deux vins.

Pourquoi y a-t-il tant de vins ?

Beaucoup de fruits peuvent donner des boissons alcoolisées, par fermentation du jus et réaction du sucre avec la levure. Quant au vin, il est issu d'une seule espèce : le raisin *Vitis*, en particulier la variété *V. vinifera*. Déjà connu des civilisations antiques – Minoens, Égyptiens, Grecs et Étrusques –, il est probablement beaucoup plus ancien.

Qu'il soit blanc ou noir, le raisin comporte des centaines de variétés. Cela lui confère, à la différence de la plupart des autres fruits, une gamme extraordinaire de couleurs, de saveurs et d'arômes. Mais les propriétés du raisin dépendent aussi du climat, de la topographie et du sol où il a poussé, sans parler des différentes techniques de cueillette ou de la durée du veillissement. Tout cela aboutit à une impressionnante quantité de vins disponibles sur le marché. Dans certaines circonstances, le processus de fermentation donne naissance à un excès de gaz carbonique, et on obtient un vin pétillant.

Les vins sont classés en deux grandes catégories : les vins de table et les vins de qualité produits dans des régions déterminées (VQPRD). Cette catégorie comprend nos appellations d'origine (AO) : vins délimités de qualité supérieure (VDQS) et vins d'appellation d'origine contrôlée (AOC).

Chambré ou frappé ?

Si la variation n'est pas trop importante, la température à laquelle sont servis plats et boissons modifie peu leur valeur nutritive. Mais elle a une influence primordiale sur le plaisir qu'ils nous donnent, surtout lorsque leur arôme est constitué d'un mélange subtil et complexe. Ce qui est tout particulièrement le cas du vin.

Notre odorat est bien plus subtil que notre goût et le renforce beaucoup plus que nous le ressentons généralement. C'est pourquoi un mauvais rhume nous prive de ces deux sens. Un produit chaud dégage mieux son arôme qu'un produit froid. Plus l'arôme est subtil et complexe, plus la température constitue un facteur important.

Ayant une masse moléculaire plus importante, le vin rouge dégage mieux ses vapeurs que le vin blanc. En général, plus le vin est robuste et charpenté, plus il a besoin d'être chambré (c'est-à-dire amené très progressivement à température ambiante) pour dégager au mieux arôme et bouquet. A contrario, plus le vin est léger et délicat, plus il est agréable à boire légèrement frais. Le goût personnel joue un rôle important en la matière, mais le terme température ambiante désigne généralement une chaleur de 15 à 20 °C. Au-delà, le bouquet du vin risque d'être masqué par l'odeur de l'alcool qui s'évapore.

Eau-de-vie et eau de feu

Le monde des boissons alcoolisées est issu de deux techniques : fermentation et distillation. Le vin et la bière sont des boissons fermentées, tandis que cognac, whisky ou vodka sont des exemples d'alcools distillés.

La fermentation fait partie du processus naturel de décomposition des végétaux : l'interaction des hydrates de carbone, des sucres et de la levure forme des substances plus simples, notamment de l'alcool éthylique. La solution qui en résulte peut être concentrée par distillation. Ce processus exploite la différence de température d'ébullition de l'eau et de l'alcool éthylique : au niveau de la mer, l'eau bout à 100 °C et l'alcool à seulement 78,5 °C. Si la solution est chauffée dans un alambic, l'alcool s'évapore avant l'eau et peut donc être recueilli à part.

Il y a des milliers d'années que, dans le monde entier, les civilisations les plus diverses fabriquent des boissons alcoolisées par fermentation. Les végétaux utilisés varient selon les pays, mais le processus de base reste identique.

Beaucoup plus récente, la distillation ne date que de quelques siècles. Elle exige une pureté des ingrédients et une technique parfaite : ce n'est pas pour rien que le tord-boyaux vendu aux Indiens par les aventuriers du Far-West était surnommé eau de feu.

En soi, la distillation ne donne pas une boisson particulièrement attractive : l'alcool éthylique pur est incolore, inodore et sans saveur. La vodka est une exception, car tel est traditionnellement son niveau de distillation. Le gin prend son parfum caractéristique par redistillation en ajoutant baies de genièvre, herbes et épices soigneusement sélectionnées. Quant aux liqueurs, c'est en partie pour adoucir la puissance des premiers alcools qu'on les a

Inventé en Irlande, le whisky doit pourtant sa renommée à l'Écosse. Dans cette distillerie des Hébrides, la technique est immuable depuis des siècles.

créées, en ajoutant diverses variétés de fruits, d'herbes et d'épices.

Les alcools, et notamment le whisky, étaient à l'origine distillés à des fins médicinales. Leur mode actuel de consommation n'est apparu qu'ultérieurement.

Bien que le whisky soit produit depuis des siècles dans les Highlands d'Écosse, sa technique de fabrication a probablement été importée d'Irlande par des moines missionnaires à une époque très reculée. Son nom est issu du gaélique *usquebaugh*, synonyme de la vieille expression latine *aqua vitae* (eau-de-vie). Le plus ancien des documents y faisant allusion est un bilan du chancelier de l'Échiquier daté de 1494 : « Huit balles de malt pour le frère Cor, à fin d'en faire de l'*aqua vitae* ».

La législation britannique réserve l'appellation scotch aux alcools vieillis en fûts et en entrepôts pendant une période d'au moins trois ans pour les *blended* (assemblage de whiskies de grain et de malt) et huit ans pour les *pure malt*. Les impuretés contenues dans l'alcool distillé, ou congénères, donnent un goût âpre et fort. Celui-ci peut être adouci par un vieillissement contrôlé de très près en fûts de bois (de préférence d'anciens fûts de sherry). L'interaction du bois et de l'alcool produit une série de réactions chimiques complexes, modifiant la couleur, le bouquet et la saveur.

Les durées mentionnées plus haut constituent un minimum. Les meilleurs whiskies ont huit ans, voire douze ans d'âge.

Les drogués du café

Beaucoup d'entre nous raffolent du café ou du thé, au point d'en boire du matin au soir. Mais leur goût plus ou moins corsé n'explique pas complètement cette consommation acharnée. Ce que recherchent souvent les accros de ces deux boissons, c'est l'acuité et la vivacité d'esprit qu'elles sont censées procurer. Les propriétés de « réveil » du café et du thé peuvent conduire à une véritable toxicomanie.

Tous deux contiennent de la caféine, qui stimule notre système nerveux. On en trouve aussi, à l'état naturel, dans les fèves de cacao et dans les noix de cola utilisées dans les boissons du même nom. Mais elle entre également dans la composition de certaines autres boissons, et dans beaucoup de produits pharmaceutiques. Le thé contient en plus une petite quantité d'un produit voisin, plus puissant encore : la théophylline.

Dès qu'elle passe dans le sang, la caféine peut atteindre tous les endroits du corps et exerce de multiples effets. Elle augmente sensiblement la fréquence cardiaque mais elle limite l'irrigation du cerveau par contraction de ses vaisseaux sanguins. Peut-être compense-t-elle ce phénomène par une stimulation du cortex cérébral (partie extérieure du cerveau), ce qui nous donne une impression de vivacité plus importante.

L'excès de caféine peut rendre irritable, nerveux et agité. On lui impute aussi l'apparition de palpitations cardiaques, des maux de tête, des insomnies et autres symptômes tout aussi désagréables. En revanche, on n'a jamais pu établir de relation entre caféine et cancer. Cela dit, il est sage de surveiller sa consommation. Souvenez-vous qu'une boîte de certaines boissons non alcoolisées peut contenir autant de caféine qu'une tasse de thé ou que la moitié d'une tasse de café (voire le cinquième s'il est très fort).

Les « salons de café » prospéraient dans l'Amérique coloniale, surtout après la partie de thé de Boston, révolte contre la lourde taxation sur le thé.

Comme du petit-lait

Si les Occidentaux consomment surtout du lait de vache ou de chèvre, d'autres civilisations ne dédaignent pas le lait d'ânesse, de chamelle, de jument, de buffle, de brebis ou de zébu. La composition de ces derniers est très variable. Le lait de vache est de l'eau additionnée de 4,8 % de lactose (sucre du lait), 3,3 % de protéines, 3,3 à 5 % de matières grasses, selon la race de l'animal, et une grande quantité de vitamines et de sels minéraux.

Sur une enluminure anglaise des années 1250, une gente laitière nous rappelle que, depuis la nuit des temps, le lait a toujours symbolisé la richesse.

Le lait cru contient beaucoup de bactéries parasites, qui transforment le lait en acide lactique ; leur multiplication le fait cailler. La pasteurisation permet de les détruire, ainsi que tous les autres organismes pathogènes. Elle consiste à chauffer le lait à environ 70 °C pendant quinze secondes avant de le refroidir rapidement à 4 °C. Le lait pasteurisé se conserve quatre ou cinq jours dans le réfrigérateur avant que les bactéries survivantes n'agissent sur les protéines et les matières grasses, ce qui le rend amer. Le traitement à ultra-haute température (UHT) est plus efficace. Le lait est alors porté à environ 140 °C pendant deux ou trois secondes.

On ajoute délibérément des micro-organismes à certains produits laitiers, notamment la crème sure, épaissie par une culture bactérienne, qui lui donne un goût de noisette légèrement amer. En mélangeant de la crème sure ou du babeurre avec la crème du lait, on obtient la crème fraîche. À l'origine, le babeurre était ce qui restait après barattage de la crème sure naturelle pour en faire du beurre. Aujourd'hui, on l'obtient en ajoutant une culture bactérienne à du lait écrémé pasteurisé.

Pour fabriquer du yaourt, on mélange certaines bactéries à du lait chaud. Elles transforment son lactose en acide lactique, ce qui fait coaguler le lait et donne le résultat désiré.

LES MYSTÈRES DE LA VIE QUOTIDIENNE

Pourquoi porte-t-on des vêtements ? PAGE 142

Pourquoi a-t-on miniaturisé les ordinateurs ? PAGE 172

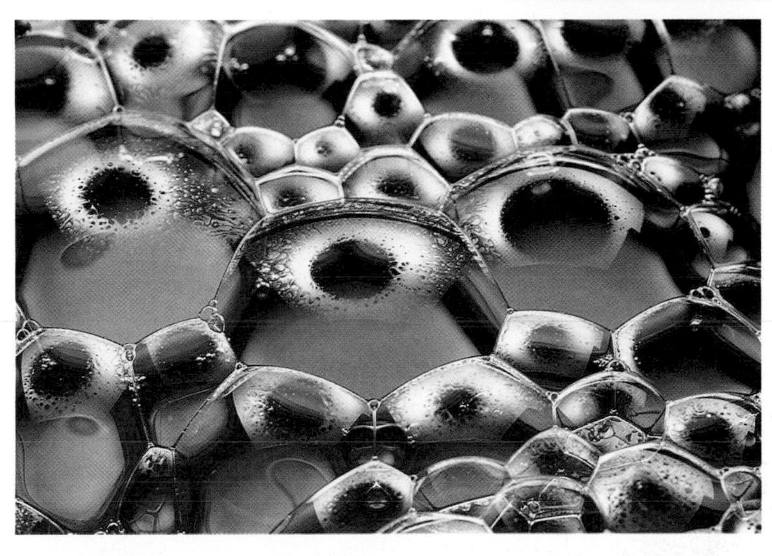

Pourquoi est-il parfois si difficile de faire des bulles de savon ? PAGE 165

De la peau de bête à la haute couture

Ces jeunes gens d'une tribu nomade du Niger, les Wodaabe, ont revêtu leurs plus beaux atours. Ils mettent en valeur leur beauté et leur charme pour tenter de s'attirer les faveurs d'une future épouse, sous le regard critique des femmes en âge de se marier et des anciens de la tribu.

L'origine des vêtements

Thomas Carlyle, philosophe britannique du XIXe siècle, affirmait que « la fonction première du vêtement n'était pas de protéger du froid, ni de garantir une allure décente, mais de servir de parure ». On imagine généralement nos ancêtres comme des créatures à la peau couverte de poils, qui les protégeaient contre le froid et les autres agressions. Si l'on suit Carlyle, on est donc en droit de se demander ce que les premiers hommes pouvaient bien trouver de si séduisant à parer un corps couvert de poils. En fait, c'est bien pour vaincre les rigueurs du froid que nos ancêtres ont inventé les premiers vêtements.

Il y a environ 1,5 million d'années apparurent sur terre les premiers spécimens d'*Homo erectus*, dans des régions tropicales et chaudes. L'espèce, qui se perpétua pendant un million d'années, émigra ensuite vers le nord et le sud. *Homo erectus* connaissait le feu, qu'il avait sans doute découvert par hasard en observant des incendies déclenchés par la foudre. Utilisé pour lutter contre le froid et peut-être pour cuire la nourriture, le feu facilita sa progression vers des régions plus froides.

Entre – 200 000 ans et –120 000 ans avant notre ère, les successeurs d'*Homo erectus* poussèrent plus au nord encore, vers les terres arides situées aux confins des régions touchées par l'avant-dernière glaciation. Pour y survivre, la chaleur du feu ne suffisait plus. Les hommes de Neandertal durent s'installer autour de feux dans des grottes et des abris rocheux, et ils furent sans doute les premiers à porter des vêtements primitifs, en peau de bête.

L'homme moderne, *Homo sapiens sapiens,* colonisa l'Australie et la Nouvelle-Guinée, à partir de l'Europe et de l'Asie, il y a cinquante mille ans environ. Sans doute ces peuplades ne portaient-elles de vêtements que si elles ressentaient le besoin de se protéger du froid et des agressions.

La pudeur n'a sans doute joué qu'un rôle minime dans l'apparition du vêtement. Ce sentiment n'est pas inné chez l'homme. Les enfants n'éprouvent pas spontanément le besoin de se vêtir et, d'une société à une autre, les règles définissant les parties du corps que l'on peut montrer et celles que l'on doit cacher varient du tout au tout. Au Brésil, par exemple, chez les Indiens Suyas, les femmes vivent nues. Mais elles ne supporteraient pas d'être vues sans les parures qui ornent leurs lèvres et leurs oreilles.

Pourquoi le prêt-à-porter s'est-il imposé ?

Le prêt-à-porter, pratique et bon marché, s'est largement imposé dans notre société, même si nous sommes encore quelques-uns à coudre nos vêtements ou à les faire faire sur mesure. Le règne du vêtement de confection, porté une saison pour finir au fond d'un placard l'année suivante, est très récent. Jusqu'à la fin du XVIIIe siècle, pour réaliser ses vêtements, on ne pouvait compter que sur ses propres dons de couturier ou s'en remettre à un proche ou à un tailleur professionnel. La gamme des tissus était alors très restreinte, et seuls les riches pouvaient s'offrir des étoffes rares. À l'époque, les vêtements revenaient cher et devaient donc durer longtemps.

Avec la révolution industrielle, le développement du machinisme a permis de produire des étoffes bien moins onéreuses qu'auparavant. Au XVIIIe siècle, le coton venu des colonies d'Amérique a supplanté la laine, qui dominait depuis des siècles. Trois inventions sont ensuite venues révolutionner l'industrie du coton : la navette volante de Kay, en 1733, la jenny (machine à filer le coton) de Hargreaves, en

1766, et le métier renvideur (ou mule-Jenny, car il s'agit d'une jenny perfectionnée) de Crompton, en 1779. Enfin vient le métier mis au point par Jacquard en 1800. La navette volante, qui permettait d'accélérer le tissage de la toile en supprimant la délicate opération du passage manuel de la navette, a entraîné le développement des filatures. Quant à la jenny et au métier renvideur, ils pouvaient être actionnés par des machines à vapeur ou hydrauliques et reproduisaient mécaniquement les opérations que les ouvriers effectuaient manuellement.

Dès 1850, l'industrie textile britannique, grâce à ses 750 000 métiers à tisser mécaniques, occupe le premier rang mondial. Les autres pays sont alors nettement en retard sur la Grande-Bretagne, mais ce secteur va se mécaniser largement au cours de la seconde moitié du XIXe siècle. En conséquence, le prix de revient des étoffes les plus coûteuses baisse fortement, et les vêtements élégants sont mis à la portée de toutes les bourses.

Au cours du XIXe siècle, les techniques de production de masse se perfectionnent. La machine à coudre, inventée en 1825 par le Français Thimonnier, est utilisée à l'échelle industrielle dès 1850 et réduit considérablement les temps de fabrication. À la même époque apparaissent des vêtements d'un style nouveau, plus simples, pour lesquels on peut se passer des compétences d'un tailleur.

C'est à la fin du XIXe siècle que s'ouvrent les premiers grands magasins, qui commercialisent ce type de vêtements. Parallèlement à ces changements, et peut-être aussi à cause d'eux, la mode féminine se libère. Aujourd'hui, le costume sur mesure est souvent considéré comme un luxe, et l'on ne fait plus appel aux couturières que pour des occasions exceptionnelles (faire réaliser une robe de mariée, par exemple).

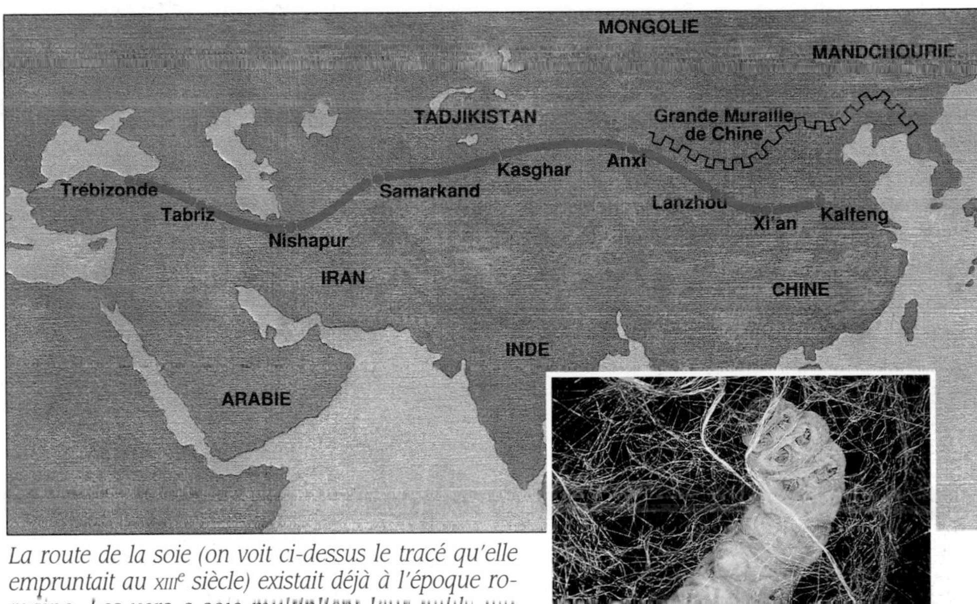

La route de la soie (on voit ci-dessus le tracé qu'elle empruntait au XIIe siècle) existait déjà à l'époque romaine. Les vers à soie multiplient leur poids par 10 000 en quatre semaines. Ils mangent sans arrêt et muent quatre fois avant de tisser leur cocon.

Pourquoi la soie coûte-t-elle si cher ?

La soie est une substance à base de protéines que sécrètent les araignées et certains insectes. Elle transite par de petits tubes avant d'être expulsée sous forme de filaments. L'animal sécrète de deux à six fils en même temps, qui se soudent pour former un fil plus solide, servant à tisser toiles et cocons.

Bien que de nombreux insectes produisent de la soie, la seule qui soit réellement exploitable est celle sécrétée par la larve de *Bombyx mori*, que l'on appelle communément ver à soie. L'araignée, par exemple, produit une soie d'une qualité exceptionnelle, qui a souvent été utilisée pour réaliser de petits articles fantaisie. Mais on n'a jamais pu l'exploiter sur le plan commercial en raison des faibles quantités produites et du problème que cause l'élevage des araignées.

Les vers à soie se nourrissent de feuilles du mûrier blanc. Une fois qu'ils ont tissé leur cocon, on les tue car, si la chrysalide se transformait en papillon, l'insecte risquerait d'abîmer le cocon en sortant. (On laisse toutefois éclore une petite quantité de papillons pour assurer la pérennité de l'élevage.) En général, on ébouillante ou on passe les cocons à la vapeur pour étouffer le ver qui est à l'intérieur. Ce procédé permet également d'assouplir la gomme à base de protéines qui enveloppe et soude les filaments.

Chaque cocon est ensuite dévidé à la main. Il faut d'abord trouver l'extrémité du fil, ce qui requiert une grande dextérité. Une fois déroulé, le fil mesure environ 1 600 m. Les fils de plusieurs cocons sont ensuite soumis à des opérations de torsion et d'assemblage, afin de former un fil plus solide qui pourra être tissé. Les cocons qui ne sont pas dévidés correctement sont broyés et tissés en une étoffe très belle, mais moins fine.

Jusqu'au début du XVe siècle, la soie fut acheminée depuis la Chine à travers l'Asie centrale jusqu'aux rives orientales du bassin méditerranéen en empruntant la route de la soie, ainsi nommée car cette étoffe était le principal objet d'échange entre l'Orient et l'Occident.

La Chine conserva le secret de fabrication de la soie jusqu'à ce que, au VIe siècle, des moines ramènent clandestinement en Europe des œufs de bombyx.

L'avènement de l'industrie textile a entraîné le développement des ateliers de confection et réduit le prix de revient des vêtements. Cette gravure en couleurs montre un atelier de fabrication de jupes Douglas & Sherwood, à New York, au milieu du XIXe siècle.

L'industrie de la soie s'implanta dans divers pays et régions, notamment au Japon et en Lombardie, dans le nord de l'Italie, où le mûrier pousse très bien. Aujourd'hui, les premiers producteurs de soie brute restent la Chine, l'Inde et le Japon, où les techniques se transmettent de génération en génération.

La rareté et la beauté de la soie en ont toujours fait une étoffe très prisée. Son origine remonte à l'impératrice Xi Lingshi. Elle en aurait découvert le secret par hasard, en 2640 avant J.-C., alors qu'elle cherchait ce qui dévorait les feuilles des mûriers de son époux. Les annales de la dynastie Han (206 avant J.-C. à 221 après J.-C.) font allusion aux soieries, qui constituaient la majeure partie du commerce avec le monde gréco-romain.

La soie était l'étoffe favorite de nombreux Romains de l'époque de César. Plus tard, des lois romaines interdirent à certaines classes de porter des vêtements de soie. Au Ier siècle, elle eut un tel succès que l'empereur Auguste prit la décision d'en limiter l'usage pour les hommes : on la considérait comme efféminée. L'idée fit école. En 1234, l'Espagne adopta une loi qui restreignait l'usage de la soie. Et, selon un traité de droit publié en Angleterre en 1675, « quiconque ne possède pas cent livres de terres ne peut porter damas, soie, taffetas, que ce soit en robe, manteau ou autre vêtement de dessus ».

Comment trouver chaussure à son pied ?

Un extraterrestre qui regarderait une vitrine de chaussures pourrait facilement croire que la plupart des humains ont le bout des pieds pointu et que le pied gauche et le pied droit sont rigoureusement semblables. Pourtant, nos pieds ne sont ni symétriques ni pointus. Mais, au cours des siècles, la mode, la vanité des hommes et les traditions ont donné aux chaussures masculines et féminines des formes étranges et souvent contraires aux principes d'hygiène. La commodité et le confort ont rarement fait partie des priorités en ce domaine. Au XIIe siècle, en Europe, les femmes élégantes portaient des poulaines, chaussures longues et effilées dans lesquelles même les pieds les plus fins devaient se sentir à l'étroit. Cette mode est revenue au goût du jour deux siècles plus tard et a duré jusqu'au milieu du XVe siècle. Les historiens s'y intéressent particulièrement, car l'Église l'a stigmatisée, estimant qu'elle était indécente et provocante.

On a souvent considéré que, pour plaire, les femmes comme les hommes devaient avoir de petits pieds. Pétrarque, poète italien du XIVe siècle, se serait presque estropié en portant des chaussures trop petites pour « montrer à sa Laura un petit pied ». La déformation du pied a été poussée à l'extrême en Chine, où pendant mille ans on a bandé les pieds des femmes au nom d'un idéal de beauté qui faisait de la marche un supplice pour elles. Plus les femmes avaient de petits pieds, plus elles avaient de chances de trouver un mari. De petits pieds étaient également la marque d'un statut social élevé : les femmes aux pieds bandés appartenaient en effet aux classes supérieures et n'avaient pas besoin de travailler. Cette coutume a été interdite après le renversement de la dynastie mandchoue des Qing, en 1911.

Avec leurs talons hauts qui déplacent vers l'avant le centre de gravité du corps, les femmes de l'époque moderne n'ont rien à envier aux Chinoises. Les talons hauts sont apparus à la fin du XVIIe siècle et ne sont jamais passés de mode. Les hommes ont porté des bottes à talons hauts jusqu'au milieu du XIXe siècle, car cela leur permettait de caler leurs pieds sur les étriers lorsqu'ils montaient à cheval. Chez les femmes, le succès des talons hauts peut s'expliquer par le fait qu'ils affinent la silhouette.

Il semble toutefois que les femmes commencent à se préoccuper un peu plus de leur confort, comme le prouve la vogue des chaussures à talons plats ou plus confortables. Le pied, une fois chaussé convenablement, pourra peut-être enfin conserver sa forme naturelle...

Pourquoi les hommes portent-ils des cravates ?

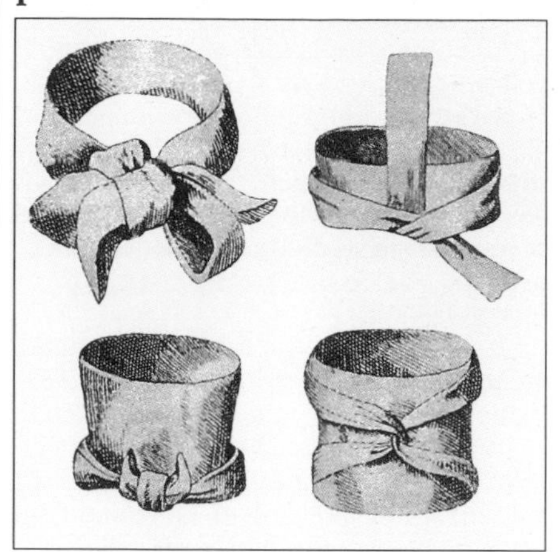

On reconnaissait autrefois le statut social d'un individu à la façon dont il nouait sa cravate. Cette planche extraite d'un ouvrage sur l'art de porter la cravate au milieu du XIXe siècle présente quatre des 32 manières de faire un nœud de cravate.

Les cravates n'ont aucune utilité particulière, et pourtant l'homme en porte depuis deux mille ans. Et, au IIIe siècle avant J.-C. déjà, des sculptures égyptiennes représentaient des pharaons portant des tours de cou ornés de pierres précieuses. À la fin du XVIe siècle, ce type de parure atteignit le comble de l'absurde avec l'apparition des fraises, ces immenses cols amidonnés et tuyautés.

Ces bottes ont inspiré Elton John dans le film Tommy. *Charles Jourdan est devenu célèbre grâce à ces chaussures à talons hauts conçues dans les années 1930 (ci-contre).*

Le dandy se reconnaissait à sa cravate montante, à son jabot et à ses pantalons serrés. Beau Brummel, un élégant du XIXe siècle, milita en Grande-Bretagne pour imposer une mode sobre à la place des vêtements recherchés qui étaient prisés au début du siècle.

Au début du XVIIe siècle, des mercenaires croates qui servaient dans l'armée française mirent au goût du jour une sorte de foulard noué sur le devant. Les Français le baptisèrent cravate, déformation de *Hvat*, qui signifie croate en serbo-croate. La cravate fut en vogue dans toute l'Europe jusqu'en 1710. Puis les hommes adoptèrent en guise de foulard une large bande de toile de fil ou de batiste, parfois renforcée par du carton, qui se portait enroulée autour du cou. On mettait également en ce temps-là une fine cravate noire, qui s'appelait solitaire.

Au cours du XIXe siècle, cravates et nœuds papillons prirent une importance considérable. À l'époque, de petits ouvrages donnaient des conseils très précis sur la manière de faire son nœud de cravate, comme ce livre de référence publié en 1828 par H. Leblanc et intitulé *Art de nouer la cravate*. Vers le milieu du siècle apparurent enfin les cravates telles que nous les connaissons.

Bien que le code vestimentaire se soit beaucoup assoupli, la cravate reste indispensable pour les hommes d'affaires et continue de rimer avec élégance, sobriété et classicisme. Aujourd'hui, il existe des cravates de différentes couleurs et ornées des motifs les plus variés, qui permettent à chacun d'exprimer sa personnalité.

La mode masculine manque-t-elle de fantaisie ?

Pendant des siècles, les vêtements d'hommes ont été au moins aussi recherchés et colorés que ceux des femmes. Le changement est survenu au milieu du XVIIIe siècle, en Angleterre, où l'on a vu apparaître des vêtements plus sobres, taillés dans des étoffes de couleur sombre. On se mit à juger efféminés les vêtements de couleur vive. L'idée correspondait à l'esprit du temps, marqué par un certain sérieux et un repli sur soi. On considérait les courtisans étrangers comme frivoles. Tout costume masculin recherché devenait synonyme de culture étrangère, et l'on stigmatisait aussitôt la prétendue corruption morale de la cour française. Dans les rues de Londres, un élégant était taxé de « chien français ». Le gentleman-farmer anglais devint le nouvel idéal masculin.

Curieusement, les dandys que furent Beau Brummel et ses épigones s'inspirèrent de ce style froid et correct plutôt que de la mode vive du début du siècle pour créer une nouvelle manière de s'habiller, encore en vogue aujourd'hui, fondée sur la qualité de la coupe du vêtement, sa discrétion et sa simplicité.

Les femmes à la conquête du pantalon

Toutes celles qui ont essayé de courir avec une jupe droite ou de monter à bicyclette en mini-jupe savent que les femmes portent des pantalons pour des raisons de confort et de commodité. Pourtant, ces derniers ne sont apparus que très récemment dans la garde-robe féminine. Jusqu'alors, les femmes avaient toujours porté des robes ou des jupes. Au milieu du XIXe siècle, les contraintes de la mode furent poussées à l'extrême : les femmes étaient étroitement lacées dans des corsets qui faisaient ressortir la poitrine en comprimant le torse. Les jupes étaient soutenues par des crinolines faites d'arceaux de métal ou de crin de cheval et qui rendaient extrêmement difficile tout mouvement naturel du corps.

En réaction, une féministe américaine, Amelia Bloomer, conçut une jupe inspirée du costume traditionnel turc, qui arrivait à hauteur du genou et se portait sur des pantalons bouffants. La créatrice présenta son costume en 1851 dans son journal *Lily*, sans grand succès. En fait, les femmes qui osaient porter ce vêtement furent sévèrement critiquées, car cette jupe leur donnait une allure trop masculine. Les critiques redoutaient que les femmes portant ces bloomers ne se mettent à se conduire en hommes. Leurs craintes n'étaient pas sans fondement, puisque la plupart des partisanes des bloomers étaient aussi membres du mouvement naissant de défense des droits de la femme. En Europe, les tentatives d'Amelia Bloomer pour introduire cette mode ne rencontrèrent que mépris et hostilité.

Ce n'est qu'à la fin du XIXe siècle que les femmes commencèrent à porter des pantalons. Mais, à l'époque, il ne s'agissait encore que d'un costume de cycliste. Démarrant dans les années 1890, la grande vogue du vélo lança la mode des culottes de golf, pour les hommes comme pour les femmes. Lorsque les dames décidèrent de monter à cheval comme des hommes

La grande vogue de la bicyclette lança une nouvelle mode féminine, plus libérée.

et non plus en amazone, dans les années 1880, la jupe-culotte devint à la mode aux États-Unis. Dans les années 1920, certaines femmes portaient des culottes de cheval. Mais c'est surtout la guerre qui libéra la mode féminine. Pendant la Première et la Seconde Guerre mondiale, les femmes durent travailler en usine et exécuter des tâches jusqu'alors réservées aux hommes. Elles se mirent à porter des uniformes ou des bleus de travail, peu seyants mais très pratiques. Les femmes adoptèrent le pantalon pour effectuer de gros travaux. Sans doute auraient-elles pu retrouver des vêtements plus féminins une fois les hommes rentrés au foyer, mais il leur était bien difficile de renoncer à la liberté nouvelle qu'offrait le pantalon. Pour des questions d'aisance et de commodité, elles ont donc continué, dans la plupart des pays occidentaux, à porter shorts et pantalons.

L'été : vêtements clairs ou sombres ?

La lumière est une forme d'énergie que le blanc réfléchit presque intégralement. En revanche, le noir l'absorbe dans sa quasi-totalité. C'est pourquoi ceux qui portent des vêtements noirs en été ont plus chaud que ceux qui sont habillés en blanc. Une étoffe suffisamment sombre pour absorber une forte proportion de l'énergie solaire sera donc plus chaude qu'un même tissu de couleur claire, et cette chaleur se transmettra à l'individu.

Curieusement, les tribus qui vivent dans les déserts d'Afrique du Nord portent traditionnellement des vêtements sombres, mais leur coupe très ample permet à l'air de circuler entre le corps et le vêtement.

Ce Touareg se protège des sables et des vents du désert grâce à un long voile de toile enroulé serré autour de sa tête. Chez les Touaregs, contrairement à la tradition en vigueur chez les autres peuples musulmans, c'est l'homme et non la femme qui se voile à partir de la puberté.

Jeans : les clés d'un succès

L'étiquette des blue-jeans Levis vante leurs mérites : ils seraient si solides que deux chevaux tirant dans des directions opposées ne pourraient parvenir à en déchirer un.

Les blue-jeans, fabriqués à l'origine par Levi Strauss pour les mineurs et les cow-boys américains dans les années 1870, ont désormais conquis le monde entier.

Conçus pour être des vêtements de travail, les jeans ont immédiatement connu un grand succès grâce à leur résistance et à leur solidité. Strauss et son associé Jacob Davis ont fait breveter un procédé inédit consistant à renforcer poches et coutures avec des rivets pour éviter que le tissu – une toile particulièrement résistante appelée toile de Nîmes (denim) – ne se déchire. Mais c'est seulement dans les années 1950 que les jeans, popularisés par James Dean et Marlon Brando, sont devenus l'uniforme de la jeunesse rebelle.

Les blue-jeans, loin d'être un phénomène éphémère, ne semblent pas près de passer de mode. Ils ne sont plus seulement ces pantalons bon marché réservés aux adolescents. Désormais, on trouve des jeans pour enfants, des jeans haute couture – vendus hors de prix –, des jeans unis, imprimés, déteints ou délavés et même des jeans rapiécés !

Pourquoi la laine rétrécit-elle ?

La laine rétrécit pour deux raisons. Premièrement, c'est une fibre naturellement élastique, que l'on étire en la tricotant ou en la filant, et qui a tendance à reprendre spontanément sa forme initiale. Ce processus de rétractation se double d'un second phénomène, qui tient à la nature des fibres. Celles-ci sont recouvertes de minuscules écailles qui se chevauchent. Une fois chauffées ou agitées (comme c'est le cas dans une machine à laver), elles s'accrochent les unes aux autres, suivant le principe de fabrication du feutre. Lorsqu'il y a eu feutrage, il devient impossible de séparer les fibres et de redonner au vêtement sa forme initiale sans l'abîmer. Même avec des vêtements de laine réputés prélavés, il faut prendre un soin particulier au lavage.

Pourquoi la laine est-elle plus chaude que le coton ?

L'élasticité de la laine, qui la fait rétrécir et feutrer, lui donne aussi son moelleux et sa chaleur, car l'air emprisonné entre les fibres constitue une couche isolante. Une toile de coton de même épaisseur devrait être aussi chaude. Mais, comme elle n'a pas cette élasticité, elle tend à se tasser, ce qui donne un tissu moins chaud. Prenez une couverture de coton : elle sera moelleuse lorsque vous irez vous coucher mais, le lendemain, les fibres seront toutes aplaties et elle sera beaucoup moins chaude. La texture d'un tissu dépend de son mode de tissage. Un tissage lisse et serré limite la présence d'air entre les fibres et la surface du tissu. Mais, si on libère certaines fibres, par exemple en les brossant au moment de la finition, on obtient une étoffe dont la couche isolante peut être plus importante. Ces fibres constituent une sorte de duvet qui piège l'air et la chaleur. Ainsi certains tissus comme le velours ou le pilou paraissent plus chauds au toucher qu'un tissu lisse comme le satin.

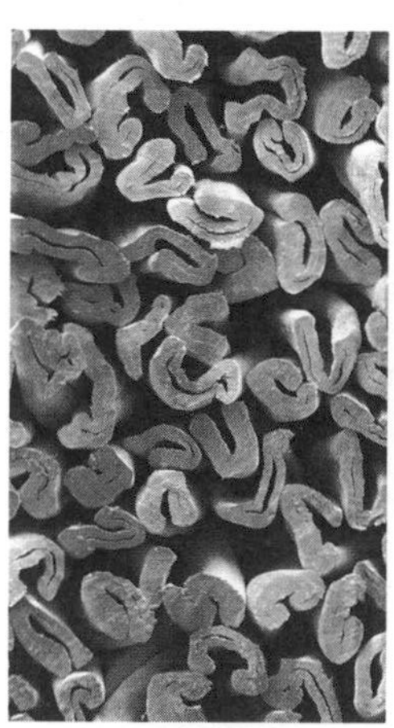
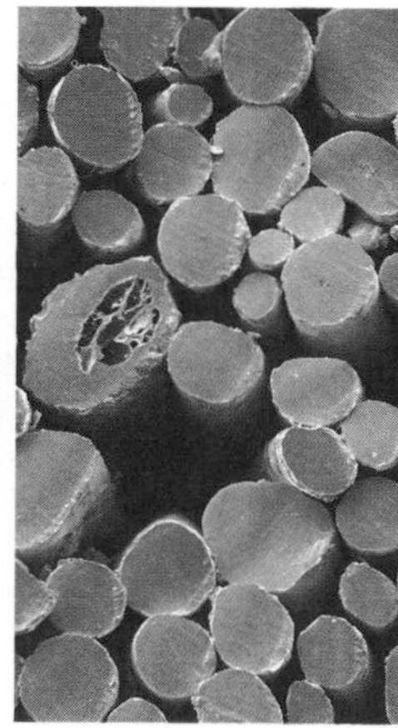

Comparaison entre deux types de fibres naturelles. Les fibres de coton, à gauche, sont fines mais irrégulières. Les fibres de mérinos (laine), à droite, sont résistantes et emprisonnent l'air.

Pourquoi y a-t-il une mode pour les jeunes ?

Pendant des siècles, enfants et adolescents ont été habillés soit comme des adultes en miniature, soit avec des vêtements que les adultes jugeaient particulièrement bien adaptés à leurs besoins et activités. Il a fallu attendre la Seconde Guerre mondiale pour voir les jeunes des pays industrialisés adopter un style et des goûts qui leur soient propres. Aujourd'hui, ils représentent l'un des tout premiers marchés de l'industrie du prêt-à-porter.

Ce phénomène n'a pu se produire que parce que les jeunes avaient de l'argent à leur disposition. Dans les années 1950, la prospérité économique a fait naître un vent d'optimisme, loin des rigueurs de la grande dépression et des privations de la guerre. L'essor industriel a entraîné une forte expansion du marché du travail, et les jeunes ont été embauchés à des salaires relativement élevés. Pour la première fois, ils ont constitué un marché distinct, auquel les professionnels de la mode se sont très vite intéressés.

Pendant les années 1960, l'influence des jeunes sur la mode s'est tellement accrue qu'elle est devenue leur chasse gardée. Le mouvement a été lancé à Londres vers 1955 par Mary Quant. D'autres créateurs lui ont emboîté le pas en ouvrant des boutiques sur Carnaby Street et Kings Road. Les *swinging sixties* étaient nées. Ces boutiques étaient le domaine réservé des jeunes, et l'on y retrouvait une atmosphère très particulière bien loin du style vieux jeu des magasins de mode traditionnels.

Les modes punk ou hippie, par exemple, sont devenues des armes de contestation, avant d'être récupérées par les industriels du prêt-à-porter, par le biais de la production en grande série et de la publicité.

Le mouvement punk, lancé à Londres au début des années 1970 par des chômeurs contestataires, a été repris par des jeunes issus de toutes les couches sociales.

L'art du boutonnage et ses subtilités

Il existe de nombreuses théories expliquant pourquoi les vêtements masculins et féminins se boutonnent de façon opposée. On fait par exemple valoir qu'un homme qui se boutonnait de la main gauche conservait la droite libre pour saisir l'épée. Quant aux femmes, qui portent traditionnellement leur enfant sur le bras gauche, elles se servaient de leur main droite pour se dégrafer, surtout lorsqu'elles allaitaient. Selon une autre théorie, la tradition serait née en France au XIIIe siècle, à une époque où les vêtements de cour étaient fermés sur le devant par de multiples boutons. Les femmes de chambre, qui habillaient leurs maîtresses en leur faisant face, devaient trouver plus simple de boutonner les vêtements de droite à gauche, alors que les hommes, qui s'habillaient seuls, devaient juger plus facile de faire le contraire.

D'où vient la vogue des défilés de mode ?

Depuis des siècles, Paris est considéré comme la capitale de la mode, et son seul nom évoque les fastueux défilés des grands couturiers. La toute première maison de haute couture parisienne fut fondée en 1858 par un expatrié britannique, Charles Frederick Worth, qui eut l'idée de concevoir à l'avance tous les modèles d'une même saison pour les présenter à ses clients.

L'organisation de défilés de mode pour montrer les collections de haute couture au public remonte à l'Exposition universelle de 1900. Réunissant des pavillons du monde entier, elle attira des milliers de visiteurs. La palme du succès revint sans conteste à sa section mode, où les grands couturiers, y compris la maison Worth, présentaient leurs modèles de façon révolutionnaire, en plaçant leurs mannequins dans des situations de la vie courante. La présidente du pavillon de la mode, Mme Paquin, présenta elle-même un de ses modèles assise à sa coiffeuse.

Première couturière de luxe à vendre ses vêtements à l'étranger, cette femme, lorsqu'elle voulait lancer un nouveau modèle, envoyait systématiquement aux courses ou dans les casinos une dizaine de mannequins vêtus de façon identique.

Depuis le début du siècle, à chaque saison, des clients viennent du monde entier assister aux défilés de haute couture dans les salons parisiens. Ces manifestations sont devenues l'occasion pour les grands couturiers de présenter simultanément leur collection à de nombreux clients. Le grand public peut ensuite à son tour découvrir les modèles de haute couture, grâce aux acheteurs étrangers, aux journalistes et aux photographes.

Sur la scène, un mannequin présente sous les applaudissements une veste en cachemire du couturier italien Angelo Tarlazzi.

Le comportement fascinant des animaux

Le chien de berger est l'archétype de la fidélité et de l'obéissance. Voilà dix mille ans qu'il aide l'homme à garder les troupeaux.

Le langage des signes

Les prédateurs qui vivent en groupe doivent avoir un vocabulaire gestuel étendu pour communiquer avec leurs semblables, afin de renforcer la cohésion du groupe et de coordonner les activités de la meute. Beaucoup de ces signes, comme les expressions faciales, ne sont visibles que de près. Pour communiquer de plus loin, les animaux ont inventé un autre langage. Les chiens, par exemple, se servent de leur queue. Lorsqu'elle est droite, dans le prolongement de la colonne vertébrale, elle est signe d'agressivité. Lorsqu'elle est basse, entre les pattes, elle exprime la soumission. Agitée de droite à gauche, elle manifeste l'amitié.

La queue du chat exprime une gamme d'attitudes beaucoup moins étendue. Lorsqu'un chat se sent menacé, il hérisse le poil en arquant le dos, la queue raide, droite et frémissante. Si l'on joue avec un chat quand il n'en a pas envie, il arrive qu'il montre son

Pourquoi les chiens sont-ils plus fidèles que les chats ?

Chiens et chats sont des prédateurs, et la vie est souvent difficile pour eux. La plupart des prédateurs sont fréquemment affamés. Il suffit qu'ils soient un peu moins vifs ou qu'ils aient la moindre blessure pour qu'ils manquent leur proie.

Les prédateurs ont donc développé des comportements qui accroissent leurs chances de survie ; ainsi, les loups, comme d'autres chiens sauvages, chassent en meute, coopèrent pour capturer leurs proies et se partagent les dépouilles. Même si les conditions sont défavorables, on a plus de chances de trouver quelque chose à se mettre sous la dent en s'y prenant à plusieurs.

En revanche, le chat sauvage est un chasseur solitaire. Il survit grâce à une connaissance parfaite de son territoire, et apprend à repérer les meilleures zones de chasse. Le chat domestique a conservé quelque chose de l'instinct de son ancêtre, puisqu'il reste fidèle à son domicile. En revanche, le chien est un animal social, attaché à ses congénères à l'état sauvage et à ses maîtres lorsqu'il est domestiqué.

Solitaire de nature, le chat trahit sans cesse ses origines à travers son comportement. Cet abyssin roux arque le dos pour exprimer sa crainte. Un chat qui agite rapidement la queue de droite à gauche est agacé et risque d'attaquer.

agacement en remuant la queue, signe d'énervement, de crainte ou d'inquiétude. Souvent interprétée comme une marque d'agressivité, cette attitude devrait plutôt se traduire ainsi : « Si tu ne cesses pas bientôt, je vais devoir recourir aux grands moyens. » Chez les chats sauvages, les mouvements de la queue sont rares, car presque inutiles. S'ils croisent des humains, ils prennent tout simplement la fuite.

Pourquoi les chats et les chiens mangent-ils de l'herbe ?

Si l'ancêtre du chien était très certainement un prédateur, il se nourrissait sans doute aussi de charognes et même de fruits à l'occasion. Le chien ne mange pas non plus uniquement de la viande, il absorbe bien d'autres aliments, sans trouble apparent pour son organisme. Le chat, lui, a un régime spécifiquement carnivore.

Les chats et les chiens grignotent souvent de l'herbe ou des feuilles, de la même façon que les humains ont parfois besoin d'avaler un comprimé d'aspirine, un laxatif ou des vitamines. Mais cela ne signifie pas pour autant que l'animal se sent malade ou qu'il a besoin de se purger. Peut-être obéit-il à un désir plus subtil. Souvent, lorsqu'un chat ou un chien « broutent » de l'herbe, ils le font d'une façon très particulière, en flairant délicatement les feuilles ou les brins d'herbe avant de faire leur choix, comme s'ils recherchaient une saveur particulière.

La plupart des animaux sauvages modifient ainsi souvent leur régime alimentaire de temps à autre, de manière très précise, pour pallier de légères carences.

Pourquoi les chats ronronnent-ils ?

La plupart des petits félins ronronnent, mais ce n'est pas le cas des rois de l'espèce comme le lion ou le tigre. On ne sait pas exactement comment le chat ronronne. Le bruit ne vient pas du larynx, mais du plus profond de la poitrine. La chatte ronronne avant d'allaiter ses petits. Les chatons se rassemblent alors autour d'elle comme s'ils répondaient à un appel, et le ronronnement de la mère cesse lorsque les petits commencent à téter. Le reste du temps, on ignore pourquoi les chats ronronnent. En général, nous interprétons ce comportement comme un signe de contentement, mais il arrive aussi que le chat ronronne lorsqu'il est agité ou inquiet.

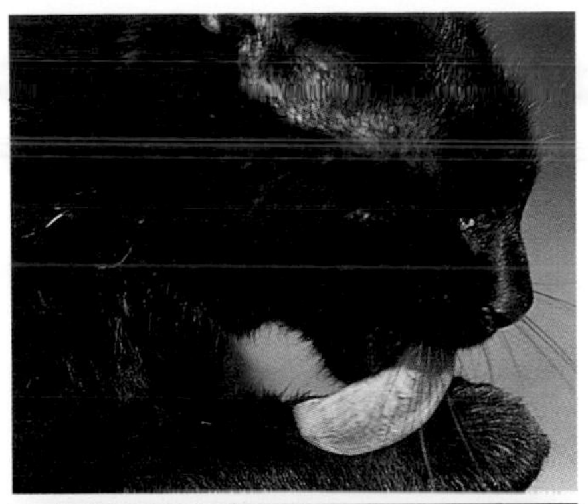

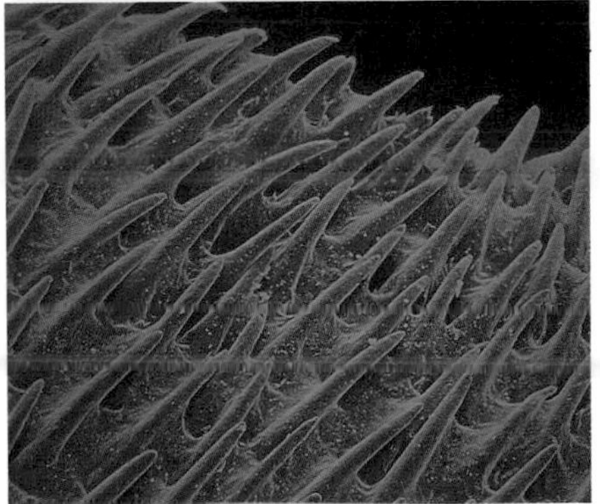

La langue du chat, longue et flexible, est couverte de petits nodules cornés qui sont orientés vers l'arrière pour que le chat puisse mieux tenir sa proie. Chez le chat, les papilles gustatives sont situées sur le bout, les côtés et la base de la langue.

Pourquoi les chats ont-ils la langue râpeuse ?

Chez l'animal, la langue a pour fonction essentielle de remuer les aliments dans la gueule. Grâce à sa langue particulièrement râpeuse, en raison des multiples petits nodules qui la recouvrent, le chat peut aussi nettoyer impeccablement les os et se laver avec soin. Cela est d'autant plus important pour les chats qu'ils vivent le plus souvent en solitaire et ne peuvent compter sur l'aide de leurs congénères, au contraire des animaux qui vivent en groupe, comme les chiens, et se nettoient souvent les uns les autres.

Chez les chiens, la langue agit comme un système de refroidissement. Lorsqu'il halète, le chien sécrète un flot abondant de salive, dont l'évaporation permet de réguler la température interne du corps.

Le fabuleux sens de l'orientation des chats

Écrivains et naturalistes s'interrogent depuis des siècles sur cette faculté du chat à retrouver le lieu où il vit. Bien souvent, on voit des chats qui ont déménagé avec leur propriétaire réapparaître quelque temps plus tard à leur premier domicile. Cela a donné naissance à diverses coutumes censées empêcher le chat de regagner son ancien foyer, comme lui enduire les pattes de beurre ou lui couper le bout de la queue.

Les chats sont attachés à leur territoire et détestent changer d'habitudes. Un chat que l'on transporte loin de chez lui a donc tendance à regagner son véritable foyer. Pour tenter de mieux comprendre ce comportement instinctif, toute une série d'expériences ont été réalisées. On a par exemple séparé une chatte de ses petits en l'enfermant dans une cage à environ 2 km de sa progéniture. Puis on l'a libérée en actionnant la porte par télécommande. La chatte, qui était observée à une trentaine de mètres de distance, est rapidement partie dans la bonne direction. Huit heures plus tard, elle avait retrouvé ses petits. L'expérience a été répétée plusieurs fois à des distances variables, allant jusqu'à 5 km. On a même anesthésié la chatte pendant le transport. Chaque fois, elle est revenue à son point de départ. Pour finir, on lui a fait faire 26 km, mais, cette fois, la distance était sans doute trop grande, car on ne l'a jamais revue...

En Allemagne, on a procédé à des expériences plus sérieuses. Des chats ont été libérés au centre d'un labyrinthe après avoir été transportés loin de chez eux dans des sacs. Chaque chat portait un collier auquel était attachée une ficelle reliée à une bobine au centre du labyrinthe, afin que l'on puisse suivre leurs déplacements. La plupart d'entre eux ne perdaient pas de temps à repérer les lieux et paraissaient trouver facilement le chemin le plus direct pour sortir du labyrinthe et prendre la direction de leur foyer. Mais, à partir de là, les résultats s'avèrent moins concluants : seulement 60 % des chats ont réussi à regagner leur domicile dans un rayon de 5 km. Au-delà de cette distance, le succès de l'expérience semble plutôt relever du hasard. On entend aussi souvent parler de chats qui retrouvent leur maître plusieurs mois après avoir été perdus ou abandonnés.

Aux États-Unis, les propriétaires d'un chat de 2 ans qui vivaient en Géorgie avaient déménagé sans lui en Caroline, à plus de 300 km. Quatre mois plus tard, Pooh avait rejoint ses maîtres.

Un chat a mis quatorze mois pour retrouver ses maîtres qui avaient déménagé en Oklahoma à 2 400 km de leur ancien domicile. Les propriétaires ont formellement identifié l'animal grâce à une déformation de l'articulation de sa hanche. Toutefois, dans ce genre de cas, les gens exagèrent souvent les ressemblances. La preuve de l'identité de l'animal est rarement établie et le phénomène paraît très difficile à prouver scientifiquement.

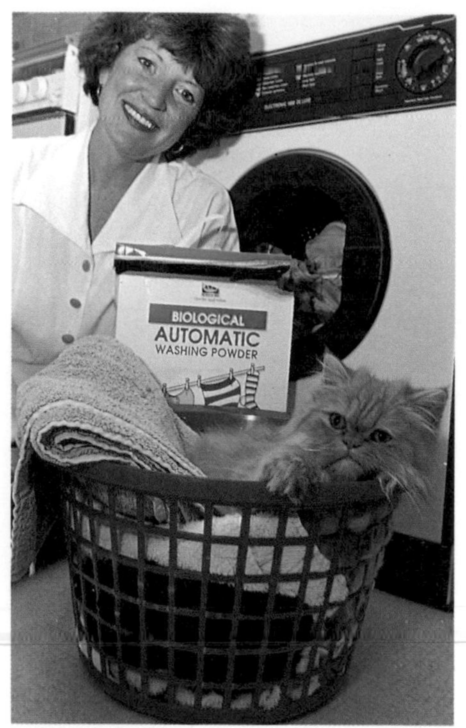

Ce chat est sorti indemne d'une machine à laver après un cycle de lavage complet. Cette résistance exceptionnelle explique peut-être pourquoi ces animaux ont longtemps été considérés comme des dieux ou des sorciers.

Les neuf vies du chat

La plupart des animaux doivent être bien plus vigilants que les hommes pour échapper aux prédateurs qui les menacent. La moindre inattention peut leur être fatale, et les prédateurs eux-mêmes ne parviennent à survivre qu'en trompant la vigilance de leurs proies. Plus encore que tous les autres animaux domestiques, le chat reste en permanence sur le qui-vive, grâce à ses réflexes éclairs. Même le chien, dont les atouts sont plutôt l'endurance et la fidélité, ne peut rivaliser avec lui.

Ce mélange de prudence, d'agilité et de réflexes éclairs qui caractérise le chat fait désormais partie de notre folklore. La tradition veut qu'un chat trouve toujours un moyen de survivre lorsqu'il est en danger. C'est pourquoi l'on dit qu'il a neuf vies.

Les chattes écaille de tortue

Le patrimoine génétique du chat conditionne son apparence. Chez le chat domestique, l'ensemble des variations de couleur du pelage est déterminé par une combinaison de huit gènes. Chez tous les individus, on retrouve le gène gris tigré, hérité du chat sauvage.

La pigmentation des poils du chat est soit marron-noir, soit rousse. Les gènes de la pigmentation sont portés par le chromosome X, et la couleur de la robe du chat est par conséquent liée au sexe. Les femelles, qui ont deux chromosomes X contre un seul chez le mâle, peuvent être à la fois rousses et marron-noir, ce qui leur donne ce pelage écaille de tortue. En revanche, les mâles de cette couleur sont très rares et la plupart du temps stériles.

Le pelage tigré résulte de ce que l'on appelle l'effet agouti. Si l'on examine de près les poils d'un chat tigré, on constate qu'ils sont tous noirs, mais que leur pigmentation s'atténue dans les zones grises. Cet effet agouti est déterminé génétiquement, comme toutes les autres couleurs, telles ces taches blanches que l'on retrouve souvent dans le pelage écaille de tortue. Chez un chat blanc, par exemple, le gène blanc sera dominant. D'autre gènes déterminent la longueur des poils, mais aussi la présence de ces taches noires si particulières que porte le chat siamois sur le nez, les oreilles, la queue et le bout des pattes.

Le roi de la haute voltige

En ville, les chats passent la majeure partie de leur temps sur les toits et les rebords des fenêtres, et l'on voit souvent ces animaux faire des chutes de plusieurs étages. Pourtant, bien qu'ils retombent le plus souvent sur des surfaces dures, il est rare qu'ils soient gravement blessés.

Si le chat parvient à survivre à des chutes qui tueraient un homme à coup sûr, c'est avant tout parce qu'il est beaucoup moins lourd. Sa chute est moins rapide car la résistance de l'air contrebalance l'accélération due à la pesanteur.

Sur des photographies prises au moteur, on constate qu'un chat tombant de très haut projette ses quatre pattes sur les côtés. L'animal offre ainsi une plus grande résistance à l'air et contrôle mieux sa chute.

L'homme ne parvient pas à coordonner ses mouvements lorsqu'il tombe en chute libre, tandis que le chat sait d'instinct retomber sur ses pattes. Son système sensoriel, tel un gyroscope, informe le système nerveux central de toute modification de l'orientation du corps. Lorsqu'il tombe, le chat perçoit immédiatement qu'il est sur le dos et se retourne instantanément avec agilité pour pouvoir atterrir en toute sécurité. Il touche le sol le bout des pattes fléchi pour absorber le choc, et les griffes sorties pour répartir l'impact.

Rois de la chute libre, les chats possèdent un mécanisme interne qui leur permet de rétablir leur position en cas de chute. Leur agilité fait le reste.

LA PASSION DES ANIMAUX DE COMPAGNIE

Les animaux de compagnie sont l'un des principaux dénominateurs communs des gens de notre civilisation. On recense 160 millions de chiens dans le monde, dont 45 millions aux États-Unis, 9 millions en France et 6 millions en Grande-Bretagne. Dans les pays industrialisés, un foyer sur quatre possède un chien ou un chat, auxquels s'ajoutent parfois une perruche, un poisson rouge ou un lapin.

Le goût des hommes pour les animaux de compagnie remonte aux temps préhistoriques. Il y a vingt mille ans, nos ancêtres ont sans doute commencé par domestiquer un louveteau, non seulement pour en faire un animal de compagnie, mais aussi pour modifier les caractéristiques de l'espèce. Aujourd'hui, il existe environ 400 races de chiens dans le monde, toutes issues de la même souche.

Après le chien, plus considéré comme un serviteur que comme un compagnon, l'homme a domestiqué les chèvres, les vaches, les moutons, les porcs et les chevaux. Les Égyptiens vénéraient les chats comme des divinités, et quelque 300 000 chats momifiés ont été découverts dans une tombe.

Les chats et les chiens ont longtemps été les rois des animaux de compagnie. Mais, avec l'évolution des modes de vie, le travail des femmes, la vie en appartement, les habitudes se sont modifiées. Lorsqu'une famille ne peut pas avoir de chien ou de chat, elle choisit un oiseau ou un poisson rouge. La perruche, domestiquée il y a tout juste un peu plus d'un siècle, serait aujourd'hui l'animal de compagnie le plus populaire au monde.

Dans une société prospère où chacun aspire à se différencier des autres, la liste des animaux de compagnie s'est singulièrement allongée. On y trouve de tout, des panthères noires aux pythons et des crocodiles aux tarentules. Comme les gens sont prêts à payer cher pour s'offrir des animaux exotiques, le trafic prospère.

Les animaux de compagnie contribuent à nous détendre et permettent à des millions de personnes de vaincre la solitude. Des chercheurs ont même montré que la possession d'un animal domestique pouvait être le principal facteur de longévité chez l'homme. L'étude portait sur des patients atteints de maladies coronariennes. Au bout d'un an, 28 % des malades vivant sans animal domestique étaient décédés, contre seulement 6 % de ceux qui avaient des animaux. Les enfants handicapés mentaux et les malades souffrant de troubles psychologiques sont plus réceptifs aux traitements si l'on fait intervenir des animaux de compagnie dans leur thérapie et pendant leur convalescence.

Grenouille, oie, cougouar, alligator... L'imagination des amoureux des bêtes est sans limites. Cette passion peut avoir des effets bénéfiques pour la santé... à condition bien sûr d'éviter que les animaux dangereux ne retrouvent le chemin de la liberté.

Pourquoi les chiens enterrent-ils leurs os ?

À l'état sauvage, des prédateurs tuent parfois des proies trop grosses pour être dévorées en une seule fois. Ils attirent donc souvent des charognards. Certains n'attendent même pas que la dépouille soit abandonnée pour s'en emparer. C'est ainsi que les hyènes, beaucoup plus vigoureuses que les guépards, leur volent souvent leurs proies. De nombreux prédateurs cherchent donc à cacher leurs prises en lieu sûr pour les retrouver lorsqu'ils auront faim. Les léopards emportent généralement le produit de leur chasse dans les arbres. Les carnassiers qui n'ont pas cette possibilité enterrent leurs proies. Renards, chacals et chiens adoptent parfois un comportement analogue.

Les chiots apprennent à se défendre en se disputant un os. Ce comportement rappelle qu'ils ont été autrefois des prédateurs.

Pourquoi y a-t-il tant de races de chiens ?

L'histoire de la domestication du chien se perd dans la nuit des temps, mais les chercheurs estiment que le chien descend du loup. Les loups rôdaient sans doute autour des campements des premiers hommes pour récupérer des restes de nourriture. Tolérée au début, leur présence a probablement été peu à peu encouragée, car ils savaient donner l'alerte et écarter les prédateurs en maraude.

Au fur et à mesure que les liens entre l'homme et l'animal se renforçaient, le loup est peu à peu passé du statut de gardien à celui de compagnon de chasse. La société des loups est très organisée. Les loups chassent en meute en unissant leurs efforts pour poursuivre et mettre à mort la proie convoitée. Ce sont les talents de chasseur du loup qui ont contribué à le rapprocher de l'homme.

À l'origine, les chiens étaient sélectionnés par l'homme pour les qualités dont ils faisaient preuve dans la meute : endurance, coopération et fidélité. Aujourd'hui, il existe environ 400 races de chiens différentes, reconnues par des associations d'éleveurs et enregistrées dans le monde entier.

Presque toutes les races sont issues d'une sélection privilégiant une aptitude naturelle à la garde ou à la chasse. Les pointers et les setters débusquent le gibier. Les épagneuls le rapportent une fois qu'il a été tué. Les diverses variétés de chiens de meute traquent et acculent les proies pour que les chasseurs puissent les abattre. Les lévriers coursent le gibier à découvert, tandis que les fox vont le chercher jusqu'au fond des terriers. Les dobermans sont d'excellents chiens de garde. Les collies et autres chiens de berger surveillent les troupeaux. Au début du XIXe siècle sont apparues les premières expositions canines, qui, avec les exigences de la mode, ont contribué au développement de races nouvelles. Mais même les chiens d'appartement comme les chihuahuas, les caniches et les pékinois ont été sélectionnés en partie en raison de leur intelligence et de leur aptitude à donner l'alarme en cas d'effraction.

Aussi curieux que cela puisse paraître, nos 400 races de chiens domestiques ont probablement un ancêtre commun : le loup. Le shar pei (à gauche) est l'une des races les plus rares au monde. Ce nom, qui signifie papier de verre en chinois, lui a été donné en raison de son pelage dru.

Pourquoi les perruches parlent-elles ?

Dans le monde des oiseaux, chants et cris de toutes sortes jouent un rôle essentiel, à la fois pour l'accouplement et la délimitation d'un territoire.

Les oiseaux se divisent en deux grandes catégories, selon que le chant est inné ou acquis. Les coucous appartiennent au premier groupe. Bien qu'ils soient élevés par des parents adoptifs, les coucous chantent comme leurs congénères une fois adultes. Lorsqu'on élève en laboratoire des oisillons chez lesquels le chant est inné, ils chantent comme tous ceux de leur espèce, bien qu'ils n'aient jamais entendu le chant d'aucun autre oiseau. Chez d'autres espèces, en revanche, comme les alouettes, les petits apprennent à chanter au contact de leurs parents. C'est ainsi que, si l'on fait élever en laboratoire un oisillon de l'une de ces espèces par des parents nourriciers, il chantera comme eux et ne répondra pas aux sollicitations des siens.

Quand des oiseaux chez lesquels le chant est acquis sont élevés par l'homme, certains finissent par imiter notre langage avec une remarquable fidélité. En ce domaine, la perruche est une élève particulièrement douée. Comme le perroquet, elle est bien plus intelligente que la plupart des autres oiseaux. Elle est curieuse, très sociable et tisse souvent des liens étroits avec son propriétaire. La perruche produit des sons comparables au langage humain, mais elle ne s'en sert pas pour exprimer une idée ou un sentiment, et ne « parle » donc pas au sens propre du terme.

Les recherches se poursuivent pour déterminer si les oiseaux sont capables de penser et d'apprendre. La scientifique Irene Pepperberg a appris à un perroquet gris africain nommé Alex à communiquer avec des phrases simples d'anglais courant. Cet oiseau a fait preuve de capacités intellectuelles que l'on ne reconnaissait jusqu'alors qu'aux êtres humains et aux chimpanzés éduqués par l'homme.

Mais, en dépit de nombreuses recherches sur l'émission de sons chez l'homme et les animaux, les raisons pour lesquelles certains oiseaux parviennent à imiter notre langage et d'autres non demeurent mystérieuses.

Des perruches de toutes les couleurs

À l'état sauvage, en Australie, les perruches ont un plumage vert avec des stries jaunes et noires sur la tête, le dos et les ailes. La perruche domestique, en revanche, peut être blanche, jaune, verte, bleue ou encore irisée.

La couleur des plumes d'un oiseau est déterminée par trois facteurs qui peuvent se combiner. Chez certains oiseaux, le chatoiement du plumage est dû à la présence d'éléments microscopiques dans la structure des plumes, qui décomposent la lumière comme un prisme pour donner un arc-en-ciel.

La deuxième cause est d'ordre chimique. Le jaune et le rouge, par exemple, proviennent d'un pigment, le carotène, alors que le noir et le marron résultent d'un autre pigment, la mélanine, qui, pour des raisons génétiques, donne aux perruches leurs stries noires.

L'origine du bleu est tout autre. Il ne s'agit pas d'un pigment mais d'un processus physique identique à celui qui donne au ciel sa couleur azur et que l'on appelle phénomène de Tindall. À l'intérieur de la plume, des bulles microscopiques fractionnent la lumière de telle façon que toutes les couleurs sont absorbées, à l'exception du bleu.

Les effets de la pigmentation se combinent souvent avec le phénomène de Tindall. Le vert, par exemple, résulte d'une combinaison génétique de pigment jaune sur un fond bleu produit par le phénomène de Tindall.

Alors que la plupart des caractéristiques d'un individu sont définies par des centaines, voire des milliers de gènes différents, la couleur dépend le plus souvent d'un gène unique. Cela permet d'obtenir au bout de quelques générations seulement des individus d'une couleur donnée. Les éleveurs de perruches savent depuis longtemps supprimer la mélanine afin d'obtenir des spécimens entièrement verts, éliminer le bleu pour obtenir des stries jaunes, le jaune pour avoir des stries bleues, et tous les facteurs pour obtenir un oiseau entièrement blanc.

Vol de perruches au-dessus d'un plan d'eau. À l'état sauvage, ces oiseaux sont le plus souvent verts. C'est en Belgique, à la fin du siècle dernier, que l'on a réussi pour la première fois à sélectionner en laboratoire des perruches d'autres couleurs.

Les bajoues du hamster sont de véritables paniers à provisions. Lorsqu'il les remplit de nourriture, sa tête double de largeur.

Pourquoi les hamsters gonflent-ils leurs bajoues ?

Les hamsters qui vivent en liberté dans les steppes d'Europe et d'Asie centrale rassemblent durant les chaudes journées d'été racines et feuilles, qu'ils stockent dans leurs terriers en prévision des rigueurs de l'hiver. Pour aller plus vite, ils bourrent leurs bajoues d'aliments et s'évitent ainsi de fastidieux allers et retours. D'autres rongeurs transportent eux aussi de la nourriture dans leurs bajoues, et bien des animaux font des stocks.

Pourquoi ferre-t-on les chevaux ?

Les chevaux marchent sur la pointe des pieds. Chaque pied se termine par un orteil s'élargissant au bout et entouré d'un sabot, qui est l'équivalent des ongles ou des griffes chez les autres mammifères. Tout comme l'ongle, le sabot est un tissu mort, sans terminaison nerveuse. Au centre du pied, une excroissance de chair appelée fourchette sert de coussin et absorbe les chocs du sabot sur le sol lorsque l'animal se déplace. Ainsi, le talon du cheval n'entre jamais en contact avec le sol.

Quand le cheval galope en liberté dans les prés, il n'a pas besoin d'être ferré, mais s'il doit supporter le poids d'un cavalier ou d'une charge, son pied va se poser plus lourdement sur le sol, ce qui risque de blesser et d'enflammer la fourchette, puis de faire boiter l'animal. Un fer cloué sous le sabot permet de le renforcer et empêche la fourchette de frotter sur le sol.

Les lapins, des rongeurs aux dents longues

Au cours des âges, les plantes se sont forgé des défenses pour protéger leurs feuilles, leurs organes vitaux. Substances chimiques toxiques ou produits au goût épouvantable, épines pointues comme des aiguilles ou composés abrasifs au silicone : les végétaux disposent d'une vaste panoplie d'armes contre les herbivores. Certains composés chimiques ont la propriété d'user les dents des animaux qui les absorbent, au point que certains, rendus incapables de se nourrir, finissent par mourir de faim.

Ce danger ne guette pas les lapins, les lièvres ou les autres rongeurs dont les incisives ne cessent de pousser tout au long de leur vie. Les dents du haut avancent par rapport à la mâchoire, ce qui leur permet de frotter contre celles du bas. Elles s'aiguisent ainsi comme les lames d'une paire de ciseaux, ce qui est idéal pour couper les tiges.

L'usure des dents doit être proportionnelle à leur pousse. Si, pour une raison quelconque, les dents du haut n'entrent plus en contact avec celles du bas, rien ne peut arrêter leur croissance, ce qui entraîne la mort du rongeur.

Les aliments tendres favorisent la pousse des dents chez le lapin. Ces animaux ont besoin d'avoir des aliments durs à ronger.

Les poissons tropicaux évoluent dans un environnement sain grâce aux bulles d'air qui oxygènent l'aquarium.

De l'oxygène dans l'aquarium

Sur terre, les animaux respirent grâce à leurs poumons. Dans l'eau, les poissons se servent de leurs branchies. Lorsqu'une eau est agitée, elle s'oxygène. C'est pourquoi le niveau d'oxygène est élevé dans les torrents de haute montagne et faible dans les plans d'eau profonds et stagnants. La quantité d'oxygène qu'une eau peut contenir est inversement proportionnelle à sa température. Plus une eau est froide, plus elle contient d'oxygène, plus elle est chaude, moins elle est riche en oxygène. Lors des grandes chaleurs, il arrive que des poissons vivant dans des lacs remontent à la surface pour trouver l'oxygène qui leur manque.

En aquarium, les poissons tropicaux ne peuvent survivre que dans une eau chaude. Celle-ci étant naturellement pauvre en oxygène, il faut utiliser une petite pompe qui insufflera de l'air dans l'eau pour maintenir les poissons en vie.

Des souris blanches aux yeux rouges

La couleur du pelage, chez les animaux, découle d'un processus complexe qui se déroule en plusieurs étapes. Leur organisme génère d'abord un pigment, qui est véhiculé à travers les tissus avant de se déposer sur la peau et les tissus périphériques. À chacun de ces stades, un obstacle peut s'opposer au bon déroulement du processus. En ce cas, on obtient un individu peu ou pas pigmenté, donc souvent blanc, que l'on appelle albinos.

L'albinisme se rencontre plus fréquemment chez les rats blancs et les souris. Cela donne un individu totalement dépourvu de pigments. Au niveau des yeux, les vaisseaux sanguins de la rétine et de l'iris sont alors seulement voilés par des tissus semi-transparents. Cela explique pourquoi les vrais albinos ont les yeux rouges.

Les miracles de la science à votre service

Télévision et image parasite

Il peut arriver qu'apparaissent sur votre écran de télévision deux images légèrement décalées l'une par rapport à l'autre. L'image parasite est un écho, phénomène qui intervient lorsqu'un récepteur capte plus d'un signal sur un même canal.

La plupart des émetteurs de télévision diffusent par voie hertzienne. L'émetteur produit un signal unique à partir de signaux audio et vidéo distincts, qui traduisent le son et l'image. Ce signal est émis vers une antenne relais, qui le retransmet dans toutes les directions. Il finit par parvenir à votre antenne par la voie la plus directe, c'est-à-dire en ligne droite par rapport au relais émetteur. Les circuits internes du téléviseur vont ensuite séparer les signaux sonores et visuels.

Tout va pour le mieux lorsque votre antenne ne reçoit qu'un seul signal. Mais il peut arriver que le signal de l'émetteur ricoche sur des bâtiments ou des collines et que l'onde atteigne votre antenne avec un léger décalage par rapport au signal initial. Ce retard n'est en général que de quelques millionièmes de seconde, voire moins. Mais cela suffit à créer un écho sur l'écran. Plus le retard est important, plus vous risquez de voir survenir ce phénomène.

L'écho apparaît à droite de l'image principale. Cela s'explique par la façon dont l'image se forme sur l'écran. Le faisceau d'électrons qui se trouve à l'intérieur du tube cathodique commence à balayer l'écran de gauche à droite à partir du haut du récepteur, avec cependant des variations d'intensité au cours de son déplacement. En bout de ligne, le faisceau s'éteint et se repositionne plus bas, pour tracer la ligne suivante. L'intensité du faisceau d'électrons est déterminée par la puissance du signal reçu.

Il lui faut environ cinquante millionièmes de seconde pour tracer chaque ligne. Par conséquent, un signal reçu quelques millionièmes de secondes après le signal principal affectera l'intensité du faisceau à quelques centimètres de son point de départ. Ligne après ligne, une deuxième image se forme une fraction de seconde après la première. Il arrive aussi que le signal réfléchi soit plus puissant que celui qui parvient directement à l'antenne. En ce cas, il constituera l'image principale, et le signal direct apparaîtra comme un écho sur sa gauche.

Les signaux de télévision se réfléchissent notamment sur les avions. Si vous habitez à côté d'un aéroport ou sous un couloir aérien, vous avez sans doute déjà remarqué que des images échos apparaissent, par intermittence, au passage d'un appareil. Dans ce cas-là, il n'y a rien à faire. Mais, si vous constatez que votre image est perturbée en permanence sur une ou plusieurs chaînes, vous pouvez essayer d'améliorer la réception en modifiant l'orientation de votre antenne et en la rehaussant. L'installation d'une antenne plus directionnelle peut aussi permettre de réduire l'influence des signaux réfléchis sur une chaîne.

La longévité des néons

Dans une ampoule classique, la lumière est produite par incandescence. Chaque fois qu'on allume la lumière, un courant électrique parcourt le filament de tungstène de l'ampoule et le porte à 2 600 °C environ. Chauffé à blanc, il se met à luire et les atomes de tungstène vibrent si rapidement que certains sont éjectés et se condensent sur la paroi interne de l'ampoule, qu'ils assombrissent légèrement. Le tungstène s'évapore peu à peu du filament, mais celui-ci « s'use » de manière irrégulière. Par endroits, il devient plus fin et offre une plus forte résistance au courant électrique. Dans ces zones, la température est plus élevée et les atomes de tungstène s'évaporent plus rapidement. Au bout d'un certain temps – mille heures de fonctionnement en général –, le filament claque, avec un bruit sec très caractéristique.

La durée de vie d'un tube au néon dépend également de l'usure des filaments ou électrodes, mais le phénomène est différent. Les parois du tube sont recouvertes de phosphore, produit chimique qui absorbe les rayons ultraviolets invisibles et renvoie de la lumière blanche. Comme dans une ampoule, les deux filaments sont chauffés, mais à des températures bien inférieures, car il ne s'agit ici que de libérer des électrons et non de produire de la lumière. Une fois libres, les électrons transportent le courant électrique à l'intérieur du tube rempli d'un gaz contenant du mercure. Sur leur route, ils heurtent des atomes de mercure et obligent leurs électrons à quitter leur orbite normale. Ceux-ci vont ensuite retrouver leur place initiale en émettant un rayonnement ultraviolet, qui réagit avec le phosphore pour donner de la lumière blanche.

Comme les filaments des néons sont chauffés à des températures beaucoup moins élevées que ne le sont ceux des ampoules classiques, ils durent environ huit fois plus longtemps. Les filaments qui commencent à vieillir ne se rompent pas mais cessent peu à peu de libérer suffisamment d'électrons pour former un arc à l'intérieur du tube.

Même lorsque les tubes sont neufs, les filaments doivent chauffer un certain temps avant de pouvoir libérer leurs électrons. Cela explique pourquoi les néons ne s'allument pas immédiatement.

L'ampoule électrique fut inventée par Joseph Swan en 1878 et par Thomas Edison en 1879 (ci-contre). Un néon (ci-dessous, à gauche) peut fonctionner huit mille heures, une ampoule à incandescence (au centre) mille heures, et une lampe électronique plus de dix ans.

Radio : d'où viennent les parasites ?

Si l'on fait fonctionner un appareil électrique à côté d'un poste de radio, on entend des parasites, surtout lorsque l'on est branché sur une station en modulation d'amplitude (AM). En revanche, les émissions en modulation de fréquence (FM) sont rarement brouillées par les interférences. En fait, tout dépend de la façon dont les signaux radio sont émis et reçus.

Les sons sont transmis par des ondes de fréquence et d'amplitude différentes. La fréquence donne le nombre d'oscillations de l'onde par seconde et s'exprime en hertz, tandis que l'amplitude mesure la hauteur de ces oscillations. Pour diffuser un programme radio, on associe les ondes sonores (voix) à une onde radio porteuse. Ce procédé est appelé modulation.

La modulation peut s'effectuer de deux façons : en modulation d'amplitude (AM) ou en modulation de fréquence (FM). Chaque radio émet son onde porteuse sur une fréquence qui lui est propre, de 148,5 kHz à 26 100 kHz pour les radios de la bande AM (englobant les radios d'ondes courtes, moyennes et longues), et de 87 à 108 MHz pour les stations.

Pour les radios AM, la fréquence de l'onde porteuse reste constante, tandis que son amplitude est modifiée par l'information sonore. Pour recevoir une station donnée, le récepteur repère l'onde porteuse et en extrait les informations relatives aux variations d'amplitude, qui sont ensuite réamplifiées. Pour les radios FM, c'est la fréquence de l'onde porteuse qui est modifiée, alors que son amplitude reste identique. Ici, le récepteur radio ne décode et n'amplifie que l'information relative aux variations de fréquence.

Lorsque l'on provoque une interférence électrique, des ondes parasites sont émises sur diverses fréquences. Elles se combinent avec une onde radio porteuse et modifient son amplitude, mais la fréquence est rarement affectée. C'est pourquoi les émissions en modulation de fréquence sont en général assez peu perturbées par les parasites. En revanche, sur la bande AM, le récepteur radio confond les changements d'amplitude avec les signaux sonores, si bien qu'il amplifie le grésillement irritant des parasites.

Des transistors sans antenne

On pourrait penser que les transistors de poche que l'on transporte partout avec soi fonctionnent à merveille sans antenne. Les apparences sont trompeuses. Qu'il s'agisse de la bande AM ou de la bande FM, une antenne est nécessaire pour qu'un tel poste fonctionne correctement.

Pour avoir une bonne réception des ondes FM, il faut une antenne droite d'environ 1,50 m. La plupart des transistors FM ont une antenne télescopique. Pour les postes que l'on branche sur secteur, c'est le cordon électrique qui fait office d'antenne. D'autres, comme les radioréveils, possèdent à l'arrière du boîtier un fil minuscule qui remplit la même fonction. Pour les postes de radio sans haut-parleur que l'on écoute au casque, ce sont les fils des écouteurs qui servent d'antenne pour capter les ondes FM.

Les cordons transmettent les signaux électriques de l'amplificateur audio du poste jusqu'aux minuscules haut-parleurs du casque et captent directement les signaux FM dans le circuit récepteur de la radio. Ces deux signaux électriques sont si différents qu'il n'y a aucun risque d'interférence. Mais il arrive que la qualité de réception du signal varie selon l'orientation, surtout dans les zones où l'intensité des signaux radio est faible.

Un transistor sans antenne AM possède en fait une antenne interne. Il s'agit d'une bobine de fil enroulé autour d'un petit noyau de fer. Les petites antennes AM sont elles aussi directionnelles et, lorsqu'elles sont bien conçues, elles assurent une réception très correcte. Il suffit pour cela d'orienter le récepteur jusqu'à ce que le son ou les effets stéréo (en FM) soient bons.

Comment s'explique le succès des CD ?

La surface d'un disque vinyle porte un sillon gravé en spirale, plus ou moins large et plus ou moins profond, que lit la pointe du diamant. Lorsque le disque tourne, cette pointe vibre de haut en bas et de droite à gauche, produisant des signaux électriques, qui sont envoyés vers l'amplificateur puis vers les haut-parleurs.

Sur un disque compact (CD), l'information sonore est également enregistrée sur une spirale, mais celle-ci n'est pas gravée. Il s'agit d'une piste faite d'un milliard de petits creux séparés par des plages lisses.

Lorsqu'on allume la platine, un rayon laser lit le disque et décrypte les plats et les creux. Il est ensuite dévié vers une cellule ultrasensible, la photodiode. Là, les informations sont traduites en signaux électriques, qui sont décodés en variations de courant avant d'être amplifiés et dirigés sur les haut-parleurs, où les ondes sonores à l'origine des pleins et des creux du CD sont restituées.

La surface d'un CD est laquée afin d'être mieux protégée. Ainsi, le disque ne craint pas les liquides, les rayures superficielles, la poussière ou les déformations, et il ne s'use pas. Les disques compacts peuvent restituer fidèlement jusqu'à soixante-quatorze minutes d'enregistrement. Les disques vinyle, en revanche, ne peuvent dépasser une heure d'enregistrement et doivent être manipulés avec soin.

Aujourd'hui, le CD gagne du terrain et les enregistrements sur disques vinyle se font de plus en plus rares. Mais le CD est à son tour concurrencé par deux nouveaux formats d'enregistrement : le mini-CD, qui est un disque compact de petite taille, et la cassette digitale compacte (DCC).

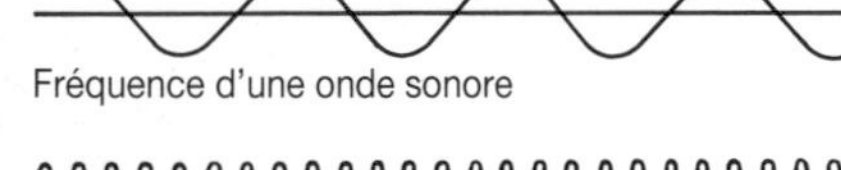

Fréquence d'une onde sonore

Ondes porteuses

Modulation d'amplitude (AM)

Modulation de fréquence (FM)

La transmission radio combine deux sortes de vibrations électriques. En atteignant le micro, le son génère des ondes qui se combinent avec une onde porteuse. Celle-ci est modulée différemment selon que l'on émet à longue portée (AM) ou à courte portée (FM). Les transistors de poche, comme ce poste Sony de 1957, ont révolutionné la radio.

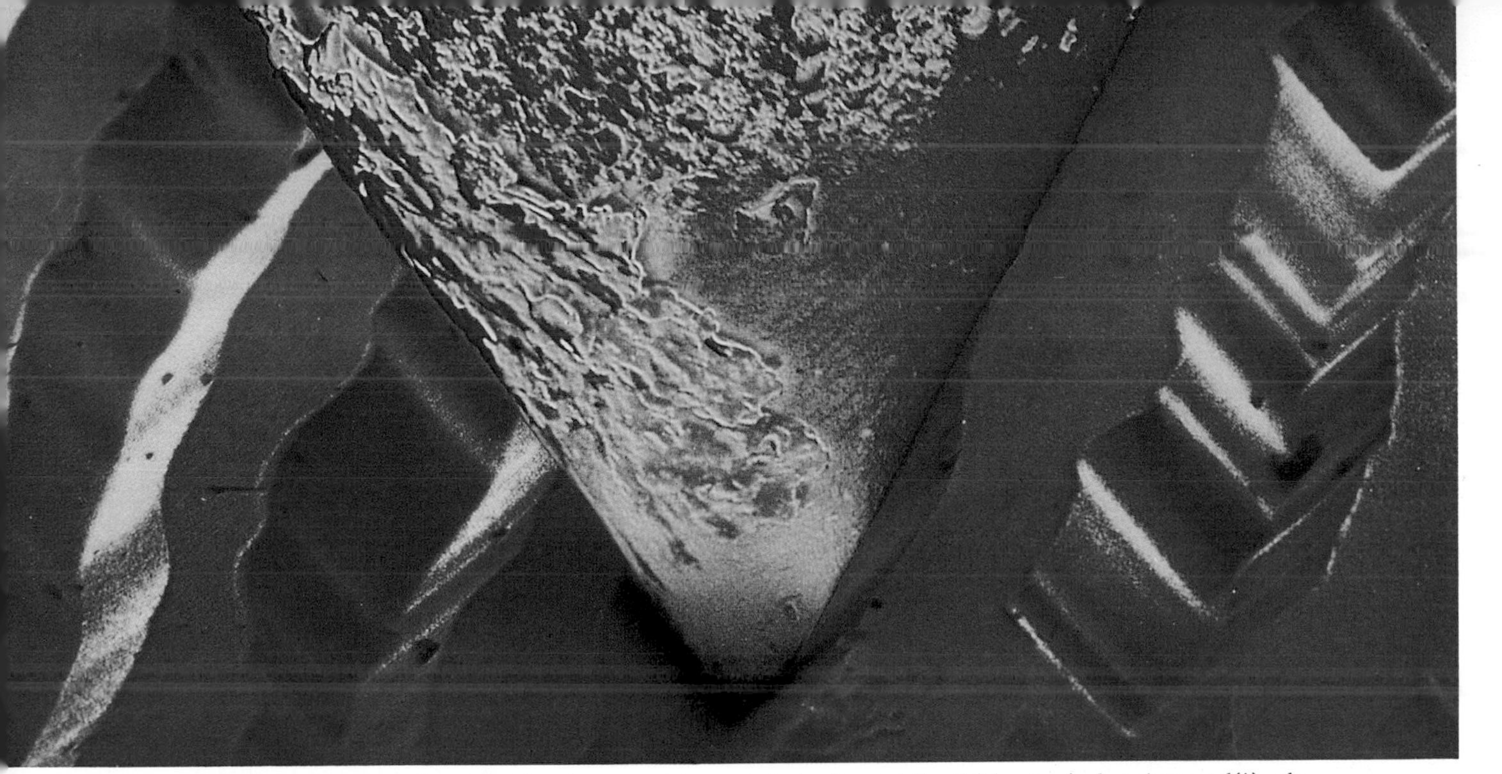

Le diamant d'un électrophone (agrandi) suit le sillon d'un enregistrement vinyle. Bien qu'elle ait été nettoyée, la pointe est déjà sale.

Cuire sans chaleur

Les micro-ondes, tout comme les rayons X, les ondes radio, les ultraviolets, les infrarouges ou la lumière, sont des radiations électromagnétiques. Elles sont invisibles et vibrent au rythme de 1 à 300 milliards d'oscillations par seconde.

Dans un four classique, la chaleur gagne le cœur des aliments en se propageant lentement de la surface vers l'intérieur par conduction. Les radiations infrarouges ne pénètrent guère au-delà de la surface. En revanche, les micro-ondes peuvent aller à 35 mm de profondeur. La chaleur se propage donc par conduction de l'intérieur des aliments comme de la surface, ce qui accélère la cuisson.

Les micro-ondes oscillent à une fréquence de 2 450 MHz, soit 2 450 millions de fois par seconde, en passant constamment du positif au négatif. Elles sont particulièrement bien absorbées par les molécules d'eau ou celles qui ont les mêmes caractéristiques, c'est-à-dire un pôle positif et un pôle négatif, comme un aimant. La rapide alternance du champ électromagnétique attire et repousse tour à tour ces molécules, qui se mettent à vibrer au même rythme que les micro-ondes. Le frottement des molécules produit de la chaleur. Dans ces fours, on utilise en général des récipients en verre, céramique, carton ou plastique. Ces matériaux, à l'exception de quelques plastiques, ne contiennent aucune molécule polarisée. Ils ne sont donc chauffés que par la chaleur dégagée par les aliments. Un de ces matériaux se comporte cependant différemment. Il s'agit de la mélamine, plastique utilisé pour fabriquer certains ustensiles de cuisine, qui absorbe les micro-ondes et peut devenir très chaud. Quant au métal, il renvoie les micro-ondes. Des aliments placés dans un récipient métallique couvert ne pourront donc être réchauffés.

Les récipients métalliques ou métallisés, ainsi que les plats émaillés, risquent en plus de provoquer des arcs électriques qui peuvent endommager le four. Mais on peut utiliser de l'aluminium ménager.

Le courant prisonnier

La plupart des métaux, comme le cuivre, que l'on utilise pour les circuits électriques, sont de bons conducteurs car ils possèdent des électrons libres. En revanche, les corps isolants, dont les électrons ne sont pas libres de passer d'un atome à l'autre, font barrage au courant électrique. L'air, par exemple, est un bon isolant. Il ne devient conducteur qu'en cas de décharges électriques très puissantes – entre 100 millions et 1 milliard de volts – comme cela arrive en cas d'orage. Sous le choc, les électrons sont violemment séparés des atomes. Les électrons chargés négativement et les atomes chargés positivement forment alors un chemin conducteur, qu'emprunte le courant. On peut ainsi voir apparaître l'éclair.

Le courant électrique que nous utilisons couramment peut varier de 110 à 240 V. Cela suffit à provoquer un choc électrique, mais c'est un million de fois trop faible pour vaincre le pouvoir isolant de l'air ambiant. L'électricité ne peut donc s'échapper de la prise et encore moins se propager à l'intérieur de la pièce, sauf si l'on y introduit un élément conducteur. C'est ce qui se passe quand on branche un appareil électrique et qu'on l'allume.

Pourquoi l'eau tourbillonne-t-elle quand on vide un évier ?

Lorsque l'on remplit l'évier ou le lavabo, l'eau est agitée d'un léger mouvement giratoire dans un sens ou dans l'autre. Quand on ôte la bonde, le tourbillon devient plus visible. Le mouvement de l'eau est la résultante d'une série de facteurs : la manière

Une patineuse exécute une pirouette. Elle gouverne sa vitesse de rotation en étendant les bras ou en les rapprochant du corps. Lorsqu'on vide un évier, l'eau se met à tourbillonner de manière analogue.

dont on fait couler l'eau, les petits courants d'air qui se forment à sa surface, les faibles courants provoqués par les différences de température, et même la façon dont on ôte la bonde pour vider l'évier. Ces phénomènes se conjuguent pour donner naissance à une force qui déterminera le sens du vortex.

Le point le plus controversé est de savoir s'il dépend de la rotation de la Terre. Si c'était le cas, le vortex irait toujours dans le sens inverse des aiguilles d'une montre dans l'hémisphère Nord et dans le sens des aiguilles d'une montre dans l'hémisphère Sud.

Il faut jusqu'à vingt heures pour que les courants parasites s'apaisent à la surface d'un bol rempli d'eau. Si la température n'est pas constante, des courants d'air se forment en surface et entraînent la création d'autres courants dans l'eau. Une fois que ces phénomènes sont éliminés, on peut observer la force de rotation de la Terre. Et c'est seulement alors que l'on peut prédire avec certitude le sens dans lequel va tourbillonner l'eau lorsque l'on videra la baignoire.

Pourquoi le gel fait-il éclater les canalisations ?

Chimiquement, l'eau est un corps à part qui, par bien des aspects, défie les lois de la nature. Sous l'effet du froid, la plupart des corps se contractent. En général, ils sont plus légers sous forme gazeuse que sous forme liquide et pèsent plus lourd à l'état solide. L'eau suit ces principes lorsqu'elle passe de l'état gazeux à l'état liquide. Son volume se rétracte ensuite jusqu'à ce qu'elle soit sur le point de geler. Mais, lorsqu'elle arrive à 4 °C, l'eau se rebelle. Si l'on abaisse encore sa température, son volume augmente et son poids à l'état solide devient inférieur à celui qu'elle avait à l'état liquide. Lorsque l'eau gèle, ses molécules se regroupent en tétraèdres, polyèdres à quatre faces triangulaires. Chaque molécule d'eau s'unit à quatre autres, qui se lient à leur tour à d'autres molécules pour former un cristal dans lequel elles se retrouvent plus espacées que lorsqu'elles circulaient librement dans le liquide. C'est pourquoi le volume de l'eau augmente d'environ 9 % lorsqu'elle gèle. Ce phénomène dégage une force considérable, qui peut faire éclater les canalisations, comme vous en avez peut-être déjà fait l'expérience.

À 16 °C (à gauche), les molécules d'eau sont espacées et se déplacent librement. À 4 °C, elles sont regroupées le plus près possible les unes des autres et le volume de l'eau diminue. Lorsqu'elle se met à geler, son volume se dilate sous la pression des cristaux formés par les molécules.

À quoi servent les siphons ?

L'eau courante circule grâce à un réseau de canalisations qui alimentent chaque foyer. Pour les voir, il suffit de jeter un coup d'œil sous l'évier ou le lavabo. Vous constaterez que les tuyaux d'évacuation sont bien plus larges que les canalisations d'arrivée d'eau. En outre, les tuyaux d'évacuation sont coudés en forme de U. Ce coude, appelé siphon, forme un barrage indispensable entre l'évier et les égouts, où se déversent les eaux usées. Lorsque l'on vide un lavabo, l'eau traverse le siphon et arrive dans le tuyau d'écoulement. Une fois l'opération terminée, une petite quantité d'eau reste emprisonnée à l'intérieur du siphon. Si ce dispositif n'existait pas, vous seriez envahi d'odeurs nauséabondes qui remonteraient des égouts. Des insectes pourraient aussi en profiter pour pénétrer facilement dans les appartements en grimpant le long des canalisations.

Comme vous l'avez peut-être déjà constaté, il arrive que le siphon soit bouché par des cheveux, de petits déchets ou des graisses. Vous pouvez le déboucher facilement à l'aide d'une ventouse. Certains siphons se dévissent pour permettre le nettoyage. Dans ce cas, placez une bassine sous le lavabo pour récupérer l'eau contenue dans le siphon. L'odeur montant des canalisations vous fera comprendre instantanément l'utilité de ce dispositif.

Pourquoi les araignées résistent-elles à la noyade ?

Les araignées ne peuvent pas remonter le long des canalisations à cause de la présence des siphons. Elles pénètrent donc dans les salles de bains par les fenêtres, les fentes des murs ou du sol ou le trop-plein de la baignoire. Une fois que l'araignée est dans la baignoire ou le lavabo, elle ne peut plus s'en échapper car les parois sont trop lisses et trop abruptes. Si vous essayez de la noyer, elle va instinctivement replier ses pattes et emprisonner sous son corps une bulle d'air. Si l'araignée réussit à éviter de franchir le siphon, la bulle d'air la ramènera à la surface.

Pourquoi les loupes grossissent-elles ?

La loupe fait paraître les objets plus volumineux en modifiant la courbure des rayons lumineux.

Lorsque l'on regarde un lampadaire dans le lointain, il paraît moins haut qu'un lampadaire tout proche. Si l'on traçait deux lignes reliant la base et le sommet de ce lampadaire au centre de l'œil, on obtiendrait un angle aigu. En revanche, si l'on répétait l'opération avec le lampadaire tout proche, l'angle s'élargirait. De même, si l'on se rapproche du lampadaire le plus distant, on aura l'impression qu'il grandit, les deux lignes s'écartant plus largement.

Ces lignes correspondent aux rayons lumineux réfléchis par les lampadaires et perçus par l'œil. Si l'angle est aigu, les rayons forment une image de taille réduite sur la rétine. S'il s'élargit, l'image grandit.

Une loupe grossit les objets en modifiant l'angle selon lequel la lumière se réfléchit en direction de l'œil. La forme convexe du verre dévie les rayons lumineux parallèles qui traversent la loupe pour les faire converger au point focal. Lorsque ce point coïncide avec le centre optique de l'œil, l'image devient nette et l'objet regardé paraît plus grand.

Effets de miroir

Rares sont les corps qui émettent de la lumière, alors que la plupart réfléchissent en partie celle qu'ils reçoivent. L'œil perçoit ainsi la couleur, la forme ou la texture d'un objet à partir de la lumière qu'il lui renvoie.

Observées au microscopes, la plupart des surfaces, si lisses soient-elles, apparaissent rugueuses et composées de multiples éléments aux formes complexes. Ces petites surfaces réfléchissantes renvoient la lumière dans toutes les directions. Mais la plupart des objets ont une surface trop irrégulière pour permettre de voir le reflet de la source de lumière.

En revanche, les miroirs plans reflètent la lumière incidente si scrupuleusement que toutes les formes sont exactement reproduites et donnent une image nette et fidèle de l'endroit d'où vient la lumière.

Si la surface du miroir est courbe, l'image reste nette mais sa forme se modifie. Tout rayon venant frapper une surface ou réfléchi par celle-ci forme un angle de degré constant par rapport à la perpendiculaire. Si l'on prend un miroir à la surface courbe, l'angle entre le rayon incident et la perpendiculaire varie selon les endroits, et l'image est déformée.

Si l'on s'observe attentivement dans un miroir, on peut en général se voir en double, l'un des reflets étant bien net et l'autre plus atténué. Le reflet principal provient de la couche de métal argenté qui recouvre la face interne de la plaque de verre, et l'autre reflet est renvoyé par la surface externe du verre. Le revêtement argenté réfléchit presque toute la lumière qu'il reçoit. D'autres revêtements sont utilisés pour produire des effets spéciaux en absorbant certaines couleurs, pour donner par exemple au miroir une nuance dorée.

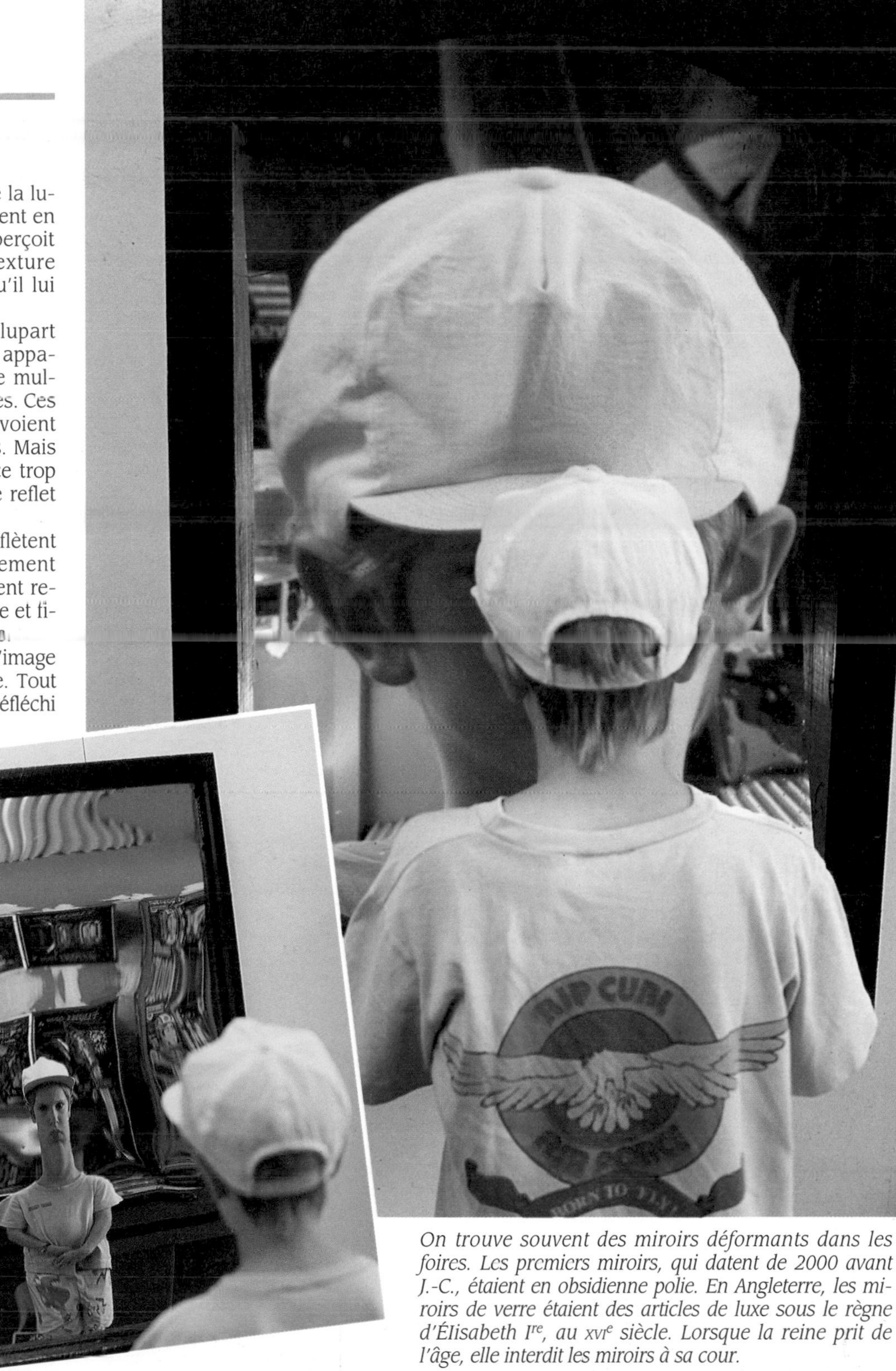

On trouve souvent des miroirs déformants dans les foires. Les premiers miroirs, qui datent de 2000 avant J.-C., étaient en obsidienne polie. En Angleterre, les miroirs de verre étaient des articles de luxe sous le règne d'Élisabeth Ire, au XVIe siècle. Lorsque la reine prit de l'âge, elle interdit les miroirs à sa cour.

Pourquoi le marbre est-il froid au toucher ?

Le marbre paraît toujours plus froid au toucher que le bois, même lorsqu'ils sont exactement à la même température, et cette sensation est encore plus forte s'il s'agit de métaux polis. Quand on touche un objet dont la température est inférieure à celle du corps, la peau se refroidit instantanément par déperdition de chaleur. Ce changement de température, le cerveau l'interprète comme une sensation de froid. Plus vite la peau se refroidit, et plus la sensation de froid est intense.

La vitesse à laquelle la chaleur traverse un corps à une température donnée dépend des propriétés de conduction de la matière, déterminées par l'ordonnancement des molécules. Plus elles sont proches les unes des autres, plus le matériau sera conducteur. Le marbre est meilleur conducteur thermique que le bois et refroidit la peau plus rapidement en absorbant plus vite sa chaleur.

La vitesse de propagation de la chaleur dépend également de la différence de température entre les matériaux que l'on met en contact. Plus elle est importante et plus la chaleur ira rapidement du corps le plus chaud vers le corps le plus froid.

La puissance du vide

Deux attelages de chevaux tentent en vain de séparer deux demi-sphères dans lesquelles le physicien Otto von Guericke a fait le vide en pompant l'air. En 1640, il imagina la pompe à vide.

Le vide parfait ne contient rien, pas le moindre atome. Dans la nature, l'espace est ce qui s'en rapproche le plus. L'attraction terrestre maintient l'atmosphère en place autour de la Terre, et nous vivons dans un océan d'air qui exerce sur nous une pression considérable.

En 1657, le bourgmestre de la ville allemande de Magdebourg, Otto von Guericke, conçut une expérience originale pour démontrer la force de la pression atmosphérique. Il attacha ensemble deux demi-sphères de laiton afin de former une sphère creuse, à l'intérieur de laquelle il fit le vide en pompant l'air. Seule la pression atmosphérique maintenait alors ensemble les deux hémisphères. Et, pourtant, deux attelages de chevaux tirant dans des sens opposés ne purent les séparer.

Trente-six ans plus tard, le physicien français Denis Papin mit au point une autre méthode pour faire le vide. Il fit bouillir un peu d'eau dans un petit cylindre de cuivre contenant un piston. La vapeur poussait le piston au sommet du cylindre, retenu par un loquet. Quand le cylindre se refroidissait, la vapeur se condensait, laissant un vide partiel. Dès que l'on retirait le loquet, la pression atmosphérique repoussait puissamment le piston à l'intérieur du cylindre.

En 1712, un mécanicien anglais, Thomas Newcomen, reprit ce principe pour mettre au point un moteur à vapeur destiné à pomper l'eau dans les galeries des mines. Il relia une pompe à l'une des extrémités d'un levier et fixa de l'autre côté un piston logé à l'intérieur d'un cylindre. Une certaine quantité de vapeur, injectée dans le cylindre, poussait le piston vers le haut. On refroidissait ensuite le cylindre, ce qui entraînait la création d'un vide partiel. La pression atmosphérique repoussait alors le piston dans le cylindre, actionnant la pompe à l'autre extrémité du levier.

Le moteur atmosphérique de Newcomen fut supplanté plus de soixante ans plus tard par le moteur à vapeur de James Watt. Ce dernier fonctionnait également selon le principe du vide, mais le piston était rabaissé non pas par la force de la pression atmosphérique, mais par de la vapeur à basse pression.

L'invention de Thomas Newcomen est restée inexploitée pendant plus de soixante ans avant que James Watt (ci-dessous) l'améliore pour mettre au point son moteur à vapeur. Richard Trevithick put ensuite inventer la locomotive à vapeur, qui fit les délices des Londoniens en 1808.

Depuis le XVIIIe siècle, des inventeurs ont trouvé mille et une manières de tirer parti du vide. Ainsi, on fait le vide à l'intérieur des ampoules à incandescence pour éviter que le gaz ne réagisse au contact de la chaleur des filaments. De même, les tubes cathodiques des téléviseurs ne contiennent pas d'air afin que le faisceau d'électrons qui forme l'image puisse atteindre l'écran sans rencontrer l'obstacle que constitueraient des molécules d'air.

Deux autres appareils ménagers courants utilisent de manière astucieuse le vide : la Thermos et l'aspirateur.

Dans les années 1890, alors qu'il travaillait sur le phénomène des basses températures, le chimiste et physicien britannique James Dewar eut besoin, dans le cadre de ses recherches, d'un récipient pour conserver de l'oxygène liquide. Or l'oxygène ne demeure à l'état liquide qu'à des températures inférieures à son point d'ébullition, qui est de –183 °C. En 1892, Dewar inventa un flacon capable de conserver l'oxygène à l'état liquide. Aujourd'hui, le vase de Dewar, récipient isolant à double paroi de verre, est utilisé couramment par les ménagères sous le nom de Thermos.

La chaleur peut se transmettre de trois façons différentes : par convection, rayonnement ou conduction.

Convection. Lorsqu'on les chauffe, les liquides et les gaz se dilatent et leur densité diminue. Quand un corps est chauffé par en dessous, les molécules les plus froides, et donc les plus denses, coulent au fond, tandis que les plus chaudes, moins denses, s'élèvent. On peut observer ce mouvement, appelé convection, quand on fait chauffer de l'eau dans une casserole.

Rayonnement. Les matériaux très chauds, comme les filaments des ampoules électriques, émettent de la lumière. Les substances plus froides produisent des radiations invisibles à infrarouges, que nous percevons simplement par la chaleur qu'elles dégagent. Le rayonnement est la méthode la plus rapide pour transmettre de la chaleur, car il permet à l'énergie thermique de voyager à la vitesse de la lumière à travers le vide et les corps transparents. Tout comme la lumière, la chaleur irradiée peut être réfléchie.

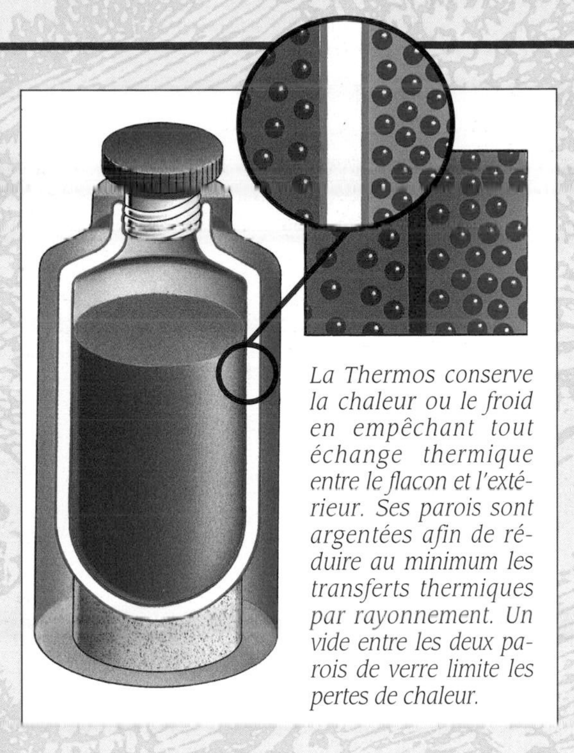

La Thermos conserve la chaleur ou le froid en empêchant tout échange thermique entre le flacon et l'extérieur. Ses parois sont argentées afin de réduire au minimum les transferts thermiques par rayonnement. Un vide entre les deux parois de verre limite les pertes de chaleur.

Conduction. Quand la chaleur traverse un corps, elle se transmet de molécule en molécule. La conduction est rapide à travers les métaux et plus lente à travers les gaz.

Les Thermos sont conçues pour éviter toute transmission de chaleur par convection, rayonnement et conduction. Ses parois sont en verre, un matériau moyennement conducteur, solide, facile à travailler et neutre vis-à-vis des aliments. Le vase comporte une double paroi de verre séparée par un vide, afin d'éviter que l'air ne transmette la chaleur d'une paroi à l'autre par convection ou conduction. De plus, les parois sont argentées comme un miroir afin de réfléchir les radiations calorifiques qui pourraient émaner du contenu. Le seul point faible de ces flacons est le goulot, par lequel la chaleur peut s'échapper ou s'infiltrer par conduction.

L'invention de Dewar porte son nom, mais il ne l'a pas fait breveter. En 1902, un industriel allemand, Reinhold Burger, l'adapta pour l'usage domestique. Deux ans plus tard, il ajouta un revêtement de métal pour le protéger et lui donna le nom de Thermos (du grec qui signifie chaleur).

L'aspirateur est la seconde application domestique du principe du vide. En 1901, un ingénieur anglais, Hubert Cecil Booth, assista à la démonstration d'un appareil ménager qui soufflait la poussière avec de l'air comprimé puis la recueillait dans un récipient. Peu convaincu par ce qu'il venait de voir, il pensa que, pour ôter la poussière des tapis, rideaux ou sols, il serait plus efficace d'aspirer. Il inventa donc un appareil à cet usage, qu'il appela *vacuum cleaner* (littéralement, nettoyage par le vide, c'est-à-dire aspirateur), et créa une société de nettoyage.

L'appareil d'Hubert Cecil Booth fonctionnait à l'origine avec un moteur électrique à essence et était transporté dans les rues sur une voiture à cheval. Il parvenait jusqu'aux appartements par les fenêtres, grâce à de longs tuyaux reliés au sol à la pompe à air et au récipient servant à recueillir la poussière. Au départ, les clients d'Hubert Cecil Booth étaient des familles aisées ou des institutions. Mais, rapidement, on vit apparaître sur le marché des aspirateurs à usage domestique, plus petits bien qu'encore assez volumineux. En 1908, aux États-Unis, la société Hoover commercialisa, à un prix abordable, le tout premier aspirateur électrique facile à utiliser.

Tous les aspirateurs fonctionnent à peu près sur le même principe. Un moteur électrique fait tourner un ventilateur à très grande vitesse, qui aspire air et poussière par l'intermédiaire d'un suceur. À l'intérieur, un sac ou une boîte, voire un filtre, retiennent la poussière et rejettent l'air. Quand l'aspirateur est en marche, la pression de l'air qui s'engouffre dans le tuyau est inférieure à celle de l'air ambiant. C'est à ce phénomène que fait référence le terme même de *vacuum cleaner*. Mais, en fait, ce n'est pas cette baisse de pression qui aspire la poussière : c'est la circulation continue de l'air dans le suceur, sous la pression de l'atmosphère ambiante, qui attire les particules avant qu'elles soient aspirées par le courant d'air à l'intérieur du tuyau.

Le nettoyage fut révolutionné en 1901 par l'aspirateur d'Hubert Booth. En 1904, il commercialisa des modèles plus petits avant l'arrivée de l'aspirateur Hoover.

Pourquoi les fers à repasser enlèvent-ils les plis ?

Mauvaise nouvelle pour ceux qui détestent le repassage : presque tous les tissus peuvent se froisser, se friper ou se plisser. Toutefois, certains subissent un traitement qui les rend infroissables, si bien qu'un rapide coup de fer suffit après lavage. Au cours du processus de fabrication, on mélange aux fibres de coton (ou autres) des fibres de nylon auxquelles on ajoute une résine qui permet au tissu de conserver sa forme initiale. Ainsi, les vêtements ne se froissent pas, les pantalons conservent leur pli d'origine et les jupes plissées ne perdent pas leur forme, même après de nombreux lavages.

Lorsque l'on porte des vêtements dont le tissu n'a pas été traité, on risque à tout moment de les froisser, surtout s'ils sont amples, sous l'effet conjugué de la pression et de la chaleur. Dans un séchoir électrique ou dans un panier à linge, le simple poids du linge suffit à le froisser. Les fils de trame sont alors distendus au niveau des plis, et les fibres trop fortement tordues pour reprendre leur place initiale quand la pression cesse.

Au moment du repassage, on fait à nouveau subir au tissu chaleur et pression. La chaleur a pour effet de détendre les fibres et la trame de tissage. La pression exercée par le fer permet aux fils de reprendre leur place. Les fibres s'aplatissent et prennent la forme de la planche à repasser, et même de la semelle du fer. La chaleur et la pression redonnent au tissu sa forme initiale, au moins pour quelque temps. Afin de faciliter le repassage, on peut humidifier le linge avec de la vapeur d'eau ou un brumisateur. Cela détend un peu plus les fibres et lubrifie les fils, qui reviennent en place plus aisément. Parfois, il suffit de suspendre un vêtement dans une pièce à l'atmosphère saturée de vapeur d'eau pour qu'il se défroisse naturellement, sous l'effet de son poids.

Les fers sont devenus d'usage courant dès le XVIIIe siècle. On s'en servait par paires, l'un des deux étant toujours maintenu au chaud.

Pourquoi les éponges sont-elles absorbantes ?

Quand on renverse de l'eau, le plus simple est de l'essuyer avec une éponge ou un torchon. Mais pourquoi un morceau de bois ou de métal ne ferait-il pas l'affaire ? L'expérience montre que les matières très poreuses, comme les éponges, les serviettes ou le papier buvard, absorbent l'eau rapidement, ce qui n'est pas le cas des matériaux solides.

L'une des nombreuses propriétés de l'eau est d'agir par capillarité. On peut le vérifier en trempant une pipette dans un verre d'eau : l'eau monte dans le tube pour atteindre un niveau plus élevé que dans le verre. Si l'on prend des tubes de diamètres différents, on constate que, plus le tube est fin, plus le niveau de l'eau est élevé. Ce phénomène est dû au fait que les molécules d'eau sont attirées par de nombreuses substances, et tout particulièrement par celles qui contiennent de l'oxygène. À la surface, l'oxygène attire l'hydrogène des molécules d'eau, qui s'élèvent en entraînant à leur suite un chapelet d'autres molécules. Le phénomène ne cesse que lorsque le poids de l'eau dans le tube contrebalance la puissance des forces capillaires.

Les éponges ou le papier buvard sont formés d'une multitude de petits tubes, que l'eau remplit sans que l'on ait besoin d'agir. Lorsque l'on presse une éponge gorgée d'eau, elle reprend sa forme initiale et absorbe de nouveau l'eau, comme si une multitude de pailles venaient l'aspirer. Même complètement dilatée, l'éponge continue d'absorber l'eau par capillarité.

Si l'eau n'avait pas cette propriété, les plantes et les arbres mourraient très certainement. Leurs racines aspirent l'eau grâce à un processus connu sous le nom d'osmose, mais le phénomène de capillarité contribue à faire circuler l'eau dans la plante ainsi que les éléments nutritifs dissous qui lui permettront de se développer.

Pourquoi l'eau bouillante devient-elle vapeur ?

La prochaine fois que vous utiliserez une bouilloire, observez attentivement le jet de vapeur. On le voit à peine s'échapper du bec verseur, mais il devient très visible lorsqu'il se diffuse dans la cuisine.

La vapeur est un gaz invisible. Le passage de l'eau à sa forme gazeuse se produit lors de l'ébullition. En fait, ce que l'on appelle couramment vapeur n'est que de la buée, c'est-à-dire un mélange d'air et de minuscules particules d'eau.

L'eau n'a pas besoin de bouillir pour donner de la buée. On en voit souvent s'élever au-dessus de la baignoire quand on prend un bain, et, pourtant, personne ne se lave dans une eau bouillante. Ce que l'on observe alors, ce sont des molécules d'eau qui se sont échappées du bain, qu'elles contribuent ainsi à refroidir. Ces molécules sont visibles parce que l'atmosphère de la salle de bains réunit les conditions adéquates de température et d'humidité. De même, lorsqu'il fait froid, on peut voir la vapeur que contient notre souffle se condenser en buée au contact de l'air frais.

Lorsque l'on fait bouillir de l'eau, les molécules se séparent les unes des autres. Les plus rapides se mêlent à l'air pour former de la buée. Au fur et à mesure que l'eau chauffe, des grappes de molécules rapides forment des bulles de vapeur, qui viennent éclater à la surface. Parfois, le bec de la bouilloire ne suffit pas à évacuer la vapeur qui se forme. Elle soulève alors le couvercle, ce qui prouve sa puissance.

Si l'on retire la bouilloire du feu, l'eau refroidit. L'eau ne pourra continuer à bouillir que si la chaleur est maintenue. Le phénomène d'évaporation se poursuit jusqu'à ce que la bouilloire soit vide.

Le calcaire au fond des bouilloires

L'eau du robinet est rarement pure, et les compagnies de distribution des eaux la traitent avec des produits chimiques. L'eau contient en outre de multiples substances qu'elle a dissoutes sur son passage, dans les tuyaux, dans l'air ou dans le sol, comme les sulfates et carbonates de cal-

La vapeur a servi de moteur à la révolution industrielle et présidé au développement des chemins de fer. Au Ier siècle après J.-C., Héron d'Alexandrie avait conçu une machine fonctionnant à la vapeur, mais il ne s'agissait que d'un jeu. Il a fallu attendre plusieurs siècles avant que cette idée soit exploitée.

Des cristaux de carbonate de calcium en forme de fleurs se déposent sur les parois des bouilloires. Ils forment un dépôt calcaire, que l'on appelle aussi tartre.

cium ou de magnésium. Ces sels minéraux rendent l'eau dure et forment des dépôts calcaires dans les bouilloires, les fers à vapeur et les pommes de douche.

Quand on fait bouillir de l'eau dans une bouilloire, les sels de magnésium et de calcium dissous se cristallisent à l'endroit où les parois sont le plus chaudes et se déposent sur le métal. Au fur et à mesure que l'eau s'évapore, la concentration en sels minéraux augmente. Si l'on remet de l'eau dans la bouilloire, on rajoute des sels minéraux dans une eau déjà concentrée. Finalement, l'eau est saturée de sels, qui se transforment en cristaux. Pour éviter la formation d'une épaisse couche de calcaire à l'intérieur du récipient, il est donc préférable de vider chaque fois la bouilloire et de la remplir avec de l'eau fraîche.

Le calcaire est un très mauvais conducteur thermique. Plus la couche est épaisse, plus il faut d'énergie pour chauffer l'eau.

Sécher le linge par temps de gel

Il n'est pas absurde de mettre son linge à sécher dehors lorsqu'il gèle, à condition que le temps soit sec. Même raidis par le gel, les vêtements continueront à sécher pour peu que l'air ne soit pas chargé d'humidité. Par temps froid, l'atmosphère ne peut avoir un taux d'humidité aussi élevé que lorsqu'il fait chaud. Cependant, même quand la température descend en dessous de 0 °C, l'air contient encore une certaine quantité de vapeur d'eau. Mais celle-ci ne gèle pas pour autant et s'évapore dans l'atmosphère. Ce principe est à la base du procédé de lyophilisation, qui sert par exemple à fabriquer le café soluble.

Vite et bien cuit : l'autocuiseur

En 1682, l'assemblée de la Société royale de Londres put déguster un plat préparé dans le premier autocuiseur du monde. Il s'agissait du digesteur, aussi appelé marmite de Papin car inventé par le physicien français Denis Papin, qui travaillait alors en Angleterre. L'eau était portée à ébullition dans un récipient en fonte fermé hermétiquement afin que la vapeur reste à l'intérieur. La pression montait. Or, le point d'ébullition de l'eau s'élève avec la pression. Avec le digesteur, on le fit passer de 100 à 130 °C. On pouvait ainsi cuire les aliments quatre fois plus vite.

La cuisson s'effectue par conduction. Se transmettant de molécule en molécule, la chaleur gagne peu à peu le cœur des aliments. Sa vitesse de diffusion dépend de la différence de température entre deux

Le principe de l'autocuiseur fut inventé par le physicien français Denis Papin en 1679. Sa « marmite » permettait d'atteindre une pression trois fois supérieure à celle que l'on a dans les autocuiseurs modernes.

LA MAGIE DU LAVAGE

On peut facilement tenir un savon lorsqu'il est sec, mais, dès qu'il est mouillé, il glisse des mains. Ce phénomène qui rend le savon glissant se retrouve dans le processus qui permet aux détergents d'éliminer les salissures.

Le secret de toute poudre à laver, c'est un agent chimique qui rend l'eau mouillante. Car, curieusement, le pouvoir mouillant de celle-ci, c'est-à-dire sa capacité à imprégner d'autres matières, est peu élevé.

Cette faiblesse tient à la tension superficielle qui rend sa surface semblable à une sorte de film, en raison de l'attraction entre les molécules d'eau. La lessive diminue ce phénomène et réduit la tension superficielle, ce qui permet à l'eau d'humidifier en profondeur. Quand on lave du linge, elle pénètre plus aisément les fibres du tissu, favorisant l'élimination des salissures ou des taches de graisse.

L'ingrédient actif des détergents est composé de molécules qui peuvent se comparer à de petits têtards, avec une tête et une queue. La tête, électriquement négative, est attirée par les molécules d'eau – on dit qu'elle est hydrophile, du grec *hudôr,* « eau » et *philein,* « aimer » – car ces dernières sont légèrement positives. La queue, au contraire, est hydrophobe – du grec *hudôr,* « eau », et *phobein,* « détester » – et est repoussée par l'eau.

Quand on met un tissu mouillé en présence d'une lessive, la queue des molécules du détergent tend à s'accrocher aux taches, surtout lorsqu'il s'agit de gras. Leur attraction est souvent plus puissante que la force qui fait adhérer la graisse au tissu. S'insinuant entre les fibres du tissu et les particules graisseuses, la queue des molécules finit par décoller la saleté. Dans le même temps, la tête, hydrophile, transforme les particules graisseuses en minuscules ballons qui sont entraînés par l'eau. Les petites charges électriques des molécules du détergent empêchent les particules graisseuses de se reconstituer. Il suffit alors de rincer le linge pour évacuer les salissures.

Mais le savon ordinaire ne peut dissoudre et supprimer toutes les taches. Certaines sont trop imprégnées dans le tissu ou trop épaisses pour que le savon puisse les attaquer. Pour enlever ces taches, on peut alors ajouter des substances abrasives, qui vont permettre à la lessive de mieux décoller la saleté.

Ces deux clichés montrent une chemise de coton avant (à gauche) et après lavage. La lessive a permis de faire disparaître la saleté et les particules graisseuses prises dans les fibres. Les détergents ont été inventés pendant la Première Guerre mondiale par les scientifiques allemands qui cherchaient à mettre au point des substituts au savon. Les premières lessives mises sur le marché par les Américains, dans les années 1950, étaient trop complexes pour être dissoutes par les bactéries. Les égouts étaient envahis par des torrents de mousse qui se déversaient dans les rivières, les lacs et les océans.

points donnés. Ainsi, plus les aliments sont chauds en surface, plus la chaleur se diffuse rapidement à l'intérieur. Par conséquent, plus l'eau dans laquelle les aliments sont plongés est chaude, et plus le temps de cuisson est court.

L'autocuiseur permet donc de gagner du temps et de faire des économies d'énergie. Mais il est aujourd'hui concurrencé par le succès des plats tout préparés et des fours à micro-ondes. Dans ce type de four, la cuisson est extrêmement rapide, mais on ne peut pas élever le point d'ébullition de l'eau plus que ne l'autorise la pression de l'air ambiant. En altitude, l'eau bout à moins de 100 °C : il est impossible d'obtenir des aliments vraiment bouillants avec les méthodes traditionnelles et la cuisson est plus longue. L'autocuiseur offre alors des avantages irremplaçables en termes d'efficacité et d'économie.

Pourquoi arrive-t-il que le savon ne mousse pas ?

Si votre eau du robinet provient d'un réservoir ou d'un puits, elle a probablement longuement cheminé avant d'arriver chez vous. Au cours de son trajet, elle a dissous des substances chimiques provenant de roches, de sols, de végétaux, de résidus animaux et des canalisations. La composition chimique de l'eau du robinet dépend à la fois de la nature des terrains traversés et des traitements chimiques qu'on lui a fait subir pour la rendre potable. C'est elle qui détermine si un savon va ou non mousser. S'il ne mousse pas, c'est que l'eau contient du calcium et du magnésium, sous forme des sels et d'ions. Leur présence rend l'eau plus dure. Lorsqu'on se lave avec une eau dure, le savon réagit au contact du calcium et du magnésium. On peut alors voir un dépôt sur le pourtour de la baignoire et observer la formation d'écume et d'autres résidus insolubles dans l'eau.

Pour avoir de la mousse avec une eau dure, il faut dissoudre une quantité suffisante de savon pour absorber le calcium et le magnésium. Ensuite, vous devez vous rincer pour éliminer tous les résidus solides qui adhèrent à la peau. Certaines stations de pompage adoucissent l'eau dure par adjonction de chaux éteinte ou de soude. Il existe aussi des adoucisseurs d'eau individuels.

Avec les lessives et les liquides à vaisselle, le problème disparaît car ces détergents contiennent des produits chimiques qui transforment le calcium et le magnésium en composés solubles.

Le savon empêche les molécules d'eau de former des gouttelettes et crée un film en surface, que l'air transforme en bulles sur lesquelles la lumière se réfléchit, produisant un arc-en-ciel.

Dans l'eau de pluie, le savon mousse sans difficulté. Comme l'atmosphère ne contient pas de calcium ni de magnésium, l'eau de pluie est chimiquement très douce, même si elle comporte parfois des particules de poussière ou de suie.

Comment vaincre les taches rebelles ?

Les lessives contiennent des substances qui permettent de dissoudre et de faire disparaître la plupart des taches lors d'un simple lavage en machine. Mais certaines résistent. Bien souvent, ces taches rebelles sont à base de protéines (lait, œuf ou sang par exemple). Elles ne peuvent se dis-

Les taches rebelles comme celles de sang, de graisse ou d'œuf sont particulièrement difficiles à enlever car elles renferment des protéines, qui adhèrent au tissu. Les lessives contiennent des enzymes qui attaquent ces protéines et laissent le tissu sans taches.

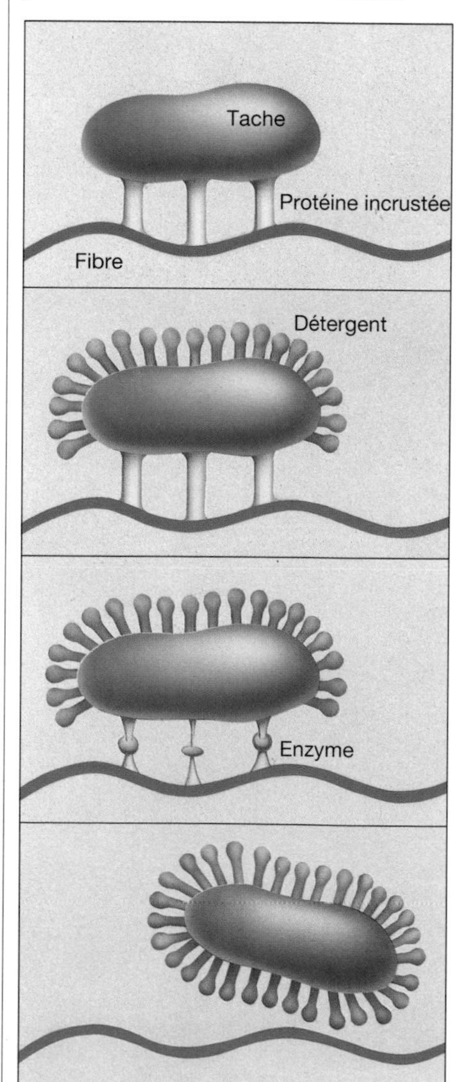

soudre dans l'eau car elles sont profondément incrustées dans le tissu et résistent aux détergents classiques.

Dans les années 1960-1970, on a ajouté aux lessives des enzymes capables de s'attaquer aux protéines. Les lessives ont été appelées lessives biologiques parce qu'elles peuvent faire disparaître les tâches protéiniques. Mais il a fallu un temps les retirer de la vente car elles entraînaient des allergies chez les ouvriers des usines. On a résolu le problème en enrobant les enzymes d'une capsule qui se dissout dans l'eau.

La plupart des lessives rendent l'eau basique. Or certaines taches, comme celles de rouille, ne peuvent disparaître que dans une eau acide. Une des meilleures façons de nettoyer une tache de rouille est de faire tremper le tissu dans du jus de citron, qui contient environ 7 % d'acide citrique, puis de le passer à la vapeur jusqu'à ce que la tache disparaisse. Les taches de graisse, de chocolat ou de beurre peuvent être enlevées grâce à une nouvelle enzyme appelée lipase. L'eau de Javel attaque de nombreuses taches tenaces mais elle est tellement puissante qu'elle risque en même temps de décolorer et d'abîmer le tissu.

Certains produits chimiques utilisés pour enlever les taches sont incompatibles avec les autres composants des lessives. C'est sans doute pourquoi personne n'a encore mis au point la lessive miracle qui enlève les taches en laissant au tissu l'éclat du neuf.

Sous les spots, les vêtements des danseurs ont des reflets roses, bleus et blancs. Les textiles lavés avec des azurants prennent à la lumière des ultraviolets un éclat surnaturel.

Plus blanc que blanc

La plupart des tissus jaunissent avec le temps. Pour combattre ce processus naturel, de nombreuses lessives contiennent ce que les industriels appellent des azurants optiques et des détachants chimiques.

Les azurants optiques, généralement appelés agents blanchissants, ont pour effet d'absorber les rayons ultraviolets et d'émettre un rayonnement bleu. Cela neutralise le jaunissement du tissu et le fait apparaître blanc. Au jour, la lumière émise par les tissus blancs lavés avec des azurants optiques les fait paraître plus brillants et « plus blancs que blancs ». Dans une pièce sombre baignée d'ultraviolets, ces produits donnent aux vêtements un brillant surnaturel.

Quant aux détachants chimiques, ils avivent le blanc en supprimant toutes les taches. Les uns agissent par oxydation, en dissolvant la tache par addition d'oxygène ou de chlore, les autres par hydrolyse, en digérant les taches protéiniques. Ces produits sont en fait des décolorants. C'est pourquoi les lessives contiennent généralement juste la quantité d'agent détachant nécessaire pour venir à bout des taches tout en préservant les couleurs.

Pourquoi le réfrigérateur givre-t-il ?

Si la porte de votre réfrigérateur restait fermée en permanence, il n'y aurait pas de formation de givre. Chaque fois que vous ouvrez la porte du réfrigérateur, de l'air chaud chargé de vapeur d'eau s'y engouffre. Cette vapeur se condense sur les surfaces les plus froides, en général sur les serpentins du compartiment à glace, où elle se transforme en givre.

L'air de la cuisine est souvent plus humide que celui des autres pièces de la maison, en raison de la vapeur dégagée lorsque l'on fait la cuisine ou la vaisselle. Si le taux d'humidité de l'air de la cuisine est de 50 % et la température de 20 °C, chaque mètre cube d'air contient environ 9 g de vapeur d'eau. En se condensant, cette vapeur donne 9 mm d'eau. Mais, quand cet air est ramené à une température de 4 °C à l'intérieur du réfrigérateur, il ne peut plus contenir que 6 g de vapeur d'eau par mètre cube. Le reste se condense. Dans un compartiment à glace séparé, où la température est encore plus basse puisqu'elle descend à environ –10°C, 1 m^3 d'air ne peut contenir plus de 2 g de vapeur d'eau. Le compartiment à glace et le congélateur givrent donc en général plus vite que le réfrigérateur, d'autant plus que leur porte reste ouverte plus longtemps. Il est en effet plus difficile de trouver ce que l'on cherche dans un congélateur, où tous les aliments sont souvent empilés, que dans un réfrigérateur bien ordonné. Il est donc recommandé de bien ranger les aliments dans le réfrigérateur et le congélateur, afin de laisser la porte ouverte le moins longtemps possible, même si le réfrigérateur est équipé d'un système de dégivrage automatique. Ce dernier réchauffe les serpentins afin de faire fondre la glace. L'eau est ensuite recueillie dans un petit plateau situé au-dessous.

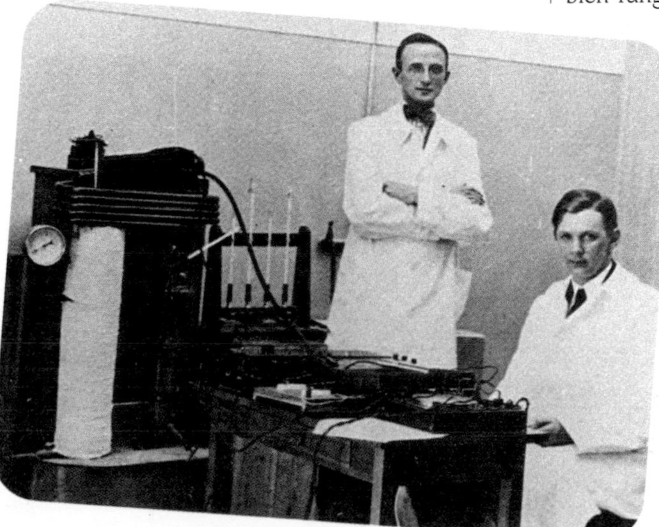

Les ingénieurs suédois Balzer von Platen (à gauche) et Carl Munters, inventeurs du premier réfrigérateur électrique (1923). Ils présentent ici leur invention. Tous deux travaillaient chez Electrolux.

Argent, bijoux et richesses

Comment sont apparus pièces et billets de banque ?

Le commerce a débuté sous forme de troc, c'est-à-dire par l'échange d'une marchandise contre une autre. On peut ainsi imaginer un paysan qui échangerait un chariot de blé contre une vache.

Il est difficile de faire fortune en faisant du troc, et le système a ses limites. Le paysan qui a du blé verra ses projets contrariés si personne n'a de vaches à offrir ce jour-là. Bien sûr, le fermier pourrait accepter de se séparer de son blé en échange d'une promesse écrite par laquelle son interlocuteur s'engagerait à lui fournir une vache à une date ultérieure. Mais ce type de transaction n'est déjà plus du troc au sens strict, puisque l'on fait déjà appel à une forme primitive de monnaie d'échange.

Les sociétés primitives ont eu recours à divers objets comme monnaie d'échange. Par exemple, on pouvait échanger une calebasse contre trois coquillages, qui seraient à leur tour troqués contre deux poissons. La monnaie d'échange, le coquillage, est un bien plus durable, plus facile à transporter et plus simple à dénombrer que les calebasses ou les poissons. Et le fait que la société accepte le coquillage comme norme permet d'arbitrer plus aisément les transactions difficiles. L'entrée en circulation d'une monnaie d'échange préfigure l'avènement d'une nouvelle catégorie de population, le commerçant indépendant ou l'intermédiaire, dont l'existence rend la société plus complexe. La nécessité de recourir à une valeur standard, durable et aisément transportable, a abouti à la création des premières pièces métalliques, en Chine, il y a environ trois mille ans. Ces pièces, appelées jaozi, étaient de petites représentations métalliques d'objets de la vie courante, comme des bêches ou des couteaux. Les pièces de monnaie telles que nous les connaissons actuellement sont apparues en Chine, en Égypte et en Assyrie entre le VIIIe et le VIe siècle avant J.-C. Elles étaient en métal et avaient un poids standard. Le shekel, en usage dans les pays du Proche-Orient, tire son nom d'une unité de poids. En frappant les monnaies d'un sceau ou d'un insigne, les autorités garantissaient qu'elles pourraient être échangées contre des marchandises. Les pièces ont été ensuite acceptées en paiement légal de dettes.

À toutes les époques, les gouvernants ont manqué d'argent pour payer les armées qui servaient leur soif de conquêtes. Il y a des siècles, on imagina de payer les soldats avec des bons de papier qu'ils pouvaient échanger contre de l'argent. Kūbīlaў Khān, lorsqu'il occupa la Chine, au XIIIe siècle, fut sans doute le premier à émettre d'importantes sommes en papier monnaie. Marco Polo, qui alla à la cour de Kūbīlaў Khān en 1275, raconte que le possesseur d'un bon endommagé pouvait le rapporter au centre d'émission et en obtenir un neuf moyennant une surtaxe d'un montant de 3 %. Les faux-monnayeurs étaient punis de mort, et ceux qui les dénonçaient avaient le droit de s'approprier tous leurs biens en plus de la récompense substantielle versée par l'État.

En Europe, les premiers billets ont été émis en Suède, en 1661, mais il a fallu attendre le XIXe siècle pour que leur usage se généralise. Selon le temps et le lieu, les billets ont eu diverses significations. Dans de nombreux pays, le papier monnaie était une reconnaissance de dette par laquelle la banque s'engageait à fournir au porteur la valeur-or correspondante. La Grande-Bretagne et les États-Unis gagèrent le papier monnaie sur l'or jusque dans les années 1930. Aujourd'hui, les billets de banque n'ont plus qu'une valeur nominale. De même, les pièces ne renferment plus de métal précieux.

De l'argent à la tonne : tel devait être le rêve des habitants de Yap, dans le nord-ouest du Pacifique. Ces disques de monnaie, dont certains font plus de 4 m de diamètre, ont été taillés dans des massifs coralliens sur l'île de Palau et ramenés sur des radeaux et des canots.

Pourquoi l'or est-il si précieux ?

Depuis l'Égypte antique, et sans doute depuis une époque plus reculée encore, l'or est considéré comme un métal précieux. Bien sûr, l'or est rare, mais certains autres métaux sont plus rares et d'extraction plus difficile encore. En Égypte, par exemple, l'argent était bien plus rare que l'or et bien plus difficile à extraire de terre.

À New York, la banque fédérale de réserve renferme les plus gros stocks d'or au monde. L'une des plus grosses pépites du monde, d'un poids de 285,800 kg, a été découverte à Hill End, en Australie, en 1872. On la voit ici photographiée à côté du directeur de la mine, Bernard Holtermann.

L'or séduisait les Anciens car il ne se ternit pas. Rien ne peut le corroder ou le dissoudre. L'or est une matière tout à fait inerte qui ne donne naissance à des composés chimiques que dans des circonstances très particulières. C'est un métal presque aussi bon conducteur que le cuivre et, comme il ne se détériore pas, il est particulièrement utile en électronique.

L'or est également facile à travailler car il est très malléable. Il est possible d'étirer 15 g d'or en un fil de 30 km de long ou en une feuille d'une surface de 15 m^2, si fine qu'elle en est presque transparente, avec une légère nuance verdâtre. Les scaphandres des astronautes et les vitres des gratte-ciel sont recouverts d'une fine pellicule d'or, qui limite la chaleur en réfléchissant 90 % du rayonnement infrarouge.

À l'état pur, l'or est si malléable qu'il se déforme très rapidement et peut difficilement être travaillé en joaillerie. Pour le durcir, on fait en général un alliage avec d'autres métaux comme l'argent, le palladium ou le platine. Le degré de pureté de l'or s'exprime en carats. L'or pur correspond à 24 carats, tandis qu'un or à 18 carats contient 25 % de métaux étrangers.

À l'état naturel, l'or se présente souvent sous sa forme pure. Il peut même arriver qu'il affleure en surface, bien que l'écorce terrestre n'en contienne que 5 mg/t. Si l'on réunit la totalité de l'or exploité à ce jour, on ne dépassera guère 100 000 t, soit l'équivalent de 18 m^3. La production mondiale est de l'ordre de 2 000 t par an. Au-delà de sa rareté et de l'utilité qu'il peut avoir, l'or n'est sans doute précieux que parce que nous y attachons une certaine valeur.

Pourquoi portons-nous des bijoux ?

De tout temps et en tout lieu, l'homme a toujours eu le désir de parer son corps. Les peintures qui décorent les grottes préhistoriques figurent des guerriers arborant des dents ou des griffes d'animaux. Aujourd'hui encore, des tribus continuent de porter des parures analogues, faites de coquillages, de plumes ou de colliers richement ornés.

Pour un individu, le fait de porter des étoffes ou des objets précieux est la marque d'un statut social élevé. C'était le cas en Europe à la fin du Moyen Âge, où l'on considérait celui qui arborait des étoffes fines, des fourrures et des bijoux comme appartenant aux couches les plus nobles de la société. En France, en Italie, en Espagne et en Angleterre, des lois interdisaient même à certaines classes sociales le port de pierres précieuses. Ce luxe d'ornements atteint son point culminant à la fin du XVIe siècle à la cour de France, où Gabrielle d'Estrée, maîtresse d'Henri IV, portait une robe tellement surchargée d'or, d'argent et de pierreries que, dit-on, elle pouvait à peine bouger. Au XIXe siècle, la production en série a mis les bijoux à la portée d'un plus large public. Les joailliers ont créé toutes sortes de modèles : des broches, des colliers, des boucles d'oreilles et des épingles à chapeau pour les femmes, des épingles de cravate, des boutons de manchette, des chaînes de montre et des breloques pour les hom-mes, ainsi que des bagues. De nos jours, les bijoux sont moins à la mode qu'autrefois, mais ils restent une marque du statut social.

Pourquoi les femmes se maquillent-elles ?

Les femmes, comme les hommes, ont recours aux artifices du maquillage depuis les temps les plus anciens. Des archéologues en ont trouvé trace dans des tombes égyptiennes datant de trois mille cinq cents ans avant notre ère. Dans la Grèce antique, la mode était au teint pâle, aussi les Grecs se poudraient-ils le visage. Les Romains, eux, se rosissaient les joues. Mais les produits utilisés pouvaient se révéler particulièrement dangereux. Certains d'entre eux risquaient de provoquer une paralysie des membres, voire la mort.

La poudre qui a servi à éclaircir le teint jusqu'au XIXe siècle était à base de céruse (carbonate de plomb), tandis que le rouge était donné par le minium (oxyde de plomb), deux substances mortelles. Un autre poison tout aussi redoutable, le chlorure de mercure, entrait dans la compo-

Bijoux de stars : Élisabeth Taylor (à gauche) et Raquel Welch (à droite) exhibent leurs plus belles parures. En 1972, Richard Burton offrit à Liz Taylor une bague en diamant de 1,1 million de dollars. Exposée à New York et à Chicago, elle attira 10 000 visiteurs par jour.

sition des cosmétiques rouges au VIIe siècle. Aux XVe et XVIe siècles, à la Renaissance, les femmes avaient coutume d'utiliser la belladone (de l'italien *bella donna*, belle femme) pour avoir un regard plus éclatant. Le suc de cette plante, appliqué sous la forme de gouttes oculaires, a en effet la propriété de dilater la pupille. Utilisée avec excès, cette substance peut rendre aveugle.

En dépit de leur toxicité, l'usage de ces cosmétiques n'a jamais faibli, notamment dans les classes aisées. En 1770, une loi déposée devant le Parlement britannique demandait que soit considérée comme sorcière et traîtresse toute femme qui « utiliserait pour se faire épouser par un des sujets de Sa Majesté [...] parfums, couleurs, produits cosmétiques, fausses dents, postiches [...], chaussures à talons hauts ou fausses hanches ». Les cosmétiques ont toujours suscité une réaction de défiance, peut-être en raison de l'association qui est faite avec Jézabel, femme méprisée dans la Bible, qui avait coutume de se maquiller.

Dans les années 1920, le succès du cinéma contribua à populariser l'usage des cosmétiques, pour imiter le maquillage des acteurs. Dans les années 1950, le teint clair cessa d'être à la mode et on se mit à préférer les peaux bronzées, autrefois méprisées car reflétant la marque de travaux au grand air et l'indice d'une origine sociale modeste.

Depuis peu, la crainte des cancers de la peau dus à de trop longues exposition a développé l'usage d'écrans solaires et remis au goût du jour les peaux claires.

Selon la tradition, les Japonaises à la mode se maquillaient le visage en blanc et en rouge. Certaines se peignaient la lèvre inférieure en doré et se rasaient les sourcils pour les redessiner au pinceau.

Pourquoi timbrons-nous notre courrier ?

Jusqu'au milieu du XIXe siècle, lettres et paquets étaient acheminés par courriers, messagers et services de poste privés. Les Empires assyrien, perse et romain avaient leur propre poste mais n'utilisaient pas de timbres. Marco Polo avait été frappé de découvrir que la Chine, sous le règne de Kūbīlaȳ Khān, possédait un service de poste utilisant 300 000 chevaux. Au XVe siècle, en France et en Angleterre, les lettres étaient acheminées par des courriers. Sous Henry VIII, les aubergistes, qui fournissaient des chevaux aux messagers, faisaient aussi office de receveurs des postes.

À l'époque, c'était le destinataire qui payait lorsque les lettres lui étaient remises. Les premières boîtes aux lettres sont apparues à Paris en 1653, mais les messagers, craignant de perdre leur travail, y introduisirent des souris afin qu'elles dévorent le courrier.

La poste telle qu'elle existe aujourd'hui dans le monde entier est née en 1837 sur proposition d'un réformateur britannique du nom de Rowland Hill. Dans un ouvrage intitulé *De l'importance et des moyens de réformer le système postal,* il plaidait pour un tarif fondé non pas sur la distance mais sur le poids des envois. Ce serait, suggérait Rowland Hill, à l'expéditeur et non au destinataire de payer en achetant un timbre adhésif.

C'est en mai 1840 que les postes britanniques imprimèrent les premiers timbres. Ils sont aujourd'hui connus des philatélistes sous le nom de Penny Black et Twopenny Blue. Comme ils n'étaient utilisés qu'à l'intérieur des frontières, le nom du pays ne figurait pas sur les timbres. Et il en va d'ailleurs toujours ainsi. Le Royaume-Uni est le seul pays au monde à ne pas faire figurer son nom sur ses timbres-poste.

Au XIXe siècle, avec le développement des transports ferroviaires et maritimes, et grâce aux progrès de l'alphabétisation, le volume du courrier échangé entre les différents pays n'a cessé de croître. En 1875, l'Union générale des postes (qui devint plus tard l'Union postale universelle) a édicté les règles de la coopération postale internationale. Les pays qui y adhéraient s'engageaient à assurer au courrier venu de l'étranger le même traitement qu'au courrier national. En 1969, il fallut réformer ce système pour éviter que le pays destinataire ait à acquitter des droits supplémentaires qui auraient normalement dû être supportés par le pays d'expédition. Désormais, le prix du timbre pour le courrier international inclut le coût du traitement postal du pays d'origine et du pays de destination.

Le Penny Black, le tout premier timbre, a été imprimé en Grande-Bretagne en mai 1840. Lécher le verso d'un timbre à l'effigie de la reine était considéré par certains comme inconvenant, voire comme un acte de trahison.

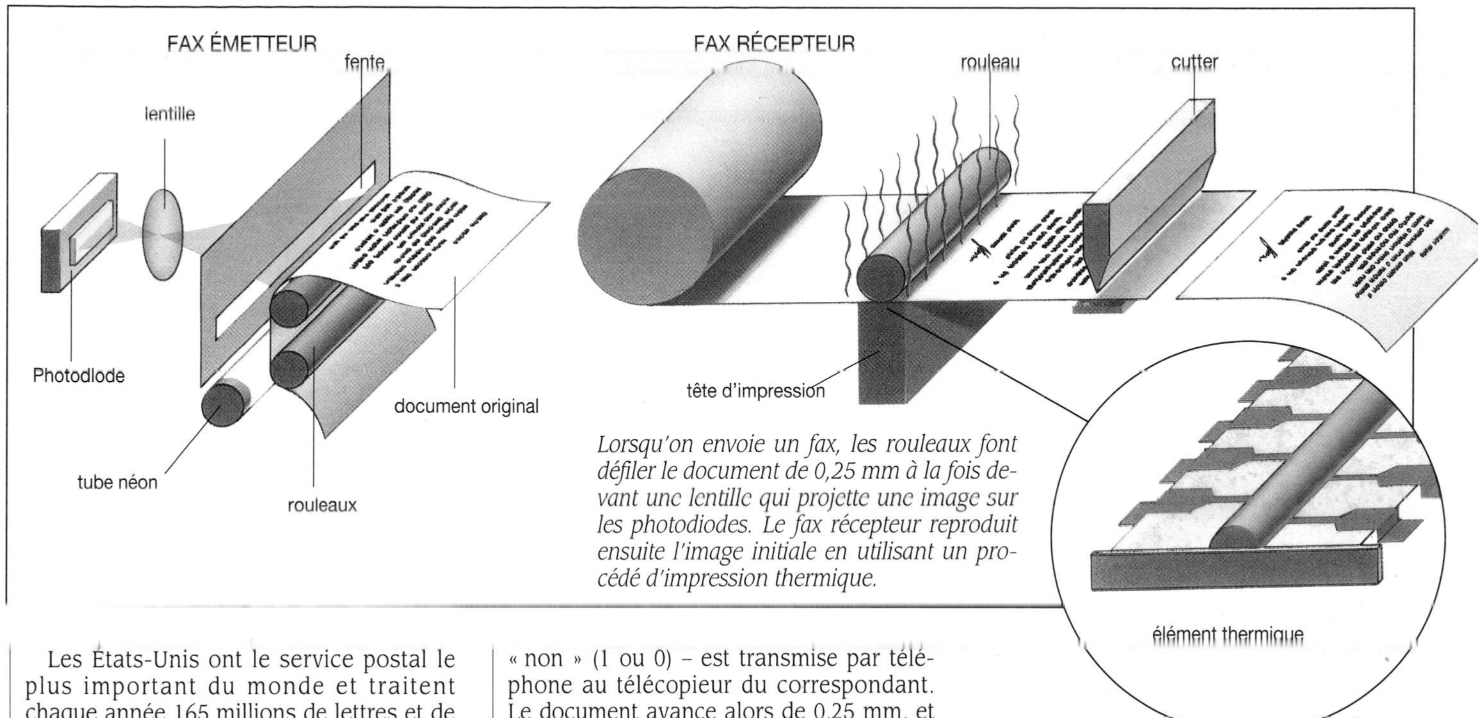

Lorsqu'on envoie un fax, les rouleaux font défiler le document de 0,25 mm à la fois devant une lentille qui projette une image sur les photodiodes. Le fax récepteur reproduit ensuite l'image initiale en utilisant un procédé d'impression thermique.

Les États-Unis ont le service postal le plus important du monde et traitent chaque année 165 millions de lettres et de paquets. Les Suisses sont les premiers expéditeurs de courrier, avec en moyenne 655 envois par personne et par an.

Pourquoi met-on du papier thermique dans les fax ?

En 1842, l'Écossais Alexander Bain imagina d'utiliser l'électricité pour transmettre des images. Mais c'est seulement dans les années 1920 que les télécopieurs, ou fax, furent couramment utilisés, surtout par les journaux, qui expédiaient ainsi leurs photos. Toutefois, l'usage du fax n'est vraiment passé dans les mœurs que dans les années 1970, grâce à la miniaturisation et à son coût de plus en plus réduit.

Avant d'expédier un document, le fax le passe au scanner et le traduit en signaux numériques. Ces derniers sont transmis par téléphone à un autre fax, qui les décode et recrée un fac-similé, une copie, du document original.

Au cœur du fax se trouvent des photodiodes, qui émettent un faible courant électrique lorsqu'elles captent la lumière. Elles sont minuscules, extrêmement sensibles et peu coûteuses à fabriquer. Un télécopieur classique renferme 1 728 photodiodes, qui sont alignées sur une seule rangée.

Un tambour fait défiler le document de 0,25 mm à la fois devant une lentille qui projette l'image de la page sur les photodiodes. Chaque photodiode émet ou non un signal électrique, selon qu'elle rencontre une partie blanche, c'est-à-dire non imprimée, ou une partie noire, imprimée. La liste des 1 728 réponses – « oui » ou « non » (1 ou 0) – est transmise par téléphone au télécopieur du correspondant. Le document avance alors de 0,25 mm, et l'opération se répète jusqu'à ce que toute la page soit lue. Le nombre de photodiodes (1 728) ainsi que la mesure de 0,25 mm ont été déterminés en référence à la norme de résolution standard, qui est de 100 points par pouce carré.

À l'autre bout de la ligne, le fax récepteur dispose d'une série de 1 728 aiguilles reliées aux photodiodes et placées au contact d'un papier thermique. Si la photodiode correspondante décode un « oui », elle envoie un signal électrique. L'aiguille génère alors une certaine chaleur et brûle le papier, sur lequel elle laisse une trace noire. Lorsque la machine a fini de décoder le document, on obtient une copie de l'original, réalisée point par point.

Mais le papier thermique coûte cher et est source de problèmes. On se tourne donc aujourd'hui vers d'autres systèmes d'impression, comme le laser, qui utilisent un papier normal.

La photocopie sans encre

Les photocopieurs courants utilisent un procédé connu sous le nom de xérographie, mot issu du grec ancien et qui signifie écriture sèche. Il s'agit en fait d'une sorte de photographie électrique.

Au cœur du photocopieur se trouve un tambour de métal rotatif recouvert par exemple d'une fine couche de silicium, qui conduit l'électricité lorsqu'elle est exposée à la lumière. Dans le noir, ce tambour se charge d'électricité statique en passant devant un sensibilisateur. Lorsque l'on fait une photocopie, on expose le document à une puissante lumière, et son image se réfléchit sur le tambour grâce à un jeu de miroirs et de lentilles. Quand une partie blanche de l'original se reflète sur le tambour, les charges électriques sont évacuées de cette zone devenue conductrice. Inversement, avec les parties noires, qui ne projettent pas de lumière, le tambour conserve sa charge. Celle-ci attire une fine poudre noire, le toner, grâce à laquelle l'image de la copie se forme. Le toner est fixé sur le papier grâce à un rouleau chauffant. Les feuilles qui sortent tout juste d'un photocopieur sont d'ailleurs encore chaudes.

Le photocopieur a été présenté en 1948 et commercialisé en 1959 sous la marque Xerox aux États-Unis, avant de se généraliser dans les années 1960. Aujourd'hui, les photocopieurs peuvent reproduire des photographies, faire des copies couleur, des recto-verso, des agrandissements ou des réductions. Les photocopieurs couleur reproduisent si fidèlement les documents qu'ils sont utilisés pour fabriquer des faux billets.

Pourquoi perçoit-on parfois un écho lorsque l'on téléphone ?

Les appels téléphoniques locaux, tout comme les voitures, circulent sur une chaussée unique à double sens. Les voitures qui vont dans des directions opposées se partagent la route. Il en va de même pour les appels téléphoniques, qui utilisent un même réseau. Les appels interurbains mettent en relation deux réseaux téléphoniques locaux. Cette fois, les communications doivent emprunter des voies séparées dans un sens et dans l'autre.

À la sortie d'une autoroute, les véhicules sont orientés vers des routes à double sens par une série de carrefours et d'échangeurs. Pour une communication interurbaine, les choses se passent de manière analogue grâce à un circuit dit « hybride », qui transforme les voies de transmission séparées en une voie unique qui passe par le même fil. Il peut arriver qu'une faible proportion des signaux émis sortent de la file et donnent l'impression de repartir en sens inverse, revenant à l'émetteur sous forme d'écho. Le plus souvent, cela n'est pas gênant car l'écho revient trop rapidement pour qu'on puisse s'en apercevoir. Mais, si le circuit est long, le délai de transmission est important et le signal retour devient nettement audible.

L'écho est particulièrement perceptible quand le signal transite par satellite. Un satellite géostationnaire est situé à environ 36 700 km de la Terre, et une onde radio, qui circule à la vitesse de la lumière, met 0,3 seconde pour l'atteindre. Ce signal est amplifié par le satellite. Il est ensuite renvoyé vers la Terre à une fréquence différente, ce qui prend à nouveau 0,3 seconde. Au total, la transmission dure 0,6 seconde. C'est précisément le temps que met l'écho pour revenir à son point de départ, si bien que l'on entend le dernier mot que l'on a prononcé 1,2 seconde après l'avoir dit.

Les ingénieurs des télécommunications tentent de résoudre ce problème par des dispositifs qui annulent l'écho en comparant les signaux émis et reçus. Quand ils repèrent deux signaux identiques, ils créent en miroir une image électronique du signal reçu et la raccordent au signal émis, ce qui a pour effet d'annuler l'écho.

Les services téléphoniques mondiaux utilisent un énorme réseau de câbles et de fils qui enserrent la planète. Les câbles ne sont plus systématiquement métalliques. Aujourd'hui ils sont de plus en plus souvent remplacés par des câbles en fibre optique, où la lumière traverse des fibres de verre de l'épaisseur d'un cheveu.

Outre ces réseaux, nous avons recours aux offices radio et aux satellites pour communiquer. Le premier satellite de télécommunications, Telstar, lancé par American Telephone and Telegraph en 1962, pouvait transmettre simultanément douze communications téléphoniques entre l'Amérique du Nord et l'Europe. Intelsat (International Telecommunication Satellite) gère aujourd'hui 250 000 voies téléphoniques sur plus de 2 200 trajets et dispose de 36 canaux TV.

Ce couteau et cette fourchette datent de 1698. Les couteaux furent longtemps les seuls couverts utilisés à table. Comme ils pouvaient aussi servir d'armes, des lois strictes réglementaient leur usage.

Pourquoi utilisons-nous des couverts ?

Dans de nombreuses civilisations, la cuisine est faite pour être mangée avec les doigts. C'est le cas en Inde et dans beaucoup d'autres pays. Mais, quand on veut goûter des plats chauds, comme des viandes en sauce ou de la soupe, on ne peut plus se passer d'ustensiles. Il y a plus de trois mille ans, les Chinois ont inventé les baguettes, qui évitent de se brûler en prolongeant l'index et le pouce. Leur usage à table, à la place du couteau, était censé refléter la supériorité des lettrés sur les guerriers dans la société chinoise.

Les premiers couteaux, simples lames effilées, datent de plus de vingt cinq mille ans. Il s'agissait de silex qui servaient d'outils tranchants et d'armes. Les Égyptiens et, plus tard, les Romains utilisaient pour manger de petits couteaux de métal ouvragé. Les Romains se servaient aussi de cuillers – qui ont remplacé les coquilles d'escargot et les coquillages. Mais, jusqu'au milieu du XVIIe siècle, les cuillers ne servaient qu'à préparer les repas et non à manger.

Des fourchettes à deux dents étaient utilisées en Italie au XIe siècle pour manger les fruits sans se tacher les doigts. Mais elles ne remplacèrent les couteaux pour piquer d'autres aliments qu'au début du XVIe siècle sous Henri III. D'abord à deux dents et à manche pliant, la fourchette prend sa forme traditionnelle à trois ou quatre dents sous Louis XIV.

Toute une gamme de couverts fut alors créée, pour tous les types de plats, ce qui contribua au développement des arts de la table. Jusqu'à la découverte de l'acier inoxydable, en 1913, en Grande-Bretagne, couteaux, cuillers et fourchettes nécessitaient un entretien constant pour éviter qu'ils ne rouillent ou ne se ternissent.

De l'ordinateur à la puce

De 1950 à 1990, les performances des ordinateurs ont été multipliées par un million. Aujourd'hui, l'ordinateur le plus rapide, le Cray-2, peut réaliser 250 millions de calculs à la seconde. Les premiers ordinateurs ne pouvaient faire que quelques dizaines de calculs par seconde. Pourtant, ils étaient très volumineux, et consom-

maient énormément d'électricité. Aujourd'hui, un ordinateur peut facilement se transporter dans un simple porte-documents et consomme à peine plus d'électricité qu'un sèche-cheveux.

Depuis les temps les plus reculés, l'homme a utilisé de nombreux instruments de calcul, comme le boulier, qui fut inventé en Chine il y a cinq mille ans. Mais les ordinateurs sont une invention propre au XXe siècle. Le premier véritable ordinateur, fabriqué en 1946 à l'université de Pennsylvanie, fut appelé ENIAC (sigle anglais pour intégrateur et calculateur de nombres électronique). Il pesait 30 t, occupait un volume de 85 m^3 et avait une consommation de 150 000 kW. La mise au point des transistors, en 1948, et des circuits intégrés, en 1962, a permis de fabriquer des ordinateurs plus petits et plus performants. Le premier mini-ordinateur, le PDP-8 de la société Digital Equipment, apparut en 1965.

Le transistor, minuscule amplificateur et interrupteur, a peu à peu remplacé les énormes et fragiles tubes électroniques. Il suffit de comparer les postes radio de 1930, encastrés dans un lourd cadre de bois, avec les transistors de poche d'aujourd'hui pour se rendre compte des progrès réalisés.

Dans un circuit intégré, des transistors microscopiques et d'autres composants sont intégrés dans une fine feuille de silicium. Il n'y a aucun fil électrique. Les techniques de production sont si avancées qu'il est maintenant possible d'incorporer des millions de composants dans une minuscule puce. Plus on réduit la taille d'un circuit, moins il consomme d'énergie et plus le système est rapide et efficace.

Du fait de la miniaturisation des circuits intégrés, leurs composants sont de plus en plus serrés et une réaction électrique qui n'aurait aucune incidence en temps normal peut avoir des conséquences graves. Un courant électrique dans un conducteur peut se propager aux conducteurs avoisinants. Quand ces réactions en chaîne deviennent incontournables, cela signifie qu'il est impossible de réduire davantage la taille du circuit. Certains ingénieurs estiment que, sans progrès technologiques nouveaux, la taille des circuits intégrés restera ce qu'elle est aujourd'hui.

D'où vient le point d'interrogation ?

Notre système de ponctuation vient du grec et du latin, où la ponctuation ne servait pas à la compréhension du texte mais à faciliter la lecture à voix haute. Différents signes indiquaient au lecteur comment accentuer les syllabes, où marquer un silence et quand reprendre son souffle pour respecter la métrique en poésie.

En latin, l'interrogation était indiquée par le mot *questio,* placé en fin de phrase. Pour faciliter le travail des copistes, de nombreux mots furent remplacés par des abréviations et *questio* fut abrégé en QO. Mais, comme on pouvait confondre QO avec d'autres abréviations, les copistes prirent l'habitude de placer le Q au-dessus du O. Rapidement, le Q s'est transformé en tortillon tandis que le O se réduisait à un point.

Vers le IXe siècle, le *punctus interrogativus* était l'un des signes utilisés dans l'écriture du chant grégorien, ces textes sacrés psalmodiés sur un ton libre et mélodieux. Il ressemblait à notre point d'interrogation, mais était légèrement incliné sur la droite. Il indiquait les pauses et les modulations de la voix vers l'aigu.

Avec le développement de l'imprimerie, au XVIe siècle, il a fallu établir une ponctuation standard. En 1566, Aldo Manuzio – dit Alde le Jeune – publia le premier ouvrage édictant les règles de la ponctuation. Dans ce livre, intitulé *Orthographiae Ratio* (les règles de l'orthographe), il mentionne le point final, la virgule, le deux-points, le point-virgule et le point d'interrogation. Vers 1660, écrivains et imprimeurs utilisaient également le point d'exclamation, les guillemets et les tirets. Tous ces symboles ont été largement adoptés dans toute l'Europe, mais ils servaient encore à cette époque à guider l'expression orale.

Plus tard, la lecture s'est développée, grâce à l'imprimerie, et la ponctuation est devenue un élément essentiel de la compréhension des textes, particulièrement pour des langues comme le français ou l'anglais, qui n'ont pas de déclinaisons. Comme aucune désinence particulière n'indique la fonction des mots dans la phrase, la ponctuation est indispensable pour clarifier le sens des textes. Elle est donc venue renforcer la syntaxe de la langue écrite, si bien que celle-ci s'est peu à peu imposée dans la littérature et les universités et a supplanté le latin.

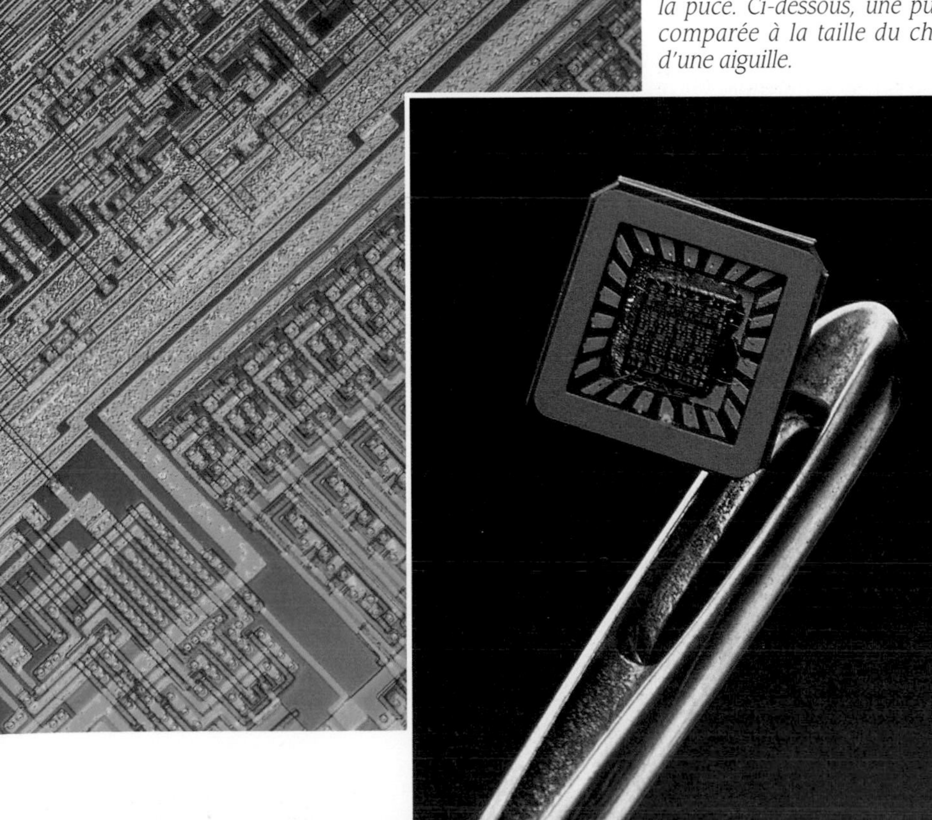

Les merveilles de la science. Ce circuit intégré est agrandi 88 fois. Pour miniaturiser un circuit, on le réduit en le photographiant et on le grave sur la puce. Ci-dessous, une puce comparée à la taille du chas d'une aiguille.

QWERTY ou AZERTY ?

L'apprentissage de la dactylographie est de prime abord rendu difficile par une disposition inhabituelle des lettres sur le clavier. Les lettres les plus couramment utilisées devraient se trouver sur la rangée la plus accessible, c'est-à-dire celle du milieu, ce qui n'est pas le cas. Cette anomalie tient en réalité à la nature des premières machines construites.

La première machine à écrire lancée sur le marché fut celle de l'Américain

Des claviers de types très différents ont été conçus depuis l'invention de la machine à écrire. Le clavier Hammond, qui se rapproche de la machine à tiges et date de 1895, était à la fois pratique et populaire. Il a ensuite été utilisé dans l'imprimerie.

Christopher Latham Sholes, imprimeur à Milwaukee, dans le Wisconsin. En 1866, il s'associa à Carlos Glidden, passionné d'inventions, et Samuel Soulé, pour concevoir une machine à écrire. Sept ans plus tard, en 1873, une entreprise d'Ilion, E. Remington and Sons (New York), accepta de la fabriquer. L'année suivante, la première machine à écrire faisait son apparition sur le marché américain.

Les machines conçues par Sholes étaient bien différentes de celles d'aujourd'hui. De construction sommaire et deux fois plus grosses que les machines actuelles, elles se bloquaient facilement, surtout en cas de frappe rapide. Les touches frappaient le papier non pas de face mais par-dessous, si bien qu'il était possible de continuer à taper sans se rendre compte que la machine s'était bloquée. Pour supprimer cet inconvénient, on a adopté une solution simple consistant à espacer les touches correspondant aux lettres les plus couramment utilisées pour ralentir la vitesse de frappe de la dactylo. Le clavier QWERTY était né, ainsi appelé d'après les six premières lettres de la rangée supérieure – le clavier français commençant par AZERTY. La disposition de la deuxième rangée du clavier des machines actuelles rappelle la disposition alphabétique initiale de Sholes, avec la succession de lettres suivante : QSDFGHJKL. Mark Twain fut le premier écrivain à acheter une machine à écrire et à envoyer un manuscrit dactylographié à un éditeur.

Comme les claviers Sholes avaient de nombreux détracteurs, d'autres solutions furent proposées. En 1936, August Dvorak inventa un clavier où les lettres les plus fréquentes se trouvaient toutes sur la rangée du milieu. On a également conçu des claviers courbes pour réduire la tension des poignets et des mains. Malgré ses imperfections, il permet aux dactylos d'atteindre une vitesse de 176 mots par minute sur une machine mécanique et de 216 mots sur une machine électrique.

Hiéroglyphes égyptiens	Écriture protosinaïtique	Écriture phénicienne	Hébreu	Grec	Latin
bœuf		(alef)	א	(alpha)	A
bâtiment, maison		(bet)	ב	(bêta)	B
tête		(resh)	ר	(rhô)	R
œil		O (ayin)	ע	O (omicron)	O
clôture		(he)	ה	(epsilon)	E

Notre alphabet, tout comme les alphabets grec, cyrillique ou arabe, découle d'une écriture sémite qui s'est développée le long des rives occidentales de la Méditerranée au IIe millénaire avant notre ère. Cette écriture a peut-être pour origine les hiéroglyphes égyptiens, qui représentaient des objets. La lettre A pourrait ainsi venir d'un hiéroglyphe désignant le bœuf.

Le stylo à bille : des kilomètres d'écriture

L'extrémité du stylo à bille est faite d'une petite bille de métal. Cette pièce, en acier doux ou inoxydable, est parfois rendue rugueuse pour lui permettre une meilleure prise sur le papier. Elle tourne à l'intérieur d'une gaine qui est rainurée de petits sillons pour faciliter l'arrivée de l'encre. Lorsqu'on écrit, la bille s'imprègne de l'encre contenue dans le réservoir.

L'encre s'écoule lentement sur la bille, car elle n'est pas liquide. Sa composition à base d'huile limite également sa volatilité, ce qui explique que l'encre contenue dans le réservoir d'un stylo à bille sèche moins vite que celle d'un stylo plume, faite à base d'eau ou d'alcool. La bille comporte une petite fente qui permet l'entrée d'air, sinon le niveau de l'encre, en s'abaissant, créerait un vide partiel qui empêcherait l'écoulement.

Le principe du stylo à bille est connu depuis les années 1880, John Loud ayant imaginé un stylo à bille pour écrire sur des surfaces rugueuses. Mais le premier modèle fut conçu dans les années 1930 par Ladislas Biro, journaliste hongrois, et son frère Georg, chimiste. Il fut commercialisé sous leur nom dans les années 1940, puis popularisé par l'homme d'affaires américain Milton Reynolds. Aujourd'hui, la société française Bic vend chaque jour plus de 12 millions de stylos à bille dans le monde.

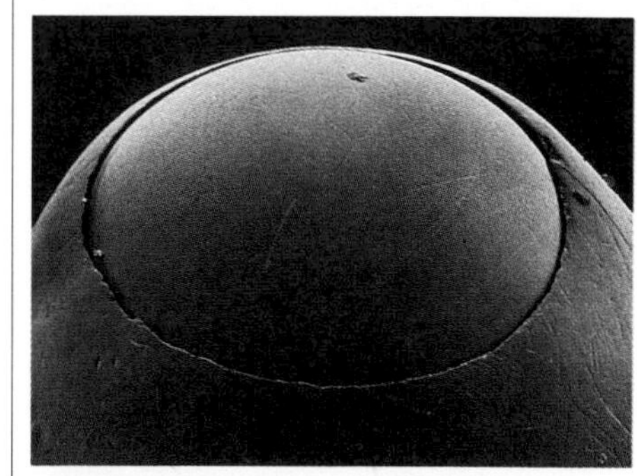

L'extrémité du stylo à bille est faite d'une bille de métal qui dépose sur le papier une encre grasse qui sèche rapidement.

Pourquoi écrivons-nous de gauche à droite ?

L'alphabet latin de 26 lettres tel que nous le connaissons aujourd'hui a été établi à la fin du Moyen Âge, mais ses origines remontent à plusieurs milliers d'années. Il a pour lointain précurseur l'alphabet phénicien, mis au point par un peuple sémite qui vivait sur les rives orientales de la Mé-

Ouverture des états généraux à Versailles le 5 mai 1789, sous la présidence de Louis XVI. Deux mois plus tard, la prise de la Bastille par les Parisiens marquait le début de la Révolution.

diterranée, dans la région de l'actuel Liban. L'alphabet phénicien, plus évolué que les hiéroglyphes utilisés par les Égyptiens ou d'autres sociétés antiques, représente les consonnes par des signes, mais ne note pas les voyelles. Il commence ainsi : *alef, bet, gimel*...

Entre le XIe et le Xe siècle avant notre ère, les Grecs, qui commerçaient avec les Phéniciens, adaptèrent leur alphabet pour transcrire leur propre langue. Les Grecs innovèrent en utilisant six signes sémites pour représenter les voyelles. La première lettre, *alef*, devint *alpha*.

Les Phéniciens écrivaient de droite à gauche, comme c'est encore le cas pour l'hébreu, l'arabe et diverses langues asiatiques. Les premières inscriptions grecques se lisaient également de droite à gauche. Par la suite, les Grecs ont adopté un mode d'écriture où l'on trace une ligne de droite à gauche, la suivante de gauche à droite, et ainsi de suite. Ce système est connu sous le nom de boustrophédon, terme qui désigne le fait de « tourner comme lorsqu'on laboure avec une charrue tirée par un bœuf ».

Vers le VIe siècle, pour des raisons difficiles à déterminer, les Grecs se mirent à écrire exclusivement de gauche à droite, probablement parce qu'il leur était plus facile de manier en ce sens le nouveau stylet qui venait de faire son apparition. Les Étrusques, en Italie, suivirent le modèle grec pour leur propre alphabet, qui donna naissance à l'alphabet latin. Ce dernier ne comportait que 23 lettres. Le J, le U et le W furent ajoutés à l'époque médiévale.

Droite et gauche en politique

En 1788, la France était confrontée à de très sérieux problèmes financiers car les privilégiés n'acquittaient pas leur part d'impôts. La situation était si grave que Louis XVI décida de convoquer les états généraux, instance représentative qui n'avait pas été réunie depuis 1614.

Cette assemblée comprenait 300 représentants du clergé, 300 représentants de la noblesse et 600 représentants du tiers état. À l'ouverture de la réunion des états généraux à Versailles, en mai 1789, on appliqua la coutume qui veut que l'on fasse asseoir les invités de marque à droite de leur hôte. La noblesse et le clergé prirent donc place à la droite du roi, tandis que le tiers état s'asseyait à sa gauche. En juin 1789, le tiers état se proclama Assemblée nationale. Enfin le 9 juillet, l'Assemblée nationale prit le nom d'Assemblée nationale constituante. Les constituants s'étaient groupés selon leurs affinités politiques : les défenseurs d'un pouvoir monarchique fort se regroupèrent à la droite du président tandis qu'à gauche se trouvaient les patriotes constitutionnels, qui comprenaient la quasi-totalité des députés du tiers.

Par simplification, on prit l'habitude de parler de gauche et de droite pour désigner les différentes tendances de la vie politique française – même si, depuis, les expressions droite et gauche ont vu leur contenu évoluer. Malgré les troubles politiques et sociaux, la France était encore à l'époque le centre culturel et intellectuel de l'Europe et les termes de gauche et droite furent adoptés par de nombreux pays pour désigner respectivement les radicaux et les conservateurs.

Ces appellations sont toujours utilisées, bien que leur usage induise parfois une certaine confusion. Ainsi, dans l'ex-URSS, les communistes purs et durs, qui devraient être « de gauche » selon la terminologie classique, sont souvent décrits comme des hommes de droite, car ils défendent des conceptions conservatrices et réactionnaires aux yeux des partisans d'un nouvel ordre social.

Comment sont nés les journaux ?

Les Romains avaient déjà leurs journaux, les *acta diurna* (actes du jour), que recopiaient à quelques milliers d'exemplaires des esclaves scribes. Mais il faudra attendre l'invention de l'imprimerie, au XVe siècle, pour que l'information écrite prenne une réelle importance. Les premières publications sont des brochures, ou des feuilles volantes qui relatent le plus souvent une catastrophe ou un crime avec force détails terrifiants. Ces ancêtres de la presse à sensation ont une parution irrégulière. Seuls de vrais périodiques pourraient réellement informer.

En France, Théophraste Renaudot, médecin de Louis XIII, obtient le privilège royal de publier le premier journal français : *la Gazette,* hebdomadaire de quatre pages, dont le numéro 1 sort le 30 mai 1631. Vrai journaliste, Renaudot « couvre » l'actualité au plus près et invente l'éditorial, la publicité, les numéros spéciaux, les suppléments. Il est le père de la presse moderne.

Pendant les deux siècles et demi qui vont suivre, ce nouveau moyen d'information va entrer en conflit avec l'État, qui en mesure l'importance et l'influence. Avant ou après la Révolution, les périodes de liberté vont alterner avec une censure pointilleuse. Seule la grande loi du 29 juillet 1881 garantira la liberté de la presse en France. En dépit des tracasseries policières, les journaux n'ont pas attendu cette date pour se développer. Tout au long du XIXe siècle, l'imprimerie va faire des progrès considérables, jusqu'à l'invention de la rotative. Ces avancées permettent des tirages beaucoup plus importants, et le prix des journaux baisse. La presse entre dans un âge d'or. Émile de Girardin, un jeune autodidacte ambitieux, fonde *la Presse,* un quotidien dont le premier numéro sort le 1er juillet 1836, vendu à la moitié du prix de ses rivaux – 40 F d'abonnement par an au lieu de 80. Des titres concurrents naissent dans la foulée : *le Siècle, le Figaro* – créé en 1854 par Hippolyte de Villemessant, d'abord hebdomadaire, il devient quotidien en 1866 –, puis d'autres. Des romans d'écrivains célèbres publiés en feuilleton passionnent les lecteurs et assurent le succès de ces quotidiens. Mais ces journaux restent réservés à la bourgeoisie. En 1863 apparaît un grand journal populaire : *le Petit Journal,* créé par Moïse Millaud. Il est vendu un sou et met le sang à la une : les faits divers sont en vedette. Porté par des campagnes de publicité, il multiplie ses ventes et lance un supplément illustré. *Le Petit Journal* atteint le million d'exemplaires en 1886. La France compte alors des centaines de titres. Au début du XXe siècle, des journalistes délaissent leurs rédactions pour courir le monde. Les grands reporters sont nés : des aventuriers à la plume sensible comme Albert Londres, des baroudeurs de génie comme Joseph Kessel. Ce dernier écrit dans *Paris-Soir,* le journal dirigé par Pierre Lazareff, l'archétype du journaliste.

À la veille de la Seconde Guerre mondiale, *Paris-Soir* vend chaque jour deux millions d'exemplaires. Après le conflit, les journaux ne retrouveront jamais leur succès passé. La radio puis la télévision sont une concurrence trop rude.

QUESTION DE CHANCE...

Vous êtes-vous jamais demandé en attendant l'ascenseur pourquoi le premier qui s'arrête à votre étage va systématiquement dans le sens de la montée lorsque vous souhaitez descendre ?

Vous pourriez croire que, quel que soit l'étage où vous vous trouvez, vous avez autant de chances de pouvoir monter ou descendre. En fait, si vous vous trouvez dans les étages du bas, les ascenseurs sont probablement au-dessus. Par conséquent, le premier qui s'arrêtera aura plus de chances de se diriger vers le bas. De même, si vous êtes dans des étages du haut, la plupart des cabines seront sans doute dans les niveaux inférieurs et vous aurez plus de chances de voir s'arrêter un ascenseur qui monte. Connaissant le nombre de cabines et d'étages, vous pourriez, tout en patientant, calculer la probabilité pour que l'ascenseur arrive dans le mauvais sens.

La notion de probabilité, qui mesure par une valeur numérique le caractère aléatoire d'un événement, fut explorée au XVIIe siècle par deux mathématiciens français, Blaise Pascal et Pierre de Fermat, à partir d'une question soulevée devant Pascal par un amateur de jeu. Depuis lors, ceux-ci n'ont jamais cessé d'utiliser ces principes pour évaluer leurs chances.

Le « paradoxe de l'anniversaire » illustre la singularité des lois de probabilité. Supposons qu'on réunisse 23 personnes dans une même pièce. Quelle est la probabilité pour qu'au moins deux d'entre elles fêtent leur anniversaire le même jour ? Loin d'être exceptionnelle comme on pourrait le croire, une telle coïncidence a plus d'une chance sur deux de se produire.

Au départ, il y a 364 chances sur 365 que deux personnes soient nées des jours différents. Si on prend un troisième individu, il y a cette fois 363 chances sur 365 que son anniversaire tombe un jour différent des deux précédents. La probabilité pour que les trois anniversaires tombent à des dates différentes se calcule donc ainsi : $364/365 \times 363/365$.

La chance pour qu'une quatrième personne ait une date anniversaire différente des trois précédentes est de 362 sur 365.

Pour connaître la probabilité que les anniversaires ne tombent pas le même jour, il suffit donc de faire la multiplication suivante : $364/365 \times 363/365 \times 361/365$..., et ainsi de suite.

Avec 23 personnes, cette probabilité tombe en dessous de 50 %, et l'on a donc un peu plus d'une chance sur deux pour que deux personnes célèbrent leur anniversaire le même jour. Plus les gens seront nombreux et plus la probabilité sera forte. Avec 50 personnes, il y a 97 chances sur 100 que cela se produise.

On joue aux dés depuis des siècles. Les plus anciens ont été découverts en Irak et datent du IIIe millénaire avant J.-C.

Tous les amateurs de roulette rêvent un jour de faire sauter la banque. Mais cela a bien peu de chances de se produire, car tout est fait pour que le casino sorte gagnant, quoi qu'il arrive.

La chance de vous découvrir une relation commune en discutant avec quelqu'un qui vous est totalement étranger est elle aussi bien plus grande que vous ne le pensez. Grâce au développement des télécommunications, nos réseaux de relations sont bien plus étendus que ceux de nos ancêtres.

C'est ce qu'a tenté de démontrer un psychologue américain, qui s'est intéressé, avec le soutien de l'université de Harvard, à l'étendue des réseaux de relations des habitants de la ville de Wichita, dans le Kansas. Un certain nombre de personnes ont été choisies au hasard. On leur a remis une lettre adressée à une certaine Alice, épouse d'un étudiant en théologie résidant à Cambridge, dans le Massachusetts, à 2 250 km de là. Puis on leur a demandé de choisir parmi leurs relations celui ou celle qui serait à leur avis le plus susceptible de la connaître, et de lui expédier la lettre. Le premier destinataire devait à son tour faire la même opération, avec l'espoir qu'en bout de chaîne Alice finirait par recevoir sa missive.

Il a suffi de quatre jours pour qu'Alice reçoive sa première lettre. Un agriculteur de Wichita l'avait remise à un pasteur. Ce dernier l'avait envoyée à un de ses amis, pasteur à Cambridge, qui connaissait Alice personnellement et la lui avait donnée. Au total, il n'y avait eu que deux intermédiaires entre l'agriculteur et Alice. Au cours de l'étude, le nombre d'intermédiaires a varié de deux à dix, avec une moyenne de cinq.

Ces drôles de machines

Des voitures sans essence

Pourquoi les produits pétroliers, et surtout l'essence, ont-ils pris une telle importance dans notre société ? Cette dépendance coûte des sommes énormes à bien des pays. De plus, nous sommes condamnés à trouver des carburants de substitution, car les réserves de pétrole ne seront pas éternelles. Mais nous avons du mal à y parvenir alors qu'existent des produits de remplacement, à commencer par l'alcool et trois sortes de gaz : le butane, le propane et le méthane.

Voilà des lustres que l'on sait faire rouler les voitures à l'alcool. Certains bolides de compétition, par exemple ceux qui disputent les 500 miles d'Indianapolis, font le plein à l'alcool de bois, ou méthanol, de même que les humbles bennes à ordures de Tokyo ou d'Osaka. Au Brésil, qui s'est engagé dans un vaste programme de production d'alcool à bon marché à partir de la canne à sucre, plus de 80 % des voitures roulent à l'alcool de grain, ou éthanol. Tout comme le méthanol, ce dernier présente un indice d'octane élevé – ce qui rend inutile l'adjonction de plomb – et est un excellent carburant. Mais le principal inconvénient de ces alcools demeure leur coût prohibitif.

D'importants programmes de recherches sont en cours pour trouver le moyen de distiller à meilleur compte de grandes quantités d'alcool à partir d'un végétal donné. Cette mise au point d'un « carburant vert » présenterait bien des avantages. L'effet de serre serait supprimé, car chaque nouvelle récolte absorberait le gaz carbonique dégagé par la combustion de l'alcool issu de la récolte précédente.

Cela constituerait une source importante de revenus pour les agriculteurs, souvent durement touchés par la crise. Et, comme pratiquement chaque pays produirait son propre carburant, notre dépendance à l'égard des producteurs de pétrole du Proche-Orient appartiendrait au passé.

Le charbon, le pétrole et le gaz naturel peuvent donner de l'alcool à bon marché. Mais leur exploitation à cette fin présenterait des inconvénients évidents : elle épuiserait nos réserves de combustibles fossiles et ne ferait qu'aggraver l'effet de serre en augmentant les émissions de gaz carbonique. Cette objection est tout aussi valable pour les voitures qui roulent au gaz. Comme le gaz de pétrole liquéfié (GPL)coûte moins cher, quelques automobilistes ont fait transformer leurs véhicules pour pouvoir l'utiliser parallèlement à l'essence. En France, on compte environ 80 000 voitures équipées en bicarburation pour 650 000 en Italie et 300 000 aux Pays-Bas. Ce gaz est du butane, du propane ou

À Indianapolis, refaire le plein est une question de secondes. Toutes les voitures y roulent au méthanol, ou alcool de bois, généralement issu du méthane.

un mélange des deux, dans des proportions qui varient selon les pays et les saisons. Mais il est produit par raffinage du pétrole et dépend donc étroitement de la production pétrolière. Cela dit, comme le butane et le propane se liquéfient à des températures et à des pressions faciles à atteindre, leur intérêt est indéniable.

Le gaz naturel, directement extrait de gisements souterrains, est essentiellement du méthane. Aussi appelé gaz des marais, il est responsable des feux follets qui effrayaient tant nos ancêtres. Sa combustion dans les moteurs est propre, car son dégagement de gaz carbonique est inférieur d'environ 20 % à celui de l'essence. Mais il ne demeure liquide qu'à des températures très basses (environ – 250 °C) et à des pressions énormes. On peut le comprimer pour le stocker, mais le réservoir doit présenter une résistance à toute épreuve. Son utilisation demeure donc limitée à des véhicules lourds tels que les bus, les camions ou les engins de chantier. On ne compte dans le monde entier qu'environ 500 000 véhicules propulsés au gaz naturel.

Le plomb et l'essence

Si on ne connaît pas l'histoire de l'automobile, il peut paraître incongru d'ajouter du plomb à l'essence, car chacun sait aujourd'hui que ce métal est un poison. Sa combustion et son dégagement dans l'atmosphère sont particulièrement dangereux pour les enfants , car ils peuvent provoquer une inflammation des tissus nerveux cérébraux

Alors, pourquoi l'a-t-on utilisé ? L'adjonction de plomb à l'essence améliore la combustion de celle-ci et le rendement du moteur. Tout moteur à explosion fonctionne par compression d'un mélange d'air et de carburant mis à feu par l'étincelle des bougies (ou sous le seul effet de cette compression dans les moteurs Diesel). Plus les pistons compressent le mélange (c'est-à-dire plus le taux de compression est important), plus le rendement et la puissance du moteur sont élevés.

Mais la conception d'un moteur à forte compression présente une difficulté pratique : il a besoin d'une essence de bonne qualité, présentant un indice d'octane important. L'essence ordinaire brûle trop vite, ce qui fait « cogner » le moteur et lui inflige des contraintes considérables.

Le choix du carburant n'est pas aussi simple qu'il y paraît. Faut-il brûler de l'essence chère pour obtenir un bon rendement ou se contenter d'un rendement plus faible, mais avec un carburant moins onéreux ? Si on ajoute du plomb à de l'essence à faible indice d'octane, l'effet est magique : on obtient les mêmes résultats qu'avec des produits plus chers. La conclusion semblait donc évidente.

À Bangkok, la pollution est omniprésente, l'essence sans plomb n'étant guère répandue dans les pays pauvres. À long terme, cela risque de favoriser les affections cardiaques et cérébrales.

Malheureusement, on a fini par découvrir que cette économie était illusoire comparée aux risques de pollution atmosphérique et d'atteinte à la santé publique que représentent les dégagements de plomb des quelque 500 millions de véhicules dans le monde entier. La plupart des pays industrialisés ont donc entrepris de favoriser l'utilisation généralisée de l'essence sans plomb. Les moteurs qui l'utilisent ont des taux de compression moindres et risquent donc moins de « cogner ». Mais, comme leur rendement est moins bon, leur consommation en carburant est aussi plus importante. Par conséquent, ils ne dégagent certes plus de plomb, mais émettent davantage de gaz carbonique, ce qui contribue à accentuer l'effet de serre.

Pour « plomber » l'essence, les sociétés pétrolières y ajoutent un liquide, le tétraéthyle de plomb, qui s'échappe dans l'atmosphère par évaporation. Ses vapeurs extrêmement toxiques peuvent provoquer des symptômes voisins de la psychose, allant, dans le pire des cas, jusqu'à la folie. Prudence, donc, si vous utilisez de l'essence plombée, notamment pour nettoyer ou dégraisser des métaux.

Une odeur caractéristique

L'essence sans plomb a une étrange propriété : si on reste quelques minutes à un arrêt de bus, on finit par sentir une odeur bizarre d'œuf pourri ou de boule puante. Idem si on suit une voiture dans une côte. Quelle en est la cause et que peut-on y faire ?

Il y a deux coupables : le convertisseur catalytique de la voiture et le soufre contenu dans l'essence. Sans convertisseur catalytique, les gaz d'échappement du véhicule présenteraient une forte proportion de monoxyde de carbone, mortel à haute dose. Le convertisseur est un système antipollution monté près du collecteur d'échappement. Il transforme le monoxyde de carbone en gaz carbonique, élimine les hydrocarbures non brûlés et supprime les oxydes d'azote responsables des brouillards photochimiques.

Avec ou sans plomb, l'essence contient toujours du soufre, composant naturel du pétrole brut qu'il est difficile d'éliminer complètement au raffinage. Or, le convertisseur catalytique agit non seulement sur le monoxyde de carbone, mais aussi sur ce soufre. Il le transforme en hydrogène sulfuré, gaz présent dans les œufs pourris.

Si nous n'avons jamais perçu cette odeur auparavant alors que l'automobile est maintenant centenaire, c'est parce que les voitures roulant à l'essence plombée n'ont pas de convertisseur catalytique : il serait vite détruit par le plomb présent dans le carburant. Renoncer au convertisseur catalytique impliquerait une augmentation de la pollution. De plus, on peut s'interroger sur l'intérêt de transformer le monoxyde de carbone en gaz carbonique, et donc d'augmenter les rejets de celui-ci dans l'atmosphère. Comme il contribue à l'effet de serre, les conséquences à long terme peuvent être graves.

Il est intéressant de signaler que l'hydrogène sulfuré, s'il sent peut-être mauvais, n'est pas toxique à faible dose, à la différence des gaz d'échappement riches en plomb.

Des batteries sans entretien

Vous avez sûrement remarqué que les pompistes aujourd'hui ne proposent plus guère de contrôler le niveau d'eau des batteries. Cette vérification était pourtant systématique.

L'explication réside dans la généralisation des batteries sans entretien. Autrefois, il fallait compléter périodiquement le niveau de la batterie en y ajoutant de l'eau distillée. Ce n'était pas parce que le liquide s'évaporait, mais parce que la batterie bouillonnait. À chaque démarrage, ou si on oublie d'éteindre les phares, la batterie perd un peu de l'électricité qu'elle contient. Mais elle se recharge quand le moteur tourne. Dans une batterie de modèle ancien, ce processus sépare l'hydrogène et l'oxygène, éléments constitutifs de l'eau. Cela augmente légèrement la pression interne, si bien que ces gaz s'échappent sous forme de bulles et que le niveau d'eau baisse.

Une batterie classique fonctionne avec des plaques de plomb contenant 10 % d'antimoine, afin d'en améliorer la robustesse. Or, c'est l'antimoine qui est responsable du bouillonnement cité plus haut. Dans une batterie sans entretien, il est remplacé par du calcium, et le bouillonnement est faible. Sur un tel modèle, une baisse du niveau d'électrolyte est due à une défaillance de l'alternateur ou du régulateur. Il signifie que la batterie se recharge à une tension supérieure à 15 V.

Quand la batterie est à plat

Les piles sèches de votre lampe-torche ou de votre poste de radio s'épuisent peu à peu : la lumière s'affaiblit et le son devient inaudible. Ces piles ne peuvent pas être rechargées (sauf s'il s'agit de modèles prévus pour cela). Pourtant aussi utilisée pour stocker de l'électricité, la batterie à électrolyte liquide de votre voiture peut se recharger à volonté.

Elle comporte le plus souvent six éléments produisant chacun 2 V. Chaque élément contient des plaques positives et négatives (électrodes) disposées en alternance : les positives sont remplies de bioxyde de plomb, et les négatives de mousse de plomb. Toutes sont immergées dans l'électrolyte, un fluide conducteur généralement composé de deux tiers d'eau distillée et d'un tiers d'acide sulfurique. Les réactions chimiques entre les électrodes et l'électrolyte produisent de l'énergie électrique. Le processus commence lorsqu'un circuit électrique est mis en place entre les bornes reliées à chaque élément, par exemple quand on allume les phares. Le bioxyde de plomb de l'électrode positive commence alors à se dissoudre lentement dans l'électrolyte. En se dissociant, ses atomes dégagent des ions positifs dans le liquide, et des électrons dans les fils électriques branchés sur la borne positive. La mousse de plomb de l'électrode négative ne se dissout pas autant, mais elle perd des électrons et gagne des ions positifs dans l'électrolyte. En traversant le circuit électrique pour compenser le déficit de l'électrode négative, le flux constant d'électrons issu de l'électrode positive forme le courant électrique.

Ces réactions chimiques ont aussi pour conséquence de transformer les deux ensembles d'électrodes en sulfate de plomb et l'acide sulfurique en eau. Quand le moteur tourne, l'alternateur renvoie le courant électrique dans la batterie et le processus chimique est inversé, ce qui maintient le bon état des plaques et la concentration en acide sulfurique.

Si vous n'utilisez pas votre voiture pendant un certain temps, vous n'arriverez peut-être pas à la faire repartir. C'est parce que la réaction chimique entre électrodes et électrolyte se poursuit, certes très lentement, même quand la batterie n'est pas sollicitée. Comme le moteur ne tourne pas, l'alternateur ne peut pas faire son travail, et la batterie se décharge.

Question de boîte

Comment se fait-il que, depuis que l'automobile existe, aucun inventeur génial n'ait encore trouvé un moyen de supprimer la boîte de vitesses ? Même les boîtes automatiques semblent parfois hésiter, comme si elles ne savaient pas exactement quel rapport choisir. Et des millions d'automobilistes dans le monde continuent à préférer la boîte manuelle, quitte à la faire grincer ou à la brutaliser de temps en temps.

Le principe du moteur automobile exige la présence d'une boîte de vitesses. Vous connaissez peut-être le terme de « couple », abondamment utilisé dans la publicité des constructeurs. Mesuré en newtons-mètres (N·m), il désigne la force de rotation produite par le moteur pour faire tourner les roues. Plus il est important, plus l'accélération est rapide.

Pour arracher la voiture à l'immobilité et lui faire parcourir quelques mètres en première, le moteur devra fournir plus d'efforts que pour maintenir une vitesse de croisière constante en cinquième. Un moteur ne peut en effet produire un couple important que s'il tourne déjà relativement vite. La plupart ne commencent à donner le meilleur d'eux-mêmes qu'à partir de 2 000 ou 3 000 tours par minute. C'est à ces régimes qu'ils fournissent leur couple maximal. Au-delà, le couple diminue.

L'accélération d'une voiture dépourvue de boîte dépendrait d'abord de la vitesse atteinte. L'accélération ne serait satisfaisante que quand la voiture roulerait assez vite pour que le couple soit suffisant. Les pignons d'une boîte de vitesses peuvent être comparés à des leviers ou à des poulies : tout comme ceux-ci démultiplient votre force pour soulever de lourdes charges, la première vitesse permet d'exploiter au mieux les ressources du moteur en le faisant tourner assez vite, tout en roulant lentement.

À moins de mettre au point un moteur radicalement nouveau, la disparition de la boîte de vitesses n'est pas pour demain.

PREMIÈRE VITESSE

pignon primaire

pignon secondaire

VITESSE INTERMÉDIAIRE

VITESSE SUPÉRIEURE

Demi-essieu (ou demi-arbre)

Arbre de transmission

Boîte de vitesses

Embrayage

Moteur

La puissance d'une voiture parvient aux roues par l'intermédiaire de la transmission. Si une vitesse est engagée, le pignon primaire actionné par le moteur entraîne le pignon secondaire actionnant l'arbre de transmission. En première, il faut trois tours de pignon primaire pour obtenir un seul tour de pignon secondaire, si bien que l'entraînement de la voiture exige moins d'efforts.

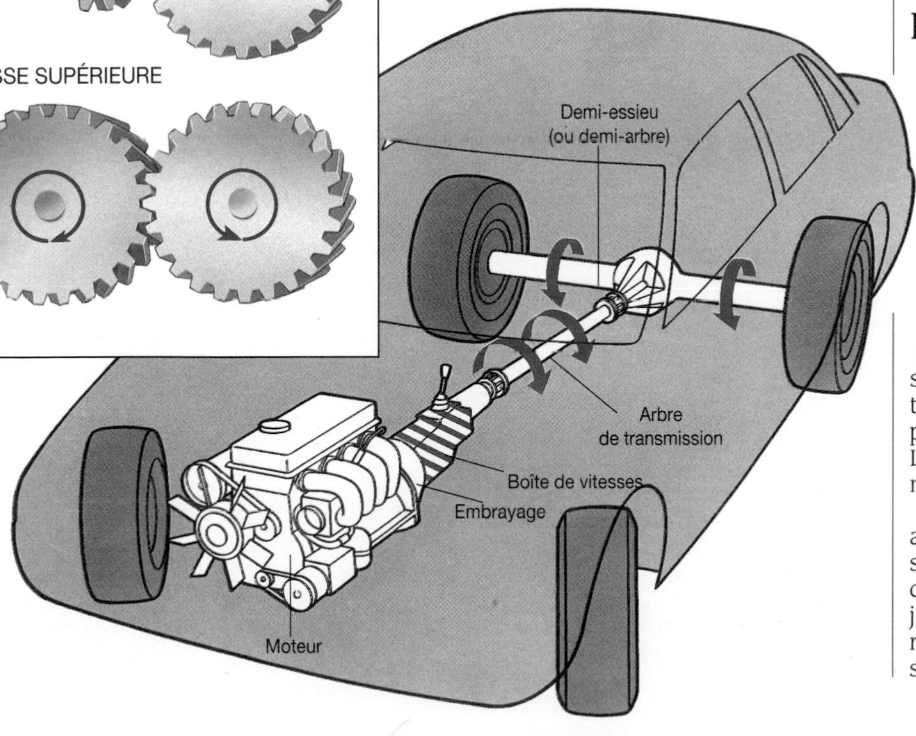

Du cerf-volant au feu rouge

Les signaux ferroviaires ont largement précédé les signaux routiers. Dès le début du XIXe siècle, les chemins de fer ont eu recours, en guise de feux rouges ou verts, à une boule et à une sorte de cerf-volant de toile. Hissé à un mât de signalisation, ce dernier annonçait un danger. En revanche, la boule signifiait que la voie était libre.

Le sémaphore s'est généralisé vers 1841 : à l'horizontale, son bras de signalisation ordonnait au mécanicien de s'arrêter. À 45°, il lui enjoignait de rouler avec précaution. À la verticale, tout allait bien. Les signaux étaient peints en rouge pour mieux attirer l'attention des cheminots.

La nuit, une lampe à pétrole s'ajoutait au sémaphore. Si elle était rouge, il fallait s'arrêter. Si elle était blanche, on pouvait continuer. Vers 1872, on ajouta une lampe jaune pour demander aux chauffeurs de rouler avec précaution jusqu'au prochain signal et d'y attendre les instructions. En

1893, le feu vert remplaça le blanc pour éviter la confusion avec l'éclairage urbain ou celui des particuliers.

Avec l'électrification des signaux, à la fin du XIXe siècle, le feu rouge devint synonyme d'arrêt, l'orange de prudence et le vert de voie libre. Tout naturellement, ces couleurs ont ensuite été appliquées à la signalisation routière.

Gloire posthume

Le macadam qui recouvre nos routes est utilisé depuis près d'un siècle et demi. Il doit son nom à l'ingénieur John Loudon McAdam, qui n'en est pourtant pas l'inventeur : le macadam n'est en effet apparu qu'en 1854, dix-huit ans après sa mort.

Le Britannique E. P. Hooley avait remarqué que le contenu d'un fût de goudron renversé s'était solidifié en une masse dure et plane. Il en déduisit qu'en les goudronnant on pouvait imperméabiliser les chaussées conçues par McAdam, allonger leur durée de vie et rendre les voyages plus aisés et plus rapides.

Le procédé de McAdam avait été utilisé pour la première fois en 1815 sur les routes d'Angleterre. Jusqu'alors, les techniques de construction routière n'avaient guère évolué depuis les voies romaines. L'état des routes était si lamentable que les malles-poste ne pouvaient guère dépasser la vitesse d'un homme au pas. Et, quand il pleuvait, elles s'embourbaient.

McAdam imagina d'améliorer les routes en posant d'abord une couche de fondation en pierres d'environ 5 cm d'épaisseur. Venait ensuite de la caillasse plus fine, que l'on damait pour bien la stabiliser, et une ultime couche de gravillons peu à peu réduits en poussière par les charrois, ce qui comblait les interstices.

L'invention de McAdam permit pratiquement de doubler la vitesse des diligences. Quant à l'adjonction de goudron, elle diminua le nombre des nids-de-poule et permit la construction de nos voies à grande vitesse.

Des bolides aux pneus lisses

En voyant une voiture de compétition prendre un virage en épingle à cheveux très rapidement, on pourrait croire que ses pneus ont un dessin d'une remarquable efficacité. Erreur ! Ils sont au contraire complètement lisses, sans aucun sillon pour accrocher la route.

Large et conçu pour la vitesse, un pneu de compétition adhère mieux aux routes sèches. Mais celui des voitures de tourisme peut affronter la pluie.

Les pneus des voitures ont deux fonctions. En faisant office de coussins, ils contribuent à absorber les irrégularités de la route. Mais ils donnent aussi au véhicule une bonne adhérence sur un sol parfois glissant. Les sillons taillés dans le caoutchouc jouent le rôle d'éponges en absorbant l'humidité de la chaussée.

Grâce à la vitesse, ils évacuent l'eau en la propulsant vers l'arrière. Chaque pneu rejette ainsi par temps de pluie quelque 5 l d'eau par seconde, ce qui permet de maintenir l'adhérence.

Comme les grands prix automobiles ont le plus souvent lieu sur sol sec (une pluie torrentielle peut entraîner une annulation de l'épreuve), les écuries de course choisissent des pneus « slicks », c'est-à-dire lisses. Cela permet un contact maximal avec la piste, d'autant plus qu'ils sont très larges. Si une averse survient, on les remplace par des pneus munis de sillons. Mais malheur au pilote s'il tarde à s'arrêter pour faire l'échange : une pellicule d'eau se forme devant les pneus et les fait décoller. C'est ce que l'on appelle l'aquaplaning : la voiture ne fait que patiner sur l'eau. Le risque de perte de contrôle et d'accident est alors énorme.

John Loudon McAdam (à gauche). L'accroissement de la vitesse et du poids des véhicules exigea des réparations constantes (médaillon du bas : une équipe de cantonniers new-yorkais à l'œuvre au début du siècle). Mais, aujourd'hui, le béton rend les autoroutes plus durables et un train routier peut fabriquer 300 m de chaussée par jour.

Pour être au courant

Le temps est sec, et vous portez une veste de Nylon et des chaussures à semelles de caoutchouc. Vous vous glissez hors de la voiture, vous descendez et, au moment de fermer la portière, une étincelle jaillit entre votre main et la poignée, au point de vous envoyer dans les doigts un picotement parfois douloureux.

En vous frottant contre le siège pour sortir, vous avez formé une charge d'électricité

UN CAUCHEMAR D'AUTOMOBILISTE

Il suffit d'avoir été pris dans un embouteillage pour se rendre compte qu'il y a trop de voitures en circulation. Et tous les voyageurs savent que certains pays ont des routes plus encombrées que d'autres.

Mais que se passerait-il si, hypothèse cauchemardesque, tous les véhicules d'un pays donné se retrouvaient brusquement en même temps sur la route ?

Pour en avoir une idée, il suffit de diviser la longueur du réseau routier par le nombre de véhicules. On voit alors que l'Italie, dont les embouteillages comptent déjà parmi les plus grandioses du monde, ne serait pas vraiment à la fête. À supposer que ses 25,5 millions de véhicules soient équitablement répartis sur le réseau routier italien (ce qui tiendrait du miracle), chacun d'eux aurait moins de 12 m pour évoluer. Avec 14 m pour chacun de ses 25 millions de véhicules, la Grande-Bretagne serait à peine mieux lotie bien que sur un réseau plus important.

Malgré leur gigantisme, les États-Unis n'échapperaient pas non plus à la congestion : 33 m par véhicule. Leur réseau routier totalise 6,23 millions de kilomètres, ce qui en fait le plus long du monde. Mais leur passion pour l'automobile est telle qu'ils comptent aussi 186,5 millions de véhicules, soit trois fois plus que le Japon et, en moyenne, 1 pour 1,3 personne. Pour se déplacer, les Américains comptent beaucoup moins sur les transports publics que sur les voitures particulières, si bien que la proportion de ces dernières sur le parc total est beaucoup plus élevée (77 %) que dans les autres pays. Et elles roulent plus : l'Américain moyen parcourt plus de 12 500 km par an, soit deux fois plus que les Français.

Dans les immensités de l'Australie, les perspectives sont un peu moins sombres. Ses 9,4 millions de véhicules disposeraient de 91 m de route chacun, à supposer qu'ils puissent s'échapper des villes pour en profiter. Dans le monde occidental, la verte Irlande est finalement la mieux placée, avec 111 m de route par véhicule, pour profiter au mieux de la liberté que l'automobile est censée procurer.

Les embouteillages ne datent pas d'hier, comme le prouve cette photo d'une rue de Chicago en 1905. Mais ils présentent au moins l'avantage de nous obliger à concevoir des villes moins dépendantes de l'automobile.

statique. Ce phénomène fait aussi crépiter certains vêtements quand on les enlève et arrache parfois des étincelles aux cheveux quand on se peigne. Il a été observé bien avant que l'électricité soit comprise et maîtrisée. Des personnes à la peau anormalement sèche peuvent ainsi provoquer des décharges de 30 000 V.

Le glissement de vos vêtements sur le siège vous a transformé en une sorte de centrale électrique humaine, dont la charge d'électricité ne demandait qu'à s'échapper. C'est ce qui s'est passé quand vous avez touché la portière. Les électrons de votre corps en ont profité pour s'étaler sur une surface bien plus importante : la voiture. Et ils y restent, car les pneus de caoutchouc isolent la carrosserie du sol et les empêchent de s'échapper vers la terre, surface plus importante encore par définition.

La superbe coiffure punk de cet homme n'est que passagère : elle est due au générateur d'électricité statique qu'il touche dans un musée des sciences.

La secousse que l'on ressent dépend de plusieurs facteurs. D'abord, l'état des pneus. S'ils sont neufs, ils isolent mieux que s'ils sont usés, car leur surface de contact avec le sol est moindre. Ensuite, le temps. Par temps humide, l'isolation des pneus disparaît. Par temps sec, vous constituez une charge électrique que vous avez tendance à conserver. Si vos vêtements sont bien isolants, ce qui est le cas de la plupart des textiles synthétiques, surtout fraîchement lavés, votre électricité statique augmentera. Des semelles de caoutchouc ou d'un matériau synthétique amélioreront encore cette isolation, alors que des semelles de cuir laissent l'électricité statique s'échapper dans le sol à la descente de voiture.

En 1967, les automobilistes de Stockholm en ont été tout retournés : comme toute l'Europe continentale, la Suède s'est mise à rouler à droite.

À droite ou à gauche ?

En l'an 1300, le pape Boniface VIII réaffirma à la chrétienté que « tous les chemins mènent à Rome ». Mais il enjoignit aussi aux pèlerins qui s'y rendraient de marcher sur le côté gauche des routes. Le Saint-Père ne savait sans doute pas dans quelle controverse il engageait les siècles à venir. De toute façon, les pèlerins marchaient déjà à gauche. Mais l'édit du pape donna à leur coutume pratiquement force de loi et détermina pendant des siècles la conduite à tenir.

Le raisonnement moderne (à savoir qu'il vaut mieux faire face aux voitures arrivant en sens inverse) n'était pas celui de l'époque. Les cavaliers empruntaient eux aussi le côté gauche : ils enfourchaient pour la plupart leur monture par la gauche, et des montoirs pour les y aider étaient disposés de ce côté.

Monter par la gauche était aussi plus facile pour les hommes d'armes : de la sorte, ils n'étaient pas gênés par leur épée, qu'ils portaient en très grande majorité accrochée au flanc gauche puisqu'ils la maniaient de la main droite. Il fallait encore penser aux mauvaises rencontres : en chevauchant du bon côté, il était beaucoup plus facile de pourfendre les bandits.

Circuler à gauche était l'habitude de la plupart des pays et le demeura jusqu'à la Révolution française. Sous la Terreur, Robespierre ordonna aux cochers parisiens de rouler à droite, apparemment dans le seul but de défier l'Église. Quelques années plus tard, Napoléon Bonaparte enjoignit à ses armées de faire de même. Étant gaucher, il considérait cet ordre comme tout naturel. Mais comme il fallait bien éviter les collisions, les civils furent contraints de se plier au même usage.

Isolée de ces influences par son insularité, la Grande-Bretagne n'était pourtant pas épargnée par les controverses. Au début du XIXe siècle, l'écrivain et orateur Henry Erskine y proclama doctement :

> « L'usage de la route est bien paradoxal,
> Que ce soit en carriole, que ce soit à [cheval :
> Rester à gauche, ce sera à bon droit,
> Rester à droite serait grand tort, ma foi. »

Outre-Manche, la conception des véhicules plaidait pour le maintien de la circulation à gauche. À la différence des modèles d'Europe continentale et d'Amérique, les chariots de marchandises avaient un siège de cocher. Il était disposé à droite pour que son utilisateur, le plus souvent droitier, puisse manier son fouet sans être gêné par le chargement placé derrière lui. Ainsi, il préférait croiser les autres chariots par la gauche pour mieux évaluer l'écart sur route étroite.

L'usage s'étendit à tout l'Empire britannique. Au début des années 1800, Singapour et Hongkong reçurent l'ordre de rouler à gauche. En 1859, le Japon, grand admirateur de l'Angleterre victorienne, décida d'en faire autant. Les Philippines et la Chine lui emboîtèrent le pas (la Chine opta pour la circulation à droite en 1946). Si bien qu'aujourd'hui la majeure partie de l'Asie circule toujours sur la gauche.

Pourquoi les États-Unis, ancienne colonie britannique, roulent-ils à droite ? L'habitude s'est sans doute installée à la fin du XVIIIe siècle, avec l'utilisation de grands chariots de marchandises tirés par six ou huit chevaux attelés par paires. Parmi ceux-ci figuraient les fameux chariots de la Conestoga. Conçus pour le transport du blé entre la vallée de la Conestoga, en Pennsylvanie, et les villes de la région, ils n'avaient pas de siège de cocher. Le conducteur montait le dernier cheval de gauche, d'où il contrôlait tout l'attelage, conformément à l'usage alors en vigueur dans toute l'Europe. Quand deux chariots se croisaient sur une piste étroite et défoncée, il était commode de serrer à droite, ce qui permettait de contrôler l'écart disponible.

Aujourd'hui, sur au moins 230 pays et territoires indépendants, à peine le quart circule à gauche. Trois des pays les plus peuplés du monde (la Chine, les États-Unis et l'ex-URSS) roulent à droite, de même que tous les pays d'Europe, excepté la Grande-Bretagne, l'Irlande et Malte.

Dernièrement, la Suède, l'Islande, la Birmanie, le Nigeria et Bahreïn sont passés de la gauche à la droite. Mais Okinawa et le Timor oriental ont fait l'inverse.

En Grande-Bretagne, l'intégration européenne a relancé le débat, de même que la construction du tunnel sous la Manche. De quel côté devait-on y circuler ? Le problème a été vite tranché : de toute façon, voitures et camions y prendront le train. De plus, les automobilistes du royaume ne sont guère partisans d'un changement, et le contribuable a encore moins envie d'assumer le coût énorme qu'impliquerait inéluctablement un changement du côté de circulation.

La pollution au ralenti

Le tuyau d'échappement d'une voiture à essence moyenne émet au moins 100 produits chimiques différents. Certains contribuent au brouillard photochimique qui empoisonne et souille tant de nos grandes villes.

Un moteur de voiture dégage de l'énergie en brûlant un mélange d'essence et d'air. Si la voiture est froide, celui-ci se vaporise mal et sa répartition dans les cylindres est inégale. Donc, l'échappement rejette dans l'air davantage de carburant non brûlé et la pollution est importante, surtout si la voiture est mal réglée. Tous les moteurs à essence récents sont pourvus d'un convertisseur catalytique, dispositif conçu pour réduire le nombre de substances polluantes dans les gaz d'échappement. Son efficacité est maximale si le moteur est chaud et la proportion air-essence correcte. Mais, si le moteur tourne au ralenti, la température des gaz d'échappement diminue et le convertisseur catalytique n'élimine que les hydrocarbures qui s'oxydent facilement.

Il faut aussi tenir compte de la congestion permanente de nos villes. Dans un embouteillage, la pollution est plus forte car, sans le vent de la vitesse, les gaz dégagés par les moteurs tournant au ralenti se dispersent mal. On peut réduire le problème grâce à un coupe-circuit électronique arrêtant automatiquement le moteur dès que la voiture reste immobilisée trop longtemps (il redémarre par pression sur l'accélérateur). Mais ce dispositif déjà relativement ancien n'a jamais eu de grand succès commercial.

Pour moins polluer, il faut surtout veiller au bon réglage du moteur et au bon état du thermostat de refroidissement, pour que la montée en température soit rapide. Dans les embouteillages, on peut aussi couper le contact dès que l'arrêt dépasse quelques minutes.

Photo humoristique prise d'un hublot du Hood, *un navire de guerre anglais coulé par les Allemands en 1941.*

Mille sabords !

Ce vigoureux juron maritime popularisé par Hergé via le capitaine Haddock a des origines résolument guerrières.

Quand les navires étaient propulsés à l'aviron, leurs flancs étaient particulièrement vulnérables : pour les mettre hors de combat, on s'attaquait aux rames ou aux rameurs. Tout l'art du combat naval était alors d'éperonner l'ennemi par le travers grâce au rostre de bronze prolongeant l'étrave des galères.

Au XVIe siècle, le canon lourd révolutionna la guerre sur mer. Désormais, le vaisseau attaquait en présentant son flanc et en ouvrant le feu. Mais, s'il y avait beaucoup de canons sur le pont, il devenait instable. Pour résoudre ce problème, James Baker, architecte naval du roi Henri VIII d'Angleterre, imagina d'installer plusieurs rangées de canons superposées dans les entreponts des navires. Pour cela, il fit percer les bordées et fermer les orifices par de solides panneaux de bois montés sur charnières. On ne les relevait qu'au combat ou par beau temps, afin d'éviter d'embarquer des paquets de mer. On les appela sabords, mot d'origine assez obscure. Le premier vaisseau à en être équipé fut sans doute la *Mary Rose*, qui sombra en 1545 en quittant Portsmouth pour livrer bataille à la flotte française et ne fut renflouée qu'en 1982.

Depuis ces origines belliqueuses, le sabord a donné naissance à l'inoffensif hublot : il en est directement inspiré, mais n'a plus pour fonction que d'éclairer et d'aérer cargos et paquebots.

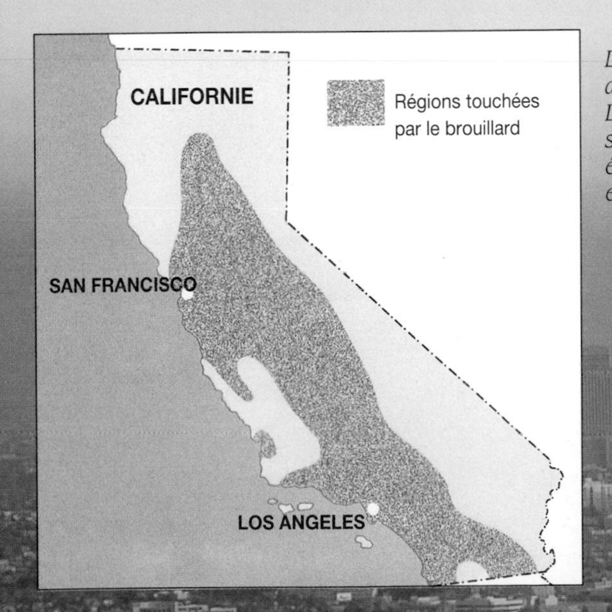

La Californie bat tous les records en ce qui concerne l'importance tant du parc automobile que de la consommation d'essence et du brouillard photochimique. Los Angeles baigne trop souvent dans une brume brunâtre due à l'action du soleil sur les gaz polluants. Cette carte montre l'étendue du problème. Mais la situation évolue : l'État compte réduire les hydrocarbures de 90 %, améliorer les transports en commun et dissuader les gens de prendre leur voiture.

Bâbord et tribord

L'usage des mots bâbord et tribord est, comme la totalité du langage maritime, dicté par un souci de précision. Bâbord désigne tout simplement la gauche du navire, et tribord la droite – du moins si on regarde vers l'avant. Est-ce par snobisme que les marins ont renoncé à dire gauche ou droite ? Pas du tout : c'est pour éviter toute confusion dans les ordres destinés aux marins qui, installés à l'avant, regarderaient vers l'arrière.

Quant à l'origine de ces deux termes, elle est beaucoup plus simple qu'on pourrait le croire. Ce n'est qu'un procédé mnémotechnique inspiré des « batteries » de canons installées sur les grands voiliers de jadis : à la lecture du mot batterie, la syllabe « ba » se trouve à gauche et « tteries » à droite. Du reste, la marine moderne utilise couramment l'ordre « barre à droite » ou « barre à gauche » : de toute façon, le timonier est forcément placé derrière la barre (que les terriens appellent à tort gouvernail, terme désignant l'ensemble du système de direction), et il n'y a donc aucun risque de confusion.

Nœuds de marin

Le calcul de la vitesse d'un navire ou d'un avion en nœuds vient d'une méthode très ancienne, mais précise.

Pour la connaître, le plus simple était jadis de mesurer le temps que mettait un objet flottant dans l'eau pour aller de la proue à la poupe. Mais on pouvait faire mieux en larguant derrière le bateau un flotteur appelé loch, fixé à une ligne comportant des nœuds régulièrement espacés qu'un marin laissait filer dans sa main. Il suffisait de compter le nombre de nœuds filés pour connaître la distance parcourue en un écoulement de sablier (faute de montre), et donc la vitesse du navire. Cette donnée était vitale à l'époque de la navigation à l'estime car, sans sextant, c'était le seul moyen de connaître la position au large.

Le nœud a fini par désigner une vitesse de 1 mille marin par heure. Le mille correspond à la distance représentée à la surface du globe par une minute de latitude (soit 1/60 de degré). C'est une unité logique, puisque la position d'un navire se calcule toujours en degrés de latitude et de longitude. Compte tenu de tout cela, le mille marin équivaut à 1 852 m, du moins par convention, car, comme la Terre n'est pas parfaitement sphérique, la minute de latitude varie légèrement du pôle à l'équateur. Un navire qui file 10 nœuds avance donc à 18,52 km/h.

Des enquêteurs américains examinent les boîtes noires (en fait orange) d'un Boeing 707 colombien qui s'est écrasé à l'approche de New York. Les renseignements qu'elles contiennent sont essentiels pour savoir ce qui s'est passé.

La boîte noire

Si souvent mentionnée en cas de catastrophe aérienne, la boîte noire ne joue aucun rôle dans la propulsion de l'avion. Sa seule fonction est d'aider les enquêteurs à découvrir la cause d'un accident, et peut-être d'en empêcher d'autres.

Un avion de ligne comporte en fait deux boîtes noires en acier. La première enregistre les données de vol (vitesse, direction et altitude de l'avion, et toute information relative au parcours). L'autre enregistre les conversations du poste de pilotage sur une bande magnétique disposée en boucle, c'est-à-dire à défilement perpétuel, et conserve ce qui s'est dit pendant la demi-heure ou l'heure précédant l'accident. Toutes deux sont ignifugées, résistent à des chocs très violents et sont presque toujours peintes en jaune ou en orange pour être plus facilement repérables dans les débris d'une épave.

Dans ce cas, pourquoi les appeler boîtes noires ? Le terme n'est pas limité à l'aviation. Dans l'industrie, il désigne aussi tout appareil non essentiel au fonctionnement d'un système.

À tire d'aile

Tous les avions modernes sont des monoplans, car les architectes considèrent leurs deux ailes comme une seule surface. Mais, à l'aube de l'aviation, ils avaient le plus souvent deux paires d'ailes (biplans), voire trois (triplans) ou même davantage afin d'augmenter leur surface de sustentation. Mais cela accroissait aussi leur résistance à l'avancement. De plus, il fallait toute une forêt d'entretoises pour maintenir la cohésion de ces fragiles constructions de toile à ossature de bois. Cela ralentissait l'avion et lui faisait consommer plus de carburant. En fait, ces machines étaient si peu fiables que plus du tiers des pertes aériennes de la Première Guerre mondiale est dû à des accidents ou à des pannes, et non à l'ennemi.

Pour améliorer leur portance, les monoplans avaient besoin de moteurs plus efficaces et présentant un meilleur rapport poids/puissance. Ces mécaniques bourrées de chevaux exigeant des carcasses plus solides, on délaissa la toile au profit de l'aluminium et des alliages légers. Cela permit aussi de dessiner des carlingues plus fuselées, et les avions à deux ailes ne tardèrent pas à dominer le ciel.

Manfred von Richthofen, alias le Baron rouge, pilotait un triplan Fokker Dr. I pendant la Première Guerre mondiale. Au fond, un biplan Sopwith Pup.

CES MERVEILLEUX FOUS VOLANTS...

La mythologie grecque attribue le premier vol de l'humanité au jeune Icare et à son père, Dédale, qui, pour s'évader de Crète, se fabriquent des ailes en se collant à la cire des plumes sur les bras et s'envolent de leur prison. Dédale vole avec prudence et régularité jusqu'en Sicile, mais Icare, grisé et brûlant de rivaliser avec les aigles, s'aventure trop près du soleil. La cire fond, ses plumes tombent, et il trouve la mort en mer Égée.

Le mythe d'Icare inspirera tous les visionnaires de l'histoire, à commencer par Léonard de Vinci, dont les carnets comportent plusieurs projets de planeurs et d'hélicoptères. Mais les premiers à passer du rêve à la réalité sont deux Français, Pilâtre de Rozier et le marquis d'Arlandes, qui s'envolent le 21 novembre 1783 à bord d'une montgolfière conçue par... les frères Montgolfier. La France occupe d'ailleurs une place de choix dans l'histoire de l'aéronautique. Dès 1852, Henri Giffard fait voler un dirigeable gonflé à l'hydrogène et propulsé à la vapeur.

En 1890, son compatriote Clément Ader fait un bond de 50 m de long (mais de quelques centimètres de haut...) à bord du premier avion à moteur du monde, *Éole Ier*. Sept ans plus tard, il réussit un vol de 300 m dans son bimoteur *Avion III*, qu'une bourrasque projette, hélas, au sol.

En fait, les premiers vols de « plus lourds que l'air » vraiment maîtrisés sont dus aux Américains Orville et Wilbur Wright, qui, le 17 décembre 1903, réalisent sur *Flyer I* quatre décollages de douze à cinquante-neuf secondes en Caroline du Nord.

Un siècle après l'exploit de Clément Ader, l'homme vole sur des engins aussi divers que le deltaplane, l'avion à pédales ou le supersonique Concorde. Le supersonique civil ne s'est toutefois pas imposé. Les transports aériens sont dominés par des gros porteurs tels que le Boeing 747, qui transporte 500 personnes à 980 km/h sur 10 000 km.

Sa version la plus grande atteint 71 m de long sur 65 m d'envergure, mais les constructeurs ont des projets plus ambitieux encore. Par exemple, un avion de 600 places mesurant 85 m de long pour 60 m d'envergure, avec un rayon d'action de 13 000 km. Ou encore un gros porteur dont les 1 000 passagers seront répartis sur trois niveaux.

Leur exploitation compliquera certainement un peu plus l'accueil des passagers et des bagages aux aéroports, dont la surface pose déjà problème aux abords des grandes villes. Mais peut-être pourra-t-on un jour la réduire si l'aviation civile réussit à se passer des pistes grâce au décollage vertical, déjà pratiqué par les hélicoptères et certains avions militaires.

*Les idées des pionniers de l'aviation paraissent souvent excentriques de nos jours. En 1897, l'*Avion III* de Clément Ader avait un moteur à vapeur (à droite). Dix ans plus tard, Jacob Ellehammer (en médaillon) fit décoller son triplan. En 1908, le comte d'Ecquevilly essaya un étrange engin à douze ailes, mais sans empennage.*

Voyages de haut vol

La plupart des avions de ligne actuels volent à environ 10 000 m d'altitude. Pour le confort et la sécurité des passagers, ils évitent ainsi la majeure partie des tempêtes et des turbulences présentes aux niveaux inférieurs. De plus, les réacteurs fonctionnent mieux dans l'air raréfié des hautes altitudes, qui oppose aussi moins de résistance à l'avancement des avions. Ceux-ci peuvent donc voler plus loin et plus vite avec la même quantité de carburant. Certes, il faut brûler beaucoup de kérosène pour monter aussi haut, mais ce surcroît de consommation est largement compensé par l'économie réalisée ensuite. En fait, l'altitude optimale d'un avion est celle qui assure le meilleur compromis entre ascension et avancement.

Naturellement, bien d'autres facteurs entrent en jeu, notamment la taille et la forme des ailes. Plus elles favorisent la vitesse et le rayon d'action, plus la piste d'atterrissage doit généralement être longue, l'appareil se présentant à vitesse élevée.

Bagages dangereux

Les gens qui prennent l'avion y transportent les objets les plus incongrus. En 1983, en Grande-Bretagne, on a ainsi découvert 144 flacons d'acide nitrique dans les bagages d'un voyageur. Sur un vol de Londres au Pakistan, un autre a sorti en plein ciel un petit réchaud à gaz pour préparer tranquillement le repas des siens. Deux autres encore transportaient 960 briquets jetables dans leur sac de cabine, et 163 dans leurs valises de soute.

Anodins au sol, les briquets jetables peuvent devenir redoutables à bord d'un avion. Ils contiennent un gaz sous pression très inflammable. Dans certaines circonstances, la température de la carlingue risque d'atteindre 55 °C, ce qui dilate le gaz et peut provoquer ou aggraver une fuite. Sous l'effet constant des vibrations, la molette risque d'arracher à la pierre une étincelle qui mettra le feu au gaz. Une défaillance du système de pressurisation de la carlingue peut même faire exploser le briquet (idem pour les bombes aérosol), avec les conséquences catastrophiques que l'on devine. Quant aux pochettes d'allumettes, qui peuvent aussi s'enflammer sous l'effet des vibrations, elles sont interdites à bord.

Scénario improbable ? Pas tellement. Plus de 50 incendies, mortels pour la moitié, ont ainsi éclaté à bord d'avions de ligne depuis trente ans.

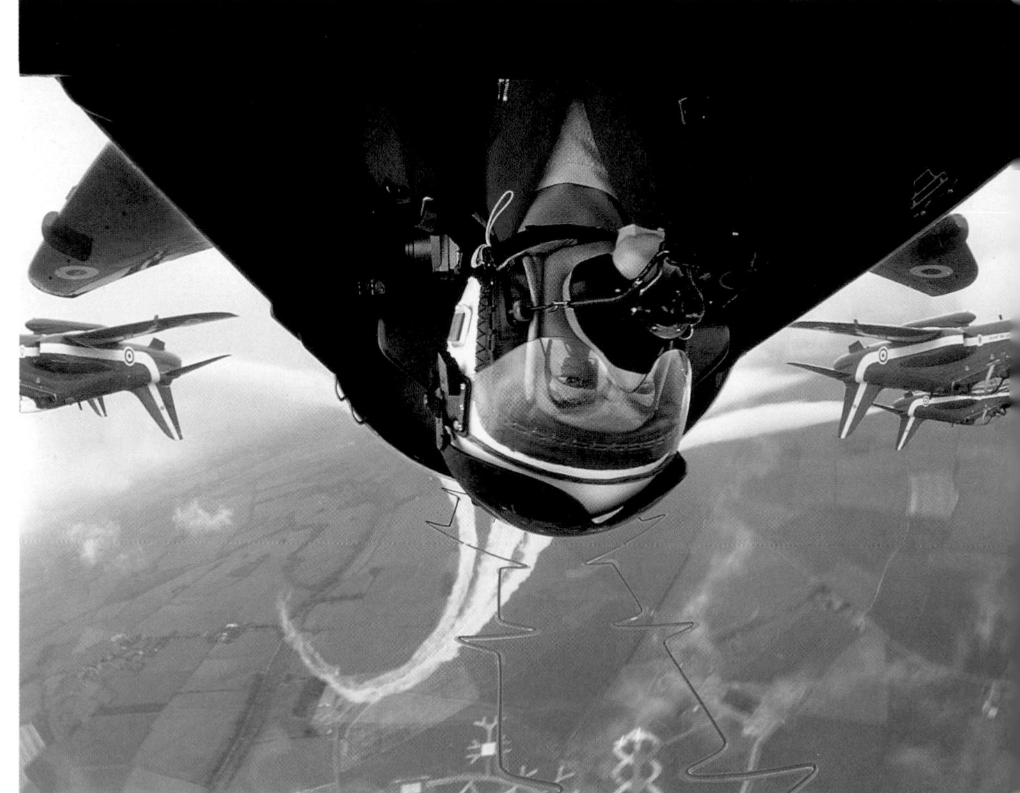

La patrouille britannique des Red Arrows est aussi à l'aise en vol inversé qu'en mission normale. Aujourd'hui, la formation de tous les pilotes militaires passe aussi par l'acrobatie aérienne.

Tête en l'air et tête en bas

Au décollage, une aile d'avion est épaisse et arrondie à l'avant (bord d'attaque), mais fine et aiguë à l'arrière (bord de fuite). Quand l'avion accélère sur sa piste de décollage, l'air qui s'écoule sur le dessus arrondi de l'aile a plus de chemin à parcourir que celui de la face inférieure, plus plate. L'air du dessus a donc un écoulement relativement rapide. Plus lent, celui du dessous se comprime. La combinaison d'une pression élevée sous la face inférieure et d'une dépression sur la face supérieure crée une poussée ascendante. Alliée à la poussée en avant provoquée par le moteur, celle-ci fait décoller l'avion.

Il continue à monter tant que le bord d'attaque de l'aile est plus haut que le bord de fuite. Le pilote contrôle cet écart en agissant sur les gouvernes de profondeur (les deux volets horizontaux situés sur la queue de l'appareil).

Si les ailes permettent à un avion de s'élever dans les airs, on peut se demander pourquoi il ne tombe pas quand on le fait voler la tête en bas. C'est effectivement ce qui se passerait si le pilote maintenait le fuselage à son angle normal, c'est-à-dire plus ou moins parallèle au sol. Le bord d'attaque serait alors plus bas que le bord de fuite, et les ailes auraient une « portance négative ». C'est-à-dire que la pression serait plus forte au-dessus qu'au-dessous, ce qui pousserait l'avion vers le bas. En vol inversé, le pilote s'oppose à ce phénomène en provoquant un abaissement de la queue ou, pour les grands avions, en agissant sur les volets situés sur les ailes.

Si vous regardez un cascadeur voler de la sorte, vous verrez que, bien que le fuselage conserve un angle similaire à celui du décollage, l'avion suit une trajectoire horizontale. Mais c'est une technique laborieuse. Tous les aérodynamiciens vous diront qu'elle est réservée aux cascades ou aux cas d'urgence : pour voler régulièrement, elle manque d'efficacité.

La Rocket, *construite par George Stephenson et son fils Robert, devait inaugurer l'ère du transport de passagers par le rail. En 1829, elle surpassa toutes ses rivales et fut choisie par la Liverpool and Manchester Railway.*

Pour mener grand train

Jusqu'à la fin du XIXe siècle, seule la machine à vapeur procurait la puissance nécessaire à la traction d'une lourde file de wagons. Mais le moteur électrique ne tarda pas à rivaliser avec elle. Disposant d'un couple (ou force de rotation) beaucoup plus important, il peut lui aussi amener rapidement un train entier à sa vitesse de croisière. De plus, il est silencieux, fiable et d'un entretien plus facile et moins coûteux. En outre, il ne dégage pas de fumée polluante (encore que les centrales électriques puissent le faire).

En 1881, à peine huit ans après l'invention d'un moteur électrique exploitable, la première ligne de chemin de fer électrique du monde (2,4 km de long) s'ouvrit à Berlin. Deux ans plus tard, la Grande-Bretagne disposait elle aussi de trains électriques et, en 1895, la compagnie américaine Baltimore and Ohio Railroad électrifia une de ses voies ferrées. En 1902, un train électrique expérimental allemand atteignit 210 km/h, vitesse remarquable pour l'époque.

Au début du siècle, l'électrification des voies ferrées se répandit en Europe, surtout pour les dessertes locales, où le nombre des voyageurs permettait d'amortir rapidement les lourds investissements initiaux. Les trains à vapeur conservèrent néanmoins tout leur intérêt dans des pays aussi vastes que l'Argentine, l'Australie, la Russie et les États-Unis, où la longueur des distances et la moindre circulation rendaient l'électrification onéreuse.

En 1892, l'ingénieur allemand Rudolph Diesel déposa le brevet de son moteur à allumage par compression. Dans un moteur à essence, l'allumage du carburant est assuré par des bougies. Mais le moteur Diesel y parvient uniquement grâce à la chaleur dégagée par sa forte compression. Pendant vingt ans, l'invention ne fut guère utilisée que dans des générateurs électriques et des moteurs marins.

En 1912, la société Diesel-Klose-Sulzer conçut une locomotive Diesel qui ne convenait toutefois qu'à des tâches annexes, telles que le transfert de wagons vides. Peu à peu amélioré, le système aboutit à la locomotive Diesel-électrique moderne, dont les moteurs électriques sont alimentés par un générateur Diesel. Un train de ce type fut mis en service en 1932 entre Hambourg et Berlin, puis aux États-Unis deux ans plus tard.

Après la Seconde Guerre mondiale, le passage à la traction Diesel s'accentua. Elle exige moins de personnel et ses locomotives sont plus faciles à alimenter et à exploiter. Comptant sur ses importantes ressources en charbon, la Grande-Bretagne fut plus lente à suivre ce mouvement, mais les locomotives diesel s'y imposèrent avant les années 1960.

Le grand écart

Avant l'utilisation de locomotives à vapeur par la sidérurgie britannique au début du XIXe siècle, les chevaux tiraient déjà de lourds wagons montés sur rails. Ceux-ci avaient souvent un écartement de 4 pieds 8 pouces (1 422 mm), ce qui correspondait aux essieux de beaucoup de chariots routiers. Pour une raison inconnue, Robert Stephenson, fils du pionnier des chemins de fer George Stephenson, y ajouta un demi-pouce. Cet écartement (1 435 mm) finit par devenir la norme internationale.

Au siècle dernier, le réseau routier était encore peu développé, même entre les grandes villes. Le chemin de fer présentait donc de brillantes perspectives et les compagnies ferroviaires s'empressèrent de poser leurs voies sans aucun souci de normalisation. Les voies larges coûtent plus cher à construire, mais elles sont plus stables, assurent un meilleur confort et peuvent transporter des charges plus volumineuses.

Certains pays se retrouvèrent avec au moins trois largeurs de voie. L'écartement variait ainsi de 1 676 mm dans certaines régions indiennes à 762 mm sur quelques lignes secondaires de l'État de Victoria, en Australie. Dans ce dernier pays, les voyageurs devaient naguère changer six fois de train pour aller de Brisbane, sur la côte est, à Perth, sur la côte ouest.

Trois largeurs différentes se retrouvent sur cette voie ferrée d'Australie-Méridionale, utilisable par tous les trains de la région.

FÊTES, COUTUMES ET SUPERSTITIONS

Les chats noirs portent-ils bonheur ou malheur ? PAGE 208

Pourquoi suspend-on des fers à cheval aux portes ? PAGE 212

Pourquoi les mariées sont-elles en blanc ? PAGE 207

Un vent de magie

Pourquoi fête-t-on Noël ?

Si la réponse vous paraît évidente, les lignes qui suivent vont vous surprendre. Ainsi, au XVIe siècle, les festivités païennes du 25 décembre furent interdites dans la plupart des pays chrétiens. Un siècle plus tard, aux États-Unis, la célébration de Noël était passible de sanctions.

L'origine de Noël se perd dans la nuit des temps. Une fête équivalente appelée Sacaea était déjà célébrée des milliers d'années avant la naissance du Christ. En l'an 2000 avant J.-C., des festivités étalées sur cinq jours se déroulaient dans la partie du monde qui correspond aujourd'hui à l'Irak et donnaient lieu à des échanges de cadeaux, des représentations théâtrales, des processions et des réjouissances destinés à marquer la fin de l'hiver et à saluer l'an nouveau.

Il est probable que ces rites venus d'Orient ont gagné l'Europe centrale, où ils ont influencé les innombrables fêtes populaires qui célébraient les changements de saison, les cultures ou les récoltes. Au cœur de l'hiver, par exemple, nos ancêtres allumaient des feux de joie dans l'espoir de ranimer le soleil exsangue et de réchauffer la terre. Ils décoraient leurs maisons de feuillages persistants – branches de houx et de sapin – pour se convaincre que, malgré les semences en sommeil et les arbres dénudés, la nature n'était pas complètement morte et renaîtrait prochainement. Quand le soleil brillait à nouveau, ils savouraient leur victoire en se promettant d'avoir recours aux mêmes sortilèges l'année suivante.

Plus au nord, le long de la mer Baltique et en Scandinavie, les fêtes hivernales de Yule honoraient jadis les dieux guerriers Odin et Thor. Réunis autour d'une belle flambée, les villageois se racontaient de vieilles légendes et écoutaient le chant des ménestrels tout en ingurgitant de longues lampées d'hydromel.

Dans la Rome antique, la mi-décembre était l'époque des saturnales, fêtes organisées en l'honneur de Saturne, qui servaient de prétexte à une semaine d'orgies et de bacchanales. Le solstice d'hiver – moment décisif de l'année, où les jours commencent à rallonger – était marqué par un jour sacré, appelé *dies natalis invicti Solis* (jour de naissance du Soleil invaincu). Pendant les saturnales, les Romains ornaient leurs maisons de lauriers et de verdure ; les amis échangeaient des cadeaux ; les soldats bénéficiaient d'une permission ; les condamnés à mort étaient graciés ; et les esclaves, affranchis le temps des festivités, étaient sur un pied d'égalité avec leurs maîtres. C'était une période de liesse générale et de fraternité.

La naissance du Christ, selon une toile du XVe siècle peinte par un artiste espagnol inconnu. Les festivités qui accompagnent la célébration de la Nativité ont quelquefois été interdites, notamment en Angleterre, sous Cromwell.

Les Perses allumaient des feux pour fêter le solstice d'hiver. Leurs cérémonies honoraient Mithra, dieu du soleil et du bien. Introduit en Europe par les soldats et les marchands, le culte de Mithra rivalisa parfois avec le christianisme.

La date précise de la naissance du Christ reste une énigme, mais un fait est certain, elle se situe vers la fin du règne d'Hérode le Grand, qui fut roi de Judée jusqu'à sa mort, en l'an 4 avant J.-C. La controverse sur la datation de la Nativité s'est prolongée plusieurs siècles après la mort du Christ : diverses propositions furent retenues, qui s'échelonnaient entre décembre et avril. Le 6 janvier, date présumée du baptême de Jésus, fit longtemps office de jour de Noël, et cet usage perdure encore dans quelques pays orthodoxes.

En l'an 354, le 25 décembre devint le jour de Noël officiel dans l'Empire romain occidental sur décision du pape, qui consacra ainsi une date qui, chez les chrétiens romains, était déjà synonyme de célébrations depuis deux siècles. Vers la fin du IVe siècle, les chefs de l'Église romaine décrétèrent que les fêtes de l'Épiphanie, étalées sur treize jours, entre le 25 décembre et le 6 janvier, seraient une période de réjouissances et de recueillement.

Au fil du temps, et presque partout dans le monde, les chrétiens choisirent le 25 décembre comme jour de Noël, date qui coïncidait à peu près avec la célébration du solstice d'hiver, de Yule et des saturnales. Une fête juive – la fête des Lumières du Temple ou Hanoukka – se déroulait également à la fin décembre.

On vit alors se multiplier les tentatives visant à dissocier les excès des fêtes païennes de la célébration religieuse de la Nativité. L'écrivain grec Origène, fervent chrétien, déclara vers l'an 200 qu'il était inconvenant de célébrer la naissance du Christ « comme s'il s'agissait d'un pharaon ». Mais, pendant tout le Moyen Âge, les seigneurs et leurs serfs perpétuèrent une tradition de fête et de ripaille. Sous le règne des Tudors, en Angleterre, le repas de Noël, qui obéissait à de vieux rituels païens, commençait à midi pour s'achever tard dans la nuit.

Faute de pouvoir bannir les excès païens, qui font partie intégrante de la célébration, l'Église catholique s'efforça de gommer les détails indésirables et d'accepter les pratiques nouvelles en leur conférant un caractère sacré.

Les rites séculaires, qui ont survécu au passage du temps, se sont enrichis de coutumes plus récentes. Cocktail magique de dévotion chrétienne et de plaisirs païens, Noël est aujourd'hui la fête la plus populaire qui soit au monde.

Quelle est l'origine du sapin de Noël ?

La légende raconte qu'en des temps reculés et par une nuit d'hiver glaciale, dans la forêt, un enfant qui cherchait un abri frappa à la porte d'une cabane. Un bûcheron et sa femme lui offrirent alors le gîte et le couvert. Au cours de la nuit, le visiteur se transforma en ange enveloppé dans un drap d'or : il n'était autre que l'Enfant Jésus. Pour remercier ses hôtes, l'enfant brisa une petite branche de sapin et leur demanda de la mettre en terre en leur promettant qu'elle donnerait des fruits chaque Noël. En se couvrant de pommes d'or et de noix d'argent, le sapin des bûcherons fut le premier arbre de Noël.

De tous les symboles liés à Noël, le sapin illuminé, saupoudré de givre et surmonté d'une étoile, est le plus féerique. Mais c'est une tradition relativement récente. L'arbre de Noël apparaît en Alsace en 1521, couvert de fruits, il est censé représenter le Paradis dans les divers mystères. Au siècle suivant, on prend l'habitude de l'illuminer avec des bougies. Attestée en Allemagne dès 1605, la coutume se répand à travers l'Europe du Nord au XIXe siècle, propagée par les princes et princesses germaniques qui, en se mariant, quittent leur pays pour rejoindre des cours étrangères. C'est ainsi que le prince Albert, époux de la reine Victoria, introduit l'arbre de Noël en Angleterre en 1841 en se faisant envoyer un sapin de son Allemagne natale à l'occasion des fêtes de fin d'année au château de Windsor. En France, c'est l'épouse allemande du duc d'Orléans, Hélène de Mecklembourg, qui popularise l'arbre de Noël aux Tuileries en 1837. Dès 1870, cette coutume se répand très largement en France.

En 1912, la ville de Boston dresse pour la première fois des arbres de Noël illuminés sur la place publique. L'initiative emporte un franc succès et, depuis, des sapins géants trônent sur toutes les places publiques, tandis que des arbres de taille plus modeste ornent les foyers et les magasins.

Le sapin illuminé fait partie de la magie de Noël. Cette tradition venue d'Allemagne a été adoptée dans le monde entier.

Comment est née la légende du Père Noël ?

Le personnage jovial de saint Nicolas, ou du Père Noël, alimente une foule de légendes qui puisent leur origine en Asie Mineure : au IVe siècle, un certain Nicolas, évêque de la cité de Myre, alors sous domination romaine, fut jeté en prison par l'empereur Dioclétien lors de persécutions contre les chrétiens. Il fut libéré par Constantin le Grand. Il s'éteignit vers l'an 326, mais sa piété, son dévouement envers les pauvres et son amour des enfants immortalisèrent son souvenir. En 1087, sa dépouille fut ramenée à Bari, en Italie.

Pendant les cinq siècles qui suivirent, saint Nicolas fut vénéré par les adultes et les enfants à travers l'Europe entière. La Russie et la Grèce le choisirent pour saint patron et il donna son nom à d'innombrables églises. Les marins et les voyageurs lui vouaient un culte particulier, car il avait la réputation de les protéger contre le déchaînement des éléments. Il servait de figure de proue aux vaisseaux hollandais, et son icône était souvent accrochée dans le poste d'équipage des navires russes ou grecs pour conjurer le mauvais sort.

En Hollande, les marins étaient intarissables sur la bienveillance et la générosité de saint Nicolas et, le 6 décembre, jour de sa fête, les enfants sages recevaient des cadeaux apportés, leur disait-on, par un saint barbu monté sur un cheval blanc, qui avait aussi des badines en bois de bouleau pour corriger les chenapans.

Comment saint Nicolas s'est-il transformé en Père Noël ? Comment ce personnage sacré et austère est-il devenu le joyeux bonhomme au manteau rouge qui personnifie le 25 décembre ? Il faut chercher la réponse du côté des Hollandais qui émigrèrent vers le Nouveau Monde. On raconte que les colons qui se rendaient à La Nouvelle-Amsterdam – devenue par la suite New York – traversaient l'océan sur un navire à bord duquel était accrochée une image de saint Nicolas fumant la pipe et portant des hauts-de-chausses et un chapeau à larges bords. Par la suite, la communauté hollandaise choisit saint Nicolas comme mascotte à l'occasion des processions de Noël, et le personnage excita l'imagination de nombreux artistes.

En 1809, l'écrivain et éditeur américain Washington Irving transforma santa Claus, le saint Nicolas hollandais, en bonhomme hilare qui se déplaçait dans les airs et fumait la pipe. S'inspirant de cette image, Clement Clarke Moore, le fils de l'évêque de New York, publia en 1823 un poème très populaire intitulé *la Veille de Noël*, dans lequel apparaissait pour la première fois un Père Noël joufflu, traversant la nuit sur un traîneau tiré par huit rennes et se glissant dans les cheminées pour remplir de jouets les chaussettes des enfants. Enfin, en 1863, l'hebdomadaire américain *Harper's Illustrated Weekly* publia un dessin qui représentait le Père Noël tel que nous le connaissons, avec sa grande barbe blanche et son manteau rouge bordé de fourrure.

Bravant la canicule de l'outback australien ou les rigueurs de l'hiver européen, le Père Noël est partout fidèle au rendez-vous.

L'apparition du Père Noël dans le folklore français remonte au début du XXe siècle. Il a supplanté saint Nicolas un peu partout, sauf dans le Nord et l'Est, où les enfants attendent toujours avec impatience la nuit du 5 au 6 décembre.

Pourquoi la dinde est-elle le plat traditionnel de Noël ?

La dinde a été introduite en Europe par les conquistadors espagnols, qui l'ont rapportée du Nouveau Monde. C'est au cours de leur conquête du Mexique, en 1521, qu'Hernán Cortés et ses hommes ont découvert ce gallinacé domestiqué par les indigènes et auquel on donna par la suite le nom de poule d'Inde, puis de dinde. En l'espace de dix ans, les élevages de dindes se multiplièrent en Europe, et les processions de fermiers qui conduisaient leurs volailles engraissées au marché devinrent un spectacle familier le long des routes de l'Ancien Continent.

C'est sans doute sa taille, largement supérieure à celle des autres volailles, qui a valu à la dinde de devenir le plat traditionnel de Noël. Le gavage d'une dinde est plus facile et moins onéreux que celui d'une oie, qui est l'oiseau le plus vorace qui soit. Le dîner de Noël est longtemps resté le repas le plus important de l'année, et la dinde, qui peut peser plus de 10 kg, était suffisamment dodue pour nourrir une grande tablée le soir de la veillée et le lendemain. Les restes étaient alors consommés froids.

Aux États-Unis, la dinde est le plat traditionnel de Thanksgiving, fête nationale célébrée le quatrième jeudi de novembre. Quand les Pilgrim Fathers (les Pères Pèlerins), arrivés en Nouvelle-Angleterre à bord du *Mayflower*, célébrèrent leur premier Thanksgiving, en 1621, les Indiens leur offrirent des dindes sauvages. Cependant, les dindes consommées aujourd'hui aux États-Unis ne descendent pas de ces oiseaux sauvages, mais de dindes domestiques mexicaines, les colons européens ayant importé leurs propres espèces dans les colonies américaines.

De quelle époque datent les premiers noëls ?

Les noëls sont des cantiques en l'honneur de la fête du même nom. Les premiers noëls, solennels et écrits en latin, ont été probablement créés au IVe siècle, l'Église romaine a fait du 25 décembre un jour férié. Mais les noëls populaires sont d'origine païenne. Ils s'inspirent de chansons qui agrémentaient les tragédies grecques ou les saturnales romaines.

Pendant des siècles, l'Église a interdit les noëls. C'est au cours d'une remarquable cérémonie orchestrée par saint François d'Assise en 1223 que les chants auraient été introduits dans les festivités de Noël. Pour inculquer à ses fidèles le sens profond de Noël, saint François emprunta des animaux de ferme à des paysans, et il les conduisit à Grecchio, au nord-est de Rome, dans une grotte qu'il avait transformée en étable pour l'occasion. Dans une mangeoire remplie de paille, il déposa une statue de l'Enfant Jésus. La veille de Noël, saint François célébra la messe de minuit dans la grotte, en l'égayant de cantiques composés et interprétés par des moines en souvenir des chants que les anges avaient fredonnés aux bergers de Bethléem. Cette messe a créé l'événement en réhabilitant les noëls et en inaugurant la première crèche vivante, qui est devenue depuis un élément incontournable de la célébration.

Les chants de Noël vers 1910. D'origine païenne, ils furent longtemps interdits, avant d'être réhabilités par saint François.

Les mystères, pièces de théâtre médiévales qui mettaient en scène des épisodes de la Bible en les enrichissant de cantiques et de détails pompeux, fournirent de nouveaux chants, auxquels vinrent s'ajouter ceux que colportaient les bardes itinérants.

La littérature de noëls a poussé en France avec une profusion sans exemple dans les autres pays catholiques. Chaque province possède ses *Grandes Bibles de noëls*, qui se multiplient dès le milieu du XVIe siècle. La plupart des cantiques que nous chantons aujourd'hui datent du XIXe siècle, de la berceuse au type solennel comme *Minuit, chrétiens* d'Adolphe Adam.

La dinde de Noël est originaire du Mexique. Pour leur premier Thanksgiving dans le Nouveau Monde, les Pères Pèlerins consommèrent une dinde sauvage offerte par les Indiens, comme en témoigne ce tableau de Jennie Brownscombe.

Pourquoi sert-on treize desserts le soir de Noël en Provence ?

Noël en Provence est une suite de rites et de coutumes qui ont traversé les siècles. Le 24 décembre, avant la messe de minuit, tout est prêt. Les santons, fabriqués et peints à la main, sont dans la crèche, sans laquelle il n'est pas de Noël provençal. Le *cacho fio*, une grosse bûche d'arbre fruitier, flambe dans la cheminée. Sur la table sont placés la plus belle vaisselle et du blé en herbe noué d'un ruban rouge. Ce blé de la Sainte-Barbe a été planté dans des soucoupes le 4 décembre et symbolise l'espérance. Pour ce repas, appelé le gros souper, la table est dressée avec trois nappes superposées, sur lesquelles trois grosses bougies blanches symbolisent la Trinité.

Au menu : du poisson, le plus souvent de la morue en brandade ou en aïoli, et des légumes. Au total, sept plats maigres en souvenir des sept douleurs de la Vierge Marie. Le repas se termine toujours par les traditionnels treize desserts, qui symbolisent le Christ et les douze apôtres. Cette tradition est de loin celle qui est restée le plus vivace. Chaque village, et même chaque famille, peut avoir sa propre variante, en fonction notamment des productions locales. Le tout est qu'il y en ait treize. Parmi ces treize desserts figurent des fruits frais : poires, pommes, grappes de raisin conservées depuis l'été, oranges ou mandarines, dattes. Puis viennent les mendiants (les fruits secs), ainsi appelés parce que leur couleur rappelle la bure des moines des ordres mendiants : noisettes et noix pour les Augustins, figues sèches pour les Franciscains, amandes pelées pour les Carmes, raisins secs pour les Dominicains. La table des desserts comporte aussi du nougat noir et du nougat blanc. Parfois s'y ajoutent une tarte, de la confiture ou de la compote. Enfin, la pompe à l'huile, appelée aussi fougasse, un gâteau à base de farine, de sucre et d'eau de fleur d'oranger.

La mode des cartes de vœux fut lancée par J.C. Horsley en 1843. Mais on reprocha à son dessin d'encourager l'alcoolisme.

Quand sont apparues les premières cartes de vœux ?

L'affranchissement « à deux sous », introduit en Grande-Bretagne par sir Rowland Hill en 1837, a sans aucun doute donné un coup de pouce à un usage devenu universel. Avant cette initiative, seuls les riches avaient les moyens d'envoyer leurs vœux par la poste. Mais les cartes de Noël ne font leur apparition qu'à partir de 1840.

C'est à un artiste anglais du nom de William Edgley que l'on doit la première carte de vœux. Créée en 1842 ou 1848 – la date est objet de controverses –, cette carte est exposée au Victoria and Albert Museum, à Londres.

En 1843, sur commande de sir Henry Cole, l'artiste J.C. Horsley réalisa une lithographie portant l'inscription « Joyeux Noël et bonne année à vous », surmontée de trois dessins symbolisant l'esprit de Noël. Sur le premier, une famille portait un toast au 25 décembre ; sur les deux autres, la même famille donnait de la nourriture et des vêtements aux pauvres. Mille reproductions de cette carte furent vendues au prix d'un shilling chacune. La mode des cartes de Noël était lancée.

Le rouge-gorge, élément familier des cartes de vœux, est associé à Noël pour deux raisons : d'une part, ce passereau a longtemps été considéré comme un oiseau sacré et, d'autre part, sa nature peu farouche le pousse à s'approcher des maisons pour trouver sa nourriture.

Les treize desserts traditionnels de Noël symbolisent le Christ et les douze apôtres.

D'où vient la tradition des étrennes ?

Le mot étrennes vient du latin *strenae*, qui désigne les présents qu'échangeaient les Romains le 1er janvier et qui devaient porter bonheur pour l'année entière. La distribution d'étrennes est une coutume très ancienne, puisqu'elle est attestée dès le Moyen Âge. À l'époque, les pauvres faisaient la tournée des églises pour récupérer les oboles que les paroissiens avaient versées dans les troncs pour Noël. D'autres groupes spécifiques – corporations, écoliers, enfants de chœur – organisaient des quêtes collectives et allaient de maison en maison offrir leurs vœux de prospérité aux généreux donateurs et jeter des mauvais sorts aux avares. Les dons récoltés étaient en général des gâteaux, des fruits secs ou des pièces de monnaie. Quant aux enfants, ils faisaient le tour de la famille pour soutirer des friandises ou quelques sous à leurs aïeuls ou à leurs parrain et marraine.

Cette coutume, qui inaugurait l'an nouveau, avait une signification à la fois sociale et magique. Elle donnait l'occasion d'être généreux envers les faibles et les indigents, et les vœux ainsi monnayés étaient censés éloigner le malheur.

Le rituel des étrennes subsiste toujours, mais la date de la distribution varie : en règle générale, elle a lieu le premier jour de l'année, mais dans certains pays, comme la Grande-Bretagne, l'usage a consacré le 26 décembre, jour de la Saint-Étienne, qui fut le premier martyr chrétien.

Les cadeaux de Noël

Dans tous les pays qui fêtent Noël, la distribution de présents est indissociable de cette célébration. Elle n'a pas lieu à la même date partout. Dans les régions où on fête la Saint-Nicolas, les enfants reçoivent des jouets le 6 décembre et le jour de Noël. Dans d'autres contrées, comme l'Italie ou l'Espagne, les cadeaux sont offerts le 6 janvier, pour l'Épiphanie, jour qui commémore le baptême du Christ et l'arrivée des Rois mages à Bethléem. Comme c'est le cas pour de nombreuses autres traditions calendaires, qui associent des symboles sacrés et profanes, il est difficile de dire si la distribution de cadeaux de Noël est d'origine païenne ou chrétienne.

Le houx fait partie de la célébration de Noël depuis la nuit des temps. Pour les premières civilisations, il symbolisait la vie quand la nature était endormie.

Que symbolise le houx ?

Le houx, dont on trouve une ou plusieurs variétés dans la plupart des pays du monde, était déjà utilisé dans l'Antiquité pour décorer les maisons pendant l'hiver. Avec son feuillage persistant qui symbolise l'immortalité, il mettait de la vie et de l'espoir dans les foyers quand, dehors, la nature semblait apparemment morte.

Par la suite, quand les rites chrétiens et païens se confondirent, les feuilles de houx furent souvent assimilées à la couronne d'épines du Christ, tandis que ses baies rouges représentaient son sang. La couronne d'épines est un symbole pascal, mais, sans doute parce qu'en Europe les baies du houx sont flétries à Pâques, l'utilisation de l'arbuste a été étendue à la célébration de la Nativité. Une légende raconte que, lorsque les bergers rendirent visite à l'Enfant Jésus dans son étable, un agneau se piqua contre une branche de houx : les gouttelettes de sang qui s'échappèrent de sa blessure se figèrent pour former de petites baies rouges.

Déjà présents dans les anciennes fêtes de Yule, le houx ainsi que la bûche que l'on brûle le soir du 24 décembre font toujours partie des rituels de Noël dans certaines contrées d'Europe. Dans le folklore de Yule, le houx symbolise le mâle, et le lierre, la femelle ; si le houx entre dans la maison avant le lierre, les hommes seront les maîtres pendant toute l'année qui suit.

Au Moyen Âge, on attribuait au houx des propriétés thérapeutiques : il était particulièrement indiqué contre les rhumatismes et la fièvre. Un bouquet de houx, disait-on, protégeait les voyageurs perdus dans la tempête. Une branche de houx dans la maison éloignait les esprits malins. Si le houx provenait des ornements d'une église, il assurait une année de bonheur à toute la maisonnée.

Pourquoi allume-t-on des bougies à Noël ?

Comme des charbons ardents qui couvent sous la braise, il arrive que des coutumes depuis longtemps éteintes renaissent brusquement de leurs cendres. Depuis la nuit des temps, la lumière représente le confort et la joie, alors que l'obscurité symbolise la peur de l'inconnu. Nos ancêtres, qui étaient profondément dépendants du cycle des saisons, allumaient des feux pour encourager le retour du printemps. Pendant les saturnales, les Romains décoraient leurs maisons de nombreuses bougies allumées et de verdure. Bien avant la naissance du Christ, les juifs célébraient leur liberté de culte au cours d'une fête des Lumières du Temple (l'Hanoukka), qui durait huit jours. Les peuplades primitives dressaient des torches enflammées dans les champs pour que les cendres chaudes favorisent la pousse des cultures. Et quand les flambeaux d'Halloween, destinés à réconforter les âmes en pénitence au purgatoire, furent éteints par la Réforme, des feux de joie ne tardèrent pas à les remplacer.

À l'aube du christianisme, le pape Gelasius institua le 2 février comme jour de bénédiction des chandelles des fidèles par les prêtres au cours de la messe du matin. La fête prit le nom de Chandeleur. L'Église commémore également ce jour-là la purification de la Vierge Marie et la présentation de l'Enfant Jésus au Temple par Siméon, qui déclara alors qu'il serait la « Lumière pour toutes les nations ».

La Chandeleur donna naissance à une coutume médiévale qui consistait à allumer un énorme cierge le soir de Noël en espérant que sa chandelle brûlerait jusqu'à la fête des Rois. Quand nous ornons nos sapins de bougies ou de guirlandes électriques, nous perpétuons des traditions instaurées à l'époque de la Rome antique ou héritées de Martin Luther, dont l'arbre de Noël était décoré de lumignons.

Pourquoi s'embrasse-t-on sous le gui ?

La coutume qui consiste à accrocher une branche de gui dans la maison pour Noël est bien antérieure à la naissance du Christ. Partout en Europe, les anciennes civilisations attribuaient à cet arbuste parasite des propriétés magiques. Les druides, en particulier, vénéraient le gui, qui était à la fois une panacée et le symbole de la fertilité. On croyait que le gui protégeait contre les sorciers et qu'il portait bonheur. Une branche de gui placée au-dessus de la porte d'entrée était un signe de bienvenue à l'adresse des visiteurs. En s'embrassant sous le gui, on se jurait une amitié éternelle.

La lumière des bougies réchauffe et éclaire les sombres journées d'hiver. La coutume puise ses origines dans la Rome antique.

Une vieille coutume exige que chaque sujet de sexe masculin qui donne un baiser sous le gui cueille une baie ; quand toutes les baies sont ramassées, on cesse de s'embrasser. Quelques régions perpétuent une autre tradition, qui consiste à brûler le gui le jour des Rois pour que toutes les jeunes filles qui ont reçu un baiser sous la branche trouvent un mari.

Pour des raisons que la plupart des chrétiens ignorent, le gui est rarement utilisé pour décorer les églises. En fait, il faut chercher l'explication dans les temps reculés où les druides bénéficiaient d'une idolâtrie païenne si puissante que leur plante sacrée était bannie de tous les cérémonials chrétiens.

LES ROIS MAGES

L'adoration des Rois mages telle qu'on se la représentait au XVe siècle.

Nous connaissons tous l'histoire des trois Rois mages venus d'Orient à Bethléem pour adorer le Messie. L'évangile selon saint Matthieu est le seul à évoquer cet épisode : « Après sa naissance, des savants, spécialistes des étoiles, vinrent de l'est et arrivèrent à Jérusalem. Ils demandèrent : "Où est l'enfant qui vient de naître et qui sera roi des Juifs ?" Après avoir trouvé l'étable, ils lui offrirent de l'or, de l'encens et de la myrrhe. »

Sans doute s'agissait-il pour saint Matthieu, à travers ce récit, de confirmer la prophétie d'Isaïe – qui annonçait un roi devant lequel « les rois les plus lointains, prosternés devant lui, ceux de Tarsis et de Saba, présenteront leurs dons et leurs tributs » –, et de proclamer Jésus comme le Messie attendu.

La légende des Rois mages s'est construite à partir de ces seuls textes et des récits des évangiles apocryphes. Elle s'est considérablement enrichie au cours des siècles, pour aboutir à ce que nous connaissons aujourd'hui. Au Ve siècle, Origène et saint Léon le Grand adoptèrent le nombre de trois et en firent des rois. Leurs noms furent fixés au VIIe siècle : Melchior, Balthazar et Gaspard. On chercha aussi à les différencier, Gaspard était généralement un jeune homme, Melchior un vieillard chauve et barbu et Balthazar un homme mûr. Enfin, au XVe siècle, on leur attribua des races différentes, Melchior était européen, Gaspard asiatique et Balthazar africain, symbolisant ainsi l'ensemble de l'humanité.

Aujourd'hui, la fête des Rois mages, célébrée le 6 janvier, est surtout prétexte à manger la fameuse galette et à espérer devenir roi – et choisir sa reine... – en découvrant la fève.

Fêtes sacrées et rites païens

Pourquoi salue-t-on le nouvel an à grand bruit ?

Le tapage qui accompagne le changement d'année est une tradition originaire d'Europe qui s'est répandue dans de nombreux pays du monde. Le tic-tac de l'horloge égrène les ultimes secondes de l'année écoulée et, soudain, le dernier coup de minuit déclenche une cacophonie de cris, de tintements de cloches, de klaxons de voitures et de hurlements de sirènes, le but de cet effort concerté étant de faire le plus de bruit possible.

Ce charivari qui salue l'année nouvelle est un héritage païen. Pendant des siècles, dans les Highlands écossais, des villageois munis de bâtons et de peaux de vaches séchées encerclaient les maisons le soir de la Saint-Sylvestre. Quand retentissaient les douze coups de minuit, ils frappaient les murs et les peaux de bêtes avec leurs gourdins, en criant et en chantant à tue-tête. Ce rituel était destiné à mettre en fuite les démons qui avaient sévi dans le village pendant l'année.

Cette superstition, qui consistait à débarrasser l'atmosphère des génies du mal pour placer l'année nouvelle sous de bons auspices, subsiste aujourd'hui sous la forme d'un joyeux tohu-bohu, mais bien peu de fêtards savent que les hurlements avec lesquels ils accueillent l'an nouveau sont destinés à chasser les esprits malins.

Main dans la main, les membres d'une famille exécutent une ronde pour saluer l'année 1873. La tradition veut que notre comportement dans les premières minutes qui suivent minuit détermine notre destin pour l'année à venir.

Pourquoi se déguise-t-on pour le carnaval ?

Pendant cinq jours, les serviteurs donnent des ordres à leurs maîtres, s'habillent comme eux, les imitent. Un condamné à mort prend la place du roi. Revêtu du costume d'apparat du souverain, il monte sur le trône, se fait servir les mets les plus fins. Parfois, il passe la nuit avec une des épouses royales. Mais, à la fin de la fête, il sera exécuté. Les serviteurs reprennent leur place de serviteurs, le roi retrouve son trône. À Babylone, au IIIe siècle avant notre ère, cette période s'appelait la fête des Sacées et les historiens reconnaissent là les racines de notre carnaval. Des réjouissances du même type avaient lieu chez les Hébreux et chez les Romains. À chaque fois se retrouvent l'inversion des rôles entre humbles et puissants, les mascarades et souvent les festins et beuveries. Et toujours à une date clé du calendrier : nouvelle année ou changement de saison. Lors des saturnales, chez les Romains, les maîtres servent le dîner à leurs esclaves. Ils tirent au sort un faux roi, qui règne pendant la durée de la fête. Quelques jours plus tard, aux calendes de janvier, à la nouvelle année, les célébrations durent trois jours et, le dernier jour, les Romains défilent masqués. Le christianisme a d'abord condamné ces débordements. Pourtant, les mascarades ne disparaissent pas, et finalement elles sont intégrées dans le calendrier chrétien, par exemple à la mi-carême et au mardi gras.

À travers les siècles, le carnaval représente un désordre programmé de la société, un défoulement général : sous le masque, tous sont égaux, la parole est libre, sans risque de représailles, et tous les excès sont permis. Le faux roi des Babyloniens ou des Romains est devenu un mannequin que l'on brûle à la fin du carnaval. Le carnaval a aussi conquis d'autres continents. Avec le christianisme, les conquistadors ont apporté leurs fêtes, et le carnaval est devenu le moment le plus important de l'année à Rio de Janeiro.

Quelle est l'origine de la Saint-Valentin ?

Le 14 février, jour de la Saint-Valentin, est devenu une fête à caractère essentiellement commercial, la plupart des rites qui lui étaient associés ayant disparu. Autrefois, par exemple, les amoureux devaient fabriquer eux-mêmes leurs cartes de la Saint-Valentin et y inscrire leurs propres déclarations. Les expéditeurs gardaient l'anonymat. De nos jours, les cartes de la Saint-Valentin préimprimées se vendent par millions et, dans certains pays, les amoureux n'hésitent pas à passer des petites annonces dans les journaux pour déclarer leur flamme à l'être cher.

Les historiens sont en désaccord sur l'identité de saint Valentin. Certains prétendent que saint Valentin était un jeune prêtre qui fut jeté en prison par les Romains le 14 février de l'an 629 après J.-C. pour avoir porté secours aux chrétiens. En attendant son exécution, il aurait rendu la vue à la fille de son geôlier, qui serait tombée amoureuse de lui. Selon une autre légende, un jeune prêtre aurait enfreint un décret de l'empereur Claudius en acceptant de marier des soldats. Considérant que le mariage diminuait l'ardeur au combat, l'empereur avait en effet interdit à ses hommes de troupe de prendre femme. Le contrevenant fut exécuté et il devint le saint patron des amoureux. D'autres récits prétendent qu'un beau Romain, condamné à mort, se serait épris de la fille aveugle du gardien de prison. Avant de mourir, il lui aurait adressé un billet doux signé de son nom : Valentin. En fait, sept saints et martyrs chrétiens prénommés Valentin sont fêtés le 14 février.

La plupart des historiens associent la Saint-Valentin aux Lupercales romaines, fêtes annuelles célébrées le 15 février en l'honneur de Lupercus, le dieu des bergers et des troupeaux. Ces cérémonies, qui marquaient également le retour du printemps, étaient agrémentées d'une sorte de loterie de l'amour, qui consistait à tirer au sort le nom des jeunes filles et des jeunes hommes inscrits de façon à former des couples qui sortaient ensemble pendant le reste de l'année.

Dans son souci d'abolir les rites païens ou de se les approprier en leur donnant une signification religieuse, l'Église imagina une variante de la loterie de l'amour, qui consistait à remplacer le nom des jeunes filles par des prénoms de saints. Les participants étaient alors tenus de suivre, jusqu'à la fin de l'année, l'exemple du saint que le tirage leur avait associé. Peu à peu, des serments calligraphiés sur des supports en forme de cœur, puis des cartes de la Saint-Valentin firent leur apparition.

Les valentins utilisaient des cartes en forme de cœur pour se déclarer.

Pourquoi fait-on des crêpes pour mardi gras ?

Mardi gras est la veille du premier jour de carême, période de jeûne qui va du mercredi des Cendres au samedi saint. Avant ces quarante jours de privations, nos ancêtres avaient coutume de s'autoriser quelques excès : c'étaient les jours « gras », pendant lesquels on ripaillait et on s'amusait comme des fous, puisque le carnaval battait son plein. Ces réjouissances collectives s'accommodaient bien de plats simples, qui pouvaient être préparés en grande quantité, comme c'est le cas pour les crêpes, et qui permettaient d'utiliser les réserves de saindoux et de graisses dont la consommation était interdite pendant le carême. La fabrication et la dégustation des crêpes de mardi gras resserraient les liens sociaux en réunissant parents, amis et voisins autour d'une grande flambée. Dans certaines régions, les villageois étaient invités à venir faire sauter et à manger leurs crêpes sur la place publique. En Angleterre, les crêpes étaient fabriquées devant les grilles des monastères et distribuées aux pauvres. En plus de leur rôle social, les crêpes était parfois investies d'un caractère rituel et magique : on considérait que manger des crêpes un jour gras portait bonheur, assurait la prospérité et procurait de l'argent toute l'année. En France, les textes anciens insistent sur l'obligation de faire des crêpes ce jour-là. La confection des crêpes était aussi de rigueur le jour de la chandeleur, en Île-de-France, notamment.

Le caractère symbolique des desserts de mardi gras a disparu, et l'observation du carême tombe en désuétude ; mais la tradition gourmande se perpétue : mardi gras sert toujours de prétexte à la fabrication de crêpes ou de beignets selon les habitudes nationales ou régionales.

La poêle à crêpes à la main, les villageoises d'Olney, en Angleterre, participent à une course qui a lieu chaque année le jour de mardi gras.

Quelle est l'origine des poissons d'avril ?

L'origine précise des poissons d'avril est mal connue, mais la tradition qui consiste à faire des farces ce jour-là est sans aucun doute liée à une époque où l'année commençait fin mars ou début avril. Dans de nombreuses sociétés, le premier jour de l'année sert de prétexte à toutes sortes de réjouissances et de facéties.

Selon certains historiens, les poissons d'avril existaient déjà dans la mythologie grecque et romaine. Ainsi Déméter, cherchant sa fille Perséphone, qui avait été enlevée par Pluton, entendit les hurlements de son enfant résonner dans une vallée. Elle se laissa guider par les cris mais, une fois dans la vallée, elle ne trouva que l'écho et elle se rendit compte qu'elle avait été dupée. Les anthropologues comparent notre rituel du 1er avril à celui de la fête de Huli, en Inde, qui a lieu le 31 mars et au cours de laquelle il est d'usage d'envoyer des naïfs chercher des objets imaginaires, et par conséquent introuvables.

Même si on retrouve la trace de coutumes semblables dans l'Antiquité, notre 1er avril est probablement d'origine plus récente. En 1564, un édit du roi de France Charles IX décrète que l'année commencera le 1er janvier et non plus le 25 mars. Jusque-là, la tradition voulait que l'on échangeât les cadeaux de nouvel an vers la fin mars, période qui coïncidait souvent avec la semaine sainte. Au moment de la modification du calendrier, l'Église et l'État décident que les anciennes festivités auront désormais lieu le 1er avril.

La coutume de faire des farces ce jour-là aurait deux origines possibles. La première version prétend que la modification du calendrier mécontenta tellement les Français qu'ils se vengèrent sur les fonctionnaires en les lançant sur de fausses pistes. Selon la seconde explication, le 1er avril est devenu un jour consacré aux visites amicales, que l'on agrémentait de petits présents dans le but de semer le doute sur la date réelle du jour de l'an.

Quelles que soient ses origines, la tradition des farces du 1er avril s'est répandue dans de nombreux pays, et les enfants n'en sont pas les seuls adeptes. De nos jours, les journaux, la télévision et la radio se mettent de la partie et n'hésitent pas à monter des canulars sophistiqués et souvent très drôles.

En France, ces farces porteraient le nom de poissons d'avril parce que le 1er avril correspond à peu près à la fin du carême, période de jeûne pendant laquelle la viande, exclue des repas, a été remplacée par du poisson à profusion.

Les poissons d'avril n'amusent pas que les enfants. Les journaux et les chaînes de télévision se mettent de la partie en montant de superbes canulars.

Qu'est-ce qu'Halloween ?

Halloween est une fête très populaire en Grande-Bretagne et en Amérique du Nord, et célébrée le 31 octobre. Réminiscence d'une fête des morts païenne au cours de laquelle les druides honoraient le dieu Saman, Halloween se fête le dernier jour d'octobre. En cette veille de Toussaint, nos ancêtres croyaient que les morts ressuscitaient. La campagne alentour grouillait de fantômes et de farfadets, et les sorcières jetaient leurs mauvais sorts en toute liberté. Personne n'osait aller se coucher par une nuit aussi diabolique.

Jadis destiné à terroriser les âmes les plus téméraires, Halloween s'est peu à peu transformé en fête carnavalesque, célébrée surtout par les enfants. Ce jour-là, ils vont de maison en maison et menacent de jouer un mauvais tour aux grincheux qui leur refusent une friandise. Mais leurs imprécations, leurs déguisements, leurs feux de joie et leurs sinistres lanternes évoquent toujours les peurs d'antan.

La fête d'Halloween, telle qu'elle est célébrée de nos jours, associe des rites qui ont plusieurs origines. De toute évidence, la plupart d'entre eux sont un héritage de la fête des morts instaurée par les druides, au cours de laquelle les âmes des défunts revenaient errer sur la Terre. Mais certaines pratiques sont encore plus anciennes. Les feux de joie, par exemple, seraient inspirés par le culte de Baal, le dieu du soleil des Syriens, ou par des fêtes de fin d'été dans lesquelles le feu symbolisait le Soleil. Enfin, Halloween pourrait avoir un lien avec une fête romaine dédiée à Pomone, la déesse des fruits et des jardins, qui avait lieu le 1er novembre et au cours de laquelle on engrangeait des fruits et des grains pour l'hiver.

En envahissant l'Angleterre, les Romains ont apporté avec eux des coutumes qui sont venues enrichir les traditions druidiques et locales. À la peur des fantômes et des farfadets qui caractérisait Halloween se sont ajoutés des festins au cours desquels on mangeait des fruits et des noix grillées sur des feux de joie qui crépitaient toute la nuit. Les villageois, terrifiés à l'idée de regagner leur demeure envahie par les esprits, restaient assis ou dormaient autour de la flambée jusqu'à l'aube.

Avec le temps, la fête l'a emporté sur la peur. Trop contents de terroriser les adultes, des enfants farceurs ont tourné en dérision leurs superstitions en se dégui-

Les lanternes sinistres et les chapeaux pointus évoquent les sorciers et les mauvais génies qui rôdent le soir d'Halloween.

sant en fantômes, en farfadets ou en sorcières. Ils ont apporté la preuve que les démons d'Halloween ne sont pas si méchants que ça.

Pourquoi la fête de Pâques est-elle mobile ?

Dans la mesure où le 25 décembre commémore la naissance du Christ, la logique voudrait que sa résurrection soit toujours célébrée à la même date. Pourtant, malgré les revendications qui s'élèvent régulièrement pour réclamer la célébration de Pâques à date fixe, la fête reste mobile et oscille entre le 22 mars et le 25 avril.

À l'origine, Pâques n'a aucun rapport avec le calendrier chrétien. Dans les pays d'Europe du Nord, la fête – appelée *Easter* par les anglophones et *Ostern* par les Allemands – tire son nom de celui de la déesse Eastre, ou Ostâra, qui symbolisait le printemps et la vie pour les tribus germaniques. Ces peuplades païennes célébraient le renouveau de la nature, et certains rituels pascals, comme la distribution d'œufs de Pâques, sont issus de ces fêtes printanières et profanes.

Dans d'autres pays d'Europe, comme la France ou l'Italie *(Pasqua)*, l'étymologie du nom vient du mot hébreu *Pessah*, qui désigne la Pâque juive, une fête annuelle qui dure huit jours et qui commémore la libération du peuple hébreu. Pâques est associé à la fête juive de la Pâque, car Jésus a été arrêté, jugé et crucifié pendant cette période. Le calendrier hébreu est fondé sur les mois lunaires – et non solaires –, et la Pâque juive commence toujours le jour de la première lune après l'équinoxe de printemps, qui tombe le 21 mars dans l'hémisphère Nord.

La date de la fête de Pâques chrétienne varie parce qu'elle dépend de la Pâque juive. Elle est l'objet de controverses qui durent depuis des siècles et qui déconcertent même les autorités religieuses. Les premiers chrétiens célébraient Pâques pendant la Pâque juive. Plus tard, les ecclésiastiques ont voulu donner aux Pâques chrétiennes une signification particulière et les démarquer de la fête juive. En l'an 325 après J.-C., le concile de Nicée a décrété que Pâques tomberait toujours un dimanche, qui serait obligatoirement ultérieur au début de la Pâque juive.

Comme les différentes religions n'utilisent pas toutes le même calendrier, la date de Pâques peut varier de quelques semaines d'un pays à l'autre. Selon le calendrier grégorien, qui est le plus utilisé, le jour de Pâques est fixé au premier dimanche après la pleine lune qui suit l'équinoxe de printemps. Si la pleine lune tombe un dimanche 21 mars, Pâques est fêté le dimanche suivant.

Les Églises orthodoxes orientales, très implantées en Europe de l'Est et en Méditerranée orientale, utilisent le calendrier julien pour déterminer la date de Pâques. (Mais pour les fêtes fixes comme Noël, elles se réfèrent au calendrier grégorien.) Les Pâques orthodoxes peuvent être célébrées jusqu'à cinq semaines après les Pâques catholiques.

Les Pères de l'Église ont tenté à maintes reprises de résoudre les nombreux problèmes posés par la mobilité de Pâques. La meilleure solution serait de fixer une date précise, mais Pâques pourrait alors tomber n'importe quel jour de la semaine. En 1963, l'Église romaine catholique a proposé une date, mais aucune des autres confessions n'a accepté sa suggestion.

Une autre solution consisterait à adopter un calendrier universel et perpétuel selon lequel, d'une année sur l'autre, chaque date correspondrait à un jour de la semaine déterminé. Dans ce système, Pâques tomberait toujours le dimanche 8 avril, c'est-à-dire entre ses deux limites extrêmes. Malgré l'enthousiasme que ce projet a suscité lors de son élaboration, aucune suite ne lui a été donnée.

Ce magnifique vitrail représentant la résurrection du Christ se trouve dans une église de Liverpool. Il a été réalisé par sir Edward Burne-Jones.

D'anciens symboles païens illustrent cette carte en provenance d'Allemagne, pays où est née la légende du lièvre de Pâques.

Qu'est-ce que le lièvre de Pâques ?

La réputation dont bénéficie le lapin est usurpée. Elle est entretenue par l'ignorance populaire, qui confond le lapin et le lièvre. C'est en effet le lièvre qui servait de talisman à nos ancêtres. Comme il naît les yeux ouverts et qu'il a des mœurs nocturnes, les Égyptiens avaient dédié son culte à la Lune. Plus tard, les Anglais lui prêtèrent des pouvoirs magiques et se servirent de lui pour interroger les auspices. Dans certaines régions d'Irlande, on refusait de tuer ou de manger des lièvres sous prétexte qu'ils abritaient l'âme des ancêtres.

Le mythe du lièvre de Pâques vient d'Allemagne, où deux versions de son origine sont proposées. La première appartient à la mythologie : les anciennes tribus germaniques honoraient Ostâra, ou Eastre, déesse du printemps et de la vie, à laquelle ils associèrent le lièvre pour sa prolificité. Cette divinité a donné son nom aux Pâques allemandes, appelées *Ostern*. Le lièvre fut donc baptisé chez eux *Oster Hase* – lièvre de Pâques – et il fut chargé d'apporter les œufs de Pâques aux enfants sages. Une autre légende prétend qu'une femme trop pauvre pour acheter des friandises à ses enfants aurait construit dans son jardin des nids à l'aide de brindilles dans lesquels elle aurait disposé des œufs peints de toutes les couleurs. Au moment où les enfants auraient découvert les œufs de Pâques, un lièvre serait sorti d'un nid et il aurait été acclamé comme le généreux donateur. A priori le rapport entre le lièvre et l'œuf est contre nature, mais l'animal est célèbre pour son exceptionnelle fécondité, ce qui justifie son association avec la période de renaissance que symbolise Pâques. En France, la mention la plus ancienne, mais sujette à caution, de cette croyance n'apparaît qu'en 1572. En dehors de l'Alsace et de la Lorraine, on ne trouve d'allusion au lièvre de Pâques que dans le Poitou et dans l'Auxois, où l'on croit que les lièvres, qui sont tous sorciers, ont le don de parole le jour de Pâques.

Dans la plupart des pays d'Europe, le lapin, plus commun que le lièvre et souvent confondu avec lui, a pris la relève comme symbole de chance. Les pattes de lapin, parfois portées comme gri-gri, doivent leur réputation à cette confusion. En Amérique, où le lièvre était inconnu, le lapin l'a remplacé comme porte-bonheur et emblème pascal. Les confiseurs ont consolidé sa position en fabriquant, à l'occasion des fêtes de Pâques, des lapins en chocolat qui portent des chapeaux remplis d'œufs décorés.

Que symbolisent les œufs à Pâques ?

Les festivités de Pâques, comme celles de Noël, sont un amalgame de rites chrétiens et de traditions païennes. Bien avant l'avènement du christianisme, les Égyptiens et les Romains offraient des œufs parce qu'ils étaient symboles de vie. Pâques était à l'origine une fête païenne destinée à célébrer le retour du printemps et le réveil de la nature. C'était aussi l'époque où les oiseaux s'accouplaient et faisaient des petits. L'œuf de poule, d'où surgissait la vie,

Les œufs décorés symbolisent la vie et l'amour. Certains chrétiens prétendent que Marie teignait des œufs pour amuser l'Enfant Jésus.

LE JOUR OÙ LE SOLEIL DANSE

De nombreuses superstitions liées aux fêtes de Pâques puisent leur origine dans les rituels préchrétiens dédiés au culte du Soleil. Autrefois, la période pascale célébrait le retour du printemps, la chaleur retrouvée du soleil et le réveil de la nature. En lui associant ses propres rites, l'Église a donné à la fête du printemps une signification religieuse.

Environ deux mille cinq cents ans avant la naissance du Christ, le culte du Soleil était la religion officielle en Égypte. Dans l'ancienne Babylone, en Assyrie, en Perse et en Asie Mineure, le Soleil était une divinité. Les druides le vénéraient aussi. Les Indiens d'Amérique saluent le jour de l'an – qui est une période de renaissance – par des danses dédiées au Soleil. Une coutume gaélique exige qu'une mariée fasse trois fois le tour de l'église en suivant la course du soleil avant de pouvoir rejoindre son futur époux à l'intérieur.

Dans certaines parties du monde, les habitants continuent à se lever tôt le dimanche de Pâques pour voir le soleil se lever et admirer son reflet dans les eaux tranquilles d'un étang ou d'un ruisseau. Selon une vieille légende, c'est le jour où le soleil danse : un agneau portant un étendard se dessine alors au centre de sa sphère. Bien que cette tradition remonte à des temps immémoriaux, elle est désormais indissociable du christianisme, le chrétiens affirmant que ce sont les anges qui ont assisté à la résurrection qui dansent devant le soleil.

Le culte du Soleil a dominé de nombreuses civilisations. Pour les Incas, Inti (en haut, à droite) était le dieu suprême : il était symbolisé par un disque d'or à visage humain. Apollon, le dieu du soleil des Romains, avait également une apparence humaine, comme en témoigne cette mosaïque retrouvée à Corinthe, en Grèce (ci-dessus). Le pharaon égyptien Akhenaton instaura le culte d'Aton « le disque », dieu suprême et unique (à droite).

était un signe de renouveau. Sa coquille était souvent décorée de motifs représentant toutes sortes de fleurs dont on voulait encourager la repousse.

Les premiers chrétiens ont perpétué la coutume qui consistait à offrir des œufs et, petit à petit, la pratique a été associée aux fêtes de Pâques. L'œuf est devenu l'emblème de la résurrection du Christ, et la décoration des coquilles a pris une signification religieuse. Ainsi, les œufs étaient souvent peints ou teints en rouge pour symboliser le sang du Christ.

Presque partout dans le monde chrétien, le folklore associé au printemps a subsisté parallèlement aux pratiques religieuses, et les rites sacrés ont cohabité avec d'étranges superstitions. Ainsi, quiconque trouvait deux jaunes dans un œuf à la coque le jour de Pâques pouvait s'attendre à voir la chance lui sourire deux fois de suite. Les laboureurs mettaient un œuf dans le premier sillon qu'ils traçaient dans l'espoir d'améliorer les récoltes. En Europe de l'Est, les paysans enterraient des œufs teints en rouge pour éloigner les tempêtes.

À l'occasion des fêtes de Pâques, un peu partout en Europe, on distribuait aux enfants des œufs durs qui servaient à des jeux. Ainsi la bataille d'œufs, qui opposait des enfants armés d'œufs durs en une véritable bataille rangée ; la toquette, où chacun des joueurs tenait bien serré dans la main un œuf dur et le toquait contre celui de son partenaire, celui dont l'œuf ne se cassait pas gagnait ; enfin, la roulée, qui consistait à faire rouler un œuf dur sur un plan incliné ou un terrain en pente : tout œuf touché par celui d'un autre joueur devenait sa propriété.

En 1519, les conquistadors espagnols découvrirent le chocolat au Mexique et l'importèrent en Europe. Son usage se répandit rapidement en cuisine et en confiserie. Dans de nombreux pays, l'œuf en chocolat – dans un premier temps, de petite taille et plein – remplaça l'œuf de poule coloré. De nos jours, les œufs en chocolat sont souvent décorés de fleurs en sucre qui appartiennent à notre héritage païen.

Les cloches de Pâques reviennent de Rome chargées de friandises qu'elles offrent le dimanche aux enfants sages.

Ces cloches qui vont à Rome

Il existe en France une croyance particulière concernant les cloches et qui repose sur l'idée qu'elles ne sont nullement de simples objets inanimés mais bien, à divers degrés, des êtres vivants, car elles ont même une voix. Ainsi, tout comme les enfants, on les baptise, elles sont capables de pleurer comme de rire, elles peuvent se mettre d'elles-mêmes en branle lors d'événements graves ou merveilleux. Elles sont aussi douées de pouvoirs magiques, elles chassent les tempêtes, écartent les nuées, réduisent au silence les démons et les sorcières. Enfin, du jeudi au samedi saints, si on ne les entend plus, c'est qu'elles partent en voyage pour Rome.

Cette histoire contée aux enfants à Pâques précise que, pendant le trajet de retour, le samedi saint, elles déposent des friandises de toutes sortes dans les jardins des enfants sages, qui auront à les chercher le dimanche matin.

Les secrets du bonheur conjugal

Mariez-vous en juin et votre vie sera, paraît-il, une éternelle lune de miel ! Les Romains ont dédié ce mois à Junon, déesse du mariage et protectrice de la féminité.

Pourquoi juin est-il le mois des mariages ?

Un vieux proverbe anglais prétend qu'un mariage en entraîne un autre. Il se vérifie sans conteste en juin, mois qui a la réputation d'être un gage d'union heureuse. C'est dans la mythologie romaine qu'il faut chercher l'origine de cette croyance.

Le mois de juin doit son nom à Junon, déesse du mariage, fidèle épouse de Jupiter et protectrice de la féminité de la naissance jusqu'à la mort. La déesse garantissait un mariage heureux aux amoureux qui convolaient pendant le mois qui lui était dédié.

Dans de nombreux pays, en particulier dans l'hémisphère Nord, juin est le mois où l'on se marie le plus. Les considérations météorologiques entrent en ligne de compte, mais la survivance de l'ancienne superstition romaine n'est pas étrangère au phénomène. En ce qui concerne les jours de la semaine, le samedi, qui est pourtant le jour de prédilection des mariages, serait aussi le plus maléfique.

Si le samedi est un jour à éviter, une union célébrée un samedi du mois de mai est irrémédiablement vouée à l'échec. Le mariage est fortement déconseillé en mai, mois auquel on attribue une influence néfaste parce qu'il est gouverné par la déesse Maia qui est aussi l'épouse de Vulcain, le dieu du Feu et des Forges. D'aucuns en déduisent qu'un mariage célébré en mai est synonyme de relations explosives. D'autres soulignent que Maia était aussi la patronne des vieillards et que par conséquent le mois de mai doit être réservé aux unions du troisième âge.

La prétendue félicité des mariages de juin est infirmée par les statistiques. Les divorces sont aussi fréquents chez les couples mariés en juin que chez ceux qui ont convolé un autre mois.

Quelle est l'origine du voyage de noces ?

Quand les jeunes mariés s'esquivent – discrètement, si possible – pour partir en voyage de noces, ils reproduisent des pratiques barbares ancestrales. À l'époque, les hommes enlevaient la femme de leur choix puis la mettaient en sûreté et chassaient ceux qui essayaient de la délivrer. Quand le ravisseur avait prouvé à sa victime qu'il était le mari idéal, le couple sortait de sa cachette et le jeune homme essayait d'amadouer la famille et l'heureuse élue à grand renfort de présents.

De nos jours, les jeunes épouses se prêtent volontiers au jeu qui consiste à filer à l'anglaise pour éviter les plaisanteries destinées à retarder le départ du couple. Beaucoup de jeunes mariés gardent leur destination secrète, pratique qui évoque les cachettes de nos ancêtres.

L'expression lune de miel est inspirée par une coutume propre aux Teutons, tribu germanique qui vivait dans le Jutland, en Europe du Nord, avant de migrer vers le sud, au IIe siècle avant J.-C. Pendant le mois lunaire qui suivait leur mariage, les jeunes époux teutons célébraient leur union en buvant de l'hydromel, une boisson fermentée à base de miel. Cette fête prit donc le nom de lune de miel et le terme fut conservé par la suite pour désigner les premiers temps du mariage. Depuis, l'usage de l'expression s'est étendu et s'applique, surtout en politique, à toute période pendant laquelle les difficultés et les problèmes épineux sont provisoirement gommés.

Pourquoi jette-t-on des confettis sur les mariés ?

Comme beaucoup d'autres, cette coutume a été inaugurée par les Romains, qui lançaient des amandes, des friandises ou du blé sur la jeune mariée pour assurer sa fécondité. Dans certaines régions d'Allemagne, cet usage subsiste encore, mais les invités offrent les amandes au lieu de les projeter. Ailleurs, les convives jettent sur la mariée des porte-bonheur en tout genre, comme des pantoufles, des gâteaux ou des poignées de riz.

Les mariées grecques, romaines et anglo-saxonnes portaient parfois des diadèmes faits de grains de maïs ou de blé, qui étaient également des symboles de fécondité. Au temps des Saxons, la nef de l'église était jonchée de blé et d'orge. De ces coutumes est née celle de lancer du blé au cours des mariages, mais aussi à l'occasion d'autres cérémonies. Une chronique qui date de 1486 raconte que, lors d'une visite dans l'ouest de l'Angleterre, le roi Henri VII fut aspergé de blé en signe de bienvenue.

Par la suite, l'influence orientale ou une évolution du rituel saxon substituèrent le riz au blé comme symbole de fécondité, et la coutume se limita aux mariages. Au Moyen Âge, certains peuples d'Europe croyaient que des incubes et des succubes – démons mâles et femelles au tempérament jaloux – pouvaient briser le bonheur du couple en séduisant le mari ou la femme pendant leur sommeil. Le riz jeté après la bénédiction nuptiale servait à nourrir et à dissuader les esprits malins en les amadouant.

À la fin du XIXe siècle, la coutume de lancer du riz sur les mariés se pratiquait presque partout en Europe et en Amérique. Son introduction en Grande-Bretagne autour de 1880 défraya la chronique et suscita la réprobation générale. Bien que cette tradition ait vu le jour dans les églises, elle était violemment condamnée par les pasteurs.

Bientôt, des confettis – le nom désignait au départ des petits fours italiens – vinrent s'ajouter au riz et le remplacèrent dans certaines régions. Pâtisseries et friandises étaient souvent en forme de cœur, de fleurs ou d'autres porte-bonheur.

Par la suite, des rondelles de papier multicolores imitèrent les confettis. Moins chères et plus pratiques, ces pastilles supplantèrent peu à peu les vieux symboles comme les pétales de rose, les sucreries ou le riz. De nos jours, les époux sont parfois noyés sous des talismans encore plus économiques, puisqu'il s'agit des petits ronds de papier poinçonnés sur les bords des listings informatiques !

Que signifie l'alliance ?

À l'origine, l'alliance était moins un symbole d'amour qu'un symbole de possession, la femme qui la portait signifiait ainsi aux hommes qu'elle n'était plus disponible. Les hindous furent sans doute les premiers à faire usage d'alliances et cette pratique se répandit en Occident par le truchement des Grecs et des Romains. Cette coutume n'a été adoptée par les chrétiens qu'au IXe siècle et l'Église en fit alors un symbole de fidélité.

L'alliance est portée à l'annulaire de la main gauche car on croyait alors qu'une veine menait directement de ce doigt au cœur. Dans certains pays, l'alliance est bénite puis échangée lors des fiançailles. Elle se porte alors à la main droite. Lors du mariage on la change simplement de doigt. L'anneau est en or, symbole d'une union longue et heureuse, d'où cette croyance qu'un anneau brisé, perdu ou ôté est un mauvais présage.

Quel est le rôle des demoiselles d'honneur ?

Dans des temps reculés, la mariée et ses demoiselles d'honneur étaient pratiquement indifférenciables. La future épouse choisissait des jeunes filles qui lui ressemblaient et qui revêtaient la même robe.

Les confettis ou le riz servaient autrefois à assurer la fécondité de la mariée et à amadouer les mauvais génies.

Cette similitude voulue était destinée à embrouiller et à égarer les mauvais esprits que la joie et le bonheur du couple rendaient méchants et fous de jalousie. L'union faisant la force – proverbe

Avant même que la fête soit finie, le jeune couple file à l'anglaise vers une destination souvent inconnue. Le voyage de noces reproduit des pratiques barbares ancestrales et la lune de miel tire son nom d'anciens rites teutons copieusement arrosés d'hydromel.

d'autant plus vrai quand l'ennemi, trompé par les apparences, ne peut identifier sa victime –, la mariée s'entourait de sosies.

Dans la Rome antique, tout mariage exigeait la présence de dix témoins et certains historiens font remonter la tradition des garçons et des demoiselles d'honneur à cette époque. Par la suite, ils eurent pour fonction de protéger les fiancés. Jusqu'au Moyen Âge, il n'était pas rare de voir surgir un rival qui, aidé d'une bande de complices, tentait d'enlever la future mariée au cours de la cérémonie.

En devenant demoiselle d'honneur, une jeune femme s'expose à de bons et à de mauvais présages. Si elle trébuche sur le chemin de l'autel ou si elle a le malheur d'être demoiselle d'honneur pour la troisième fois, il y a de fortes chances pour qu'elle reste vieille fille.

Autrefois, en effet, le chiffre trois était investi du pouvoir de porter bonheur ou malheur. Pour une demoiselle d'honneur, il constituait un très mauvais présage : pour le conjurer, elle devait s'arranger pour assister quatre mariées supplémentaires. Le chiffre sept, qui correspond au nombre de jours de la semaine, est associé aux différentes phases de la lune et est censé porter bonheur. Pour une jeune fille qui a été sept fois demoiselle d'honneur, tout changement sera bénéfique.

Les manuels du savoir-vivre exigent que les demoiselles d'honneur restent imperturbables (même par grand vent !). À l'époque victorienne, un cortège d'une douzaine de jeunes filles accompagnait la mariée jusqu'à l'autel.

Que symbolise le gâteau de mariage ?

De tous les éléments qui font partie des festivités du mariage, le gâteau est le plus symbolique. La légende prétend qu'une mariée ne sera jamais heureuse si elle s'aventure à confectionner elle-même son gâteau, car elle s'expose à une vie de corvées. Pour connaître le bonheur, elle doit être la première à couper le gâteau, de préférence avec l'épée de son mari – s'il en a une – ou avec le meilleur couteau disponible dans la maison. En découpant la première part, elle doit faire un vœu sans le révéler à l'assistance. Le marié pose alors sa main sur celle de sa femme, non pas pour l'aider mais pour manifester son désir de partager sa destinée.

Le gâteau de mariage porte bonheur aux parents et aux amis de la mariée. Les convives sont donc invités à en emporter un morceau et des parts sont envoyées aux membres de la famille et aux relations qui n'ont pas pu se déplacer. L'usage veut qu'on apporte une portion du gâteau à une femme célibataire. D'après une superstition très répandue, si elle passe un petit morceau de gâteau à travers une alliance, puis l'enfouit au fond de son bas gauche, qu'elle place ensuite sous son oreiller, elle verra son futur mari apparaître dans ses rêves. Une autre tradition exige que le marié passe des morceaux de gâteau neuf fois à travers l'alliance de sa femme avant de les distribuer aux jeunes filles présentes à la fête. Ces pratiques étaient encore très répandues au début du siècle sous une forme plus sophistiquée. Selon le folklore britannique, un morceau de gâteau apporté à une femme célibataire doit être recouvert d'un glaçage. Le gâteau représente le futur mari, et le glaçage symbolise l'épouse. La part de gâteau à la main, la jeune fille doit gagner son lit à reculons en chantant ce refrain :

« Sur ce gâteau je m'endors,
Pour rêver des vivants et non des morts,
Pour rêver de l'homme que me réserve le sort. »

Puis la jeune fille doit placer le gâteau sous son oreiller et attendre le sommeil sans un mot de plus.

Le gâteau de mariage et les rituels qui lui sont associés puisent leur origine dans la Rome antique, où les mariages étaient suivis de fêtes au cours desquelles on servait des mets symboliques. Un gâteau spécial, fait de farine, de sel et d'eau, était partagé au-dessus de la tête de la mariée en signe de fécondité et de chance. Les invités pouvaient emporter des parts de gâteau en guise de porte-bonheur.

Cette coutume romaine avait encore cours au siècle dernier en Écosse et dans le nord de l'Angleterre. Si on omettait de la respecter, les mariés risquaient d'être condamnés à une vie de pauvreté. En Écosse, un gâteau de mariage à base de farine d'avoine était partagé au-dessus de la tête de la mariée avant qu'elle franchisse le seuil de sa future demeure. En Angleterre, le marié cassait un gâteau aux raisins au-dessus de la tête de la mariée recouverte d'un linge. Puis il lançait le gâteau en l'air pour que les invités le récupèrent en respectant certains rituels censés leur accorder les faveurs du sort.

Pourquoi les mariées doivent-elles porter du neuf et du vieux ?

Bien que les cérémonies de mariage aient considérablement évolué au cours de ces dernières années, certaines coutumes résistent aux modes et au modernisme. Ainsi, dans certains pays, les jeunes mariées respectent une tradition séculaire qui consiste à porter « quelque chose de neuf, quelque chose de vieux, quelque chose d'emprunté, quelque chose de bleu ».

Ces quatre superstitions seraient originaires d'Angleterre, mais beaucoup d'autres cultures observent des habitudes similaires. Tous ces usages ont pour fondement une croyance selon laquelle la chance peut se transmettre d'une personne à l'autre.

Le visage de la princesse rayonne de bonheur. Pour son mariage, en novembre 1947, Élisabeth, l'actuelle reine d'Angleterre, portait un diadème en diamants qu'elle avait emprunté à sa mère.

Porter quelque chose de vieux, en particulier la robe de mariée de sa mère, est un gage de bonheur, mais la plupart des jeunes femmes modernes sacrifient cette tradition à la mode. Une jarretière ou un voile empruntés à une femme heureuse en ménage sont censés porter chance. Quand la princesse Élisabeth, l'actuelle reine d'Angleterre, s'est mariée, en 1947, elle arborait le diadème de sa mère.

L'accessoire bleu est souvent le seul élément de couleur dans la toilette blanche de la mariée. Les traditionalistes et les superstitieux exigent un bleu ciel, qui symbolise la pureté et la fidélité. Certains pensent que pour respecter la règle du blanc absolu l'accessoire bleu doit être caché. C'est pourquoi, le vieux, l'emprunté et le bleu sont souvent réunis en un seul et même objet : la jarretière.

Pourquoi les mariés s'embrassent-ils ?

De nombreuses superstitions sont associées au baiser, qui, dans la plupart des pays du monde, n'est pas seulement un signe d'amour ou d'affection. Souvent, le baiser est destiné à porter chance. De nombreux exemples sont là pour le prouver : ainsi, les demandeurs d'emploi embrassent l'enveloppe qui contient leur candidature à un poste, les footballeurs envoient un baiser vers le ciel quand ils ont marqué un but et, avant une course de chevaux, les parieurs embrassent leurs bulletins de jeu.

Le baiser qui scelle l'union des deux époux fait parfois couler les larmes de la mariée.

Le baiser en tant qu'engagement sacré – telle est sa signification quand un jeune marié embrasse son épouse – est originaire d'Asie Mineure. Pour faire serment d'allégeance, les hommes baisaient la main d'un chef d'État ou le sol qu'il foulait. De nos jours, quand le prêtre autorise le mari à embrasser sa femme au cours de la messe de mariage, il annonce la fin du service : dans ce cas, le baiser est symbolique et il scelle l'union des époux.

Le rite du baiser a évolué au cours des siècles. Jadis, en Écosse, le pasteur devait être la première personne à embrasser la mariée pour qu'elle puisse prétendre au bonheur. Dans d'autres pays, la coutume exigeait que la jeune épouse embrassât tous les hommes présents au mariage. Pour éviter les déboires conjugaux, une croyance conseillait à la mariée de fondre en larmes au moment où son époux soulevait son voile pour l'embrasser. Mais une autre superstition prétendait au contraire que les pleurs de la mariée attiraient le mauvais sort sur le couple...

LES DESSOUS DU VOILE

De toutes les traditions nuptiales qui résistent aux mouvements pour l'égalité des sexes et la libération de la femme, le port du voile est la plus surprenante. Alors que les femmes ont exigé une modification des serments de mariage et refusent désormais de faire vœu de vénération et d'obéissance, la plupart des jeunes mariées portent encore un voile pour se rendre à l'autel.

Cette coutume, toujours très répandue, vient probablement d'Orient. Elle serait un symbole de soumission de l'épouse à son mari ; à moins qu'elle ne soit liée au Purdah, précepte commun aux religions musulmane et hindoue qui astreint les femmes à se couvrir des pieds à la tête pour ne pas attirer la convoitise des étrangers. Le mari est le premier homme à écarter le voile qui dissimule les attraits de son épouse.

Cette mariée voilée observe une coutume romaine rétablie en Europe au siècle dernier.

Quelle est l'origine du bouquet de la mariée ?

Depuis la nuit des temps, la croyance populaire attribue aux fleurs des vertus magiques et leur prête le pouvoir d'influencer les événements, et en particulier le bonheur futur. Dans la plupart des pays du monde, les enfants et les amoureux effeuillent toujours les marguerites et les promeneurs profitent d'une balade à la campagne pour chercher des trèfles à quatre feuilles.

Les fleurs ont toujours été associées à l'amour. Dans l'Antiquité, les Égyptiens offraient des fleurs en guise de porte-bonheur et en signe d'affection. En Orient, suivant une coutume qui a gagné l'Europe par la suite, les jeunes hommes amoureux cueillaient une fleur encore humectée de rosée du matin, qu'ils gardaient vingt-quatre heures dans leur poche. Si la fleur restait fraîche, elle laissait augurer un mariage heureux. Si la fleur était flétrie, le jeune homme préférait le célibat au risque d'être malheureux en ménage.

Pour les peuples primitifs, les fleurs symbolisaient le sexe et la fécondité : il est donc tout naturel qu'elles aient été intégrées aux rituels nuptiaux. De nos jours, le bouquet de la mariée est un gage d'harmonie conjugale. En principe, il contient des roses, qui symbolisent l'amour et la chance. Les rubans qui enserrent le bouquet représentent les vœux de bonheur offerts par les amis de la mariée.

En plus de leur bouquet, les mariées portent souvent des fleurs d'oranger – naturelles ou artificielles – tressées pour former une couronne posée sur leur voile. Cette coutume, que les historiens attribuent aux sarrasins, aurait été introduite

Sur cette gravure de 1825, le garçon d'honneur ôte à la mariée sa jarretière, qui sera ensuite vendue aux enchères. Cette coutume est encore aujourd'hui largement répandue.

en Europe par les croisés. Dans les pays méditerranéens, cet usage se pratique depuis plusieurs siècles. À cause de son feuillage persistant, l'oranger est devenu un symbole d'amour éternel et de fidélité. Dans l'Antiquité, les Chinois le considéraient comme un porte-bonheur parce qu'il porte fleurs et fruits en même temps. Au milieu des fleurs blanches, symbole de pureté et de chasteté, poussent des fruits abondants, signe de fécondité.

Tel un talisman, le bonheur de la mariée peut être transmis à ses demoiselles d'honneur et à ses amies. Selon un vieux proverbe anglais, les jeunes filles en âge de se marier trouveront très vite un époux si elles s'approprient quelques brins du bouquet de la mariée. La coutume qui consiste à jeter le bouquet au milieu des jeunes femmes célibataires rassemblées est beaucoup plus répandue aux États-Unis qu'en Europe, où la jeune mariée préfère s'esquiver discrètement pour partir en voyage de noces.

Pourquoi les mariées sont-elles en blanc ?

Peu d'événements inspirent autant de présages et de superstitions que la cérémonie du mariage, et la mariée, pour peu qu'elle leur accorde de l'importance, est toujours la personne la plus concernée par ces croyances.

Le bouquet de la mariée symbolise le sexe et la fécondité. On lui attribue aussi le pouvoir de porter bonheur.

Dans les mariages traditionnels, un principe ancestral veut que la mariée ne porte aucun vêtement ni accessoire de couleur (à l'exception du petit détail de couleur bleue qui est généralement caché). Les mariées portent du blanc parce que la tradition l'exige depuis des siècles. Le blanc symbolise la pureté de la jeune femme, son innocence et sa candeur. À une époque maintenant révolue, il indiquait aussi son acceptation des valeurs simples. Dans la Grèce antique, le blanc symbolisait la joie. Les Grecs portaient toujours des vêtements blancs les jours de fêtes et ils tressaient des guirlandes de fleurs blanches. Avant les cérémonies nuptiales, ils peignaient également leur corps en blanc.

Les robes de mariée de couleur, qui sont cependant de rigueur dans certains pays, ont inspiré une foule de superstitions : « Mariée en grenat mérite le trépas... » « Mariée en jaune serin a honte de son coquin... » « Mariée en vert mousse a honte de sa frimousse... » « Mariée en rose thé sera triste à pleurer. »

Seuls le blanc (« Mariée en blanc a fait choix pertinent ») et le bleu (« Mariée en bleu a pris époux sérieux ») échappent à ce genre de critiques.

Mille façons de courtiser la chance

Les chats noirs portent-ils bonheur ou malheur ?

Peu d'animaux ont inspiré plus de mythes et de superstitions que les chats domestiques. Leurs mœurs nocturnes, leur aptitude à se diriger dans l'obscurité et leur extraordinaire agilité ne sont pas étrangères à ce phénomène. Tous les possesseurs de chats ont vu un jour leur animal arquer l'échine et fixer avec une insistance troublante une nuisance imperceptible pour leur maître. De là à en conclure que le chat est doté d'un don de double vue qui lui permet de détecter des fantômes ou des phénomènes nocturnes indéfinissables, il n'y avait qu'un pas, que nos ancêtres, dans leur innocence primitive, franchirent allègrement.

Le lien entre le chat, la religion et l'occultisme remonte à plusieurs millénaires et est attesté dans de nombreuses civilisations. Ainsi, le chat est mentionné dans les œuvres de Confucius et de Mahomet, et il était vénéré dans les temples thaïs depuis l'aube des temps. Mais c'est dans l'Antiquité égyptienne qu'il faut rechercher le point de départ de ce culte.

Des chroniques de l'époque prouvent que les Égyptiens ont domestiqué le chat vers l'an 1500 avant J.-C. – peut-être même avant. Les chats mâles furent associés au dieu du soleil Rê et les femelles à Bastet, déesse de la joie, déesse musicienne. Les Égyptiens croyaient alors que les éclipses du soleil étaient la conséquence de luttes sans merci entre Apopis, le dieu de la nuit, et Rê, qui, pour l'occasion, prenait l'apparence d'un chat géant.

Quand l'Égypte tomba entre les mains des légions romaines, en 58 avant J.-C., ses dieux disparurent pour renaître sous une autre forme. Ainsi Pasht, la déesse égyptienne de la lune, fut identifiée à la déesse romaine Diane, elle-même assimilée à Hécate, divinité des enfers qui protégeait les sorcières. Lors de ses sinistres expéditions sur terre, Hécate se métamorphosait en chat noir. Après avoir été adoré par les Égyptiens, le chat noir se mit à leur inspirer la terreur. Quand la chute de l'Empire romain précipita l'Europe dans le chaos, le chat gagna définitivement ses galons de suppôt de Satan.

Pendant le haut Moyen Âge, période comprise entre le ve et le xie siècle, la croyance populaire attribuait aux démons le pouvoir de se déguiser en chats. De cette superstition naquit la conviction que les chats étaient les compagnons inséparables des sorcières. Pour jouer ses tours pendables, une sorcière avait besoin d'un mauvais génie à sa botte, rôle taillé sur mesure pour un chat noir. La sorcière avait également le pouvoir de prendre n'importe quelle apparence, y compris celle d'un chat noir.

De tout temps, les chats ont été associés à la sorcellerie. En Amérique et en Europe, les chats noirs étaient autrefois soupçonnés de commercer avec le diable. En Grande-Bretagne, ils sont au contraire symbole de chance.

Toute rencontre avec un chat noir posa alors un dilemme : était-on en présence d'un animal ensorcelé capable d'un mauvais coup diabolique ou d'une sorcière déguisée en chat ? Dans un cas comme dans l'autre, ce face-à-face ne présageait rien de bon. Les chats furent alors les cibles de persécutions impitoyables et très répandues : en Europe, les festivités de Pâques et du carême incluaient des tortures et des sacrifices de chats. À Paris se tint pendant plusieurs siècles une fête qui consistait à danser autour de feux de joie dont les flammes étaient alimentées à grand renfort de cages en osier remplies de chats. Un remède qui date de 1602 donnait le conseil suivant : « Pour guérir un mal transmis à un enfant par une sorcière [...] faire rôtir le cœur d'un chat noir et l'administrer à la victime sept soirs de suite au moment du coucher. » Une fois carbonisée et réduite en poudre, la tête d'un chat noir « exempte de tache de toute autre couleur » était supposée guérir la cécité.

Au xviiie siècle, le chat retrouva des défenseurs. Les peurs occultes cédèrent la place à une attitude indulgente, encouragée par les fermiers et les commerçants, qui étaient surtout intéressés par l'efficacité du chat dans la lutte contre les nuisibles. Le chat noir devint alors un symbole de chance. Mais ce sont les écrivains romantiques qui redonneront au chat ses lettres de noblesse : se voulant marginaux, indépendants, solitaires ou maudits, attirés par les relents sulfureux qui flottent encore autour du chat, les romantiques trouvent tout naturellement en lui le symbole de leur statut social. Le chat devient une espèce d'emblème, et chaque écrivain de rapporter avec ferveur les aventures et les espiégleries de son chat, de Victor Hugo à Balzac, en passant par Alexandre Dumas, et surtout Baudelaire. Un peu plus tard, le chat représente le symbole du Montmartre noctambule grâce, notamment, aux chats que dessine Steinlen. On fréquente un cabaret à la mode, le Chat noir, et une revue du même nom regroupe la nouvelle génération de dessinateurs parisiens. Cependant, loin de cette idéalisation, il semble que le chat, vivant désormais en appartement dans les grands centres urbains, joue le rôle que nous lui connaissons aujourd'hui, celui d'animal de compagnie.

Pourquoi le vendredi porte-t-il malheur ?

Si toutes les superstitions sur les dangers et les interdits liés au vendredi étaient respectées à la lettre, ce serait un jour de repos complet. Pour nos ancêtres, le vendredi était frappé d'une foule d'interdictions : il était hors de question de faire la lessive ou de faire cuire du pain et, en règle générale, tout ce qui était entrepris ce jour-là était irrémédiablement voué à l'échec. Ainsi, les marins ne levaient jamais l'ancre un vendredi, de peur de placer leur voyage en mer sous de mauvais auspices. Les constructeurs de bateaux ne procédaient à aucun lancement de navire un vendredi, les fermiers ne commençaient ni leurs semailles ni leurs moissons ce jour-là et les voyageurs différaient leur départ. Dans de nombreux corps de métier, on ne finissait pas les travaux du jeudi afin de ne pas être obligé d'entamer une nouvelle tâche le lendemain. Cette coutume était transgressée en une seule occasion : le jour des exécutions capitales. Le vendredi était en effet le jour du bourreau et la sentence était souvent appliquée ce jour-là.

Cette superstition, vieille de plusieurs siècles, est longtemps restée profondément ancrée dans les mœurs. On lui attribue plusieurs origines. Certains historiens l'associent à une légende, qui n'est cependant pas confirmée par la Bible, selon laquelle Adam et Ève auraient croqué le fruit défendu et auraient été chassés du jardin d'Éden un vendredi. Caïn aurait assassiné Abel un vendredi, et le déluge aurait commencé un vendredi aussi. Mais l'explication la plus couramment acceptée associe ces superstitions à la mort du Christ, crucifié un vendredi.

À notre époque, la malédiction du vendredi ne s'applique plus qu'au vendredi 13, qui associe deux symboles de mauvaise fortune.

Que symbolise la poignée de main ?

La manière la plus répandue de saluer un inconnu ou un ami consiste à échanger une poignée de main : sauf circonstances particulières, on se serre la main droite. Cette coutume, comme beaucoup d'autres règles du savoir-vivre, remonte aux temps de la chevalerie, où, avant de disputer un combat, les deux adversaires se serraient la main en signe de paix et de loyauté. En prenant la main droite de son rival, l'antagoniste l'empêchait de brandir une arme et se l'interdisait également, montrant ainsi son intention de ne pas faire preuve de félonie pendant la rencontre.

De nos jours, il est inconvenant de garder ses gants pour échanger une poignée de main. Cette tradition remonte également au temps de la chevalerie. À l'époque, les chevaliers enlevaient leurs gantelets pour mettre leur adversaire en confiance : cette précaution écartait également tout risque de coup administré par un poing revêtu de mailles. De cette tradition découle l'usage qui exige qu'on enlève ses gants en présence de personnages royaux.

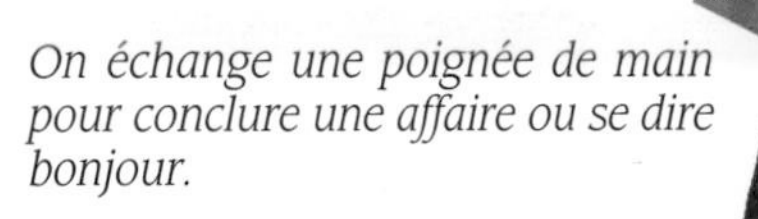

On échange une poignée de main pour conclure une affaire ou se dire bonjour.

QUELQUES SUPERSTITIONS DE LA MER

Habitués à respecter la puissance aveugle des éléments, les marins figurent parmi les plus superstitieux qui soient. Ainsi les marins de l'Atlantique ne disaient jamais « cochon » ou « lapin », mais « queue en tire-bouchon » ou « animal aux longues oreilles ». Le cochon était traité avec respect, en raison de ses pieds aussi fourchus que ceux du diable. C'était aussi l'animal favori de la Terre nourricière, maîtresse des quatre vents. Prononcer son nom ou en tuer un à bord risquait de déclencher un temps de cochon. Quant au lapin, sa mauvaise réputation est due au fait qu'il rongeait tout sur les voiliers.

La Lune est pour les marins associée à la malchance. Jadis, ils s'inclinaient devant la nouvelle lune. Ils évitaient aussi de piétiner ou d'enjamber la ligne de lune, partie du pont éclairée par celle-ci. Embarquer un prêtre, récemment encore, passait pour susciter le courroux des divinités marines. On évitait même de dire leur nom. Si les navigateurs devaient en embarquer un, ils lavaient ensuite soigneusement leur bateau. Cela dit, un temps de curé désigne aussi, dans le parler marin, une mer d'huile.

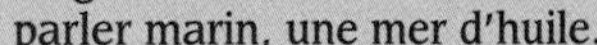

Le vendredi 13, qui associe deux puissants porte-malheur, est pour beaucoup un jour maudit où rien ne doit être entrepris. Pour d'autres, c'est au contraire un jour faste où l'on a tout intérêt à tenter sa chance, comme en témoigne cette affiche de la Loterie nationale.

Pourquoi touche t on du bois ?

Il y a des moments dans la vie où tout nous réussit : on s'imagine alors que c'est trop beau pour durer et que, par excès de confiance en soi ou par vanité, on risque de pousser sa chance trop loin et de s'exposer à de graves revers de fortune. Un vieux proverbe prétend en effet que « quiconque parle trop du bonheur finit par attirer le malheur ».

La peur que les événements heureux puissent soudain prendre une mauvaise tournure est étroitement associée à la superstition qui consiste à toucher du bois. La banalité de ce geste a fini par occulter son caractère fétichiste. Après toute déclaration qui pourrait tenter les génies du mal, on cherche inévitablement – et immédiatement ! – un morceau de bois.

La coutume de toucher du bois pour apaiser les esprits malins est un héritage païen : les arbres, considérés comme la demeure des dieux, étaient autrefois sacrés et vénérés. Au fil des saisons, la pousse ou la chute des feuilles obéissaient à des ordres divins. Si certains arbres restaient éternellement verts, c'est qu'ils avaient été choisis pour symboliser l'immortalité. Toucher un arbre était une marque de respect envers les dieux : on sollicitait ainsi leurs faveurs pour l'avenir et on les remerciait de leurs bienfaits passés.

Cette vénération païenne fut renforcée par une croyance chrétienne, qui, après la mort de Jésus-Christ sur une croix de bois, conféra à ce matériau un caractère sacré. La plupart des croyants portaient des crucifix de bois qu'ils touchaient en signe de pénitence lorsqu'ils se laissaient aller à jubiler ou à manifester des ambitions. Le Christ, pensaient-ils, les sommait de mener des vies humbles. L'orgueil n'était pas seulement un défi à l'adresse des esprits du mal, c'était aussi un péché.

Les superstitieux invétérés ne se contentent pas de toucher n'importe quel morceau de bois. S'il n'y a pas d'arbre à proximité, ils cherchent un bout de bois ne portant aucune trace de peinture afin de le toucher, non pas une fois, mais trois.

Des pierres druidiques se dressent parmi les arbres sacrés sur cette toile du peintre contemporain Gordon Wain. La plupart des sociétés primitives croyaient que les arbres étaient la demeure des dieux. Les druides d'Europe vénéraient surtout les chênes.

Que symbolisent les bijoux en forme d'anneaux ?

Les Égyptiens furent probablement les premiers à fabriquer des anneaux. Les femmes les portaient comme bracelets et en enfilaient un autour de chaque poignet. Le cercle, qui représentait l'éternité et l'unité, était, pour les Égyptiens, la figure parfaite. Il fut aussi un symbole important pour d'autres civilisations.

Quand les Grecs conquirent la Perse, vers l'an 330 avant J.-C., ils découvrirent que les chefs militaires adverses arboraient des bracelets pour se démarquer des simples soldats. Les Grecs adoptèrent facilement cette coutume. Ils offrirent des bracelets à leurs plus valeureux combattants et ils imaginèrent des répliques miniatures que les femmes mariées portèrent comme alliances.

Pendant des siècles, l'annulaire de la main gauche a eu une signification particulière. Les Grecs et les Romains l'appelaient le doigt médicinal *(medicinalis digitus)* car ils le croyaient parcouru par une veine qui montait droit au cœur. C'était le doigt qui servait à remuer les potions. Comme le mariage était une affaire de cœur, il était logique que l'annulaire de la main gauche portât l'anneau nuptial. L'écrivain latin Macrobe prétendait que le port d'un anneau sur le doigt médicinal empêchait les sentiments amoureux de s'envoler. Les Juifs adoptèrent l'usage romain qui consistait à utiliser un anneau pour sceller une union entre un homme et une femme, et les Anglo-Saxons lancèrent la mode des alliances en or.

La croyance qui conférait aux anneaux des vertus thérapeutiques a subsisté jusqu'à une époque récente.

Pourquoi les hommes saluent-ils en levant leur chapeau ?

La plupart de nos règles du savoir-vivre remontent à l'époque de la chevalerie. Quand un chevalier croisait un de ses pairs, il soulevait sa visière, pièce métallique du casque qui protégeait ses yeux, pour notifier le caractère amical de la rencontre. Une visière qui restait baissée était une provocation : le chevalier engageait les hostilités et l'autre devait se préparer à croiser le fer.

Quand les hommes troquèrent les casques contre des chapeaux, toucher ou lever son couvre-chef, à la manière des chevaliers qui levaient leur visière, resta un geste sympathique.

En enlevant son casque, un chevalier manifestait sa confiance envers son hôte et il se plaçait sous sa protection. Cette coutume est à l'origine de la règle de politesse qui exige que les hommes retirent leur chapeau en entrant dans une maison. À quelques exceptions près, les femmes n'ont jamais été engagées dans des combats ou des duels : leur bienveillance n'a jamais fait l'ombre d'un doute. N'ayant jamais porté de casque, elles n'ont pas eu à l'enlever en signe de respect.

Les chevaliers errants soulevaient leur visière pour faire connaître leurs intentions pacifiques. Lever son chapeau peut ainsi être interprété comme un signe de galanterie ou de soumission.

Pourquoi fait-on un vœu en cassant un os de volaille ?

L'os en question est la fourchette : appelé ainsi en raison de sa forme, il résulte de la soudure des deux clavicules chez les oiseaux. Quand le poulet était un plat de fête réservé aux grandes occasions, le rituel qui consistait à briser la fourchette en faisant un vœu était une cérémonie à lui tout seul. Tomber sur le morceau de volaille qui entourait la fourchette et avoir ainsi le privilège de choisir un partenaire avec qui la rompre était un premier signe de chance. Les deux protagonistes tiraient alors sur chaque extrémité de l'os en faisant un vœu, et celui qui obtenait la plus grande partie de la fourchette était l'heureux élu de la providence : comme dans la plus pure tradition des contes de fées, il allait voir son vœu se réaliser.

La coutume populaire qui consiste à casser en deux morceaux la fourchette d'une volaille date de la nuit des temps. Selon les historiens, elle précéderait la naissance du Christ de plusieurs siècles.

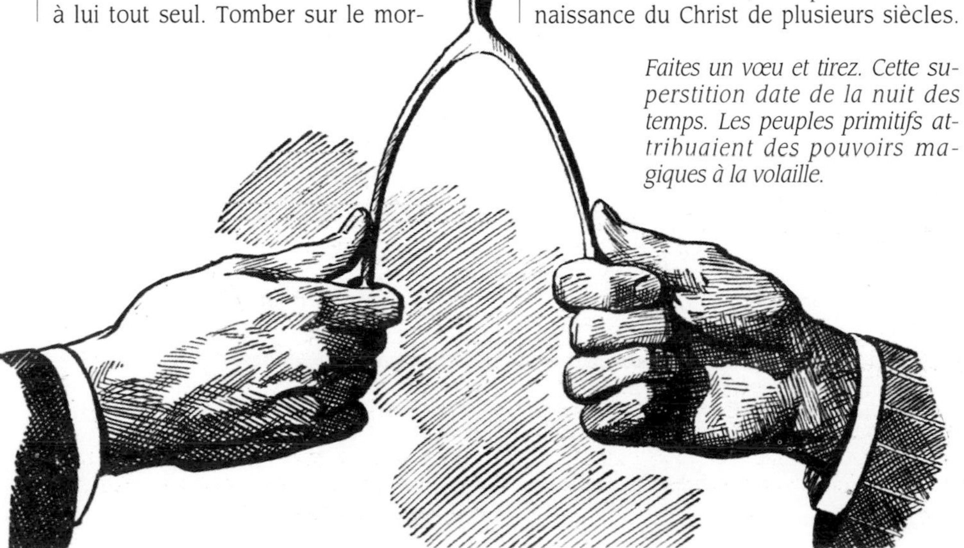

Faites un vœu et tirez. Cette superstition date de la nuit des temps. Les peuples primitifs attribuaient des pouvoirs magiques à la volaille.

Les peuples primitifs vénéraient les coqs et les poules – les premiers parce qu'ils annonçaient le lever du jour, et les secondes parce qu'elles pondaient des œufs.

Au IVe siècle avant J.-C., les Étrusques d'Italie centrale sacrifiaient des volailles en invoquant un de leurs dieux pour connaître l'avenir ou résoudre des difficultés. Ils prélevaient la fourchette de l'oiseau et la faisaient sécher au soleil. Puis deux individus tiraient sur chaque extrémité de l'os en faisant un vœu, exactement comme nous le faisons aujourd'hui. Les Romains adoptèrent la coutume et ils la propagèrent à travers l'Europe.

Deux explications sont proposées pour justifier le choix de nos ancêtres, qui ont préféré la fourchette à une côte ou à une aile pour accomplir ce rituel. Selon la première, la fourchette évoque l'entrejambe de l'homme, qui est symbole de vie. D'après la seconde, la fourchette a une forme similaire à celle du fer à cheval, qui est un autre porte-bonheur, mais, la superstition de la fourchette étant apparue avant l'invention du fer à cheval, cette version est réfutée par les historiens.

Les vieilles chaussures portent bonheur

Pour un pêcheur à la ligne, attraper une vieille chaussure n'est pas toujours une déception. Cette prise peut l'autoriser à espérer que la chance va tourner et qu'il remplira sa bourriche.

De nos jours, le symbolisme de la vieille chaussure – qui peut aussi être une botte – est surtout associé au mariage. Cette superstition serait un héritage d'un rituel nuptial propre aux Anglo-Saxons : pendant les cérémonies de mariage, le père de la mariée donnait à son gendre une chaussure appartenant à sa fille. En signe d'autorité, le marié touchait alors la tête ou la nuque de son épouse avec la pointe du soulier ou plaçait la chaussure au pied du lit conjugal. Ailleurs, la coutume voulait que le père de la mariée se débarrassât d'une chaussure de sa fille pour montrer que la jeune femme était désormais confiée aux bons soins d'un autre homme.

Dans ces rites, la chaussure n'était pas considérée comme un symbole de chance, mais comme le signe qu'une jeune fille n'était plus sous l'autorité de ses parents. Jadis, les chaussures servaient aussi à conclure un marché. Dans l'Antiquité, quand les Assyriens ou les Hébreux vendaient des terres, l'acheteur recevait un soulier. Ailleurs, la présence d'une paire de chaussures sur un terrain marquait une propriété privée.

À une époque difficile à déterminer avec précision, les symboles de bonheur, de malheur et d'autorité attachés aux chaussures ont fusionné. Certaines cultures ont longtemps associé les chaussures à la fécondité, peut-être à cause du pied, qui est un symbole phallique. D'autres sociétés pensaient que le cuir avait le pouvoir de chasser les mauvais génies.

Des fers porte-bonheur

Le fer à cheval est considéré comme un porte-bonheur à plusieurs titres. Sa forme évoque divers symboles de chance, comme le demi-cercle, le croissant, l'ovale ou le U. Le fer dans lequel il est forgé incarne la force et la puissance. Enfin, certains peuples primitifs considéraient le cheval comme un animal sacré.

Le demi-cercle, inspiré par la course du soleil, et le croissant sont des symboles de fécondité et de chance dans de nombreuses cultures, anciennes comme modernes. La lettre U, qui évoque l'entrejambe humaine, symbolise la maternité ou la virilité, en fonction de l'orientation de ses pointes vers le haut ou vers le bas.

Quand les fers à cheval furent inventés par les Grecs, ils étaient fixés au sabot de l'animal par sept clous. Pour les Babyloniens et les Égyptiens, le sept était un symbole magique, et la croyance selon laquelle le chiffre 7 porte bonheur est encore vivace aujourd'hui. La combinaison de tous ces signes a fait du fer à cheval un puissant talisman, investi du pouvoir d'attirer les faveurs du sort et d'éloigner les forces du mal.

Une porte massive retient les mauvais génies et les fers à cheval éloignent les sorcières.

D'autres superstitions sont venues se greffer sur les précédentes. Pour porter bonheur, un fer à cheval doit être trouvé par hasard, et non acheté ou donné. Celui qui le découvre mettra toutes les chances de son côté en crachant dessus avant de le lancer par-dessus son épaule gauche. Son bonheur durera autant d'années qu'il reste de clous sur le fer à cheval. Enfin, il suffit de tordre un de ces clous de façon à en faire une bague pour éviter de nombreuses maladies, en particulier les rhumatismes.

La porte a une signification importante dans la plupart des sociétés. Nos ancêtres croyaient qu'une porte mal gardée laissait entrer non seulement les étrangers mais aussi les mauvais génies. C'est pourquoi des sculptures représentant des anges ou des divinités sont nichées dans les linteaux des portes d'entrée des vieilles bâtisses.

Économiques, pratiques et immédiatement opérationnels, les fers à cheval se sont peu à peu imposés comme gardiens des maisons et des dépendances. De nombreux ouvrages de sorcellerie du Moyen Âge recommandaient de clouer un fer à cheval sur la porte pour se protéger contre les intrus et pour désenvoûter les visiteurs (car une sorcière ne se détecte pas toujours au premier coup d'œil). Si autrefois la symbolique lettre U pouvait être indifféremment pointée vers le haut ou vers le bas, le fer à cheval doit impérativement être orienté vers le haut, à la manière d'une tasse : sinon, le potentiel de chance qu'il contient s'échappe rapidement.

Renverser du sel porte-t-il malheur ?

À travers les âges, le sel a toujours symbolisé la vie, et il n'est nul besoin d'être médecin pour comprendre qu'il est indispensable à notre bien-être. Le sel est un conservateur. Les aliments salés résistent à la pourriture, ce fléau que nos ancêtres considéraient comme l'œuvre du diable.

Capable de combattre le mal, le sel fut donc assimilé au bien. Renverser du sel était – et est toujours – un mauvais présage, qui risquait d'exciter la malveillance du diable. Heureusement, il existe un moyen de contrecarrer ce maléfice : si vous renversez du sel, jetez-en immédiatement une pincée par-dessus votre épaule gauche. De l'avis de nos ancêtres, ce geste chasse le malin, qui est toujours tapi à notre gauche.

Un nombre partout redouté : le 13

Aucune superstition n'est plus redoutée ni plus répandue que la malédiction associée au nombre 13. D'Argentine en Nouvelle-Zélande, d'Écosse en Sibérie, le nombre 13 donne des sueurs froides.

La triskadécaphobie, ou peur du nombre 13, viendrait de la mythologie nordique. Balder, dieu de la paix et de la lumière, se rendit un jour à un banquet dans le Walhalla. En débarquant à l'improviste, le dieu du mal Loki porta à 13 le nombre des invi-

tés. Il joua un mauvais tour à Hoder, le dieu aveugle qui symbolisait l'hiver, en lui faisant tirer sur Balder une flèche taillée dans une branche de gui, seul bois auquel le dieu de la lumière était vulnérable.

La superstition redoubla de vigueur après la Cène, dernier repas que prit Jésus en compagnie de ses 12 apôtres. Judas fut le premier à quitter la table et, pris de remords pour avoir livré Jésus à ses ennemis, il se pendit. Depuis, une superstition prétend que la première personne à quitter une tablée de 13 convives mourra dans l'année. En Grande-Bretagne, le protocole exige que les membres de la famille royale soient toujours les premiers à se lever de table : aussi, les dîners auxquels ils assistent ne doivent jamais compter 13 invités.

Vendredi, le jour le plus néfaste de la semaine, a son propre lot de superstitions. Le vendredi 13 est une véritable malédiction, puisqu'il associe deux puissants porte-malheur. Les médecins et les dentistes prétendent que de nombreux patients rechignent à prendre rendez-vous ce jour-là, et les entreprises de déménagement rencontrent des clients qui refusent absolument leurs services à cette date.

Pour défier le destin, un groupe d'Américains a fondé le club du vendredi 13 : ce jour-là, ses membres passent volontairement sous les échelles, renversent du sel, brisent des miroirs et ouvrent des parapluies à l'intérieur des maisons. Les superstitieux prétendent qu'à force de se livrer à ce petit jeu-là les provocateurs vont inévitablement attirer le malheur.

Par chance, les vendredis 13 ne sont pas nombreux : il y en a entre un et trois dans l'année.

Le dernier repas de Jésus avec ses douze apôtres, que reproduit cette mosaïque romane du XIIe siècle, s'est terminé dans la trahison et la mort. Ces événements ont probablement renforcé la superstition associée au nombre 13, dont on attribue l'origine à la mythologie scandinave.

Ces superstitions qui nous gouvernent

De tout temps, les hommes qui ont fait l'histoire ont été influencés par la superstition. Les peuples primitifs croyaient que les éclairs et le tonnerre étaient des messages envoyés par les dieux. La planification des guerres et la stratégie des batailles étaient soumises à l'approbation des devins et des astrologues. Les revers de fortune étaient attribués aux astres ou aux influences néfastes. Les victoires de Jeanne d'Arc sur les Anglais la firent passer pour une sorcière aux yeux de l'Europe médiévale, qui la condamna au bûcher. Au début du siècle, Raspoutine faisait la pluie et le beau temps à la cour de Russie, où on lui attribuait des pouvoirs surnaturels. La superstition faisait – et fait toujours – partie de la vie quotidienne. Elle ignore les barrières sociales et raciales. Pendant leur voyage vers le Nouveau Monde, en 1492, Christophe Colomb et son équipage interprétaient la présence de requins dans le sillage de leur caravelle comme un présage de catastrophe. Pendant une tempête particulièrement violente, Colomb apaisa les angoisses de ses hommes en lançant un jeu de cartes par-dessus bord : cette coutume était censée calmer l'océan déchaîné.

Les conseils d'un magicien ont aidé Élisabeth Ire d'Angleterre à fixer la date de son couronnement. Grâce à ses horoscopes, John Dee devint la coqueluche de la cour royale.

Les membres de la cour d'Angleterre s'entouraient de devins et d'oracles en tout genre, et leurs décisions furent souvent dictées par la superstition. Convaincu qu'Ann Boleyn était une sorcière qui l'avait pris dans ses filets, le roi Henry VIII la fit décapiter. Élisabeth Ire avait à son service un magicien du nom de John Dee, qui influençait ses projets d'avenir. La pierre magique qu'il utilisait est exposée au British Museum.

Quand le roi Charles Ier d'Angleterre passa en jugement après la guerre civile, le pommeau de son sceptre d'or tomba à terre. On raconte qu'à cet instant-là le roi comprit qu'il était définitivement perdu. Il fut exécuté par la suite.

Samuel Johnson, le célèbre lexicographe britannique, avait l'étrange habitude de toujours poser le pied droit en premier quand il entrait dans une maison ou quand il en sortait. Il était convaincu qu'en posant d'abord le pied gauche il aurait attiré la mauvaise fortune sur les occupants des lieux. Il touchait tous les poteaux en bois qu'il rencontrait et ne marchait jamais sur les interstices entre les pavés.

Aucun musicien ne fut plus superstitieux que Mozart. Il faillit refuser la commande du *Requiem* parce qu'il craignait que cela ne lui portât malheur. Il mourut avant d'avoir pu achever son œuvre.

Avant de se lancer dans une campagne décisive, Napoléon Bonaparte ne manquait pas de consulter sa voyante, Mme Normand. Selon les historiens, il attachait énormément d'importance à ses rêves, car il les considérait toujours comme prémonitoires. Il prétendait souvent que les astres gouvernaient tous ses faits et gestes et qu'il devait ses grandes victoires à la vigilance de sa bonne étoile. Napoléon attachait beaucoup d'importance à des événements mineurs comme un faux pas de son cheval, présage de défaite militaire, ou un contact soudain avec un chat noir, qui préfigurait le malheur.

Des incidents mineurs, comme un faux pas de son cheval, étaient interprétés par Napoléon Bonaparte comme de funestes présages. Quand son armée franchit les Alpes, l'empereur fit le voyage incognito à dos de mulet. Le peintre Jacques Louis David a fait du personnage un portrait plus prestigieux.

Le commandant des opérations du jour J, Dwight Eisenhower, gardait une pièce d'or dans sa poche en guise de porte-bonheur. Selon les psychologues, les superstitions réapparaissaient en temps de guerre.

Winston Churchill se déplaçait rarement sans sa canne fétiche. Quand il visitait les quartiers bombardés pendant la Seconde Guerre mondiale, on le voyait souvent caresser les chats noirs.

Les grands dictateurs consultent souvent des astrologues et des cartomanciennes. Quand l'Italie a capitulé, en 1943, Hitler a fait appel à des médiums pour retrouver Mussolini. La croix gammée était autrefois un symbole de chance.

Quand le roi Alphonse XIII d'Espagne visita l'Italie, en 1923, les marins furent victimes d'une série d'accidents mortels tandis que le monarque passait la flotte italienne en revue. Plus tard, un barrage du lac Gleno s'effondra au passage du train royal. Ces événements ne surprirent pas les Italiens : que pouvait-on attendre d'un Alphonse qui était le treizième du nom ? À partir de ce jour, ils accueillirent le monarque en faisant cliqueter leurs clés pour éloigner ses ondes néfastes.

Les dictateurs Benito Mussolini et Adolf Hitler étaient extrêmement superstitieux. Mussolini changeait d'avion au moindre coup de tête : un jour, il prit un autre appareil parce qu'il soupçonnait un passager d'avoir le mauvais œil. Hitler croyait que le chiffre 7 avait des pouvoirs spéciaux et il consultait fréquemment des astrologues et des cartomanciennes. La croix gammée, que les nazis avaient choisie pour emblème, était un ancien symbole religieux hindou qui aurait une influence magique (la svastika). Hitler était tellement porté sur l'astrologie que les services secrets alliés consultèrent leurs propres spécialistes dans l'espoir d'anticiper la suite des opérations.

Mais, pendant la Seconde Guerre mondiale, la superstition exerçait son emprise sur les deux camps. Winston Churchill avait une canne fétiche et il ne manquait jamais de caresser les chats noirs, détails qui faisaient le bonheur du public. Dwight Eisenhower, qui fut président des États-Unis de 1953 à 1961, était très superstitieux à en croire ses proches. En tant que commandant en chef des forces alliées en Europe, il organisa, notamment, le débarquement sur les plages de Normandie en juin 1944. On raconte qu'il croyait au pouvoir d'une pièce d'or qu'il portait toujours dans sa poche. En ce temps-là, la superstition faisait tourner le monde. Touchons du bois pour qu'il en soit toujours ainsi !

Chaque ocelle qui émaille la queue du paon était autrefois considérée comme un mauvais œil. Les paons ont été bannis des pelouses de l'immeuble des Nations unies, à New York, car ils mettaient certains délégués mal à l'aise.

D'où vient la peur qu'inspirent les paons ?

Un proverbe commun aux Indiens, aux musulmans et aux hindous prétend que le paon a les plumes d'un ange, la voix du diable et la démarche d'un voleur. Cela n'empêche pas les Indiens de le considérer comme un porte-bonheur parce que son cri donne l'alarme en cas de danger.

Les Japonais et les Chinois ont toujours fait grand cas des plumes de paon. En Chine, elles constituaient autrefois des récompenses honorifiques accordées aux militaires et aux civils méritants. Pourtant, dans de nombreuses régions d'Europe et d'Amérique, les plumes de paon ont la réputation de porter malheur. Les Indiens d'Amérique, qui croient que l'homme acquiert les attributs de l'oiseau dont il revêt le plumage, ne se parent jamais de plumes de paon à cause de la démarche orgueilleuse et de la voracité de l'animal.

Le paon doit sa mauvaise réputation à une croyance selon laquelle les plumes chatoyantes de sa queue porteraient le mauvais œil. En effet, quand l'oiseau fait la roue, les ocelles qui émaillent sa queue ont un effet hypnotique. Les acteurs, qui sont souvent très superstitieux, interdisent la présence de plumes de paon sur les scènes et les plateaux de cinéma.

Une autre légende peut expliquer la méfiance qu'inspire le paon : selon une croyance musulmane, la paon a ouvert les portes du paradis au diable, jetant ainsi le discrédit sur son espèce. En des temps reculés, les plumes de paon, symboles d'immortalité, étaient utilisées lors des enterrements pour accélérer l'accès du défunt à la vie éternelle.

Pourquoi cela porte-t-il malheur de passer sous une échelle ?

Certains individus se donnent beaucoup de mal pour éviter de passer sous une échelle, et pas seulement pour éviter d'être aspergés de peinture ou simplement blessés par la chute de l'échelle !

Pour expliquer cette superstition, on se réfère généralement au christianisme. L'échelle, appuyée contre un mur ou un arbre, forme le plus long côté d'un triangle qui symbolise la Sainte Trinité. Celui qui ose marcher à l'intérieur de ce triangle le profane, révélant ainsi son accointance avec le diable.

Les contrevenants ont à leur disposition plusieurs moyens pour faire amende honorable. Ils peuvent tout d'abord croiser les doigts et les garder ainsi jusqu'à ce qu'ils rencontrent un chien. Cracher sur une chaussure et laisser sécher la salive est une autre manière d'obtenir l'absolution. Enfin, on peut aussi faire le signe qui consiste à fermer le poing et à dresser le pouce entre l'index et le majeur.

Malgré leur association avec des croyances chrétiennes, les superstitions relatives aux échelles précèdent la naissance de Jésus de plusieurs siècles. Dans une ancienne légende égyptienne, Osiris, le dieu du soleil, est en conflit permanent ave Seth, le dieu des ténèbres. Après avoir remporté une bataille, Seth jette Osiris dans l'obscurité d'un tombeau. À l'aide de deux amulettes, l'une représentant une échelle et l'autre deux doigts qui dessinent un V, Horus – le dieu du soleil à tête de faucon – aide son père à remonter vers la lumière. Des talismans en forme d'échelle miniature ont été retrouvés dans les tombeaux égyptiens, et ce genre de gri-gri se porte encore aujourd'hui.

Certains tableaux allégoriques représentent l'âme qui escalade une échelle pour quitter la tombe ou monter vers la lumière éternelle. Dans la Bible, Jacob voit en rêve des anges qui montent et qui descendent une échelle qui relie le ciel à la Terre. L'échelle est donc devenue un symbole religieux dont la signification a été renforcée par son association avec le triangle sacré, qui symbolise la vie depuis la nuit des temps. Une croyance ancestrale prétendait qu'en passant sous une échelle on écourtait le séjour des dieux en visite sur terre et qu'on s'exposait à de terribles représailles de leur part.

Les premières représentations de la crucifixion ont entretenu l'idée que l'échelle symbolisait à la fois le bien et le mal. Sur ces tableaux, Satan, furieux que la mort du Christ ait racheté l'humanité, se tient debout sous une échelle appuyée contre la croix. La zone qui est située sous l'échelle est le domaine de Satan ; pour oser s'y aventurer, il faut être un disciple du diable. Faire un signe de croix en croisant les doigts assure la sécurité du passage et contrecarre les plans de vengeance de Satan. Dans certains pays, les échelles sont associées aux criminels et à la peine capitale. Souvent, les bourreaux instal-

Parapluies et ombrelles étaient autrefois des objets de luxe et des symboles de standing. À une époque où la pâleur était à la mode, aucune jeune fille ne sortait sans son ombrelle, comme l'atteste cette garden-party donnée en Angleterre en 1903.

laient leur potence en appuyant une échelle contre un arbre. Après la pendaison, personne ne s'aventurait à marcher sous l'échelle de peur de rencontrer le fantôme de la victime.

En France, avant l'invention de la guillotine, les condamnés étaient obligés de passer sous l'échelle qui les conduisait vers l'échafaud. Quand le bourreau montait ou descendait l'échelle, il prenait la précaution de cracher plusieurs fois entre les barreaux pour conjurer les malédictions proférées par les suppliciés.

Jacob a eu la vision d'une échelle qui reliait le ciel à la Terre. Cette illustration est extraite d'un manuscrit du XIIe siècle.

Les parapluies du malheur et de l'amour

Le parapluie est un compagnon peu fiable et, jadis, il était encore moins digne de confiance qu'aujourd'hui. Les fabricants ont eu d'énormes difficultés à mettre au point un ressort qui permettait une ouverture en douceur. Quand on dégageait le cliquet, la toile et les baleines s'entortillaient autour du manche, coinçant les doigts de l'utilisateur et blessant les personnes qui se trouvaient à proximité.

Ouvrir un parapluie dans une maison ne portait pas seulement malheur : c'était un geste réellement dangereux pour les personnes présentes et pour les biens. Les accidents étaient mis sur le compte de la malchance parce que personne ne pouvait prévoir les réactions du parapluie ni l'encombrement de sa toile. Ouvrir un parapluie à l'intérieur devint très vite un tabou, qui donna naissance à une autre superstition, qui prétend qu'il ne faut pas poser un parapluie sur une table sous peine de provoquer une dispute.

Le parapluie est une invention qui a plus de trois mille ans. Dans l'Antiquité, les Grecs s'en servaient comme ombrelle pendant les processions pour se protéger du soleil méditerranéen. Chez les hindous, le parapluie était un signe de puissance. Dans d'autres sociétés, les parapluies servaient à protéger les rois et les chefs contre les esprits malins cachés dans les rayons du soleil.

Par la suite, quand la mode poussa les jeunes filles à déambuler avec des ombrelles ou des parapluies sous l'œil vigilant de leurs chaperons, un nouveau langage des signes apparut : le langage du parapluie. Faire tomber son parapluie une fois, comme laisser choir un gant, encourageait le jeune homme concerné à oser un mot galant. Laisser tomber son parapluie deux fois équivalait à faire tomber ses deux gants : c'était une franche déclaration d'amour.

Les dangers de l'escalier

Croiser quelqu'un dans l'escalier était autrefois inconvenant. Cet usage est aujourd'hui beaucoup moins observé. Si les deux personnes qui se croisent dans l'escalier sont de sexe opposé, les convenances exigent que ce soit l'homme qui s'écarte pour laisser passer la femme.

Si cette coutume est devenue une marque de courtoisie, c'est sans doute parce que la plupart des escaliers sont trop étroits pour se croiser sans se toucher. Mais, à l'origine, rencontrer une autre personne dans l'escalier était un présage de malheur. Il y a un siècle, si les pensionnaires d'une maison entendaient du bruit dans l'escalier qu'ils voulaient emprunter, ils préféraient attendre dans leur chambre plutôt que prendre le risque de croiser quelqu'un sur les marches.

Cette superstition découle sans doute d'une autre croyance, qui prétend que trébucher à l'intérieur d'une maison est un mauvais présage. Pour nos ancêtres, un faux pas au saut du lit laissait augurer une mauvaise journée. Un hôte qui perdait l'équilibre dans la maison où il séjournait était accusé de sorcellerie.

Une série de contre-mesures permettait d'annuler les effets néfastes d'une chute sur le derrière. L'une d'elles consistait à claquer immédiatement des doigts pour effrayer les mauvais génies. Mais tous les faux pas ne portent pas malheur : trébucher à l'intérieur d'une maison est considéré par certains comme un signe indiscutable de chance.

Comme une rencontre sur les marches d'un escalier peut provoquer une chute, la pratique a inspiré ses propres superstitions. Une chute en montant était considérée comme une bénédiction et un heureux présage pour les amoureux. Une chute en descendant portait malheur (on atterrissait sur les fesses). Dans toute bousculade due au croisement de deux personnes dans un escalier, il y avait forcément un perdant.

UNE COUTUME EST NÉE

L'affût de canon qui porte le cercueil de la reine Victoria remonte les rues de Windsor. Un incident a donné naissance à une nouvelle tradition.

En Grande-Bretagne, la mort d'une reine a donné naissance à une nouvelle tradition. En 1901, tandis que le cortège funèbre de la reine Victoria gravissait lentement la colline qui menait vers le château de Windsor, les chevaux qui tiraient l'affût de canon sur lequel gisait le cercueil trébuchèrent sur les pavés. Plusieurs traits cassèrent et le char funèbre menaça de repartir en sens inverse.

Avec une grande présence d'esprit, un groupe de marins qui marchaient à côté du cercueil se précipitèrent en avant pour rattraper les traits cassés, tandis que d'autres stabilisaient l'affût de canon à l'arrière. À eux seuls, les marins poussèrent l'affût de canon et le cercueil jusqu'au château. Depuis cet incident, l'usage britannique exige qu'en cas de funérailles nationales l'affût de canon qui porte le cercueil soit tiré par des marins.

Les pattes de lapin portent-elles bonheur ?

En ces temps de scepticisme, la patte de lapin règne en maître absolu sur le marché pourtant prolifique des porte-bonheur et autres objets censés attirer les faveurs du sort.

Le soir de la première d'une pièce de théâtre, certains acteurs étalent leur maquillage avec une patte de lapin. Les amis de la famille caressent le front d'un bébé qui vient de naître avec une patte de lapin. Aux États-Unis et en Grande-Bretagne, des douzaines de pattes de lapin font leur apparition sur les tables des salles de jeux où vont se dérouler les tournois de whist et de bingo. Les sportifs portent des pendentifs en forme de pattes de lapin. Pour les historiens, c'est la confusion avec le lièvre qui est à l'origine des pouvoirs surnaturels attribués au lapin. Dans de nombreuses sociétés païennes, le lièvre était considéré comme un animal sacré. En Europe, il était à la fois craint et vénéré. Pendant les nuits de pleine lune, on pouvait voir la silhouette de ce rongeur aux mœurs nocturnes se découper sur la ligne d'horizon tandis qu'il effectuait ses danses que l'on croyait incantatoires.

En Chine, l'association de la lune et du lièvre symbolisait le pouvoir. En Angleterre, le lièvre avait la réputation d'avoir le mauvais œil : pour conjurer la malédiction lancée par son regard, il fallait posséder une patte arrière de lièvre.

Selon la légende, Boadicée portait un lièvre contre sa poitrine pour assurer sa victoire dans le combat qui l'opposa aux Romains. Les Aztèques attribuaient au lièvre des pouvoirs thérapeutiques miraculeux. Pour guérir certaines maladies, il suffisait de jeter la fourrure de l'animal dans le feu et de renifler les flammes.

Après que saint Augustin, le premier archevêque de Cantorbéry, eut converti les Anglais au christianisme, au VIe siècle, les symboles et les pratiques païens disparurent. Privés du culte de leur animal fétiche, de nombreux Anglais se consolèrent en cachant une patte de lièvre au fond de leur poche ou de leur bourse. Quand le lapin fut introduit en Grande-Bretagne – sans doute à la suite des invasions normandes –, la patte de lapin, plus facile à trouver que la patte de lièvre, la remplaça comme porte-bonheur.

On peut se demander pourquoi le choix s'est porté sur la patte et non l'oreille ou les moustaches du lapin. Dans de nombreuses sociétés, la patte est synonyme de puissance. Le lièvre et le lapin étant les mammifères les plus prolifiques de la création, on comprend aisément pourquoi leur patte est investie de pouvoirs extraordinaires. Le seul à qui cette superstition ne porte pas chance est le malheureux animal lui-même.

Pourquoi le noir est-il la couleur du deuil en Occident ?

« Que les cieux soient tendus de noir » : ainsi s'ouvre la pièce *Henry VI*, dont les premiers vers pleurent la mort du roi. Mais Shakespeare a commis une bévue : à l'époque des funérailles d'Henry V, mort en 1422, la couleur du deuil était le blanc.

C'est dans la Rome antique qu'il faut chercher l'origine du noir comme couleur de deuil : en ce temps-là, les femmes qui pleuraient la disparition d'un être cher revêtaient des robes noires appelées *lugubria*. Par la suite, un décret impérial imposa le blanc comme couleur de deuil et de nombreux pays d'Europe, en particulier la France, l'Espagne et l'Angleterre, souscrivirent à cet usage.

En 1498, à l'occasion des funérailles de son mari Charles VIII, Anne de Bretagne s'habilla de noir, couleur dont elle enveloppa également ses armoiries. Elle réhabilita ainsi une tradition qui n'était plus observée depuis l'époque romaine. Encouragée par les stylistes de l'époque, la mode du noir pour les vêtements de deuil s'imposa à nouveau.

Le noir est la couleur du deuil, mais aussi celle de la discrétion après un certain âge. À l'origine, on portait du noir pour effrayer le fantôme des défunts.

L'étoile filante : bon ou mauvais présage ?

Les superstitions qui entourent les étoiles sont vieilles comme le monde. Les premiers hommes considéraient le ciel comme la demeure des dieux. Le jour où Jésus est né, les Rois mages ont affirmé avoir vu scintiller une étoile à l'orient, entretenant ainsi une croyance selon laquelle une étoile brillante correspond à une naissance. Les peuplades primitives croyaient que chaque étoile était une âme. Une étoile filante représentait un nouveau-né : elle tombait sur terre à l'endroit où l'enfant venait de voir le jour. Un vœu fait au passage d'une étoile filante avait toutes les chances d'être exaucé.

À ces superstitions s'en ajoutèrent d'autres, selon lesquelles les étoiles filantes étaient des présages de mort, la croyance populaire voulant qu'une naissance soit toujours suivie d'un décès. Jusqu'à une époque récente, quand un groupe d'individus était informé d'une tragédie, il y avait toujours quelqu'un pour prétendre avoir pressenti le drame à la vue d'une étoile filante.

La superstition qui consiste à faire un vœu en regardant une étoile était à l'origine une sorte de mesure préventive. Convenir du pouvoir bénéfique ou maléfique des étoiles était le meilleur moyen de s'attirer leurs bonnes grâces.

En revanche, le fait de compter les étoiles attire le mauvais sort, à moins de compter neuf étoiles pendant neuf nuits successives et de faire un vœu. Autrefois, un jeu très prisé par les jeunes Anglais consistait à se mettre au défi de risquer la mort en comptant cent étoiles. Montrer les étoiles du doigt est parfois considéré comme un geste honteux, voire fatal. Au siècle dernier, les paysans anglais prétendaient que cette impudence était punie par une mort immédiate.

Guidés par une étoile, les Rois mages sont allés porter des présents à l'Enfant Jésus. Cette illustration fut réalisée vers l'an 1140.

Briser un miroir : sept ans de malheur ?

Lorsque quelqu'un casse un miroir, on lui promet aussitôt sept ans de malheur. Les miroirs font l'objet de superstitions très répandues : en briser un attire la mauvaise fortune mais provoque aussi un décès dans la famille dans l'année qui suit.

Pour mettre en échec l'esprit malin tapi dans les miroirs, la croyance populaire a imaginé des précautions insolites. Ainsi, certains parents tournent les miroirs contre le mur pour empêcher leur bébé de voir son reflet avant l'âge d'un an : sinon, dit-on, l'enfant risque d'être bègue, ou de ne pas grandir, et, dans le pire des cas, de mourir avant la fin de l'année. En cas de décès, de nombreuses familles recouvrent les miroirs pour éviter qu'ils ne capturent l'âme du défunt et retardent ou empêchent son voyage vers le paradis. Certains individus refusent d'avoir un miroir dans leur chambre ou bien ils le retournent avant d'aller se coucher. Ils craignent que leur âme ne vagabonde pendant la nuit et que le miroir ne s'en empare.

Une croyance originaire d'Europe affirme que se regarder dans une glace à la lueur d'une bougie est le meilleur moyen d'attirer l'adversité. Une superstition répandue dans le monde entier exige qu'on couvre les miroirs par temps d'orage sous prétexte que la vision du reflet d'un éclair dans une glace porte malheur. Pour se

Narcisse est tombé amoureux de son reflet et est mort de n'avoir pu posséder l'objet de sa flamme. Selon nos ancêtres, les miroirs encourageaient la vanité.

protéger des coups du sort, les mariées enlèvent une chaussure ou un gant avant d'ajuster leur toilette devant un miroir en pied. Selon une ancienne croyance, une mariée ne doit pas essayer sa robe avant le jour du mariage, et encore moins se regarder dans une glace sous peine d'attirer les foudres du destin.

Dans l'Antiquité, les Égyptiens et les Romains se miraient dans du métal soigneusement poli, mais les terribles pouvoirs attribués aux miroirs sont antérieurs à l'invention de l'objet lui-même. Ces superstitions remontent aux premiers hommes, qui, en regardant leur reflet dans l'eau, croyaient voir leur esprit, leur âme ou tout autre partie essentielle de leur individu. Ils pensaient que cette image était aussi vulnérable qu'eux-mêmes et que la troubler revenait à blesser leur alter ego.

Dans l'Europe médiévale, les miroirs étaient investis de pouvoirs magiques et divinatoires : ils faisaient obligatoirement partie de la panoplie des magiciens et des diseuses de bonne aventure. « Qui est la plus belle en ce pays ? » demande la sorcière de *Blanche-Neige* à son miroir...

Briser un miroir met fin à ses pouvoirs magiques : il se vengera sur la dernière personne dont il a reflété l'image. Les Romains, qui pensaient que la vie humaine était reconduite tous les sept ans, ont attribué la même durée à la malédiction.

À ces croyances est venue s'en ajouter une autre, selon laquelle les miroirs sont des instruments divins. En les brisant, les dieux empêchaient les hommes de pressentir une tragédie imminente. De là est née la superstition selon laquelle briser un miroir provoque la mort d'un proche.

Une série de contre-mesures ont été imaginées pour faire obstacle à ces funestes présages. Dans le nord de l'Angleterre, on prétend que les ennuis peuvent être évités si on prend le soin de broyer le miroir brisé en morceaux trop petits pour refléter quoi que ce soit. On peut aussi jeter du sel par-dessus son épaule.

Le poids de ces superstitions n'a aucune incidence sur la vente des miroirs. Il semble qu'il y ait un Narcisse qui sommeille en chacun de nous : nous sommes prêts à prendre tous les risques pour pouvoir admirer notre image !

Pourquoi couvre-t-on les plats d'une cloche ?

Dans la plupart des banquets et dans certains restaurants où le service se doit d'être cérémonieux, les plats sont apportés dans la salle à manger sur un chariot et ils sont cachés sous une cloche pour entretenir le suspense. Puis, le maître d'hôtel soulève la cloche, et la spécialité du chef apparaît dans toute sa splendeur.

Les cloches servent aujourd'hui à ménager l'effet de surprise et à garder le plat chaud mais, à l'origine, elles avaient une autre fonction. Quand le bouillon d'onze heures était le moyen idéal de se débarrasser d'un roi impopulaire, les corridors mal éclairés qui reliaient la cuisine à la salle de banquet offraient maintes occasions de glisser un poison fatal dans le dîner du souverain. Avant que les plats ne quittent la cuisine, l'assiette était donc recouverte d'une cloche cadenassée. À table, le chef ou le maître d'hôtel ouvrait le cadenas et goûtait la nourriture avant de la servir. Si le maître d'hôtel ne surveillait pas suffisamment son personnel ou s'il se faisait trop d'ennemis, il courait le risque d'être condamné à une mort cruelle.

La spécialité du chef apparaît sous la cloche qui avait à l'origine une tout autre fonction.

Pourquoi jette-t-on des pièces dans les puits et les fontaines ?

La présence d'eau et de pièces de monnaie dans de nombreux présages et superstitions n'a rien de surprenant. À travers l'histoire, l'eau a toujours été un symbole de fertilité : sans elle, rien ne pourrait naître ni se renouveler. Dans l'Antiquité égyptienne, la maternité était symbolisée par un bol d'eau. Et quand il s'agit de contenter les dieux ou les démons, l'argent a toujours fait preuve d'un pouvoir magique infaillible.

De tout temps, la croyance populaire a assimilé la propriété nettoyante de l'eau au pouvoir de guérir la maladie et de chasser le mal. Dans les sociétés primitives, les nouveau-nés étaient plongés dans l'eau d'un lac ou d'une rivière, rituel que nous observons toujours aujourd'hui au cours de la cérémonie du baptême.

Chaque nouvelle source qui jaillissait du sol était l'objet d'une vénération mêlée de crainte, car elle était considérée comme un don des dieux pour guérir les maladies. Pour nos ancêtres, l'eau courante, plus fraîche et plus limpide que l'eau stagnante, avait davantage de vertus thérapeutiques. Les sources chaudes et minérales étaient les plus bénéfiques. Elles connaissaient le même engouement que nos stations thermales actuelles : les malades s'y pressaient dans l'espoir d'être rapidement soulagés de leurs maux et de leurs douleurs.

Parallèlement à la multitude de propriétés magiques attribuées à l'eau apparurent une série de pratiques destinées à remercier les dieux d'avoir accordé de telles sources de bienfaits aux hommes. Comme l'eau était investie du pouvoir de rebuter les esprits malins, cela portait malheur d'en jeter la nuit, moment où les mauvais génies erraient en liberté.

Certains peuples croyaient que quelques puits et sources étaient habités par des esprits qui conféraient à l'eau des pouvoirs extraordinaires. Par la suite, la plupart de ces puits furent dédiés à des saints. En 77 avant J.-C., l'historien romain Pline l'Ancien recommandait de mélanger en quantité égale des eaux provenant de trois puits différents pour guérir la fièvre tierce.

En l'an 200 avant J.-C., un Romain inconnu laissa une inscription en latin sur une tablette de plomb dans une source chaude de Bath, en Angleterre. Le message, destiné à la déesse Sulis, disait ceci : « Maudit soit celui qui a volé mon manteau à capuche, fût-il homme ou femme, esclave ou citoyen libre. Que la déesse Sulis empêche le voleur de dormir et d'avoir des enfants tant qu'il n'aura pas rapporté ma cape dans son temple. »

Le confesseur de Chaucer conseille de boire une gorgée d'eau de puits avant le chant du coq pour que « prospèrent le bétail et les récoltes ». Les paysans irlandais et écossais cherchaient des puits situés à côté d'un chêne ou d'une pierre dressée et non taillée. Ils décoraient les branches ou le rocher de chiffons sur lesquels ils crachaient, persuadés que ce rituel protégeait les hommes et le bétail contre les maladies envoyées par les druides.

Depuis leur invention, probablement par les Lydiens d'Asie Mineure plusieurs siècles avant la naissance du Christ, les pièces de monnaie sont devenues des symboles de chance. De nos jours, on les porte même sur des bracelets ou des chaînes. Les jeunes mariées glissent parfois une pièce dans leur chaussure ; certains individus refusent de se séparer de leur pièce fétiche ; d'autres retournent une pièce en argent dès l'apparition de la nouvelle lune.

Pour faire plaisir aux esprits qui vivaient dans les puits ou qui avaient fait jaillir une source, les peuples primitifs lançaient des présents dans l'eau. Pline le Jeune évoque une source près de Rome dont l'eau était « si claire et si transparente qu'on pouvait compter les pièces jetées dedans ».

Au siècle dernier, les villageois anglais jetaient des épingles (qui ont leur propre lot de superstitions) dans les puits pour éviter d'être ensorcelés. D'autres, obéissant à une tradition ancestrale, lançaient un caillou dans l'eau et faisaient un vœu quand la pierre heurtait la surface.

De nos jours, dans les puits et les fontaines du monde entier, les pièces de monnaie ont la faveur des superstitieux, des romantiques et des sentimentaux, qui espèrent voir leurs rêves se réaliser.

La fontaine de Trévi, à Rome, est la plus célèbre au monde. On y jette une pièce de monnaie en lui tournant le dos.

Quelle est l'origine des serviettes de table ?

L'usage qui consiste à mettre des serviettes de table à la disposition des convives remonte à plusieurs siècles : il se pratiquait déjà dans la bonne société avant l'apparition des fourchettes, dont l'introduction en Angleterre et en France date du XVIIe siècle. Jusqu'à cette époque, les serviettes étaient déjà jugées indispensables pour manipuler la nourriture et s'essuyer les mains.

C'est au cours d'une visite en Italie en 1611 que l'écrivain anglais Thomas Coryate vit des fourchettes pour la première fois : il ramena de son voyage un de ces ustensiles dont l'usage était courant de l'autre côté des Alpes. « Les Italiens, écrivit Thomas Coryate, ne peuvent pas supporter que la viande soit touchée par des doigts qui ne sont pas toujours propres. »

En fait, les Italiens ont commencé à utiliser des fourchettes dès le XIe siècle parce que l'épouse du doge vénitien Dominico Silvio détestait manger avec les doigts. On lui donna une fourchette en or, réplique en miniature des grandes fourchettes qui étaient alors communément utilisées dans les cuisines.

Quand Coryate imita les Italiens, on se moqua de lui, mais la mode de la fourchette se répandit rapidement en Angleterre. Au XVIIe siècle, le duc de Montausier introduisit la fourchette de table en France. Les serviettes restèrent d'usage parce que les festins de l'époque comprenaient des plats qu'on ne pouvait manger qu'avec les doigts. Ronger un os et manger avec ses doigts n'était pas considéré comme une incorrection en ce temps-là.

Avant le XVIIe siècle, on mangeait avec les doigts. Puis la mode des fourchettes déferla sur l'Europe, mais les serviettes restèrent d'usage dans la bonne société.

Un duel oppose deux gentilshommes du XVIe siècle qui croisent le fer pour sauver leur honneur. La chevalerie a inspiré de nombreuses coutumes et croyances qui ont encore cours de nos jours.

Pourquoi faut-il éviter de croiser des couverts ?

Dans les pays où les repas sont pris avec un couteau et une fourchette, l'usage veut qu'à la fin du repas on les dispose parallèlement sur l'assiette : croiser ses couverts est généralement considéré comme un signe de mauvaise éducation. La plupart des manuels du savoir-vivre insistent sur cette pratique, mais ils en expliquent rarement les origines.

De nos jours, croiser un couteau et une fourchette est une pratique contraire aux bonnes manières, mais, à l'origine, ce geste était proscrit parce qu'il portait malheur. Cette superstition a d'ailleurs toujours cours.

Après la mort du Christ, le fait de disposer des objets en croix fut regardé comme une évocation de la crucifixion et comme un mauvais présage. Au XVIIIe siècle, quand l'usage des couteaux et des fourchettes passa dans les mœurs, les convives faisaient très attention de ne pas les croiser sur leur assiette pendant ou après le repas.

Croiser deux couteaux est encore plus maléfique. Si personne ne les décroise, l'amitié qui unit les membres de la tablée est fortement compromise. Cette superstition, encore très observée aujourd'hui, remonte à l'époque où l'épée était utilisée à la fois pour combattre et pour manger. Comme les épées et les sabres étaient croisés pendant les duels, les croiser à table était considéré comme un geste d'hostilité. De plus, le fer était investi du pouvoir de provoquer des conflits.

Les nombreux usages du couteau – au combat, à la chasse, à table ou comme outil – ont inspiré une série de superstitions. Son fer est censé offrir une protection contre les sorcières et les esprits du mal. De nombreux Écossais pensaient qu'en dormant avec un couteau sous l'oreiller ils empêchaient les fées de les enlever pendant leur sommeil.

Dans certains pays, donner un couteau à quelqu'un porte malheur. Dans d'autres contrées, on n'offre jamais de couteau parce que sa lame tranche les liens d'amitié. De cet interdit est née une tradition : tout individu qui reçoit un couteau ou un service de couteaux en cadeau doit donner une pièce de monnaie en échange pour conjurer le mauvais sort.

La chute d'un couteau a inspiré une foule de superstitions. Si le couteau se plante dans le sol, c'est un signe de chance ou de l'arrivée imminente d'amis. Dans ce cas, l'orientation du manche du couteau indique la direction d'où ils viendront. Pour de nombreux superstitieux, faire tomber un couteau ou une paire de ciseaux sonne le glas d'une histoire d'amour. Et si le couteau atterrit la lame pointée vers le haut, attendez-vous à traverser une mauvaise période, car les fées vont se couper les pieds...

LOISIRS ET JEUX

Pourquoi le billard a-t-il un tapis vert ? PAGE 258

Le couple de danseurs le plus connu du monde PAGE 238

Les montagnes russes, numéro 1 des attractions foraines PAGE 240

Picasso, le plus connu des peintres modernes

Pablo Picasso connut durant sa vie une célébrité sans pareille dans l'histoire de l'art. Son génie fut salué dès son plus jeune âge, et sa renommée ne cessa de s'affirmer tout au long de sa vie. Elle s'accrut encore après la mort du peintre, en 1973, à l'âge de quatre-vingt-douze ans.

Et, si sa carrière fut exceptionnellement longue – elle s'étend sur près de soixante-dix-huit ans –, il fut aussi étonnamment prolifique. Picasso a en effet laissé quelque 13 500 tableaux et dessins, 100 000 lithographies et gravures, 34 000 illustrations, et 300 sculptures et céramiques. Deux musées, l'un à Paris, l'autre à Barcelone, sont consacrés exclusivement à l'artiste. Il n'est pas de grande galerie au monde qui ne possède un tableau de Picasso, et de multiples reproductions, affiches et cartes postales font connaître son art à ceux qui n'ont pas la possibilité de voir les œuvres originales.

Picasso fut à l'origine de mouvements artistiques d'avant-garde qui suscitèrent d'abondantes controverses, lui assurant une large notoriété. Après ses premières œuvres, des scènes de rue ou de café à Montmartre, il peint jusqu'en 1904 des tableaux d'inspiration symboliste représentant la vieillesse, la pauvreté, la maladie, les exclus de la société. Dans sa palette dominent alors les tons bleu froid caractéristiques de la période bleue de l'artiste, une des plus connues, dont *le Repas frugal* et *la Vie* comptent parmi les œuvres les plus célèbres.

Dès 1905, la période rose évoque, avec moins d'âpreté et dans une tonalité plus claire, le monde du cirque : saltimbanques, clowns, acrobates, écuyères. Deux ans plus tard, sans doute influencé par Cézanne, selon lequel une forme géométrique sous-tend toute œuvre picturale (« Tout dans la nature se modèle sur la sphère, le cône et le cylindre, il faut apprendre à peindre sur ces figures simples »), Picasso peint *les Demoiselles d'Avignon,* qui signe l'acte de naissance du cubisme. Cette rupture, dont Picasso et Braque furent les initiateurs, fut l'un des grands bouleversements artistiques de ce début de siècle. C'est à cette période que se rattachent certaines des toiles les plus fameuses de Picasso.

À la différence de tant de grands artistes qui vécurent dans la misère, Picasso gagna des sommes fabuleuses grâce à son travail. Ne dit-on pas que, s'il désirait acheter une maison, il lui suffisait de la dessiner, et la valeur du dessin dépasserait largement le coût de la construction ?

La célébrité et la fortune vinrent très tôt à Picasso. « Je ne suis qu'un amuseur public qui a su comprendre son époque », disait-il.

QUAND LES PALETTES ÉTAIENT EMPOISONNÉES

Les pinceaux des peintres d'aujourd'hui n'ont plus qu'un très lointain rapport avec les plumes et les feuilles dont se servaient leurs prédécesseurs des temps préhistoriques. Les Égyptiens peignaient à l'aide de roseaux, dont ils effilochaient l'extrémité pour obtenir un faisceau de fibres. Ce sont les Grecs qui fabriquèrent les premiers pinceaux en poils d'animaux, qui offraient plus de facilité à l'artiste pour appliquer les couleurs.

Les peintres utilisant la peinture à l'huile privilégient les brosses en soie de porc. Les aquarellistes préfèrent des pinceaux plus souples en poil de martre ou d'écureuil (petit-gris).

Avant le XVe siècle, les peintres mêlaient habituellement leurs couleurs dans des coquilles. Puis vint la palette, une plaque allongée, généralement en forme de rein, mais parfois rectangulaire ou ovale, et percée d'un trou pour laisser passer le pouce, ce qui permet de la tenir d'une seule main.

Vincent Van Gogh avait une palette flamboyante. Cet autoportrait représente l'artiste à l'œuvre.

La plupart des artistes utilisant la peinture à l'huile, en particulier ceux qui se servent d'un couteau pour appliquer les couleurs, préfèrent la palette en acajou, un bois dur et résistant qui ne se laisse pas aisément écorner. Les aquarellistes mêlent leurs couleurs sur des palettes en ivoire ou en porcelaine.

Le choix des couleurs et l'ordre dans lequel elles sont étalées sur la palette revêtent une importance capitale. Par extension, le mot palette signifie également l'ensemble des couleurs qui caractérisent un peintre. Ainsi dit-on que Léonard de Vinci a une palette réduite, et Claude Monet une palette éclatante.

Les couleurs les plus éclatantes utilisées par certains artistes présentaient un danger invisible : elles contenaient des métaux toxiques, notamment du plomb, du mercure, du cadmium, du cobalt et de l'arsenic. Pierre-Auguste Renoir avait l'habitude de rouler ses cigarettes et fumait en travaillant. Contaminé par ces substances toxiques, il fut atteint de polyarthrite rhumatismale chronique. Gagnées par la paralysie, ses mains devinrent rigides, et il ne put continuer à peindre qu'avec un pinceau attaché au bras. Rubens, Raoul Dufy et Paul Klee, trois autres peintres réputés pour l'emploi de couleurs vives, ont eux aussi souffert de rhumatismes articulaires.

Un matériau idéal pour les sculpteurs : le marbre

Les sculpteurs travaillent de nombreux types de roches et de pierres, mais c'est le marbre – une roche calcaire ayant subi une transformation de sa structure sous l'effet de la pression, de la chaleur et des modifications chimiques naturelles – qui reste leur matériau de prédilection.

Le marbre – mot qui, en grec, équivaut à « pierre miroitante » – possède une gamme de couleurs et de tons plus variée que n'importe quelle autre roche. Il peut être blanc, crème, rose, brun ou noir. Les minéraux cristallisés dans la roche lui confèrent son aspect tacheté et veiné, faisant de chaque morceau une pièce unique par le coloris et le dessin des marbrures.

Pour la plupart des sculpteurs, le marbre est un matériau particulièrement agréable à utiliser, même s'il est d'un emploi délicat. Dans l'idéal, il doit être exempt de défauts et de fissures susceptibles d'entraîner des fêlures. Le marbre fraîchement extrait est plus facile à travailler, car l'exposition à l'air en durcit la surface – ce qui présente un avantage appréciable une fois l'œuvre achevée, qu'elle ait été réalisée pour l'intérieur ou pour l'extérieur.

Le sculpteur commence par confectionner un moulage de taille réduite, en argile ou en cire. La mise au point permet ensuite de reporter le modèle, à taille réelle cette fois, sur le bloc de marbre. Celui-ci est alors taillé jusqu'à obtention de la forme désirée. La finition se fait à l'aide de ciseaux, pointes et limes ; râpes et abrasifs sont utilisés pour donner le poli et le lustre finals. Le marbre présente l'inconvénient de se briser aisément, comme en témoignent les nombreuses statues aux membres cassés. C'est pourquoi les sujets sont si souvent représentés un pied ou une jambe reposant sur un objet.

Œuvre inachevée mais révélatrice de la technique de Michel-Ange, ce superbe Atlas *a été sculpté par taille directe dans le bloc de marbre.*

Une vitrine en verre à l'épreuve des balles protège la Joconde *des assauts des vandales. Le tableau le plus célèbre du monde fut volé en 1911 par des faussaires. Six copies du tableau furent vendues à des Américains, chacun des acheteurs étant persuadé qu'il venait d'acquérir le chef-d'œuvre original de Léonard de Vinci ! La police retrouva la vraie* Joconde *en Italie deux ans plus tard.*

Pourquoi *la Joconde* nous fascine-t-elle ?

Léonard de Vinci a peint *la Joconde* entre 1503 et 1506. Un doute subsiste quant à l'identité du modèle. Selon la plupart des historiens de l'art, il s'agit de Lisa Gherardini, une jeune femme d'une vingtaine d'années qui épousa en 1495 un noble Florentin, riche négociant en soie, du nom de Francesco del Giocondo.

Le mari de Monna Lisa aurait si peu apprécié le portrait de sa femme qu'il refusa de l'acheter, et le tableau resta en la possession de l'artiste. En 1516, François Ier invita Léonard de Vinci à venir s'installer en France, au manoir du Clos-Lucé, près d'Amboise, où celui-ci mourut trois ans plus tard. *La Joconde* prit place dans les collections du monarque. Elle aurait même, dit-on, décoré la salle de bains royale ! Depuis lors, en dehors des expositions tenues à l'étranger – et d'un bref séjour en Italie, lors du vol du tableau en 1911 –, *la Joconde* est demeurée en France. En 1963, lors d'une exposition à Washington, le tableau fut assuré pour 100 millions de dollars, la somme la plus élevée jamais atteinte pour une œuvre d'art.

Pourquoi *la Joconde,* plus qu'aucun autre tableau, jouit-elle d'une célébrité universelle et d'un attrait sans égal ? Experts et critiques d'art ont abondamment débattu de la question. La séduction qu'exerce ce tableau est dans une large mesure subjective : chacun le voit différemment selon ce qu'il ressent, et cette multiplicité de vues n'est pas étrangère à la fascination de cette œuvre sur le public. Par exemple, on discutera sans fin pour savoir si le modèle sourit ou non. Les subtiles tonalités sombres ombrant les yeux et la bouche donnent une étrange impression de mouvement, tandis que la position des bras et des mains suggère une idée de détente et de repos en parfait contraste avec la raideur caractéristique de nombreux portraits de l'époque.

Les critiques ont utilisé un nombre impressionnant de qualificatifs pour décrire le visage de *la Joconde* – énigmatique, spirituel, serein, indéchiffrable... Pour renforcer encore le mystère, derrière le modèle apparaît un paysage étrange – un des plus singuliers peints par Léonard de Vinci –, traversé de ponts et de routes ne menant nulle part. Les incessantes interrogations et les nombreux commentaires suscités par ce petit tableau de 77 cm sur 53 sont un hommage au grand maître, qui sut insuffler une vie nouvelle à l'art du portrait.

L'art de la fresque

À la différence des autres peintures murales, que l'on peut gratter de leur support, une peinture à fresque fait partie intégrante du mur. Pour l'ôter, il faut enlever le plâtre qui recouvre la maçonnerie.

La technique de la fresque consiste à appliquer des pigments purs en poudre sur l'enduit de chaux encore frais (*fresco,* en italien). Les pigments sont alors absorbés par l'enduit pour former la véritable peinture à fresque, ou *buon fresco.* Une peinture murale de qualité inférieure, la *fresco secco,* s'obtient en peignant sur de l'enduit sec légèrement rugueux. Celui-ci risque par la suite de s'effriter, et la fresque de s'écailler.

La préparation du mur exigeant beaucoup de soin, nombre de peintres à fresque travaillent en collaboration étroite avec le plâtrier chargé de poser l'enduit. La première couche de crépi, l'*arriccio,* est appliquée en une seule fois sur l'ensemble du mur, tandis que la couche (ou les deux couches) d'enduit plus fin, l'*intonaco,* ne vient couvrir que la portion du mur qui sera peinte dans la journée, avant que l'enduit n'ait eu le temps de sécher.

Les joints ou raccords que l'on observe sur les anciennes fresques permettent de déterminer le nombre de jours qui fut nécessaire à leur réalisation. Ainsi, nous ne connaissons pas la date exacte à laquelle Michel-Ange peignit la *Création d'Adam,* une des grandes fresques qui ornent le plafond de la chapelle Sixtine, à Rome. Mais nous savons que Michel-Ange mit exactement trois jours pour peindre Adam, car un raccord de l'enduit est visible sur le cou du personnage, et un autre en haut des jambes. L'ensemble de la décoration de la voûte, avec ses trois cents personnages, fut réalisé en quatre ans et demi, de 1508 à 1512.

La peinture à fresque exige une préparation minutieuse ; à la moindre erreur, il faut refaire l'enduit, et tout est à recommencer. Après les esquisses préliminaires, l'artiste trace son dessin en grandeur réelle sur un carton. À l'aide d'une roue à pointes, il perfore les contours du dessin. Ensuite, il applique le carton sur l'enduit frais et tamponne de la poudre de charbon de bois à travers les lignes perforées. Le carton une fois retiré, le tracé du dessin apparaît en pointillé sur l'enduit frais. Sur certaines fresques anciennes, on décèle encore la présence de ces petits points.

La peinture elle-même exige une grande rapidité d'exécution afin d'assurer une

*Sur une première couche de crépi, l'*arriccio, *on applique une couche d'enduit finement granulé, l'*intonaco.

bonne pénétration des pigments. À mesure que l'enduit sèche, les couleurs pâlissent légèrement, et la fresque prend ses tons définitifs, beaucoup moins vifs que ceux des autres peintures murales. Simultanément, une fine pellicule de carbonate de chaux se forme à la surface. Elle confère à la fresque une protection durable, pour peu que le climat soit sec.

Les fresques de Giotto dans la chapelle Scrovegnia à l'Arena de Padoue, réalisées entre 1303 et 1305, sont les plus anciennes d'Italie. La conjonction d'un climat sec, d'un style architectural offrant de larges surfaces sur les murs et les plafonds, et d'une pépinière d'artistes de génie fait du pays de Michel-Ange et de Véronèse la patrie par excellence de l'art de la fresque.

La restauration du plafond de la chapelle Sixtine a duré douze ans, de 1980 à 1992. Le nettoyage des couches de salissures déposées au fil des siècles sur les fresques a donné un éclat nouveau au chef-d'œuvre de Michel-Ange, comme en témoigne ce visage de nu masculin, avant et après restauration. L'artiste travailla quatre ans sur les fresques commandées par le pape Jules II. D'après les témoignages de l'époque, le pape et sa cour, en découvrant l'œuvre achevée, restèrent « muets de stupeur ».

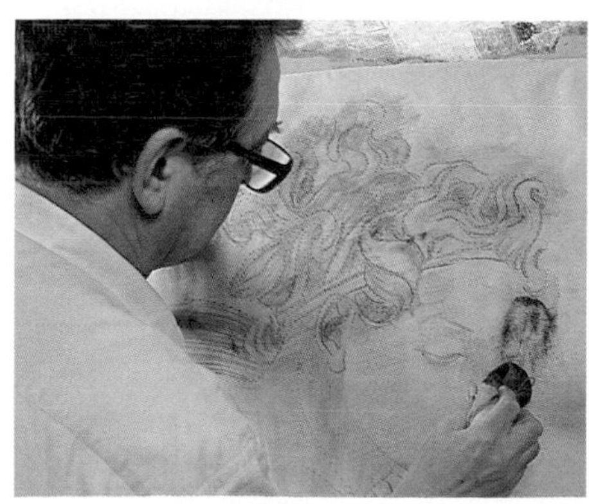

L'artiste pose son carton sur l'enduit humide, perfore les contours du dessin et les tamponne de poudre de charbon de bois.

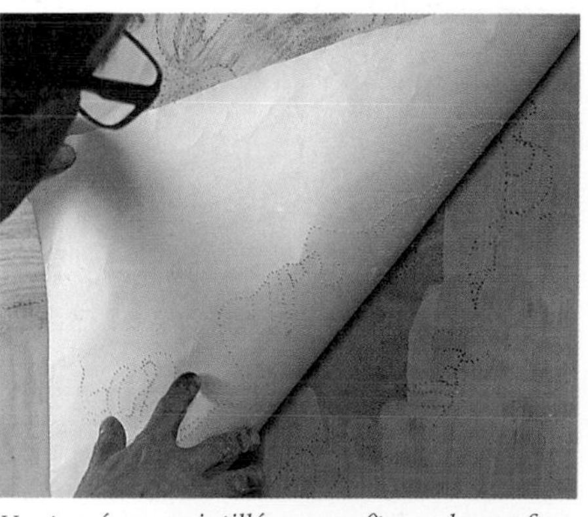

Un tracé en pointillé apparaît sur la surface humide une fois le carton retiré. Nombre de fresques célèbres portent cette trace.

La fresque exige rapidité et habileté, car il faut travailler sur l'enduit frais. Une fois l'enduit sec, les couleurs s'éclaircissent.

Tout pour la musique

Pourquoi le stradivarius est-il le violon le plus célèbre du monde ?

Il existe à peu près autant de chances de découvrir un authentique stradivarius dans un vieil étui caché au fond d'un grenier que de rencontrer un bonhomme de neige en plein Sahara. Toutefois, comme on ne connaît aujourd'hui que 635 violons sur le millier d'instruments fabriqués par le grand luthier italien, tous les espoirs – et les faux – sont permis.

En 1666, lorsque Antonio Stradivari fabriqua son premier violon, l'usage voulait que le luthier signât son œuvre de son nom latinisé : Stradivarius. Jusqu'à sa mort, en 1737, à l'âge de quatre-vingt-treize ans, Stradivari produisit quelque 1 100 violons, 12 altos et 50 violoncelles. Crémone, la ville où il vivait, comptait trois grandes familles de luthiers : les Amati, les Stradivari et les Guarneri. Antonio Stradivari en était le maître incontesté.

Ses contemporains le décrivaient comme un homme mince et de haute taille, qui « quittait rarement ses vêtements de travail ». Son atelier se trouvait au rez-de-chaussée d'une maison de deux étages de la Piazza San Domenico, à Crémone ; sur le toit plat de la maison séchaient les violons tout juste vernis. Stradivari se maria deux fois, eut onze enfants et forma à la lutherie deux de ses fils, Francesco et Omobono.

La maison de Stradivari fut démolie en 1928, et le cimetière où il était enseveli, totalement détruit quelques années plus tard. Un petit musée dans sa ville natale, une pierre tombale, qu'il grava lui-même en 1730, et 635 violons, voilà tout l'héritage du maître de Crémone.

Musiciens, luthiers, collectionneurs, scientifiques, acousticiens ont tenté de comprendre, mais en vain, ce qui fait la spécificité d'un stradivarius. Les outils et les gabarits de Stradivari, réunis dans le musée de Crémone, n'ont pas davantage permis de percer le secret. Le vieillissement est un facteur à écarter, puisque les violons de Stradivari étaient déjà réputés de son vivant. Plusieurs explications ont été avancées : on a imputé la perfection de la sonorité tantôt à la qualité du bois ou du vernis, tantôt aux dimensions ou à la forme de l'instrument. Mais, à l'instar d'un grand compositeur, qui utilise pourtant des « ingrédients » de base pour créer un chef-d'œuvre inégalable, Stradivari a construit des violons dont la facture défie toutes les tentatives d'imitation. Le bois d'un stradivarius contient un fort taux de silice – en Lombardie, le bois d'œuvre, transporté par voie fluviale, absorbait les minéraux contenus dans l'eau des rivières.

Mais d'autres luthiers de Crémone utilisaient des bois similaires d'épicéa et d'érable. Formé chez les Amati, Stradivari ne modifia pas la forme de base de l'instrument, mais il innova dans les dimensions. En 1700, il revint au format standard de 35,5 et de 20,3 cm de large entre les échancrures latérales. Stradivari testait intuitivement la sonorité de l'instrument au fur et à mesure de sa fabrication et procédait à de subtils ajustements.

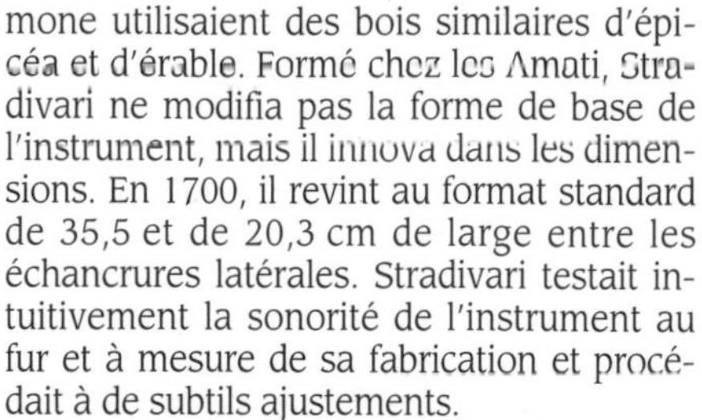

Les stradivarius sont loin d'être tous identiques. Le Mulgan (à gauche), fabriqué en 1699, est d'un modèle plus élancé, le « longuet ». Ils continuent de faire le bonheur des plus célèbres virtuoses, tel Nigel Kennedy.

Le bois d'un « bon » violon doit être rigide de façon à assurer la puissance de l'instrument. L'imprégnation par le vernis, qui joue le rôle de « filtre acoustique », est chargée d'adoucir le son. Une trop forte imprégnation diminue la puissance de l'instrument ; mais, si la pénétration est insuffisante, le son sera trop aigu, voire discordant. La composition et la couleur des vernis des stradivarius varient selon les époques de fabrication. Les premiers instruments sont jaune doré, les derniers tirent vers le rouge orangé. Stradivari aurait noté la formule de ses vernis dans la Bible familiale. Hélas ! elle ne lui a pas survécu.

Certains luthiers pensent que Stradivari utilisait des vernis à base d'eau, ce qui assurait une bonne imprégnation du bois sans trop adoucir le son pour autant. D'autres suggèrent qu'il mélangeait à l'huile de lin de la chitine, une substance recouvrant les ailes des insectes. Scientifiques et acousticiens continuent d'avancer différentes hypothèses, mais le violon du maître de Crémone n'a toujours pas livré son secret.

Stradivari réalisa quatre violons magnifiquement sculptés et marquetés pour l'orchestre du roi Victor-Amédée de Sardaigne ; trois autres allèrent à Philippe V d'Espagne. Les stradivarius les plus célèbres, tels le Hellier, le Mendelssohn et le Hubermann, du nom des virtuoses qui les possédèrent, changent de main pour des sommes fabuleuses. En 1990, le Mendelssohn a atteint 9 millions de francs (1,7 million de dollars), un record pour un instrument.

Le plus célèbre de ces violons, le Messie, se trouve à l'Ashmolean Museum d'Oxford. Stradivari connaissait la qualité exceptionnelle de cet instrument et ne consentit jamais à s'en séparer. Il fut vendu en 1775 par son fils Paolo.

Des castrats à l'opéra

Plus les cordes d'un violon sont courtes et tendues, plus hautes sont les notes qu'elles produisent. Il en va de même pour les cordes vocales. Les femmes, ainsi que

Le soprano masculin Farinelli connut la gloire et la fortune. À Madrid, il passa des nuits à chanter pour guérir le roi Philippe V de sa mélancolie.

les jeunes garçons impubères, ont des cordes vocales plus courtes et plus tendues que celles d'un homme adulte au larynx normalement développé.

Dans l'Italie du XVIe siècle, un décret papal interdisait aux femmes de chanter dans les églises. On eut recours à la castration – vers huit ans – de garçons impubères dotés d'une belle voix, opération qui permettait l'arrêt du développement du larynx. Le premier castrat, chanteur alliant la pureté d'une voix enfantine à la capacité thoracique d'un homme adulte, chanta dans la chapelle papale en 1562. Quelques années plus tard, un chœur de castrats fut formé dans la chapelle Sixtine.

Les castrats étaient réputés pour la pureté, l'étendue et la puissance de leur voix. Au XVIIe siècle, l'opéra italien leur permit d'exercer leur talent sur la scène. Les rôles principaux leur revinrent, les adultes mâles dotés d'une voix normale interprétant quant à eux les rôles de serviteurs, de prêtres et de vieillards.

Certains castrats connurent gloire et fortune. Baldassare Ferri chanta à la cour de Varsovie, à la cour de Stockholm et à la cour de Vienne, et il fut fait chevalier de Saint-Marc. À sa mort, en 1680, il légua 600 000 couronnes à des œuvres de bienfaisance. Les admirateurs de Carlo Broschi, dit Farinelli, le suivaient où qu'il aille.

En 1878, un décret du pape Léon XIII mit un terme à la castration des jeunes chanteurs. Dans certains opéras, les rôles destinés aux castrats durent être réécrits pour des voix d'hommes, d'autres furent interprétés par des femmes.

Pourquoi Haendel a-t-il composé *le Messie* ?

Si le père de Georg Friedrich Haendel avait vécu longtemps, le monde eût peut-être perdu un grand compositeur. Chirurgien-barbier de Halle (Saxe), Haendel père se remaria à l'âge de soixante ans, et de cette union naquit Georg Friedrich. Malgré l'exceptionnelle précocité des dons musicaux de son fils, organiste de talent dès l'âge de sept ans, M. Haendel le destinait à la carrière d'homme de loi. Ce n'est qu'après la mort de son père que le jeune musicien décida de se consacrer entièrement à la composition. Il écrivit ses premiers opéras en Italie, avant de se rendre à Londres, en 1710, où il se fixa définitivement.

En 1713, à vingt-huit ans, Haendel composa une œuvre pour l'anniversaire de la reine Anne, qui lui alloua une pension à vie de 200 livres par an. Il devint le musicien attitré de la cour et dirigea par la suite la Royal Academy of Music. George Ier doubla sa pension. Pour le couronnement de George II, en 1727, Haendel écrivit quatre anthems. Cette même année, il se fit naturaliser anglais et modifia son prénom en George Frederick.

Pendant près de trente ans, le musicien composa des opéras qui suscitèrent l'engouement de la bonne société londonienne. Mais les opéras d'Haendel avaient une coloration nettement italienne, et l'opéra italien passa de mode.

Sa santé déclinant, Haendel se préparait à quitter définitivement l'Angleterre quand le représentant de la Couronne en Irlande l'invita à donner une série de concerts à Dublin. En vingt-trois jours, le compositeur écrivit alors son plus célèbre oratorio, *le Messie*. Lorsqu'il eut achevé l'*Alleluia* pour chœur, il confia à un assistant : « J'ai vraiment cru voir le paradis, et le Seigneur tout-puissant en personne ! » Joué pour la première fois à Dublin le 13 avril 1742, lors d'un concert de charité, l'oratorio remporta un immense succès.

Haendel était profondément croyant, mais sa décision d'écrire *le Messie* fut aussi largement motivée par le déclin de l'opéra. Le compositeur se consacra dès lors à l'oratorio, genre religieux illustrant des épisodes tirés des Écritures auquel il appliqua les principes de l'art lyrique, avec solistes, chœur et orchestre. Les oratorios d'Haendel connurent une grande vogue. En raison de leur inspiration religieuse, ils offraient en outre l'avantage de pouvoir être représentés durant le carême, lorsque les théâtres fermaient leurs portes.

La première représentation du *Messie* à Covent Garden, à Londres, eut lieu devant le roi George II. Le monarque marqua son enthousiasme pendant l'*Alleluia* en se levant vivement de son siège, et ses fidèles sujets s'empressèrent de l'imiter. Depuis lors, la tradition veut que l'auditoire se lève à ce passage du *Messie*.

Aveugle pendant les sept dernières années de sa vie, Haendel fut victime d'un malaise en 1759, lors d'une représentation du *Messie*. Il mourut peu après.

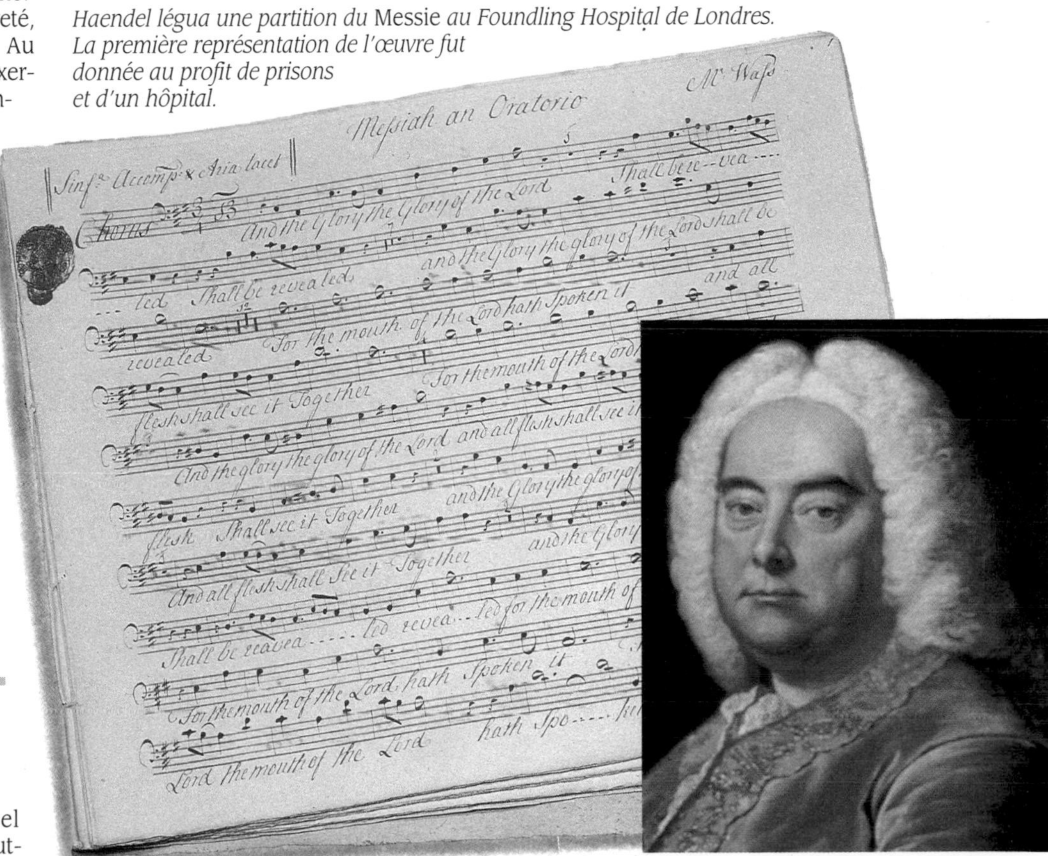

Haendel légua une partition du Messie *au Foundling Hospital de Londres. La première représentation de l'œuvre fut donnée au profit de prisons et d'un hôpital.*

L'ÉCLIPSE DE ROSSINI

Gioacchino Rossini, né à Pesaro (Italie) en 1792, fut le plus célèbre compositeur de son époque. Les rois le courtisaient, le public fredonnait ses airs. Un siècle et demi plus tard, la majeure partie de son œuvre n'était pratiquement plus jouée.

À trente-sept ans, Rossini avait écrit trente-neuf opéras. Le dernier d'entre eux, *Guillaume Tell*, sans doute son chef-d'œuvre, fut représenté triomphalement en 1829. Cette même année, le compositeur décidait de ne plus écrire pour le théâtre, arguant que personne n'arrivait plus à chanter ses compositions. Le bel canto des opéras de Rossini exigeait une grande virtuosité des interprètes. Le chanteur devait exécuter des vocalises rapides et difficiles, montant et descendant la gamme avec une aisance et une maîtrise parfaites.

Il semble plus plausible cependant d'attribuer le silence de Rossini au succès croissant de Meyerbeer, dont la gloire allait éclipser la sienne. Rossini prétendait en plaisantant qu'il avait abandonné l'opéra pour se consacrer à son passe-temps favori, la gastronomie. Gourmet notoire, il passe en effet pour être le seul compositeur à avoir créé un plat célèbre, le tournedos Rossini, un filet de bœuf enrichi de foie gras et de truffe.

L'auteur du *Barbier de Séville* avait cependant eu le temps de faire fortune : à sa mort, en 1868, il légua la majeure partie de ses biens à sa ville natale, qui créa la fondation Rossini en son honneur. En 1980, la fondation Rossini publia la première édition critique des œuvres complètes du compositeur, révélant à une nouvelle génération la force et la variété de son génie musical. Naguère dédaigné, celui que l'on surnommait « il signor Vacarmini » à cause de l'emploi abusif qu'il fit des cuivres et des percussions sortit de l'ombre et reprit la place qui lui revenait de droit parmi les grands compositeurs.

Compositeur brillant et adulé, Rossini fut aussi un hôte charmant, réputé pour ses dîners. À Paris, les grands chefs s'inspiraient de ses recettes.

Le rôle du premier violon dans l'orchestre

Le rituel des concerts symphoniques modernes est aujourd'hui parfaitement établi. Les musiciens de l'orchestre prennent leur place, accordent leur instrument, et le silence se fait dans la salle. Le premier violon entre sur scène sous les applaudissements du public, bientôt suivi par la véritable star de l'orchestre, le maestro.

Il n'en a pas toujours été ainsi. C'est seulement vers le milieu du XIXe siècle qu'apparaît le chef d'orchestre tel que nous le connaissons aujourd'hui, baguette à la main, dirigeant les exécutants de son pupitre. Les chefs d'orchestre actuels sont parmi les mieux payés des musiciens, et sans nul doute les plus adulés.

Lorsque les orchestres étaient des formations de taille réduite, c'était le plus souvent le compositeur lui-même qui dirigeait du clavier ses propres œuvres. Au début du XVIIIe siècle, la structure de l'orchestre changea, et les instruments à cordes devinrent prédominants. Le premier violon conducteur assura alors les fonctions de maître de musique : dirigeant de l'archet, il donnait le tempo, indiquait les entrées, battait la mesure. Nombre d'orchestres de chambre ont conservé cette pratique.

Avec le développement de l'orchestre symphonique et l'élargissement du répertoire, il devint indispensable de confier à un spécialiste la responsabilité de diriger l'ensemble des exécutants. Parmi ces chefs d'un style nouveau figuraient des compositeurs qui avaient déjà dirigé leurs propres œuvres, tels Mendelssohn ou Weber.

Véritable orchestre dans l'orchestre, les cordes d'une formation symphonique moderne peuvent comprendre plus de trente premiers et seconds violons. L'ampleur d'un tel ensemble et la complexité des orchestrations nécessitent une liaison constante entre le chef de l'orchestre et la partie prédominante de celui-ci. Cette fonction revient tout naturellement au premier violon.

Il contrôle d'importants aspects techniques de son groupe d'instruments – par exemple, la façon d'utiliser l'archet dans tel ou tel passage. Comme les autres premiers pupitres de l'orchestre, le premier violon doit être un excellent musicien, capable de jouer en soliste si l'œuvre interprétée le nécessite.

Sir Georg Solti, le chef, et le premier violon de l'orchestre philharmonique de Londres discutent de l'interprétation d'un passage. Dans un orchestre, le premier violon est un lien essentiel entre les exécutants et le maestro.

Les orfèvres du mot

Les caricaturistes adoraient épingler Joseph Pulitzer. Le voici, très contrarié parce qu'un titre rival, le New York Evening Sun, *devient un peu trop « tape-à-l'œil » à son goût.*

Pourquoi les lauréats du prix Pulitzer sont-ils toujours des Américains ?

Tous les ans, à l'annonce des lauréats du prix Pulitzer, on peut être sûr que quelqu'un objectera : « Mais ils sont tous américains ! »

Il ne peut pas en être autrement. Le testament de Joseph Pulitzer, qui fonda ce prix, stipule en effet que celui-ci doit être attribué exclusivement à des citoyens américains. Né en 1847, en Hongrie, Pulitzer avait dix-sept ans lorsqu'il émigra aux États-Unis ; il y devint un pionnier du journalisme à sensation et à scandale. Il laissa en héritage à sa patrie d'adoption le prix qui porte son nom.

En 1883, il racheta le journal *The World*, de New York, qui, sous sa direction, connut une immédiate prospérité grâce notamment à des articles aux titres accrocheurs sur les travailleurs opprimés, les hommes d'affaires véreux et les fonctionnaires accusés de corruption. À sa mort, en 1911, Pulitzer laissait 1,5 million de dollars destinés à fonder une école de journalisme à l'université Columbia. Il légua également une somme de 500 000 dollars dont les revenus devaient servir à alimenter un prix annuel récompensant des œuvres « journalistiques, littéraires et musicales », ainsi que les « services rendus à la cause publique, à la morale et à l'éducation ».

Pour l'attribution des prix littéraires, les jurés du Pulitzer proposent une liste de candidats dans cinq catégories : roman, théâtre, poésie, histoire et biographie. Ces propositions sont transmises à un conseil consultatif, qui peut les accepter, les rejeter ou leur substituer d'autres choix. En 1917, première année d'attribution du prix, il n'y eut pas de lauréat pour le roman et le théâtre, le conseil ayant jugé que les candidatures ne répondaient pas au niveau requis. En 1948, il transforma la catégorie « roman » en « fiction » pour pouvoir récompenser le recueil de nouvelles de James Michener, *Contes du Pacifique*.

Le montant du prix Pulitzer dans chaque catégorie est relativement modeste – 3 000 dollars depuis 1988, environ 16 500 francs – comparé aux 5,6 millions de francs (900 000 dollars) reçus par chaque lauréat du Nobel en 1992. Il récompense généralement des romans grand public, qui sont, en tout cas aux États-Unis, de gros succès de librairie. Parmi les ouvrages récemment primés, on relève *la Couleur pourpre*, d'Alice Walker, *l'Herbe de fer*, de William Kennedy, et *Liaisons étrangères*, d'Alison Lurie, trois romans qui ont fait l'objet d'une adaptation au cinéma. Récompensé deux fois, John Updike s'est vu décerner le prix en 1991 pour *Rabbit at Rest,* neuf ans exactement après avoir reçu le Pulitzer pour *Rabbit is rich (Rabbit est riche).*

Agatha Christie, reine du crime

Agatha Christie est un phénomène. Traduits en 157 langues, ses livres sont diffusés à plus de 300 millions d'exemplaires. La reine du roman policier est l'auteur le plus vendu au monde après Shakespeare ! Elle est un des rares écrivains à avoir vu un de ses ouvrages publié à un million d'exemplaires en un seul jour.

Agatha Christie pouvait écrire un best-seller en quelques semaines. Elle inventa certaines de ses meilleures intrigues dans son bain.

L'HISTOIRE EN LOCUTIONS

Les locutions ont une vie bizarre, les unes s'implantent durablement, d'autres disparaissent aussitôt nées, ou prennent une forme ou un sens plus ou moins différents. Si des expressions déjà centenaires comme *casser les pieds* sont encore comprises aujourd'hui, d'autres, peu claires littéralement, ne s'expliquent que par référence à un état plus ancien ou à une pratique linguistique, un mode de vie ou de pensée d'autrefois.

Certaines locutions se sont mises en quelque sorte au goût du jour : on a substitué à des mots qui ne sont plus ni compris ni employé, des termes actuels à consonance voisine et dont le sens est assez proche. Ainsi, *ne rêver que plaids et bosses* (ne rêver que procès et coups) est devenu *ne rêver que plaies et bosses,* car *plaids* (procès) a disparu du langage courant. *Se mettre sur son trentain,* signifiant mettre ses plus beaux habits (le *trentain* étant un drap de luxe), est devenu *se mettre sur son trente et un.*

D'autres locutions connaissent un sort différent, l'usage substituant à des termes désuets des mots à consonance voisine mais dont le sens est cette fois très éloigné. Qui pourrait deviner, sous *tomber dans les pommes,* le fait de s'évanouir ? Pourquoi est-on *fier comme un pou* ? Que dire enfin du poétique *pommes de terre en robe de chambre* et des incompréhensibles *parler français comme une vache espagnole* (parler mal le français) ou *casser sa pipe* (mourir) ?

Pour quelques-unes de ces locutions, l'explication est simple, ainsi, *tomber dans les pommes* tire son origine de *tomber dans les pâmes* (se pâmer). Le mot *pâmes*, vieilli, a été changé en *pommes* par la fantaisie déformante de la langue populaire. *Fier comme un pou* peut nous laisser perplexe si l'on ignore que *pou,* ou *poul,* désignait dans la langue du Moyen Âge non pas l'insecte, mais le coq. Si le sens de *parler français comme une vache espagnole* n'est pas douteux, en revanche on voit mal ce que la vache, fut-elle espagnole, vient faire ici. Plusieurs explications ont été avancées, l'une d'entre elles fait de *vache* une corruption de *basque.* Comme il y a des Basques en France et en Espagne, la locution primitive serait *parler français comme un Basque espagnol,* ou autre variante plus subtile *parler français comme un Basque l'espagnol,* c'est-à-dire parler aussi mal le français qu'un Basque l'espagnol... Sans doute est-il plus prudent de continuer à l'employer sous la forme que nous lui connaissons.

Enfin, il y a des locutions dont le sens s'est trouvé si altéré qu'on a quelque peine à le comprendre. Par exemple, *avoir la puce à l'oreille* exprime aujourd'hui l'inquiétude, l'alerte ; et c'est ainsi qu'on pourrait comprendre ces deux vers de La Fontaine :

fille qui pense à son amant absent
toute la nuit, dit-on, a la puce à l'oreille.

Ce pourrait être la morale d'une fable sur l'inquiétude de l'attente si, à l'époque, cette locution ne signifiait avoir des désirs amoureux, littéralement, avoir des démangeaisons amoureuses.

Agatha Mary Clarissa Miller naquit en 1891 à Torquay, station balnéaire du Devon, en Grande-Bretagne, écrivit plusieurs livres sous le pseudonyme de Mary Westmacott et mourut en 1976 avec le titre de lady Mallowan. Mais c'est sous le nom d'Agatha Christie (celui de son premier mari, Archibald Christie) qu'elle est devenue célèbre dans le monde entier.

Son premier roman, *la Mystérieuse Affaire de Styles*, parut en 1920 ; il inaugurait une carrière prolifique, riche de plus de cent dix titres, qui s'acheva par un livre posthume publié en 1977, un an après sa mort.

La clé du succès prodigieux d'Agatha Christie tient, selon les critiques, à son style d'écriture alerte et plein d'humour, à ses intrigues ingénieuses qui égarent le lecteur, et aux deux personnages principaux qui se partagent son œuvre. Hercule Poirot fit son entrée dès le premier des soixante-sept romans policiers dont elle est l'auteur. La mort du détective belge, dans un livre paru en 1975, eut l'honneur d'une nécrologie à la une du *New York Times.* Quant à Jane Marple, la vieille fille curieuse et observatrice de St. Mary Mead, elle fit ses débuts de limier en 1930 dans *l'Affaire Protheroe*. Un des chefs-d'œuvre d'Agatha Christie, *le Meurtre de Roger Acroyd*, suscita la controverse lors de sa publication, en 1926, car le coupable n'était pas le valet de chambre, mais le narrateur lui-même !

Quinze romans d'Agatha Christie ont été adaptés au cinéma. On lui doit également un des succès les plus durables sur une scène de théâtre londonienne : c'est en 1952 qu'eut lieu la première représentation de *la Souricière*, toujours à l'affiche quarante ans après.

Francis Bacon a-t-il écrit les pièces de Shakespeare ?

Nombreux sont les « challengers » auxquels on a attribué tout ou partie de l'œuvre de Shakespeare. On relève parmi eux le poète John Donne, le dramaturge Ben Jonson, le navigateur Walter Raleigh, le comte de Southampton, Marie Stuart, reine d'Écosse, et une nonne irlandaise. Mais c'est sans conteste Francis Bacon qui occupe le premier rang sur la liste. La rumeur naquit au XIXe siècle, lorsque de savants ouvrages affirmèrent gravement que le véritable auteur d'*Hamlet* ou du *Roi Lear* n'était pas William Shakespeare, mais son contemporain Francis Bacon, homme politique, philosophe et essayiste de talent.

Pour étayer leur théorie, les érudits se référaient aux origines sociales de Shakespeare. Son père, arguaient-ils, avait été tour à tour gantier, boucher, négociant lainier. Comment le fils de cet obscur personnage aurait-il pu acquérir la culture nécessaire pour produire tant de chefs-d'œuvre ? Aristocrates et gens de lettres pétris de conservatisme se refusaient à admettre qu'un homme de si modeste extraction eût pu devenir le plus grand écrivain d'Angleterre. Les érudits avaient un candidat tout trouvé : Francis Bacon, expliquaient-ils, jugeant la qualité de dramaturge indigne de son rang, avait payé Shakespeare pour lui servir de prête-nom.

Si certains épisodes de la vie de Shakespeare nous demeurent inconnus, on sait en revanche que le jeune William fréquenta la *grammar school* (sorte de lycée privé) de Stratford-sur-Avon, où il reçut sans nul doute une solide éducation en matière d'écriture. Bacon, pour sa part, rédigea la plupart de ses essais en latin, langue noble, considérée à l'époque comme supérieure à l'anglais.

Baron Verulam et chancelier d'Angleterre, Francis Bacon était un homme politique très sollicité. Ce personnage sans scrupules et ambitieux fut néanmoins l'un des grands esprits de son temps, dont l'ambition était d'écrire une vaste encyclopédie du savoir fondée sur une méthode inductive et expérimentale. Il est considéré, avec Descartes, comme le principal initiateur de la philosophie moderne. Il apparaît fort peu probable que cet homme ait pu trouver le temps d'écrire pour le théâtre. De plus, celui dont on voudrait faire un expert en supercherie littéraire ne parvint pas même à dissimuler l'affaire de corruption qui l'amena à se retirer de la vie publique en 1621.

Aujourd'hui, la controverse a fait long feu, et rares sont ceux qui contestent encore à William Shakespeare la paternité des trente-sept pièces qui lui sont attribuées.

Les feux de la rampe

Pourquoi applaudit-on ?

Les Grecs manifestaient leur enthousiasme au théâtre par des acclamations et des applaudissements. Les Romains claquaient des doigts et battaient des mains, agitaient le bout pointu de leur toge ou brandissaient des rubans distribués au public à cet effet.

Au XVIIe siècle, les spectateurs marquaient leur approbation en sifflant, en tapant des pieds et en battant des mains. Cet usage gagna les congrégations religieuses : le clergé désapprouvant ces pratiques, on leur substitua des toussotements, des raclements de gorge et des reniflements divers.

D'après les psychologues, les marques d'approbation, quelle que soit la forme qu'elles revêtent, ont une double fonction : elles sont chargées de satisfaire le besoin du public d'exprimer son opinion et lui donnent l'impression de participer. La coutume d'applaudir prendrait son origine dans la tape amicale que l'on donne dans le dos en signe de félicitation. Faute de pouvoir administrer des bourrades aux acteurs, le public applaudit !

Engager des « claqueurs » professionnels est une pratique qui remonte à l'Empire romain : Néron paya quelque 5 000 jeunes *plausores* pour applaudir son apparition en public.

L'*imbrex,* applaudissement avec les paumes creuses, et la *testa,* applaudissement du plat de la main, étaient répétés à l'avance.

Plus tard, on se mit à disséminer dans la salle des claqueurs chargés d'applaudir bruyamment pour inciter les spectateurs à suivre leur exemple. En France, une agence appelée Assurance de succès dramatique proposait ses services en garantissant que le baisser de rideau final serait salué par des applaudissements ou des huées. Parfois, des claques rivales œuvraient en sens inverse lors de la même représentation, les uns battant des mains et poussant des vivats, les autres tapant des pieds, sifflant et conspuant le spectacle.

Du vaudeville au music-hall

Le vaudeville est né en France, et plus exactement en Normandie : selon son étymologie, ce mot serait une altération de Vau (ou Val)-de-Vire, car c'est dans cette localité qu'au XVe siècle Olivier Basselin aurait composé ses premières chansons raillant les envahisseurs anglais.

Après avoir désigné des chansons gaies, bachiques ou satiriques, puis une pièce de théâtre à l'intrigue vive et amusante mêlée d'intermèdes musicaux, le vaudeville désigna au XIXe siècle une comédie légère à rebondissements multiples, reposant sur le quiproquo. En Angleterre, à la même époque, c'est le premier sens de ce mot qui fut retenu pour désigner des spectacles de variété, que nous appelons... music-hall.

Adopté par les États-Unis, le vaudeville, music-hall à l'américaine, prit son essor dans les années 1880. L'acteur-chanteur Tony Pastor, qui se produisait dans une salle miteuse, un bar à bière fréquenté principalement par des ivrognes et des prostituées, transporta en 1881 ses numéros de variété dans un théâtre new-yorkais de la Quatorzième Rue. Son premier spectacle reposait sur une succession de pièces comiques, de détours acrobatiques, de chansons et de danses.

Le music-hall connut son apogée entre 1890 et 1925. Il faisait appel à des artistes de talent, qui attiraient un public nombreux, et s'illustrèrent par la suite dans le cinéma, tels W.C. Fields, Eddie Cantor ou Jimmy Durante. En 1932, cinquante ans après leur naissance, les spectacles de music-hall virent s'amorcer leur déclin. Peu à peu remplacés par des films parlants au Palace Theatre de Broadway, ils disparurent après la Seconde Guerre mondiale, supplantés par le développement du cinéma, de la radio et de la télévision.

Les vedettes du music-hall américain excellèrent au cinéma dans les rôles de comiques. W.C. Fields était célèbre pour son humour caustique, Jimmy Durante, à droite, pour ses numéros au piano et ses plaisanteries sur son nez gigantesque.

Un drôle de polichinelle

Le rideau se lève sur la scène de théâtre miniature, et le méchant paraît, affublé de ses traditionnels oripeaux. Le bicorne en bataille, la face rubiconde, le nez crochu, le ventre rebondi, le dos bossu et la voix nasillarde, Polichinelle est prêt à rééditer les exploits qui font sa gloire depuis près de quatre siècles : menteur, querelleur, souvent brutal et cruel, il bat sa femme à grands coups de canne et rosse ses enfants sans vergogne.

Le premier Polichinelle remonterait à Henri IV, et il était déjà très populaire au temps de la Fronde à Paris. C'est au tournant du XVIIe siècle que naît Pulcinella, personnage de la commedia dell'arte italienne créé par le comédien Silvio Fiorillo. Pulchinella diffère beaucoup de Polichinelle, très droit, vêtu de blanc, avec un nez crochu et un demi-masque noir ; il ressemblerait plutôt à Pierrot. La marionnette connut un succès prodigieux, elle devint Punch, coureur de filles cynique en Angleterre, don Cristobal Pulchinella en Espagne et Hanswurst (Jean-Saucisse), exceptionnellement gourmand et stupide, en Allemagne.

Le théâtre de marionnettes était alors très en vogue. Punch s'est ainsi produit en 1662 à Covent Garden, avant d'être convié la même année à la cour du roi Charles II. Sa popularité connut une éclipse relative au XIXe siècle, mais l'usage des marionnettes animées par la main, qui remplaça les marionnettes à fil, lui insuffla un regain d'énergie. Le spectacle pouvait être mené de bout en bout par un seul opérateur, accompagné de son chien, qui figurait l'inséparable terrier de Punch, Toby. En 1962, le tricentenaire de la marionnette anglaise fut célébré en grande pompe sur la scène de Covent Garden. Près de cinquante marionnettistes ayant donné vie à Punch et à sa femme Judy assistèrent à la cérémonie.

À l'instar de Polichinelle, une autre marionnette, d'origine plus récente, est elle aussi passée dans le langage courant : Guignol. Né au début du XIXe siècle à Lyon de l'imagination de Laurent Mourguet, il était alors le porte-parole râleur et frondeur des petites gens et faisait les délices des ouvriers soyeux, les canuts. Il tirerait son origine de Girolamo, paysan lombard un peu simplet apparu quelques décennies auparavant à Milan, dont le nom se serait altéré en Chignol lors de son passage à Lyon.

Devenu au XXe siècle un spectacle réputé qui rassemblait un public choisi, le guignol se transforma bientôt en un théâtre de marionnettes pour enfants, aux personnages plus édulcorés, mais dont les farces continuent d'émerveiller leur jeune public.

Pourquoi les ballerines portent-elles le tutu ?

À la création du rôle-titre de *la Sylphide* à l'Opéra de Paris, en 1832, Marie Taglioni portait un nouveau costume de scène dessiné par Eugène Lamy. Les robes à taille haute de style Empire et les tuniques à la grecque portées jusqu'alors par les ballerines entravaient les mouvements des bras et des jambes. Le costume conçu par Lamy, en revanche, comportait un bustier ajusté qui dénudait le cou et les bras ; la jupe à hauteur de mollet offrait plus de liberté à la danseuse.

La jupe en tulle blanc – le tutu – ressemblait au jupon raide que les femmes portaient sous une crinoline. L'hypothèse selon laquelle le mot tutu viendrait d'un terme d'origine mélanésienne désignant un motif décoratif de feuillages sur un totem, ou encore d'un terme indien signifiant le tissage du coton, semble peu convaincante.

À l'époque où Marie Taglioni inaugura le port du tutu, elle était la danseuse la plus célèbre du monde. Son père, Filippo Taglioni, avait chorégraphié *la Sylphide* pour elle ; ce ballet consacra également l'utilisation des pointes.

Dans les années 1880, le tutu romantique de Lamy fut remplacé par le tutu à l'italienne, à jupe maintenue à l'horizontale au dessus du genou. La ballerine Virginia Zucchi fut la première à le porter. Aujourd'hui encore, tutus romantiques et tutus à l'italienne sont les costumes de scène des danseuses interprétant les ballets classiques du XIXe siècle.

Le tutu moderne est constitué d'une superposition de jupons de tarlatane, de tulle, de soie ou de Nylon. Beaucoup plus court que ses prédécesseurs, il dévoile toute la jambe – ce qui, avec le tutu mi-long de Marie Taglioni, arrivait seulement lorsque la danseuse faisait tourbillonner sa jupe en exécutant un saut aérien.

La beauté aérienne de Marie Taglioni, ci-dessous, captiva le public dans les années 1830. Elle fut la première ballerine à porter le tutu. Celui-ci arrivait alors à hauteur de mollet. Plus tard, la jupe fut raccourcie afin de dévoiler toute la jambe.

LE CHORÉGRAPHE ET L'ORDINATEUR

Lorsque Vaslav Nijinsky dansa pour la première fois seul sur scène, en 1907, à Saint-Pétersbourg, le public enthousiasmé lui fit une ovation. Nijinsky avait seize ans, et c'était pour le jeune danseur le début d'une célébrité sans pareille. Pendant dix ans, il se produisit sur les plus grandes scènes du monde et fut adulé des foules pour son style expressif, sa beauté, son talent dramatique, son exceptionnelle virtuosité. Ses bonds prodigieux, qui semblaient défier les lois de la pesanteur, arrachaient des cris de surprise et d'admiration aux spectateurs. Nijinsky, disait-on, s'envolait comme une fusée et retombait comme une plume.

Durant sa brève carrière, Nijinsky signa quatre chorégraphies. Trois d'entre elles ont disparu. À l'époque, le seul moyen de préserver une chorégraphie était de la transmettre d'une génération de danseurs à l'autre – méthode inexacte, car elle entraînait inévitablement des adaptations qui finissaient par altérer la création initiale. Atteint de schizophrénie à partir de 1917, Nijinsky sombra dans la folie sans pouvoir transmettre son art.

En 1912, il avait dansé à Paris sa première chorégraphie, *l'Après-midi d'un faune,* dont l'érotisme voilé suscita scandale et émerveillement. Le ballet disparut pendant des années, avant d'être ressuscité par Marie Rambert, une ballerine contemporaine de Nijinsky et l'une des rares à l'avoir vu danser et à pouvoir fidèlement redonner vie à cette œuvre.

Certains ballets russes purent « passer à l'Ouest » après la révolution grâce au système de transcription de Stepanov, un des trois procédés permettant de transcrire sur le papier les mouvements d'un danseur. Aux États-Unis, près de 200 ballets ont été enregistrés en labanotation, une méthode complexe mais plus précise élaborée par Rudolf von Laban à la fin des années 1920. La labanotation utilise trois lignes verticales, de part et d'autre desquelles des symboles représentent les mouvements et positions du corps. Une troisième méthode, le système Benesh, inventé par Rudolf Benesh dans les années 1950, indique, à l'aide de signes symboliques, la position de la tête, des bras, des mains, des pieds et des coudes.

La difficulté de tous les systèmes de notation tient à l'extrême complexité d'une figure de danse. Ainsi, enregistrer

L'Après-midi d'un faune *de Nijinsky suscita le scandale et l'admiration. Ce dessin de Léon Bakst illustre la grâce et la puissance du danseur.*

graphiquement une minute de ballet exige jusqu'à six heures de transcription. Le film et la vidéo permettent de conserver la trace d'un ballet, mais ces procédés présentent des inconvénients techniques. Lorsque la caméra suit un seul danseur en gros plan, l'ensemble du ballet se déroulant sur la scène lui échappe ; si elle s'attache au plan d'ensemble, le détail des mouvements et l'expression du visage sont perdus.

Depuis le début les années 1980, les informaticiens ont mis au point des programmes de simulation reproduisant toutes les composantes des mouvements exécutés par un danseur. L'informatique permet alors d'aider les chorégraphes à préserver durablement le produit de leur art.

Pourquoi le rideau se lève-t-il sur un spectacle ?

Même si le rideau ne se lève plus guère, de nos jours, sur une scène de théâtre – le plus souvent, il s'écarte –, nous continuons à parler de lever de rideau.

Le rideau ne se levait jamais dans le théâtre élisabéthain, car il n'existait pas ! C'est dans la seconde moitié du XVIIe siècle, à la restauration de la monarchie, lorsque les théâtres anglais réouvrirent leurs portes après l'intermède puritain, que l'on vit apparaître à l'avant-scène un rideau devant lequel on lisait le prologue de la pièce. Le rideau s'ouvrait ensuite pour faire place au spectacle, et il ne se refermait qu'à la fin de la représentation. Les changements de décor étaient effectués sous les yeux des spectateurs, comme c'est le cas de nos jours dans les théâtres qui ne possèdent pas de rideau de scène ou ne l'utilisent pas.

Vers le milieu du XVIIIe siècle, on commença à faire tomber le rideau pour marquer la fin d'un acte et le début de l'entracte ; certains théâtres remplaçaient la draperie par une simple toile peinte.

En 1880, lors de la représentation à Londres des *Frères corses (The Corsican Brothers)*, l'adaptation à succès d'une pièce française, on utilisa pour la première fois le rideau de scène pour dissimuler aux yeux du public les changements de décor. Au XIXe siècle, on jouait parfois sur l'avant-scène une petite pièce en un acte, le lever de rideau, pour permettre aux retardataires de gagner leur place avant le début du spectacle principal. Pour la même raison, les pièces de théâtre débutaient rarement par une action de quelque importance – ce qui explique la fréquence, dans les scènes d'ouverture, des personnages de femmes de chambre époussetant interminablement le salon.

Les premiers rideaux de scène se relevaient en plissé au moyen de cordes passées dans des anneaux au dos de la draperie. Les rideaux contemporains sont de trois types différents. Un seul se lève directement à la verticale ; d'autres se tirent sur les côtés comme la plupart des rideaux de fenêtre ; d'autres enfin s'écartent et remontent simultanément pour venir former un drapé en coin.

La tendance actuelle est de se passer du rideau de scène : on revient au style qui prévalait à l'époque de Shakespeare. Et, dans beaucoup de théâtres, les portes ferment au début de la représentation ; les retardataires doivent attendre le premier entracte pour gagner leur place, et les acteurs peuvent entrer dans le vif du sujet sans qu'il soit besoin d'un lever de rideau.

Des films par millions

Rares sont les cinéastes qui connurent une célébrité comparable à celle de Cecil B. de Mille (dans le cartouche) et de John Ford, que l'on voit ci-dessus entouré de John Wayne, la star des westerns, et de James Stewart. Le nom de la capitale légendaire du septième art s'inscrit en lettres lumineuses au fronton de ce cinéma sur Hollywood Boulevard.

Hollywood, capitale de l'industrie du cinéma

Quand Daeida Wilcox proposa, en 1887, de baptiser le ranch familial Hollywood, elle était loin de se douter que ce nom serait un jour célèbre dans le monde entier ! La propriété de 50 ha de son mari, Horace H. Wilcox, située à 13 km au nord-ouest de Los Angeles, se trouvait à cinq jours de train de New York, et la grande métropole de la côte est semblait prédestinée à devenir la capitale de l'industrie du cinéma, alors à ses débuts. En effet, New York était le centre financier du pays, et Broadway rassemblait les meilleurs talents du spectacle – même si les vedettes de théâtre, à l'époque, rechignaient à apparaître dans des films, craignant de déchoir dans cet art « mineur ».

Pourtant, dès les années 1900, les firmes cinématographiques new-yorkaises commencèrent à tourner dans la région de Hollywood. Elles y trouvaient une grande variété de décors naturels – des montagnes aux vallées, des déserts aux bords de mer –, et le soleil généreux de la Californie du Sud présentait un atout essentiel pour les prises de vues, car la pellicule photographique de l'époque, nettement moins sensible que celle d'aujourd'hui, exigeait beaucoup de lumière.

Les habitants de Hollywood assistèrent sans plaisir à l'invasion des gens du cinéma. Ils voyaient leurs rues périodiquement enduites de graisse afin de permettre aux automobiles d'effectuer des glissades comiques devant les caméras. Entre deux prises de vues, des chevaux de western venaient brouter leurs pelouses et piétiner leurs plates-bandes. Les équipes de tournage avaient si mauvaise réputation que les résidents interdisaient à leurs épouses de sortir de la maison ! Et, quand le Hollywood Hotel ouvrit ses portes, en 1903, l'accès en fut interdit aux acteurs. Le premier studio de cinéma fut fondé dans une ancienne taverne-magasin de musique de Sunset Boulevard. En 1911, leur nombre était passé à cinquante, et 2 500 personnes y travaillaient. Des vedettes comme Douglas Fairbanks s'établirent à Beverley Hills. En 1913, Samuel Goldfish (devenu par la suite Samuel Goldwin) produisit le premier long métrage tourné à Hollywood, *The Squaw Man*, dans une grange de location. D'autres studios suivirent : Paramount, Fox, Metro-Goldwin-Mayer (MGM), Universal.

Outre le soleil et la beauté des paysages, Hollywood offrait des terrains et une main-d'œuvre bon marché. Au lendemain de la Première Guerre mondiale, les immigrants venus de nombreux pays constituaient un vivier inépuisable et varié de figurants. Dès 1919, quatre films sur cinq réalisés dans le monde étaient tournés à Hollywood.

Malgré le développement de la télévision et des magnétoscopes, Hollywood pèse encore aujourd'hui environ 2,5 milliards de dollars.

Une statuette très convoitée : l'oscar

C'est en 1929 que l'Academy of Motion Picture Arts and Science, fondée deux ans auparavant, décerna ses premières récompenses aux meilleures réalisations cinématographiques de l'année 1927-1928. La cérémonie se déroula sans les fastes et la pompe qui l'accompagnent rituellement aujourd'hui. Bien des choses ont changé depuis dans La Mecque du cinéma, mais le prix d'excellence de Hollywood, une statuette de 34 cm de haut en bronze plaqué or, est toujours aussi convoité.

La figurine fut conçue par le directeur artistique de la MGM, Cedric Gibbons, qui en aurait tracé l'esquisse sur une nappe lors d'un banquet. Son sobriquet, qu'elle porte depuis 1931, lui viendrait, selon certains, de la réflexion d'une secrétaire de l'Academy qui, considérant la statuette, se serait exclamée : « Mais

Emma Thompson et Al Pacino, respectivement meilleure actrice et meilleur acteur 1993, reçoivent leur oscar. Al Pacino remporta le prix à la sixième nomination.

elle ressemble à mon oncle Oscar ! » (Lequel s'appelait Oscar Pierce Texas.) D'autres affirment que c'est Margaret Herrick, la bibliothécaire de l'Academy, qui aurait fait la remarque en pensant à son oncle à elle. D'autres encore attribuent la même exclamation à l'actrice Bette Davis ou au critique de cinéma Sidney Skolsky...

Aujourd'hui, comme en 1929, les candidats à l'oscar sont désignés (nominés) par l'Academy, mais celle-ci compte à présent environ 5 000 membres, soit plus de cent fois plus que leur nombre initial. Les oscars sont la récompense cinématographique la plus ancienne et la plus prestigieuse ; largement relayés par les médias, ils ont un impact important sur le box-office (les recettes du film ainsi que la cote du réalisateur ou des acteurs). En 1959, le remake de *Ben Hur* par William Wyler remporta onze oscars, battant le record d'*Autant en emporte le vent,* qui en avait obtenu dix.

La cérémonie de remise des oscars fut souvent émaillée d'incidents et de controverses. En 1937, Dudley Nichols, membre de l'association des scénaristes, fut le premier lauréat à refuser son oscar. Le syndicat était en conflit avec l'Academy. Plus tard, George C. Scott et Marlon Brando refusèrent également leurs prix.

Le plus surprenant dans l'histoire des oscars, ce n'est pas tant le nom des lauréats, mais celui des acteurs qui n'ont jamais obtenu le prix. Edward G. Robinson ne fut pas même nominé. Henry Fonda, nominé pour la première fois dans les années 1940, dut attendre quarante ans avant de recevoir l'oscar pour son interprétation dans *la Maison du lac.* Paul Newman fut nominé pour le rôle d'Eddie dans *l'Arnaqueur* (1961), mais il ne remporta pas la récompense ; vingt-cinq ans plus tard, il reprit le rôle dans *la Couleur de l'argent* et emporta le prix !

Charlie Chaplin et Greta Garbo, deux des stars les plus célèbres de l'histoire du cinéma, ne figurent pas sur la liste des lauréats. Sur le tard, en 1972, un hommage spécial fut décerné à Chaplin au cours de la cérémonie de remise des oscars.

L'échec des films en trois dimensions

Le slogan publicitaire pour le lancement du film *Bwana le Diable* (1952) proclamait : « Un lion sur vos genoux ! » Tourné en Afrique, *Bwana le Diable* utilisait un procédé de cinéma en trois dimensions, ou système 3D, visant à donner au spectateur la sensation de participer à l'action se déroulant sur l'écran.

Les prises de vues se faisaient avec deux caméras, et les deux films distincts étaient projetés simultanément sur l'écran. À l'entrée du cinéma, on distribuait aux spectateurs des lunettes spéciales, comportant un verre rouge et un autre vert et permettant de percevoir le relief sur l'écran. L'effet était si réaliste qu'il entraînait souvent des réflexes de peur. En 1953, lors de la projection de *l'Homme au masque de cire,* tous les spectateurs baissèrent la tête au même moment pour éviter une balle lancée avec force qui leur semblait devoir arriver droit sur eux !

Des expériences de films en trois dimensions avaient été tentées dès 1915. *Power of Love,* tourné en 1922, fut le premier long métrage de ce type. Mais c'est le succès de *Bwana le Diable,* trente ans plus tard, qui marqua véritablement l'essor du cinéma

Les films en trois dimensions connurent un succès éphémère mais firent la fortune de l'inventeur du système, Milton Gunzberg. Unique distributeur en Amérique des lunettes Polaroid indispensables pour percevoir le relief, il gagna en peu de temps 6,24 millions de dollars, plus que les recettes jamais réalisées par un film en 3D.

en relief. Dans l'année suivant sa sortie, une quarantaine de films furent réalisés selon ce procédé. Mais l'engouement du public retomba rapidement, et le système 3D fit long feu. Les producteurs avancent plusieurs explications à cet échec. La projection de deux films simultanément exigeait une synchronisation parfaite : si l'un des deux films était légèrement décalé par rapport à l'autre, l'effet était perdu. La distribution des lunettes en plastique aux spectateurs représentait un surcoût que les producteurs et les salles de cinéma ne pouvaient pas amortir, même si l'audience était forte.

Les films en trois dimensions figurent parmi les nombreuses expériences tentées dans les années 1950 afin de contrer l'offensive de la télévision. Les drive-in (cinémas en plein air), les films en couleurs, les films larges projetés sur grand écran – Cinérama, Cinémascope et Panavision – connurent un succès durable. Mais ce n'étaient pas des gadgets. Le film odorant, en revanche, en était un. Il consistait à envoyer dans la salle des odeurs correspondant à ce qui se passait à l'écran – par exemple, celle du bacon en train de frire dans la poêle – afin d'accentuer l'impression de réalisme. Le procédé eut surtout pour effet de déclencher l'hilarité du public, et le film odorant alla rejoindre le système 3D dans les placards à rebut des compagnies de cinéma.

Un couple inoubliable : Ginger et Fred

Fred Astaire et sa sœur Adele furent de très jeunes vedettes du music-hall avant de se produire en couple à Broadway. Adele, l'aînée, était considérée comme la plus douée, et Fred, comme un excellent partenaire. Ils se séparèrent en 1932, au bout de vingt ans de collaboration fructueuse, quand Adele épousa sir Charles Cavendish. Fred trouva alors en Ginger Rogers la partenaire idéale, même s'ils ne dansèrent ensemble que six ans.

C'est pourtant aux côtés de Joan Crawford que Fred Astaire débuta à l'écran dans *le Tourbillon de la danse*, en 1933. Dans *la Carioca*, réalisé la même année, il dansa deux séquences avec la vedette féminine, Dolores del Rio. Mais le point fort du film fut la carioca bré silienne interprétée par Ginger et Fred. Un nouveau couple de danseurs était né. L'approche plus fougueuse, presque sensuelle de Ginger complétait à merveille le style élégant et raffiné de son partenaire.

De 1934 à 1937, ils tournèrent deux films par an, dont les célèbres *Top Hat* et *Swing Time*. L'aisance apparente de leurs évolutions – mélange de danse de société, de ballet et de claquettes – produisait un effet magique, renforcé par des décors somptueux et par la musique de George Gershwin et Irving Berlin. Antidote idéal contre la Grande Dépression, les comédies musicales qu'ils tournèrent ensemble contribuèrent à la renaissance des soirées dansantes. Elles furent parmi les rares productions de l'époque à apporter des bénéfices aux studios RKO.

Le public était persuadé que les deux danseurs formaient le couple idéal, mais Fred Astaire ne fut jamais réellement satisfait de sa partenaire. Ils se retrouvèrent pour un dernier film en 1949, après quoi Fred Astaire dansa avec des stars comme Judy Garland et Rita Hayworth. De l'avis général, cependant, aucune de ses partenaires ultérieures n'égala Ginger Rogers.

Ginger et Fred sont réunis pour la dernière fois dans Entrons dans la danse *(1949). D'après les critique,* Shall we Dance ? *(l'Entreprenant M. Petrov), réalisé en 1937, marqua leur apogée. Ginger Rogers reste la partenaire la plus célèbre de Fred Astaire.*

Pourquoi Walt Disney a-t-il inventé Mickey Mouse ?

Walt Disney avait une règle d'or qui le guidait dans son travail : l'optimisme à toute épreuve du grand créateur de dessins animés et sa foi inébranlable en ses propres capacités l'incitaient en effet toujours à « penser à demain ». Et cette maxime l'aida à surmonter plusieurs crises.

L'une de ces crises survint vers la fin des années 1920, lorsque Disney partit à New York discuter les termes d'un contrat de distribution pour son dessin animé *Oswald le Lapin* et qu'il découvrit que le distributeur s'était attribué tous les droits de la série et avait embauché ses meilleurs dessinateurs.

Dans le train qui le ramenait en Californie, Disney sortit son bloc à dessins et se mit à réfléchir à une nouvelle idée. C'est alors qu'il se souvint d'une petite souris effrontée qui avait l'habitude de s'installer sur sa planche à dessin, à ses débuts à Kansas City. Disney en fit un personnage qu'il nomma Mortimer Mouse (Mortimer la Souris). La femme de Disney, Lilly, décréta que Mortimer était « un nom horrible pour une souris », et Walt suggéra alors de l'appeler Mickey.

La petite souris vive et entreprenante, au sourire timide et à l'esprit malicieux, conquit le public américain durant la Grande Dépression et gagna les faveurs de millions de spectateurs dans le monde.

Une petite souris effrontée inspira à Walt Disney le personnage de Mickey Mouse. Dans ses films, Mickey parlait toujours avec la voix de Disney.

Le charme magique de Marilyn Monroe opère dans le Prince et la Danseuse. *Sybil Thorndike, qui fut sa partenaire dans ce film, ne parvint jamais à percer le secret de la star.*

Elle est devenue le symbole d'un empire international du divertissement qui comprend le parc de loisirs de Disneyworld, en Floride, et les Disneylands de Californie, de Tōkyō et de la région parisienne.

Walt Disney croyait en son personnage, et pourtant les deux premiers films de Mickey, des dessins animés muets, furent des échecs. Disney appliqua sa maxime favorite : il pensa à demain, adapta son idée et sonorisa le troisième film de la série. *Steamboat Willie* sortit en novembre 1928. Le succès fut énorme, ouvrant pour Disney la voie de la réussite. En 1937, il réalisa *Blanche-Neige et les sept nains,* le premier dessin animé de long métrage. Près de soixante ans plus tard, *Blanche-Neige* reste un des plus fabuleux succès commerciaux de l'histoire du cinéma.

Walt Disney était perfectionniste. Pour lui, la qualité majeure d'un film était de pouvoir passer l'épreuve du temps. En 1938, il suspendit la production de *Pinocchio* en déclarant que les personnages manquaient de cœur. « L'humour demande à la fois du rire et des larmes », dit-il. Il remania considérablement le film, dont le budget final atteignit 2,6 millions de dollars, soit près de 1,1 million de plus que celui de *Blanche-Neige.*

Le charme mystérieux de Marilyn

Marilyn Monroe mourut voici plus de trente ans, et pourtant son charme continue d'opérer. Devant le Chinese Theater d'Hollywood, là où les stars laissent leurs empreintes dans le ciment frais, la pièce centrale, un bloc doré, représente celles de Marilyn. Chaque jour, des jeunes filles qui n'ont jamais vu de film de l'actrice de son vivant viennent contempler avec curiosité les empreintes de ses pieds et de ses mains.

Cinéastes et critiques sont nombreux à avoir tenté d'expliquer l'extraordinaire succès de Marilyn Monroe et l'engouement qu'elle continue de susciter. « Ce n'était pas son corps, car il y avait d'autres femmes tout aussi belles, a dit le réalisateur George Cukor. Son pouvoir venait de ses yeux et de la façon dont elle vous regardait. »

Selon Billy Wilder, qui dirigea l'actrice plusieurs fois, Marilyn Monroe avait un don exceptionnel pour le dialogue, en particulier dans les comédies. Elle prononçait les phrases les plus suggestives avec une naïveté suave qui les rendaient à la fois drôles et tendres.

Le poète américain Delmore Schwartz a évoqué « son maintien plein d'une innocence vraie ». Avec tout son sex-appeal, Marilyn Monroe ne fut pourtant jamais vulgaire ni obscène.

Marilyn Monroe, née Norma Jean Baker, en 1926, tourna en tout et pour tout dans vingt-huit films, dont un bon tiers où elle tenait des rôles de second plan. Nombre de ceux dont elle fut la vedette sont devenus des classiques. Loin de se démoder, ils gagnent régulièrement, au fil des reprises, de nouveaux admirateurs. Quelle que soit la raison de la fascination que Marilyn exerce sur le public – beauté, candeur, talent de comédienne ? –, l'actrice continue de nous tenir sous son charme.

L'art de se divertir

Pourquoi appelle t on les manèges de chevaux de bois des carrousels ?

Au fil du temps, le sens des mots évolue. Ainsi de carrousel, qui a beaucoup voyagé avant de désigner un manège de chevaux de bois. C'était autrefois un jeu qui initiait à l'art de la guerre. Au XIIe siècle, par exemple, les cavaliers arabes, maures et turcs se livraient à des simulacres de combat en se lançant des balles d'argile. Les projectiles étaient fortement parfumés pour donner l'illusion d'un vrai tir. Dans d'autres types de jeux, les cavaliers devaient décrocher à l'aide de leur lance des anneaux suspendus entre des poteaux.

Introduit en Europe au retour des croisades, ce jeu prit en Italie le nom de *carosello.* En France, les carrousels étaient des spectacles luxueux donnés par des cavaliers qui, divisés en quadrilles, se livraient à des parades au son de la fanfare. En 1662, le carrousel donné place des Tuileries par Mlle de La Vallière fut si extraordinaire que la place située entre les Tuileries et le Louvre a conservé ce nom.

En 1680, les Français mirent au point un engin mécanique pour entraîner les jeunes nobles à l'art de décrocher les anneaux du carrousel. Des chevaux de bois de taille réduite étaient suspendus par des chaînes à des bras fixés à un mât central. Un mulet attaché par une longe faisait tourner ce mât, entraînant les chevaux de bois et leurs cavaliers. À l'extérieur du périmètre de ce manège se trouvaient des perches, portant des anneaux que les cavaliers s'exerçaient à viser avec leurs lances.

Au début du XIXe siècle, les tours de carrousel prirent rang parmi les autres attractions foraines. Les premiers manèges de chevaux de bois étaient mus à la main ou par un cheval. Avec l'arrivée de la machine à vapeur, les carrousels s'agrandirent, devinrent plus élaborés. Trois rangées de chevaux tournaient au son d'un orgue de Barbarie, tandis que le moteur exhalait force bouffées de vapeur...

Pour les voyageurs fréquentant les aéroports internationaux, le carrousel est aujourd'hui le tapis roulant sur lequel ils récupèrent leurs bagages. Mais pour ceux qui ont connu les fêtes foraines d'antan, ce mot évoque toujours des chevaux de bois peints de couleurs vives et tournant gaiement sous les rires des enfants, au rythme de l'inoubliable musique de foire.

Les chevaux de bois s'élancent pour un tour de manège. Difficile de s'imaginer aujourd'hui que les carrousels de fête foraine tirent leur origine des jeux militaires et des charges de lanciers !

Le vertige des montagnes russes

C'est au XIXe siècle que naquit l'idée, en France, de faire rouler des wagonnets sur des plans montants et descendants qui imitaient les pentes à luges russes. Depuis lors, les montagnes russes ont grandi. Toujours plus hautes, plus rapides, plus terrifiantes, elle font les délices des amateurs de sensations fortes.

Les premières montagnes russes tenaient leurs passagers en haleine par une montée lente mais très raide suivie d'une descente ultrarapide et fort mouvementée. Les circuits actuels offrent des séries de virages parcourus à une allure vertigineuse et des loopings (boucles) à couper le souffle. Les loopings sont habituellement de forme ovale et non circulaire, afin de minimiser les risques d'accident.

Conçues pour procurer des sensations fortes, les montagnes russes sont de plus en plus hautes et rapides. Leurs limites, affirment les concepteurs, dépendent non pas de la technique mais des capacités du corps humain à supporter le choc.

Sur un circuit de montagnes russes, les lois de la physique et de l'anatomie se conjuguent pour produire les sensations fortes qui sont à l'origine de leur succès. Dans les descentes les plus raides, la force « g » (accélération due à la pesanteur) qui s'exerce sur le corps humain est, l'espace d'un instant, trois fois supérieure à la pesanteur normale. L'effet produit est comparable à celui d'une accélération de 0 à 134 km/h en l'espace d'une seconde.

Les plus grandes montagnes russes culminent à une hauteur supérieure à celle d'une navette spatiale en attente sur le pas de tir. Mais les astronautes à l'intérieur de la navette sont solidement attachés à des sièges confortablement rembourrés pour pouvoir résister aux « g » lors du décollage. Les wagonnets d'une montagne russe sont ouverts ; seule une barre de sécurité à laquelle s'agrippent les mains fébriles des voyageurs leur procure quelque élément de réconfort.

La sensation d'avoir l'estomac qui « se soulève » lorsqu'on arrive en bas d'une boucle impressionnante est produite par la force s'exerçant de haut en bas sur le foie. Cette impression d'apesanteur accompagnée d'un léger vertige apparaît lorsque le sang descend brutalement du cerveau vers le bassin, les jambes et les pieds.

Dans les courbes les plus rapides, les wagonnets atteignent une vitesse de l'ordre de 110 km/h. Les roues sont disposées par groupe de trois – une sur la face interne du rail, une au-dessous et une au-dessus – afin de réduire le risque de déraillement ou de fatigue du métal. D'après les opérateurs de montagnes russes, les commandes par ordinateur, les consoles de visualisation et les détecteurs à distance de fatigue du métal permettent de ramener le risque d'accident à 6 pour 100 millions.

L'art du cirque

Dans le cirque Maxime, le premier et le plus vaste de Rome, gladiateurs, auriges, bêtes sauvages et infortunés esclaves se produisaient dans une arène ovale de 670 m de long sur 215 m de large. La chute de l'Empire marqua la fin des jeux sanglants du cirque romain.

C'est dans la seconde moitié du XVIIe siècle que le cirque – du latin *circus*, cercle – ressuscita sous forme de divertissement équestre. En 1768, l'écuyer anglais Philip Astley créa le premier cirque moderne dans son manège près de Blackfriars, à Londres. En uniforme de parade, cet ancien chevau-léger caracolait sur son coursier en guidant de l'épée les visiteurs payants vers leur place sur les gradins disposés autour de la piste. Astley et sa femme présentaient des exercices équestres agrémentés de numéros de voltige. Ils découvrirent bientôt qu'il était plus facile de se tenir debout sur un cheval à cru si la monture pouvait évoluer au petit galop dans un cercle d'environ 13 m (14 yards) de diamètre.

Chevaux et cavaliers furent les vraies stars des premiers cirques. Les exhibitions combinaient prouesses acrobatiques et numéros de dressage. Les autres numéros furent introduits plus tardivement, à seule fin de varier le spectacle. Jusqu'au début de ce siècle, les directeurs de cirque étaient avant tout des écuyers.

Les clowns commémorent tous les ans, à Londres, le souvenir de leur célèbre prédécesseur Joseph Grimaldi (en médaillon). Devenu invalide, Grimaldi donna sa représentation d'adieu assis dans un fauteuil sur scène.

L'art du cirque et sa voltige aérienne, telle que l'a peinte Georges Seurat en 1891, est né en Europe dans les manèges. Avec le déclin des foires, à la fin du XVIIIe siècle, acrobates, jongleurs et autres amuseurs entrèrent en piste.

L'uniforme des clowns

Les clowns de cirque ont adopté leur maquillage et leur tenue caractéristiques à l'imitation du célèbre Joseph Grimaldi. Enfant, Grimaldi jouait des petits rôles dans les pantomimes. Sa mère était danseuse au célèbre théâtre de Drury Lane, à Londres, son père était un ancien maître de ballet. C'est en 1800 que Grimaldi, alors âgé de vingt et un ans, créa à Drury Lane le personnage de clown qui devait lui apporter la célébrité.

Grimaldi fut le premier à arborer des pantalons bouffants de couleurs vives et le maquillage voyant qui sont devenus l'apanage du clown. Mais, acteur de scène uniquement, il ne se produisit jamais dans un cirque. Estropié au cours de ses numéros acrobatiques, il se retira en 1823, laissant un héritage qui perdure encore aujourd'hui.

Avant l'apport de Grimaldi, les clowns étaient traditionnellement des bouffons tenant des rôles de paysans rubiconds ou de valets stupides. Grimaldi adopta un pourpoint chamarré et un pantalon bouffant lui permettant de dissimuler toutes sortes d'objets chapardés – habituellement, de la nourriture, poissons ou saucisses – qui faisaient partie intégrante de son spectacle. Il accentua son teint rubicond en se dessinant des triangles rouges sur les joues et se fit une amusante coiffure en toupet, divisant ses cheveux en trois houppes sur le sommet du crâne.

Le fard gras qui sert au maquillage blanc des clowns depuis le XIXe siècle a remplacé l'oxyde de zinc, le saindoux et la teinture de benjoin utilisés à l'époque de Grimaldi. Chaque clown élabore son propre maquillage de scène, qu'il fixe en le peignant sur un œuf.

Avec leur costume immédiatement reconnaissable, les clowns sont les seuls artistes du cirque dont le numéro n'a jamais besoin d'être présenté par le régisseur (Monsieur Loyal). Le souvenir de Grimaldi reste vivace dans le monde du cirque. Chaque année, les clowns se réunissent pour célébrer un office à sa mémoire.

Des loisirs pour le plaisir

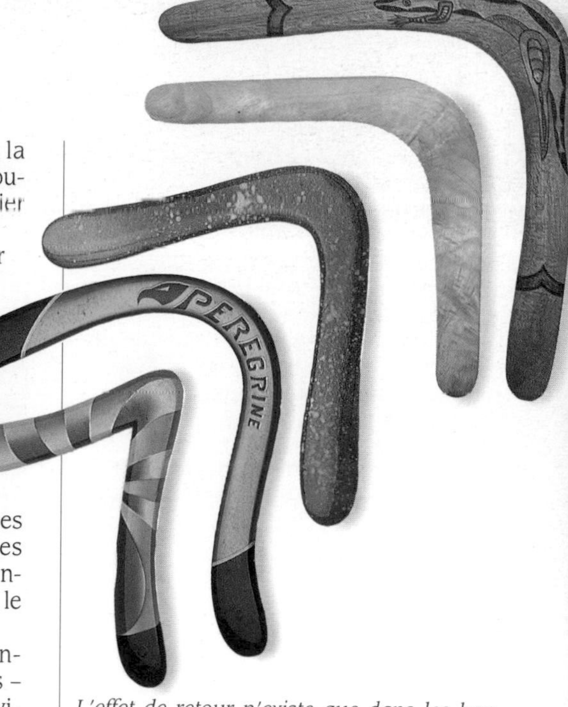

L'effet de retour n'existe que dans les boomerangs conçus, comme ceux-ci, pour être lancés dans des compétitions sportives. Le boomerang traditionnel, utilisé comme arme de jet pour la chasse, ne revient pas vers le lanceur.

Les couleurs des cartes à jouer

Les premières cartes à jouer apparurent il y a environ mille à mille quatre cents ans. En Chine et en Corée, leurs ancêtres sont les anciens bâtonnets ornés de symboles que l'on utilisa d'abord pour prédire l'avenir, puis dans les jeux de hasard. Plus tard, on peignit les symboles sur des bandes de papier huilé : les premières cartes à jouer étaient nées. Les cartes coréennes comportaient huit couleurs : homme, poisson, corneille, faisan, antilope, étoile, lapin et cheval. Les cartes monétaires chinoises en avaient trois : pièce de monnaie ou sapèque, ligature et lingot.

Les cartes à jouer étant en papier ou en carton, matières qui se désagrègent rapidement, il n'est pas aisé de retracer leur histoire. Ce sont curieusement les couvertures de livres anciens qui nous renseignent le plus à leur sujet. Les relieurs de l'Europe médiévale utilisaient fréquemment toutes sortes de déchets de papier, y compris des feuilles de cartes à jouer non découpées.

C'est en France qu'est apparu le jeu de cinquante-deux cartes communément utilisé aujourd'hui. En 1392, selon la légende, des courtisans tentèrent de chasser l'humeur mélancolique de Charles VI en passant commande de trois jeux complets à Jacquemin Gringonneur. L'artiste dessina des cartes richement enluminées sur fond or (vraisemblablement des cartes de tarot). Mais l'humeur du roi ne s'améliora pas pour autant...

L'introduction des cartes à jouer en Europe, vers la fin du XIVᵉ siècle, a été successivement attribuée aux marchands arabes, aux Tsiganes, aux croisés, aux conquérants mauresques, et même à Marco Polo. Trois types de cartes apparurent, chacun pourvu de quatre couleurs. Celles des cartes italiennes et espagnoles étaient l'épée, la coupe, le denier et le bâton. Chaque couleur comportait trois figures : roi, cavalier et valet.

Certains historiens font remonter leur origine à l'Inde, où les cartes à jouer représentaient une figure mi-Shiva, le dieu de la destruction, mi-Devi, son épouse. Les quatre mains tenaient une coupe, une épée, une pièce de monnaie et un bâton.

Les quatre couleurs des cartes germaniques symbolisaient les quatre classes de la société médiévale : l'Église (les cœurs), la noblesse (les grelots), les marchands (les feuilles), les paysans (les glands). Les figures représentaient le roi, la dame, le valet supérieur et le valet inférieur.

C'est au XVᵉ siècle que les cartes françaises furent divisées en quatre couleurs – piques, cœurs, trèfles et carreaux, subdivisés à leur tour en noir (piques et trèfles) et rouge (carreaux et cœurs).

Les figures portaient à l'origine des noms de personnages historiques, mythologiques ou bibliques. Par exemple, Charlemagne désignait le roi de cœur, Argine était la dame de trèfle, et Hector le valet de carreau. Plus tard, les figures perdirent leurs désignations spécifiques pour devenir simplement les rois, dames et valets que nous connaissons aujourd'hui. Durant la Révolution, la guillotine fit un sort aux figures symbolisant la royauté : on imprima de nouvelles cartes à jouer, où des personnages populaires prirent la place du roi, de la dame et du valet.

C'est en France que furent dessinées les cartes à jouer. Chaque figure portait un nom : ainsi Rachel était-elle la dame de carreau.

L'effet de retour du boomerang

Pendant quinze mille ans, les aborigènes d'Australie ont utilisé des boomerangs pour chasser différents animaux, oiseaux ou lézards, dont ils se nourrissaient. Ces armes de jet, faites de bois dur et lourd, étaient conçues pour une trajectoire rectiligne et ne revenaient pas vers le lanceur.

Les aborigènes découvrirent que d'autres boomerangs, ayant approximativement la forme d'une banane, pouvaient décrire une trajectoire en courbe avant de revenir à leur point de départ. Lancer le boomerang et le rattraper en vol devint une forme de sport.

La forme en banane n'est pas indispensable à l'effet de retour. Il s'obtient aussi bien avec des pièces de bois assemblées en T, en V, en X ou en Y. Il est essentiel, en revanche, que les branches de l'engin soient façonnées comme une aile d'avion, dessus arrondi et dessous plat.

Une fois lancé, le boomerang se déplace à près de 100 km/h, en tournoyant à raison d'environ 12 tours/seconde. Le profil de ses branches lui assure la portance. Il se comporte à la fois comme un avion et comme un gyroscope, décrivant une trajectoire complexe qui s'explique par la combinaison de phénomènes d'aérodynamique et de physique.

En vol, le boomerang est un objet instable. En raison de la rotation, la branche droite d'un boomerang en forme de V devient ensuite la branche gauche, puis se meut en sens inverse. Le boomerang se déplaçant vers l'avant, la branche droite offre davantage de portance que la branche gauche, ce qui fait dévier l'engin vers la gauche.

Cette instabilité se trouve compensée par un effet gyroscopique (comparable à celui d'une toupie en rotation), qui ramène le boomerang à l'horizontale. Lancé puissamment à la verticale, le boomerang commence par monter en chandelle. Sa trajectoire s'infléchit vers la gauche (si le lanceur est droitier), puis il se rabat lentement vers la droite. Basculant à nouveau vers la gauche, il décrit une large boucle, qui le ramène vers le lanceur. S'il est lancé avec suffisamment de force, le boomerang peut décrire une trajectoire en forme de 8.

Une partie d'échecs grandeur nature se déroule tous les deux ans à Marostica, en Italie, où les habitants tiennent le rôle des pièces d'échiquier. Les rois se déplacent à cheval, et des pages assistent leurs reines. La coutume remonte à 1454, lorsque deux seigneurs locaux, empêchés de se battre en duel, jouèrent une partie d'échecs dont l'enjeu était la main d'une jeune beauté.

Pourquoi dit-on « échec et mat » aux échecs ?

Dans ce qui fut naguère l'Union soviétique, 7 millions de joueurs s'adonnent régulièrement aux échecs. Ils perpétuent une tradition fort ancienne : deux figurines datant de 200 après J.-C., identifiées comme étant vraisemblablement des pièces d'échiquier, ont été retrouvées en Ouzbékistan en 1972.

Les échecs tels que nous les connaissons aujourd'hui sont issus d'un jeu de bataille pratiqué en Inde, le chaturanga, qui signifie « les quatre corps d'armée » : chariots, éléphants, cavalerie et infanterie, les prédécesseurs des tours, fous, rois et pions. Le langage des échecs, notamment le terme « échec et mat », vient quant à lui du persan. D'après les historiens, ce sont les Arabes qui introduisirent le jeu en Europe au Xe siècle après l'avoir découvert en Perse.

Malgré l'ancienneté du jeu, c'est seulement au XXe siècle que des règles internationales furent instituées. Dans le passé, chaque pays élaborait ses propres règles à mesure qu'il adoptait le jeu. Il faudra attendre 1924 pour que la Fédération internationale des échecs élabore l'ensemble des règles qui prévalent aujourd'hui dans tous les pays du monde. Lorsqu'un joueur met en danger le roi adverse, la règle veut qu'il prévienne son adversaire en disant « échec ». Si le roi ne peut esquiver la menace, il est déclaré échec et mat, ce qui met fin à la partie. L'expression échec et mat vient de l'iranien *shah mat*, qui signifie « le roi est mort ».

L'invention de la discothèque

Le mot discothèque, qui désigne une collection de disques ou un organisme de prêt de disques, conserva ce seul sens jusqu'en septembre 1960. Ce mois-là, Chubby Checker sortit un disque qui allait faire date. *The Twist* devint un tube, et les milieux chics de New York, de Paris et de Londres s'engouèrent pour cette nouvelle danse, caractérisée par une rotation rapide des jambes et du bassin. Le patron d'une boîte de nuit parisienne installa des haut-parleurs et embaucha un jeune homme pour choisir et annoncer les morceaux. La discothèque et le disc-jockey étaient nés.

Cette mode resta d'abord confinée aux clubs chics, mais, à la fin des années 1960, les discothèques avaient pris leur essor et touchaient un public de plus en plus nombreux. L'industrie du disque disposait là d'un vaste marché pour différents types de musiques bien rythmées, conçues avant tout pour faire danser.

En 1976, avec la sortie de *la Fièvre du samedi soir,* dont la vedette était John Travolta, la discothèque atteignit l'âge de la majorité : elle avait en effet trouvé son type de musique, son style de danse, ses codes vestimentaires, et disposait d'une nouvelle génération de jeunes fans.

Le succès du Monopoly

Les jeux de société se pratiquant sur un damier ou un tableau ont des origines fort anciennes. Les anciens Égyptiens les connaissaient ; à Rome, l'empereur Néron jouait gros jeu à une forme de trictrac. Mais nul jeu au monde ne connut un succès comparable à celui du Monopoly.

C'est en 1932, au pire moment de la Grande Dépression, que Charles Darrow inventa le Monopoly. Il proposa le jeu à la firme Parker Brothers, qui le refusa. Darrow ne se découragea pas : il fabriqua lui-même 200 Monopoly et les vendit jusqu'au dernier. En 1935, la Parker Brothers se ravisa et lança le Monopoly sur le marché national. Le succès fut phénoménal, faisant de Darrow un millionnaire. Depuis lors, les ventes de Monopoly ont atteint près de 100 millions d'exemplaires, au rythme de 2 millions par an. Chaque année, la valeur nominale des billets de Monopoly excède celle des billets émis par le Trésor américain. D'après les psychologues, le succès du Monopoly s'explique par l'attrait irrésistible qu'il exerce sur le capitaliste sommeillant en chacun d'entre nous...

« Twist and shout » devint, dans les années 1960, le cri de ralliement des fans de la nouvelle danse lancée par Chubby Checker.

En souvenir d'Olympie

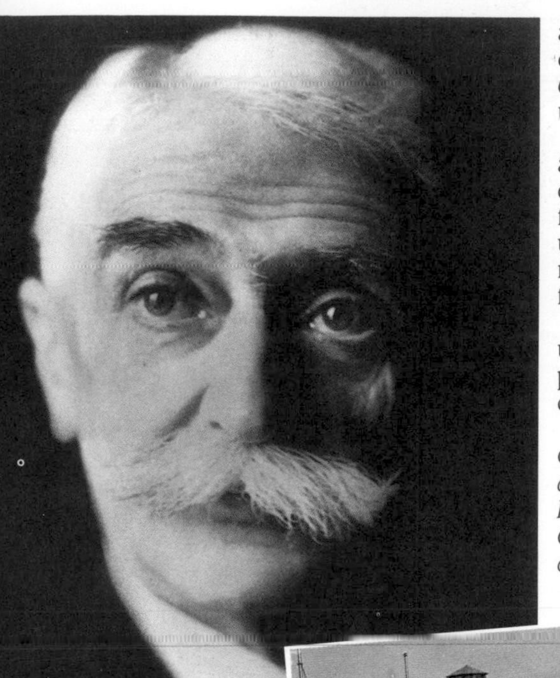

Grand prêtre de l'olympisme, le baron Pierre de Coubertin prônait les vertus éducatives de la compétition sportive. Les premiers jeux Olympiques modernes se tinrent à Athènes en 1896 et attirèrent un public nombreux.

Pourquoi a-t-on fait renaître les jeux Olympiques ?

C'est à Pierre de Frédy, baron de Coubertin, que l'on attribue habituellement la création des jeux Olympiques dans leur forme moderne. S'inspirant du système d'éducation britannique qu'il avait pu observer dans les collèges de Rugby et d'Eton, Coubertin préconisait l'introduction du sport dans les écoles françaises. La culture physique et les compétitions sportives, affirmait-il, seraient beaucoup plus profitables aux élèves que l'étude des poètes latins. Chargé par le gouvernement de promouvoir une conférence internationale sur l'éducation physique, Coubertin reprit l'idée du « rétablissement des jeux Olympiques » et s'en fit l'ardent défenseur à Londres ainsi qu'aux États-Unis.

En 1894, le Congrès international athlétique réunit à Paris 79 délégués venus de douze pays, qui décidèrent à l'unanimité de ressusciter les jeux Olympiques. Le baron de Coubertin énonçait dans une circulaire certains des principes de l'olympisme : « Il importe avant tout de préserver à l'athlétisme le caractère noble et chevaleresque qui l'a distingué dans le passé, afin qu'il puisse continuer de jouer efficacement dans l'éducation des peuples modernes le rôle admirable que lui attribuèrent les maîtres grecs. »

Les premiers Jeux modernes, organisés à Athènes en 1896, attirèrent des foules enthousiastes. Ceux de Paris, en revanche, furent en partie éclipsés par l'Exposition universelle de 1900. Mais Coubertin n'avait pas l'intention de laisser mourir la flamme de l'olympisme.

À ses débuts, l'initiateur des Jeux trouva un soutien de choix en la personne du père Henri-Martin Didon, le supérieur du collège dominicain d'Arcueil, près de Paris. Celui-ci exigeait de tous ses élèves la pratique d'une discipline sportive. Sa maxime, *Citus, Altius, Fortius* (plus vite, plus haut, plus fort), devint la devise des jeux Olympiques. Elle fut utilisée pour la première fois en 1920, aux Jeux d'Anvers.

En 1908, lors de la quatrième olympiade, à Londres, Pierre de Coubertin assista à un service religieux dans la cathédrale Saint-Paul. L'évêque de Pennsylvanie y prononça un sermon destiné aux athlètes où il défendait la valeur de la compétition olympique. Coubertin s'en inspira et en élargit la portée dans une formule devenue célèbre : « L'important, c'est moins de gagner que de prendre part. L'essentiel dans la vie n'est pas de conquérir, mais de se battre. »

Pierre de Coubertin sut capter et amplifier le mouvement en faveur de la renaissance des Jeux. Son enthousiasme, son sens inné de la publicité – il fut notamment l'inventeur du drapeau olympique – insufflèrent au mouvement olympique, durant ses années de gestation, l'énergie nécessaire pour perdurer. Sans son obstination, les jeux Olympiques ne seraient pas la manifestation sportive majeure qu'ils sont devenus aujourd'hui.

Pourquoi les Jeux antiques se tenaient-ils à Olympie ?

Pour nombre d'historiens, l'année 776 avant J.-C. marque la date de naissance officielle des jeux d'Olympie, qui se tenaient dans l'antique cité d'Élis.

En réalité, ce site était depuis fort longtemps un sanctuaire consacré au culte de Zeus. Les premiers jeux d'Olympie, selon les découvertes des archéologues, remonteraient au moins à mille ans avant J.-C. : un autel du temple de Zeus, ainsi que différents édifices appartenant à l'ancien stade, dateraient en effet de cette période. Les compétitions sportives étaient étroitement liées à des rituels et à des sacrifices religieux. Les poètes grecs ont décrit les joutes, réelles ou mythiques, qui se déroulaient sur le site d'Olympie. Selon Pindare, Zeus y affronta son père Cronos pour la maîtrise du monde. Dans le XXIIIe chant de *l'Iliade*, Homère fait état de compétitions athlétiques organisées par Achille devant le bûcher de Patrocle, afin de réjouir et d'apaiser l'âme du mort. On y trouve déjà la course athlétique et hippique, le pugilat et le lancer.

À ce jour, rien ne permet d'affirmer que ces Jeux furent brus-

Des centaines de reporters parmi les 15 000 journalistes accrédités ont commenté les jeux Olympiques de Barcelone en 1992. Les droits de retransmission dépassèrent 450 millions de dollars.

quement interrompus pour être rétablis un peu plus tard. On sait en revanche que les compétitions athlétiques prirent de plus en plus d'importance jusqu'en 776, date à laquelle elles occupèrent une place prééminente.

Les Jeux se limitèrent d'abord à la course du stade, qui se disputait sur une distance de 192,27 m. Le premier vainqueur de l'épreuve, un modeste cuisinier du nom de Koroebos, reçut pour récompense une couronne d'olivier, dont les rameaux provenaient, selon la légende, d'un arbre du paradis mythique des Hyperboréens, et qu'Héraclès avait planté près du sanctuaire de Zeus à Olympie. D'autres épreuves vinrent successivement s'ajouter à la course du stade : la course double, la course de 24 stades, le pentathlon, le pugilat, le pancrace, et enfin des courses de chars et de chevaux montés.

Les Jeux se tinrent tous les quatre ans jusqu'en 393 après J.-C., date à laquelle l'empereur romain Théodose Ier les abolit pour paganisme.

Dans la Grèce antique, les athlètes olympiques étaient des héros célébrés par les poètes et les artistes. La coupe ci-dessus représente le pentathlon. Sur ce vase grec, l'artiste a peint des athlètes disputant une course.

Où se tiennent les Jeux olympiques ?

En 1894, lorsque le Congrès international d'athlétisme décida le rétablissement des jeux Olympiques, Pierre de Coubertin songeait à Paris pour leur première célébration, prévue en 1900. Coubertin pensait que les Jeux contribueraient à renforcer le prestige de la France.

Les délégués de douze autres pays participant au Congrès préférèrent la Grèce, patrie historique des Jeux. Trente et un pays appuyèrent leur choix, et, dans l'enthousiasme général, la date des premiers Jeux fut avancée à 1896.

En réalité, la Grèce était fort mal préparée à accueillir pareille manifestation. Le pays manquait cruellement de moyens pour financer les installations. Certains tentèrent d'annuler sa candidature pour transférer les Jeux en Hongrie. Coubertin, soucieux d'éviter le fiasco, se rendit en Grèce pour convaincre les récalcitrants. Une collecte de fonds permit de restaurer l'ancien stade, édifié trois cents ans avant J.-C., et l'inauguration de la première olympiade moderne eut lieu à Athènes le dimanche de Pâques 1896.

L'année suivante, lors du congrès chargé de choisir la ville organisatrice des prochains Jeux, certains délégués soutinrent à nouveau la candidature de la Grèce. Coubertin plaida la cause de Paris.

Mais le public parisien bouda les Jeux car, éclipsées par l'Exposition universelle, les compétitions – qui comprenaient notamment un concours de pêche à la ligne dans la Seine et un match de cricket entre l'Angleterre et la France – furent un fiasco. Avant de recevoir leur médaille, certains athlètes crurent même qu'ils participaient à une réunion sportive dans le cadre de l'Exposition universelle !

Les jeux Olympiques de Saint Louis, lors de l'Exposition universelle de 1904, n'eurent pas davantage de succès. Coubertin ne fit même pas le voyage, et la France n'envoya pas d'équipe nationale. Profitant de l'occasion, la Grèce proposa alors d'organiser des Jeux « intérimaires » tous les quatre ans à partir de 1906. Cette année-là, vingt-deux pays participèrent aux Jeux d'Athènes, mais la manifestation ne fut pas reconnue et l'idée fut abandonnée.

Depuis lors, la Grèce n'a plus jamais accueilli les jeux Olympiques. La candidature d'Athènes a été évoquée pour la célébration du centenaire des Jeux, en 1996, mais c'est finalement celle d'Atlanta qui a été retenue. Largement retransmis par la télévision, les jeux Olympiques sont devenus une manifestation internationale majeure, dont l'importance ne cesse de croître. Les plus grandes métropoles du monde revendiquent l'honneur de les accueillir. Au terme d'une compétition acharnée, c'est Sydney, en Australie, qui a été choisie pour organiser les Jeux de l'an 2000.

Sportifs amateurs ou professionnels ?

Naguère intangible, le règlement interdisant aux sportifs professionnels de participer aux jeux Olympiques en aurait exclu les héros de la Grèce antique, car ces athlètes-là n'étaient pas des amateurs au sens strict. Chaque communauté entretenait ses champions et leur assurait une année d'entraînement. Les vainqueurs recevaient en guise de trophée un modeste rameau d'olivier, mais, à leur retour, leur cité leur versait une généreuse récompense.

L'idéal de l'amateurisme cher à Pierre de Coubertin, et qui trouve son origine en Grande-Bretagne, a considérablement évolué ces dernières années. Nombre d'athlètes participant aux Jeux sont aujourd'hui ouvertement sponsorisés.

Pourquoi le marathon mesure-t-il 42,195 km ?

Depuis le rétablissement des jeux Olympiques, toutes les épreuves, de la course à pied à la marche, de la natation à l'aviron ou à l'équitation, se mesurent en mètres. À une exception près : le marathon.

Les Grecs introduisirent cette épreuve lors des Jeux d'Athènes, en 1896, en mémoire de l'exploit héroïque de Philippidès après la bataille de Marathon, en 490 avant J.-C. Selon la légende, ce coureur couvrit d'un trait une distance d'environ 40 km, soit 25 miles, pour annoncer aux Athéniens la victoire sur les envahisseurs perses. Cette course aurait duré environ quatre heures et il serait mort d'épuisement à son arrivée.

Le marathon fut la seule compétition sur la piste à être remportée par un Grec aux Jeux de 1896. Entre autres récompenses, le vainqueur gagna le droit de se faire raser gratuitement pour le restant de ses jours! L'épreuve emporta un grand succès populaire et fut reconduite lors des deux olympiades suivantes, avec de légères modifications de distance.

Lors des Jeux de Londres, en 1908, les organisateurs reçurent pour consigne de prévoir un marathon d'une distance d'environ 25 miles. Il fut décidé que la course prendrait son départ sur la pelouse du château de Windsor, en présence de la princesse de Galles, et qu'elle s'achèverait au White City Stadium, distant de 26 miles. On y ajouta 385 yards afin d'amener la ligne d'arrivée jusque devant la loge du roi Édouard VII et de la reine Alexandra. Depuis lors, la distance réglementaire du marathon est de 26 miles 385 yards, soit 42,195 km.

Le marathon de 1908 fut un des moments les plus dramatiques des Jeux. Le premier athlète à pénétrer sur le stade était un petit pâtissier italien du nom de Dorando Pietri. Mais, au lieu de tourner à gauche, vers la ligne d'arrivée, Pietri, épuisé par la chaleur et l'effort, se trompa de sens et obliqua vers la droite. Officiels et policiers se précipitèrent et le remirent dans la bonne direction. Il tomba à plusieurs reprises, et l'on dut finalement l'aider à franchir la ligne.

Sur cette photo des Jeux, seul en tête, le marathonien Dorando Pietri court vers le stade. Par son courage, il éclipsa le vainqueur de l'épreuve.

Après de longues discussions, la première place du podium fut attribuée à l'Américain John Hayes, qui avait terminé deuxième, 140 m derrière Pietri. Mais, dans l'histoire des jeux Olympiques, Dorando Pietri, le vaillant perdant, a éclipsé le vainqueur.

UN SYMBOLE QUI UNIT LE MONDE

Les jeux Olympiques de l'Antiquité étaient l'occasion d'une trêve sacrée. Les hostilités cessaient entre les cités grecques, la peine de mort était suspendue, et tous les participants pouvaient effectuer sans danger le voyage vers le sanctuaire d'Olympie. Selon la légende, les termes de la trêve figuraient sur les cinq anneaux du disque sacré d'Iphitos, roi d'Élis, qui instaura l'armistice en 884 avant J.-C., sur le conseil de l'oracle de Delphes. La trêve s'appliqua d'abord à toutes les compétitions sportives, et elle s'étendit par la suite aux jeux d'Olympie.

Le baron de Coubertin visita le site d'Olympie en 1913. Il se rendit également à Delphes, où se trouvait l'antique sanctuaire d'Apollon, dont l'autel était décoré d'une frise représentant cinq anneaux entrelacés. Coubertin, toujours soucieux de promouvoir le thème international des Jeux modernes, saisit aussitôt la portée du symbole : « Ces cinq anneaux, écrivit-il, représentent les cinq parties du monde unies par l'olympisme. »

Il fit exécuter un drapeau sur lequel étaient représentés cinq anneaux entrelacés sur fond blanc, et dont les couleurs – bleu, jaune, noir, vert et rouge – symbolisaient les continents participants.

L'emblème fut inauguré à Paris en juin 1914 lors du congrès qui marqua le vingtième anniversaire du mouvement olympique. Ironie du sort, quelques semaines plus tard, le déclenchement de la Première Guerre mondiale allait entraîner l'annulation des Jeux de 1916, prévus à Berlin.

Symbole de l'union des cinq continents, le drapeau aux cinq anneaux entrelacés flotta pour la première fois en 1920 sur les Jeux d'Anvers.

Inspiré d'un ancien motif grec, celui des cinq anneaux entrelacés du drapeau olympique symbolise les cinq continents.

Pourquoi les jeux Olympiques se tiennent-ils tous les quatre ans ?

Si les origines des jeux Olympiques de l'Antiquité restent en partie obscures, on sait, en revanche, qu'à partir de 776 avant J.-C., date officielle des premiers Jeux, ceux-ci se déroulèrent tous les quatre ans à Olympie, en Grèce, pendant près d'un millénaire. Ces compétitions jouissaient d'un immense prestige : les athlètes vainqueurs étaient révérés à l'égal de héros.

La période de quatre ans séparant les jeux Olympiques était appelée olympiade. À partir de 300 avant J.-C., les Grecs marquèrent l'importance qu'ils accordaient à cette manifestation en datant les événements par référence à l'olympiade au cours de laquelle ils survenaient.

Lors du rétablissement des jeux Olympiques, en 1896, les organisateurs adoptèrent le rythme quadriennal instauré par les Anciens. Ils ne réussirent jamais, cependant, à suivre l'un des principes majeurs des Jeux de l'Antiquité : la suspension des hostilités durant les compétitions. Ce sont au contraire les jeux Olympiques qui furent suspendus pendant la Première et la Seconde Guerre mondiale.

Hitler salue l'ouverture des Jeux de Berlin en 1936. Les athlètes allemands victorieux, tel Lutz Long, spécialiste du saut en longueur, faisaient également le salut nazi. Jesse Owens, quatre fois médaille d'or, réagit différemment.

Les Jeux de 1936

C'est en 1932, un an avant la prise du pouvoir par Adolf Hitler, que le Comité international olympique choisit Berlin comme ville organisatrice pour les Jeux de 1936. Le comité d'organisation pour les Jeux de Berlin tint sa première réunion six jours avant l'accession d'Hitler aux fonctions de chancelier.

Peu après, son président, Theodor Lewald, fut menacé de destitution sous le prétexte qu'un de ses grands-pères était juif. Les communautés juives de nombreux pays – notamment celle des États-Unis – proposèrent de boycotter les Jeux.

Il fut question d'organiser des Jeux « alternatifs » à Barcelone. Le déclenchement de la guerre civile en Espagne, en 1936, annula la manifestation au moment même où celle-ci allait s'ouvrir.

Les craintes de voir Hitler utiliser les jeux Olympiques à des fins de propagande s'avérèrent fondées. Des drapeaux ornés de la croix gammée flottaient au vent, des spectateurs allemands faisaient le salut nazi et acclamaient leurs athlètes au cri de « Heil, Hitler ! ».

Si le Führer espérait démontrer grâce aux Jeux de Berlin la supériorité des aryens, il dut être déçu. Les jeux Olympiques de 1936 virent le triomphe de Jesse Owens, un des athlètes noirs que les nazis considéraient avec mépris comme « quantité négligeable ». Owens remporta quatre médailles d'or et établit un record du saut en longueur qui devait rester invaincu pendant vingt-quatre ans.

Owens manifesta à cette occasion une sportivité exemplaire. Le candidat favori des Allemands, Lutz Long, ayant été saisi d'une crampe à la jambe, l'ahtlète américain le massa jusqu'à ce qu'il puisse sauter de nouveau. Pour nombre de spectateurs, ce geste contribua à restaurer la foi en l'idéal olympique.

Les Jeux et la guerre

Dans la Grèce antique, on suspendait les hostilités durant les jeux Olympiques. Au XXe siècle, ce sont les Jeux qui furent suspendus en temps de guerre.

Les Jeux de 1916, prévus à Berlin, furent annulés peu après le déclenchement du premier conflit mondial. Les États-Unis, un des principaux pays participants, n'étaient pas encore entrés en guerre. Mais organiser une autre olympiade paraissait alors une tâche impossible, et trop de pays auraient manqué à l'appel.

Les jeux Olympiques de 1940 devaient avoir lieu au Japon – les Jeux d'hiver, à Sapporo et les Jeux d'été, à Tōkyō. Le conflit sino-japonais, qui éclata en 1937, obligea à déplacer les Jeux d'hiver à Garmisch-Partenkirchen, en Allemagne, pays organisateur de l'olympiade de 1936. En septembre 1939, l'Allemagne envahit la Pologne, et les Jeux d'hiver furent annulés. Les Jeux d'été, déplacés à Helsinki, furent annulés à leur tour lors de l'invasion de la Finlande par l'armée Rouge.

Tout en affichant des idéaux élevés, les organisateurs, étrangement, exclurent les pays vaincus des jeux Olympiques qui suivirent les deux grands conflits mondiaux. L'Autriche, la Bulgarie, l'Allemagne, la Hongrie et la Turquie ne furent pas invitées aux Jeux de 1920. (Ceux-ci eurent lieu à Anvers, à titre de compensation aux souffrances endurées par la Belgique durant la Première Guerre.) De la même façon, ni l'Allemagne ni le Japon ne furent conviés aux jeux Olympiques de Londres en 1948. Non affiliée au Comité international olympique, l'Union soviétique, un des grands vainqueurs de la Seconde Guerre, n'y participa pas davantage.

La conquête des Jeux par les femmes

Les premiers organisateurs des jeux Olympiques modernes prirent tout naturellement modèle sur les jeux antiques d'Olympie. Ceux-ci n'étaient ouverts qu'aux hommes, qui concouraient nus. À de rares exceptions près, les femmes n'y étaient pas admises, même à titre de spectatrices ; quiconque transgressait la règle risquait la peine de mort.

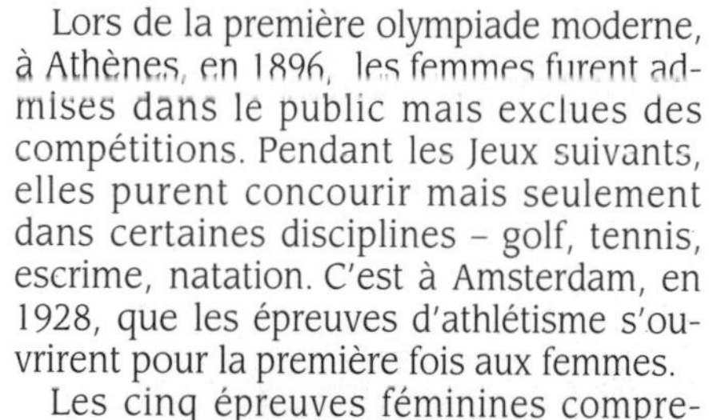

Lors de la première olympiade moderne, à Athènes, en 1896, les femmes furent admises dans le public mais exclues des compétitions. Pendant les Jeux suivants, elles purent concourir mais seulement dans certaines disciplines – golf, tennis, escrime, natation. C'est à Amsterdam, en 1928, que les épreuves d'athlétisme s'ouvrirent pour la première fois aux femmes.

Les cinq épreuves féminines comprenaient une course de 800 m qui fut à l'origine d'une vive controverse. Nombre de

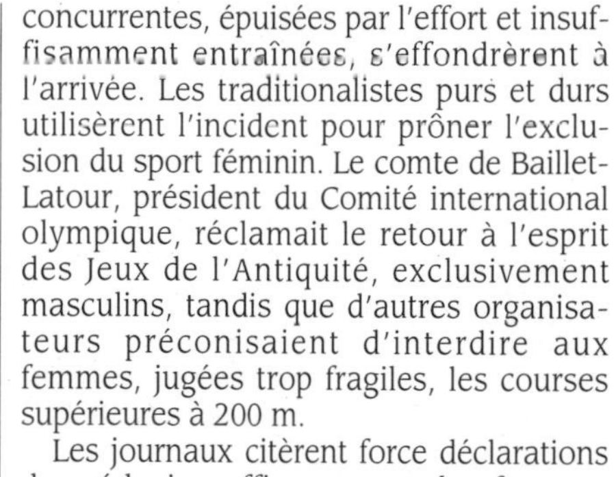

concurrentes, épuisées par l'effort et insuffisamment entraînées, s'effondrèrent à l'arrivée. Les traditionalistes purs et durs utilisèrent l'incident pour prôner l'exclusion du sport féminin. Le comte de Baillet-Latour, président du Comité international olympique, réclamait le retour à l'esprit des Jeux de l'Antiquité, exclusivement masculins, tandis que d'autres organisateurs préconisaient d'interdire aux femmes, jugées trop fragiles, les courses supérieures à 200 m.

Les journaux citèrent force déclarations de médecins affirmant que les femmes n'étaient pas faites pour les épreuves d'endurance : celles-ci les faisaient vieillir avant l'âge. Les féministes firent valoir que les coureurs de sexe masculin, eux aussi, s'évanouissaient d'épuisement à l'arrivée.

Les tenants de la tradition eurent gain de cause et le 200 m resta longtemps la seule course ouverte aux femmes. En 1964, elles eurent accès au 400 m, qui fut remporté par l'Australienne Betty Cuthbert. Le 1 500 m leur fut ouvert lors des Jeux de Munich en 1972, le 3 000 m et le marathon à Los Angeles en 1984, ainsi que les épreuves de fond en natation. De nos jours, il n'existe plus de différence sensible entre les épreuves féminines et masculines.

Première championne olympique, Carlotte Cooper (en médaillon) remporta le simple de tennis en 1900. La Française Suzanne Lenglen fut deux fois médaillée d'or aux Jeux d'Anvers en 1920.

La flamme olympique

Dans la Grèce antique, des feux sacrés brûlaient dans l'enceinte d'Olympie durant les cinq journées des Jeux.

C'est aux jeux Olympiques de Berlin, en 1936, que l'on fit venir pour la première fois la flamme d'Olympie. Allumée par les rayons du soleil dans les ruines du temple de Zeus, la flamme parcourut 3 200 km à travers plusieurs pays. Près de 4 000 coureurs se relayèrent, portant les torches au magnésium jusqu'au stade olympique de Berlin, où la flamme brûla dans une vasque de marbre jusqu'à la cérémonie de clôture.

Dans l'esprit d'Hitler, les Jeux de Berlin devaient apporter la démonstration de la puissance et de l'efficacité germaniques. La cérémonie de la flamme, sur fond de sonnerie de trompettes et de tir de canon, accentuait le caractère monumental du spectacle.

Lors des Jeux suivants, les organisateurs décidèrent de conserver la cérémonie de la flamme en dépit de sa connotation nazie. La flamme a brillé depuis lors sur tous les jeux Olympiques, à un incident près. À Montréal, le 27 juillet 1976, une grosse averse inonda la vasque et le stade fut fermé au public pour la journée. C'est à un plombier du nom de Pierre Bouchard que revint l'honneur, à l'aide de son briquet et d'un morceau de papier journal, de rallumer la flamme.

De très anciens jeux de balle

Le dix-huitième trou du parcours le plus célèbre du monde se trouve face au club-house de Saint Andrews. La reine Marie d'Écosse y aurait pratiqué le golf.

La patrie du golf

Demandez à n'importe quel golfeur où est né son jeu favori ; la réponse sera presque à coup sûr Saint Andrews, en Écosse. Pourtant, et quelle que soit la réticence des Écossais à le reconnaître, le golf n'est pas originaire de leur pays, et Saint Andrews, dans le comté de Fife, n'est pas le plus ancien club de golf écossais.

Rechercher les origines d'un sport présente des difficultés évidentes. Les documents sont rares et sujets à de multiples interprétations. Sur d'anciennes gravures, on voit des joueurs levant une canne pour frapper une balle. Mais de quel jeu s'agit-il ? Golf ? Croquet ? Hockey ? Un vitrail de la cathédrale de Gloucester, daté de 1350, représente un personnage qui ressemble à un golfeur. D'après les historiens, le golf viendrait d'un jeu romain, la *paganica*, ou de sa variante anglaise, la *cambuca*. À moins qu'il ne tire son origine d'un jeu flamand appelé *chole*, qui consistait à envoyer une balle dans une série de cibles – une porte, un arbre, un mât.

Parmi les ancêtres éventuels du golf figure également le jeu de mail, qui se pratiquait à l'aide d'un maillet à long manche. Venu d'Italie en France, il y devint très populaire avant d'être exporté en Angleterre sous le nom de *pall mall*. Le jeu de mail pourrait être le précurseur du billard et du croquet.

Loenan aan de Vecht, dans le nord de la Hollande, peut également se prévaloir d'être le berceau du golf. En l'an 1297, au lendemain de Noël, les habitants de la ville firent, sur une distance de 4 800 m, un parcours de quatre « trous » de *colf* pour célébrer la délivrance du château de Kronenburg. Les trous étaient en réalité des portes – porte d'un moulin à vent, d'une cuisine, du palais de justice et du château. Le *colf* s'étendit à une quarantaine de villes aux Pays-Bas avant de laisser la place à une variante plus courte, le *kolf*.

En Écosse, la première référence au golf est son décret d'interdiction prononcé en 1457 : le roi Jacques II préférait former de bons archers plutôt que des joueurs de balle. Le golf n'en continua pas moins de faire des adeptes. En 1552, les habitants de Saint Andrews reçurent le droit de jouer sur le parcours local, et dans les années 1580 deux golfeurs de Leith furent condamnés à payer une amende pour s'être livrés à leur sport favori un dimanche, « à l'heure du sermon ».

En 1744, The Honourable Company of Edinburgh Golfers – le plus vieux club du monde – établit les premières règles du jeu et organisa le premier tournoi de golf. Le trophée était une canne en argent.

Dix ans plus tard, vingt-deux gentlemen, fervents adeptes d'un sport qu'ils jugeaient « excellent pour la santé », formèrent la St Andrews Society of Golfers. En 1834, le golf de Saint Andrews réussit le plus joli coup de son histoire : il invita Guillaume IV à devenir son parrain. Le roi accepta et autorisa l'association à prendre le nom de Royal and Ancient Golf Club of St. Andrews (R & A). Le coup fut joué à un moment particulièrement propice : le club d'Édimbourg, qui ne possédait plus de parcours à l'époque, ne pouvait sans prêter à sourire prétendre être le berceau du golf. The Honourable Company ne s'en remit jamais.

R & A est resté depuis lors l'organisme régissant le golf (avec le concours de la United States Golf Association). Sa juridiction dépasse même le cadre étroit de la planète ! En février 1971, en effet, Alan Shepard, le commandant de la mission spatiale Apollo 14, marqua deux coups sur la Lune avec un fer six. La R & A lui adressa un télégramme de félicitations en rappelant au cosmonaute la règle à observer : « Avant de quitter un bunker, le joueur doit soigneusement effacer tous les trous et traces de pas qu'il a laissés. »

Des historiens du sport hésitent à admettre parmi les précurseurs du golf un jeu hollandais appelé colf*, représenté sur cette gravure sur bois française de 1497.*

Autrefois, les golfeurs utilisaient les services d'un caddie, qui transportait leurs clubs sous le bras. Puis apparurent le sac de golf et le chariot motorisé. Les golfeurs purent alors consacrer toute leur énergie au jeu.

Quatorze clubs au maximum

Dans les années 1930, les golfeurs – ou leurs caddies – n'hésitaient pas à transporter dans leur sac vingt-cinq clubs, voire davantage, pour n'en utiliser certains qu'une fois sur un ou plusieurs parcours. Ils n'avaient sans doute jamais entendu parler de Francis Ouimet, qui avait remporté l'US Open de 1913 avec sept clubs.

En 1938, une règle limita le nombre de clubs à quatorze. Ce chiffre correspondait à la série utilisée par la plupart des professionnels – huit fers, un ou deux *wedges* (fers utilisés pour sortir d'un bunker ou franchir un obstacle), un *putter* (fer plat utilisé pour faire rouler la balle sur le green) et trois ou quatre bois dont le *driver,* qui sert aux départs. Les joueurs qui n'observent pas la règle sont pénalisés d'un maximum de deux trous dans les épreuves se disputant en match-play – où chaque trou compte séparément, le joueur qui gagne le plus grand nombre de trous l'emporte – et de quatre coups dans celles qui se déroulent en stroke-play – où l'on additionne tous les coups joués pour terminer un parcours.

Lors du championnat du monde de 1976, Johnny Miller joua dix-sept trous avant de découvrir le putter de son fils au fond de son sac. Cela lui coûta quatre coups.

Un joueur qui casse un club peut le remplacer, mais il n'a pas le droit d'en emprunter un sur le parcours. La cassure doit intervenir par accident pendant le jeu. Briser un club en le cognant de toutes ses forces contre un arbre ou jeter ses quatorze cannes dans un lac dans un accès de mauvaise humeur ne donne pas le droit d'envoyer chercher un équipement de rechange au club-house.

Pourquoi un parcours complet de golf comprend-il dix-huit trous ?

La pratique du golf se développa considérablement en Écosse à partir du XVIIe siècle. Dans les années 1650, on comptait une dizaine de parcours le long de la côte est. En 1744, The Honourable Company of Edinburgh Golfers, le plus vieux club du monde, organisa le premier tournoi de golf à Leuth. L'épreuve fut disputée en match-play et le parcours comprenait cinq trous espacés de 400 à 450 m.

Le parcours de Royal Aberdeen comportait quinze trous, Monrose en avait vingt-cinq. Saint Andrews en comptait douze, dont dix étaient joués deux fois, ce qui portait le parcours à vingt-deux trous. Les joueurs de bon niveau bouclaient le Old Course (le parcours le plus ancien de Saint Andrews) en cent vingt coups environ.

Saint Andrews décida de simplifier le tracé du parcours en réduisant le nombre de trous joués à dix-huit. En 1764, il stipula que le parcours réglementaire devrait totaliser dix-huit trous. Les autres clubs s'alignèrent progressivement sur cette règle. Sur les golfs de six trous, les joueurs effectuaient trois fois le parcours : sur les neuf trous, ils jouaient deux fois, comme on continue à le faire de nos jours sur nombre de terrains de golf. Un parcours complet dure environ 3 heures pour une distance pouvant aller de 5,8 à 6,3 km.

Deux joueurs se disputent la balle lors du championnat mondial de polo à Deauville. Ce sport exige de grandes qualités physiques.

Pourquoi dit-on que le polo est le sport des rois ?

Avec vingt-cinq siècles d'existence, le polo est l'un des sports les plus anciens. Les Perses estimaient que seuls les joueurs de polo pouvaient accéder au pouvoir car le jeu exige des qualités physiques, mais surtout des talents de stratège, ainsi que du sang-froid, de l'adresse et du courage. Et les plus hautes fonctions récompensaient les meilleurs joueurs.

L'origine exacte du polo se perd dans la nuit des temps. Ce jeu apparaît pour la première fois sous le nom de chaugan dans le Chah-nāmè, une épopée persane du Xe siècle avant J.-C. Siècle après siècle, le polo gagne tout l'Orient, puis la Grèce et l'Égypte, sous le nom de balle à cheval. Partout, les nobles s'y affrontent, et souvent les souverains eux-mêmes, qu'ils soient rois ou sultans. Ainsi, le polo est le passe-temps préféré de l'empereur mongol Akbar à la fin du XVIe siècle. Il se passionne tant pour ce jeu qu'il organise des parties la nuit avec une balle d'un bois qui brûle très lentement mais qui est très éclairant. Plus cruel, l'émir syrien Timur faisait jouer son peuple au polo... avec la tête de ses ennemis. Les Anglais ont découvert la version pacifique du polo aux Indes, alors sous domination de l'Empire britannique. Planteurs de thé et officiers de cavalerie de Sa Majesté furent conquis par ce sport, qui correspondait à leur sens d'une aristocratie guerrière. En 1880, Dieppe accueille le premier match en France. Le jeu a assez peu changé depuis les Perses. Les cavaliers sont équipés d'un maillet de bambou flexible, long de 1,30 m. Deux équipes de quatre cavaliers s'affrontent pour des parties qui durent un maximum d'une heure, découpée en périodes ou *chukkers* de sept minutes. Et, comme jadis les fils de sultans, aujourd'hui c'est le prince de Galles qui joue au polo.

Pourquoi la pétanque s'appelle-t-elle ainsi ?

« Tu tires ou tu pointes ? » La pétanque est le plus souvent associée au Midi, à des parties à l'ombre des platanes, ponctuées de disputes à l'accent chantant. Mais, depuis l'Antiquité, on trouve des traces de jeux de boules dans de nombreux pays.

À la fin du XIXe siècle sont apparus en France le jeu provençal et la boule lyonnaise. Cette dernière se joue dans un cadre tracé à l'avance avec des boules qui peuvent atteindre 11 cm de diamètre pour un poids maximal de 1,3 kg. Le pointeur lance sa boule en la faisant rouler sur le sol. Le tireur prend son élan lors d'une course de quatre ou six appuis avant de lancer sa boule. Avant qu'il tire, on trace un arc de cercle de 50 cm devant la boule à chasser. Le coup est bon si la boule tombe à l'intérieur.

Le jeu provençal se joue avec des boules plus petites et plus légères que la lyonnaise : 7 à 8 cm de diamètre pour un poids de 650 à 800 g, sur un terrain d'un minimum de 25 m. Le but ou cochonnet est lancé entre 15 et 21 m d'un cercle où vient se placer le joueur.

S'il pointe, le joueur fait un pas dans la direction qu'il désire, puis il relève le pied sur lequel il a pris appui et joue en se tenant sur une jambe. S'il tire, il sort du cercle, fait trois pas et lance sa boule en plein élan, lorsqu'il pose le pied à terre à la fin du 3e bond. D'autres variantes du jeu existent en France : la boule parisienne, qui se joue dans une espèce de longue cuvette dont les bords relevés conduisent la boule vers le but ; ou encore la boule de fort, qui se joue avec des boules allongées aux extrémités et qui est un jeu traditionnel des pays de Loire.

Mais le jeu le plus populaire et le plus célèbre s'appelle incontestablement la pétanque. Variante du jeu provençal, la pétanque est née à La Ciotat, près de Marseille, dans les premières années du XXe siècle. Son nom vient du provençal *pé tanco*, *pé* signifiant pieds, et *tanco*, fixés au sol. Parce que, contrairement au jeu provençal, la pétanque se joue les pieds joints, sans sortir d'un cercle de 35 à 50 cm de diamètre. Les boules sont les mêmes qu'au jeu provençal, mais le but est lancé à une distance comprise entre 6 et 10 m. Les boules atteignent une vitesse de 20 à 30 km/h.

La pétanque n'est pas seulement jouée en France. 600 000 joueurs sont licenciés dans 36 pays différents, dont certains aussi inattendus que le Cambodge, la Finlande ou l'Australie !

Source inépuisable de plaisanteries, le bar d'un club de golf est souvent appelé le « dix-neuvième trou », car, depuis 1764, le parcours en comprend dix-huit.

À LA RECHERCHE DE LA BALLE PARFAITE

La taille et la composition de la balle de golf ont considérablement varié au fil des siècles. Les premières balles étaient en bois : elles furent probablement utilisées jusqu'à ce que, au début du XVIIe siècle, elles soient remplacées par une balle en cuir bourrée de plumes.

Un artisan expérimenté ne pouvant pas fabriquer plus de trois ou quatre balles de ce type par jour, elles coûtaient plus cher que les cannes ! Seuls les joueurs aisés pouvaient se les offrir. Les balles de plume étaient enveloppées dans une gaine en cuir, que l'on cousait à la main avant de la retourner afin de dissimuler la couture. On la bourrait ensuite de duvet de poulet ou d'oie préalablement bouilli. La balle terminée était d'une taille à peu près identique à celle des balles d'aujourd'hui et contenait l'équivalent d'un chapeau haut de forme plein de plumes ! Un golfeur moyen pouvait envoyer une balle de plume à 165 m, mais le record en la matière s'établit à près du double de cette distance.

En 1848, la gutta-percha, une substance proche du caoutchouc, fit son apparition en Grande-Bretagne. Dure à la température normale, cette résine s'amollit dans l'eau chaude, ce qui permet de la modeler à la main ou dans un moule. Meilleur marché, plus résistantes, les balles en gutta-percha présentaient un autre avantage : les joueurs remarquèrent qu'elles gagnaient en précision lorsqu'elles étaient « griffées » par les coups des clubs métalliques. Les fabricants prirent donc l'habitude de les marquer de croisillons ou de différents motifs, des petites bosses en relief aux croissants de lune.

Aujourd'hui, les golfeurs disposent d'un vaste choix de balles : il en existe plus de 200 modèles différents – à noyau de liège, de plomb, ou de roulement à billes. Nul doute que l'étude des lois régissant le déplacement d'une balle de golf permettra d'améliorer encore sa forme et sa matière. Mais il est peu probable que les golfeurs voient jamais apparaître la balle parfaite – celle qui retombe précisément à l'endroit voulu.

Les balles de plume furent introduites il y a près de quatre cents ans. La balle en caoutchouc inventée par Haskell connut un rapide essor quand Sandy Herd l'utilisa pour remporter l'Open britannique de 1902. La balle en balata comporte un noyau rempli d'eau et entouré de latex.

Balle en cuir bourrée de plumes

Balle en caoutchouc

Balle en balata

Pourquoi le maillot du vainqueur est-il jaune ?

Dans le monde du cyclisme, le jaune est la couleur du champion. Tous les coureurs en rêvent. Et celui qui porte la « tunique d'or », comme disent parfois les chroniqueurs sportifs, est le premier à être repéré par les spectateurs et les caméras de télévision. En effet, depuis 1919, le premier du classement général du Tour de France porte ce fameux maillot jaune. Le vainqueur l'enfile sur le podium après l'arrivée de la dernière étape de la plus prestigieuse course cycliste du monde.

Pourtant, les premiers Tours de France ne connaissaient pas de maillot jaune. L'épreuve a été créée en 1903, sur une idée de Géo Lefèvre, par Henri Desgrange, le directeur du journal *l'Auto*, qui voulait concurrencer son grand rival *le Vélo*. Le premier Tour ne comportait que six étapes (certains tours en auront 31), ce qui représentait environ 2 400 km, et réunissait 60 participants pour 21 arrivants.

Le premier vainqueur d'une étape de la Grande Boucle, le Français Eugène Christophe, n'a donc pas porté le maillot jaune cette année-là. Mais, seize ans plus tard, il sera quand même le premier à le revêtir de toute l'histoire du cyclisme. Après une interruption due à la Première Guerre mondiale, le Tour reprend en 1919, toujours sans maillot jaune. Mais, au départ de la 10ᵉ étape, entre Grenoble et Genève, des journalistes se plaignent auprès d'Henri Desgrange de ne pas parvenir à distinguer le premier au sein du peloton. Le patron de la course pense à un maillot distinctif et choisit la couleur des pages de son journal, que les lecteurs appellent familièrement « le Jaune ». Cette couleur sera longtemps aussi celle des pages du journal *l'Équipe*, qui succède à *l'Auto* et organise toujours le Tour de France.

Le maillot jaune est né, et Eugène Christophe en est le premier porteur. Il est même grand favori pour le conserver jusqu'à l'arrivée et devenir le premier vainqueur en jaune du Tour de France. Il a vingt-huit minutes d'avance sur le deuxième du classement quand il casse la fourche de son vélo. Il ne parviendra pas à réparer à temps, et c'est le Belge Firmin Lambot qui endosse le maillot jaune à l'arrivée du Tour.

Des décennies plus tard, c'est un autre Belge qui détient le record du plus grand nombre de jours avec le maillot jaune : Eddy Merckx, quintuple vainqueur du Tour, l'a endossé 96 fois. Il devance ainsi le Français Jacques Anquetil, qui l'a porté quarante-neuf jours, dont toute la durée du Tour 1961, et a gagné aussi cinq Tours. Sur la troisième marche du podium, un autre Français, Bernard Hinault, qui l'a revêtu 43 fois. En revanche, un grand champion n'a, en dépit de ses efforts, jamais réussi à le porter : Raymond Poulidor.

Le maillot jaune est désormais célèbre dans le monde entier, par exemple aux États-Unis, où l'a popularisé l'Américain Greg Lemond, triple vainqueur de la Grande Boucle. Le jaune est aussi la couleur du vainqueur de la Vuelta d'Espagne, tandis que le premier du Giro d'Italie porte un maillot rose. Dans le peloton du Tour de France, on peut aussi reconnaître le maillot bleu-blanc-rouge du champion de France, le maillot arc-en-ciel du champion du monde, le maillot rouge du meilleur sprinter, le maillot blanc à pois rouges du meilleur grimpeur, le maillot vert du premier du classement par points.

Les dons exceptionnels de Pelé, attaquant de génie, en firent une idole du football. Rares étaient les joueurs qui parvenaient à lui arracher le ballon.

Miguel Indurain arbore le maillot jaune du vainqueur du Tour de France 1993. On peut reconnaître, à gauche, le maillot blanc à pois rouges du meilleur grimpeur.

Un joueur de génie, Pelé

Né en 1940 dans une famille pauvre de Três Corações, le footballeur brésilien Edson Arantès do Nascimento était surnommé par son père Dico dans son enfance. Mais c'est sous le nom de Pelé qu'il est devenu célèbre dans le monde entier. Enfant, Edson apprit à pousser, entre deux boîtes de conserves, la boule de chiffons qui tenait lieu de ballon sur la *pelada* (terrain vague) du quartier ouvrier de Bauru. Lorsqu'il devint footballeur professionnel, c'est probablement en souvenir de la *pelada* que ses amis l'auraient appelé Pelé. Et ce nom fut aussitôt adopté par tous ses supporters.

Durant sa carrière, Pelé disputa 1 363 matches et marqua 1 281 buts. Il remporta trois fois la Coupe du monde avec l'équipe du Brésil (en 1958, 1962 et 1970). En 1975, Pelé signa un contrat de 4 millions de dollars pour trois ans avec le Cosmos de New York. 76 000 supporters assistèrent à son match d'adieu au Giants Stadium.

Ovale ou rond : quel ballon choisir ?

Les premiers ballons de football n'étaient pas ronds, mais ovales. À l'instar du jeu lui-même, dont les règles étaient encore très fluctuantes, la balle n'avait pas de forme rigoureusement définie. Sa taille et ses contours dépendaient de la vessie de porc dont elle était fabriquée... et du souffle de celui qui la gonflait à la bouche ! Une vessie de forme irrégulière produisait un ballon au comportement capricieux sur le terrain. On gonflait la vessie en soufflant dans le tuyau d'une pipe d'argile. Une fois le tuyau retiré, la vessie était solidement recousue. Un cordonnier se chargeait de la recouvrir de bandes de cuir cousues ensemble qui rendaient le ballon plus dur et plus résistant.

Les règles du football variaient considérablement d'une région à l'autre. Dans la plupart des cas, cependant, on jouait le ballon au pied plutôt qu'à la main, et les joueurs donnaient la préférence au ballon rond, beaucoup plus facile à contrôler lorsqu'il roulait au sol.

C'est dans les premières décennies du XIXe siècle, au collège de Rugby, en Angleterre, que naquit le sport du même nom (appelé d'abord *football-rugby*). Ramasser le ballon et courir en le tenant à la main était une composante essentielle de ce jeu. Les joueurs découvrirent que le ballon ovale se prêtait mieux au jeu à la main, et que le coup de pied placé (qui consiste à frapper une balle placée au sol dans une position donnée pour l'envoyer entre les poteaux de but adverse et au-dessus de la barre transversale) gagnait alors en puissance et en précision.

À Rugby, dans les années 1670, les rencontres sur le terrain étaient animées et viriles. Chaque équipe comprenait au moins vingt joueurs. Le score final dépendait du nombre de buts marqués, chaque but valant un seul point.

Un ballon ovale encore rudimentaire, auquel son revêtement de cuir conférait une forme légèrement allongée, fut bientôt régulièrement utilisé à Rugby. William Gilbert, un bookmaker qui fournissait le collège en chaussures de sport et en ballons, acquit la réputation de fabriquer des ballons plus durs que ceux de ses concurrents locaux. Lors de l'Exposition universelle de 1851, à Londres, Gilbert exposa deux de ses créations : un ballon rond recouvert de cuir se prêtant au dribble, et un ballon ovale pour le jeu à la main.

Un autre fournisseur en ballons du collège de Rugby, H. J. Lindon (dont l'épouse, dit-on, contracta une affection pulmonaire à force de souffler dans les vessies de porc), inventa en 1862 la vessie gonflable en caoutchouc, qui permettait de produire des ballons à la fois durs et de forme régulière. Lindon affirmait être l'inventeur du ballon de rugby, mais il ne parvint jamais à faire breveter son invention.

Les jeux de ballon regroupés sous le terme *football* se codifièrent. Le *football-association* et le *football-rugby* édictèrent leurs propres règles et se répandirent dans le monde entier. De nos jours, à l'exception du football gaélique, toutes les formes de sports dérivées du *football-rugby* (où le ballon peut être porté à la main) se jouent avec un ballon de forme ovale, mais de tailles différentes : le football gaélique et le *football-association* (le soccer ou encore foot proprement dit, qui se joue au pied) utilisent un ballon rond.

Rugby à quinze et rugby à treize

À la fin du siècle dernier, dans le nord de l'Angleterre, les joueurs de rugby réclamèrent à leurs clubs des indemnités destinées à compenser leur manque à gagner lorsqu'ils devaient se déplacer pour disputer des matches. La Rugby Union, largement dominée par les clubs du sud du pays, refusa, sous le prétexte que pareille pratique allait transformer le rugby en un sport professionnel. La Rugby Union réaffirma ainsi ce qui est demeuré le principe de base du jeu à quinze : l'amateurisme. En 1895, à Huddersfield, dans le Yorkshire, les délégués de vingt clubs, réunis au George Hotel, fondèrent la Northern Rugby Football Union. Celle-ci deviendra en 1922 la Rugby League. Les règles du jeu furent peu à peu modifiées, jusqu'à donner naissance à une nouvelle forme de rugby : le jeu à treize. Ainsi, chaque équipe passa de quinze à treize – on supprima deux avants afin de rendre le jeu plus rapide –, et les clubs du Nord donnèrent naissance à une pléiade d'équipes professionnelles. C'est en 1934 que Jean Galia, international français de rugby à quinze, introduisit le jeu à treize en France.

Pourquoi marque-t-on des essais au rugby ?

Aux tout débuts du rugby, pour marquer un point, le joueur devait envoyer le ballon d'un coup de pied entre les deux poteaux de but. Au préalable, il fallait qu'il franchisse la ligne de but adverse et plaque le ballon au sol. Les supporters hurlaient alors dans les tribunes : « Un essai... un essai ! » Leur équipe était autorisée à botter le ballon et avait une chance de marquer un but. Chaque but comptait 1 point.

De nos jours, le décompte des points a quelque peu changé. En rugby à quinze, l'essai vaut 5 points, l'essai transformé en but vaut 2 points supplémentaires, et le but marqué d'un coup de pied de pénalité ou d'un coup de pied tombé (drop-goal) compte 3 points. En rugby à treize, l'essai compte 4 points, auxquels la transformation ajoute 2 points ; le but de pénalité vaut 2 points, le drop-goal, 1 point.

Pour transformer l'essai, le joueur doit envoyer le ballon entre les poteaux de but et au-dessus de la barre transversale.

Des jeux nommés football

Demandez à quelqu'un de vous donner une définition du football, et, selon l'endroit où vous vous trouvez, vous obtiendrez une des sept réponses existantes. La Grande-Bretagne a codifié trois formes de football. L'Australie les a adoptées toutes les trois et a en outre développé son propre jeu, le football australien. Le football gaélique se pratique essentiellement en Irlande. Les États-Unis et le Canada possèdent chacun leur variante du football américain. Mais la plupart de ces sports se jouent au moins autant en utilisant la main que le pied.

Le mot football s'appliquait à différents jeux de ballon connus en Angleterre depuis des siècles, auxquels on jouait à coups de poing autant qu'à coups de pied, et qui furent codifiés vers le milieu du siècle dernier. Si la Grande-Bretagne peut se prévaloir d'avoir organisé le football, ce jeu est loin d'être une invention anglaise, et les origines du football remontent aux temps les plus reculés. Nul ne sait dans quel pays du monde on lança – à la main ou au pied – le premier ballon. Les civilisations les plus anciennes connaissaient des jeux de balle exigeant une grande adresse. Le football tel qu'il se pratiquait en Chine ou au Mexique autorisait le joueur à frapper le ballon de la tête ou du pied ; des trous pratiqués dans un rideau ou des anneaux sur un mur faisaient office de but. En France, au Moyen Âge, la choule et la soule étaient de violentes parties de ballon disputées entre villages. À Florence, en Italie, le *calcio*, qui était très populaire au XVIe siècle, opposait deux équipes de vingt-sept joueurs chacune.

En 1823, William Webb Ellis, élève au collège de Rugby, ramassa le ballon et courut le plaquer dans les buts adverses. C'est du moins ce qu'affirma l'un de ses condisciples. Ellis, devenu pasteur, mourut sans savoir qu'il était l'inventeur du rugby.

Une partie de football du temps où les joueurs utilisaient la main. En 1870, le jeu à la main fut interdit définitivement.

Dans l'Angleterre médiévale et dans les campagnes du nord-ouest de la France, le football donnait lieu à des rencontres d'une rare violence. Il laissait un terrain jonché de blessés et parfois de morts. Les villages s'affrontaient dans la plus parfaite anarchie : la seule règle était de faire passer la balle, en la portant à la main ou en la propulsant du pied, sur une ligne de démarcation.

L'Église condamna ce sport, et plusieurs rois l'interdirent par décret. Rien n'y fit. Au début du XVIIe siècle, on y jouait ouvertement à l'université de Cambridge ; étudiant, Oliver Cromwell y fut, dit-on, un excellent footballeur.

La révolution industrielle, en enfermant les ouvriers dans les fabriques pour de longues journées de travail qui laissaient peu de place aux loisirs, sonna le glas du football populaire. Mais le jeu s'implanta dans les *public schools* anglaises. Chaque collège édicta ses propres règles. À Charterhouse, il était interdit de jouer à la main. Eton inventa son fameux *wall game* (le jeu du mur), qui comportait deux buts (une petite porte d'un côté, un arbre de l'autre), disposés aux deux extrémités d'un terrain de 6,50 m, bordé d'un côté par un mur. Le *wall game* existe toujours.

À Rugby, les joueurs pouvaient tenir le ballon à la main mais n'avaient pas le droit de courir avec. En 1823, William Webb Ellis rompit avec cette règle : il ramassa le ballon et courut l'aplatir dans les buts adverses, inventant du même coup le rugby... Du moins, c'est ce qu'affirma plus tard un de ses anciens condisciples. En réalité, dans une partie réunissant près de 300 joueurs, au cours d'une mêlée confuse, il était bien difficile de savoir ce qui se passait exactement et qui s'empara le premier du ballon !

Les règles du jeu variant d'un collège à l'autre, il n'était pas facile d'organiser des rencontres entre les différentes équipes. En 1848, quatorze étudiants de Cambridge formés à Eton et à Shrewsbury se réunirent pour définir des règles communes. Ils décidèrent de proscrire l'usage de la main (sauf pour arrêter un ballon en vol). Il était défendu de saisir un adversaire par le maillot ou le bras, de le ceinturer, de lui donner un coup de pied ou de lui faire un croc-en-jambe. Les bases du football moderne (soccer) étaient jetées.

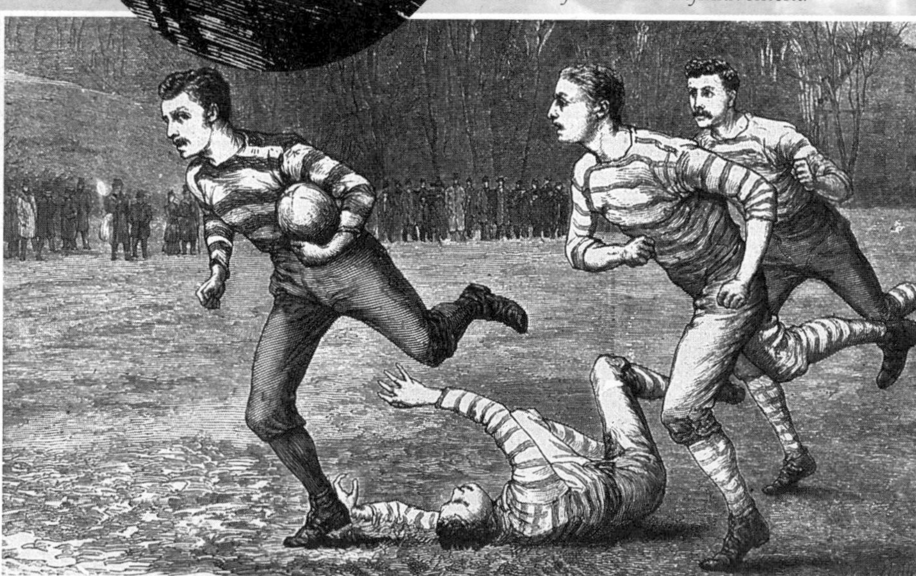

Courir en portant le ballon et ne jamais faire de passe en avant sont des règles de base du rugby. Celui-ci a donné naissance à d'autres formes de sport avec le ballon ovale.

C'est au XIXe siècle que furent peu à peu codifiées les différentes formes de football. Les sauts impressionnants pour attraper le ballon sont un des traits du football australien, à l'extrême gauche. Le coup de tête fait partie du football, mais le jeu dangereux est sanctionné. Dérivé du rugby, le football américain est devenu un spectacle haut en couleur.

Le premier club de football fut fondé au milieu du siècle dernier, à Sheffield, dans le nord de l'Angleterre. Une dizaine d'autres clubs virent bientôt le jour dans la région. Le rugby et le football tels que nous les connaissons aujourd'hui n'existaient pas encore, mais deux types de jeu se dégagèrent rapidement : l'un autorisait les joueurs à saisir la balle de la main, l'autre l'interdisait. Les équipes devaient souvent se mettre d'accord, avant le début du match, sur les règles qui seraient appliquées au cours de la rencontre.

Le 26 octobre 1863, les membres de onze clubs londoniens se réunirent dans une taverne pour fonder la Football Association, qui serait chargée plus tard de codifier les règles du jeu. Les délégués discutèrent âprement pour savoir s'il fallait autoriser les joueurs à « charger, saisir l'adversaire, le bloquer d'un coup de pied ou lui faire un croc-en-jambe » et décidèrent qu'il serait interdit de saisir l'adversaire tout en le bloquant d'un coup de pied. Les délégués de Rugby et de Blackheath manifestèrent leur désaccord et, n'obtenant pas gain de cause, quittèrent l'association. En 1871, ils contribuèrent à fonder la Rugby Union.

Paradoxalement, les huit premières règles de la Football Association correspondaient à celles du rugby d'aujourd'hui. Elles permettaient de prendre le ballon à la main ; les buts étaient marqués en envoyant la balle à n'importe quelle hauteur entre les poteaux ; le joueur qui réussissait à marquer un essai – en plaquant le ballon dans la zone de l'en-but adverse – était autorisé à botter. La règle n° 9 spécifiait que les joueurs ne devaient pas se déplacer en portant le ballon. Ces règles subirent bien des modifications avant de constituer le code du football tel que nous le connaissons aujourd'hui : celui qui se joue entre deux équipes d'onze joueurs et où il est interdit – sauf pour le gardien – de toucher le ballon de la main.

La Rugby Union codifia les règles du jeu à quinze. Réservé aux joueurs non professionnels, celui-ci se pratique avec un ballon ovale et le jeu à la main y est prédominant. En 1922, les clubs du nord de l'Angleterre, qui s'étaient retirés de la Rugby Union pour pouvoir verser à leurs joueurs les indemnités que ceux-ci réclamaient, fondèrent la Rugby League et édictèrent les règles d'une nouvelle forme de rugby, le jeu à treize.

Les colons britanniques avaient importé leur football tumultueux en Amérique du Nord. Avec l'arrivée plus tardive du rugby, le football américain se transforma en un sport violent et spectaculaire, nécessitant un équipement de protection spécial. Dans les années 1850, les soldats irlandais introduisirent le football gaélique à Melbourne ; les joueurs de cricket australiens, qui cherchaient un sport à pratiquer l'hiver, combinèrent ce jeu avec le rugby et codifièrent leurs propres règles. Le football australien oppose deux équipes de dix-huit joueurs. Très populaire, ce jeu attire des foules considérables.

Un tennis de haute précision

Le jeu de paume, ancêtre du tennis, fut connu en France dès le XIe siècle. Il se pratiqua d'abord dans les monastères, où l'on jouait à main découverte (avec la paume). Par la suite, les salles de jeu de paume retinrent certaines caractéristiques des cloîtres, comme le toit élevé et les galeries.

Drôles de points !

Au tennis, pour gagner un jeu, il faut avoir marqué quatre points. Dès lors, l'arbitre pourrait se borner à annoncer un-zéro, deux-zéro, trois-zéro, puis jeu. Pourtant, étrangement, au tennis le premier point est compté quinze, le deuxième trente et le troisième quarante (alors qu'on attendrait quarante-cinq) ; et dans les pays anglo-saxons, on annonce *love* pour zéro et *deuce* pour égalité lorsque les deux adversaires sont parvenus chacun à quarante.

En fait, le tennis est dérivé du jeu de paume, connu en France depuis le Moyen Âge. Et il lui doit, entre autres, son étrange système de décompte des points, qui fut adopté officiellement en 1877, lors du premier tournoi de Wimbledon.

Le jeu de paume se pratiquait sur un terrain couvert. Selon certains historiens, le score était affiché sur un cadran d'horloge, deux aiguilles indiquant respectivement les points de chacun des joueurs. Après le premier engagement, l'aiguille correspondante était déplacée d'un quart d'heure pour afficher quinze points. À l'origine, le décompte se faisait probablement de quinze en quinze : le premier point comptait quinze, le deuxième trente, le troisième quarante-cinq, et on suppose que quarante-cinq devint quarante.

Selon une autre explication, l'affichage du score, à l'époque médiévale, se faisait sur un sextant, instrument muni d'une échelle graduée de 60°. Et dans un jeu de quatre points, chaque point valait 15°.

D'autres historiens expliquent que les parties de paume se jouaient presque toujours pour de l'argent. On empilait à un coin du terrain soixante pièces de monnaie en tas de quinze, chaque tas correspondant à un des quatre points du jeu.

Le joueur qui atteignait quarante-cinq (soit trois points) devait marquer un point supplémentaire pour gagner le jeu. On annonçait alors *una*. Si les deux adversaires étaient à égalité (quarante-cinq à quarante-cinq), il fallait obtenir deux points successifs – *due*, en italien – pour marquer. Le vocable passa en anglais, où il devint *deuce*. De la même façon, *love*, pour zéro, serait une déformation du français « l'œuf » (l'œuf ayant la forme du chiffre 0).

Pourquoi le tennis est-il devenu si rapide ?

En 1991, huit ans après s'être retiré de la compétition, l'ancien champion du monde Bjorn Borg voulut reprendre la raquette. Il fut battu à plate couture par son adversaire, classé 52e joueur mondial : Borg ne gagna que cinq jeux sur dix-sept.

Lors de cette rencontre, Borg joua avec une raquette en bois similaire à celles qui lui avaient permis de remporter soixante-deux tournois. Son adversaire, l'Espagnol Jordi Arrese, utilisait une raquette ultramoderne en graphite. Celle-ci renvoyait la balle à une vitesse de 30 % supérieure, et son tamis était de 35 % plus grand que celui de la raquette de Borg.

Il y a vingt ans, les joueurs de haut niveau utilisaient des raquettes constituées de plusieurs bois différents, sous forme de lattes encollées (frêne, hêtre, noyer, érable). L'usage des cadres en bois et aluminium dans les modèles apparus ultérieurement limita la taille du tamis, car si la raquette conservait un poids acceptable (entre 340 et 400 g), un tamis plus grand risquait de se voiler rapidement sous la contrainte du cordage et les impacts de la balle.

En 1976, l'Américain Howard Head inventa une raquette en matériau composite, aluminium et fibres de verre. Cela permit de doubler pratiquement la surface de cordage. D'autres fabricants proposèrent des raquettes encore plus grandes, de sorte qu'en 1989 la Fédération internationale de tennis dut limiter la taille du tamis à 39 cm sur 29.

Des matériaux plus rigides et plus légers, tels le graphite et la fibre de verre, alliés à un cordage plus souple augmentent l'efficacité de la raquette et la puissance du jeu. Des physiciens ont démontré que la vitesse de frappe du joueur est déterminante. Une augmentation de 30 % de la taille du tamis accroît presque d'autant la vitesse de la balle. Les raquettes actuelles ont un tamis de 64 % plus grand que celui d'il y a dix ans et sont deux fois plus épaisses. Pourtant, elles ne pèsent que 280 g, permettant même à un enfant d'envoyer des balles impressionnantes.

Les raquettes actuelles en graphite, à gauche, permettent de frapper la balle plus fort et plus vite. Si le tamis d'une raquette en bois des années 1930 avait été plus grand, cela aurait alourdi la raquette, et la surface de cordage se serait voilée.

Nombre de joueurs professionnels pensent que le tennis est devenu trop rapide et souhaitent une réglementation plus stricte des modèles de raquettes. D'autres considèrent que les recherches en la matière doivent continuer et préconisent de modifier plutôt certains aspects du jeu – par exemple, n'autoriser qu'un seul service pour chaque point ou surélever le filet.

Juge de ligne contre œil électronique

Au cours des grandes rencontres de tennis, l'arbitre de chaise est assisté d'une équipe de juges de ligne, chargés de signaler les balles fautes. Rares sont les matches qui se déroulent sans contestations – parfois très âpres et sanctionnées par des amendes – de la part des joueurs.

Cela n'est guère surprenant : il est extrêmement difficile, en effet, de déterminer avec précision l'endroit où atterrit une balle frappée avec puissance, et les sommes en jeu dans un grand tournoi sont énormes. Au tennis, une balle est bonne si elle retombe sur la ligne. Mais les joueurs professionnels envoient leurs balles à plus de 200 km/h. Une balle de service peut ainsi parcourir 23,77 m en moins de 700 millisecondes. À pareille vitesse, l'œil ne perçoit sa trajectoire que sous la forme d'une traînée floue. Ni l'arbitre ni les juges ne sont en mesure de déterminer avec certitude si un service tangent est bon ou faute.

Pour assister leurs réflexes visuels, ils disposent aujourd'hui d'un œil électronique qui surveille toutes les zones critiques du court. Connu sous le nom de Cyclops (en référence aux géants de la mythologie grecque), ce dispositif est utilisé sur de nombreux courts dans le monde entier.

Cyclops émet des rayons infrarouges invisibles pour l'œil humain. Toute balle qui traverse un de ces rayons déclenche un signal indiquant qu'elle est faute. La ligne de service – la plus difficile à surveiller – est sous le contrôle d'un rayon principal. Lorsqu'une balle la grappe, même sur sa limite extérieure, un signal lumineux jaune s'allume sur l'écran de contrôle de l'arbitre de chaise, indiquant que le service est bon. Une balle qui retombe juste un peu en dehors du carré de service déclenche un signal lumineux rouge, accompagné d'un bip-bip.

Couramment utilisé depuis 1980, Cyclops est pourtant loin d'emporter l'adhésion de tous les joueurs, qui mettent en doute son infaillibilité. Les juges de ligne et l'arbitre apparaissent comme une garantie supplémentaire en cas de défaillance de la technique. Des procédés plus élaborés devraient pourtant permettre, à terme, d'assister efficacement les juges de ligne. Dans le système Accu-Call, un quadrillage de fils conducteurs, incorporé dans le court, indique la position de la balle à chaque fois qu'elle frappe le sol ou le filet. Ces informations sont envoyées lorsque les fils métalliques incrustés dans le revêtement de la balle entrent en contact avec le quadrillage. Elles apparaissent alors sur un écran de contrôle placé devant l'arbitre. L'inconvénient d'Accu-Call est d'être inutilisable sur gazon, car l'humidité de l'herbe provoquerait des courts-circuits.

Un système plus perfectionné encore, le TEL, est constitué de capteurs incorporés à 25 mm sous les lignes. Les capteurs délimitent un champ électromagnétique. Les balles de tennis sont imprégnées de poudre de fer, et leur trajectoire est détectée avant qu'elles ne retombent sur le court. Une balle qui franchit la ligne déclenche un bip sonore indiquant qu'elle est faute. Testé au cours de 45 matches à l'US Open de 1992, TEL a enregistré 2 596 bips ; 301 bips, soit environ trois par set, étaient en désaccord avec les indications des juges de ligne.

Pas moins de douze systèmes sont actuellement testés pour les jeux Olympiques d'Atlanta, en 1996. Cependant, la difficile installation de ces dispositifs sur certains courts – en particulier Roland-Garros – ainsi que son coût élevé en limitent l'utilisation.

Les colères de John McEnroe étaient aussi réputées que la qualité de son tennis. Il fut le premier à contester Cyclops.

D'autres jeux

Le « procédé » bleu

En 1823, dans une prison française, un détenu s'initie au billard par désœuvrement. Puis Mingaud – c'est son nom – se passionne totalement pour le jeu. À tel point qu'une fois sa peine terminée il demande au directeur de la prison de le garder encore un peu derrière les barreaux. Il faut dire que Mingaud est en train de mettre au point une invention qui va bouleverser le billard. À l'époque, les queues sont en bois ou en ivoire. Mais leur faible adhérence ne permet que de frapper la bille en son milieu. Dans sa prison, Mingaud a fabriqué un embout de cuir qu'il fixe à l'extrémité de la queue. Une fois libéré, il stupéfie les autres joueurs en donnant toutes sortes d'effets à sa bille en la frappant de côté. Le procédé de Mingaud révolutionne la façon de jouer au billard, et l'embout en question s'appellera désormais « le procédé ».

L'invention du Français sera complétée l'année suivante par celle d'un Anglais, John Karr. Alors que Mingaud frotte son procédé contre un mur pour qu'il accroche mieux à la bille, le Britannique met dans le commerce des petits sachets de craie. La craie fournit une pellicule abrasive qui permet de mieux communiquer à la bille la poussée de la queue. Les petits sachets deviendront des cubes de craie bleue, le « bleu » qu'utilisent tous les joueurs depuis cette époque.

Le tapis vert du billard

Le billard est dérivé d'un jeu français du XVe siècle, le mail, qui se pratiquait sur l'herbe. Lorsqu'on construisit les premières tables de billard, on les recouvrit d'un tapis ayant l'apparence du gazon. Louis XIV possédait, dit-on, une telle table.

Par la suite, des fabricants anglais, sans doute pour se démarquer de leurs concurrents, recouvrirent leurs billards de tapis de différentes couleurs. Une table orange occasionna un violent incident qui eut pour effet de fixer la couleur du tapis de feutre.

En effet, le 8 décembre 1871, à Plymouth, un homme fut traduit en justice pour s'être livré à des actes de violence au cours d'une bagarre. La rixe avait éclaté autour d'une table de billard orange. L'un des joueurs accusa son adversaire d'avoir déplacé une boule. Comme l'éclairage était insuffisant et que la boule rouge se détachait mal sur le tapis orange, les magistrats jugèrent que l'homme était coupable, mais ils ne lui infligèrent aucune sanction, estimant que la faute revenait en partie à la table. Dans leurs conclusions, ils recommandèrent que les tables fussent, à l'avenir, « recouvertes d'un tapis vert sur lequel la boule rouge, par contraste, se détacherait avec netteté ».

Au siècle dernier, en France, les parties de billard attiraient un public nombreux. Jeu favori des rois, le billard émigra ensuite dans les académies et les arrière-salles des cafés.

Pourquoi les boxeurs portent-ils des gants ?

Les premiers matches de boxe se déroulaient en plein air et à poings nus, et les adversaires se battaient avec acharnement jusqu'à ce que l'un des deux fût mis hors de combat. Il était parfois aussi difficile de contrôler les pugilistes que de modérer l'ardeur du public.

C'est en 1743 que le Britannique Jack Broughton, champion invaincu pendant seize ans, élabora la première réglementation de ce sport et introduisit la boxe en salle, sur un ring entouré de cordes. Les jeunes aristocrates s'engouèrent pour le *noble art*, n'hésitant pas à se mesurer aux champions du jour et à parier avec leurs pairs sur leur propre personne. La perspective de se faire écraser le nez, toutefois, ne les enchantait guère. Afin de réduire le risque de voir ses meilleurs clients défigurés, Broughton imposa aux boxeurs le port de gants rembourrés.

Cette pratique se généralisa et, à partir de 1866, sous l'égide du marquis de Queensberry, une nouvelle réglementation fut adoptée, inchangée jusqu'à aujourd'hui.

Sport national aux États-Unis, le base-ball s'est implanté à Cuba (ci-dessus) et au Japon.

Le base-ball : anglais ou américain ?

La controverse sur les origines du base-ball a longtemps opposé Britanniques et Américains.

L'affaire fut prise très au sérieux, à tel point qu'en 1907 le fabricant d'articles de sports Albert Spalding créa une commission chargée de remonter aux origines du base-ball. Les conclusions des enquêteurs furent sans équivoque : le base-ball avait été inventé en 1839 par Abner Doubleday (qui fut un vaillant combattant de la guerre de Sécession) à Cooperstown, dans l'État de New York. En 1939, à la veille des cérémonies du

D'OÙ VIENT LEUR NOM ?

Les noms de sports et de jeux ont parfois les origines les plus inattendues. Ainsi du billard Snooker, qui, dit-on, doit son appellation... à une insulte ! En 1875, à Jabaltur, en Inde, des officiers britanniques, las de jouer au billard, inventèrent un nouveau jeu, utilisant des billes rouges. Ils y ajoutèrent par la suite des boules de différentes couleurs, portant progressivement celles-ci au nombre de vingt-deux, ce qui correspond au billard-snooker actuel.

Dans les années 1880, le colonel Neville Chamberlain introduisit ce jeu au Ooty Club d'Ootacamund, dans le sud de l'Inde. Un soir, l'un des invités ayant manqué un coup très facile, sir Neville le qualifia de *snooker* – terme péjoratif utilisé dans la Royal Military Academy de Londres pour désigner les élèves officiers de première année, autrement dit les bleus. Craignant d'avoir froissé son invité, le colonel s'empressa d'ajouter : « Nous sommes tous des *snookers* à ce jeu. » Le mot amusa beaucoup l'assistance, et c'est ainsi que le billard-snooker reçut son nom de baptême.

Le badminton, sport qui consiste à se renvoyer par-dessus un filet un volant muni de plumes, est dérivé du jeu de volant pratiqué par les enfants. Il doit son nom au château de Badminton, dans le Gloucestershire, en Angleterre, où la famille et les invités du duc de Beaufort s'y adonnaient autrefois. Comme celle du billard Snooker, la pratique du badminton se répandit dans les années 1870 grâce aux officiers anglais de l'armée des Indes. Les premières règles du badminton furent édictées à Karachi, en 1877.

Le ski, sans conteste le plus populaire des sports d'hiver, tire son origine du mot norvégien *ski*, qui désignait une planchette de bois faisant office de raquette pour marcher dans la neige. Le premier ski connu, trouvé dans une tourbière en Suède, date d'environ 4 500 ans avant J.-C.

Le tennis de table est apparu dans les années 1880, notamment sous l'impulsion d'un ingénieur anglais, James Gibb. On y jouait alors avec une balle de liège. Quelques années plus tard, Gibb introduisit une balle américaine en celluloïd appelée Gossima, qui rendait le jeu plus rapide. En 1901, le Britannique John Jacques, de Croydon, fabricant d'équipement de tennis de table, appela ce jeu ping-pong, forgeant une onomatopée imitant le bruit de la balle de celluloïd venant frapper un côté de la table, puis l'autre. Le ping-pong fut un jeu de salon très en vogue : on y jouait sur une simple table. Par la suite, on fabriqua des tables de dimensions standard.

Un échange au tennis de table enregistré à l'aide d'un stroboscope. Les balles les plus rapides peuvent atteindre 170 km/h.

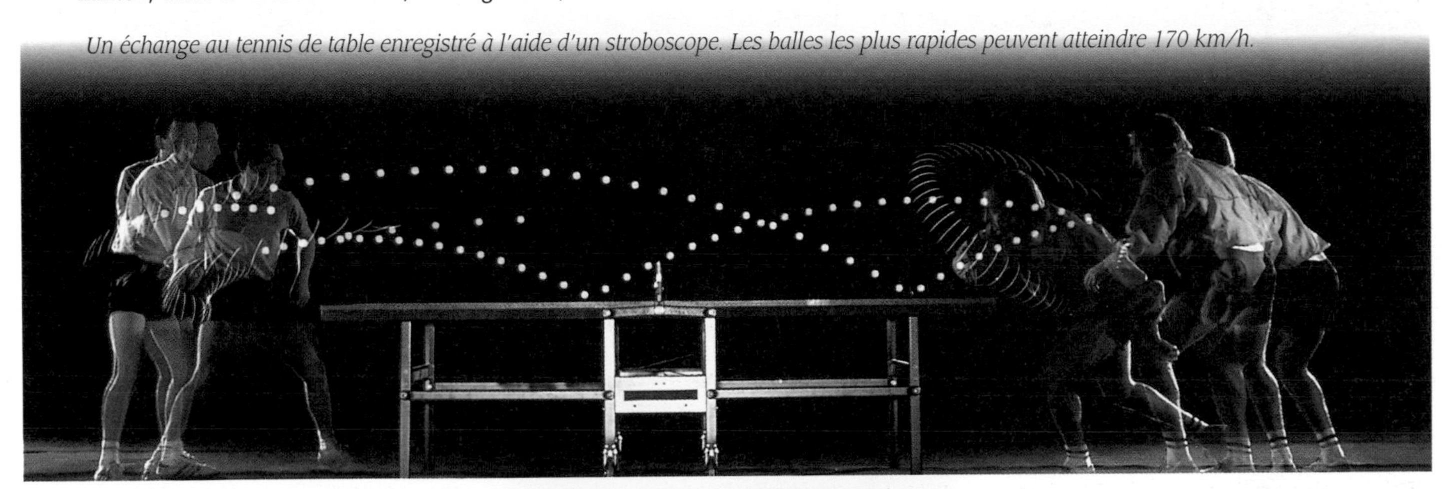

centenaire, un chercheur découvrit le pot aux roses : le rapport de la commission était dû à l'imagination de son président, Abraham G. Mills. Il avait bien connu Abner Doubleday, mais celui-ci n'avait jamais pratiqué le base-ball, ni même mis les pieds à Copperstown en 1839 !

Les chercheurs se tournèrent alors vers l'Angleterre, où l'on retrouva la trace de la première mention du jeu. Elle est due à un pasteur du Kent, qui, en 1700, s'indignait de voir les enfants jouer le dimanche à un jeu nommé base-ball.

Pourquoi y a-t-il dix quilles au bowling ?

Sept millénaires : c'est l'âge du plus ancien jeu de quilles, découvert à Nagada, en Égypte, par le savant britannique sir Flinders Petric, en 1895. Dans la tombe d'un enfant se trouvaient neuf petits vases, qui servaient de quilles, et des boules en porphyre. Le tout datait de 5200 avant notre ère. Des dizaines de siècles plus tard, en 1623, des émigrants allemands et hollandais rapportent le jeu à New York. Il compte alors toujours neuf quilles et devient très populaire en Amérique. Mais, en 1841, les autorités américaines estiment qu'il s'agit d'un jeu de hasard et l'interdisent. Pour contourner la loi qui interdit le jeu à neuf quilles, les passionnés ont l'idée d'en ajouter une 10e. Cette forme de jeu sera finalement autorisée et officialisée en 1895, par la création de l'American Bowling Association, d'après le mot anglais *bowl*, qui signifie rouler, lancer. Les règles sont définitivement fixées et le bowling est introduit en Europe par les GI's.

Le but du bowling est de renverser le maximum de quilles avec une boule. Si les dix quilles tombent à la première boule, c'est un strike.

Des obstacles redoutables, tel le Valentine's Brook, jalonnent le parcours du Grand National de Liverpool, le steeple-chase le plus impressionnant du monde. Nombre de cavaliers et de chevaux ont trouvé la mort dans cette course.

Qu'appelle-t-on le steeple-chase ?

Le steeple-chase, épreuve hippique comportant une série d'obstacles – haies, barrières, fossés ou rivières –, prend son origine dans des courses de chevaux qui étaient organisées dans la campagne, à travers champs (ces courses étant elles-mêmes dérivées des sports de chasse).

Le parcours était défini par certains points de repère, et la course s'achevait généralement dans un village, dont le point culminant – le plus visible de loin – était le clocher *(steeple)* de l'église.

Les cavaliers se repéraient sur le clocher, qui constituait la ligne d'arrivée du steeple-chase, ou course au clocher.

Un même anniversaire pour tous les chevaux

Dans l'hémisphère Nord, un cheval de course né le 31 décembre devient un cheval d'un an dès le lendemain, 1er janvier, de même que tous les pur-sang nés la même année que lui. Pour les pur-sang nés dans l'hémisphère Sud, la date anniversaire est fixée au 1er août.

C'est en 1834 que l'on décida en Grande-Bretagne de donner à tous les chevaux de course le même jour anniversaire (le 1er janvier), afin de faciliter le classement par catégorie d'âge. Des courses telles que le grand prix de Paris ou le prix du Jockey Club, par exemple, sont réservées aux trois ans.

Cette mesure limite la tricherie sur l'âge du cheval, mais elle comporte également une certaine part d'injustice. En effet, un cheval né à la fin du mois de décembre sera peut-être amené à concourir avec des chevaux âgés de près d'un an de plus. Mais aucun système ne saura jamais pallier cet inconvénient. Dans une course réservée aux trois ans, même si elle est fondée sur la date de naissance réelle des chevaux, il pourrait toujours y avoir une différence de près d'un an entre les participants les plus jeunes et les plus âgés.

Pourquoi a-t-on adopté le fosbury flop ?

La plupart des sauteurs de haut niveau utilisent aujourd'hui le fosbury flop, une technique de saut qui consiste à franchir la barre en position dorsale. C'est l'Américain Dick Fosbury, médaille d'or aux jeux Olympiques en 1968, qui en fut l'initiateur. Depuis lors, le fosbury flop a démontré sa supériorité sur les autres techniques de saut en hauteur. Adopté par la majorité des athlètes, il a permis de battre plusieurs records du monde, y compris la performance... de Dick Fosbury.

Pourquoi les sumotoris sont-ils si gros ?

Premier art martial japonais, le sumo est riche d'une tradition deux fois millénaire. À l'origine, les combats étaient souvent mortels. Nombre de sumotoris (lutteurs de sumo) y perdirent la vie.

Le Japon compte aujourd'hui 800 lutteurs professionnels – les *rikishi,* véritables montagnes de chair dont le rêve est de devenir *yokozuna*, grand maître de ce sport ancestral. Le choc qui a lieu entre deux sumotoris est si violent qu'il y a de quoi se demander comment ils y survivent !

Le poids du lutteur dépasse souvent 135 kg. Konishiki, le lutteur le plus lourd du Japon, a atteint 252 kg ! Pour parvenir à ce poids, le *rikishi* engloutit des portions gargantuesques d'un ragoût hyperprotéiné qui va le doter de cuisses énormes et d'un ventre impressionnant. Car le déplacement du centre de gravité vers le bas du corps augmente la résistance du lutteur : et plus un sumotori est lourd et massif, plus son adversaire aura de mal à le jeter à terre ou hors de l'aire de combat, un cercle de 4,60 m de diamètre.

Lorsqu'ils interrompent leur carrière professionnelle, les sumotoris maigrissent rapidement. Mais toutes ces années de surcharge pondérale se paient cher, et, au Japon, où l'espérance de vie pour les hommes atteint soixante-seize ans (c'est la plus élevée du monde), celle des lutteurs de sumo est de soixante-quatre ans seulement.

Deux monstres de chair se saluent avant le combat. Pour s'assurer une descendance de poids, les lutteurs de sumo épousent fréquemment des filles de sumotori.

MERVEILLES DE LA NATURE

Repas gargantuesque pour python PAGE 298

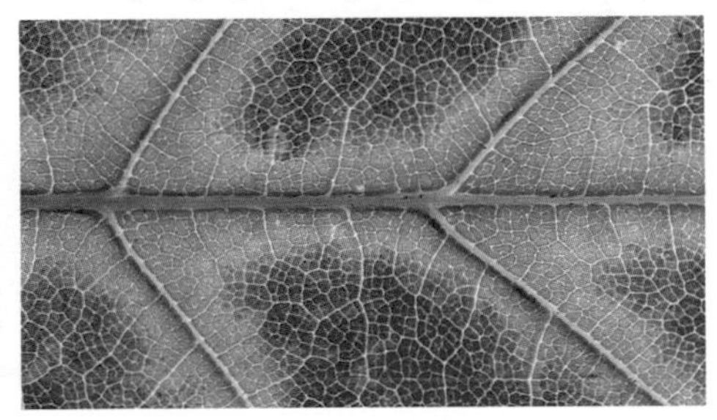

Pourquoi certains arbres perdent-ils leurs feuilles en hiver ? PAGE 322

Des papillons éclatants le jour PAGE 314

Histoires d'animaux

Des mammifères au pelage discret

À quelques exceptions près, les mammifères forment un groupe peu voyant. Leur pelage, habituellement dans les tons bruns ou gris, se fond à merveille dans le paysage qui les environne, mais il paraît bien terne à côté des livrées éclatantes de nombre d'oiseaux et poissons.

Les mammifères terrestres, qu'ils soient prédateurs ou proies, n'ont pas avantage à attirer l'attention. Le matin et le soir, moments où ils sont le plus vulnérables, leur pelage réfléchit à peu près autant de lumière que leur environnement habituel.

La plupart des mammifères ne perçoivent pas les couleurs, mais les variations d'intensité lumineuse. La rétine de l'œil des félins comporte beaucoup plus de cellules en bâtonnets que de cellules en cônes : les premières sont sensibles à la lumière, les secondes aux couleurs.

Certains mammifères, tels les zèbres, sont dotés d'un marquage prononcé – mais pas de couleur vive – qui leur sert à reconnaître les membres du troupeau auquel ils appartiennent et à se regrouper rapidement en cas de danger.

Les mammifères au pelage plus coloré, comme le grand écureuil volant et le petit écureuil des forêts tropicales d'Asie, ont une certaine perception des couleurs. De même que les lémurs, petits primates très agiles que l'on trouve principalement à Madagascar.

Chez les singes, mammifères dont la perception des couleurs se rapproche le plus de celle de l'homme, les différences de pigmentation de la peau et de la fourrure servent à la reconnaissance de l'espèce et du sexe ; elles peuvent aussi traduire une émotion. Ainsi, le mandrill d'Afrique a un museau rouge à bandes bleues sur les côtés et des callosités fessières bleues bordées de rose ; ces couleurs s'accentuent lorsque l'animal est excité.

À la différence de la plupart des mammifères, les primates ont une certaine perception des couleurs. Voici des aras vus par l'œil humain (à gauche) et par des singes du Nouveau Monde (à droite).

Pourquoi les chameaux ont-ils des bosses ?

Selon une opinion largement répandue, les chameaux utiliseraient leurs bosses comme des réservoirs d'eau qui leur permettraient de parcourir de vastes étendues désertiques.

En réalité, les bosses du chameau sont formées de tissus fibreux adipeux, qui constituent une réserve de graisse dans laquelle l'animal peut puiser lorsqu'il manque de nourriture.

La plupart des mammifères stockent leur surplus de graisse dans une couche adipeuse qui retient la chaleur du corps. Vivant sous des climats extrêmement chauds, le chameau n'a que faire d'un manteau protecteur qui l'empêcherait de se rafraîchir. Il porte donc sa réserve de graisse sur son dos – dans deux bosses chez le chameau de Bactriane, que l'on trouve en Asie centrale, dans une bosse chez le dromadaire africain.

Les animaux homéothermes (à sang chaud) doivent maintenir constante la température de leur corps. En cas de forte chaleur extérieure, ils évitent de rester au soleil ou se rafraîchissent par la transpiration, mais celle-ci entraîne une perte en eau et déshydrate l'organisme. Une déshydratation excessive conduit à un épaississement du sang pouvant être fatal.

Pour affronter les fortes chaleurs des déserts, le chameau bénéficie d'un système de régulation de la température du corps. Celle-ci chute à 35 °C pendant la nuit et augmente progressivement pendant la journée jusqu'à 41 °C ; c'est alors seulement que l'animal commence à transpirer. Les pertes en eau sont uniformément réparties sur l'ensemble du corps, tissus organiques et sang. Ainsi le chameau peut-il perdre jusqu'à 40 % de son poids sans que sa vie soit menacée. Arrivé dans une oasis, il peut boire jusqu'à 200 l d'eau d'un seul trait !

Le chameau à une bosse, ou dromadaire, est apparu en Arabie, en Afrique du Nord et dans les terres basses d'Asie centrale ; le chameau à deux bosses est originaire de régions désertiques situées plus au nord et à l'est. Domestiquées depuis des siècles, les deux espèces sont utilisées encore aujourd'hui comme animaux de bât.

Pourquoi les biches n'ont-elles pas de bois ?

Les cornes qui ornent la tête de certains mammifères servent habituellement d'armes défensives. Chez les cerfs, les mâles seuls portent des bois. Ils les arborent tels des étendards durant la saison de la reproduction, lorsqu'ils s'affrontent pour la possession des femelles. Les combats peuvent parfois paraître d'une rare violence, mais les blessures occasionnées par les bois sont rares, car les ramures des deux combattants viennent s'emmêler, ce qui les empêche d'entailler la chair. À l'issue de l'affrontement, le cerf vainqueur devient le maître d'un groupe de biches : le vaincu se retire pour aller se battre ailleurs contre un autre cerf. Après la saison de la reproduction, qui se situe à l'automne ou au début de l'hiver, les combats se raréfient, car les bois des cerfs ne résisteraient pas à la violence des assauts. Vers la fin de l'hiver, les bois s'atrophient, puis tombent.

Les cerfs mangent d'abondantes quantités de nourriture pour reconstituer leurs réserves d'énergie et leurs bois. Ceux-ci repoussent chaque année, avec des andouillers de plus en plus nombreux qui attestent l'âge du cerf.

À la repousse, les bois sont recouverts d'une peau duveteuse très sensible, appelée velours, et les cerfs évitent alors d'affronter leurs rivaux. À la fin de l'été, le velours se dessèche, puis tombe, laissant un os insensible, capable d'absorber des

Bois contre bois, deux cerfs communs s'affrontent pour la possession de la harde. Les combats sont impressionnants, mais il est rare que les rivaux soient blessés. À la différence des cornes d'autres animaux, les bois des cerfs sont caducs. Ils tombent et repoussent tous les ans.

chocs puissants sans entraîner de douleur chez l'animal qui le porte.

Les cornes de nombreux autres animaux – bœufs, buffles, moutons, chèvres – ont une croissance lente qui dure pendant presque toute la vie de l'animal. Elles servent d'armes défensives pour les mâles comme pour les femelles, ces dernières les utilisant notamment pour défendre leurs petits. Chez les mâles, les cornes sont généralement plus grandes, car ceux-ci, à l'instar des cerfs, les utilisent aussi dans des combats rituels.

Pourquoi le rhinocéros blanc n'est-il pas blanc ?

Il existe deux espèces de rhinocéros en Afrique : l'un est dit blanc, l'autre noir. L'un comme l'autre aiment se baigner dans les mares boueuses : ils en émergent couverts d'une pellicule de boue qui les rafraîchit tout en les protégeant des piqûres des insectes. L'un comme l'autre ont une peau de couleur gris sombre.

Le rhinocéros « blanc » doit son appellation à une traduction erronée du mot africain signifiant « large », qui s'applique à la forme de la bouche. En réalité, les lèvres du rhinocéros blanc sont de forme carrée, celles du rhinocéros noir étant recourbées. Les deux espèces portent deux cornes l'une derrière l'autre. La corne la plus longue, qui peut mesurer jusqu'à 1,50 m chez le rhinocéros blanc, est fort prisée par les braconniers, qui la revendent à prix d'or (réduite en poudre, elle sera utilisée dans les médecines traditionnelles orientales).

Le rhinocéros habite également certaines parties de l'Asie. Celui de Sumatra possède deux cornes ; celui de l'Inde, dont la peau présente des replis formant des plaques indurées, n'en a qu'une. Le rhinocéros à une corne de Java, dont il ne subsiste qu'une cinquantaine d'individus, est une espèce menacée de disparition. Paisible herbivore, le rhinocéros a pourtant une réputation d'agressivité. Sa vision médiocre ne lui permet pas d'identifier aisément l'origine d'un bruit étrange ou d'une odeur inhabituelle. Dès lors, quand l'animal est dérangé, il craint le pire et charge de toute sa masse. Ce qui n'est jamais sans danger : le poids d'un rhinocéros blanc peut atteindre 4 t !

Doté de deux cornes, le rhinocéros blanc est reconnaissable à ses lèvres carrées. Comme les autres espèces de rhinocéros, il est aujourd'hui menacé d'extinction.

Pourquoi certains animaux ruminent-ils ?

Les animaux herbivores qui broutent de l'herbe ou des feuillages avalent rapidement leur nourriture sans la mâcher. La rumination n'intervient que plus tard, lorsque l'animal est au repos. Les moutons, les chèvres, les bovins, les cerfs, les antilopes et les girafes ont en commun d'être tous des ruminants. Ils accumulent la nourriture ingérée dans un compartiment spécial de l'estomac appelé panse (ou rumen). Les aliments y sont attaqués par des bactéries qui amorcent la digestion de la cellulose dont se composent les végétaux. La rumination proprement dite commence lorsque l'animal, une fois rassasié et au repos, fait remonter le contenu de sa panse dans la bouche.

L'estomac des ruminants est constitué de quatre compartiments. Après leur séjour dans la panse, les végétaux passent dans une petite poche voisine, le bonnet, où ils sont agglomérés en boulettes. L'animal régurgite celles-ci une par une et les mâche lentement pour les réduire en pulpe. Le bol alimentaire gagne alors un troisième compartiment, le feuillet, avant de passer dans la caillette – qui constitue l'estomac proprement dit –, où les sucs gastriques parachèvent la digestion.

Ce processus permet aux ruminants d'assimiler parfaitement les végétaux les plus coriaces, réputés indigestes. Autre avantage : l'animal peut avaler sa nourriture très rapidement, et, en cas de danger soudain, gagner un endroit où il sera en sécurité pour ruminer.

Lorsque les veaux et les autres petits des ruminants avalent du lait, celui-ci passe directement dans la caillette, où il est caillé et digéré. La présure, substance sèche extraite de la muqueuse du quatrième compartiment de l'estomac des jeunes veaux, contient une enzyme qui fait coaguler le lait. La présure est utilisée pour fabriquer le fromage et le lait caillé.

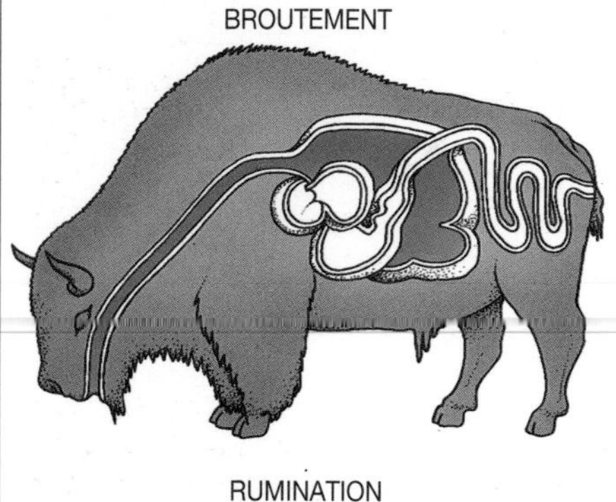

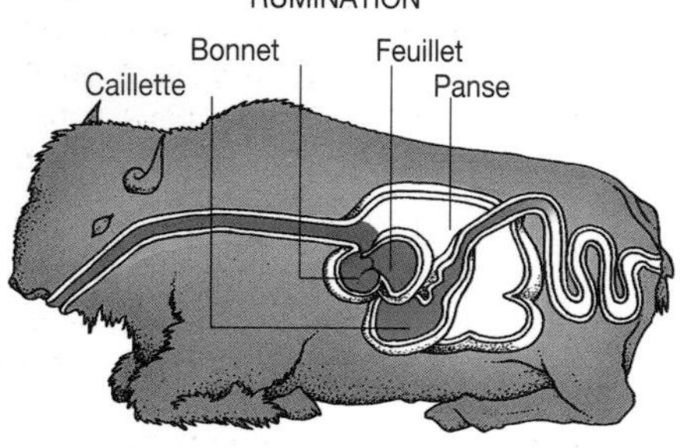

Les ruminants ont un estomac constitué de quatre compartiments. La nourriture qu'ils avalent en broutant passe directement dans la panse et le feuillet. Les aliments seront ensuite régurgités et mâchés avant de gagner le feuillet et la caillette, équivalent de notre estomac.

Les ours blancs hibernent-ils ?

Quand vient l'hiver, l'ours brun d'Europe septentrionale, le grizzli et l'ours noir d'Amérique du Nord s'enfouissent dans une tanière de neige et font un somme jusqu'au printemps. L'ours blanc, qui vit pourtant dans un climat beaucoup plus sévère, sur les côtes de l'océan Arctique, reste actif tout au long de l'année.

Cette différence de comportement s'explique par le régime alimentaire des uns et des autres. Les ours bruns et les ours noirs sont végétariens : leurs sources de nourriture s'épuisent en hiver, ou disparaissent sous une épaisse couche de neige. Les ours blancs, en revanche, sont des carnivores se nourrissant essentiellement de chair de phoque.

L'épaisse fourrure de l'ours blanc lui permet d'affronter les rigueurs de l'hiver arctique. Elle constitue une protection parfaite contre le froid : des capteurs à infrarouges, utilisés par les scientifiques pour tester son efficacité, n'ont pu déceler aucune perte de chaleur corporelle.

Quand la glace recule, durant le bref été arctique, l'ours blanc émigre vers les terres. Il a tendance à moins chasser et perd du poids. Lorsqu'il doit poursuivre une proie, il se déplace à une vitesse impressionnante qui lui permet d'attraper des renards, des lemmings et des oiseaux aquatiques.

La fourrure de l'ours blanc est remarquablement adaptée aux rigueurs de l'Arctique. À la différence de celle du phoque ou de la loutre, elle n'est pas imperméable, mais les poils raides de la couche externe du pelage constituent une barrière efficace contre l'eau et la neige.

À lui seul, cet épais manteau serait toutefois insuffisant pour permettre à l'ours blanc de résister à des températures hivernales voisines de - 50 °C, particulièrement préjudiciables aux poumons. Le museau de l'animal est donc doté d'une membrane qui joue le rôle d'un échangeur de chaleur. À chaque inspiration, l'air sec et glacial inhalé est réchauffé et humidifié. À l'expiration, la membrane récupère la chaleur et l'humidité de l'haleine.

Des éléphants aux grandes oreilles

Un éléphant en colère, avec ses immenses oreilles déployées telles des ailes, a de quoi terrifier quiconque se trouve sur son chemin. Pourtant, les grandes oreilles des pachydermes n'ont pas pour fonction essentielle d'effrayer l'adversaire. Ni de chasser les mouches – même si, à l'occasion, elles remplissent efficacement cet office. Recouvertes d'une peau fine parcourue de vaisseaux sanguins, elles permettent avant tout à l'animal de se rafraîchir. L'oreille de l'éléphant d'Afrique, qui peut atteindre près de 2 m en hauteur et presque autant en largeur, est beaucoup plus grande que celle de l'éléphant d'Asie. Lorsqu'il agite les oreilles, la température du sang de celles-ci peut chuter de 5 °C.

Les éléphants de l'Inde, pour leur part, vivent essentiellement dans les forêts ; ils n'ont pas à affronter les fortes chaleurs auxquelles sont exposés leurs homologues des savanes africaines. Les deux espèces sont issues d'ancêtres communs, mais leur aspect est si différent qu'il est impossible de les confondre.

L'éléphant d'Afrique est beaucoup plus grand : le mâle atteint 3,20 m au garrot, soit près de 50 cm de plus que son cousin d'Asie. Le mâle et la femelle possèdent des défenses, alors que, chez l'éléphant asiatique, seul le mâle en est pourvu. L'éléphant d'Afrique se distingue également par son front bombé – celui de l'éléphant d'Asie est concave – et par sa trompe, terminée par deux petites lèvres triangulaires, alors que celle de l'éléphant d'Asie n'en comprend qu'une.

Pourquoi l'éléphant a-t-il une trompe ?

La plupart des mammifères mangent en dirigeant leur bouche vers la nourriture. Les humains constituent une des rares exceptions à la règle : ils portent les aliments à leur bouche. Les éléphants font de même. S'ils ne possédaient pas de trompe, ils seraient obligés de s'agenouiller pour manger l'herbe des savanes : les branches hautes des arbres seraient hors de leur portée.

Les éléphants grandissent et prennent du poids tout au long de leur vie. À trente ans, un éléphant d'Afrique peut mesurer près de 3 m de hauteur et peser plus de 4 t ; les vieux mâles dépassent 6 t. Cette silhouette massive constitue un bon moyen de défense, mais elle est peu compatible avec la souplesse. Il n'est pas facile, pour un éléphant, de se baisser, de s'agenouiller ou de s'étendre.

Organe olfactif à l'origine, la trompe permet de résoudre le problème. Grâce à elle, l'éléphant peut manger et boire debout, la tête haute, en conservant toute sa vigilance. Il est le seul mammifère à utiliser une trompe pour porter les aliments et l'eau à sa bouche.

La trompe lui sert également à se rafraîchir le corps en l'aspergeant d'eau ou de boue, et à pulvériser de la poussière sur sa peau pour la débarrasser des parasites. Elle est aussi un outil fort utile pour arracher les obstacles. Avec un peu d'entraînement, l'éléphant peut même l'utiliser pour dénouer des cordes. Sa bouche n'ayant pas besoin d'aller vers la nourriture, l'éléphant a vu ses incisives supérieures se développer considérablement. Ses défenses d'ivoire font l'objet d'un braconnage intensif et meurtrier qui risque de mettre en péril l'existence de l'espèce.

Déployées telle une voilure, les oreilles de l'éléphant africain accentuent l'aspect impressionnant du pachyderme. Leur tâche essentielle est de rafraîchir l'animal.

Pourquoi les tigres ont-ils peur des masques ?

Les tigres ont la réputation d'être de redoutables mangeurs d'hommes. Autrefois, ils étaient responsables de plusieurs milliers de morts par an. Un spécimen particulièrement meurtrier, connu sous le nom de tigresse de Champawat, fit à lui seul plus de 430 victimes. L'homme ne fait pas partie de l'ordinaire du tigre, mais, à l'instar de la plupart des autres grands félins, celui-ci ne dédaigne pas s'attaquer aux humains si l'occasion se présente.

En 1670, le voyageur français François Bernier décrivit des tigres mangeurs d'hommes grimpant à bord des navires à

Le tigre attaque habituellement par-derrière. Un masque porté à l'arrière de la tête empêche l'animal de passer à l'action.

la recherche de leurs proies. Près de 500 tigres vivent aujourd'hui dans la région des Sundarbans. Depuis 1987, des scientifiques ont découvert un moyen de protection efficace : il s'agit d'un masque en plastique représentant un visage humain, que portent derrière la tête ceux qui s'aventurent dans la forêt et la mangrove.

Les tigres, en effet, attaquent habituellement leur proie par-derrière, mais un homme portant un masque facial sur la nuque semble ne plus avoir de dos ! Des milliers de personnes ayant porté ce type de masque dans la forêt racontent avoir été suivies par des tigres manifestement perplexes, qui ont fini par abandonner la traque sans les attaquer. Curieusement, cet ingénieux stratagème pourrait avoir été inspiré par des papillons. Pour décourager les prédateurs éventuels, par exemple les oiseaux, nombre de lépidoptères, ainsi que certains insectes, portent sur leurs ailes des ocelles ressemblant à des yeux, dont le but est de faire dévier l'attaque de l'agresseur.

L'emploi des masques se révèle extrêmement efficace, mais l'on s'efforce également de décourager les tigres de s'attaquer à l'homme par une autre méthode, relevant du dressage. On attire un tigre en maraude vers un mannequin aux vêtements imprégnés d'odeur humaine et au corps relié à une batterie ; l'animal reçoit une décharge électrique propre à le dissuader de récidiver. De nos jours, les tigres mangeurs d'hommes ne sont abattus qu'en dernier recours. Les autorités veillent en particulier à ce que les femelles élevant des petits disposent d'une nourriture adéquate et ne soient pas tentées de compléter leur régime en faisant un raid sur le village le plus proche.

LE GUÉPARD, SPRINTER DES SAVANES

Les guépards ne semblent guère à leur place dans les plaines africaines, qui constituent pourtant leur habitat habituel. À la différence des autres félins, ils chassent en plein jour dans la savane, où, sur fond d'herbes sèches et de broussailles, leur pelage moucheté de taches noires constitue un piètre camouflage. Peu habile à traquer une proie, le guépard doit recourir à l'approche à découvert, ce qui a pour effet de mettre en fuite l'animal qu'il convoite – en général, une antilope plus lente que ses compagnes. L'arme du guépard est sa vitesse et sa puissance d'accélération ; lorsqu'il s'élance à la poursuite de sa proie, ce grand félin, dont les bonds dépassent parfois 7 m, peut faire des pointes à 110 km/h.

S'il est le sprinter le plus rapide parmi les mammifères, le guépard n'est pas un coureur de fond : il ne peut tenir la cadence sur plus de 500 m – une distance considérable pour n'importe quel animal, mais insuffisante pour rattraper une proie agile qui a pris un bon départ. En moyenne, la poursuite dure une vingtaine de secondes, et une seule tentative sur deux est couronnée de succès.

Nul fossile de guépard n'a jamais été trouvé en Afrique, ce qui semble indiquer que ce félin serait originaire d'Asie. Très prisé pour sa vitesse dans les pays asiatiques, il était gardé en captivité par les princes, qui l'utilisaient comme auxiliaire pour la chasse.

Le guépard grimpe rarement aux arbres, et ses griffes ne sont pas rétractiles comme celles des autres félins. À cet égard, il se rapprocherait plutôt du chien, auquel le rattache également sa préférence pour l'activité diurne.

Le guépard est le plus rapide des quadrupèdes. Il peut faire des pointes à 110 km/h, mais il ne tient pas longtemps la cadence, et une proie sur deux lui échappe.

Pourquoi les léopards ont-ils un pelage tacheté ?

Prompts à l'attaque, redoutables par la puissance avec laquelle ils se saisissent de leur victime, le lion, le tigre, le jaguar, le léopard (ou panthère d'Afrique) et l'once (ou panthère des neiges) sont trop lourds pour pouvoir poursuivre leurs proies sur de longues distances. Ils préfèrent s'embusquer pour les surprendre à proximité d'un point d'eau, ou encore les traquer furtivement, avec lenteur et patience. Quelle que soit la tactique choisie, ils doivent se dissimuler pour passer à l'action. Leur pelage, qui leur procure un camouflage adéquat, varie en fonction de leur habitat.

Le léopard, le jaguar et l'ocelot vivent en terrain boisé. Leur fourrure jaune ou fauve mouchetée de taches sombres imite les jeux d'ombre et de lumière des feuillages. L'once, dotée d'une fourrure blanche marquée de rosettes sombres, passe l'hiver dans les forêts de montagne. En été, elle gagne des terres plus hautes pour chasser ses proies – bouquetins, moutons et chèvres sauvages, oiseaux – et la coloration de son pelage varie en fonction de son environnement.

Le tigre habite aussi bien la jungle tropicale et les mangroves que les forêts des régions plus arides ; il sort dans les clairières pour s'attaquer aux animaux herbivores, comme le buffle ou le cerf, et tue souvent plus qu'il n'en a besoin pour satisfaire son appétit.

Ayant une acuité visuelle faible et un odorat peu développé, le tigre chasse à l'oreille. Son pelage fauve marqué de stries verticales, qui se fond à merveille dans les hautes herbes et les broussailles, lui permet de s'approcher discrètement de sa proie. Le lion est doté d'un pelage uni, car il n'a besoin ni de stries ni de mouchetures. Sa robe fauve est parfaitement assortie à la savane africaine où il évolue normalement. Pour chasser, il s'embusque et suit furtivement sa proie avant d'attaquer par surprise. Les lionnes chassent le plus souvent en bande, deux d'entre elles dirigeant la proie vers le reste du groupe, tapi dans l'herbe.

Le pelage moucheté du léopard permet à celui-ci de se fondre dans la forêt ; les stries du tigre le dissimulent efficacement dans les plaines herbeuses.

Des yeux qui brillent la nuit

Les félins sont remarquablement adaptés à la chasse nocturne. La plupart des quarante espèces qui composent la famille des félidés, depuis le lion et le tigre jusqu'aux chats sauvages, ont des yeux très grands par rapport à la taille de leur crâne. Les yeux des chats domestiques sont presque aussi gros que les nôtres, et leur pupille peut se dilater près de trois fois plus que l'œil humain afin de laisser pénétrer le maximum de lumière.

Le chat – pas plus qu'aucun autre animal – ne peut voir dans le noir absolu, mais son œil présente une caractéristique particulièrement importante pour la vision nocturne : la zone située derrière la rétine est constituée d'une couche de cristaux de guanine, appelée le tapis, qui joue le rôle d'un miroir ; elle réfléchit la lumière qui n'a pas été absorbée par les cellules réceptrices et donne à ces dernières une nouvelle possibilité de capter une image. C'est grâce à ce miroir que les yeux des félins brillent dans l'obscurité.

Les chats, de même que beaucoup d'autres chasseurs nocturnes, peuvent ainsi tirer le meilleur parti d'une faible lumière pour repérer le plus infime mouvement. Mais leur acuité visuelle se trouve diminuée. Le tapis rétinien, s'il augmente la luminosité de l'image, rend aussi la vision plus floue.

Contrairement à ce que l'on observe chez beaucoup d'autres mammifères, les yeux des chats sont placés, comme les nôtres, sur le devant de la face. Nombre d'écrivains ont pu voir dans cette similitude de la position des yeux l'une des raisons de la fascination que les félins ont de tout temps exercé sur l'homme. Cette implantation des yeux, qui améliore la vision stéréoscopique – la perception du relief –, assure aux félins une bonne évaluation des distances. Un avantage primordial lorsqu'il s'agit de saisir rapidement sa proie. Pour ces prédateurs, le succès de la chasse dépend de la vitesse et de la précision du coup.

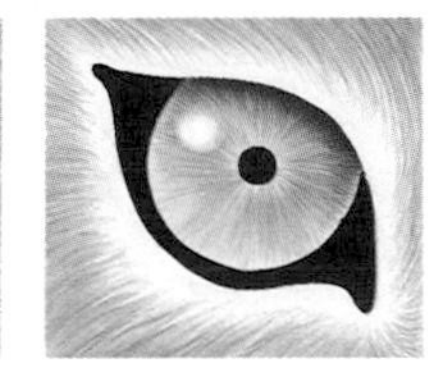

Tel l'objectif d'une caméra, les pupilles des félins contrôlent la quantité de lumière susceptible d'atteindre la rétine. Les pupilles du léopard (ci-dessus) se dilatent au maximum dans l'obscurité. Pour éviter l'éblouissement, la pupille du chat se contracte en une fente ; celle du léopard se rétrécit en un petit rond de la taille d'un point.

Les chats sont dotés d'une pupille verticale ovale qui les protège de l'éblouissement lorsqu'ils chassent en plein jour ; au soleil, leur pupille se contracte en une fente minuscule pour limiter la quantité de lumière qui pénètre dans l'œil. Excellents chasseurs nocturnes, les félins ont, en revanche, une mauvaise acuité visuelle de jour. Il suffit parfois que leur proie s'immobilise pour qu'ils la perdent de vue. Pour chasser, ils doivent se fier avant tout à leur odorat et à leur ouïe, qui est excellente. Des expériences faites sur des chats domestiques ont montré que leur perception auditive était incomparablement puis étendue que la nôtre. Ils perçoivent des ultrasons dont les fréquences vont jusqu'à 70 Khz. L'homme, comparativement, ne perçoit pas les fréquences supérieures à 20 kHz.

Des griffes acérées

À la différence du chien, dont les griffes sont toujours sorties, le chat domestique, au repos, fait « patte de velours ». Il en est de même chez tous les autres félidés, à l'exception du guépard, dont les griffes, peu tranchantes, ne sont pas rétractiles. Sans leurs griffes acérées, les lions et les tigres ne pourraient pas capturer leur proie en la saisissant à la gorge avant de lui délivrer le coup de dents fatal. Quant aux félins qui chassent dans les arbres, tel le margay des forêts d'Amérique du Sud, ils auraient du mal à grimper rapidement jusqu'aux branches les plus hautes.

Les félins rétractent les griffes afin de préserver leur tranchant : sorties en permanence, elles s'émousseraient rapidement. Lorsqu'ils ont besoin de s'en servir, un ligament élastique qui se tend à la manière d'un ressort propulse la griffe hors de son fourreau avec la rapidité d'un couteau à cran d'arrêt.

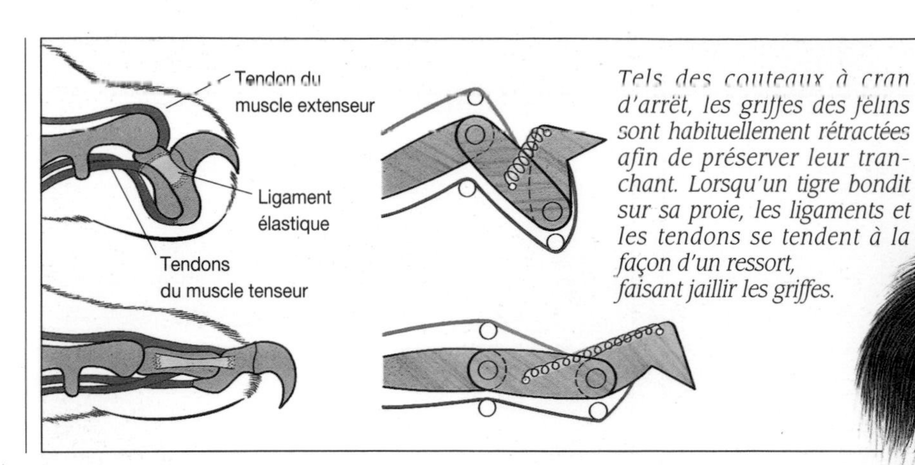

Tels des couteaux à cran d'arrêt, les griffes des félins sont habituellement rétractées afin de préserver leur tranchant. Lorsqu'un tigre bondit sur sa proie, les ligaments et les tendons se tendent à la façon d'un ressort, faisant jaillir les griffes.

Pourquoi les rats rongent-ils du métal ?

Les rats, comme les autres rongeurs – souris, écureuils, porcs-épics, castors... –, ont des incisives tranchantes à croissance continue. Recouvertes d'émail seulement sur leur face avant, elles s'usent en biseau à mesure qu'elles poussent.

Des dents acérées en forme de burin présentent un avantage appréciable pour le rongeur – à condition que l'usure aille de pair avec la croissance. Sinon, les incisives deviendraient trop longues et empêcheraient le rongeur de manger. Dans les cas extrêmes – par exemple, paralysie ou perte de la dent opposée –, l'incisive qui continue de pousser s'incurve en arrière et peut finir par percer la gorge et le museau.

Pour éviter pareil désagrément, les rats, qui disposent pourtant d'une abondance de nourriture plus comestible dans nos poubelles, doivent continuellement se faire les dents en rongeant du bois, du plastique et même du métal.

Pourquoi les lemmings se jettent-ils à la mer ?

Contrairement à une légende tenace, les lemmings ne se jettent pas à la mer du haut des falaises dans une tentative de suicide collectif.

Ces petits rongeurs herbivores se rencontrent sous deux familles différentes. Les lemmings proprement dits, qui vivent dans la toundra scandinave (lemming de Norvège) et dans le Grand Nord canadien (lemming brun, lemming variable). Et les campagnols-lemmings, qui vivent dans les marais du nord-est des États-Unis et du sud du Canada. Ils sont extrêmement prolifiques, en particulier les premiers, qui se reproduisent toutes les trois semaines et dont les portées peuvent atteindre treize petits ! Tous les deux ou trois ans, notamment après un printemps doux où la nourriture a été abondante, la population des lemmings s'accroît de façon considérable. Une grande agitation s'empare des animaux. Les adultes se battent à mort en essayant de s'accoupler, les femelles tuent les petits des autres.

Les ressources alimentaires finissent par s'épuiser. Poussées par la faim, les colonies se dispersent et partent vers de nouveaux territoires. Lors de ces migrations, les lemmings rencontrent des cours d'eau et des lacs qu'ils tentent de traverser. Beaucoup d'entre eux périssent noyés par manque de résistance.

Les années où se produisent l'exode et l'hécatombe des lemmings voient augmenter la population des hermines, des harfangs, des renards arctiques et des ours ; en effet, ceux-ci s'empressent d'occuper les lieux pour profiter du festin.

Pourquoi les mouffettes sentent-elles mauvais ?

Essayez de déranger une mouffette, et vous risquez de recevoir une giclée de liquide nauséabond jaillissant à plus de 3 m de deux glandes anales. L'odeur est particulièrement tenace sur les cheveux et les vêtements en laine, et elle s'accentue encore lorsqu'on lave le tissu ! La sécrétion de la mouffette est constituée de six composants à base de soufre et d'hydrogène ; mis en contact avec les protéines des fibres animales, ils produisent une réaction chimique qui augmente l'effet malodorant. Trois de ces composants agissent à retardement lorsqu'ils sont mis en contact avec l'eau.

La substance malodorante que sécrète la mouffette ne présente aucun danger pour l'homme. En revanche, pour les animaux qui ont besoin de leur odorat pour trouver la nourriture et identifier les membres de leur espèce, les conséquences de l'aspersion peuvent être gênantes. Aussi les victimes potentielles apprennent-elles à se tenir à distance de la mouffette, aisément repérable grâce à son pelage noir rayé de blanc et à sa pose caractéristique : la queue levée indique que l'animal s'apprête à lâcher sa substance nauséabonde.

La mouffette dresse sa queue, avertissant qu'elle va passer à l'attaque.

La mouffette (ou sconse), qui appartient à la famille des mustélidés, vit exclusivement dans le Nouveau Monde. Les mustélidés à odeur nauséabonde que l'on trouve en Afrique – la fouine rayée, le zorille, putois au pelage foncé marqué de bandes claires, et le ratel – ont eux aussi une livrée voyante qui sert de signal dissuasif. Enfin, exemple frappant de ce que les biologistes appellent la « convergence d'évolution », un marquage identique apparaît chez un marsupial d'Australie ne présentant aucun lien de parenté avec les mustélidés, le malodorant opossum au pelage rayé.

Le sonar des chauves-souris

La plupart des chiroptères, appelés communément chauves-souris, sont des petits mammifères insectivores de mœurs nocturnes. En vol, ils se dirigent et repèrent leurs proies grâce à un système d'écholo-

Mutilations et tueries se produisent parfois lorsque les lemmings de Norvège commencent à s'accoupler. Les adultes se battent à mort et exterminent les petits des autres. La surpopulation entraîne des exodes massifs.

cation comparable au sonar utilisé par les navires de surface pour détecter la présence d'un sous-marin.

Les chauves-souris émettent par la bouche ou par les narines des sons très aigus (ultrasons d'une fréquence allant jusqu'à 200 kHz, inaudibles par l'homme) à un rythme très rapide (200 par seconde). Les ultrasons se réfléchissent sur les objets solides qu'ils rencontrent, et leur écho permet aux chauves-souris d'éviter les obstacles et de localiser les proies.

Contrairement à ce que l'on croit souvent, les chiroptères ne sont pas aveugles. Les chauves-souris insectivores sont tout au plus très myopes. Leurs yeux sont adaptés à la vue de près, ce qui leur permet de repérer leurs proies dans une obscurité presque totale.

Les chauves-souris ne sont pas toutes insectivores. Celles qui se nourrissent de fruits vivent dans les pays chauds et élisent domicile dans les arbres.

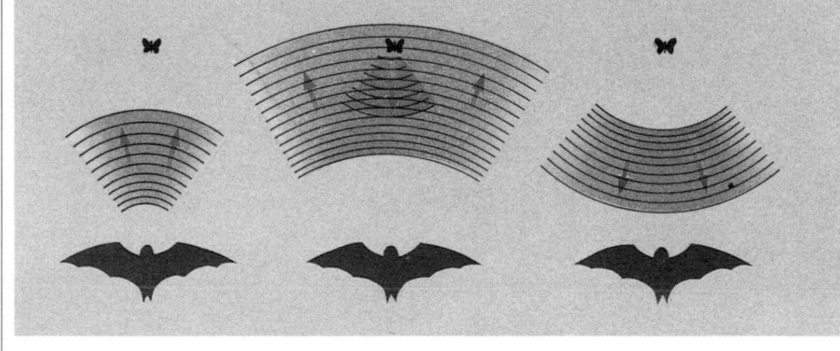

Chasseurs nocturnes, les chauves-souris utilisent un système d'écholocation pour se guider en vol. Elles émettent des ultrasons dont l'écho leur permet de repérer les proies.

Des chauves-souris la tête en bas

Les chauves-souris sont les seuls mammifères (parmi les quelque 4 300 espèces existantes) à être véritablement adaptés au vol. Au fil de l'évolution, leurs pattes se sont atrophiées, au point de ne plus pouvoir supporter le poids du corps. En effet, pour être aptes à voler, les chauves-souris ont dû s'alléger au maximum, notamment au détriment des membres.

Au sol, les chauves-souris se traînent plus qu'elles ne marchent ; mais elles peuvent se déplacer à une vitesse surprenante, en évitant de faire peser le poids du corps sur leurs membres délicats, aux os très amincis.

Dans la journée, les chauves-souris se reposent en des lieux sombres, où elles se suspendent par leurs griffes à un perchoir, tête en bas. La traction exercée par le corps de l'animal est supportée sans effort par les muscles tenseurs et les tendons. Les ailes des chauves-souris sont constituées de membranes de peau tendues entre les doigts des membres antérieurs et les membres postérieurs. La surface de peau nue est beaucoup plus considérable que celle du corps, recouvert de fourrure, ce qui occasionne des pertes importantes de chaleur et d'humidité. Le vol lui-même entraîne des dépenses considérables d'énergie.

On dénombre plusieurs centaines d'espèces de chauves-souris. La plupart sont insectivores ; certaines sont frugivores. D'autres espèces, plus rares, mangent des oiseaux, des grenouilles ou des poissons. Dans les régions tempérées, les chauves-souris se regroupent durant la journée dans des endroits chauds et humides. Pendant la saison froide, elles hibernent.

Un grand kangourou roux se déplace par bonds successifs de près de 10 m. Il peut atteindre une vitesse de 65 km/h. Ses pattes postérieures fonctionnent à la manière d'un ressort, lui permettant d'économiser l'énergie.

Pourquoi les kangourous sautent-ils ?

La plupart des animaux terrestres se déplacent en marchant ou en courant. Les kangourous, dont il existe une cinquantaine d'espèces, sont les seuls marsupiaux – mammifères portant leurs petits dans une poche – à se déplacer presque exclusivement par sauts successifs. Pour expliquer cette curieuse forme de locomotion, certains scientifiques remontent au tout début du processus d'évolution des kangourous. Il y a huit millions d'années, l'Australie centrale a commencé à s'assécher, et les forêts tropicales ont reculé vers le littoral. Mieux que d'autres espèces, les kangourous ont su s'adapter à un climat plus aride. Un kangourou se déplaçant par bonds à plus de 15 km/h dépense un tiers d'énergie de moins qu'un animal de même poids qui court à une vitesse identique. Un avantage appréciable lorsqu'il faut parcourir de longues distances.

Les grands kangourous peuvent atteindre 65 km/h et franchir jusqu'à 10 m en un seul bond grâce à leurs pattes postérieures très développées, qui les propulsent à la manière d'un puissant ressort. Pendant la course, leur estomac ballotte d'avant en arrière. Ce mouvement favorise le renouvellement de l'air dans les poumons, ce qui facilite le travail musculaire et évite les déperditions d'énergie.

Si les autres animaux n'ont pas acquis un mode de locomotion similaire, c'est peut-être tout simplement parce qu'ils n'en avaient pas besoin, car leur régime était plus varié et leur nourriture plus aisée à trouver. Selon une autre hypothèse, les kangourous descendraient d'ancêtres plus petits qui leur auraient transmis leurs caractéristiques anatomiques et leur mode de locomotion par bonds.

Quoi qu'il en soit, le kangourou est remarquablement adapté au saut. Sa ceinture pelvienne, en particulier, supporte aisément la tension que lui imposent les bonds. Chez les mammifères placentaires, le bassin doit avoir une certaine flexibilité afin de laisser passer des nouveau-nés entièrement développés. Celui des kangourous n'a pas besoin de pareille souplesse, car les petits naissent à l'état de fœtus minuscules et achèvent leur développement dans la poche marsupiale.

Pour marcher (à une vitesse inférieure à 5 km/h), le kangourou utilise sa queue comme membre supplémentaire. Il prend appui sur les pattes antérieures et sur la queue, puis il ramène les pattes postérieures vers l'avant. Ce mode de locomotion, qui confère au kangourou une allure un peu gauche, entraîne une grande dépense énergétique – moins importante, cependant, que s'il devait se déplacer lentement par sauts.

Le lièvre de mars

Animal crépusculaire ou nocturne, le lièvre se retranche le jour dans une cavité naturelle. Au printemps, les lièvres semblent abandonner momentanément leur prudence habituelle. Pris d'une soudaine frénésie, ils se poursuivent les uns les autres ; souvent, on les voit se flanquer des coups de patte antérieure et postérieure, comme dans un match acharné de boxe française.

On a cru naguère que cette agitation, apparaissant à la saison de reproduction, affectait uniquement les mâles, et que ceux-ci se battaient pour affirmer leur suprématie. Les zoologistes considèrent aujourd'hui que le comportement agressif des lièvres est le fait des femelles ; les hases, plus grandes que les mâles, repousseraient ainsi les avances inopportunes.

La saison de reproduction des lièvres est fort longue, de janvier à août dans l'hémisphère Nord. Pendant les deux premiers mois, les frénésies nuptiales de ces animaux de mœurs crépusculaires sont dissimulées par la tombée de la nuit et la froidure de l'hiver. Au printemps les promeneurs qui s'attardaient autrefois dans les chemins de campagne ne manquèrent pas de noter le comportement bizarre des « lièvres de mars ». Ceux-ci ont donné naissance, en anglais, à une expression signifiant « être fou à lier ».

Animal au comportement agité durant la saison de reproduction, le lièvre de Mars a acquis la célébrité en devenant l'un des personnages du roman Alice au pays des merveilles, *de Lewis Carroll. On le voit ci-dessous à la table du « thé chez les fous », trônant aux côtés du Loir et du Chapelier.*

Des poissons volants

La plupart des poissons volants, tel celui dessiné par Thomas Berwick en 1822, ne volent pas vraiment ; ils planent au-dessus de l'eau grâce à leurs nageoires pectorales.

Au fil de l'évolution, les poissons ont élaboré une multitude d'astuces pour assurer leur survie. Le camouflage protège efficacement nombre d'espèces en les rendant difficiles à repérer. Chez d'autres, un corps hydrodynamique recouvert d'écailles lisses et serrées assure une bonne pénétration dans l'eau.

Les chasseurs rapides, tels la bonite, le marlin blanc ou le thon, sont dotés de muscles puissants le long de la colonne vertébrale, qui leur permettent d'agiter latéralement la nageoire caudale pour se propulser à grande vitesse. Leurs proies favorites, une large variété de poissons se nourrissant en surface, ont dû acquérir un système de défense adapté. Faute de pouvoir distancer leurs prédateurs dans la mer, ils les esquivent en sautant hors de l'eau.

Les poissons volants, dont on connaît une cinquantaine d'espèces, ont des nageoires pectorales très développées, en forme d'ailes ; certains possèdent également de grandes nageoires pelviennes ornées de motifs aux couleurs éclatantes. Lorsqu'il est surpris par un intrus, le poisson volant saute hors de l'eau, déploie ses nageoires, décolle et plane à une vitesse moyenne de 56 km/h. Des chercheurs ont enregistré des vols d'une durée de treize secondes sur un trajet de plusieurs centaines de mètres. Habituellement, le poisson reste près de la surface, mais on a vu des poissons volants atterrir sur le pont des paquebots, à 11 m au-dessus de l'eau !

On s'est longtemps demandé si ces poissons volaient réellement ou s'ils ne faisaient que planer. Pour le vol battu, il faut que les nageoires battent à la façon des ailes d'oiseau, au lieu de rester rigides, comme c'est le cas dans le vol plané. Les prises de vue à très grande vitesse ont permis de trancher la question : on a pu observer, en effet, que certaines variétés de poissons-haches d'Amérique du Sud, ainsi qu'un poisson d'eau douce africain, faisaient vibrer leurs nageoires en décollant de la surface de l'eau.

Autre détail saisi par l'objectif de la caméra : le poisson volant fait parfois une série de ricochets, plongeant sa nageoire caudale dans l'eau pour prendre l'élan nécessaire à un nouveau rebond dans les airs. Il échappe ainsi aux prédateurs aquatiques mais se trouve alors exposé à un autre ennemi : l'oiseau marin. Si la plupart des poissons volants vivent au large, où les oiseaux sont rares, ceux qui fréquentent les eaux côtières risquent de se faire happer en plein vol par le bec d'un concurrent ailé évoluant avec infiniment plus d'aisance.

Pourquoi certains poissons sont-ils plats ?

Il y a 350 millions d'années, de nouveaux poissons firent leur apparition, plus légers que leurs ancêtres. Au fil de l'évolution, leur squelette osseux avait été remplacé par du cartilage, tissu moins lourd et plus élastique que l'os.

L'allègement rend la nage plus aisée. Mais les poissons plats, dépourvus de vessie gazeuse, organe qui assure l'équilibre hydrostatique des poissons osseux, doivent agiter constamment leurs nageoires pour éviter de s'enfoncer dans l'eau. Les requins, autres poissons à squelette cartilagineux, se déplacent sans arrêt. La plupart des espèces de raies se sont adaptées à la vie sur les fonds marins, où elles trouvent crustacés et mollusques, qui constituent l'essentiel de leur alimentation.

Lorsqu'elle se sent menacée, la raie fait onduler ses nageoires et s'esquive rapidement en soulevant un nuage de sable. Par ailleurs, son corps aplati lui permet de se coucher sur le fond marin, où il sera plus difficile à un prédateur de la saisir.

Certains poissons osseux, comme le grondin et le flet, ont adopté une tactique similaire, ce qui leur a valu de perdre leur vessie gazeuse, devenue inutile puisqu'ils restent couchés sur le sable. Pour se préparer à ce mode de vie, les poissons plats, tels le carrelet, la sole ou le flétan, subissent une métamorphose étonnante. À la naissance, les alevins ont un œil de chaque côté de la tête ; pourvus d'une vessie gazeuse pour contrôler leur flottabilité, ils nagent normalement, le ventre plat, et restent en surface.

Au bout de quelques semaines, l'alevin perd sa vessie gazeuse. L'un des yeux migre sur le côté, soit en faisant le tour de la tête, soit en passant à travers les tissus du crâne, et vient se placer près de l'autre œil tout en conservant son autonomie. La tête et la bouche se tournent également, et le jeune poisson rejoint le fond, où il se couche sur le côté aveugle. Les nageoires pectorales deviennent inutiles ; en compensation, les nageoires dorsales et anales se développent, formant une frange qui entoure presque tout le corps. Le poisson plat utilise ces nageoires, ainsi que la caudale, pour se déplacer.

Une fois installés sur le fond marin, la plupart des poissons plats changent de couleur sur leur face visible, ce qui leur assure un superbe camouflage. Vus du dessus, ils se confondent presque parfaitement avec le sable sur lequel ils reposent. Le côté aveugle, quant à lui, devient blanc argenté.

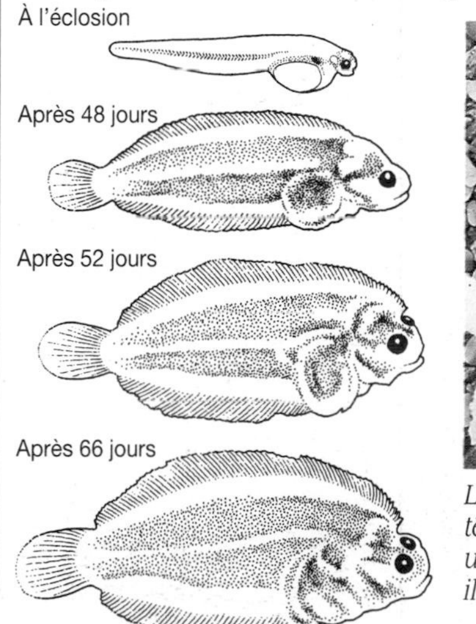

Le jeune carrelet possède un œil de chaque côté de la tête. En une vingtaine de jours, il se métamorphose en un poisson plat ayant les deux yeux du même côté. Puis il change de couleur pour se rendre presque invisible.

Des ours bruns de l'Alaska pêchent le saumon sockeye (à droite) qui remonte la Brooks pour frayer. À l'exception des espèces vivant exclusivement en eau douce, les saumons migrent vers la mer. Puis, guidés peut-être par leurs sens gustatif et olfactif, ils retournent dans les cours d'eau où ils sont nés.

Pourquoi certains poissons migrent-ils vers la mer ?

La plupart des poissons passent toute leur vie dans les eaux où ils sont nés. Certaines espèces, cependant, tels le saumon ou l'anguille, partagent leur temps entre l'eau douce et l'eau salée. L'origine des migrations et leurs modalités précises restent encore largement inexpliquées. Elles sont liées aux périodes de frai ; pour obéir à leur instinct de reproduction, les poissons migrateurs prennent des risques énormes et manifestent une endurance étonnante.

Les migrations du saumon s'expliqueraient par le fait que ces poissons vivaient à l'origine exclusivement en eau douce. Le manque de nourriture dans leur habitat naturel, aggravé peut-être par des descentes de boues glaciales, les aurait poussés à descendre les rivières. Pour survivre, ils se seraient rapprochés des estuaires, où les marées apportaient régulièrement de l'eau salée. Finalement, le saumon aurait émigré dans la mer, où il passe à présent la majeure partie de sa vie.

Les migrations du saumon de l'Atlantique et du Pacifique, poisson exploité depuis fort longtemps pour sa valeur commerciale, nous sont mieux connues que celles des autres espèces migratrices. Chaque année, des milliers de saumons, ainsi que d'autres salmonidés – différentes variétés de truites de mer –, quittent la mer pour revenir dans les cours d'eau où ils ont éclos. Avec une persévérance stupéfiante, ils remontent rivières et torrents, luttant contre les courants, franchissant rapides et chutes d'eau.

À partir du moment où les saumons entrent dans les rivières, ils cessent de s'alimenter. Gras et florissants au début du périple, ils sont souvent émaciés lorsqu'ils arrivent sur leur lieu de reproduction – une bande de gravier au fond d'un torrent où leurs parents ont frayé. Ils changent de couleur, devenant plus foncés sur le dos. Les mâles, dont la mâchoire s'allonge pour se recourber en crochet, se battent férocement pour la possession d'une bande de gravier. Le vainqueur vient se joindre à une femelle. Tous deux se mettent côte à côte et déposent la laitance et les œufs dans une cavité ménagée sous les graviers.

L'œuf fécondé donne naissance à un alevin presque transparent, qui s'alimente pendant un mois environ grâce à son sac vitellin. L'alevin quitte ensuite la cavité où il a éclos et se met en quête de nourriture. Il se transforme bientôt en un tacon brun tacheté, avant de devenir, au bout de deux ans, un smolt argenté, prêt à entamer la descente vers la mer.

Pour des raisons inconnues, certains saumons de quatre ans, pesant environ 2 kg, ne passent qu'un hiver dans l'océan avant de revenir frayer sur leur lieu de naissance, après quoi ils périssent. Les autres restent plusieurs années dans la mer – peut-être pour reprendre les forces nécessaires avant d'affronter le voyage de retour à leurs rivières d'origine. Beaucoup de saumons de l'Atlantique pèsent plus de 10 kg lorsqu'ils entreprennent leur périple.

Comment les saumons retrouvent-ils leur cours d'eau d'origine ? Peut-être sont-ils guidés par leurs sens gustatif et olfactif : les saumons sont capables de reconnaître l'odeur des minéraux et des plantes de la rivière dont ils sont issus. Des expériences ont montré qu'un saumon pouvait détecter des substances infinitésimales dans une dilution à une partie pour plusieurs millions.

Avant de retrouver l'odeur de sa rivière natale, le saumon effectue un long voyage à travers l'océan. Par exemple, ceux qui fraient en Écosse viennent du Groenland. Différentes hypothèses ont été avancées pour expliquer leur sens de l'orientation : selon les chercheurs, les saumons reconnaîtraient les différents courants marins, se dirigeraient grâce à des influences magnétiques, ou encore se repéreraient d'après le soleil et les étoiles.

Certaines espèces ne migrent pas vers la mer. Le kokani, une variété de sockeye du Pacifique vit en permanence dans les eaux douces ; il en va de même pour les saumons de l'Atlantique que l'on a introduits dans des lacs en Europe et en Amérique du Nord. La truite américaine, qui appartient à la famille des salmonidés, fraie sur les lits de gravier des lacs où elle habite. Certaines truites arc-en-ciel remontent en masse les affluents des lacs où elles sont nées afin d'y pondre leurs œufs.

Autres poissons migrateurs, les anguilles européennes et américaines quittent les rivières et vont pondre leurs œufs en Atlantique Nord, dans la mer des Sargasses, où flottent en abondance d'épaisses algues brunes. Les larves dérivent ensuite au gré des courants soit vers l'Amérique, effectuant un trajet de 1 600 km, soit vers l'Europe, distante de 5 000 km. Devenues des civelles à l'approche des côtes, elles remontent les cours d'eau, n'hésitant pas à parcourir de courts trajets en ondulant sur la terre ferme pour trouver un petit étang.

Les anguilles ont un « flair » remarquable pour détecter la proximité de l'eau. Les marchands de poissons le savent bien, qui voient parfois les anguilles vivantes disparaître de l'étal en se glissant par terre pour retrouver la liberté dans la canalisation la plus proche !

Pourquoi les poissons ont-ils des écailles ?

Presque tous les poissons répertoriés dans le monde – il en existe quelque 25 000 espèces – sont pourvus d'écailles. Celles-ci peuvent être plus ou moins grandes, épaisses et dures.

En règle générale, plus le poisson est primitif, plus ses écailles sont rigides, semblables aux plaques d'une cuirasse. Par exemple, celles du cœlacanthe, un poisson que l'on a longtemps cru éteint depuis 70 millions d'années, sont si résistantes que les habitants des îles Comores les utilisaient comme abrasif. Autre poisson primitif, l'esturgeon, remarquable par la forme de son corps, qui rappelle celui d'un requin, et par sa taille impressionnante – ceux de la mer Noire et de la Caspienne pèsent plus de 1 t – possède, sur ses flancs, des rangées de plaques lourdes et pointues. Les requins, pour leur part, ont de petites écailles à bout pointu, dont la dentine est recouverte d'émail. À l'opposé du cœlacanthe, l'anguille est dotée d'écailles minuscules, si profondément incrustées dans la peau que le poisson semble en être dépourvu.

Les écailles constituent avant tout une carapace protectrice contre les prédateurs ou un environnement hostile. Chez les espèces qui vivent près des côtes, les écailles épaisses et dures protègent le poisson des rochers et des récifs de coraux sur lesquels de puissants courants risquent à tout moment de le précipiter.

Comme vous l'aurez sans doute constaté s'il vous est arrivé de faire de la gymnastique dans une piscine, marcher dans l'eau demande beaucoup plus d'efforts que de marcher à l'air libre. La densité de l'eau, en effet, est environ 800 fois supérieure à celle de l'air. Des écailles lourdes et dures entraînent une résistance qui entrave le mouvement. Les poissons qui, telle la truite, doivent faire des pointes de vitesse pour capturer leurs proies dans des torrents tumultueux sont pourvus d'écailles plus petites, plus fines et plus souples. Les rapides écumeurs des mers comme le marlin blanc, le thon et le maquereau ont un corps hydrodynamique recouvert d'écailles fines et lisses. Pour assurer le bon fonctionnement de cette mince carapace, des cellules sous-cutanées lubrifient la face externe des écailles avec du mucus. D'autres espèces de poissons ont des écailles recouvertes d'un mucus visqueux qui leur confère une protection supplémentaire. C'est la raison pour laquelle les pêcheurs à la ligne qui relâchent leurs prises doivent s'humidifier les mains avant de saisir le poisson pour le rendre à son élément naturel. Des mains sèches risqueraient d'ôter le mucus, exposant le poisson à l'attaque des bactéries ou des champignons.

Les écailles existent également chez les reptiles, où elles ont pour fonction essentielle de protéger contre la déshydratation (un danger que les poissons ne connaissent pas !). C'est grâce à elles que certains serpents ou lézards peuvent vivre dans les endroits les plus arides de la planète.

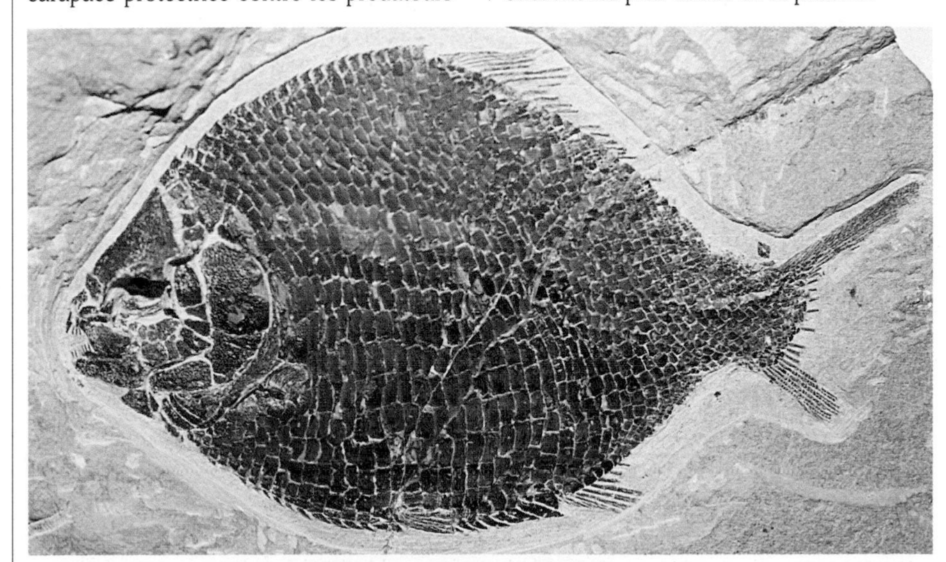

Les écailles sont clairement visibles sur ce fossile. Il s'agit d'un Dapedium *vieux de 200 millions d'années, qui vivait probablement près des récifs de coraux.*

Le cœlacanthe, un fossile ressuscité

En 1938, trois jours avant Noël, Marjorie Courtenay-Latimer, conservatrice du musée d'East London, en Afrique du Sud, reçut un appel téléphonique qui la fit quitter son bureau en toute hâte. La jeune naturaliste avait fait part aux pêcheurs locaux de son intérêt pour les poissons insolites, en les priant de la tenir informée s'ils faisaient une prise de ce type. C'était précisément ce qui venait de se produire.

En revenant au port après sa sortie habituelle au sud-ouest d'East London, Hendrick Goosen, le capitaine du chalutier *Nerine*, avait lancé son filet à l'embouchure de la Chalumna. À cet endroit, un haut-fond rocheux de 75 m de profondeur borde une plate-forme sous-marine située à plus de 180 m en contrebas. Lorsque Goosen ramena son filet, il y trouva un poisson qui ne ressemblait à aucune espèce connue. Bleu acier, la peau huileuse, il mesurait 1,50 m de long et pesait près de 60 kg. Il avait des dents impressionnantes et de robustes écailles, dures comme des plaques métalliques. Mais le plus étrange, c'était ses nageoires charnues en forme de pattes ! Goosen pensa qu'il avait pêché un genre de lézard marin.

On était alors au plus chaud de l'été austral. Lorsque Marjorie Latimer ramena le poisson au musée, le cadavre commençait déjà à sentir. Elle en fit un rapide croquis et envoya le spécimen au taxidermiste du musée. Pour l'aider à identifier le poisson, la conservatrice s'adressa à J. L. B. Smith, professeur de chimie à l'université de Grahamstown, un passionné de pêche et des poissons qui faisait autorité en la matière. La lettre et le croquis envoyés par Marjorie Latimer firent sur le professeur, ainsi qu'il le noterait plus tard, « l'effet d'une bombe ». Si absurde que l'idée pût paraître, Smith crut reconnaître dans ce spécimen insolite un cœlacanthe, poisson appartenant à une espèce que l'on croyait éteinte depuis plus de 70 millions d'années. Des cœlacanthes fossilisés avaient été découverts dans des roches datant de près de 400 millions d'années, et l'on pensait que ce poisson était étroitement apparenté à nos ancêtres les plus lointains, à l'époque où les animaux émergèrent des eaux pour marcher ou ramper sur la terre.

Smith calcula que si ce spécimen s'avérait être un cœlacanthe, cela signifierait que l'espèce se serait perpétuée pendant quelque trente millions de générations. Annoncer pareille capture n'allait pas manquer de soulever une controverse. Comment croire, en effet, que les cœlacanthes aient pu sillonner les mers sans que personne, dans le monde scientifique, les ait jusqu'alors aperçus ?

Smith analysa méticuleusement les écailles, les nageoires et le squelette du spécimen du musée, puis il tenta de mettre sur pied une expédition afin de capturer un autre cœlacanthe. Mais la guerre venait d'éclater en Europe, et le projet du professeur ne reçut aucun appui officiel. Pendant des années, Smith et sa femme, Margaret, allaient sillonner les côtes de l'Afrique australe en montrant des photos du poisson insolite aux pêcheurs. Smith savait que le cœlacanthe ne vivait pas dans ces eaux ; selon son hypothèse, le spécimen pêché par Goosen se serait égaré au sud, poussé par les eaux chaudes du courant du Mozambique.

Les Smith se rendirent dans les régions les plus reculées du Mozambique, où ils distribuèrent des « avis de recherche » rédigés en anglais, en portugais et en français, offrant une récompense à quiconque capturerait un cœlacanthe. En 1952, quatorze ans après la découverte du premier spécimen, Smith reçut un télégramme d'un de ses amis, Eric Hunt, qui possédait une goélette. Il annonçait qu'il avait trouvé un cœlacanthe à Domoni, sur l'île de Ndzouani, qui appartient à l'archipel des Comores, dans l'océan Indien. Le poisson allait être découpé sur un marché quand un instituteur local l'avait reconnu d'après la photographie de l'annonce distribuée par Smith. Les habitants des Comores connaissaient bien le cœlacanthe. Ils consommaient sa chair et utilisaient sa peau en guise de papier de verre ! Hunt obtint le poisson et fit de son mieux pour le conserver en bon état en attendant l'arrivée de Smith.

Les Comores se trouvent à plus de 2 500 km de l'Afrique du Sud ; comme il n'existait pas de vols commerciaux à l'époque, le seul moyen de gagner l'archi-

Le professeur Smith dort auprès de la caisse contenant le cœlacanthe. Lors de son voyage de retour des Comores, il veilla jour et nuit sur le précieux « poisson fossile ».

La naturaliste Marjorie Courtenay-Latimer décrivit le premier cœlacanthe capturé par un pêcheur. Le poisson est aujourd'hui exposé au musée.

pel était d'emprunter la voie maritime, ce qui représentait un voyage long et fastidieux. Si Smith prenait le bateau, le poisson serait complètement décomposé à son arrivée ! L'obstiné professeur s'adressa au Premier ministre d'Afrique du Sud, Daniel Malan, en soulignant l'importance de l'enjeu : s'il arrivait à temps aux Comores, il pourrait effectuer une identification positive du cœlacanthe, découverte qui ne manquerait pas d'avoir un retentissement international. Malan se laissa convaincre et mit un avion militaire à la disposition de Smith. Durant le vol de retour, le professeur veilla avec un soin jaloux sur son précieux chargement ; lorsque l'avion fit halte pour la nuit, Smith dormit auprès de la caisse contenant le cœlacanthe. De retour à Cape Town, il ouvrit triomphalement la boîte devant sa femme et le Premier ministre. La découverte fit la une des journaux, et le poisson au nom étrange et à l'aspect insolite devint une célébrité internationale. Smith baptisa le cœlacanthe *Latimeria chalumnae*, en l'honneur de Marjorie Latimer et de la rivière à l'embouchure de laquelle il avait été découvert.

En mars 1987, Hans Fricke, spécialiste de biologie marine et auteur de films documentaires travaillant pour le Max Planck Institute (Allemagne fédérale), effectua des recherches au large de la Grande Comore. À l'aide d'un sous-marin miniature descendant à grande profondeur, son équipe réussit à filmer des cœlacanthes évoluant dans leur milieu naturel. Les chercheurs ramenèrent des images étonnantes : les grands fossiles vivants étaient capables d'effectuer des « tours » surprenants – par exemple, se tenir sur la tête pendant deux minutes d'affilée ou nager à reculons, tête en bas ! Malgré leurs quatre nageoires en forme de pattes, ces « vieux quadrupèdes », comme Smith les avait surnommés, n'allaient tout de même pas jusqu'à marcher sur les fonds marins...

Fricke montra ses films à la veuve de Smith, qui avait toujours espéré voir un cœlacanthe nageant dans son milieu. Les images l'émerveillèrent. « Le cercle de ma vie est achevé », déclara-t-elle. Margaret Smith mourut d'un cancer trois mois plus tard. Le patient travail de Smith, qui le mena à l'une des découvertes scientifiques les plus étonnantes du siècle, se perpétue : au Rhodes University College, l'institut d'ichthyologie qui porte son nom continue à étudier les cœlacanthes des Comores. Malheureusement, l'intérêt manifesté par les scientifiques et les musées du monde entier met aujourd'hui le fossile vivant en danger d'extinction. Les recherches visant à trouver d'autres colonies de cœlacanthes n'ont donné aucun résultat à ce jour.

Le cœlacanthe fossilisé est à peu de chose près la copie conforme du poisson vivant aujourd'hui au large des Comores. On a découvert des cœlacanthes fossiles dans des roches datant de 400 millions d'années.

Un cœlacanthe explore une ancienne coulée de lave. Le poisson se propulse à l'aide de ses nageoires charnues en forme de pattes ; parfois, il se tient debout sur la tête.

Pourquoi les poissons explosent-ils parfois ?

Les poissons vivant dans des eaux peu profondes n'ont pas de difficulté à s'élever progressivement vers la surface. D'autres espèces, tels les rougets, qui vivent à des profondeurs de 400 m, peuvent avoir de graves lésions dues à la décompression quand on les remonte rapidement dans un filet de pêche.

Ces poissons, comme beaucoup d'autres espèces, ont une vessie natatoire remplie de gaz qui assure l'équilibre hydrostatique. En faisant varier le volume du gaz, le poisson parvient à rester en suspension dans l'eau.

Lorsqu'on le remonte brutalement à la surface, il n'a pas le temps de réabsorber le gaz, la vessie se gonfle rapidement à mesure que la pression de l'eau diminue, et l'estomac du poisson lui sort par la bouche. Dans les cas extrêmes, la vessie se dilate tellement que le poisson explose. Une profondeur de 10 m suffit à occasionner des lésions dues à la décompression si la remontée est trop rapide.

Certaines espèces, comme les requins, sont dépourvues de vessie gazeuse. Ces poissons n'ont pas de problème de décompression, mais ils doivent agiter la queue en permanence pour éviter de tomber au fond de l'eau.

Pourquoi les dauphins guident-ils les navires ?

Le comportement des dauphins et des marsouins, en particulier leur aptitude manifeste au plaisir, a fait naître quantité de légendes, anciennes ou modernes. Il est fréquent de voir ces aimables cétacés venir à la rencontre d'un navire et l'accompagner en évoluant gracieusement dans l'eau. Aux endroits régulièrement fréquentés par les ferries, les dauphins s'attachent à un bâtiment qu'ils semblent piloter tout au long du trajet, sautant hors de l'eau, filant de la proue à la poupe ou d'un bord à l'autre du bateau.

En réalité, les dauphins prennent tout simplement plaisir à ces ébats nautiques. Jouer dans les vagues créées par le mouvement du navire procure à leur corps des sensations inhabituelles et agréables, très comparables à celles que nous éprouvons dans une piscine thermale à eau bouillonnante.

C'est la recherche du même plaisir voluptueux qui pousse ces animaux à chevaucher les vagues ; il n'est pas rare de voir un banc de dauphins accompagner des surfeurs dans leurs évolutions audacieuses.

Sur cette coupe datant de la fin du VIe siècle avant J.-C., le potier grec Exekias a représenté Dionysos, dieu du vin et de l'ivresse, voguant en compagnie d'une escorte amicale de dauphins.

Des nageurs pris dans de violents courants et ayant frôlé la noyade rapportent que des dauphins les ont poussés vers des eaux plus sûres. Ces rescapés ont eu simplement la chance que leur mésaventure coïncide avec le désir de l'animal de se rapprocher du rivage.

Les dauphins et les marsouins ont sans nul doute une certaine affinité avec les humains. Ils semblent comprendre que nous fassions, nous aussi, certaines choses simplement pour le plaisir. Ils s'approchent volontiers des nageurs à proximité des plages, manifestent une grande tolérance envers les enfants et les autorisent souvent à faire un tour sur leur dos. Lorsque les femelles reviennent de leur lieu de reproduction, elles poussent leurs petits vers les humains qu'elles reconnaissent, comme pour faire les présentations.

Le cerveau des dauphins et des marsouins est consacré en grande partie à la navigation et à la communication dans l'eau. Celle-ci se complète d'un système complexe de cris, « clics » ou sifflements.

UN DAUPHIN AMATEUR DE SANG CHAUD

L'orque, ou épaulard, est le plus grand et le plus rapide des delphinidés. Ce prédateur marin, que l'on appelle parfois « la baleine tueuse », peut atteindre 10 m de long et peser jusqu'à 10 t. Il se nourrit de poissons mais aussi d'animaux à sang chaud, principalement des phoques. Les orques chassent en groupe, n'hésitant pas à s'attaquer à des baleines beaucoup plus grandes qu'elles, visant leurs lèvres et leur langue. Dans les régions polaires, il leur arrive de briser des blocs de glace pour déloger phoques et pingouins. Cette pratique leur a valu une réputation – usurpée – de mangeuses d'hommes.

En 1911, durant la dernière expédition de Robert Falcon Scott dans l'Antarctique, le célèbre photographe Herbert Ponting fut contraint de prendre la fuite pour échapper à huit orques qui tentaient de briser la plaque de glace sur laquelle il se tenait. Ponting écrivit par la suite que les orques, selon lui, avaient pris les chiens de traîneau attachés à proximité pour des phoques, et que lui-même était « arrivé sur les lieux à un moment inopportun ». Mais l'incident fut interprété à tort comme une attaque dirigée contre lui.

Des récits non vérifiés d'incidents similaires qui se seraient produits en Afrique australe et dans l'Arctique vinrent renforcer la mauvaise réputation des orques. Mais, jusqu'à ce jour, les scientifiques n'ont trouvé aucun élément sérieux susceptible de prouver que des orques se soient jamais attaquées à l'homme.

D'une puissante détente, une orque attaque des lions de mer sur une côte de Patagonie. Habituellement, les lions de mer paniquent et sont rapidement capturés. Les baleiniers ont utilisé les orques pour acculer les baleines dans les baies, récompensant leurs auxiliaires marins avec une partie de la prise.

L'intelligence des dauphins, qu'on a parfois tendance à surestimer, n'excède probablement pas celle du cheval ou du chien, et figure loin derrière celle des chimpanzés. Mais leur nature enjouée et leur excellente mémoire en font des animaux aisés à dresser en captivité.

Le souffleur est l'espèce le plus communément utilisée à des fins de divertissement. Les orques, delphinidés à la livrée noir et blanc, sont particulièrement prisées pour leur capacité à se dresser sur la queue et pour leurs sauts spectaculaires. En raison de leur taille – les mâles peuvent atteindre 10 m de long, alors que le souffleur n'excède pas 3,50 m –, on les confond souvent avec des baleines.

Des coquillages toxiques

Les mollusques tels que les praires, les moules, les huîtres ou les coquilles Saint-Jacques mènent une vie retirée. Protégés par leur coquille – deux valves réunies par un ligament, qui leur assurent une habitation confortable –, ils s'enfouissent dans le sable ou se fixent sur un rocher. Pour se nourrir, ils disposent d'une ouverture dans leur coquille qui laisse entrer l'eau, dont ils filtrent les particules alimentaires.

Tout se passe bien pour ces mollusques, appelés bivalves – et pour ceux qui les dégustent – tant que l'eau dans laquelle ils vivent est exempte de pollution. En revanche, lorsque des produits chimiques ou des eaux usées sont rejetés directement à la mer, les bivalves peuvent absorber des substances hautement toxiques, ainsi que des virus et des bactéries responsables de maladies graves.

Il arrive aussi que les coquillages deviennent toxiques même en l'absence de toute pollution extérieure. Sous l'influence de courants marins chauds, des organismes unicellulaires appelés dinoflagellés, qui flottent en grandes quantités à la surface de tous les océans, se multiplient soudain en donnant à l'eau une coloration rouge, phosphorescente la nuit.

En 1947 et en 1974, au large de la Floride, on a trouvé des concentrations de 50 millions de dinoflagellés par litre d'eau. La toxine produite par ces marées rouges détruisit de nombreuses espèces d'animaux marins. Des phénomènes similaires s'observent parfois dans le Pacifique Sud et dans l'Atlantique, au large de l'Espagne. Dans d'autres parties du monde, une espèce différente de dinoflagellé colore parfois la mer en jaune. Lorsqu'ils prolifèrent, tous ces organismes unicellulaires peuvent rendre les poissons et les coquillages impropres à la consommation.

Les ostréiculteurs pallient les problèmes liés à la pollution en faisant séjourner les huîtres dans des parcs d'eau filtrée avant de les mettre sur le marché.

L'échouage des baleines

Protégées par leur épaisse couche de graisse, les baleines passent l'été dans les mers les plus froides du globe, riches en substances nutritives. En hiver, lorsque la

Ces baleines venues s'échouer sur la côte est de l'Australie sont menacées de déshydratation. L'activité des taches solaires pourrait affecter la navigation des cétacés.

glace polaire vient recouvrir leurs réserves alimentaires, les grands cétacés émigrent vers les eaux chaudes des mers tropicales, où se déroulent l'accouplement et la naissance des petits. Ces migrations saisonnières s'effectuent selon des trajets immuables. Les baleines semblent les assimiler dès leur plus jeune âge et les suivent toute leur vie, qui peut durer jusqu'à cinquante ans. Les baleines ont une bonne vue, à condition que la lumière soit suffisante. Pour se diriger sous l'eau, elles disposent d'un système d'écholocation comparable à celui qui permet aux chauves-souris d'éviter les obstacles et de repérer leurs proies. Elles émettent une série de « clics » dont l'écho les renseigne sur leur environnement.

Ce système n'est cependant pas parfait, et il arrive fréquemment que les baleines s'écartent de leur route. Seules ou par groupes, elles s'échouent sur les plages, d'où elles sont incapables de repartir. À moins d'une intervention humaine qui les aidera à regagner le large, la mort est alors inévitable. Si les baleines ne périssent pas sous l'effet de la chaleur, l'énorme masse de leur corps finit par leur écraser les poumons.

L'échouage des baleines est un phénomène attesté depuis l'Antiquité. Le philosophe grec Aristote (384-322 avant J.-C.) s'interrogeait déjà sur ce mystère, et quantité d'explications ont été avancées au fil des siècles. Aucune ne paraissait convaincante jusqu'aux récentes études effectuées par un chercheur britannique, Margaret Klinowska. Celle-ci a comparé les routes migratoires des baleines avec la carte du champ magnétique terrestre. Il apparut rapidement que les baleines suivent en général un tracé correspondant aux zones de faible intensité magnétique.

Le champ magnétique de la planète est périodiquement perturbé par des regains d'activité du Soleil, qui se manifestent par les taches solaires. Selon les scientifiques, des orages magnétiques intervenant au moment des migrations des baleines pourraient perturber le sens de l'orientation de ces cétacés. Cette théorie a été confirmée par un incident survenu en Australie en novembre 1991. Trois jours après un fort orage magnétique, 170 baleines sont venues s'échouer à Sandy Cape, à l'ouest de la Tasmanie. Des mesures géomagnétiques ont confirmé la présence d'une dépression qui s'était développée parallèlement au rivage sur plus de 50 km avant de s'incurver vers le rivage.

Pourquoi les crabes courent-ils de côté ?

Les crabes marchent de la même façon que nous, la tête et les yeux tournés vers l'avant. Lorsque nous courons, notre foulée s'allonge. Il en va de même pour le crabe. Mais les ligaments et les muscles de ses huit pattes sont ainsi faits qu'ils se détendent au maximum non pas vers l'avant ou l'arrière, mais sur le côté, à la façon d'une porte qui se balance sur un gond.

Le crabe est le seul être au monde pourvu de pattes qui soit capable de se déplacer d'un côté ou de l'autre sans avoir à tourner son corps. Cette démarche particulière est une conséquence de l'évolution de sa carapace. Pour l'essentiel, l'anatomie de ce crustacé est similaire à celle du homard et de la crevette. Mais, à mesure que le crabe devenait plus plat, afin de pouvoir se glisser sous les rochers, sa carapace s'aplatissait elle aussi, tout en s'élargissant, au point d'empêcher l'extension complète des pattes. Les premiers crabes étaient de piètres sprinters, incapables d'échapper aux oiseaux et autres prédateurs. Ils résolurent le problème en modifiant le sens d'extension de leurs pattes, ce qui leur permit de courir de côté.

Quiconque a essayé d'attraper un crabe sait que ces crustacés sont capables d'étonnantes pointes de vitesse. Ils se déplacent avec une grande aisance et ont l'étrange manie de regarder d'un côté tout en fonçant dans la direction opposée.

D'excellents plongeurs : les phoques

Un plongeur qui s'aventure en profondeur subit de très fortes pressions. S'il remonte trop rapidement à la surface, la décompression brutale entraîne des troubles graves, connus sous le nom de mal des caissons. Celui-ci se traduit par des crampes, des douleurs articulaires et des paralysies pouvant entraîner la mort. Le traitement consiste à mettre le plongeur dans un caisson hyperbare où l'on fait varier la pression de l'air de façon à la ramener progressivement à la normale. Certains phoques plongent à de grandes profondeurs. On a mesuré que des phoques de Weddell pouvaient descendre jusqu'à 600 m, rester sous l'eau pendant plus d'une heure, et remonter rapidement à la surface sans souffrir de troubles dus à la décompression.

Les phoques ont des poumons comparables aux nôtres, mais, en plongée, ils n'utilisent pas, comme nous le faisons, l'oxygène qui s'y trouve. Avant de plonger, le phoque expulse l'air de ses poumons. À une profondeur d'environ 40 m, ceux-ci se dégonflent et s'affaissent. Le phoque utilise dès lors l'oxygène contenu dans son sang, dont il est abondamment pourvu : comparativement à son poids, l'éléphant de mer a près de deux fois et demi plus de sang que l'homme.

Le phoque de Weddell peut descendre à 600 m de profondeur et rester plus d'une heure sous l'eau.

Des serpents amphibies

Hôte familier des mers tropicales, ce serpent gris-vert examine un visiteur. Il remonte à la surface pour respirer, mais dort sur le fond marin.

Les serpents marins, comme leurs homologues terrestres, respirent de l'oxygène. Mais ils peuvent rester jusqu'à deux heures d'affilée sous l'eau. Comment s'y prennent-ils ?

L'un de leurs poumons – le droit – s'allonge sur la presque totalité du corps. La majeure partie de ce poumon, dépourvue de vaisseaux sanguins, est utilisée comme une réserve d'air. Les serpents marins se nourrissent de petits poissons. Pour capturer leurs proies, ils doivent se propulser rapidement sous l'eau, ce qui épuise très vite leur réserve d'oxygène.

L'oxygène contenu dans l'eau fournit environ un cinquième de leur consommation. La peau des serpents marins laisse en effet passer l'eau de mer tout en filtrant le sel. Les excroissances marines qui se forment sur l'épiderme représentent une menace, car elles risquent de « boucher » les arrivées d'air. Pour pallier cet inconvénient, le serpent marin mue tous les quinze jours (alors que la majorité des espèces terrestres le font tous les trois mois environ). La plupart manifestent peu d'agressivité à l'égard de l'homme.

Les serpents marins peuvent séjourner sur la terre ferme – certains d'entre eux chassent dans la vase –, mais ils ne s'aventurent jamais bien loin. Leurs écailles ventrales sont trop petites et trop molles pour assurer la propulsion. Les serpents marins vivent dans l'océan Indien et dans le Pacifique ouest. Une espèce, le serpent marin à ventre jaune, fréquente la côte ouest du continent américain.

Les naturalistes se sont demandé pourquoi on ne trouvait pas de serpents marins dans l'Atlantique. Selon une des hypothèses avancées, les reptiles se seraient développés après la dislocation des continents africain et américain, qui, en prenant leur place actuelle, auraient empêché les serpents marins de s'étendre plus loin dans les eaux chaudes.

Pourquoi les méduses piquent elles ?

Parmi les milliers d'espèces de méduses répertoriées dans le monde, la plupart sont inoffensives pour l'homme. Prédateur passif, la méduse se contente généralement de saisir les crevettes et autres petits crustacés qui passent à portée de ses tentacules. Lorsqu'on touche une méduse en nageant dans la mer, on ressent tout au plus un léger picotement.

Nombre de méduses possèdent également une arme qu'elles utilisent uniquement quand elles se sentent menacées. Leurs tentacules sont pourvus de capsules contenant un liquide toxique et un filament porteur de crochets. Lorsque la méduse accroche accidentellement un animal beaucoup plus gros qu'une crevette – un poisson ou un humain, par exemple – dont la réaction risque de la mettre en péril, les crochets harponnent la proie pendant que le liquide venimeux s'injecte par le filament. La piqûre provoque chez l'homme une douleur aiguë, des lésions cutanées et des troubles parfois graves.

Les cuboméduses, que l'on trouve en Asie du Sud-Est et au nord de l'Australie, infligent une piqûre particulièrement douloureuse et souvent mortelle. Ces méduses en forme de cube renferment un venin extrêmement toxique ; en outre, elles sont abondamment pourvues de longs tentacules permettant d'injecter le poison simultanément en plusieurs points du corps. Elles sont presque translucides, ce qui les rend difficilement repérables dans l'eau.

Cette méduse-boussole, comme toutes ses homologues, utilise la propulsion par réaction. Elle nage grâce aux contractions de son ombrelle.

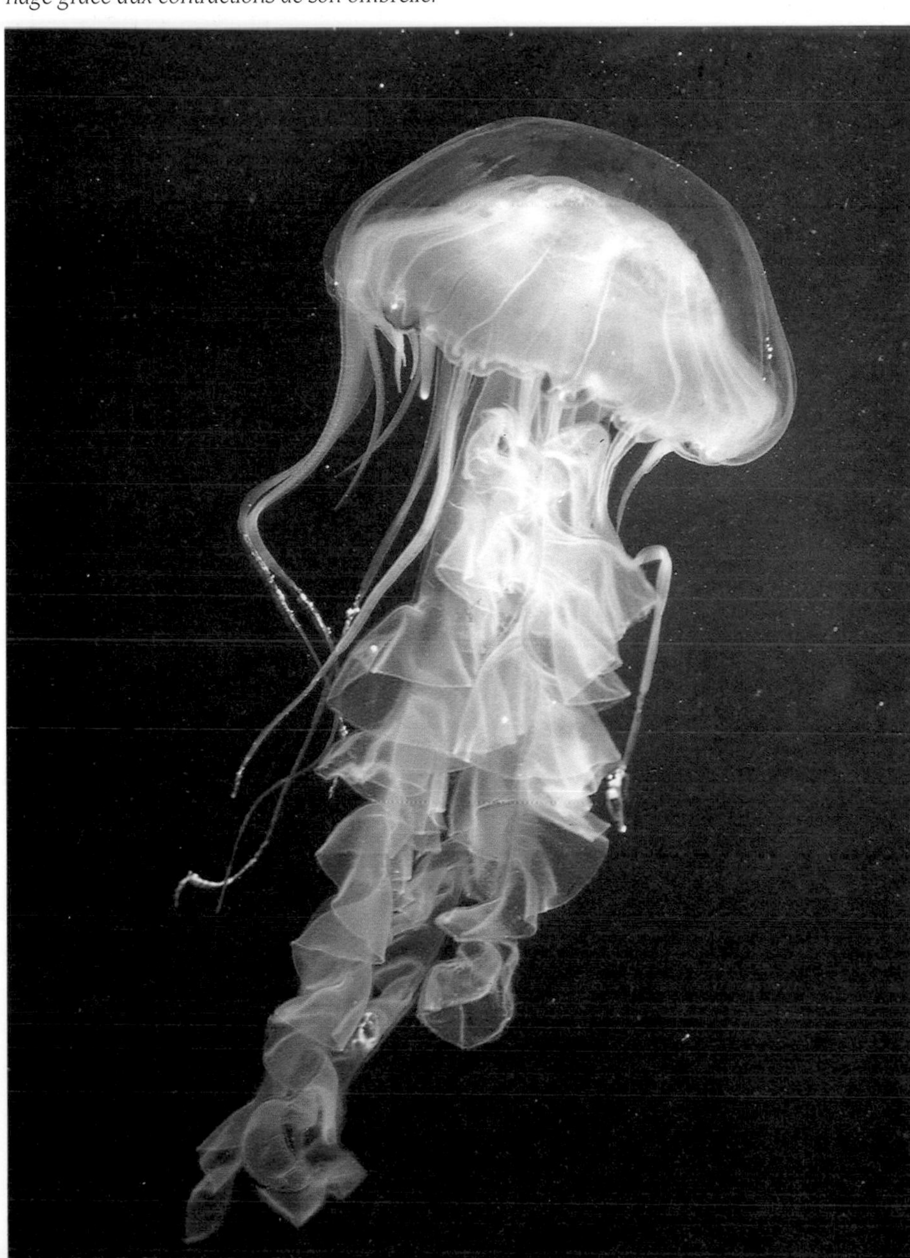

La cuboméduse australienne adulte possède jusqu'à soixante tentacules atteignant 3 m de long lorsqu'elle les détend pour capturer sa proie. La longueur totale des tentacules d'une telle méduse avoisine 90 m en moyenne, et ses capsules venimeuses se comptent en milliards ! En l'absence de soins médicaux rapides, le contact de 10 m de tentacules suffirait à entraîner la mort d'un adulte ; un enfant succomberait à beaucoup moins.

Contrairement à ce que l'on pense souvent, la physalie, plus connue sous le nom de vaisseau de guerre portugais, n'est pas à proprement parler une méduse, mais un siphonophore. Transparents et gélatineux, les siphonophores vivent en colonies pouvant comprendre jusqu'à un millier d'individus issus d'un seul œuf, mais dont chacun est programmé pour une tâche particulière.

Certains se gonflent de gaz pour former un flotteur ; d'autres sont spécialisés dans la reproduction ; les polypes nourriciers de la colonie sont pourvus de tentacules gigantesques atteignant 18 m de long. Au moindre contact, leurs cellules urticantes peuvent injecter une dose de venin aussi redoutable que celui d'un cobra.

Pourquoi les calmars expulsent-ils de l'encre ?

À la différence des poulpes, généralement inoffensifs pour l'homme, les calmars peuvent infliger une sérieuse morsure pour capturer une proie ou pour se défendre s'ils se sentent menacés. Les calmars, comme les poulpes et les seiches, sont des céphalopodes – terme d'origine grecque signifiant « tête-pied », car les « pieds » (les bras, ou tentacules) de ces mollusques sont attachés à la tête. Il y a des millions d'années, les céphalopodes se protégeaient des agressions en se retirant sous leur coquille. Aujourd'hui, seules deux espèces – le nautile, dans le sud-ouest du Pacifique, et la spirale, que l'on trouve principalement dans l'Atlantique et l'océan Indien – ont conservé une véritable coquille.

Les seiches possèdent une coquille interne, poreuse et calcaire d'un côté, dure de l'autre. C'est l'os de seiche, que l'on vend dans les animaleries pour que les oiseaux puissent s'aiguiser le bec.

Ne pouvant plus se réfugier sous leur coquille, tous les céphalopodes (à l'exception des nautiles) se sont dotés d'une nouvelle arme dissuasive. En cas de danger, une glande spécifique, la poche à encre, sécrète un liquide âcre et noir que l'animal expulse comme un nuage de fumée pour dissimuler sa fuite et masquer son odeur.

Ce liquide, appelé sépia, était autrefois recueilli sur les seiches de l'océan Indien. Il servait à fabriquer l'encre de Chine et était employé pour les dessins et les lavis. Le mot *sepia* désigne la seiche en latin.

Un monstre à huit bras étreint sa victime... imaginaire. Il n'existe aucune preuve attestant que des pieuvres se soient jamais attaquées à l'homme.

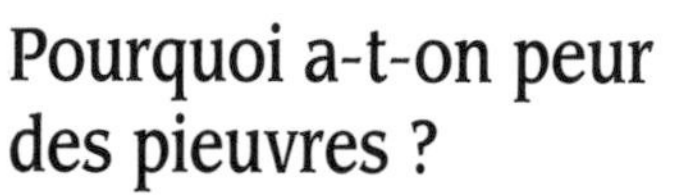

Pourquoi a-t-on peur des pieuvres ?

Si la pieuvre (ou poulpe) a la triste réputation d'un suceur de sang, elle le doit surtout à l'imagination fertile de certains romanciers. Ainsi Victor Hugo a-t-il décrit, dans *les Travailleurs de la mer* (1866), un combat féroce mettant aux prises le héros du récit, échoué sur un rocher, avec le « monstre à huit bras ». En réalité, la pieuvre est un animal craintif, plus prompt à s'écarter de notre chemin qu'à nous attaquer pour assouvir sa faim. Elle ne mérite nullement le surnom de poisson-diable dont l'ont affublée les marins anglo-saxons. Une grosse pieuvre, avec ses huit tentacules ondoyants dans l'eau, constitue, il est vrai, un spectacle impressionnant. Les plus gros poulpes ont jusqu'à 4 m d'envergure, mais la plupart n'atteignent pas le dixième de cette taille. La pieuvre a un corps relativement petit et un minuscule bec crochu. Même lorsqu'on la provoque, elle hésite à mordre.

Une grande pieuvre est-elle capable de noyer un homme en l'attirant vers le fond ? Quantité de récits font état de poulpes géants s'attaquant à de paisibles nageurs, mais pas un de ces témoignages n'a jamais été vérifié – ailleurs que dans les films d'épouvante, qui utilisent des pieuvres en caoutchouc...

Théoriquement, une traction de 4,5 kg suffirait à faire basculer sous l'eau un homme de 89 kg, mais à condition qu'il n'oppose aucune résistance. Il arrive parfois que les pieuvres prennent les membres d'un nageur s'agitant dans l'eau pour les bras d'un autre octopode. Elles effectuent une rapide reconnaissance du bout d'un tentacule, et, devant la réaction agressive qu'elles suscitent, filent généralement se réfugier dans l'anfractuosité rocheuse la plus proche.

Les calmars sont les plus rapides des animaux marins à propulsion. Ils aspirent et expulsent d'énormes quantités d'eau et doivent nager constamment pour se maintenir en équilibre.

Pourquoi le corail perd-il sa couleur ?

Nombre de touristes sont déçus lorsqu'ils découvrent un récif de corail. La variété et la complexité des formes des coraux suscitent l'émerveillement, mais les magnifiques couleurs que l'on admire sur les cartes postales sont étrangement absentes. Cela s'explique par les habitudes alimentaires des coraux. En effet, la plupart des espèces se nourrissent la nuit. Le jour, les tentacules grâce auxquels les coraux capturent leurs proies sont rétractés dans les logements en forme de sac de leur squelette calcaire. C'est ce dernier, de couleur habituellement blanche ou brun pâle, que l'on vend dans les boutiques de souvenirs. Il a perdu l'éclat incomparable du corail vivant, car les polypes qui l'habitaient sont morts. Les coraux de couleurs vives qu'achètent les touristes sont des squelettes teints ou peints.

Les polypes qui donnent aux récifs coralliens leur infinie variété de couleurs sont apparentés aux anémones de mer et aux méduses ; comme elles, ils possèdent des tentacules urticants qui leur permettent de capturer les micro-organismes marins passant juste au-dessus d'eux.

La plongée de nuit, ou la promenade nocturne dans un bateau à fond de verre équipé de lampes puissantes, permet d'admirer un spectacle plus conforme aux merveilles vantées dans les brochures touristiques. Les tentacules déployés des différentes espèces de coraux vivant côte à côte en colonies forment une riche palette, aux couleurs parfois éclatantes mais le plus souvent délicatement pastel.

La reproduction des coraux offre un spectacle particulièrement chamarré. Trois à cinq jours avant la pleine lune d'été, les polypes lâchent des nuages d'œufs et de sperme aux couleurs vives - rouge, jaune, bleu - qui montent rapidement vers la surface, se mêlent et dérivent au gré du courant. On ne sait pas pourquoi ces espèces se reproduisent aussi massivement au même moment. Il s'agit peut-être d'une stratégie de survie : submergés par une telle abondance de nourriture, les prédateurs ne peuvent pas absorber tous les jeunes coraux.

Le corail noir utilisé en joaillerie provient du squelette flexible d'un polype qui ne construit pas de récifs. Les tubipores roses que l'on trouve parfois sur les plages appartiennent à une autre espèce de corail, de couleur verte avant qu'il ne meure.

Pourquoi les coraux présentent-ils une palette chromatique si variée ? Les biologistes marins pensent que leurs couleurs sont propres à attirer certaines espèces de poissons, protégeant le corail des espèces prédatrices.

Les récifs coralliens abritent des colonies de polypes. Le jour, ces minuscules créatures se rétractent dans leur squelette calcaire, dont elles émergent la nuit pour se nourrir. Les coraux sont carnivores. Toutes les photos ci-dessus (à l'exception du corail noir) montrent des polypes aux tentacules déployés, munis d'aiguillons acérés qui paralysent leurs proies microscopiques.

Les conquérants du ciel

Pourquoi les oiseaux pondent-ils des œufs ?

En se différenciant au fil de l'évolution de leurs ancêtres reptiliens, les oiseaux ont dû s'alléger au maximum pour améliorer leur aptitude au vol. La ponte des œufs, qui permet de se décharger de l'embryon, représente ainsi une économie de poids substantielle.

L'œuf fécondé forme un véritable microcosme : il abrite le germe (qui se transformera en poussin), une réserve alimentaire (le jaune), ainsi que de l'albumen (le blanc) contenant des protéines et de l'eau destinée à amortir les chocs. Deux tortillons, les chalazes, maintiennent le jaune et l'embryon au centre du blanc. Une coquille calcaire constitue l'enveloppe extérieure de l'œuf. Pour pondre des œufs, l'oiseau doit trouver un surplus de nourriture (parfois jusqu'à 40 % de plus que sa ration habituelle). La femelle a besoin, en outre, d'un apport supplémentaire de protéines et de calcium – sous forme de gravillons, d'os et de coquilles d'escargot – pour fabriquer la coquille des œufs. L'incubation nécessite beaucoup de soins de la part des deux parents. En dépit de tous leurs efforts, beaucoup d'œufs seront perdus par accident ou dérobés par des prédateurs. L'alimentation d'une couvée affamée requiert des allées et venues incessantes : un couple de mésanges effectue environ mille voyages quotidiens pour alimenter ses oisillons. Ce travail éreintant est la contrepartie de l'allègement du corps de l'oiseau. Si ses petits se développaient à l'intérieur de leur mère, celle-ci serait bientôt incapable de voler : le poids du poussin et du placenta déformerait la structure délicate de son corps, mettant en péril l'équilibre du squelette et des ailes aérodynamiques.

Certains parents éloignés des oiseaux ont cessé de pondre des œufs. Nombre d'espèces de serpents et de lézards sont vivipares : les femelles portent leurs petits, qui naissent complètement formés ou dans une enveloppe molle dont ils éclosent au bout de quelques heures.

Les naturalistes ont cherché des tendances similaires parmi les oiseaux qui ne volent pas, en particulier chez ceux qui ont perdu l'aptitude au vol depuis des millions d'années. Sans succès. Le kiwi de Nouvelle-Zélande, aux ailes réduites à de minuscules moignons, pond un œuf anormalement gros (il pèse près du quart du poids de l'oiseau adulte), dont l'incubation dure près de quatre-vingts jours.

Véritable microcosme, l'œuf subvient à tous les besoins de l'embryon. Lorsque l'oxygène commence à manquer, il est temps pour le poussin de briser sa coquille. Pour la percer, il dispose d'une petite saillie cornée située au bout de son bec, le diamant.

Des œufs à deux jaunes

Les œufs à deux jaunes sont rares, et il est encore plus rare qu'ils produisent un poussin, sans parler de deux. La présence de deux jaunes limite en effet la croissance de l'ovule fécondé contenu dans chacun d'eux, si bien qu'aucun des deux n'atteint le stade de l'éclosion.

Les œufs ont plusieurs jaunes lorsque la femelle expulse simultanément plusieurs ovules dans son oviducte. Œufs minuscules de la taille d'une tête d'épingles, les ovules grossissent d'abord dans l'ovaire. Il arrive parfois que l'ovule à maturité (le jaune) manque l'entonnoir situé à l'entrée de l'oviducte ; dans ce cas, l'œuf pondu n'aura pas de jaune. Chez les gallinacés, les œufs à deux jaunes sont pondus généralement par de vieilles poules ou par de très jeunes poulettes. Au bout de trois mois, elles perdent cette habitude et se mettent à pondre des œufs normaux.

Des durs à cuire...

Photographier un œuf en train de frire sur la chaussée est un des moyens favoris des journaux pour illustrer l'intensité d'une vague de chaleur. Si un œuf de poule peut cuire de la sorte, on pourrait présumer que les œufs des autres oiseaux, en particulier ceux qui sont pondus sur le sol, risquent eux aussi de durcir.

En réalité, les œufs sont protégés par leur coquille. Les coquilles pâles et les surfaces brillantes des coquilles plus foncées renvoient trop de lumière pour que la chaleur puisse s'accumuler. En outre, la coquille disperse la chaleur absorbée, qui se dissipe dans l'air ambiant. La chaleur pénétrant dans un œuf pourrait tuer l'embryon, mais les oiseaux qui le couvent reviennent habituellement à temps pour le maintenir à une température acceptable, comprise entre 33 et 35 °C. La période d'incubation varie de deux semaines chez les petits oiseaux à deux mois ou plus chez les albatros.

La plupart des oiseaux pondent une fois par an ; chez d'autres, deux pontes ou plus se succèdent rapidement. Le nombre des œufs de la couvée varie en fonction de l'espèce : un seul chez les manchots et les albatros, une demi-douzaine ou plus chez la mésange, vingt chez certaines perdrix.

Différentes hypothèses ont été avancées pour expliquer ces variations. Les chercheurs pensent que le nombre d'œufs d'une couvée, multiplié par le nombre des couvées pondues chaque année, est en relation avec la mortalité annuelle de l'espèce. Si tel n'était pas le cas, la population des oiseaux subirait d'importantes fluctuations. Une couvée peu importante peut indiquer, par exemple, que la nichée a un taux élevé de survie, ou que les oiseaux de l'espèce considérée ont une longue durée de vie, ou encore qu'ils ont peu d'ennemis.

Certaines espèces pondent un nombre d'œufs déterminé, qui est peut-être fixé génétiquement. Si les œufs sont détruits ou volés, l'oiseau n'en pondra pas d'autres. D'autres espèces, en revanche, remplacent les œufs perdus. Un pic américain dont on retirait les œufs au fur et à mesure qu'ils étaient déposés a ainsi pondu 71 œufs en l'espace de soixante-treize jours ! Les espèces de ce type continuent à pondre jusqu'à ce que l'effectif de la couvée soit atteint. La sensation produite par celle-ci sur l'abdomen déclenche une sécrétion hormonale qui arrête aussitôt la production des œufs dans l'ovaire.

L'exemple le plus frappant de ce phénomène est donné par la volaille. À condition d'être convenablement nourrie, elle peut pondre indéfiniment. On a vu une poule pondre 361 fois en trois cent soixante-cinq jours ; une autre a déposé 1 515 œufs en huit ans. Le record en la matière a été atteint par un canard domestique qui a pondu tous les jours de l'année, sauf deux.

Chez les oiseaux appartenant à la même espèce, le nombre d'œufs pondus varie suivant la latitude. Par exemple, l'alouette cornue des régions centrales des États-Unis pond trois œufs, celle du sud du Canada quatre et celle de l'Arctique en dépose jusqu'à six. D'après les ornithologues, les oiseaux vivant sous des climats plus chauds ont de meilleures chances d'élever leur nichée, ce qui explique pourquoi ils pondent moins d'œufs. La quantité de nourriture disponible a également de l'importance : certaines espèces pondent davantage lorsque les ressources alimentaires sont abondantes. Les années où souris et lemmings sont particulièrement prolifiques, les faucons et les hiboux, qui se nourrissent de ces petits rongeurs, profitent de l'occasion pour avoir des nichées plus nombreuses. Les scientifiques ne savent pas exactement ce qui détermine ce type de comportement. Les oiseaux pondent-ils davantage parce qu'ils ont une nourriture plus abondante ? Des facteurs climatiques intervenant dans la reproduction des souris et des lemmings stimulent-ils également celle de leurs prédateurs ?

Les oiseaux sauvages ne pondent qu'un œuf par jour ; les oiseaux élevés en batterie ont plusieurs pontes quotidiennes grâce à la lumière artificielle, qui leur donne l'impression qu'un nouveau jour se lève. La plupart des espèces déposent un œuf par jour jusqu'à ce que l'effectif de la couvée soit atteint, mais certains oiseaux espacent la ponte.

La femelle du leipoa, un mégapode d'Australie, couve dans un tas de compost édifié par le mâle. Selon la quantité de nourriture dont elle dispose, elle peut pondre jusqu'à 35 œufs, avec un intervalle de deux jours à deux semaines entre chaque ponte. Les œufs mettent sept semaines ou plus à éclore, et les oisillons sont indépendants sitôt l'éclosion. Tout au long de l'incubation, le mâle contrôle la température du compost, ouvrant ou refermant le nid pour maintenir une température de 33 °C.

La femelle du kiwi pond un œuf géant qui pèse le quart du poids de l'oiseau adulte. L'incubation, assurée par le mâle, dure quatre-vingts jours.

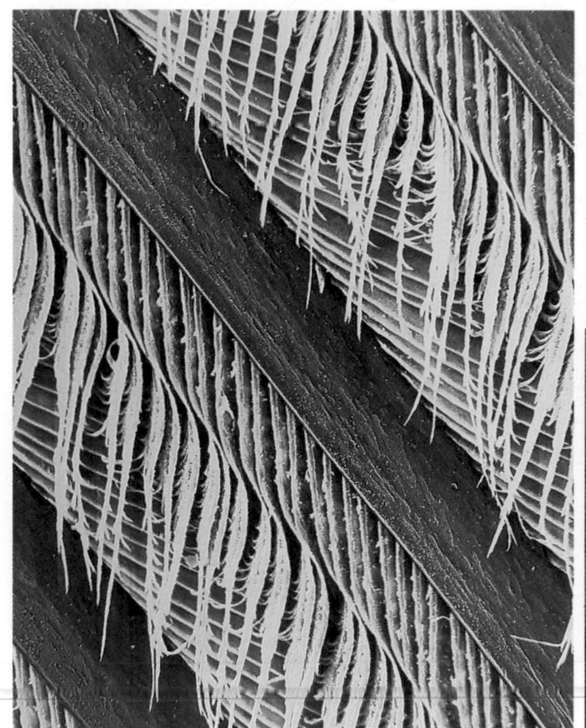

Résistantes et légères, les plumes des oiseaux, comme celles de cette pie, sont de merveilleuses mécaniques naturelles. Un réseau finement entrelacé de tiges et de crochets leur permet de s'agripper les unes aux autres pour augmenter la résistance à l'air, ou de s'ouvrir afin de laisser celui-ci circuler entre elles.

Pourquoi les oiseaux ont-ils des plumes ?

L'observation microscopique d'une plume provenant de l'aile ou de la queue d'un oiseau – aisément identifiable, elle est plus grande et plus rigide que les plumes recouvrant le corps – révèle une architecture étonnante. Chaque barbe – petite tige partant de la hampe centrale – est elle-même une plume miniature. Elle porte des barbules qui à leur tour supportent des barbicelles munies à leur extrémité de minuscules crochets qui agrippent les barbules voisines. Chaque plume comprend plus d'un million de crochets : durant le vol, ils fonctionnent comme un véritable système d'accrochage.

Le nombre total de plumes varie considérablement d'une espèce à l'autre. L'un des plus petits oiseaux du monde, le colibri à gorge rouge, en possède environ 900, tandis que le cygne siffleur en a plus de 25 000. En règle générale, le plumage des oiseaux est plus fourni en hiver.

Malgré la légèreté des plumes, l'ensemble du plumage peut être deux fois plus lourd que le squelette de l'oiseau. Par exemple, celui d'un pygargue à tête blanche a atteint 670 g, alors que son squelette ne pesait que 272 g. Les ailes emplumées des oiseaux ont des qualités aérodynamiques incomparablement supérieures à celles des ailes des chauves-souris (constituées de peau tendue), des fragiles membranes qui permettent aux insectes de voler, et de toutes les machines volantes inventées par l'homme. Il suffit d'observer un oiseau en vol pour s'en convaincre : même lorsque ses ailes ne battent pas, il est capable de s'élever dans les airs.

En effet, la forme incurvée d'une aile d'oiseau lui assure sa portance. Le battement vers le bas – le battement moteur – plaque étroitement les plumes les unes contre les autres ; celles-ci présentent alors une surface continue qui fonctionne à la manière d'un aviron dans l'eau. Les rémiges primaires (plumes situées au bout des ailes) se recourbent vers l'avant, assurant la propulsion. Durant le battement vers le haut, les plumes s'écartent pour permettre à l'air de circuler librement entre elles.

Des machines naturelles aussi perfectionnées requièrent un entretien constant. Les plumes voilières, en particulier, nécessitent des soins réguliers. Pour les remettre en place et procéder à leur toilette, les oiseaux se baignent dans l'eau – certaines espèces préfèrent les bains de poussière – puis se perchent sur une branche pour procéder au lissage. La plupart d'entre eux possèdent à la base de la queue une glande sécrétant un sébum huileux (la glande uropygienne). Observez attentivement un oiseau à sa toilette, et vous le verrez frotter son bec sur la glande, puis sur les plumes. La sécrétion sébacée imperméabilise le plumage et lui confère une bonne souplesse. Quelques espèces – notamment les perroquets, les

LE BAIN DE FOURMIS

Si les plumes assurent une excellente isolation thermique, elles présentent aussi un inconvénient : la peau, maintenue au chaud sous un épais duvet, offre un terrain idéal pour les parasites. Les oiseaux éliminent les puces, poux et acariens par le lissage, le grattage, le bain de poussière et le bain de soleil. Ils encouragent également, semble-t-il, les contre-attaques d'autres insectes.

Le mieux connu de ce type de comportement est ce que l'on appelle le bain de fourmis. Celui-ci revêt deux formes. Les oiseaux qui pratiquent la méthode passive s'accroupissent au milieu des fourmis, ailes déployées, et les laissent grimper sur tout leur corps. Ceux qui préfèrent la méthode active prennent des fourmis dans leur bec et les déposent sur leurs ailes. Les fourmis, furieuses, sécrètent alors de l'acide formique, un excellent insecticide.

Certains oiseaux incitent délibérément les guêpes à les piquer. Les moineaux prennent des bains de fumée de cheminée. Les freux et les geais ramassent des mégots de cigarette non éteints ou des tisons et se les appliquent sur les plumes.

Ce geai dispose d'un remède efficace contre les poux et les puces : il laisse les fourmis lui grimper sur le corps et les incite à asperger ses parasites d'un jet d'acide formique.

pigeons, les hérons – sont dépourvues de glande uropygienne. Ils disposent d'une autre ressource : leur duvet poudreux, des plumes dont l'extrémité se désintègre en une poudre fine dont l'oiseau se sert pour nettoyer son plumage.

Pourquoi les canards s'arrachent-ils les plumes ?

Lorsque la cane est prête à pondre ses œufs, elle s'arrache du duvet de la poitrine afin d'en tapisser son nid. Les plumules du duvet constituent en effet un isolant thermique si efficace qu'il ne laisse passer que très peu de chaleur corporelle. La femelle du canard doit donc dénuder un peu de peau pour assurer l'incubation.

Les fous résolvent ce problème en couvant avec les palmures de leurs pattes. Les manchots placent l'œuf sur leurs pattes et le couvent debout, sous un repli de l'abdomen. La plupart des autres oiseaux couveurs ont des plaques incubatrices sur l'abdomen, zones de peau où les plumes tombent à la nidification. Les vaisseaux sanguins se gonflent, conférant à la peau une coloration violacée. Abondamment irriguées, ces plaques permettent à l'oiseau de transmettre la chaleur corporelle aux œufs. Étant dépourvus de plaques incubatrices, les canards, les cygnes et les oies doivent s'arracher du duvet sur la poitrine afin de dénuder la peau. Le duvet repoussera une fois que les nichées auront été menées à bien.

Le duvet des canards et des oies est utilisé depuis fort longtemps pour garnir de moelleux oreillers, couettes et matelas. L'édredon doit son nom à l'eider, un canard de l'Arctique dont le duvet servait autrefois à garnir les couvre-pieds.

Des oiseaux qui mangent leurs plumes

Beaucoup d'espèces d'oiseaux utilisent leurs plumes pour rembourrer leur nid. Le grèbe huppé, quant à lui, n'hésite pas à les manger ; il en régale même ses petits, avec une prédilection pour les pennes souples qui recouvrent ses flancs.

Les grèbes se nourrissent de poissons, et, tous les deux jours environ, recrachent une ou deux boulettes pour vider le contenu de leur estomac. Ces pelotes sont constituées essentiellement d'éléments indigestes, écailles ou arêtes de poisson ; elles contiennent également des parasites gastriques qui, s'ils n'étaient pas expulsés, envahiraient l'intestin de l'oiseau. Si le grèbe avale des plumes, c'est sans doute pour donner du volume à la boulette et la régurgiter plus facilement.

Les oisillons du rouge-gorge ont la gorge brune. Cela permet de distinguer les oiseaux immatures et de mieux les dissimuler. Après la mue, leur gorge prendra la teinte rouge vif de l'adulte.

Pourquoi les oiseaux perdent-ils leurs plumes ?

Quiconque a utilisé un vieux plumeau sait que les plumes, légères et délicates, peuvent être aisément abîmées si on les malmène. C'est précisément ce qui se passe dans la nature. Soumises à rude épreuve par les intempéries, sujettes à une usure continuelle, les plumes des oiseaux demandent à être régulièrement renouvelées. Les vieilles plumes sont expulsées par les nouvelles, qui poussent à partir du même follicule.

Presque tous les oiseaux muent en l'espace de quelques semaines à une certaine période de l'année, habituellement à la fin de l'été ou en automne. Les plumes du corps tombent progressivement afin que l'oiseau ne soit pas exposé au froid. Pour maintenir l'équilibre en vol, les plumes des ailes muent par paires, une plume par aile à chaque fois.

Les manchots, qui vivent sous des climats extrêmement rigoureux et doivent affronter des eaux glaciales pour trouver leur nourriture, ne perdent leurs vieilles plumes qu'une fois la croissance des nouvelles complètement terminée. Ils gardent ainsi toute l'année leur chaud manteau protecteur.

De nombreuses espèces aquatiques, comme les rallidés, les tadornes (canards), les cygnes noirs, ou les grues, sont totalement incapables de voler durant la mue. Par chance, les lacs et marais où ils vivent leur offrent une relative tranquillité. Les tadornes commencent à muer à la fin du mois de juillet. Ils émigrent alors sur des bancs de sable retirés, où ils trouvent des ressources alimentaires abondantes.

En principe, la mue s'effectue rarement durant les phases de reproduction ou de migration. La nécessité de voler – pour chercher la nourriture ou entreprendre le périple migratoire – imposerait en effet une trop grande dépense d'énergie aux ailes, diminuées par la perte des plumes. Certains oiseaux, tel l'épervier d'Europe, font exception à la règle. Passant la majeure partie de leur vie en vol, ils profitent de la période de reproduction – le seul moment où ils sont au sol – pour renouveler leur plumage. La femelle mue pendant qu'elle couve les œufs. Elle est nourrie par le mâle, qui attend l'éclosion pour muer à son tour. Certaines espèces de migrateurs, comme les mouettes ou les sternes, ont une mue en deux étapes ; elles rénovent une partie de leur plumage avant de partir et achèvent leur mue une fois arrivées à destination.

La mue permet aux oiseaux de varier les couleurs de leur plumage, qui gagne en éclat et prend son marquage distinctif à mesure que l'oiseau passe par les stades juvénile et immature avant d'atteindre la maturité sexuelle.

Pourquoi les coucous abandonnent-ils leurs œufs ?

À voir un minuscule roitelet s'affairant à satisfaire les exigences d'un vorace bébé coucou, on ne peut s'empêcher de se demander comment le parent nourricier arrive à faire face à la tâche qui lui incombe – et pourquoi il s'est laissé prendre par le stratagème des parents naturels !

Pour nourrir les petits, les oiseaux réagissent instinctivement à l'excitation que provoquent en eux deux types de stimulus : d'une part, les cris des oisillons, et, d'autre part, la vue du gosier rose vif au fond de leur bec grand ouvert, quémandant la nourriture. Lorsque le poussin, en grandissant, devient deux fois plus gros que ses parents adoptifs et prend un aspect totalement différent, la course au nourrissage n'en continue pas moins. Parfois, le jeune coucou est si affamé que plusieurs adultes doivent s'échiner à satisfaire son appétit, en négligeant leurs propres rejetons. Ceux-ci, privés de nourriture, ont beaucoup de mal à survivre quand ils n'ont pas déjà été éjectés du nid.

Tous les coucous ne sont pas des parasites, et beaucoup d'entre eux élèvent leur propre couvée. De même, le comportement du coucou parasite n'est pas unique dans le monde des oiseaux. Certaines espèces de canards, d'indicateurs, de bergeronnettes, de tisserins et de pinsons utilisent la même méthode de reproduction.

Tout en pondant leurs œufs dans les nids des autres et en abdiquant leurs responsabilités parentales, les coucous se donnent beaucoup de mal pour assurer la réussite de leur stratagème. Ils commencent par repérer des nids dont les œufs ressemblent aux leurs. Les coucous sont capables de pondre des œufs d'aspects très différents, ce qui leur permet de parasiter près de 130 espèces en Europe. Le coucou gris dépose un seul œuf dans le nid d'un petit oiseau, comme le rouge-gorge. S'il en pondait davantage, les poussins ne survivraient pas, car les parents adoptifs ne parviendraient pas à les nourrir. L'œuf, anormalement petit pour la taille du coucou, pèse à peine 2,5 % du poids de la femelle. Le coucou-geai, quant à lui, choisit comme hôte exclusif la pie, un oiseau d'une taille voisine de la sienne ; il pond un gros œuf qui pèse environ 7 % du poids de son corps.

Une fois qu'ils ont arrêté leur choix, les coucous restent aux aguets, surveillent les allées et venues de la future mère adoptive. Lorsque celle-ci a commencé à pondre, le coucou mâle l'attire hors du nid en simulant une attaque. La femelle du coucou en profite pour pondre rapidement un œuf et subtilise un œuf de l'hôte pour rétablir le compte. Étant pondus à la hâte, souvent lâchés rapidement dans le nid, les œufs des coucous ont une coquille très épaisse. L'éclosion est relativement rapide pour un oiseau de cette taille, ce qui permet au jeune coucou de dominer ses frères adoptifs, voire de les éliminer.

Une fois indépendants, les jeunes coucous oublient tout ce qu'ils ont vu et entendu dans le nid de leurs hôtes – à l'exception, peut-être, d'un détail qui a son importance. On pense en effet que les femelles portent en elles l'image du site du nid ou de l'oiseau qui les a élevées ; à l'âge adulte, lorsqu'elles reviennent pour se reproduire, elles savent ainsi quel type de nid choisir pour y déposer leurs œufs.

Cette fauvette qui nourrit ce coucou parasite répond à deux stimulus : les cris de l'oisillon et la vue de son bec grand ouvert.

Rares sont les espèces qui peuvent rivaliser d'adresse avec ces talentueux architectes bâtisseurs.
Ci-contre : un pygargue à tête blanche (photographié en Alaska). En haut : un pic flamboyant (Mexique), un tisserin (Inde), un gobe-mouches de paradis (Afrique du Sud) et une mésange penduline d'Europe. Un nid peut être édifié en un jour par un seul oiseau ; d'autres seront construits par le couple en plusieurs mois. Certains oiseaux occupent d'année en année le même nid. Un couple d'aigles royaux d'Écosse a construit une aire de 4,50 m de profondeur. Les générations successives l'ont utilisée pendant quarante-cinq ans.

Des oiseaux et des nids

Rien n'est plus remarquable dans le monde des oiseaux que les trésors de patience, d'ingéniosité et d'adresse déployés dans la construction des nids. Certains sont si petits que leur occupant les recouvre complètement de son corps. D'autres nids sont de vastes palais couverts d'un dôme à l'intérieur desquels l'oiseau disparaît pour couver ses œufs. D'autres encore sont de véritables forteresses, comme le nid du fournier.

Tous les oiseaux ne sont pas des architectes bâtisseurs. Le manchot empereur, par exemple, ne se préoccupe pas de construire un nid. Il place son unique œuf sur ses pattes et le recouvre d'un repli de peau situé sous l'abdomen. Le flamant rose édifie sommairement un nid de boue en forme de cône. Les fous et les mouettes déposent leurs œufs sur la corniche d'une falaise. Certaines espèces, qui ne disposent que d'un bref laps de temps pour pondre, sont capables de terminer leur nid en un ou deux jours. Chez les oiseaux vivant dans des régions tempérées, où la reproduction peut s'effectuer sans hâte excessive, la construction du nid s'étend parfois sur plusieurs mois.

L'extrême diversité des emplacements, de la taille et de la forme des nids, ainsi que des matériaux utilisés pour leur construction, s'explique de multiples façons. En période de nidification, l'oiseau a besoin d'augmenter sa ration alimentaire habituelle afin de pouvoir pondre, se nourrir et nourrir ses petits. Il choisira pour son nid un site offrant des ressources alimentaires abondantes. Le nid doit être protégé des ennemis éventuels ; sinon, oiseaux prédateurs, mammifères et reptiles auraient vite fait de manger les œufs, les oisillons et leurs parents ! Certains oiseaux camouflent leur nid en utilisant des matériaux qui se fondent dans la végétation environnante, le dissimulent dans les herbes ou dans un trou d'arbre, en défendent l'entrée par des branchettes d'épines. Seule en son genre, la sittelle niche dans un trou d'arbre dont elle rétrécit l'ouverture en la maçonnant avec de la boue.

Toutes ces défenses, si ingénieuses soient-elles, se révèlent souvent impuissantes à repousser les ennemis – ce qui expliquerait pourquoi certains oiseaux construisent des nids relativement sommaires.

Chez les espèces dont les nids sont particulièrement vulnérables, les femelles peuvent pondre jusqu'à cinq couvées en une seule saison, dans l'espoir d'en élever ne fût-ce qu'une seule.

Des étourneaux voleurs de fanes de carotte

On voit parfois des étourneaux et d'autres oiseaux arracher d'un coup de bec des feuilles de plantes potagères pour les incorporer à leurs nids. Les oiseaux utilisent-ils ces matériaux à des fins de camouflage, d'isolation, ou bien comme humidificateurs naturels ? Aucune de ces hypothèses n'explique pourquoi les étourneaux, quant à eux, picorent exclusivement les feuilles de certaines plantes, en particulier les fanes de carotte.

En 1990, une équipe de chercheurs a découvert que le sens olfactif des étourneaux s'aiguisait pendant la saison de la reproduction. Certains parfums, dont le souvenir remonte peut-être à leur plus jeune âge, exercent alors sur eux un attrait particulier.

Ces odeurs pourraient être produites par des pesticides. Différents tests sur les acariens suceurs de sang qui infestent les nids d'oiseaux ont montré que ces substances inhibaient la croissance des parasites dès le stade larvaire. Un nid d'étourneau dont on avait retiré fanes de carotte et autre verdure vit sa population d'acariens passer de 8 000 à 750 000 en l'espace de trois semaines.

Intrépides pionniers des airs

Les oiseaux qui migrent vers des climats plus doux en hiver ne fuient pas le froid. En effet, leurs plumes assurent une isolation naturelle parfaite contre les températures les plus rigoureuses. La plupart des espèces entreprennent leur voyage saisonnier parce que les ressources alimentaires s'épuisent ou disparaissent sous la glace et la neige.

Souvent, le déplacement est peu important. Dans les régions tempérées, par exemple, les espèces qui nichent dans les montagnes se contentent de descendre à une altitude plus basse. Le pinson, le merle et le rouge-gorge sont des migrateurs partiels : ils peuvent être migrateurs dans une région et sédentaires ailleurs. Mise en veilleuse par une série d'hivers doux, leur tendance migratoire sera momentanément renforcée par un hiver rigoureux. Dans ce cas, ils gagnent une région plus clémente, mais pas nécessairement éloignée de leur habitat naturel.

À l'inverse, certains oiseaux sont des migrateurs infatigables. Les pouillots fitis, dont certains se reproduisent en Alaska, vont passer l'hiver en Afrique, à une distance de 13 000 km. Mais c'est à la sterne arctique que revient la palme du plus grand voyageur. À l'automne, avant que la glace ne recouvre leurs eaux nourricières, ces oiseaux quittent le cercle arctique, où ils nichent, et parcourent jusqu'à 18 000 km pour hiverner en bordure des glaces flottantes de l'Antarctique. Bien que bénéficiant de deux étés par an, les sternes aiment le froid. Elles se nourrissent de petits poissons qu'elles pêchent dans des eaux ne dépassant jamais 0 °C.

La recherche de la nourriture n'explique qu'en partie les migrations. Pourquoi, par exemple, les puffins à bec grêle, oiseaux des côtes de la Nouvelle-Zélande et du sud de l'Australie, effectuent-ils chaque année un long périple jusqu'à la mer de Béring avant de revenir à leurs territoires de nidification, parcourant au total une énorme boucle de 30 000 km ? Leurs mers d'origine ne gèlent pas – en réalité, elles ne sont guère plus froides en hiver, et les poissons dont ces oiseaux se nourrissent y sont même plus abondants. Pourtant, les puffins à bec grêle n'hésitent pas à entreprendre un périlleux voyage : certaines années, ils meurent par milliers durant la traversée, en particulier les jeunes. Ce comportement apparemment illogique s'explique peut-être par un problème de surpopulation. En effet, les sites de nidification où les puffins à bec grêle établissent leurs terriers sont limités. En conservant des pratiques migratoires qui n'ont plus aucune cause climatique, ces oiseaux exerceraient inconsciemment une sorte de contrôle démographique.

Les bernaches (en haut), les cormorans (à gauche) et les merles noirs illustrent les différents modes migratoires des oiseaux. Chaque année, les bernaches quittent les îles de l'Arctique et se dirigent vers le sud pour gagner les Pays-Bas et le nord de l'Angleterre. Les cormorans ne se déplacent que sur une courte distance, et seulement en cas d'hiver rigoureux. Les merles noirs de l'ouest du continent nord-américain se rassemblent en vastes groupes.

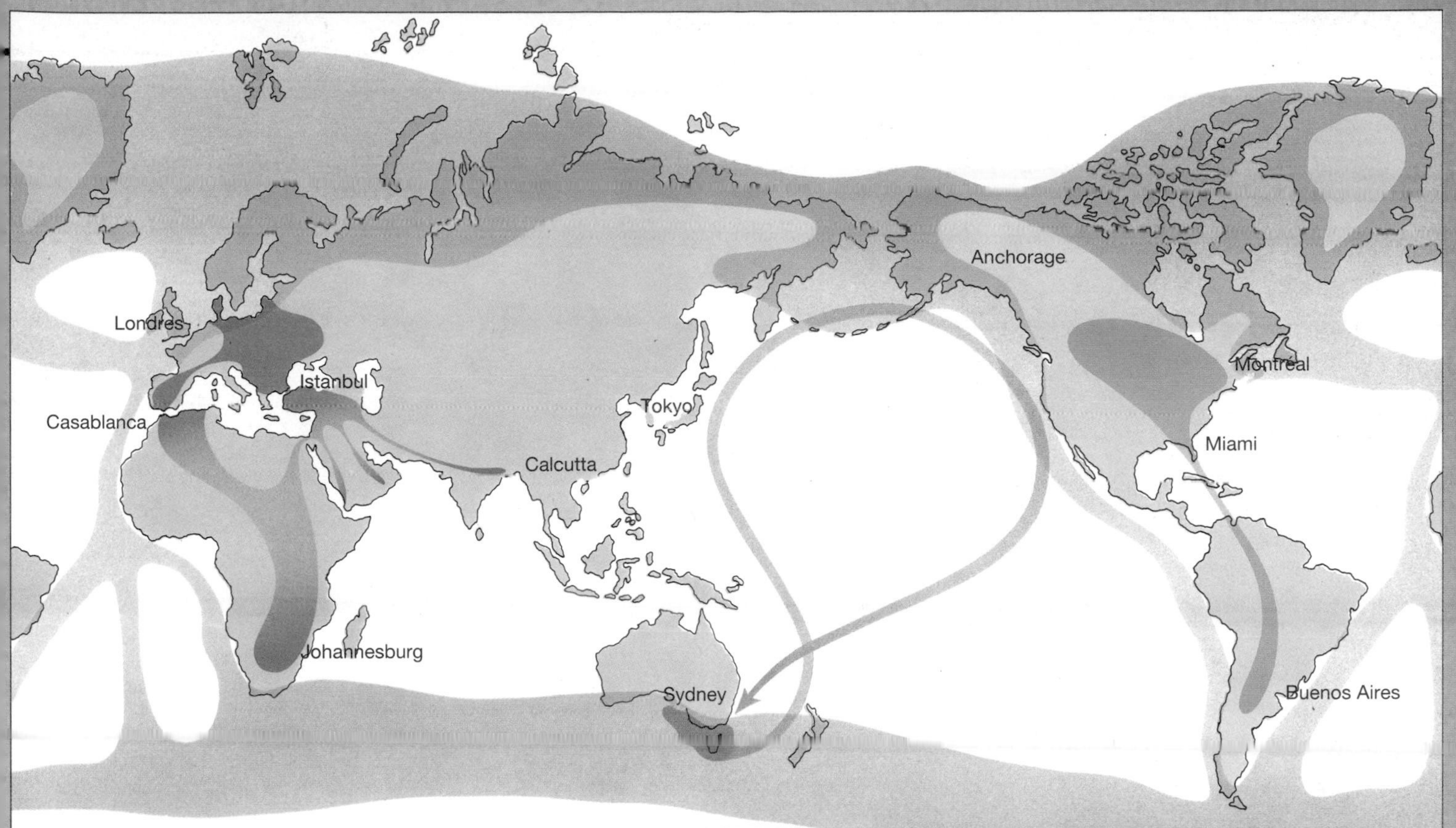

Beaucoup d'oiseaux migrateurs parcourent des distances prodigieuses. La sterne arctique effectue un voyage aller et retour de quelque 36 000 km. Les cigognes blanches partent des régions septentrionales de l'Europe pour gagner l'Afrique, l'Arabie ou l'Inde, un parcours de 20 000 km. Le goglu quittant le nord des États-Unis et le Canada pour regagner le nord de l'Argentine et le sud du Brésil couvre 16 000 km. Le puffin à bec grêle effectue une énorme boucle de 30 000 km entre ses territoires de reproduction, au sud de l'Australie, et le Pacifique Nord.

L'instinct migratoire des oiseaux a été sans nul doute renforcé lors des grandes glaciations. Mais l'origine de leurs déplacements saisonniers remonte probablement à une époque beaucoup plus lointaine. Les premiers oiseaux apparurent il y a 150 millions d'années. Au fur et à mesure de la dislocation des continents, leur habitat s'est fragmenté ; dès lors, les oiseaux capables de franchir de longues distances, d'une terre immergée à l'autre, avaient de meilleures chances de survie.

Les migrations courtes au-dessus des terres semblent s'expliquer par des raisons purement climatiques. Les oiseaux quittent leur habitat aux premiers signes d'un hiver rigoureux et sont habituellement les premiers à y revenir dès le début du printemps. Les grands migrateurs, en revanche, se mettent en route à peu près à la même époque de l'année, quelles que soient les conditions météorologiques.

Les migrateurs semblent avoir une « horloge biologique » capable de mesurer le raccourcissement du jour. Lorsque la durée de la période d'éclairement atteint un certain niveau, en automne, ils savent qu'il est temps de partir. Avant d'entreprendre le vol migratoire, une pulsion instinctive, dictée par leur horloge interne, les pousse à accumuler des réserves de graisse qui serviront de carburant pour leur voyage au long cours.

Comment expliquer l'aisance avec laquelle les oiseaux s'orientent sur de longs parcours ? Les migrateurs diurnes qui volent en bande au-dessus des terres semblent se diriger grâce à des repères géographiques au sol et bénéficient de l'expérience de leurs aînés ayant déjà fait le voyage. Mais ils peuvent aussi modifier leurs routes habituelles, qui comprennent parfois des aires traditionnelles de repos, si les conditions météorologiques ne leur conviennent pas.

Des expériences montrent que les oiseaux s'orientent d'après la position du Soleil durant la journée et tiennent compte des changements saisonniers affectant l'angle que forme l'astre avec la Terre.

Par temps couvert, lorsque leurs repères habituels leur font défaut, certains oiseaux utilisent un « radiocompas » interne qui, semble-t-il, détermine le cap grâce aux variations du champ magnétique terrestre. Les pigeons possèdent entre la boîte crânienne et le cerveau des masses de cristaux réagissant au magnétisme. Quand l'oiseau bouge la tête, le champ magnétique terrestre entraîne la production d'infimes courants électriques qui donnent au pigeon le cap à suivre. Lorsque le mauvais temps coïncide avec une tempête solaire, qui envoie dans l'espace des protons chargés d'électricité, les pigeons deviennent « déboussolés » et ont beaucoup de mal à retourner au nid.

Certains chercheurs pensent que les oiseaux possèdent des sens que l'esprit humain ne peut appréhender. Comment expliquer, sinon, leurs prodigieuses facultés de navigateurs ?

Les coucous de Nouvelle-Zélande, élevés par des parents adoptifs qui ne migrent pas, n'ont jamais vu leurs géniteurs ; pourtant, ils savent d'instinct comment parcourir les 4 000 km qui les séparent des îles Salomon !

Contrairement aux idées reçues, dire de quelqu'un qu'il a une cervelle d'oiseau est un compliment de taille !

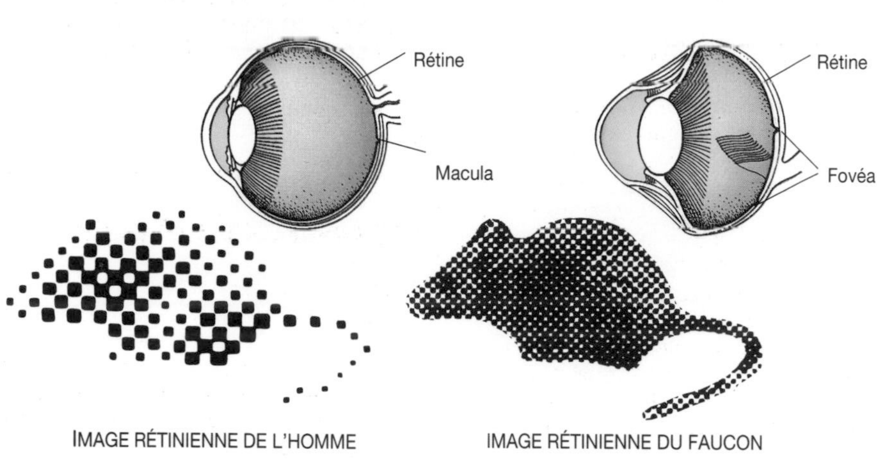

Une buse tournoie dans le ciel, guettant sa proie dans la savane africaine. Comme le faucon, ce rapace volant à grande altitude possède une acuité visuelle hors du commun, dus à la structure de son œil. La fovéa du faucon contient près de huit fois plus de cellules visuelles que la macula de l'œil humain.

Pourquoi les faucons ont-ils une vue perçante ?

Aucun animal au monde ne possède l'acuité visuelle des oiseaux, et plus particulièrement celle du faucon, dont l'œil perçant est sans rival.

La qualité de la vision est liée à la structure de la rétine. En effet, c'est sur cette membrane tapissant le fond de l'œil que se forment les images projetées par la cornée et le cristallin. L'acuité visuelle maximale est atteinte au niveau de la fovéa, minuscule dépression située dans la partie centrale de la rétine. Chez les oiseaux, la fovéa comprend beaucoup plus de cellules visuelles que chez n'importe quel autre animal. L'œil de certains rapaces, notamment celui du faucon, possède deux fovéas, comprenant chacune 1,5 million de cellules visuelles ; à titre de comparaison, la région correspondante de l'œil humain, la macula, contient environ 200 000 cellules seulement.

De plus, la fovéa des oiseaux est convexe sur les côtés, ce qui entraîne un grossissement jusqu'à 30 % de certaines parties de l'image. Le faucon perçoit des objets éloignés avec une précision près de huit fois supérieure à celle de l'œil humain. La différence de définition de l'image est comparable à celle de deux téléviseurs dont l'un aurait huit fois plus de lignes de balayage que l'autre.

Certains oiseaux, comme le hibou ou la chouette, ont de grands yeux immobiles destinés à capter le maximum de lumière. Le hibou peut distinguer une minuscule souris dans l'obscurité. Pour voir la même souris, l'œil humain aurait besoin de cent fois plus de lumière. Le hibou parvient même à repérer une proie dans l'obscurité totale, grâce à son ouïe, qui perçoit le plus infime bruissement.

Pourquoi les vautours sont-ils chauves ?

Les vautours sont des rapaces charognards qui se nourrissent en plongeant la tête dans des cadavres d'animaux en putréfaction et dans des tas d'immondices.

La tête déplumée et le bec puissant du vautour permettent à cet oiseau de proie de se délecter de charognes.

Ils ont un rôle sanitaire incontestable, empêchant notamment la propagation des germes et des maladies.

Pour se protéger de l'infection, les vautours ont la tête – et, chez certaines espèces, le cou – déplumée. Sur la peau nue, les bactéries, exposées au soleil implacable et à la déshydratation, dépérissent. Les vautours possèdent également une défense efficace contre les bactéries qu'ils avalent : leur système digestif se charge de les détruire. À la différence des excréments des autres oiseaux, propices au développement des germes, ceux des vautours les tuent. Cela explique pourquoi ces rapaces – ainsi que l'étrange marabout d'Afrique au long bec massif qui se nourrit lui aussi de détritus et de charognes – s'enduisent les pattes et les pieds de leurs excréments.

Les vautours se nourrissent en groupe. Ils planent haut dans le ciel, scrutant le sol à la recherche d'un cadavre d'animal, mais guettant aussi d'autres congénères en quête de nourriture. Des bandes de vautours peuvent couvrir une vaste étendue. Dans les savanes africaines, il arrive que trois ou quatre vautours d'espèces différentes viennent se nourrir sur la même charogne, chacun se délectant d'un morceau du cadavre abandonné par un lion ou un léopard. Ils sont rejoints par d'autres oiseaux, au cou emplumé, qui picorent les miettes du festin.

Les vautours sont très appréciés dans les pays tropicaux pour leurs fonctions hygiénique et écologique précieuses. Le percnoptère, petit vautour à plumes blanches et rémiges noires appelé aussi poule de pharaon, était vénéré par les Égyptiens. En Inde, les parsis érigent pour leurs morts des tours ouvertes afin que les vautours puissent nettoyer le squelette.

Le grand indicateur

Dans la savane africaine, l'indicateur bat des ailes et caquette pour attirer l'attention du ratel. Grand amateur de miel, ce mammifère omnivore, voisin du blaireau, est le complice favori de l'oiseau mellivore (qui utilise aussi, si besoin est, les services d'un babouin ou d'un humain).

Le petit oiseau pisciforme continue à sautiller, précédant le ratel jusqu'au nid d'abeilles sauvages qu'il convoite, mais qu'il n'a pas la force d'éventrer. Il attend donc que son complice ait effectué la besogne. Une fois le ratel rassasié de miel, l'indicateur pénètre à son tour dans le nid et y dévore la cire et les larves.

Grâce à des sécrétions gastriques spécialisées, cet oiseau compte parmi les rares animaux à pouvoir digérer la cire. Le grand indicateur est aussi un des rares oiseaux pour qui le sens olfactif revêt une grande importance.

Les oiseaux de Minerve

C'est à leur regard grave et fixe que le hibou et la chouette, rapaces nocturnes, doivent de symboliser la sagesse. La plupart des oiseaux ont les yeux placés de part et d'autre de la tête, ce qui leur permet de voir de tous les côtés. Chez le hibou et la chouette, les yeux sont situés sur le devant de la tête.

Grâce à un champ de vision stéréoscopique étendu, le hibou et la chouette sont capables de repérer une proie même sous un faible éclairage, mais ils ne peuvent bouger les yeux – fixés au fond de leurs orbites – qu'en tournant la tête.

Les Anciens associaient souvent certains animaux à des dieux. Dans la mythologie grecque, Athéna, déesse de la sagesse, mais aussi de la guerre, est flanquée d'une chouette. Devenu le symbole de la cité d'Athènes, l'oiseau aux yeux ronds et au regard fixe apparaît sur des pièces de monnaie datant de 525 avant J.-C. Le hibou et la chouette sont également les oiseaux de Minerve, divinité mystérieuse, protectrice de Rome et symbole de la sagesse.

Avec ses gros yeux sur le devant de la tête et son regard immobile, la chouette symbolisait la sagesse chez les Anciens. En médaillon, une pièce d'argent grecque datant de 440 avant J.-C.

Des débuts difficiles

Les humains ne sont pas les seuls à naître parfois sous une mauvaise étoile. La malchance frappe aussi certains oisillons dès leur éclosion. Les canards, les oies, les cygnes et la majorité des oiseaux percheurs ne commencent à couver qu'après avoir pondu le dernier œuf. De cette façon, même si la ponte de la couvée a pris une semaine ou plus, tous les oisillons éclosent simultanément et prennent à peu près le même départ dans la vie.

Chez nombre d'autres espèces, notamment les rapaces, l'incubation commence aussitôt que le premier œuf a été déposé, au détriment du dernier poussin à éclore. Plus âgés et plus forts, ses frères et sœurs s'emparent de l'essentiel de la nourriture : à l'occasion, ils pourront même dévorer leurs chétifs cadets.

Ce type d'incubation échelonné présente un avantage : en cas de disette, les plus forts parviendront à survivre. Si tous les poussins avaient éclos à peu près au même moment, la compétition entre eux se ferait à armes égales, et l'ensemble de la nichée risquerait de périr.

Stratégie de survie, la surproduction d'œufs, et donc de poussins, est une assurance efficace contre les accidents, la disette et les attaques des prédateurs. Comparativement à celles de leurs congénères vivant dans d'autres parties du monde et qui ne pondent qu'un seul œuf, les nichées des fous d'Australie connaissent un taux de succès bien supérieur. De même, un nombre significatif de jeunes qui parviennent à survivre proviennent de l'« œuf de secours ». Certaines espèces de mouettes pondent des œufs qui ne sont pas destinés à éclore. Le dernier œuf de la couvée, plus petit, d'une couleur et d'un marquage différents, est en effet un appât ingénieux qui attirera l'œil – et le coup de bec – d'un prédateur éventuel.

Aucun animal ne peut survivre à l'hiver antarctique comme le font ces manchots empereurs, qui figurent parmi les plus gros oiseaux marins. La masse de leur corps les aide à résister au froid.

Des manchots dans l'Arctique ?

Devenus des supernageurs au fil de l'évolution, les manchots sont dotés, en guise d'ailes, de nageoires recouvertes de plumes écailleuses. Ils tirent leur nourriture de la mer, pêchant poissons, calmars et crustacés. En hiver, les deux espèces de manchots qui vivent sur les côtes de l'Antarctique se déplacent vers les eaux de l'océan Austral qui ne sont pas prises par la glace et où la nourriture est abondante.

L'hémisphère Nord ne possède pas de continent équivalent, mais un océan Arctique presque entièrement recouvert par la banquise. Des oiseaux incapables de voler y mourraient de faim. Les terres libres de glace situées aux abords du cercle arctique, comme les côtes septentrionales du Groenland et les îles arctiques du Canada, conviendraient mieux aux manchots. Cependant, même si des oiseaux de ce type avaient existé dans ces régions – ce qui semble être le cas pour une espèce vaguement similaire, qui y aurait vécu il y a quatre-vingts millions d'années –, ils n'auraient pas résisté à l'apparition des grands mammifères. Clouées au rivage, les colonies auraient été décimées par les ours et les loups. Et, si elles avaient survécu, l'homme se serait chargé de leur porter le coup de grâce. Dans l'Antarctique, les seuls ennemis sérieux des manchots sont les phoques. Les grands oiseaux nageurs disposent en outre de vastes espaces et d'une nourriture abondante.

Les manchots n'ont jamais les pieds gelés

Chez l'homme, les vaisseaux sanguins sont proches de la surface de la peau. En cas de froid intense, la circulation sanguine dans les extrémités chute automatiquement, pour se concentrer sur les organes vitaux internes. Des gelures apparaissent aux mains et aux pieds : les tissus n'étant plus irrigués, ils se nécrosent rapidement.

Les manchots réagissent au froid intense exactement à l'inverse : leur corps et leurs pattes sont parfaitement isolés par un dense manteau de plumes courtes, fines et imperméables qui jouent le rôle d'une véritable fourrure. Sous la peau, les manchots de l'Antarctique disposent d'une épaisse couche de graisse similaire à celle des baleines et des phoques. Quant à leurs pattes, elles sont protégées, comme celles de tous les oiseaux, par des écailles faites d'une matière cornée dépourvue de vaisseaux sanguins.

Pourquoi les oiseaux n'ont-ils pas de dents ?

Pour s'adapter au vol, les oiseaux ont dû notamment renoncer à pouvoir mâcher les aliments. Une mâchoire et des dents les auraient, en termes aéronautiques, « alourdis du nez ». Au cours de l'évolution, la mâchoire fut donc progressivement remplacée par un bec en kératine, une matière légère dont sont constitués leurs plumes ainsi que nos ongles.

Certains oiseaux, comme les perroquets, sont dotés d'un bec très puissant qui leur permet de casser facilement noix et graines dures. Les becs des différentes espèces se sont spécialisés en fonction du régime alimentaire ; en effet, ils sont essentiellement des outils destinés à recueillir la nourriture.

Les oiseaux ne mâchent pas, ils avalent les aliments, qui passent dans le gésier, poche digestive aux parois fortement musclées. Le gésier étant situé entre les ailes, le fait qu'il soit vide ou plein n'affecte pas

Le bec du perroquet peut rivaliser avec les dents les plus acérées.

l'équilibre de l'oiseau en vol. Les aliments mous sont décomposés par la sécrétion des glandes digestives, les aliments solides subissent un broyage mécanique grâce aux contractions musculaires du gésier, renforcées par du gravier. Les propriétaires de canaris et de perruches le savent bien, tous les oiseaux qui se nourrissent de graines doivent ingurgiter régulièrement du gravier. Les oiseaux de plus grande taille avalent souvent de gros cailloux.

Pourquoi beaucoup d'oiseaux ne volent-ils pas ?

Le vol nécessite d'énormes dépenses d'énergie. Les oiseaux migrateurs, qui accumulent des réserves de graisse avant le départ, perdent jusqu'à la moitié de leur poids pendant le voyage. Des expériences montrent que la ration quotidienne des volailles domestiques, qui ont rarement l'occasion de voler, n'excède pas 4 % du poids corporel, alors que celle d'un petit oiseau comme la mésange représente 30 % de ce poids. Lorsque les oiseaux ne volent pas, ils mangent moins ; mais, si leur ration alimentaire ne diminue pas, la taille de l'espèce augmentera avec le temps.

Au tout début de l'évolution des oiseaux, certaines espèces, semble-t-il, choisirent de rester à terre lorsque cela ne mettait pas leur vie en danger. De nos jours, nombre d'oiseaux capables de voler, comme la perdrix, répugnent à prendre leur envol, même lorsqu'ils se sentent menacés. Ils préfèrent se sauver en courant, ou bien ils s'immobilisent, essayant de se fondre dans l'environnement grâce à leur camouflage.

Les muscles mis à contribution pendant le vol constituent à eux seuls un sixième du poids total de l'oiseau, et leur « entretien » nécessite une alimentation abondante. En cas de disette, un oiseau qui ne vole pas sera donc plus apte à survivre.

Chez les oiseaux qui ont cessé de voler, les puissants muscles pectoraux qui relient le bréchet aux ailes se sont atrophiés, de même que les ailes. Les plumes se sont adaptées à d'autres usages. Le casoar, par exemple, porte des pennes nues ressemblant à de grandes aiguilles à tricoter, dont il se sert pour se défendre.

Il y a quelque 65 millions d'années, beaucoup d'oiseaux perdirent leur aptitude au vol car ils n'étaient plus en danger au sol. Les dinosaures, qui pourchassaient leurs ancêtres jusque dans les arbres, avaient disparu. Ayant perdu la capacité de voler, ces oiseaux devinrent de plus en plus gros. Pendant quelques millions d'années, ils furent les maîtres de la terre ferme. Nul mammifère n'était assez puissant pour constituer une menace. Avec l'apparition des mammifères prédateurs, les oiseaux de petite taille qui ne volaient pas disparurent. Les plus gros, comme l'autruche – 135 kg pour 2,50 m de hauteur – survécurent en s'adaptant à la course. La vitesse maximale d'une autruche atteint 64 km/h.

Dans les terres isolées, inaccessibles aux animaux prédateurs, certaines espèces ont prospéré jusqu'à l'arrivée de l'homme. La Nouvelle-Zélande abrite un râle et un perroquet qui ne volent pas, ainsi que le célèbre kiwi. Ces espèces deviennent, hélas ! de plus en plus rares, et leur survie est aujourd'hui menacée.

Haut de plus de 3 m, Dinornis maximus *comptait parmi la douzaine d'espèces de moas qu'abritait la Nouvelle-Zélande. Chassé par l'homme, cet oiseau géant qui ne pouvait pas voler a complètement disparu à la fin du XVIIIe siècle.*

Pourquoi les oiseaux ne tombent-ils pas en dormant ?

Pour nombre d'oiseaux, dormir perché sur une branche est une position aussi naturelle que l'est pour nous, pendant le sommeil, la position allongée.

Pour assurer sa prise, il suffit à l'oiseau percheur de fléchir ses pattes. Le tendon qui descend jusqu'aux doigts se rétracte. Les doigts se crispent, verrouillant la patte et les ongles autour de la branche.

Chez les rapaces, ce mécanisme sert aussi à saisir et à tuer les proies. L'oiseau descend en piqué, pattes déployées, sur l'animal qu'il a repéré au sol. À l'impact, les pattes fléchissent, actionnant automatiquement les serres.

Pendant leur sommeil, les oiseaux ont besoin d'un camouflage efficace, surtout lorsqu'ils dorment de jour, comme ces podarges fauves. À la moindre menace, ils s'immobilisent – pour prendre l'aspect de branches cassées.

Pourquoi les oiseaux chantent-ils ?

Si agréable qu'il puisse être à l'oreille humaine, le chant des oiseaux est avant tout une proclamation de droits territoriaux comprenant une note nettement menaçante : en effet, il sert à écarter du territoire du chanteur les intrus appartenant à la même espèce et au même sexe. Les chants s'intensifient à la saison de reproduction, lorsqu'ils ont pour fonction d'attirer un partenaire de sexe opposé.

Presque tous les oiseaux communiquent par la voix pour maintenir le contact à l'intérieur d'une colonie, entre deux conjoints ou entre les parents et leurs petits. Les appels sonores permettent de faire connaître un emplacement riche en nourriture, d'indiquer l'approche d'un ennemi, de favoriser la formation d'un couple. La plupart des oiseaux peuvent produire simultanément deux sons différents, et les « duos » interprétés par un seul chanteur sont chose courante. Le moqueur roux d'Amérique du Nord est capable de chanter quatre notes en même temps.

Certains chants que nous percevons comme une seule note continue sont en réalité des combinaisons fort complexes pouvant comprendre jusqu'à quatre-vingts sons différents à la seconde. Les chants des oiseaux sont loin d'être tous agréables à l'oreille – le chant du coq, par exemple – et certains se révèlent franchement lugubres, tels le hululement nocturne du hibou ou le chuintement de la chouette.

Les oiseaux ayant une livrée aux couleurs éclatantes ou au marquage prononcé sont de piètres chanteurs. Leur plumage leur suffit pour marquer leurs droits territoriaux et faire leur cour. Ceux qui nichent en colonies communiquent par gestes ou par bruits plutôt que par la voix. Ils revendiquent leurs droits par des attitudes menaçantes, des sautillements, des claquements de bec, et utilisent les mêmes procédés pour courtiser leurs partenaires.

Les chants les plus mélodieux appartiennent généralement aux petits oiseaux au plumage terne, menant une vie solitaire dans les haies, les arbustes, les champs et les plaines, ou encore les forêts. L'aspect modeste du rossignol, par exemple, contraste avec la richesse de son chant. Les livrées discrètes de ces oiseaux les dissimulent aux ennemis éventuels. Lorsque l'instinct sexuel les incite à se manifester, ils déploient tous leurs talents musiciens. Les alouettes, qui disposent d'un bon camouflage tant qu'elles restent au sol, font entendre leur chant en s'élevant dans le ciel.

Les concerts matinaux des oiseaux sont en réalité un ensemble confus de chants où chaque interprète est soucieux avant tout de faire entendre sa voix. Par ailleurs, tous les oiseaux ne sont pas des lève-tôt. Une étude effectuée sur cinquante-sept espèces a montré que l'oiseau le plus matinal, le moucherolle, commençait à chanter environ quatre-vingts minutes avant le lever du soleil ; le pic minule, quant à lui, se lève près d'une heure et demie plus tard. Rares sont les oiseaux qui chantent au crépuscule – tels les martins-pêcheurs géants d'Australie, les grives et les rouges-gorges –, et plus rares encore sont ceux qui vocalisent à la nuit noire.

Il n'en va pas de même pour les espèces qui chantent tout au long du jour, répétant inlassablement la même phrase monotone. Ainsi un infatigable viréon à œil rouge a lancé en une seule journée 22 197 appels strictement identiques.

Les mâles de deux espèces d'oiseaux siffleurs d'Australie – toutes deux chantant du matin au soir – ne supportent pas la compétition, d'où qu'elle vienne : cela les fait siffler encore plus fort ! Les premiers émigrants les surnommèrent oiseaux tonnerre, car ils semblaient s'échiner à couvrir le bruit des orages. Aujourd'hui, les oi-

Les poètes célèbrent le chant du rossignol, que l'on peut entendre de jour comme de nuit. Pour le compositeur Olivier Messiaen, qui a transposé le chant des oiseaux dans sa musique, le rossignol avait le timbre d'un grand ténor.

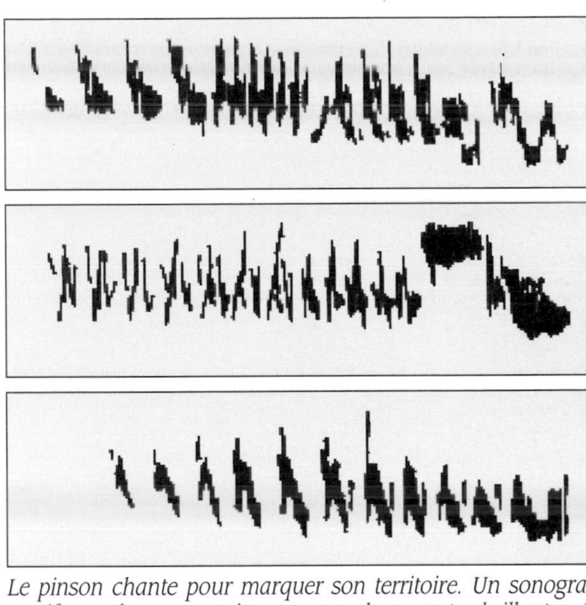

Le pinson chante pour marquer son territoire. Un sonogramme de son chant (A) montre un motif complexe se terminant par quelques notes brillantes. Un jeune oiseau (B) émet une série de notes stridulantes et tente d'imiter le final de son aîné. Un pinson en captivité, qui n'a jamais entendu ses congénères, lance un chant imprécis (C). Le chant d'un mâle d'âge adulte dure deux secondes et demie environ et se répète toutes les dix secondes.

seaux siffleurs doivent rivaliser avec le grondement des avions à réaction...

Les caractéristiques de base du chant sont innées. Des oiseaux n'ayant eu aucun contact avec des congénères de leur espèce commenceront à chanter à l'âge adéquat, mais leur chant comportera certaines anomalies. D'autres espèces, au chant plus élaboré, apprennent à vocaliser auprès de leurs aînés. Certains semblent apporter leurs propres variantes ; celles-ci constitueraient en quelque sorte la signature de la mélodie et serviraient à distinguer les individus.

Certaines espèces imitent le chant des autres oiseaux, peut-être dans le but d'améliorer leurs ressources alimentaires en décourageant les concurrents. Dans certains cas, cette pratique reste inexplicable. Il semble n'y avoir aucune raison pour que, par exemple, l'oiseau moqueur imite le coassement de la rainette. C'est sans doute aux oiseaux-lyres d'Australie que revient la palme de l'imitation vocale. Cachés dans les ravines des forêts, les mâles interprètent de longs pots-pourris. Leur répertoire comprend l'imitation d'une bonne douzaine d'oiseaux aux chants et aux cris les plus variés, du hululement au pépiement en passant par divers gazouillis et jacassements. Parfois, leurs vocalises sont même mêlées de grognements de marsupiaux !

Pourquoi les colibris volent-ils en arrière ?

Les oiseaux réalisent d'étonnantes évolutions dans les airs – vol ascensionnel, vol sur place, vol plané, descente en piqué – mais seul le colibri est capable d'exécuter une véritable marche arrière en vol. Reliées aux épaules par des articulations pivotantes, ses ailes effectuent une rotation complète qui permet à l'oiseau-mouche de voler sur place près d'une fleur. Tête vers le haut, le corps presque à la verticale, il bat des ailes à un rythme effréné – 80 battements par seconde – tout en pompant le nectar avec son long bec. Ce système d'alimentation en vol pose un problème : pour extraire son bec de la corolle, l'oiseau doit reculer. Le colibri effectue cette manœuvre en recourbant la queue vers l'avant, créant une poussée vers l'arrière qui suffit à dégager son bec de la fleur.

D'autres espèces qui se nourrissent de nectar, comme les melliphages, se perchent près de la fleur, ce qui occasionne moins de dépenses d'énergie. Les colibris, en revanche, sont sans cesse en mouvement ; ils brûlent leur énergie à une cadence infernale – près de trente fois plus vite qu'un volatile domestique et plus de deux fois plus vite que d'autres petits oiseaux hyperactifs, comme les roitelets. Si les colibris dormaient normalement, ils risqueraient de mourir d'inanition. Ils parviennent à économiser leur énergie pendant la nuit en tombant dans une sorte de léthargie qui abaisse leur température.

Il existe d'autres petits acrobates des airs, tels les gobe-mouches, qui effectuent en vol des mouvements très rapides vers l'arrière, mais ils ne les contrôlent pas à la façon des colibris.

Pour ne pas avoir à voler en arrière, les oiseaux montrent une adresse remarquable à manœuvrer. Certaines espèces, comme les hirondelles, ont une queue fourchue qui les aide à virer à toute vitesse. Une légère incurvation de l'aile ou un changement de l'angle d'inclinaison suffit à l'oiseau pour prendre un virage serré, ce qui lui permet d'atteindre sa cible sans avoir besoin de marche arrière.

Le minuscule colibri reste en vol stationnaire près de la fleur, aspire le nectar, puis effectue une marche arrière pour dégager son bec. Ses ailes, qui battent à toute vitesse, produisent un bourdonnement caractéristique.

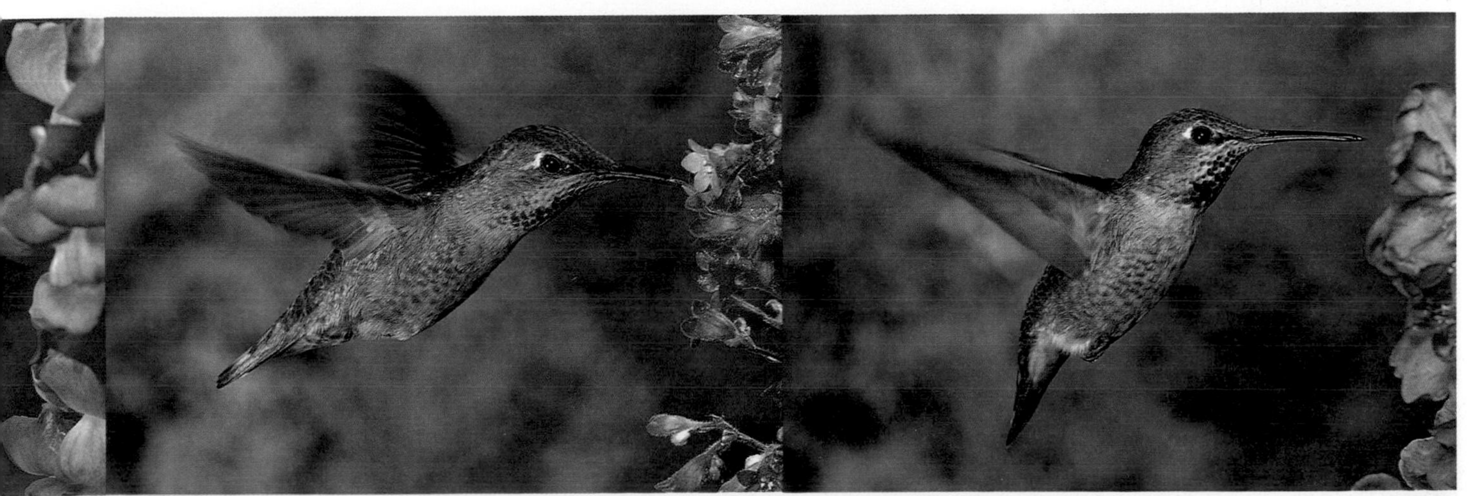

Vestiges vivants de notre lointain passé

Pourquoi les serpents s'attaquent-ils à l'homme ?

Bien que les serpents puissent avaler des proies beaucoup plus volumineuses qu'eux, les humains ne font pas partie de leur ordinaire.

La plupart des serpents ne sont pas agressifs. Au moindre signe de danger, qu'ils détectent par les vibrations du sol, ils effectuent habituellement une retraite prudente. Cependant, comme leur camouflage leur permet de se fondre dans l'environnement, et qu'ils aiment sommeiller au soleil, il leur arrive d'être surpris par des marcheurs. Les serpents ne mordent que si on les piétine par mégarde ou si on les provoque. Ils n'attaquent l'intrus qu'en dernier recours, par réflexe défensif.

Les serpents les plus dangereux sont ceux qui vivent dans des régions très peuplées, et sur lesquels on risque fréquemment de marcher par mégarde. Le cobra indien, qui se faufile souvent dans les maisons, fait près de dix mille victimes par an. L'Australie abrite onze espèces beaucoup plus redoutables, mais elles vivent généralement à l'écart des habitations. Aux États-Unis, dix personnes en moyenne meurent chaque année des suites d'une morsure de serpent à sonnette et de serpent corail – ce qui représente environ 5 % des cas de morsures ; en Europe, les vipères font un nombre similaire de victimes.

Pourquoi les serpents n'ont-ils pas de pattes ?

Les serpents et les lézards descendent d'un ancêtre commun muni de quatre pattes. Alors que la plupart des lézards ont conservé leurs pattes, les serpents les ont perdues.

Curieusement, perdre ses pattes constitue parfois un avantage. Devenus apodes, les serpents peuvent se glisser dans de très petites ouvertures, telles que les nids et les terriers de leurs proies. Ils peuvent également se réfugier dans des cachettes inaccessibles aux ennemis – serpents plus gros, oiseaux de proie ou mangoustes.

L'agilité et la souplesse du déplacement sont assurées par une colonne vertébrale remarquablement flexible, constituée de plusieurs centaines de vertèbres dont chacune s'articule à une paire de côtes mobiles par un dense réseau de tendons et de muscles latéraux. Certains tendons réunissent des côtes adjacentes ; d'autres relient des côtes très éloignées les unes des autres, parfois à trente vertèbres d'écart. Les tendons et les muscles permettent aux côtes de pivoter latéralement et exercent une pression vers l'arrière sur la surface sur laquelle le serpent se déplace.

L'ondulation latérale assure la meilleure prise sur le sol. Certaines espèces désertiques d'Amérique et d'Afrique utilisent l'ondulation en oblique, qui permet de se déplacer rapidement sur le sable. Enfin, de nombreux serpents, en particulier les boas et les vipères, peuvent se mouvoir en ligne droite, une forme de reptation efficace mais lente. D'une saccade, l'animal remonte vers l'avant ses larges écailles ventrales, puis les ramène vers l'arrière pour assurer sa prise sur le sol.

On prête souvent aux serpents une grande vitesse de déplacement. En réalité, la plupart des espèces ne dépassent guère 7 km/h. Le serpent le plus rapide du monde est le mamba noir d'Afrique, qui a été chronométré à 11,2 km/h.

Ce serpent qui se déplace en oblique dans le désert laisse des traces caractéristiques dans le sable. Il ne prend appui sur le sol qu'en deux points.

Pourquoi le serpent a-t-il une langue fourchue ?

On croit volontiers que les serpents sont pourvus de sens très développés. Ils ont un camouflage remarquable, ils se meuvent avec agilité et en silence, ils crachent leur venin avec une rapidité inquiétante.

En réalité, les serpents ont des sens limités. Leurs yeux détectent le mouvement proche de façon suffisamment précise pour que le serpent puisse frapper sa cible, mais ils distinguent mal les objets éloignés. Les oreilles, dépourvues de conduit auditif externe, servent surtout à l'équilibration et à la détection des vibrations du sol.

Par compensation, la plupart des serpents utilisent leur langue pour les conduire à leur proie. La cavité buccale abrite un organe sensoriel particulier : l'organe de Jacobson, placé dans le palais, qui consiste en deux cavités tapissées de terminaisons nerveuses sensibles aux odeurs. Lorsque le serpent sort sa langue, ce n'est pas pour goûter, mais pour sentir. En réalité, sa langue ne possède que très peu de bourgeons du goût.

Les particules odorantes contenues dans l'air ou dans la terre sont recueillies dans la langue bifide, qui les dépose dans les deux cavités de l'organe de Jacobson. Les particules y sont analysées et identifiées. Combinée au sens gustatif, l'olfaction (renforcée par les narines) permet au serpent de suivre une proie et de trouver son partenaire sexuel.

Certains serpents, tels que les crotales, les trigonocéphales, les boas et les pythons, pistent leur proie grâce à la chaleur

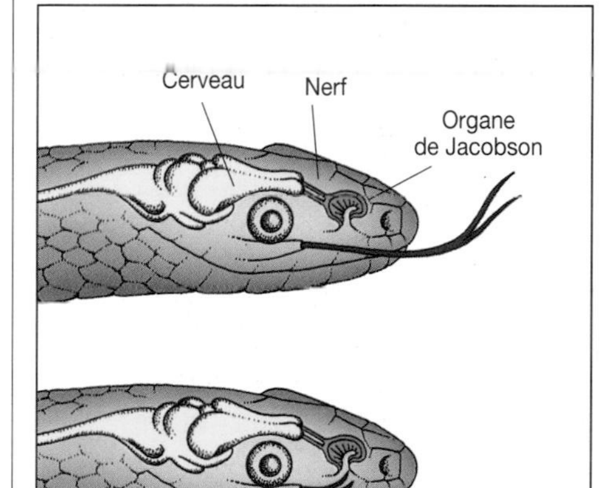

La langue du serpent, qui comporte très peu de bourgeons du goût, sert avant tout à l'olfaction. L'organe de Jacobson identifie les odeurs des particules recueillies par la langue. La couleuvre à collier (ci-dessous) n'est venimeuse que pour les petis animaux, comme la souris.

corporelle qu'elle dégage. Les trigonocéphales et les serpents à sonnette possèdent deux petites cavités situées de part et d'autre de la tête, entre l'œil et la narine. Grâce à ces organes thermorécepteurs, qui détectent les changements de température les plus infimes (de l'ordre de 0,2 °C), les serpents peuvent localiser leurs proies à sang chaud même dans l'obscurité.

Les serpents sont carnivores. Ils chassent habituellement les rats, les souris, les grenouilles, les lézards et les oiseaux.

Tous peuvent nager, et certains pêchent des poissons. Quelques espèces se nourrissent d'œufs d'oiseaux. Ainsi, un serpent d'Afrique mince comme un doigt peut-il engloutir des œufs quatre fois plus gros que sa tête.

Les mâchoires écartées au maximum, ce python tigre se prépare à ingérer un repas gargantuesque. Une proie de cette taille (ici, une gazelle de Thomson) est habituellement avalée la tête la première. Son festin terminé, le serpent pourra rester plusieurs semaines sans manger.

Les yeux plus gros que le ventre

À en juger par la taille volumineuse de ses proies, le serpent avale fréquemment plus qu'il ne peut mâcher. En fait, les serpents ne mâchent pas. Leurs dents sont petites, dirigées vers l'arrière, et elles servent uniquement à tirer la nourriture à l'intérieur de la bouche. Mais la taille de la prise excède souvent celle de la bouche.

Un python réticulé du Sud-Est asiatique – le serpent le plus gros du monde : sa longueur atteint près de 10 m – a ainsi ingéré un ours de 80 kg ; un de ses congénères a avalé un jeune garçon de quatorze ans ; de nombreux serpents ont été photographiés la bouche pleine, faisant peu à peu disparaître un repas gargantuesque. Quelle que soit sa prise, le serpent doit l'ingérer en entier, habituellement la tête la première de façon que les membres, la fourrure ou les plumes ne se coincent pas sur le trajet.

Le serpent peut avaler des proies aussi énormes grâce à la structure particulière de ses mâchoires, adaptées à une grande ouverture de la bouche. Un mécanisme déverrouille les maxillaires, qui s'écartent au maximum. La grande mobilité de l'articulation de la mandibule contribue à agrandir l'ouverture. La bouche peut ainsi recevoir des proies dont le diamètre excède celui du corps de l'animal.

Pareille ingestion est un processus laborieux : chez un autre animal, il conduirait vite à l'étouffement. Le serpent, quant à lui, continue à respirer car sa trachée possède une ouverture mobile renforcée qui passe en toute sécurité par un des côtés de sa bouche.

Le régime des crocodiles

Les crocodiles, les alligators et les espèces apparentées aiment la nourriture fraîche. En captivité, ils dédaignent la viande avariée. Dès lors, pourquoi croit-on généralement que les crocodiles préfèrent manger de la viande faisandée ?

Le malentendu tire son origine d'une pratique courante chez certains crocodiles : lorsqu'ils sont assez puissants pour tuer un buffle ou un hippopotame, ces reptiles ont l'habitude de laisser leur victime sous l'eau jusqu'à ce que sa peau s'amollisse. Puis ils consomment la viande, qui est encore relativement fraîche. Il arrive souvent que le festin soit trop abondant, et

UN RYTHME CAPTIVANT

Le charmeur de serpents indien qui tire de sa flûte des mélodies captivantes utilise une astuce innocente pour tromper ses spectateurs. Un cobra se dresse de son panier et se balance au rythme de la musique, comme hypnotisé. En réalité, la musique n'a aucun effet sur le reptile, puisqu'il ne peut entendre le moindre son. Le charmeur le sait bien, qui utilise avec ingéniosité les tendances naturelles du cobra.

Lorsqu'il se retrouve soudain en pleine lumière, émergeant du panier, le serpent se dresse et étends la peau de son cou en capuchon, attitude caractéristique de cette espèce quand elle se sent menacée. Il voit la flûte qui ondule et la prend pour un congénère. Dès lors, le voici captivé. Il dodeline de la tête en battant le rythme de la mélodie. En effet, c'est le seul moyen pour le cobra de suivre les mouvements de la flûte, car il ne peut tourner les yeux.

Des cobras royaux, les plus gros des serpents venimeux, se balancent en suivant les mouvements de la flûte de leur jeune maître.

les restes de viande, délaissés par les crocodiles, se mettent à pourrir.

Rares sont les animaux qui inspirent autant de frayeur que les crocodiles, et pourtant, tous ne sont pas carnivores. Parmi la vingtaine d'espèces existantes, plusieurs crocodiles de petite taille, aux mâchoires moins puissantes, se nourrissent essentiellement de poissons. En revanche, le crocodile des estuaires, le plus gros et le plus dangereux, que l'on trouve aussi bien en Inde et dans le Sud-Est asiatique qu'en Australie, est un prédateur redoutable. Il atteint 9 m de long, pèse jusqu'à 3 t et défend farouchement son territoire, saisissant les intrus dans ses terribles mâchoires pour les entraîner au fond de l'eau.

Des animaux à sang froid

Un grand nombre de reptiles se sentent au mieux de leur forme quand leur température corporelle est voisine de la nôtre, soit 37 °C. Mais, à la différence des humains, ils ne peuvent maintenir la chaleur interne à un niveau constant. Leur température dépend de celle de leur environnement.

En hiver, ces animaux deviennent léthargiques, leur peau et leur sang sont froids. En été, au contraire, si l'animal se laisse dorer au soleil, il aura trop chaud, ce qui peut le mettre en danger. En effet, si la température de l'air excède 40 °C, la chaleur corporelle des reptiles à peau fine, tels que les serpents et certains lézards, détruit les protéines des tissus, et l'animal meurt.

Les reptiles élèvent leur température interne en s'exposant au soleil ; pour éviter la surchauffe, ils s'abritent à l'ombre. Nombre de serpents chassent de nuit pendant les mois les plus chauds. Les crocodiles se rafraîchissent en plongeant dans l'eau. Par temps frais, beaucoup de reptiles deviennent moins actifs ; si la température s'abaisse de façon importante, ils se mettent en hibernation.

L'absence d'un mécanisme de régulation thermique interne rend les reptiles dépendants du milieu, mais elle leur donne un avantage sur les mammifères et les oiseaux. L'homme brûle près de 80 % de nourriture ingérée pour maintenir sa température interne. Un reptile peut survivre en ingérant un dixième seulement de la nourriture requise par un mammifère de même poids.

Pourquoi les lézards perdent-ils leur queue ?

Essayez de saisir un lézard par la queue, et vous constaterez que cet organe vous reste dans la main tandis que son propriétaire prend la poudre d'escampette.

Beaucoup de lézards ont une queue comportant une zone fragile, qui se rompt dès que l'on tire dessus, même très légèrement. Ce moyen de défense inhabituel permet de fuir rapidement.

Chez certains petits scinques et geckos, la queue une fois détachée continue à se tortiller pendant quelques secondes, détournant sur elle l'attention du prédateur. Les zoologistes appellent autotomie ce moyen de fuite, un terme signifiant littéralement autocission.

Le lézard ne perd que peu de sang au point de rupture, et la plaie cicatrise rapidement. Le tissu de la queue repousse mais le nouvel organe sera plus rigide que l'ancien. Dans certains cas, la repousse est si hâtive qu'il se forme plusieurs queues ! On a ainsi observé des geckos possédant jusqu'à sept appendices caudaux.

L'iguane marin expose ses flancs au soleil levant pour absorber la chaleur. Lorsque le soleil commence à chauffer, l'iguane se retourne face à lui, réduisant la chaleur de son corps. Dépourvu de glandes sudoripares, le reptile risquerait, sinon, de cuire à l'intérieur de sa peau écailleuse.

Pourquoi les dinosaures ont-ils disparu ?

Le terme dinosaure, qui vient de deux mots grecs signifiant « terrible lézard », apparut dans les années 1840 pour décrire des animaux gigantesques, disparus depuis longtemps, et que l'on connaissait grâce à leurs os fossilisés. Progressivement, les scientifiques découvrirent les multiples espèces de reptiles qui, jadis, dominaient la terre, le ciel et la mer.

Parmi les reptiles contemporains des dinosaures figuraient les crocodiles – leur aspect actuel reste pratiquement inchangé après 200 millions d'années –, les tortues, l'hattéria, ainsi que les ancêtres des lézards et des serpents actuels. La survie de ces espèces, qui se sont toutes perpétuées jusqu'à nos jours, rend plus troublante encore la brutale disparition de nombreuses formes animales, survenue il y a 63 millions d'années.

Différentes hypothèses ont été avancées. Doit-on attribuer l'extinction des dinosaures à une énorme météorite qui serait entrée en collision avec la Terre ? Des éruptions volcaniques d'une formidable ampleur auraient-elles entraîné des bouleversements majeurs ? Quoi qu'il en soit, la plupart des scientifiques s'accordent aujourd'hui pour penser que le climat a connu un soudain refroidissement qui limita sévèrement ou détruisit les ressources alimentaires. Le froid aurait contraint les reptiles n'ayant qu'une faible capacité d'adaptation thermique à une hibernation si longue qu'ils en seraient morts.

Les tortues des Galápagos seraient arrivées dans les îles du même nom en flottant sur des morceaux de bois. Grâce à l'isolement, elle se sont différenciées de leurs congénères.

Certaines espèces ont peut-être survécu aux effets immédiats de la catastrophe, mais pour s'éteindre par la suite d'une bien étrange façon. Les crocodiles, les alligators et les tortues marines enterrent leurs œufs, et la chaleur nécessaire à l'incubation est assurée par le sol, plus ou moins exposé aux rayons du soleil. Des études effectuées sur ces espèces montrent que la température de l'incubation détermine le sexe de la progéniture. Une différence de 1 °C suffit à modifier la proportion des mâles et des femelles. Chez les alligators d'Amérique, par exemple, plus la température est basse, plus grande sera la proportion de femelles. Si les dinosaures possédaient une caractéristique similaire, on peut penser qu'ils ont survécu pendant un certain temps... jusqu'à ce qu'il n'y ait plus qu'une population du même sexe.

Ce squelette d'un tricératops, reptile dinosaurien fossile, est vieux d'au moins 65 millions d'années.

Pourquoi les tortues vivent-elles si longtemps ?

Les tortues, marines ou terrestres, figurent parmi les reptiles les plus anciens : des espèces appartenant à leur groupe (l'ordre des chéloniens) existaient bien avant que les dinosaures n'aient fait leurs premiers pas sur la planète. Les tortues marines passent la majeure partie de leur vie dans l'eau ; les tortues terrestres ne vont dans l'eau que pour boire ou se rafraîchir.

Les deux espèces ont une longévité remarquable. Une tortue marine déposée en 1766 sur l'île Maurice par l'explorateur français Marion-Dufresne est morte en 1918, soit cent cinquante-deux ans plus tard.

D'autres tortues auraient vécu plus de deux cents ans, à en juger d'après des dates gravées sur leur carapace. Divers facteurs expliquent leur longévité. D'une part, et c'est la raison essentielle de leur exceptionnelle durée de vie, les organes vitaux des tortues ne dégénèrent pas avec l'âge, comme le font ceux des oiseaux et des mammifères. Par ailleurs, les dépenses énergétiques des tortues sont faibles, ce qui leur permet de consacrer la plus grande partie de leur ration alimentaire au développement de leurs muscles. Les cellules se régénèrent, et les reptiles continuent de grandir, même très lentement, durant toute leur vie.

Les dangers majeurs qui guettent les tortues surviennent essentiellement dans les premiers mois de la vie : extermination par des prédateurs tels que les oiseaux, les poissons et les petits mammifères – chez certaines espèces, seule une jeune tortue sur cent parvient à survivre –, infections, destruction de l'habitat, disette.

Une fois que la carapace s'est durcie, ce qui peut prendre plusieurs mois, les tortues sont cuirassées contre la plupart des ennemis. La carapace de nombreuses es-

LES CHAMPIONS DE LA LONGÉVITÉ

Chaque branche du règne animal possède ses champions de la longévité. Les durées de vie ci-dessous ont été établies, dans la plupart des cas, d'après des données attestées, les autres étant fondées sur les taux de croissance connus. Toutefois, les animaux sauvages n'atteignent presque jamais leur âge maximal potentiel. Le plus souvent, ils périssent bien avant, emportés par les prédateurs, la maladie, la faim ou la destruction de leur habitat par les hommes.

MAMMIFÈRES
HOMME
ÉLÉPHANT D'ASIE
BALEINE BLEUE
OISEAUX
VAUTOUR
AIGLE ROYAL
ALBATROS HURLEUR
REPTILES ET AMPHIBIENS
TORTUE GÉANTE
CROCODILE D'ESTUAIRE
GRANDE SALAMANDRE
POISSONS
ESTURGEON
ROUSSETTE
FLÉTAN
INVERTÉBRÉS
MULETTE
HOMARD
FOURMI REINE
0 20 40 60 80 100 120 140 160
NOMBRE D'ANNÉES

pèces comprend des mécanismes de défense ingénieux. Certaines sont pourvues de lobes articulés qui se referment lorsque la tortue rentre dans sa carapace ; les tortues terrestres bloquent les ouvertures avec les plantes de leurs pattes, qui constituent de véritables cuirasses.

Végétariennes ou carnivores, les tortues ont des goûts alimentaires très variés. Beaucoup d'espèces supportent le jeûne ou la soif prolongés, et celles qui vivent sous des climats froids hibernent. Si les mâles se disputent parfois pour la possession des femelles, ils ne se battent jamais à mort pour revendiquer leur territoire.

Depuis longtemps, le plus redoutable ennemi des tortues est l'homme. Entre 1831 et 1868, quelque 10 000 tortues ont été exterminées dans les Galápagos par les baleiniers américains sillonnant le Pacifique Est. Grâce aux mouvements en faveur de la sauvegarde des animaux sauvages de la planète, beaucoup d'espèces sont à présent strictement protégées.

Les tortues géantes vivent à l'état sauvage sur les récifs coralliens et les atolls de l'archipel d'Aldabra, dans l'océan Indien, et dans les îles Galápagos. Strictement végétariennes, elles peuvent atteindre 250 kg, avec des carapaces de 1,50 m de long. On pense que leurs ancêtres sont arrivés dans les îles sur des bois flottants, après avoir quitté leur milieu d'origine, en Amérique du Sud et en Inde, d'où ces espèces ont disparu, exterminées par la chasse.

Pourquoi l'axolotl conserve-t-il ses branchies ?

Certains amphibiens semblent avoir inversé la tendance de l'évolution : ils rejettent la vie sur la terre ferme. Le plus connu d'entre eux, en raison de son aspect étrange et de la grande popularité dont il jouit auprès des amateurs d'aquariums,

Avec ses houppes branchiales, l'axolotl du Mexique est une rareté en son genre.

est l'axolotl, qui habite les eaux douces du Mexique.

Alors que la plupart des amphibiens perdent leurs branchies durant la phase larvaire, l'axolotl les conserve, du moins dans des conditions de vie normales. Nourri expérimentalement avec de la thyroxine, une hormone de croissance, cet urodèle perd ses branchies et acquiert des poumons. Ce phénomène se produit rarement de façon naturelle. L'habitat de l'urodèle est ici déterminant. En effet, tant que l'axolotl vit dans l'eau, il conserve ses branchies. Si son habitat s'assèche, il perd ses branchies et se métamorphose alors en une salamandre-tigre terrestre.

Pourquoi les grenouilles disparaissent-elles ?

Au cours des années 1980, les naturalistes ont noté un déclin chez les populations de grenouilles dans différentes régions du monde. Sur les 3 700 espèces existantes, un grand nombre avait disparu ; d'autres présentaient des anomalies, déformation des membres ou perte des doigts, indiquant qu'elles étaient en danger.

Le cycle de vie des grenouilles rend ces amphibiens extrêmement sensibles à la pollution de l'eau par les substances chimiques utilisées dans l'industrie et l'agriculture. Les pesticides, les pluies acides, la déforestation, la construction de barrages hydroélectriques affectent profondément leur environnement.

Respirant par la peau, les grenouilles sont également vulnérables à la pollution de l'air. Circonstance aggravante, leur mobilité limitée les empêche de passer aisément d'un milieu à un autre quand leur habitat est menacé.

Lors du premier congrès d'erpétologie, qui se réunit en 1989 en Grande-Bretagne, les scientifiques purent constater que les grenouilles étaient en train de disparaître même dans les zones les plus préservées du monde, notamment certains parcs naturels du Costa Rica, d'Australie, de Suisse et des États-Unis.

Les causes spécifiques de ce phénomène, surprenant par son étendue et sa simultanéité, restent mal élucidées. De nombreux naturalistes ont avancé l'hypothèse que les grenouilles réagissaient à la manière d'un baromètre de la santé de la planète ; leur déclin serait un signe précurseur des dangers à venir.

La grenouille du Costa Rica pond ses œufs sur le sol humide de la forêt. Un têtard se développe dans chaque œuf ; il en éclôt sous forme de petite grenouille sa métamorphose achevée. Ces grenouilles, comme bien d'autres, sont menacées d'extinction.

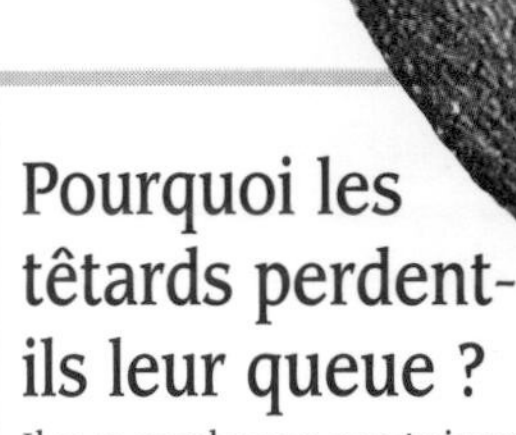

Pourquoi les têtards perdent-ils leur queue ?

Il y a quelques centaines de millions d'années, les premiers animaux housepisciformes sortirent en rampant des eaux marécageuses pour respirer une bouffée d'air frais sur la terre ferme. Aujourd'hui, trois groupes d'animaux sont capables de vivre immergés et émergés – confinés dans l'eau durant les premiers stades de leur existence, ils passent l'essentiel de leur vie d'adulte sur la terre ferme. La classe des amphibiens (mot signifiant en grec « double vie ») comprend trois ordres : celui auquel appartiennent les grenouilles et les crapauds, celui des tritons et des salamandres, le troisième groupe rassemblant les apodes, amphibiens fouisseurs dépourvus de membres.

Pour parachever leur métamorphose, c'est-à-dire passer du stade larvaire et aquatique au stade terrestre, les amphibiens ont besoin d'eau à température adéquate et d'un apport important de protéines. Si l'on place des têtards dans un bocal en les soumettant à un régime surprotéiné, leur transformation en grenouilles sera accélérée. En revanche, si le milieu est trop pauvre en protéines, la métamorphose n'a pas lieu, et le têtard conserve sa queue. C'est par ce phénomène que les scientifiques expliquent la présence occasionnelle de têtards géants de grenouilles vertes. Leur taille dépasse parfois celle des grenouilles.

Les tritons et les salamandres conservent leur queue, ce qui explique peut-être que leur métamorphose soit souvent incomplète. Certaines espèces – en particulier celles qui vivent dans des eaux profondes et froides – atteignent le stade reproducteur tout en conservant leurs caractères larvaires. Elles peuvent acquérir des poumons tout en gardant leurs houppes branchiales.

Les larves des salamandres qui habitent les lacs du Mexique et du sud des États-Unis effectuent leur métamorphose complète uniquement si leur milieu aquatique se modifie à la suite d'une sécheresse. Lorsqu'elles peuvent continuer à vivre dans l'eau, elles grandissent et se reproduisent à l'état larvaire, durant lequel elles ressemblent à des têtards.

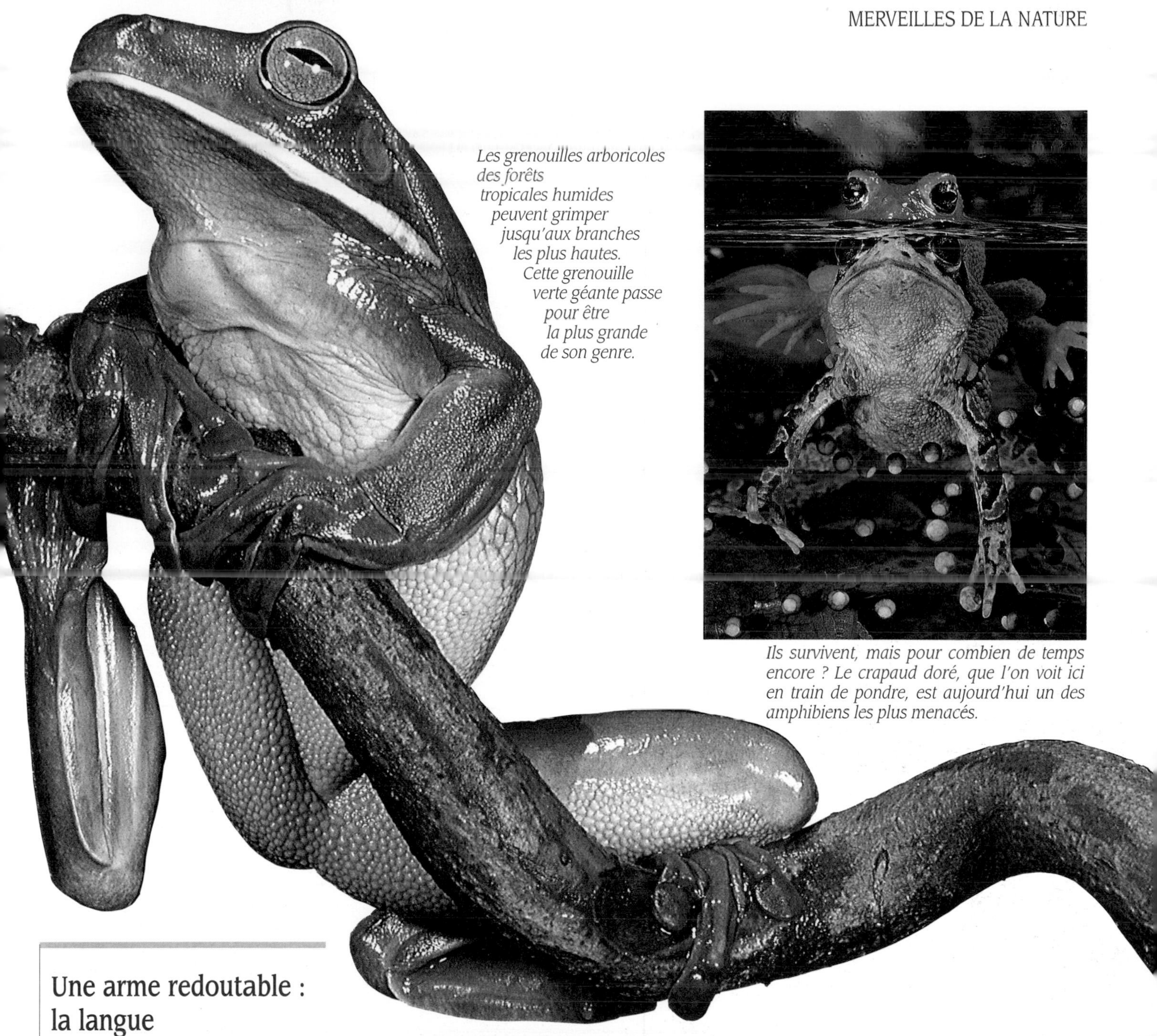

Les grenouilles arboricoles des forêts tropicales humides peuvent grimper jusqu'aux branches les plus hautes. Cette grenouille verte géante passe pour être la plus grande de son genre.

Ils survivent, mais pour combien de temps encore ? Le crapaud doré, que l'on voit ici en train de pondre, est aujourd'hui un des amphibiens les plus menacés.

Une arme redoutable : la langue

À la vitesse de l'éclair, une grenouille éjecte sa langue et happe un insecte. L'action est si rapide qu'il faut la filmer au ralenti pour voir ce qui se passe.

La langue de la grenouille, comme celle du crapaud, est attachée à la mandibule au-devant de la bouche, la partie libre étant repliée vers l'arrière au repos. Lorsqu'une grenouille a repéré sa proie, elle ouvre la bouche, et la langue gluante est éjectée tel un ressort. Les scientifiques ont noté que la bouche émettait alors un claquement assourdi, indiquant que la langue fonctionne aussi à la manière d'une canne. Puis, la proie engluée dans son mucus, la langue se replie tout aussi rapidement dans la bouche. La grenouille ne peut pas mâcher ses aliments, qui passent directement dans son gosier. Pour accélérer le processus, la grenouille cligne des yeux. Ceux-ci se renfoncent alors dans leur orbite, créant deux protubérances sur le plafond buccal qui facilitent la déglutition.

La langue de la grenouille n'est pas seulement une arme d'une efficacité redoutable, elle balaie les yeux afin de les débarrasser de toute poussière éventuelle.

Pourquoi les grenouilles ne peuvent-elles pas boire ?

L'eau gouverne la vie des grenouilles. À la phase larvaire, elles vivent totalement immergées ; parvenues à l'âge adulte, elles ne s'écartent jamais très loin du milieu humide. Profondément dépendantes de l'eau, les grenouilles ne peuvent cependant pas la boire par la bouche.

Les grenouilles figurent parmi les premiers vertébrés terrestres, mais leurs poumons ne leur ont jamais fourni tout l'oxygène dont elles avaient besoin. Leur respiration est essentiellement cutanée.

Extrêmement perméable, leur peau absorbe l'air mais laisse aussi s'évaporer l'eau de l'organisme. Pour compenser ces pertes, les grenouilles doivent s'humidifier constamment la peau, ce qui leur permet d'absorber l'eau qu'elles ne peuvent boire. Dans les régions à climat chaud, les grenouilles ont adopté des stratégies ingénieuses pour pallier une éventuelle sécheresse. Les œufs éclosent au bout de quelques jours – au lieu de quatre mois – et les têtards se développent rapidement. Certaines grenouilles arboricoles pondent leurs œufs au-dessus de l'eau, dans un nid d'écume qui, en durcissant, assurera leur protection.

D'innombrables insectes

Des araignées sans toile

Contrairement à ce que l'on pourrait penser, la plupart des araignées ne construisent pas de ces toiles régulières que l'on peut observer dans les greniers ou les jardins. Disposée de façon astucieuse, la toile permet de capturer les insectes volants qui s'aventurent à proximité. Mais elle présente aussi des inconvénients : ses fils cassent aisément ; et, pendant que l'araignée tisse sa trame, elle s'expose aux attaques des oiseaux.

Grâce à leur grande mobilité, qui leur permet de fuir rapidement en cas de danger, les araignées préfèrent souvent chasser leurs proies au sol. Toutes proportions gardées, la grande tégénaire, araignée commune de nos maisons, peut courir six fois plus vite qu'un sprinter olympique.

D'autres espèces s'embusquent dans les broussailles, les arbres ou les maisons, et attendent leur proie. Ces araignées-là sont toujours plus venimeuses que celles qui construisent une toile, car elles doivent immobiliser rapidement leur victime au lieu de la laisser mourir à petit feu, engluée dans le garde-manger. Les quelque 40 000 espèces d'araignées recensées dans le monde sont issues d'animaux marins qui envahirent les terres il y a 400 millions d'années. Leur évolution n'a pas produit d'espèces intermédiaires, antérieures à celles existant aujourd'hui.

La mygale et l'atypus, par exemple, sont restées inchangés dans leur forme depuis des millions d'années. Par un processus appelé radiation évolutive, des espèces toujours plus nombreuses se sont développées, s'adaptant avec succès à la moindre niche écologique disponible.

Malgré leur grande diversité, toutes les araignées sont prédatrices et partagent le même mode de reproduction. Le mâle tisse une toile sur laquelle il dépose du sperme. Il aspire la toile et le sperme dans deux bulbes portés à l'extrémité de ses pédipalpes. Lorsqu'il a trouvé une femelle, il vide rapidement le contenu de ses bulbes dans la chambre génitale, après quoi il s'empresse de déguerpir pour éviter d'éventuelles représailles. La soie, sécrétée par des glandes abdominales, est utilisée pour protéger les œufs dans un cocon, construire la toile, capturer les proies ; chez les mygales maçonnes, elle sert de fil avertisseur de l'approche de visiteurs ; les araignées saltiques l'utilisent à la manière

Une araignée s'est embusquée au centre d'une toile distendue par des gouttes de rosée. La soie est d'une élasticité et d'une solidité remarquables. Elle peut s'étirer d'un tiers de sa longueur avant de se rompre, soit deux fois plus que le nylon.

Les araignées ont élaboré de multiples ruses pour capturer leurs proies. L'excellente acuité visuelle de cette saltique, que l'on voit dévorer une sauterelle d'Amérique (à gauche), lui permet de traquer sa victime avant de s'en saisir d'un bond. La mygale maçonne attend sous le couvercle, parfois bordé de dentelures pour mieux s'ajuster au sol.

d'une corde de sécurité qui les retient en cas de chute. Les fils de la Vierge servent à la dispersion des jeunes (dont le nombre peut être de mille par cocon), qui seront ensuite transportés par le vent.

Les araignées de la famille des théridiides, qui comprend notamment la veuve noire d'Amérique, disposent sur le sol des fils collants grâce auxquels elles capturent leurs proies. L'araignée commence par tisser un paquet de fils enchevêtrés qu'elle ancre au sol, à un arbre ou à un rocher. Puis elle étire un fil jusqu'à sa cachette. Après quoi elle n'a plus qu'à ramener la « ligne » portant l'insecte imprudent qui se sera laissé engluer. D'autres araignées construisent une petite toile élastique qu'elles tiennent entre leurs pattes antérieures ; suspendues la tête en bas par leurs pattes postérieures, elles lâchent la toile sur la proie qui passe au-dessous. Plus la victime se débat, plus elle est enserrée par le filet. La palme de l'ingéniosité revient à l'araignée tropicale appelée bola ; celle-ci capture les papillons de nuit à l'aide d'une boule de soie gluante qu'elle fait tournoyer au bout d'un fil à la manière d'un lasso, de plus en plus vite. Une fois la proie capturée, l'araignée la ramène vers elle en relevant son fil, comme le ferait un pêcheur à la ligne.

La soie de l'araignée est extraordinairement légère et résistante. Un fil qui relierait Londres à New York – une distance de 5 536 km – pèserait moins qu'un œuf de jeune poule et aurait pourtant une tension de rupture proportionnellement plus élevée que celle de l'acier.

DES VENINS DÉCONCERTANTS

À l'exception de quelques espèces de la famille des uloboridés, que l'on trouve dans toutes les régions chaudes du monde, les araignées sont dotées de glandes à venin. La composition chimique des venins est extrêmement variée. Certaines substances paralysent ou tuent l'insecte capturé ; d'autres liquéfient ses tissus, de sorte que l'araignée peut tranquillement gober sa victime.

Rarement fatales pour l'homme, les morsures d'araignée peuvent néanmoins être très douloureuses. Le venin d'un atypus découvert à Sydney, en Australie, suscite l'étonnement des entomologistes. Il contient de l'atratoxine, une substance qui peut tuer les humains, en particulier les enfants. Mais les animaux domestiques, le bétail et les animaux sauvages sont immunisés contre ce poison.

Les morsures de cet atypus peuvent être fatales aux humains.

Des araignées non adhésives

L'araignée sort de sa cachette et, tel un patineur évoluant sur une corde raide, fonce sur sa proie. Là où les mouches et autres insectes s'engluent dans la toile, elle se déplace avec aisance grâce à des soies rêches qui recouvrent la face interne de ses pattes. Ces soies glissent sur le fil à la manière de curseurs. En outre, le corps de l'araignée est recouvert d'une substance huileuse non adhésive. Si elle s'emmêle malgré tout dans sa toile, il lui reste la ressource de la manger : la plupart des araignées qui construisent des toiles réabsorbent naturellement la soie.

Les fils de la toile ne sont pas tous visqueux, car l'araignée dose soigneusement la quantité d'adhésif sur la soie. Elle commence souvent par tisser un fil gluant ; celui-ci, en se balançant au gré du vent comme un pendule, finit par s'accrocher à une branche ou à un feuillage. Les rayons et les spirales sont alors mis en place avec de la soie non adhésive. Enfin, l'araignée suit les contours de sa toile, mange certains fils et les remplace par des spirales de soie gluante. Les fils qui brillent au soleil permettent d'identifier la partie visqueuse de la toile.

Pourquoi les cigales sont-elles si bruyantes ?

Le bruit produit par des cigales dans un seul arbre mesure 100 dB à une distance de 18 m. Celui d'un marteau-piqueur, à égale distance, atteint environ 90 dB. Le crescendo assourdissant d'un chœur de cigales peut couvrir n'importe quel autre bruit dans le monde animal.

Ce crépitement strident est comparable aux claquements brefs produits par des couvercles métalliques que l'on presse et relâche rapidement. La stridulation des cigales, propre au mâle, s'obtient de manière similaire, à une fréquence endiablée de 600 vibrations par seconde. L'abdomen des mâles est pourvu d'un organe stridulant, constitué de deux structures convexes, les timbales, tendues de membranes. Un muscle puissant contracte et relâche les timbales, provoquant la vibration. Des creux dans la région abdominale amplifient le son, et des organes annexes augmentent la résonance.

Chez les cigales, comme chez les oiseaux, le mâle chante pour attirer une femelle et écarter les rivaux. Le rythme et la fréquence de son chant, que nous percevons comme une stridulation monotone, varient suivant chaque espèce. Durant la phase larvaire, entièrement souterraine, les cigales des pays tempérés passent au moins quatre ans dans le sol. En Amérique, dans les régions où la terre gèle en hiver, certaines espèces attendent dix-sept ans avant de sortir à l'air libre. Elles disposent alors d'un mois pour trouver un partenaire et pondre leurs œufs avant de mourir.

Pourquoi les scorpions dansent-ils ?

Tel un couple de danseurs, deux scorpions s'approchent l'un de l'autre, se saisissent par leurs pinces et se lancent à pas traînants dans la danse.

L'espace d'une ou deux minutes, ils se déplacent pesamment sur le sol, dressant leur queue venimeuse. Seules leurs griffes se touchent, et pourtant il s'agit d'un ballet nuptial. Les deux partenaires se balancent d'avant en arrière, repoussant pierres et autres débris se trouvant sur leur passage. Lorsque la danse approche de sa fin, le mâle dépose un spermatophore sur le sol, expulsant le sperme par une ouverture située à l'avant de sa partie ventrale. Puis, tenant toujours la femelle par les pinces, il la guide vers le spermatophore. Celui-ci pénètre dans le corps de la femelle et féconde ses œufs. Le fait de se saisir par les pinces semble neutraliser l'instinct des scorpions à faire usage de leur queue redoutable. Le premier jeune naît au bout de quelques mois, le dernier arrive parfois un an après l'accouplement. Tous sont déjà à un stade avancé de développement et naissent sans coquille, ou dans une enveloppe dont ils se débarrasseront rapidement. Les jeunes sont portés d'abord sur le dos de leur mère. Au bout de deux semaines environ, ils sont parfaitement indépendants.

Les quelque 1 200 espèces recensées sont toutes venimeuses. La piqûre des scorpions que l'on trouve dans les régions chaudes et arides, par exemple en Égypte, peut être mortelle pour l'homme.

Des lucioles d'Asie émettent leurs signaux lumineux destinés à attirer l'autre sexe.

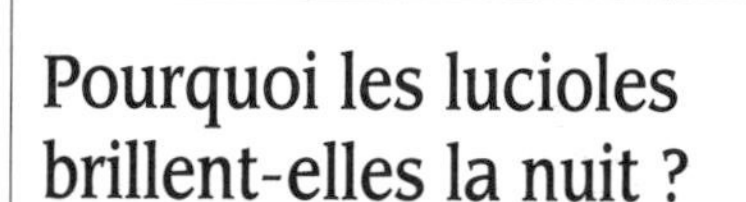

Pourquoi les lucioles brillent-elles la nuit ?

Les lucioles sont des coléoptères qui volent la nuit en émettant des signaux lumineux d'une grande efficacité. La plupart des ampoules électriques convertissent 5 % de l'énergie en lumière ; le reste est transformé en chaleur. Les lucioles procèdent à l'inverse : 5 % seulement de l'énergie sont convertis en chaleur.

La luciole devient lumineuse quand elle cherche à s'accoupler. Le mâle vole en émettant un signal lumineux régulier. Grâce à ses gros yeux proéminents, il capte la réponse d'une femelle au sol et atterrit auprès d'elle.

Une étude a montré qu'il s'écoule deux secondes et demie entre l'émission du signal d'un mâle d'une certaine espèce et la réponse d'une femelle appartenant à la même espèce. Ce rythme spécifique joue un rôle clé pour la formation du couple : le mâle ignore toute réponse qui ne respecte pas cet intervalle de temps.

Les lucioles appartiennent à deux familles de coléoptères. L'une vit dans les arbres des régions humides d'Europe, d'Amérique du Nord et d'Australie ; l'autre se rencontre en Amérique du Sud et dans les îles du Pacifique. Chez les espèces du premier groupe, celui des lampyridés, les insectes des deux sexes possèdent des panneaux transparents situés à l'arrière de l'abdomen. À l'intérieur de cette lanterne, des cellules de cristaux organiques sont dissoutes par une enzyme spécifique, la luciférase. Cette réaction chimique génère de l'énergie sous forme de lumière. La couleur de celle-ci et la fréquence des signaux varient suivant les espèces, ainsi que les figures des ballets nuptiaux exécutés en vol par les mâles.

Certains lampyridés se présentent sous forme de larves et émettent une lumière plus douce et plus régulière : ce sont les lampyres, plus connus sous le nom de vers luisants. Les larves de mycétophiles que l'on trouve dans les grottes d'Australie et de Nouvelle-Zélande utilisent une méthode particulièrement ingénieuse pour attirer leurs proies. La lumière diffusée par leur corps attire les insectes volants, qui viennent s'engluer dans un rideau de fils de soie visqueuse que la larve a pris soin de suspendre.

La parade nuptiale des scorpions est une véritable danse. Le couple se balance d'avant en arrière à l'unisson, puis le mâle attire sa partenaire sur l'emplacement où il a déposé son sperme.

Chétifs insectes

Les insectes représentent la classe la plus nombreuse et la plus florissante du règne animal. En se diversifiant à l'extrême – au point qu'il est impossible de faire le compte exact des espèces existantes –, les insectes se sont adaptés aux conditions de vie les plus variées. Ils peuplent pratiquement tous les milieux. Les entomologistes affirment que 1 ha de pâturage abrite environ 890 millions d'insectes.

Les insectes sont particulièrement résistants aux agressions extérieures. En dépit de tous nos efforts, nous n'avons pas réussi à éradiquer une seule espèce nuisible. Protégés par leur carapace, les insectes supportent vaillamment des doses d'irradiations mortelles pour l'homme. Les insectes seraient probablement les seuls à survivre à une catastrophe planétaire.

Les insectes disposent d'atouts considérables, mais ils sont condamnés à rester de petite taille. Cela tient à la spécificité de leur système respiratoire. Les insectes respirent par de minuscules ouvertures dans le tégument qui les recouvre. Ces pores étant reliés à des trachées qui se ramifient dans l'ensemble du corps, l'oxygène est absorbé directement par les tissus musculaires et non par le sang.

Ce système fonctionne parfaitement dans un corps de petite taille, où les trachées sont courtes. Si celles-ci devenaient plus longues, les échanges gazeux ne seraient plus assurés efficacement. Certains insectes utilisent les muscles abdominaux pour faciliter la circulation de l'air à l'intérieur du corps, mais cette méthode reste insuffisante pour accroître leur taille. Seule une modification radicale du système respiratoire, liée à l'évolution, pourrait permettre aux insectes de grandir.

Les fourmis qui se métamorphosent en insectes géants sous l'effet des radiations atomiques n'existent qu'au cinéma (ici, dans le film Them*). Les insectes ne peuvent pas accroître leur taille, mais ils résistent à des irradiations importantes.*

En pondant des œufs, la reine (au centre de la photo, portant sur le thorax le repère jaune de l'apiculteur) sécrète des phéromones. Cette substance inhibe le développement des ovaires chez les ouvrières (toutes femelles) et transmet les codes de comportement social.

La danse des abeilles

Dans la société hautement structurée de la ruche, un système de communication élaboré assure le bon fonctionnement de la colonie. Les ouvrières, qui peuvent être au nombre de 1 000 à 10 000, se divisent en deux catégories suivant leur degré d'ancienneté. Une armée d'ouvrières domestiques nettoient sans relâche la ruche et construisent de nouveaux rayons pour emmagasiner le miel. Les ouvrières plus âgées sont chargées de la récolte du pollen et du nectar.

Lorsque les abeilles butineuses ont trouvé une nouvelle source de nourriture, elles reviennent en informer leurs compagnes. Le zoologiste autrichien Karl von Frisch, pionnier de l'étude du langage des abeilles, remarqua que les butineuses, une fois rentrées à la ruche, exécutaient deux sortes de danses. La première, qu'il décrivit en 1923, est la danse en rond, ou ronde. L'abeille éclaireuse effectue de vigoureux mouvements circulaires, tournant d'abord vers la droite, puis vers la gauche. La ronde signale que la source de nourriture est relativement proche ; la durée de la danse (de une seconde à plusieurs minutes) et sa rapidité renseignent sur l'abondance du nectar. Si celui-ci se trouve à plus de 100 m, l'abeille exécute une danse frétillante. Elle parcourt d'abord une ligne droite, l'orientation de sa course indiquant la direction de la nourriture. Puis, frétillant de la queue et de l'abdomen, elle décrit un huit. La distance est donnée par la rapidité de la danse : plus elle est lente, plus le nectar est éloigné.

Le degré d'excitation des abeilles et la vigueur des danses varient en fonction de nombreux facteurs, le plus important étant la teneur en sucre du nectar. Les chercheurs ont remarqué que la découverte d'une riche source de nourriture entraînait plus d'excitation et de danses dans les colonies où le niveau du miel était bas que dans celles qui disposaient de réserves

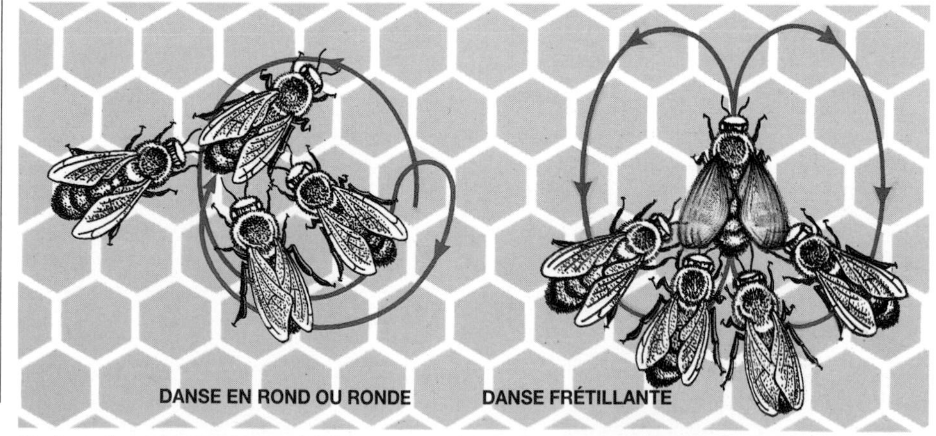

C'est par leur danse que les éclaireuses renseignent leurs compagnes de la ruche sur la proximité d'une riche source de nourriture. La danse en rond signifie que le nectar est situé à une distance inférieure à 100 m. La danse frétillante, en forme de huit, indique que la provende est plus éloignée. Cette dernière danse signale parfois un nouvel emplacement plus favorable pour la colonie, ce qui l'incitera à quitter la ruche.

abondantes. Même si les abeilles sont parfois contraintes à contourner des obstacles pour effectuer leur vol de retour, elles sont capables de retrouver le trajet le plus direct entre la nouvelle source de nourriture et la ruche. Elles s'orientent d'après la position du soleil et grâce à des repères visuels continus – rivage, forêt ou autoroute.

Par temps couvert, les abeilles s'orientent grâce à l'extrême sensibilité de leur œil aux ultraviolets. Des études effectuées sur des essaims à la recherche d'un nouveau nid montrent que les abeilles dansent parfois la nuit, et qu'elles peuvent indiquer correctement la position du soleil. D'autres expériences ont été faites avec des abeilles qui avaient été déplacées de l'hémisphère Sud dans l'hémisphère Nord ; désorientées au début, elles ont appris en l'espace d'un mois à compenser la position inverse du soleil.

Pourquoi les abeilles essaiment-elles ?

La vue de plusieurs milliers d'abeilles volant en un dense nuage ne manque jamais de provoquer une certaine inquiétude. Autrefois, les villageois affolés sonnaient les cloches et tapaient sur des casseroles en croyant que le bruit inciterait l'essaim à se poser. C'est effectivement ce qui se produisait au bout d'un certain temps, mais le vacarme n'y était pour rien : des expériences scientifiques faisant intervenir des haut-parleurs montrent en effet que les abeilles ne réagissent pas au bruit. Les apiculteurs savent que l'essaimage – migration de tout ou partie d'une ruche, constituée en moyenne de 50 000 abeilles – est une réaction instinctive faisant partie du cycle de vie d'une colonie d'abeilles. Ils savent également qu'une bonne gestion des ruches peut prévenir la dispersion des colonies.

Un grand nombre de facteurs interviennent dans la formation d'un essaim. Le plus important semble être la surpopulation de la ruche, en particulier lorsque le nectar est rare et que la colonie produit peu de miel. Une ruche prospère, à la population bien équilibrée et fabriquant du miel en abondance, essaime rarement.

L'essaimage est lié également à la méthode de reproduction des abeilles. Au plus fort de la saison de récolte du miel, la durée de vie d'une ouvrière ne dépasse guère un mois. Dans une colonie très active, il en meurt chaque jour jusqu'à 2 000. La reine, seule femelle féconde de la colonie, assure le renouvellement de la population de la ruche. Tel un serf attaché à sa glèbe, elle passe sa vie à pondre des œufs. À l'âge de deux semaines environ, elle effectue trois ou quatre vols nuptiaux, s'éloignant jusqu'à 1 km de la ruche. La reine sécrète une odeur puissante qui incite les mâles à la poursuivre, même si le choc de l'accouplement les tue. Les quelque 5 millions de spermatozoïdes reçus au cours de ces sorties suffiront à féconder les œufs de la reine pendant plusieurs années. Certaines reines peuvent en pondre 3 000 par vingt-quatre heures.

Les ruches en forme de cloche de paille existaient déjà il y a quatre cents ans. Le miel est connu depuis les temps les plus anciens : des motifs ornant des tombeaux vieux de deux mille cinq cents ans témoignent que les Égyptiens élevaient des abeilles. Le miel était apprécié pour sa haute teneur en sucre et servait à confectionner un breuvage alcoolisé, l'hydromel.

Dans une ruche stable, où la population n'augmente pas trop vite, où le miel est abondant et dont la reine est jeune et active, les abeilles n'ont pas besoin d'élever une nouvelle souveraine. En revanche, lorsque la reine vieillissante ne peut plus pondre d'œufs en quantité suffisante, les ouvrières nourrissent un petit nombre de larves avec de la gelée royale, une sécrétion crémeuse riche en protéines et en vitamine B. L'une de ces larves deviendra la nouvelle reine.

Si deux reines ou plus éclosent en même temps, elles se livrent un combat qui se termine par la mort de la ou des vaincues. Deux reines cohabitent rarement dans une même colonie. Dans la plupart des cas, la vieille reine quitte la ruche, emmenant avec elle jusqu'à la moitié de la population de celle-ci.

La surpopulation de la colonie, une mauvaise ventilation de la ruche ou une reine vieillissante sont autant de facteurs susceptibles d'entraîner le départ d'un essaim ; toutefois les apiculteurs ne savent pas pourquoi certaines colonies se divisent alors que d'autres, vivant apparemment dans les mêmes conditions, n'essaiment pas.

L'alchimie du miel

Près de 50 millions de colonies d'abeilles dans le monde, élevées par quelque 6,5 millions d'apiculteurs, produisent chaque année environ 900 000 t de miel. La richesse et la diversité des arômes du miel dépendent du type de fleurs et de plantes dont il est issu. Dans certains pays, comme l'Australie ou les États-Unis, les apiculteurs déplacent leurs ruches sur de grandes distances pour exploiter de nouvelles sources de nectar et de pollen selon les périodes de floraison de telle ou telle espèce d'arbres. Les abeilles étant capables de produire en abondance des miels extrêmement diversifiés, il pourrait sembler inutile, à première vue, d'essayer de fabriquer la même substance artificiellement. De nombreux scientifiques ont pourtant tenté d'élaborer un produit de substitution bon marché. Le meilleur procédé mis au point à ce jour utilise du sirop de maïs, mais ce succédané est dépourvu du subtil arôme du miel naturel.

Le miel contient différents sucres, ainsi que des acides organiques, des protéines et des acides aminés libres. La qualité du nectar recueilli par les abeilles détermine les proportions respectives de fructose et de glucose.

La façon dont les abeilles élaborent le miel est extrêmement difficile à reproduire. Le nectar puisé dans les fleurs est stocké dans le jabot des butineuses. Enrichi de protéines, il est régurgité dans les alvéoles qui garnissent les rayons de la ruche, où une partie de son eau va s'évaporer sous l'effet des battements d'ailes des abeilles.

Les ouvrières maintiennent la ruche à une température constante de 34 à 35 °C. Lorsque la chaleur augmente, elles intensifient la ventilation. Les abeilles disposent de réserves d'eau dont l'évaporation assure la climatisation de la ruche. Si celle-ci est insuffisante, la colonie se disperse momentanément à l'extérieur, le temps que la ruche se rafraîchisse. Dans le cas contraire, les abeilles se regroupent à l'intérieur de la ruche, utilisant leur chaleur corporelle pour augmenter la température. Lorsque le liquide entreposé dans les alvéoles a perdu 20 % de sa teneur en eau, les abeilles jugent instinctivement que le miel est à point et ne risque plus de fermenter. Elles obturent alors les alvéoles avec de la cire.

On ne s'étonnera pas que tous les essais visant à reproduire artificiellement ce processus complexe aient échoué. Produire du miel sans abeilles, c'est un peu comme fabriquer du champagne sans raisin.

Pourquoi les fourmis travaillent-elles en équipe ?

Il suffit de laisser tomber un petit morceau de sucre par terre pour voir aussitôt apparaître une fourmi. Si le butin est trop gros, une équipe d'assistantes se précipite à son aide. Pendant un bref moment, les fourmis semblent discuter avec animation, tête contre tête, comme si elles se consultaient sur la meilleure façon de s'acquitter de la tâche. En réalité, les fourmis échangent des particules de nourriture et des sécrétions salivaires. Ces insectes sécrètent également une odeur contenant des substances chimiques appelées phéronomes qui leur permettent d'identifier les membres de la colonie et de leur envoyer différents signaux. Les phéromones stimulent leur énergie et les incitent au travail en équipe. Elles semblent jouer un rôle essentiel dans l'attraction sexuelle, l'identification des espèces et l'hibernation. Ces substances servent également à signaler un danger et poussent certains insectes à adopter un comportement agressif.

Toutes les fourmis, ainsi que beaucoup d'espèces d'abeilles, de guêpes et de termites, forment des communautés dont les individus sont divisés en castes physiquement distinctes. Chaque caste effectue une tâche spécialisée, nécessaire au bien-être commun. Dans ces sociétés d'insectes, la coopération est essentielle : seul le groupe constitue une entité biologique complète. Certains membres sont pourvus d'organes reproducteurs, les autres collectent la nourriture. Un même individu ne peut remplir les deux fonctions à la fois.

La reine, dont la durée de vie excède celle des autres membres de la communauté, pond les œufs et contrôle la population de la colonie grâce à des signaux de phéromones ; lorsque ceux-ci l'informent, par exemple, que le groupe a besoin d'un nombre accru d'ouvrières, elle réajuste sa ponte quotidienne. Les reines s'accouplent une fois seulement et stockent le sperme, qu'elles épuisent ensuite peu à peu. La plupart des œufs produisent des femelles. À l'exception de quelques larves bénéficiant d'un régime alimentaire spécial – à base de gelée royale chez les abeilles mellifères –, les femelles resteront stériles : les phéromones sécrétées par la reine inhibent leur développement sexuel de façon à assurer une classe d'ouvrières récolteuses, bâtisseuses ou nourricières, et, dans certains cas, une force défensive, les soldats. Chez toutes les abeilles domestiques et certaines espèces de fourmis, l'organe reproducteur est remplacé par un dard venimeux.

DES INSECTES BÂTISSEURS

Merveilleux architectes, les termites, qui figurent parmi les insectes les plus prolifiques des régions chaudes du monde, ont appris à édifier des nids assurant la fraîcheur en été et la chaleur en hiver. Leurs constructions sont parfois étonnantes. Ainsi, pourquoi certaines termitières sont-elles érigées en forme de tête de hache ? Et pourquoi le bout pointu de celle-ci est-il orienté nord-sud ?

L'explication de cette architecture particulière n'est pas liée au champ magnétique terrestre, comme on a pu le croire autrefois. Les termites-boussoles des savanes d'Australie édifient ces monticules de terre afin de tirer le meilleur parti de leur environnement. Dans ces régions, l'été est nuageux et humide. En hiver, les nuits sont froides, mais à la mi-journée le soleil tape dur, et la chaleur devient torride. Une des deux faces les plus larges de la termitière est orientée à l'est de façon à capter les rayons du soleil matinal, relativement doux, qui réchauffera le nid après le froid de la nuit ; une des deux faces les plus étroites, tournée vers le sud, affronte la chaleur maximale de midi.

Les termites ne sont pas tous des bâtisseurs. Certains érigent des nids impressionnants, d'autres se terrent dans le sol. Appelées couramment fourmis blanches, ils ne sont pas apparentés aux fourmis mais partagent avec celles-ci, ainsi qu'avec les abeilles, un mode d'organisation sociale très élaboré.

À l'échelle humaine, cette termitière africaine atteindrait 1,5 km de hauteur.

Des moustiques voraces

Où que l'on aille, on est à peu près sûr de trouver des moustiques. Tous ne s'attaquent pas à l'homme ; ils réservent leurs piqûres à de nombreuses autres espèces.

En Afrique, certains moustiques se nourrissent de nectar. Au Canada, des espèces qui se reproduisent dans la neige fondue attaquent en masses si nombreuses que, si on les laissait faire, elles épuiseraient le sang d'un homme en l'espace de quatre heures ! Certains moustiques plantent leur trompe suceuse aiguisée dans la bouche des fourmis pour leur voler leur nourriture.

Les moustiques mâles ne piquent pas, ils se nourrissent exclusivement de sucs de plantes. Les femelles, qui s'accouplent habituellement une fois seulement dans leur vie, ont alors besoin de sang pour assurer le développement des œufs. La femelle stocke le sperme dans son corps et en féconde ses œufs au fur et à mesure de la ponte. Au préalable, elle doit trouver un endroit favorable à l'éclosion, par exemple

Jour et nuit, les fourmis défoliantes travaillent pour approvisionner le nid. À l'aide de leurs puissantes mandibules, elles coupent et transportent les feuilles, qui seront remises aux ouvrières magasinières.

une flaque d'eau ou un creux dans le sol où l'eau de pluie pourra s'accumuler. Chez certaines espèces, les œufs attendent plusieurs années avant d'éclore, lorsque les conditions d'humidité et de température requises sont réunies.

A côté des insectifuges, différents moyens ont été testés pour lutter contre les moustiques, depuis les lumières colorées jusqu'aux ultrasons, sans grand succès. L'usage immodéré d'une bombe insecticide a pour effet de réduire le nombre des moustiques pendant un moment mais ne constitue pas une solution à long terme. Ces insectes se reproduisent à une vitesse vertigineuse. Certaines espèces font plusieurs pontes comprenant chacune près de 400 œufs. Si les conditions favorables sont réunies, en l'espace de deux ou trois semaines une nouvelle génération de femelles battra les airs à la recherche de sa provision de sang.

Pourquoi les moustiques piquent-ils ?

Chacun d'entre nous, à un moment ou à un autre, a été ou sera piqué par un moustique. La plus ou moins grande fréquence des piqûres est souvent affaire de chance. Lorsqu'une femelle de moustique entre dans une pièce, à la recherche de sang frais pour nourrir ses œufs, elle obtient parfois sa ration en une seule piqûre, après quoi elle repartira, rassasiée. Des études montrent qu'un moustique, s'il n'est pas dérangé, peut sucer le sang de sa victime pendant deux minutes et demie. Lorsqu'on le chasse – ce qui arrive dans la plupart des cas –, il se déplace vers une autre proie. Dans un groupe de plusieurs personnes, deux ou trois suffiront à assouvir sa soif. Celles-ci ne manqueront pas de s'écrier : « Pourquoi moi ? »

Certaines personnes sont allergiques aux piqûres de moustique et réagissent plus violemment que d'autres. À l'inverse, les habitants des régions infestées ont tendance à acquérir une immunité. Ils ressentent à peine la piqûre d'un moustique et ont parfois l'impression de n'avoir pas été piqués. La démangeaison produite par la piqûre s'estompe rapidement, à condition de ne pas se gratter, ce qui ne fait qu'aggraver les choses.

Certaines conditions climatiques sont plus propices que d'autres au développement des moustiques. Ceux-ci affectionnent les soirées chaudes et humides. Ils privilégient également les endroits sombres, peut-être parce qu'ils y sont à l'abri du vent.

Certains moustiques sont attirés par une lumière éloignée. Par exemple, ils se dirigeront en masse vers une cité brillamment éclairée. De près, cependant, ce sont des substances chimiques qui les guident vers leur victime potentielle. On sait ainsi que le dioxyde de carbone que nous exhalons en respirant les attire, de même que l'odeur corporelle, mélange de sueur et d'acides aminés.

Les moustiques propagent plusieurs maladies graves, notamment le paludisme, qui figure au huitième rang des affections les plus répandues dans le monde : il atteint 270 millions de personnes et fait chaque année près de 1,2 million de victimes. Des moyens considérables sont consacrés à la recherche d'insecticides efficaces et à la mise au point de vaccins. Les chercheurs se sont efforcés, sans succès à ce jour, de déterminer les facteurs précis qui attirent le moustique vers sa victime. Nombre de scientifiques pensent que tant que les humains, ainsi que d'autres espèces animales, continueront à exhaler une haleine chaude, humide et chargée de dioxyde de carbone, la guerre contre les moustiques et leurs piqûres sera vouée à l'échec.

On sait en revanche que les moustiques vecteurs de paludisme ont une préférence pour les personnes déjà atteintes par la maladie. Celle-ci, en effet, réduit le nombre de globules rouges dans le sang, ce qui le rend moins épais, donc plus facile à sucer. Une indication qui pourrait faire progresser la recherche

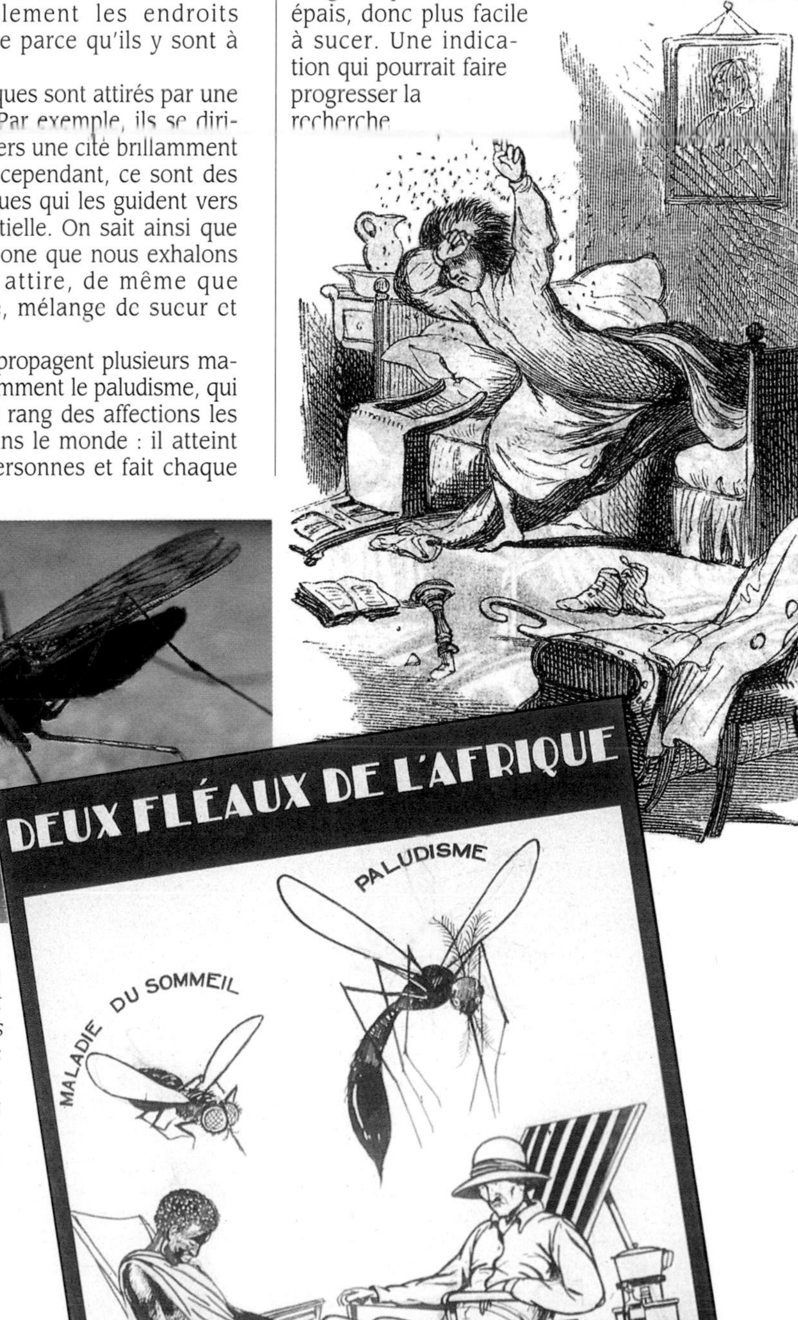

Cette affiche ainsi que le dessin ci-dessus illustrent les désagréments et le danger des moustiques. Le paludisme est une des maladies transmises par les piqûres de moustique.

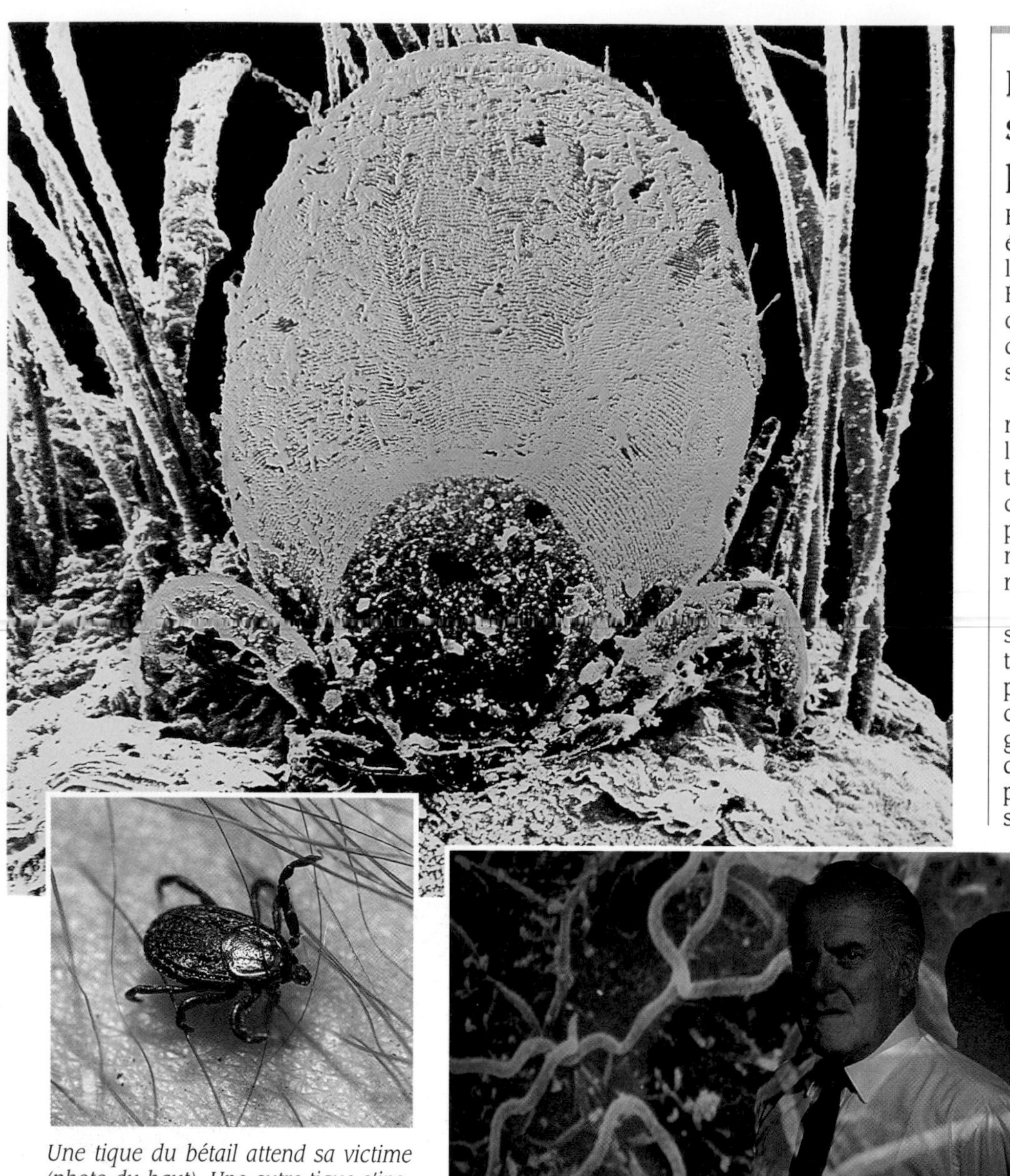

Une tique du bétail attend sa victime (photo du haut). Une autre tique s'installe sur une jambe (ci-dessus). Certaines espèces transmettent la bactérie responsable de la maladie de Lyme, identifiée en 1981 par l'entomologiste Willy Burgdorfer.

Pourquoi les tiques sont-elles dangereuses pour l'homme ?

En 1975, des médecins identifièrent une étrange maladie frappant des enfants dans la localité d'Old Lyme (Connecticut), aux États-Unis ; l'affection se manifestait par des éruptions cutanées, des douleurs articulaires, une fatigue chronique et des symptômes rappelant ceux de la grippe.

Un patient travail de détective permit de remonter à l'agent responsable de la maladie, la bactérie *Borrelia burgdorferi,* transmise par une tique. Des milliers de cas de maladie de Lyme, ainsi qu'on l'appelle maintenant, sont relevés dans le nord-est des États-Unis, ainsi qu'en Europe, en Chine et en Australie.

L'une des explications de son apparition soudaine aux États-Unis tient à l'augmentation de la population de cerfs, espèce protégée. Le cerf transporte des tiques suceuses de sang qui ne lui causent pas grand mal. Cependant, le cycle de vie d'une tique nécessite que celle-ci se déplace d'un hôte à l'autre. Dans la nature sauvage, la tique, quittant le cerf, va parasiter la souris à pattes blanches ; dans les régions habitées, son choix peut se porter sur le bétail et les animaux domestiques. Cachée dans l'herbe ou sur une branche, au-dessus d'un sentier, elle attend un hôte secondaire ; à l'occasion, un humain fera l'affaire.

Les piqûres de certaines tiques entraînent l'apparition d'une éruption en nappe rouge extensive à partir du point de piqûre, appelée érythème chronique migrateur. Elles peuvent aussi provoquer un nodule tumoral et une éruption chronique étendue des membres pouvant évoluer vers l'athrophie cutanée. Chez certains sujets, la maladie se manifeste soudainement par des accès de fièvre, des maux de tête, des douleurs musculaires et articulaires. Non traitée, la maladie de Lyme peut durer des années.

En cas de doute, une analyse de sang détectera l'agent responsable de la maladie ; un traitement antibiotique entraîne une guérison rapide.

Les tiques propagent d'autres bactéries et virus vecteurs de maladies. Certaines espèces inoculent à leur hôte des toxines contenues dans leur salive ; si la tique n'est pas retirée, ces toxines peuvent entraîner la paralysie et parfois la mort.

Pourquoi les moustiques bourdonnent-ils ?

C'est une expérience que chacun connaît bien. Confortablement allongé dans votre lit, lumière éteinte, vous vous apprêtez à glisser dans un sommeil réparateur quand, soudain, s'élève la susurration d'un moustique...

Le bruit des battements d'ailes est le signal d'appel de la femelle du moustique en quête de partenaire. Le terme moustique vient d'un mot espagnol signifiant « petite mouche » ; il sert à qualifier les quelque 3 000 membres de la famille des culicidés. Rares sont les endroits du monde dépourvus de moustiques ; là où plusieurs espèces cohabitent à proximité immédiate les unes des autres, les signaux d'appel des femelles se différencient par une légère variation de tonalité.

Les ondes sonores correspondant à la fréquence requise font vibrer à l'unisson les soies dont sont pourvues les deux antennes des mâles. La vibration se transmet aux cellules sensorielles situées à la base des antennes, qui, à leur tour, déclenchent les impulsions nerveuses commandant le vol. Le moustique mâle, tel un missile lancé vers sa cible, se dirige alors vers la source du bruit pour s'accoupler à la femelle.

Les pattes gustatives des mouches

Les mouches domestiques, qui affectionnent particulèrement les cuisines de nos maisons, peuvent propager des germes de diverses maladies, de la gastro-entérite à la dysenterie ou à la fièvre typhoïde. Si elles se promènent sur les aliments, c'est pour les goûter. Leurs pattes portent d'innombrables soies sensorielles qui détectent la nourriture convenable. Mise en appétit, la mouche abaisse alors sa trompe pour aspirer les aliments, qu'elle aura liquéfiés au préalable en régurgitant des sucs gastriques.

Le mille-pattes a-t-il mille pattes ?

Les myriapodes, communément appelés mille-pattes, forment deux sous-classes zoologiques distinctes, les chilopodes et les diplopodes. Mais aucun myriapode ne possède 1 000 pattes.

La prise de vue à grande vitesse a élucidé l'énigme de la locomotion des chilopodes. Les groupes de pattes déplacent le corps par ondulations. Lorsque les pattes situées d'un côté s'écartent, celles situées de l'autre côté se regroupent en bouquet.

Le corps des chilopodes est divisé en segments dont chacun porte une paire de pattes. Le nombre des segments – et donc des pattes – varie d'une espèce à l'autre : certaines n'ont que 30 pattes, d'autres en possèdent plus de 350. Parmi les quelque 3 000 espèces connues, il en est qui sont de la taille d'un ongle, tandis que d'autres – par exemple *Scolopendra gigenta*, que l'on trouve en Amérique centrale et du Sud – atteignent la taille de la main. Tous les chilopodes sont des carnassiers se nourrissant d'insectes ou de vers de terre. Ils sont pourvus de gros crochets venimeux dont la morsure, chez les espèces les plus grandes, peut être très douloureuse pour l'homme.

Les diplopodes méritent encore moins leur appellation courante de mille-pattes. Parmi les 8 000 espèces recensées, aucune ne possède plus de 200 pattes, et certaines n'en comptent que 28. Les diplopodes ressemblent par leur aspect aux chilopodes mais n'en sont que des cousins très éloignés. Leur morsure n'est pas venimeuse, mais certaines espèces sécrètent par la peau des substances acides à l'odeur nauséabonde qui tuent les insectes.

Les soies qui recouvrent les pattes d'une mouche agissent à la manière d'un goûteur, informant leur propriétaire sur la qualité de la nourriture. Ce taon aspire le sang par sa trompe suceuse. Ses gros yeux, composés de centaines de facettes, lui confèrent une excellente vision.

Couleurs et motifs éclatants, tels ceux de ce machaon, aident les papillons à trouver leurs partenaires et servent parfois à repousser les prédateurs.

Pourquoi les mites mangent-elles les vêtements ?

Les papillons nocturnes à petites ailes forment un groupe d'insectes nombreux et variés ayant appris à vivre dans presque tous les environnements. Parmi eux figurent les teignes (les mites), qui envahissent nos penderies pour se nourrir de laine, de fourrure et d'autres fibres d'origine animale.

Les teignes appartiennent à deux grandes familles de lépidoptères : les tinéidés et les pyralidés. La majorité d'entre elles se nourrit de restes de plantes et d'animaux morts un peu faisandés. Parmi les tinéidés figurent plusieurs espèces de teignes des vêtements, ainsi nommées parce qu'elles pondent leurs œufs dans les confortables replis d'un pull-over ou d'un costume de tweed, que leurs larves rongeront en formant les petits trous que chacun connaît bien. Si la laine, le cachemire, le mohair et le feutre constituent leurs mets de prédilection, aucun tissu n'est à l'abri de leur voracité. Les mites ont tendance à épargner les vêtements qui viennent d'être nettoyés, mais elles ne dédaigneront pas à l'occasion les tissus synthétiques, pour peu qu'ils portent des traces de graisse ou de transpiration. À mesure que les chenilles creusent leur trou dans un vêtement, elles le tapissent de soies. D'autres teignes se nourrissent de farine, de céréales et de grains. Des espèces similaires, ou leurs chenilles, attaquent les récoltes de riz, la canne à sucre et même la cire des abeilles.

Toutes les noctuelles (papillons de nuit) ne sont pas nuisibles. Nombre d'espèces jouent un rôle essentiel pour la pollinisation des plantes. Le ver à soie, larve du bombyx du mûrier, a été domestiqué par l'homme pour sa production de soie. Quant au *Cactoblastis cactorum*, un papillon d'Argentine, il fut introduit en 1925 en Australie pour lutter contre la prolifération des cactus dans les vastes espaces situés à l'est du pays. La chenille de ce papillon est en effet l'ennemi naturel des cactées, dont elle mine les tiges charnues.

Des papillons plus beaux le jour que la nuit

Papillons nocturnes (hétérocères) et papillons diurnes (rhopalocères) appartiennent à l'ordre des lépidoptères, un des plus importants du vaste groupe des insectes. Nombre de papillons de nuit sont dotés de couleurs vives, mais qui paraissent bien modestes en regard de la riche livrée de certains papillons de jour.

Les rhopalocères, papillons actifs uniquement de jour, ont acquis une excellente vision. À la lumière du soleil, ils sont capables d'identifier leurs partenaires sexuels uniquement à la couleur et aux motifs des ailes.

L'aile du papillon est constituée d'une multitude de minuscules écailles se chevauchant les unes les autres. Certaines d'entre elles ne contiennent pas de pigment, mais leur structure transparente décompose la lumière en ses différentes

Plus d'un million d'écailles se chevauchant les unes les autres recouvrent l'aile d'un papillon. Elles sont regroupées de diverses façons afin de créer des motifs et des effets optiques complexes. Une partie de l'aile de ce papillon est représentée en agrandissement.

composantes chromatiques, y compris les ultraviolets et les infrarouges invisibles à l'œil humain. Les gros yeux à multiples facettes des papillons leur permettent de percevoir l'ensemble du spectre. Nombre de papillons diurnes utilisent le marquage distinctif de leur livrée pour se protéger. Le monarque, par exemple, réputé pour sa migration annuelle du Canada et des États-Unis vers le Mexique, recèle des substances venimeuses. Les couleurs de ses ailes agissent à la manière d'un repoussoir, avertissant les prédateurs éventuels qu'il vaut mieux qu'ils passent leur chemin. D'autres espèces, parfaitement comestibles celles-là, ont copié ce marquage, qui les protège de la même façon.

Certains papillons nocturnes volant aussi de jour arborent des couleurs éclatantes pouvant rivaliser avec celles des plus beaux papillons diurnes. Le papillon crépusculaire de Madagascar a des ailes postérieures iridescentes. Lorsqu'elles bougent, leur couleur passe du doré à des nuances cuivrées, puis violacées.

Les espèces crépusculaires utilisent la couleur de la même façon et pour les mêmes raisons que les papillons diurnes, et ont comme eux une excellente vision. Chez les lépidoptères nocturnes, aux couleurs plus ternes, la perception des odeurs, des bruits et des ultraviolets joue un grand rôle pour l'identification et la protection.

Des papillons dans la lumière

Les papillons nocturnes qui voltigent autour de bougies allumées ou se cognent contre une ampoule incandescente semblent animés d'un désir d'autodestruction. En réalité, ils sont guidés par l'instinct de reproduction. Ce n'est pas la lumière qui les attire, mais les ultraviolets, invisibles à l'œil humain, qui sont émis par la source de chaleur.

La perception des ultraviolets aide les papillons nocturnes à trouver un partenaire. La température corporelle de ces lépidoptères s'élève rapidement quand ils sont en vol, et ils fondent sur un partenaire éventuel tels des missiles thermoguidés. La chaleur de la flamme d'une bougie leur apparaît sans doute comme un appel irrésistible provenant d'un superpapillon.

Lorsqu'il se trouve à proximité d'une femelle appartenant à son espèce, le papillon mâle fait intervenir son sens de l'odorat. Ses antennes plumeuses très élaborées sont garnies d'organes sensoriels capables de détecter à plus de 10 km l'odeur puissamment attirante du sexe opposé, et de lui faire parcourir cette distance, considérable pour un petit papillon, sans qu'il s'égare en chemin.

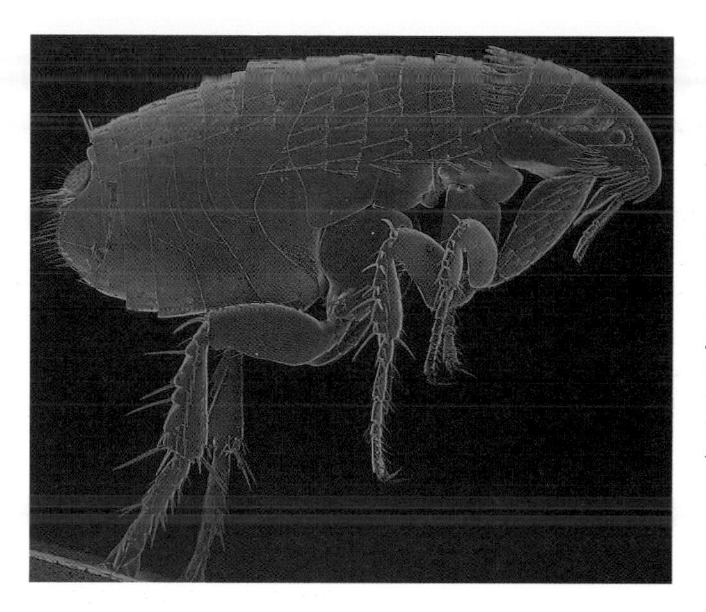

Décollage parfait pour une puce qui se lance à l'assaut d'un nouvel hôte. Les puces possèdent des pattes postérieures énormes qui leur permettent d'effectuer des bonds puissants. Une fois qu'elles ont atterri dans les poils ou la fourrure de leur hôte, elles s'y accrochent grâce aux petites épines dont leur corps est hérissé. Les puces se nourrissent de sang ; la plupart quittent leur hôte une fois le repas terminé.

Du gris au noir

Avant l'époque des cheminées d'usine et de la pollution de l'air, le papillon moucheté *Biston betularia*, commun en Europe, était de couleur gris clair orné de mouchetures noires. Une autre variété de ce pa pillon, presque entièrement noire celle-là, était autrefois largement supplantée par les membres gris de l'espèce.

À la suite de la révolution industrielle, les bâtiments et les arbres des villes se mirent à noircir en raison de la fumée et de la suie. Les papillons gris, devenus plus voyants, furent des proies aisées pour les oiseaux, tandis que les papillons noirs bénéficiaient d'un meilleur camouflage. Le nombre de papillons gris chuta, et les papillons noirs devinrent prédominants. En 1900, les papillons mouchetés des cités et régions industrielles étaient presque entièrement noirs ; à la campagne, loin de la suie et des fumées d'usine, ces mêmes papillons étaient gris et mouchetés.

À mesure que les fumées se raréfient dans les villes, on observe le phénomène inverse. Le papillon moucheté gris fait son retour : le papillon noir, redevenu plus visible, voit sa population décroître.

Pourquoi les puces ne volent-elles pas ?

Les puces ne volent pas – et n'ont jamais volé – car elles n'en ont pas besoin. Parasites spécialisés, elles vivent dans une association étroite avec leur hôte. N'étant jamais dans la nécessité d'aller chercher ailleurs leur nourriture ou leur territoire de reproduction, les grands voyages ne font pas partie de leur style de vie.

La puce n'aspire qu'à une seule chose : partager la couche de son hôte, d'où elle pourra venir le piquer à chaque fois qu'elle ressentira une fringale de sang frais. Les femelles pondent leurs œufs dans la tiédeur des poils ou de la fourrure de l'hôte. Une fois écloses, les petites puces tombent dans sa couche, où une nouvelle génération trouve à la fois une litière confortable et un garde-manger à proximité immédiate.

Les puces sont des championnes du saut en hauteur : elles effectuent des bonds représentant 100 fois la longueur de leur corps. Si nous pouvions les imiter, nous ferions des sauts de quelque 190 m, soit à peu près la moitié de la hauteur de l'Empire State Building, à New York. Essayez d'attraper une puce, et vous constaterez bientôt que son agilité la rend insaisissable. Ses talents de sauteuse lui permettent de bondir avec aisance sur un nouvel hôte passant à proximité.

Les puces des animaux à fourrure passent rarement sur l'homme. Elles sont attachées spécifiquement à leur hôte : les chats, les chiens, les rats ont chacun des puces propres à leur espèce. Les hommes également, même si, dans les conditions d'hygiène modernes, les puces sont devenues plus rares. Si vous avez des animaux de compagnie et que vous soyez piqué par des puces, il s'agit probablement de sujets jeunes faisant un premier saut exploratoire. Ils ont pu éclore dans un coin de moquette ou de tapisserie inaccessible à l'aspirateur.

Les œufs peuvent attendre plusieurs mois avant d'éclore, lorsque les conditions de température et d'humidité requises sont réunies. Dans les maisons restées longtemps inoccupées, le bruit de pas sur la moquette ou le parquet informe les œufs en dormance qu'un nouvel hôte – et une source de nourriture – est arrivé.

Pourquoi certaines plantes sont-elles carnivores ?

Lorsque John Wyndham écrivit son roman sur les trifides, des plantes mangeuses d'hommes qui tentent de prendre le contrôle de la planète, les lecteurs se rassurèrent en se disant que pareil scénario relevait de la science-fiction. En effet, l'idée que des végétaux puissent capturer et manger des animaux semble a priori absurde : selon les lois de la nature, ce sont habituellement les animaux qui se nourrissent de végétaux (ou d'autres animaux), et non l'inverse. Il existe pourtant plus de 500 espèces de plantes qui disposent des moyens les plus ingénieux pour capturer leurs proies.

Les plus connues parmi les plantes carnivores sont les droseras, les népenthès, les sarracenias, les utriculaires et les dionées. Elles poussent généralement dans des sols acides et marécageux, pauvres en azote, un nutriment pourtant essentiel à la croissance. Des expériences de laboratoire montrent que les plantes carnivores peuvent cependant survivre sans manger leurs proies, puisque, comme les autres végétaux, elles utilisent la lumière, le dioxyde de carbone et l'eau pour élaborer leur alimentation par photosynthèse. Mais, sans un supplément carné, elles sont moins robustes et, mises en compétition avec des plantes plus vigoureuses, elles disparaîtraient rapidement. Les plantes carnivores ont transformé leurs feuilles en pièges sophistiqués, chargés de capturer chaque proie et d'en digérer les substances nutritives. Chez les sarracenias, la décomposition des organismes capturés est facilitée par les bactéries. Les droseras et les utriculaires sécrètent des enzymes digestives et des sucs acides.

Les népenthès capturent leurs proies de façon passive, grâce à leurs ascidies – des organes en forme d'urne placés au bout des feuilles. Attirés par le nectar qui se trouve au fond de l'ascidie, les insectes s'aventurent sur le col de l'urne, perdent pied sur le revêtement interne, très glissant, et tombent dans le piège. Certains népenthès ont des ascidies assez grosses pour capturer des petits mammifères, des scorpions et des reptiles. Une espèce native de Bornéo, *Nepenthes rajah,* possède des ascidies de 35 cm de long et 18 cm de large pouvant engloutir un petit rat.

Le drosera englue ses victimes dans une substance visqueuse sécrétée par les poils tentaculaires qui garnissent ses feuilles. Chez la dionée, les feuilles sont terminées par un limbe à deux lobes bordés d'épines et garnis de poils : dès qu'un insecte les effleure, ceux-ci déclenchent la fermeture de la feuille. Les deux lobes se rabattent alors sur l'infortunée victime, et les épines s'entrecroisent pour former une cage inextricable et mortelle.

Le piège le plus élaboré appartient toutefois aux utriculaires, des plantes aquatiques qui appâtent leurs proies avec du mucus et du sucre. Sur leurs rameaux immergés, elles portent de petites outres – les utricules – remplies d'air et munies de valves s'ouvrant vers l'intérieur. La larve ou le petit crustacé qui s'aventurent à proximité de la plante, attirés par la solution sucrée, effleurent des poils et déclenchent aussitôt l'ouverture de la valve. L'eau s'engouffre aussitôt dans l'utricule, entraînant les animaux aquatiques, et la valve se referme.

Il existe également des champignons carnivores, tel *Dactylella,* qui capture des anguillules en les étranglant avec ses filaments (les hyphes). Lorsque le ver passe la tête ou la queue dans la boucle formée par le filament, le nœud se resserre. Le champignon déploie alors une autre hyphe pour dévorer le cadavre.

Nombre de plantes se nourrissent d'insectes qu'elles capturent à l'aide de pièges diaboliques. Le népenthès de Madagascar (ci-dessous) attire une fourmi dans une urne dont l'insecte ne pourra s'échapper. Le drosera (à droite) capture une libellule avec ses poils gluants. La dionée referme ses lobes épineux sur une grenouille.

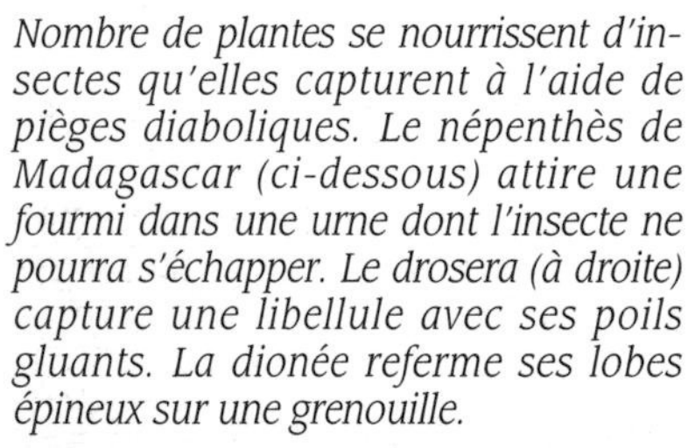

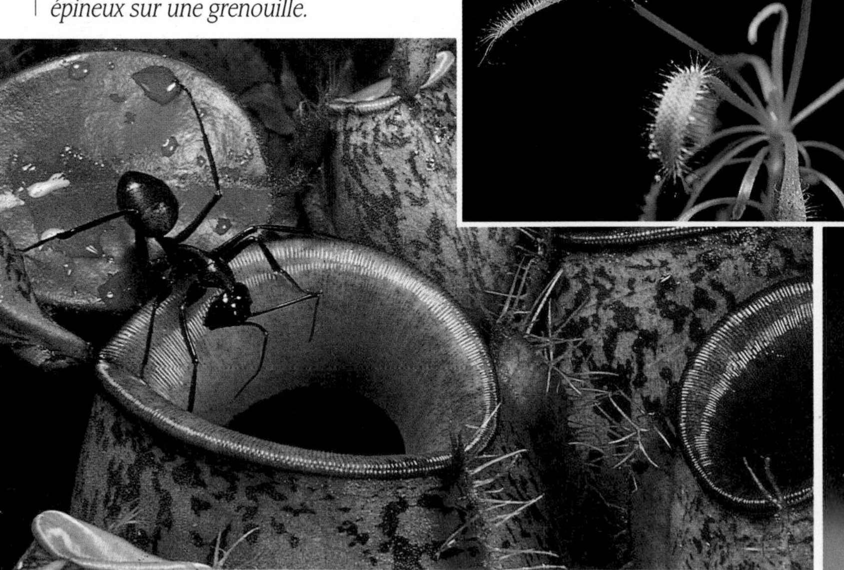

Pourquoi les graines voyagent-elles ?

Le seul moment où une plante peut voyager, c'est lorsque c'est une graine ou un fruit. Dès que la graine a germé, la plante se trouve immobilisée à vie.

Les graines qui germent auprès de la plante mère doivent lui disputer la lumière, l'eau, les éléments nutritifs. En s'éloignant, elles augmentent leurs chances de survie, et le sol sur lequel elles se déposeront sera peut-être plus riche.

Pour se disperser, les graines utilisent l'eau, le vent ou les animaux. Les noix de coco, à la fois fruits et graines du cocotier, se laissent emporter par la mer avant de prendre racine sur un rivage éloigné. Parfois, lorsqu'elles échouent sur un récif volcanique émergeant à peine à la surface de l'eau, elles contribuent à la formation d'une île nouvelle. Par leurs racines, puis par leurs feuilles et leurs graines, elles enrichissent le sol, favorisant la croissance d'autres cocotiers – et le développement de l'île. Nombre d'arbres qui poussent sur les berges des rivières, tels les aulnes, utilisent l'eau pour disséminer leurs graines.

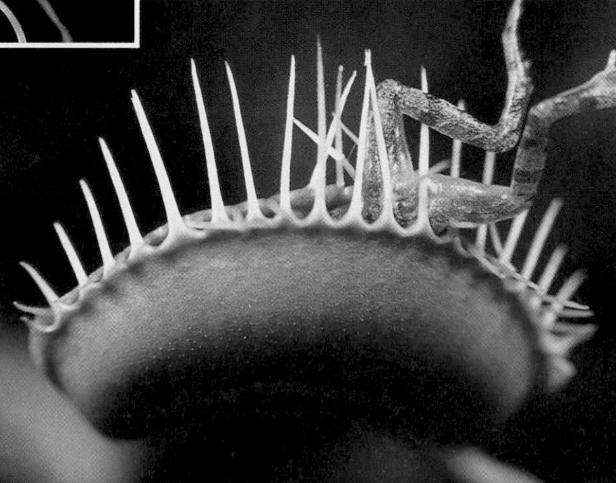

Un souffle de vent, et les graines du pissenlit, munies d'aigrettes, sont emportées au loin.

Certaines graines sont si légères qu'elles seront transportées au loin par le vent. Celles des orchidées, fines comme de la poussière, peuvent être emportées à 160 km de distance. D'autres plantes, comme le pissenlit ou la clématite, ont des graines surmontées d'aigrettes qui offrent prise au vent. Les graines du frêne et du sycomore sont munies d'ailes membraneuses qui tournent telles des hélices.

Les graines dont nous essayons de débarrasser nos chaussettes après une promenade dans les champs ne sont pas arrivées là par hasard. Munies de minuscules crochets, elles s'accrochent aux poils des animaux et se font transporter. D'autres plantes attirent les animaux avec des fruits succulents, dont les graines, non digérées, seront évacuées avec les excréments. Les graines du gui, visqueuses, sont disséminées par les oiseaux, qui s'en débarrassent en s'essuyant le bec sur une branche après avoir avalé les baies. Les graines germent, et le gui, plante semi-parasite des arbres, trouve un nouvel hôte. Nombre de végétaux propulsent eux-mêmes leurs graines. Une fois sèches, les gousses des ajoncs et des iris éclatent en projetant les graines à plusieurs mètres de distance. Pour pouvoir disséminer encore plus loin leurs semences, certaines plantes ont même des graines rondes, qui vont rouler sur un terrain en pente. Arrivés à maturité, les fruits des impatientes et des ecballiums sont si gorgés d'eau qu'ils explosent au moindre contact, projetant leurs graines.

Une vesse-de-loup de taille moyenne – de 20 à 30 cm de circonférence – contient 1 billion de spores (les spores sont l'équivalent des graines des plantes supérieures). Au contact d'un animal, la vesse-de-loup éclate, expédiant ses spores dans les airs. Un des plus gros champignons rencontrés à ce jour était une vesse-de-loup d'Amérique, *Calvatia gigantea,* qui mesurait 196 cm de diamètre. Difficile d'imaginer combien de millions de spores contenait pareil géant !

Pourquoi la graine germe-t-elle ?

L'agriculteur qui sème à la volée ou à l'aide d'un semoir peut être sûr que le grain va germer, quel que soit le côté sur lequel il retombe. En effet, les graines sont conçues pour pousser, indépendamment du côté sur lequel elles atterrissent.

Lorsqu'une graine germe, la gravité affecte à la fois la radicule et la tigelle. Une hormone végétale, l'auxine, déclenche la croissance. Sous l'effet de la pesanteur, l'auxine se concentre dans les cellules de la partie basse des racines et des tiges. À forte dose, elle favorise l'allongement des cellules des tiges mais inhibe la croissance des cellules des racines.

Lors de la germination, on observe d'abord l'émergence de la radicule. Quelle que soit la position de la graine, l'hormone assure sa croissance dans la bonne direction, et la radicule, dont l'extrémité est protégée par une « coiffe », s'enfonce dans le sol.

Lorsque la tigelle déchire l'enveloppe pour émerger à son tour, l'hormone la guide vers le haut. Après la germination des racines, la tigelle de certaines plantes, tels le souci, le mungo et le concombre, soulève le reste de la graine au-dessus du sol, où les cotylédons verdissent en déployant les premières feuilles de la plante.

Les plantes protègent leurs tigelles délicates au cours de la croissance. En effet, les terminaisons des herbes sont recouvertes d'une gaine qui se déchire pour permettre à la jeune pousse de se développer. Chez d'autres plantes, l'oignon, par exemple, le premier signe de la croissance est une petite boucle émergeant du sol. En se développant, celle-ci entraîne la pointe de la plante vers le haut. Des cellules résistantes situées sur la face supérieure de la boucle protègent la tigelle contre le frottement.

À quelques rares exceptions près, les graines ne germent pas aussitôt après leur dissémination. Dans les régions tempérées, en effet, la plupart des plantes dispersent leur semence peu avant l'hiver, et le gel risquerait de tuer les fragiles semis. Les plantes adoptent alors différentes tactiques pour retarder la germination. Les graines des rosiers, des magnolias, des pommiers, des poiriers et des épicéas ne germent pas tant qu'elles n'ont pas senti le froid. Celles de la famille des pois ont un tégument imperméable à l'eau ; pour germer, elles doivent attendre que leur tégument soit attaqué par le gel, les bactéries et les moisissures se trouvant dans le sol. C'est la raison pour laquelle les agriculteurs font parfois tremper les pois dans une solution acide ou les scarifient avant de les semer.

Chez certaines espèces, une même plante disperse quelques graines avec un tégument plus épais que celui des autres ; si la récolte est détruite, par exemple en cas de sécheresse, ces graines, plus résistantes, serviront de réserve de secours. Les graines de la tomate et de la betterave contiennent des inhibiteurs de croissance solubles dans l'eau, et la germination n'intervient que lorsqu'ils sont balayés par la pluie. D'autres semences, comme celles de plantes désertiques à durée de vie courte, contiennent du sel. Avant de mûrir, elles devront attendre une pluie assez forte pour les en débarrasser. Certains eucalyptus ne germent qu'après un incendie de forêt ; le feu débarrasse le sol des concurrents éventuels et l'enrichit en éléments nutritifs.

Une radicule émerge d'un grain de blé et commence à se développer. La racine poussera toujours vers le bas.

Pourquoi le lichen est-il formé de deux plantes ?

Les lichens gris-vert ou orangés qui recouvrent souvent les toitures comptent parmi les plantes les plus extraordinaires du monde. Il en existe près de 16 000 espèces, chacune étant constituée d'un champignon associé à une algue.

Au microscope, le thalle (le corps) du lichen présente des millions d'algues unicellulaires incrustées dans un dense réseau de filaments fongiques.

Les lichens constituent un exemple remarquable de symbiose de deux plantes, association mutuellement profitable. Les algues, qui réagissent à la lumière, fournissent le champignon en hydrates de carbone, principalement des glucides ; quant au champignon, il offre un habitat à son associée et lui procure des minéraux. Le champignon est totalement dépendant de l'algue, contrairement à celle-ci, dont certaines variétés peuvent vivre de façon autonome.

Les lichens comptent trois groupes principaux : les lichens crustacés, qui colonisent rochers, écorces et tuiles ; les lichens foliacés, qui préfèrent l'humidité des forêts tropicales ; et enfin les lichens fruticuleux, qui pendent souvent en buisson sur les arbres des régions littorales et tropicales.

Répandus sur toute la planète, les lichens peuvent survivre aux conditions les plus hostiles. Ils poussent dans les déserts où la température atteint 80 °C, aussi bien que dans les régions froides où le thermomètre s'abaisse à – 10 °C. Sur les terres arctiques, ils constituent la nourriture des rennes en hiver. Les lichens des régions désertiques voient leur volume s'accroître de 50 % en l'espace de dix minutes après une forte pluie. Pionniers de la végétation sur les substrats nus, les lichens crustacés préparent le terrain pour d'autres plantes. Le champignon excrète des acides qui attaquent les surfaces rocheuses, ce qui permet aux hyphes d'y pénétrer. La roche se désintègre progressivement en fines particules, formant un sol où d'autres végétaux pourront prendre racine.

Les lichens servent à de multiples usages. Certaines espèces fournissent traditionnellement des teintures pour les vêtements. Beaucoup de chercheurs pensent que la manne – le « pain des Cieux » – qui permit aux Hébreux de subsister dans le désert après la fuite d'Égypte était une sorte de lichen. Les lichens ont une croissance continue mais très lente qui permet de dater certains de leurs substrats : anciennes forêts, toits de maisons, moraines. Ils constituent également un excellent indicateur de la qualité de l'air, car ils sont très sensibles à la pollution. Certaines variétés se sont néanmoins acclimatées à des conditions défavorables : ainsi, ces dernières années, le lichen *Lecanora conizaeoides* prolifère-t-il en Grande-Bretagne.

Les lichens s'adaptent à toute sorte d'habitats, même les plus inhospitaliers. Ils sont constitués d'algues unicellulaires arrondies entrelacées de filaments fongiques.

L'algue la plus longue du monde est le kelp géant, dont certaines espèces atteignent 65 m.

Des algues de toutes les couleurs

Lorsque vous vous promènerez au bord de la mer, observez la façon dont les algues s'étagent sur les rochers, formant des bandes de couleurs variées qui marquent les différents niveaux de la mer. Les algues vertes prédominent dans la partie supérieure du rivage, celle qui correspond à la marée haute. Plus bas prospèrent les algues brunes. En profondeur, on trouve des roches incrustées d'algues rouges, appelées corallines en raison de leur ressemblance avec le corail.

Ces différentes couleurs proviennent des pigments contenus dans les algues. Toutes les espèces renferment le pigment vert de la chlorophylle, qui absorbe la lumière et aide les plantes à élaborer des éléments nutritifs grâce à un processus appelé photosynthèse. Chez les algues brunes et rouges, la chlorophylle est masquée par d'autres pigments, qui varient suivant la profondeur où elles vivent. Ces algues absorbent certaines lumières et en réfléchissent d'autres, que nous percevons comme rouges ou brunes.

L'eau de mer absorbe des lumières de différentes longueurs d'onde suivant la profondeur. Le rouge est absorbé très rapidement et ne pénètre pas au-dessous de

5 m. Les plantes vertes ayant besoin de la lumière rouge pour effectuer la photosynthèse, les algues qui ne renferment que de la chlorophylle ont tendance à vivre dans les eaux peu profondes. Les algues brunes et rouges renferment d'autres pigments, qui leur permettent d'utiliser la lumière de plus grandes profondeurs. Le bleu et le vert sont les lumières qui pénètrent le plus loin : en eau claire, ils peuvent atteindre une profondeur de 200 m. Au-delà, c'est le règne de l'obscurité.

Pourquoi les cactus ont-ils des épines ?

Si les cactées du désert poussaient dans des sols moins arides, elles auraient des feuilles et non des épines. Celles-ci sont des feuilles qui se sont modifiées au cours de l'évolution pour permettre au cactus de s'adapter à la sécheresse.

En effet, les feuilles constituent la majeure partie de la surface d'une plante, et les déperditions d'eau par les stomates sont très importantes, surtout sous les climats chauds. Cette évaporation est sans conséquence dans les endroits très humides – les forêts tropicales, par exemple. Mais les déserts américains, habitat privilégié des cactées, restent parfois plus d'un an sans recevoir de pluie. Les feuilles sont un luxe que le cactus ne peut se permettre. Cela lui vaut d'être remarquablement résistant à la sécheresse.

Certaines cactées des régions tropicales portent cependant des feuilles minuscules, mais celles-ci tombent en cas de sécheresse prolongée. D'autres espèces n'ont pas entièrement perdu l'instinct de « faire des feuilles ». Une bouture de figuier de Barbarie que l'on plante dans du sable, dans une caisse ne laissant pas passer la lumière, et que l'on arrose fréquemment produira des feuilles et non des épines.

La plupart des cactées étant dépourvues de feuilles, ce sont les tiges qui remplissent toutes les fonctions alimentaires de la plante : elles élaborent les substances nutritives et emmagasinent l'eau. Pour réduire la transpiration, la tige est recouverte d'une couche externe épaisse, l'épiderme. Nombre de cactées ont des tiges cannelées ou garnies de côtes et de plis qui captent un maximum de lumière tout en réduisant l'exposition à la chaleur. Après une forte pluie, la tige gorgée d'eau se dilate ; par temps sec, elle se rétracte en accordéon.

Les cactées disposent également d'un autre moyen efficace pour retenir l'eau. Comme tous les végétaux, elles transforment le dioxyde de carbone en éléments nutritifs. Les plantes absorbent le gaz carbonique par les stomates (les pores des feuilles), qui laissent échapper de la vapeur d'eau. Les stomates des cactées ne s'ouvrent que la nuit, lorsque la température est plus basse. Ne pouvant pas utiliser de gaz carbonique jusqu'au jour, elles l'accumulent durant la nuit dans des cellules spécialisées. Les épines ont pour fonction de protéger la plante des vents desséchants ou des températures basses en retenant une couche d'air isolante à leur surface. En outre, elles empêchent les animaux assoiffés de dévorer les tiges gorgées d'eau.

Image familière du désert, ce beau cactus d'Arizona est apprécié par beaucoup pour ses fruits.

DES PLANTES QUI UTILISENT LA LUMIÈRE

À la différence des animaux, les plantes sont capables d'élaborer elles-mêmes leur nourriture. Grâce à des cellules spécialisées, elles captent la lumière solaire, dont elles utilisent l'énergie pour produire des glucides et de l'oxygène à partir du gaz carbonique et de l'eau. Ce processus s'appelle la photosynthèse – synthèse réalisée à l'aide de la lumière. Toutes les plantes utilisant la photosynthèse renferment un pigment essentiel, la chlorophylle, qui donne aux feuilles leur couleur verte. La chlorophylle a une structure chimique proche de celle de l'hémoglobine, mais elle contient du magnésium, alors que le pigment sanguin renferme du fer.

Les feuilles absorbent 83 % de la lumière qui les frappe mais n'en utilisent que 4 % pour la photosynthèse. Le reste est converti en chaleur et passe dans les feuilles. Les végétaux poussant à l'ombre ont souvent des feuilles d'un vert plus foncé : elles renferment davantage de chlorophylle afin de capter le maximum de lumière.

La photosynthèse est un processus essentiel, mais pas seulement pour les plantes. Sans elle, la vie animale telle que nous la connaissons n'aurait jamais pu se développer. Les végétaux absorbent le gaz carbonique de l'atmosphère pour élaborer leurs éléments nutritifs, un facteur important pour le contrôle de l'effet de serre, et dégagent de l'oxygène.

Les plantes terrestres produisent 10 % seulement de l'oxygène de la Terre. Le reste provient d'une multitude extraordinairement variée d'algues marines. Dès lors, on mesure l'importance de la lutte contre la pollution des terres et des océans. Si les végétaux marins mouraient, l'homme disparaîtrait lui aussi.

Les feuilles utilisent la lumière, le gaz carbonique et l'eau, et rejettent de l'oxygène.

Lumière solaire
Glucides
Eau
Gaz carbonique
Oxygène

Des agents de reproduction

Pour fertiliser leurs graines, les cellules reproductrices mâles d'une plante – le pollen – doivent être mises en contact avec les organes femelles d'une autre plante. Seulement, les plantes sont souvent fort éloignées les unes des autres et ne peuvent se déplacer. Pendant la période de pollinisation, les végétaux sont contraints d'utiliser les agents les plus variés pour effectuer le transfert.

Les mousses, les algues et autres végétaux inférieurs confient à l'eau le soin de transporter leurs cellules mâles. 20 % des plantes, dont un grand nombre d'arbres, ainsi que toutes les céréales et les graminées, sont pollinisées par le vent. Les plantes produisent d'énormes quantités de pollen, poussière de grains minuscules dont un seul, peut-être, tombera sur le stigmate d'une fleur de la même espèce. 1 g de pollen de massette (grande herbe des marais) contient 210 millions de grains de pollen. On ne s'étonnera pas que le rhume des foins, une réaction allergique au pollen, soit si virulent au plus fort de la période de pollinisation !

Les fleurs des plantes pollinisées grâce au vent sont petites et peu voyantes, car elles n'ont pas besoin d'attirer d'autres agents de pollinisation. Pour disperser leur pollen, de longues étamines (organes de reproduction mâles) tendent leurs anthères au moindre souffle. Les pistils des fleurs femelles ont des stigmates élargis et proéminents pour mieux capter le pollen. Les plantes qui ont recours aux insectes pour leur pollinisation attirent ceux-ci par des fleurs aux couleurs éclatantes, des parfums insistants et de suaves nectars. Certaines fleurs, comme la digitale et le rhododendron, portent des rayures qui guident le visiteur vers la « piste d'atterrissage » et les réserves de nectar ou de pollen. Les insectes étant sensibles aux ultraviolets, ils perçoivent des motifs invisibles à l'œil humain sur les pétales de fleurs.

Pour que la pollinisation soit efficace, elle doit s'effectuer entre plantes appartenant à la même espèce. Il importe donc que l'agent de pollinisation ne se pose pas au hasard sur différentes fleurs mais s'attache à une variété particulière. Pour attirer sélectivement leurs visiteurs, les fleurs disposent de divers moyens, parmi lesquels la couleur des pétales. Les oiseaux ont tendance à préférer les fleurs vertes, rouges et orange. Les abeilles affectionnent le blanc, le crème, le jaune, le bleu et le violet. Les coléoptères, les mouches, les chauves-souris et les papillons nocturnes ont une prédilection pour les fleurs peu voyantes, de couleur pâle.

La forme de la fleur joue également un rôle. Trompettes, tubes et franges attirent les oiseaux, les papillons et les abeilles ; les mouches et les coléoptères préfèrent les fleurs à corolle plate et ronde. Les fleurs du fromager s'ouvrent entre 17 heures et 8 heures du matin, lorsque leurs agents pollinisateurs, les chauves-souris, sont actives. Celles de *Selenicereus grandiflorus,* un cactus pollinisé par un papillon nocturne, sont ouvertes de 20 heures à 2 heures du matin.

Ces différents stratagèmes, destinés à fidéliser l'agent pollinisateur, fonctionnent parfaitement. Une étude portant sur 207 abeilles mellifères a montré que 121 butineuses visitaient une seule espèce de plante, 67 transportaient du pollen provenant de deux espèces, 18 butinaient trois espèces, la dernière abeille se partageant entre quatre fleurs.

Certaines plantes ont recours au mimétisme pour attirer leur visiteur attitré. Par exemple, la fleur de l'orchidée porte-abeille ou porte-guêpe ressemble à une abeille ou à une guêpe et dégage une odeur de phéromone ressemblant à celle des insectes femelles. Les bourdons s'y laissent prendre et tentent de s'accoupler avec la fleur ; déçus de n'avoir pas trouvé la partenaire attendue, ils se déplacent vers une autre orchidée (imitant elle aussi la femelle convoitée) et y déposent le pollen recueilli sur la première.

Il existe parfois de véritables associations entre fleurs et insectes. Ainsi le yucca d'Amérique centrale a-t-il besoin d'un papillon nocturne pour être pollinisé. Après avoir déposé ses œufs dans l'ovaire d'une fleur, le papillon les recouvre d'une boule gluante de pollen collecté sur un autre yucca. Les larves du papillon se nourrissent des graines de yucca, mais

Les fleurs ont recours à de nombreux stratagèmes pour attirer insectes et oiseaux. Des abeilles butinent un pissenlit et une orchidée araignée (à gauche). Le méliphage cherche le nectar enfoui dans la fleur.

elles en laissent suffisamment pour que la plante puisse se reproduire. Le yucca et le papillon dépendent étroitement l'un de l'autre : si le premier disparaissait, le second ne tarderait pas à dépérir.

Toutes les fleurs ne dégagent pas un parfum agréable, loin de là. Certaines espèces sentent mauvais à dessein, afin d'attirer les insectes charognards, en particulier les mouches. Pour parfaire la simulation, le malodorant stapelia d'Afrique australe, aux fleurs brunes couvertes de poils rappelant la peau d'un animal mort, dégage de la chaleur imitant celle de la chair en décomposition.

La pollinisation directe – ou autopollinisation –, fécondation des graines d'une fleur par le pollen de la même fleur, entraîne un certain mélange des gènes, mais elle est à peine supérieure à la reproduction asexuée, qui produit des clones au patrimoine génétique identique à celui de la plante mère. Dans la pollinisation croisée, le pollen d'une plante est déposé sur une autre plante de la même espèce, et la dispersion plus large des gènes produit une descendance pouvant s'adapter à diverses conditions.

Les plantes disposent de différents moyens pour favoriser la pollinisation croisée. Certaines espèces, comme le papayer, le saule et le houx, sont soit mâles, soit femelles. D'autres, tels le melon, le concombre et le bégonia, portent des fleurs mâles et des fleurs femelles qui n'arrivent pas à maturité au même moment ; lorsque le pollen tombe sur le stigmate d'une fleur appartenant au même individu végétal, il ne peut pas féconder les cellules femelles.

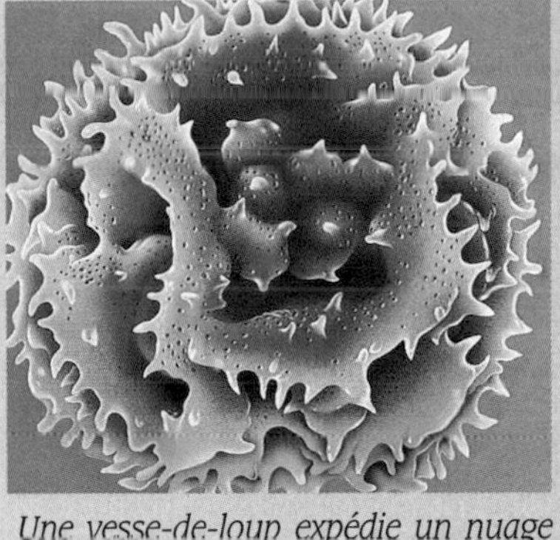

Une vesse-de-loup expédie un nuage de minuscules spores dans les airs. Ci-dessus, un grain de pollen agrandi : les crochets, bien visibles, permettent aux graines de se disperser.

Si les plantes disposent de moyens aussi ingénieux pour féconder leurs graines, pourquoi se reproduisent-elles également de façon asexuée ? La reproduction sexuée, qui implique la croissance de fleurs, de graines et de fruits, est extrêmement contraignante. La plante a besoin d'une nourriture plus abondante. En outre, le sort des graines est aléatoire. Une plante peut produire des milliers de graines qui ne seront jamais fécondées et des millions de grains de pollen qui ne retomberont jamais sur un pistil.

Pour toutes ces raisons, la plupart des plantes choisissent la reproduction asexuée, ou multiplication végétative, qui produit de nouvelles plantes génétiquement identiques à la plante mère. Les jardiniers ont souvent recours à la multiplication par bouturage ou par division (pour des plantes comme les marguerites et les pivoines, dont on divise les touffes pour en former de nouvelles), deux méthodes parmi les nombreuses formes existantes de reproduction asexuée. Les algues unicellulaires se divisent pour former deux nouvelles cellules. Des plantes telles que les crocus et les glaïeuls forment des cormus – tiges souterraines, courtes et renflées – donnant naissance à de nouvelles plantes. Les oignons, les tulipes, les jonquilles et les jacinthes produisent des bulbes, bourgeons souterrains entourés d'écailles fixées sur un plateau. Les pommes de terre, les navets et les dahlias se multiplient par leurs tubercules.

Les jardiniers le savent bien, certaines plantes, comme les fraisiers, se propagent rapidement en émettant des stolons, tiges rampantes sur le sol ; la menthe et nombre de graminées émettent une tige souterraine, ou rhizome. Dans des conditions favorables, les ronces (qui produisent les mûres sauvages) et le lantanier comptent parmi les végétaux les plus envahissants. Une branche tombante touche le sol, son extrémité gonfle et prend racine au point de contact, et la plante se développe dans toutes les directions. Une autre méthode de reproduction asexuée, la fragmentation, se produit lorsque certaines parties d'une plante sont brisées ou arrachées par le vent ou l'eau.

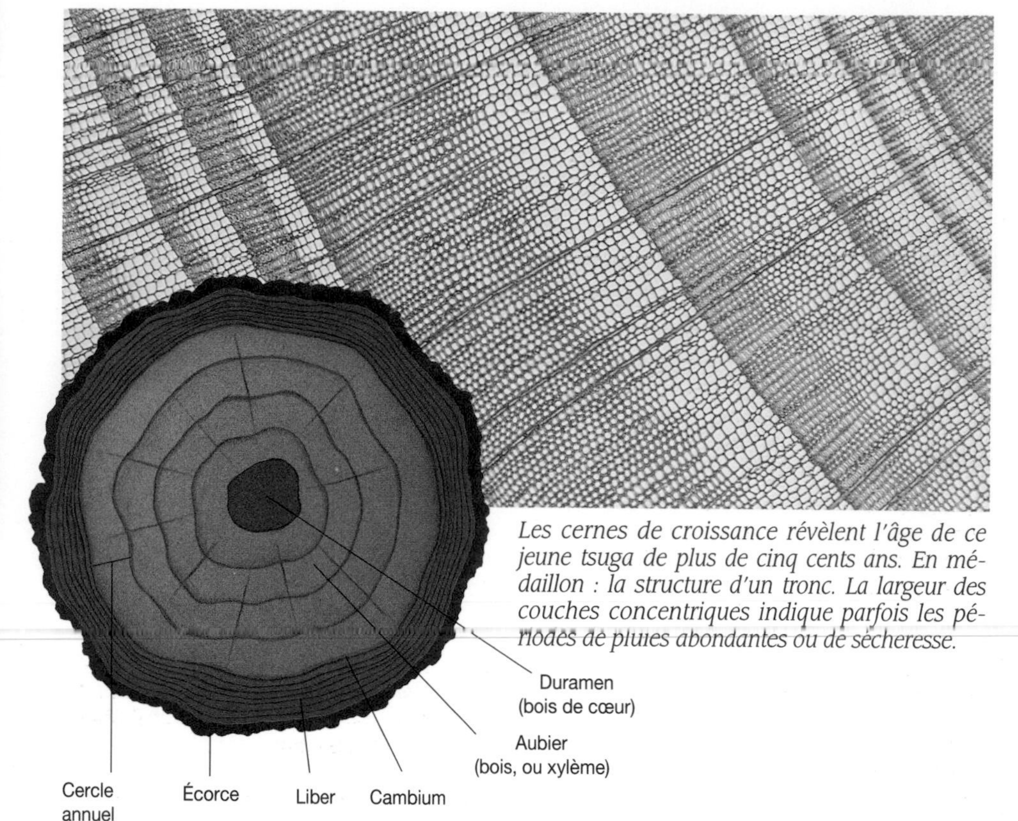

Les cernes de croissance révèlent l'âge de ce jeune tsuga de plus de cinq cents ans. En médaillon : la structure d'un tronc. La largeur des couches concentriques indique parfois les périodes de pluies abondantes ou de sécheresse.

Des cernes anniversaires

Si vous observez une souche d'arbre, vous verrez probablement que sa section transversale présente une série de cercles concentriques, les cernes. Un arbre forme un nouvel anneau ligneux par an durant la saison de croissance. Il suffit donc de compter les cernes pour déterminer l'âge de l'arbre.

Sous l'écorce se trouve une assise peu épaisse d'un tissu blanchâtre et brillant, le cambium. Durant la saison de croissance, les cellules du cambium se divisent, assurant l'accroissement de l'arbre en épaisseur. De nouvelles cellules se forment de part et d'autre du cambium, vers l'extérieur et vers l'intérieur.

Vers l'intérieur, les cellules forment un réseau de tubes, le xylème, qui constitue l'essentiel du bois soutenant la tige. Pour augmenter la résistance de l'ensemble, les membranes des cellules de xylème sont imprégnées d'une substance imperméabilisante, la lignine, qui constitue près de 25 % du bois d'un arbre. Le xylème joue un rôle capital dans le système de circulation de l'arbre, car il transporte l'eau et les minéraux des racines au tronc et aux branches. Les séquoias de Californie atteignent 100 m de hauteur. Pour arriver jusqu'à la cime de l'arbre, l'eau montant du sol doit vaincre la pesanteur. Des scientifiques ont calculé que cette poussée correspondait à l'effort nécessaire pour soulever un poids de 1,6 t. Les arbres se nourrissent par leurs racines, mais aussi par leurs feuilles, qui fabriquent des sucres, des protéines et des minéraux. Les cellules engendrées par la partie externe du cambium, qui forment le liber, distribuent dans tout le corps de l'arbre la sève élaborée par les feuilles.

Un arbre fabrique du xylème et du liber toute sa vie durant, mais pas de façon continue. Sous les climats tempérés, la croissance atteint son point maximal au printemps, produisant alors du bois constitué de larges vaisseaux – le bois de printemps. En automne, la croissance ralentit. Les cernes ne nous indiquent pas seulement l'âge de l'arbre, ils nous renseignent également sur les conditions climatiques qui régnaient dans le passé. Des cernes larges sont le signe de pluies abondantes ; à l'inverse, une sécheresse se traduira par des cernes serrés. Les arbres les plus vieux du monde sont les pins à cônes recouverts de soies. Des échantillons prélevés sur un spécimen dans l'est du Nevada, aux États-Unis, indiquent que cet arbre a commencé à pousser en 2926 avant J.-C.

Les cernes de croissance des arbres les plus anciens permettent aux climatologues de déterminer les modifications des conditions météorologiques. En raison de leur longévité, les séquoias de l'ouest des États-Unis offrent une véritable histoire du climat sur une période de plus de quatre mille ans. Les cernes de croissance d'arbres fossiles indiquent qu'il y a cent mille ans le Canada a connu un cycle de onze ans de pluies particulièrement abondantes.

Les cernes ne sont pas toujours des indicateurs infaillibles de l'âge d'un arbre. En effet, à un moment ou à un autre, la croissance peut être interrompue ou ralentie en raison d'une maladie ou de l'attaque d'un insecte. Sous les climats tropicaux, les arbres ont une croissance régulière et continue durant toute l'année, sans produire d'anneaux ligneux visibles. Dans les régions tempérées, cependant, les couches concentriques du bois offrent souvent une véritable « autobiographie » de l'arbre.

Pourquoi les feuilles tombent-elles ?

Dans nombre de régions du monde, la splendeur de l'automne constitue un des plus beaux spectacles de la nature. Les arbres abandonnent le vert estival pour se parer de somptueuses couleurs jaunes, orange et rouges, avant de perdre leurs feuilles, qui viennent tapisser le sol. Certaines espèces, tels les érables, sont répu-

tées pour la richesse et l'éclat de leur palette. Lorsque l'hiver arrive, les arbres à feuilles caduques – une large variété d'espèces comprenant notamment le chêne, l'orme, le saule et le bouleau – sont complètement nus. Les essences à feuillage persistant, tels le houx, l'épicéa, le pin et l'eucalyptus, perdent leurs feuilles ou aiguilles tout au long de l'année.

En hiver, sous les climats tempérés, les racines perdent leur pouvoir absorbant et ne parviennent plus à tirer suffisamment d'eau des sols souvent gelés. L'évaporation étant importante au niveau des feuilles, l'arbre ne peut survivre qu'en se débarrassant de son feuillage. En outre, les feuilles qui tombent emportent les toxines et les déchets accumulés durant la saison de végétation.

La chute des feuilles n'est pas déterminée uniquement par la chute de la température. L'été indien, arrière-saison chaude de l'Amérique du Nord, n'empêche pas les feuilles de tomber. De même, les arbres d'Europe transplantés dans des régions ne connaissant pas de saison froide se dépouilleront néanmoins de leur feuillage. La chute des feuilles, en effet, se déclenche avec le raccourcissement des jours signalant l'approche de l'hiver. En ville, les arbres qui poussent près des réverbères gardent leurs feuilles un peu plus longtemps que ceux qui sont situés dans les zones non éclairées.

Une futaie de chênes dépouillés de leur feuillage par l'hiver. La chute des feuilles précède la diminution de l'alimentation en eau entraînée par le gel des sols.

À l'automne, les tissus du point d'abscission – le point de séparation entre le pétiole et la tige – commencent à se désagréger. Le pigment vert – la chlorophylle – se décompose, laissant apparaître les autres pigments présents dans le limbe, et la feuille change de couleur. L'arbre retire des feuilles toutes les substances nutritives et y dépose ses toxines et autres déchets. Enfin, une couche de cellules liégeuses charnues vient se former dans la zone d'abscission afin de protéger la cicatrice laissée par la chute de la feuille.

Recouvertes d'une cuticule (épiderme externe) très mince, les feuilles des arbres à feuillage caduc ne peuvent limiter les pertes d'eau dues à l'évaporation, à la différence de celles des arbres à feuillage persistant. Les aiguilles des pins présentent une surface réduite qui prévient l'évaporation excessive. Les feuilles du houx ont un épiderme épais et lustré, celles de l'eucalyptus sont recouvertes d'un vernis cireux qui les protège du soleil et d'une sécheresse éventuelle.

En captant la lumière, les feuilles fournissent à l'arbre ses substances nutritives. Les arbres à feuillage persistant bénéficient d'une alimentation continue tout au long de l'année.

Un cerf commun se prépare au combat en frottant ses bois. Beaucoup d'arbres meurent lorsqu'ils perdent leur écorce.

Pourquoi un arbre à l'écorce cernée meurt-il ?

Les amoureux qui gravent des serments éternels sur les troncs d'arbre doivent faire bien attention. Si l'entaille de l'écorce fait le tour du tronc, l'arbre mourra. Agriculteurs et forestiers cernent ainsi parfois certaines essences pour les faire sécher sur pied avant de les abattre.

Il est pratiquement impossible d'ôter l'écorce d'un tronc sans retirer un tissu essentiel, le liber, qui transporte la sève élaborée par les feuilles dans tout le corps de l'arbre. En enlevant un anneau d'écorce, on interdit les échanges indispensables. Les racines ainsi que la partie située sous l'entaille vont dépérir. Privé de son système radiculaire, l'arbre n'est plus alimenté en eau et en sels minéraux. Les feuilles, en particulier, présentent de grandes surfaces au niveau desquelles l'évaporation d'eau par les stomates est considérable. Lorsque les feuilles ne sont plus convenablement alimentées, elles tombent, privant l'arbre de la sève qu'elles élaborent.

Bois de feuillus et bois de résineux

En règle générale, les bois de résineux sont issus d'espèces à croissance rapide – des conifères tels que le sapin, l'épicéa et le pin, provenant souvent, aujourd'hui, de la sylviculture. Ils sont utilisés principalement dans le bâtiment, pour l'ameublement et la fabrication de la pâte à papier. Les meubles de qualité supérieure, les placages, les instruments de musique et les manches des outils sont faits habituellement de bois de feuillus. Ces deux types de bois se différencient aisément par la structure de leurs cellules. Les bois de feuillus ont une plus grande proportion de longues cellules tubulaires appelées vaisseaux. Ils offrent également une très grande variété d'essences. Le plus lourd est le bois de fer d'Afrique australe (le casuarina), qui pèse 1 490 kg/m^3. Avec une densité de 1,49, il coule dans l'eau, qui a une densité de 1. L'un des plus légers est le balsa, dont la densité, de l'ordre de 0,12, varie considérablement suivant les conditions de croissance de l'arbre : 1 m^3 de balsa peut peser entre 40 et 390 kg.

Si vous faites un bon feu de bois, prenez garde aux résineux : ils s'enflamment aisément et brûlent vite, mais les gros rondins projettent souvent des étincelles. La plupart des feuillus, en revanche, offrent un bois de chauffage idéal car ils brûlent lentement, en rougeoyant sans faire de grandes flammes.

Pourquoi les plantes portent-elles des fruits ?

Le mot fruit évoque généralement pour nous une pomme, une poire, une orange, etc. Alors que pour le botaniste ce mot a un sens infiniment plus large : ainsi les concombres, les grains de céréales et les samares des ormes, des frênes et des érables sont-ils tous des fruits.

Les plantes produisent des fruits pour nourrir, protéger et disperser leurs graines. À maints égards, le fruit peut être comparé à un utérus.

Le corps du fruit contient les graines, qu'il nourrit pendant leur maturation. L'enveloppe épaisse de la noix de coco protège la graine contre les prédateurs et amortit le choc lorsqu'elle tombe. Creuse en son centre, elle permet à la graine de flotter sur l'eau. Les fruits verts ont un goût acide qui dissuade les animaux de les manger avant que les graines soient parvenues à maturité. Une fois mûr, le fruit devient succulent ; il attire irrésistiblement les oiseaux et d'autres animaux, ce qui favorise la dispersion des graines. La formation du fruit épuise les ressources alimentaires de la plante, et nombre d'espèces végétales meurent peu de temps après la fructification.

Noisette
Framboise
Pomme
Tomate
Prune
Petit pois

Pour un botaniste, ce sont tous des fruits, y compris la cosse des petits pois. Ils contiennent la graine de la plante et sont conçus pour favoriser la dissémination de celle-ci.

LA MORT PAR SIMPLE ÉGRATIGNURE

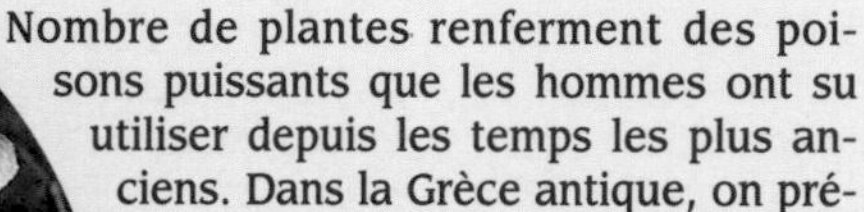

Le poison du chapeau de ce champignon tuerait 3 hommes.

Nombre de plantes renferment des poisons puissants que les hommes ont su utiliser depuis les temps les plus anciens. Dans la Grèce antique, on préparait des décoctions d'aconit, pour se débarrasser des gens âgés et des infirmes. Lors des batailles, des lances trempées dans la même préparation apportaient la mort par simple égratignure.

Jusqu'à une époque récente, les indigènes de Java empoisonnaient leurs flèches en les enduisant du latex toxique des upas ; alors que les Indiens d'Amazonie utilisent pour cela du curare obtenu par décoction de l'écorce d'une liane appartenant au genre *Chondrodendron tomentosum*. Certaines tribus d'Afrique de l'Est trempent leurs flèches dans une toxine contenue dans le bois et les racines du genre *Acokanthera*, qui leur servent également à se débarrasser de leurs ennemis. Imbibés de ce poison, les fruits épineux de *Tribulus terrestris* – la croix-de-Malte, une variété de chardon étoilé – sont éparpillés le long d'un chemin que la future victime foulera pieds nus sans se douter du sort qui l'attend. En 1978, Georgi Markov, un collaborateur de la BBC d'origine bulgare, mourut à Londres des suites d'une piqûre occasionnée... par la pointe du parapluie d'un passant. Les enquêteurs conclurent à l'assassinat. Selon leur hypothèse, la pointe du parapluie contenait une dose mortelle de ricin, une variété de l'épurge dont on tire l'huile de ricin.

Nul n'ignore que certains champignons sont hautement toxiques. En l'absence d'un traitement médical rapide, l'ingestion du chapeau de la redoutable amanite phalloïde est fatale dans 50 % des cas. Un champignon microscopique, l'ergot de seigle, qui se développe sur la céréale, entraînait autrefois de véritables ravages causés par l'absorption de pain de seigle.

En 994, l'ergotisme (intoxication par l'ergot de seigle) fit près de 40 000 morts en France. À l'époque, on crut à une épidémie mortelle, que l'on appela le mal des ardents. Ceux qui cherchèrent refuge dans les monastères et les couvents furent épargnés, car les moines et les religieuses confectionnaient leur pain avec de la farine de froment. En 1374, d'étranges convulsions s'emparèrent des voyageurs venus à Aix-la-Chapelle, en Allemagne, célébrer la fête de la Saint-Jean. L'écume à la bouche, ils étaient animés de mouvements frénétiques avant de tomber inanimés. L'épidémie s'étendit au cours des cinquante années qui suivirent. Aujourd'hui, de nombreux historiens l'attribuent au pain de seigle ergoté. Selon certains, les fameux procès de Salem (Massachusetts), où, en 1692, quatorze jeunes femmes et cinq hommes souffrant d'hallucinations furent jugés et pendus pour sorcellerie, seraient imputables à l'ergotisme.

Les poisons végétaux proviennent des sources les plus variées. Une tasse pleine de pépins de pomme contiendrait assez de toxine pour tuer un homme. Curieusement, certains animaux sont mieux immunisés que d'autres. Une minuscule limace peut ainsi déguster en toute quiétude un champignon vénéneux qui entraînerait la mort de quatre hommes. Hautement toxiques pour la plupart des insectes, les choux, les choux-fleurs et les brocolis font le régal des pucerons et du papillon blanc du chou.

Certaines espèces se sont adaptées aux plantes vénéneuses. Les herbivores et la plupart des insectes évitent le poison âcre des plantes lactescentes, tandis que les chenilles du papillon monarque se nourrissent de la sève toxique des asclépiades.

Une des sorcières jugées à Salem en 1692. L'épidémie d'hallucinations qui frappa la ville aurait peut-être été due à l'ergot de seigle.

DE TOUT UN PEU

Pourquoi la tour de Pise penche-t-elle ? (PAGE 340)

La myrrhe et l'encens, cadeaux dignes des Rois mages (PAGE 340)

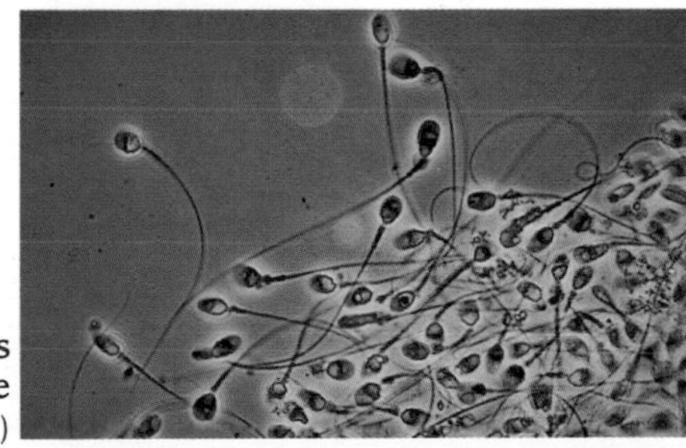

Des millions de spermatozoïdes pour féconder un seul ovule (PAGE 337)

Attention, danger !

Les pluies acides

Le problème ne date pas d'hier. Le terme de pluies acides a été utilisé pour la première fois en 1872 par Robert Angus Smith, chimiste à Manchester, à propos de l'érosion des immeubles de cette grande ville industrielle anglaise par la pollution aérienne. Juste avant la Première Guerre mondiale, des expériences effectuées à Leeds (toujours en Angleterre) établirent que les laitues qui y poussaient étaient très abîmées – de petite taille et de mauvaise qualité – et que cela était dû à une concentration excessive d'anhydride sulfureux dans l'air.

À l'état naturel, l'anhydride sulfureux présent dans l'atmosphère est issu des éruptions volcaniques et de la décomposition des végétaux. Mais, dans l'air fortement pollué de l'Europe, il est dégagé à 85 % par l'utilisation de combustibles fossiles, notamment dans les centrales électriques fonctionnant au charbon. Or, il pollue non seulement l'air que nous respirons, mais aussi la pluie.

Les chimistes définissent les niveaux d'acidité par ce qu'ils nomment le pH, lequel varie de 1 (très acide) à 14 (très alcalin). La pluie normale est légèrement acide. En entraînant le gaz carbonique et les autres particules acides de l'air, elle forme une solution dont le pH est d'environ 5,5. Mais, ces dernières années, la pluie de certaines régions d'Europe centrale a atteint un pH de 4,1. Et, par brouillard épais, lequel emprisonne l'anhydride sulfureux, l'acidité de l'air peut dépasser celle du jus de citron (pH 2).

Les pluies acides ont des conséquences graves. Elles endommagent les immeubles, attaquent la pierre et le fer et détruisent la végétation. En s'infiltrant dans le sol, elles dissolvent les métaux lourds et intoxiquent ainsi les cours d'eau. Rivières et lacs deviennent acides, le poisson y meurt ou cesse de frayer et les autres organismes disparaissent. En Scandinavie, ou dans le nord-est des États-Unis et au Canada, truites et saumons ont aujourd'hui disparu de beaucoup de lacs et de rivières où ils grouillaient naguère.

Des ichtyologistes canadiens ont entrepris d'ajouter des quantités d'acide de plus en plus importantes à un lac de pH 6,5 (presque neutre : ni acide, ni alcalin). Au pH 6, crevettes et vairons sont morts. Privées de leur nourriture naturelle, les truites ont disparu à leur tour. À une acidité supérieure, les écrevisses et leurs œufs ont été attaqués par des parasites. Bientôt, ce lac auparavant très poissonneux est devenu pratiquement inerte. Si un lac, ou une rivière, meurt, la réaction en chaîne ne s'arrête pas pour autant. Les oiseaux aquatiques et le gibier d'eau souffrent à leur tour. Et leur disparition peut entraîner celle d'autres animaux.

Les pluies acides attaquent aussi les arbres, en particulier les conifères. Comme elles privent le sol de certaines substances nutritives, la végétation périclite. Ce phénomène affecte environ 15 % des forêts européennes, soit à peu près la surface de l'Allemagne. Résultat : oiseaux et animaux perdent leur habitat naturel. De plus, le sol s'érode, ce qui ne fait qu'accélérer l'infiltration des pluies acides dans les lacs et les rivières.

L'anhydride sulfureux n'est pas le seul coupable. Les échappements des voitures dégagent dans l'air des oxydes d'azote, dont le mélange avec la pluie forme de l'acide nitrique. Par temps très ensoleillé, ces gaz d'échappement forment aussi de l'ozone, responsable du brouillard photochimique brunâtre courant dans certaines villes. L'ozone accélère la formation de pluies acides. Le pH du brouillard de Los Angeles, par exemple, peut atteindre 1,7, ce qui est corrosif non seulement pour les constructions et la flore, mais aussi pour les poumons humains.

L'élimination des pluies acides exigera des décennies de travail, d'énormes investissements et la détermination de tous. Fort heureusement, beaucoup de gouvernements ont pris conscience de la gravité du problème.

Crachée par une centrale électrique et des usines de Leipzig, en ex-RDA, la fumée industrielle provoque des pluies acides nuisibles aux arbres. Au XXIe siècle, l'Europe risque ainsi de perdre 118 millions de mètres cubes de bois par an, sans parler de l'érosion des bâtiments et des sculptures, telle la gargouille italienne ci-contre.

Des villes à l'épreuve des séismes

Certaines métropoles très exposées aux tremblements de terre sont déjà pourvues d'immeubles conçus pour y résister.

Quand un séisme frappe une ville, le bilan des victimes dépend des techniques de construction utilisées et de la nature du terrain. L'effondrement d'une tour peut entraîner la destruction des immeubles voisins. Des études récentes montrent que les constructions érigées en zone asséchée sont particulièrement vulnérables.

Dans un tremblement de terre classique, la première secousse tellurique se propage à une vitesse énorme, pouvant atteindre 32 000 km/h. Elle est suivie d'une série de secousses secondaires, ou répliques, capables de tordre et d'ébranler les immeubles au point de les mettre en pièces. Conçues avec l'aide de sismologues, certaines constructions antisismiques ondulent sous les chocs mais ne s'effondrent pas, comme un roseau que le vent plie mais ne rompt pas.

D'autres, telles les deux tours du World Trade Center de New York, sont en principe si résistantes qu'une personne située

La tour Transamerica de San Francisco est conçue pour résister aux plus violents séismes. Sa forme pyramidale abaisse le centre de gravité et la rend plus stable. Un soutènement triangulaire préserve la structure des oscillations, et des fondations de béton lui donnent une assise solide.

à leur sommet ne se rendrait compte d'un séisme qu'en voyant les autres immeubles s'effondrer. Certains immeubles, notamment à Tōkyō, sont pourvus de gigantesques contrepoids pour ne pas ébranler leurs voisins. Parfois, des ordinateurs détectent tout mouvement d'origine sismique ou éolienne et font entrer en action des blocs énormes pour contrecarrer ondulations et torsions.

Ajoutés à l'action d'amortisseurs de caoutchouc noyés dans les fondations et ancrés dans le roc du sous-sol, ces procédés peuvent s'opposer à l'action destructrice des tremblements de terre. Leur principe est toujours le même : comme on ne peut pas prévoir les séismes, autant apprendre à s'en accommoder.

L'effet de serre, une menace pour le climat

Dès que notre planète a commencé à se refroidir et à se doter d'une atmosphère, l'effet de serre a joué le rôle bienfaisant de thermostat sur la température terrestre.

Sur la Lune, qui n'a pas d'air, la température du sol monte à 110 °C le jour et chute à – 150 °C la nuit. Pourtant, elle se trouve comme la Terre à environ 150 millions de kilomètres du Soleil. Sans la couche d'air qui la protège, notre planète connaîtrait à peu près les températures de son satellite naturel, et la vie y serait impossible.

Une partie de l'énorme énergie dégagée par le Soleil perce notre atmosphère pour atteindre le sol. En se réchauffant, la surface de la Terre renvoie dans l'espace des infrarouges, c'est-à-dire de la chaleur. Cette chaleur est en partie absorbée par les gaz responsables de l'effet de serre (essentiellement vapeur d'eau et gaz carbonique), qui constituent un infime pourcentage de l'atmosphère. Ainsi prise au piège, elle réchauffe l'atmosphère, qui réchauffe à son tour continents et océans. Cet effet de serre naturel rend notre planète habitable. Sans lui, la température moyenne de la surface terrestre chuterait à – 18 °C, contre environ 15 °C actuellement.

Si la quantité de vapeur d'eau et de gaz carbonique reste constante, la température moyenne de la Terre ne varie pas. L'équilibre est maintenu. Mais, depuis un siècle, l'utilisation de combustibles fossiles (notamment charbon et pétrole) augmente le dégagement de gaz carbonique dans l'atmosphère. Ce supplément retient davantage de chaleur qui, sans lui, se dissiperait dans l'espace.

Voilà plus d'un siècle que la science s'intéresse à l'effet de serre. Les relevés précis des températures terrestres, qui n'existent que depuis les années 1850, établissent que le monde s'est réchauffé d'environ 0,25 °C entre 1880 et 1940. Pendant les trente années qui ont suivi, il s'est refroidi d'à peu près autant. Mais, depuis lors, la température du globe a rapidement gagné quelque 0,3 °C, parallèlement à une augmentation régulière de la teneur en gaz carbonique de l'atmosphère.

Les scientifiques hésitent cependant à rendre ce dernier responsable des modifications climatiques. Grâce à des analyses de l'air emprisonné dans la glace polaire, nous savons que la teneur en gaz carbonique était d'environ 270 parties par million avant la révolution industrielle ; or, ce chiffre est pratiquement constant depuis dix mille ans.

Des projections par ordinateur montrent que, si cette proportion de gaz carbonique doublait, la température moyenne mondiale augmenterait de 2 °C. Or, ce doublement sera peut-être atteint avant la fin du XXIe siècle. De plus, nous produisons aussi davantage de méthane, autre gaz responsable de l'effet de serre. Ce double phénomène fait qu'un réchauffement de 2,5 °C pourrait être atteint dès l'an 2030.

Il ne serait pas général : la température changerait peu sous les tropiques, mais beaucoup aux pôles. Mais ce seul phénomène modifierait le régime des vents et des précipitations. Les zones continentales pourraient connaître une sécheresse catastrophique pour l'agriculture et les forêts. Tandis que la pluie s'abattrait peut-être sur d'autres régions. En fait, tout ce qu'on sait de l'effet de serre, c'est qu'il pourrait bouleverser le monde et la vie et que nul ne peut se permettre de ne pas le prendre en considération lorsqu'il s'agit de faire un projet à long terme.

Un trou dans la couche d'ozone

Si, à supposer qu'ils puissent y résister, des astronautes étaient exposés à la température des hautes couches de l'atmosphère pendant leur ascension dans l'espace, un curieux phénomène les frapperait : jusqu'à 12 km d'altitude, ils la sentiraient chuter peu à peu à – 60 °C. Mais, au cours des 40 km suivants, dans ce qu'on appelle la stratosphère, elle remonterait nettement et atteindrait – 23 °C.

Le trou de la couche d'ozone au-dessus de l'Antarctique se voit très bien sur ces images colorisées de l'atmosphère prises par le satellite Nimbus 7. Selon la teneur en ozone, les couleurs varient du blanc (maximum) au violet (minimum), en passant par le rouge, le jaune, le vert et le bleu. En 1979 et 1982, une importante perte d'ozone se manifesta par une tache bleue. En 1989 et 1992, celle-ci, beaucoup plus étendue, a viré au violet. La perte d'ozone est en partie due aux chlorofluorocarbones des réfrigérateurs et de certains aérosols.

Cette région correspond à la couche d'ozone. Si elle est moins froide, c'est parce qu'elle absorbe la chaleur des rayons solaires ultraviolets. L'ozone se forme par action de la lumière solaire sur l'oxygène. Les molécules d'oxygène sont formées de deux atomes d'oxygène (symbole chimique : O_2). En les décomposant, les radiations ultraviolettes de la lumière solaire libèrent ces deux atomes, dont certains se fixent à d'autres molécules d'oxygène et forment donc une nouvelle molécule, à trois atomes. Parfois appelé trioxygène, ce gaz est plus connu sous le nom d'ozone (symbole chimique : O_3).

Les radiations solaires étant plus fortes au-dessus de l'équateur et des tropiques, c'est là que se forme la majeure partie de l'ozone, en un processus constant. À mesure qu'il se constitue, les vents stratosphériques le poussent vers les régions polaires.

Au milieu des années 1950, des scientifiques se sont mis à étudier l'atmosphère de la baie de Halley, dans l'Antarctique. Depuis 1982, leurs recherches sont plus approfondies. Ils remarquent à chaque printemps une diminution de la couche d'ozone, ce que confirment les données recueillies par satellite, ballon-sonde ou avion. Dans certaines régions de la stratosphère, à environ 18 km d'altitude, l'ozone disparaît pratiquement pendant le printemps antarctique. C'est ce qu'on appelle le « trou » de la couche d'ozone.

À l'arrivée de l'hiver, des vents violents balaient le continent des glaces et le coupent du reste du monde. Dans la stratosphère, la température chute à – 90 °C et des nuages de glace se forment. Leurs particules retiennent différents composés chimiques contenant du chlore. Ce dernier vient surtout des chlorofluorocarbones (CFC), gaz utilisés dans les réfrigérateurs, les climatiseurs et les mousses plastiques isolantes ainsi que dans certains nettoyants et bombes aérosols. Au printemps, les nuages de glace libèrent leurs stocks de chlore sous l'action du soleil. Dans le processus chimique qui s'ensuit, les atomes de chlore attaquent l'ozone et le transforment en oxygène. À terme, le

LA QUÊTE DE L'IMPOSSIBLE

Les savants de jadis poursuivaient trois grands rêves. Les alchimistes médiévaux cherchaient le secret de la transmutation des métaux, la pierre philosophale, capable de transformer en or de vils métaux tels que le plomb. D'autres voulaient découvrir le secret de la vie éternelle. Et d'autres encore rêvaient d'une machine qui, une fois lancée, fonctionnerait éternellement sans apport d'énergie. On sait aujourd'hui que ce mouvement perpétuel défierait les lois de l'Univers, car tout ce qui bouge dépend d'une énergie, quelle qu'en soit la source : le vent, l'eau ou même le soleil.

On pourrait penser que la roue d'un moulin à eau n'utilise pas d'énergie. Erreur : par frottement, le courant perd un peu de sa vigueur sous forme de chaleur. Si bien qu'un cours d'eau ne peut faire tourner qu'un nombre de moulins limité. D'après les lois de la thermodynamique, toute transformation d'une forme d'énergie en une autre implique une perte d'énergie.

La sonde spatiale est la réalisation humaine qui se rapproche le plus du mouvement perpétuel : dans l'espace, il n'y a pas de frottement pour la ralentir. Pourtant, elle finira un jour par perdre son mouvement initial, tout comme la Terre et toutes les autres planètes du système solaire. Dans un avenir vertigineusement éloigné que les scientifiques estiment à cinq milliards d'années, le Soleil s'épuisera et le système solaire tout entier disparaîtra.

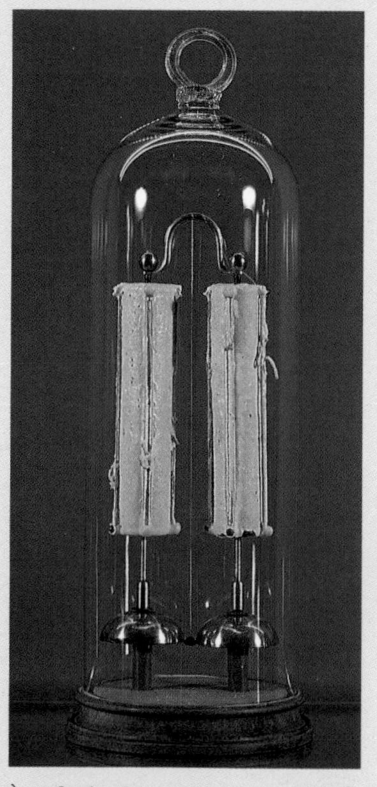

À Oxford, cette sonnette retentit depuis 1840. Mouvement perpétuel ? Non : les tubes sont simplement des piles à durée ultralongue.

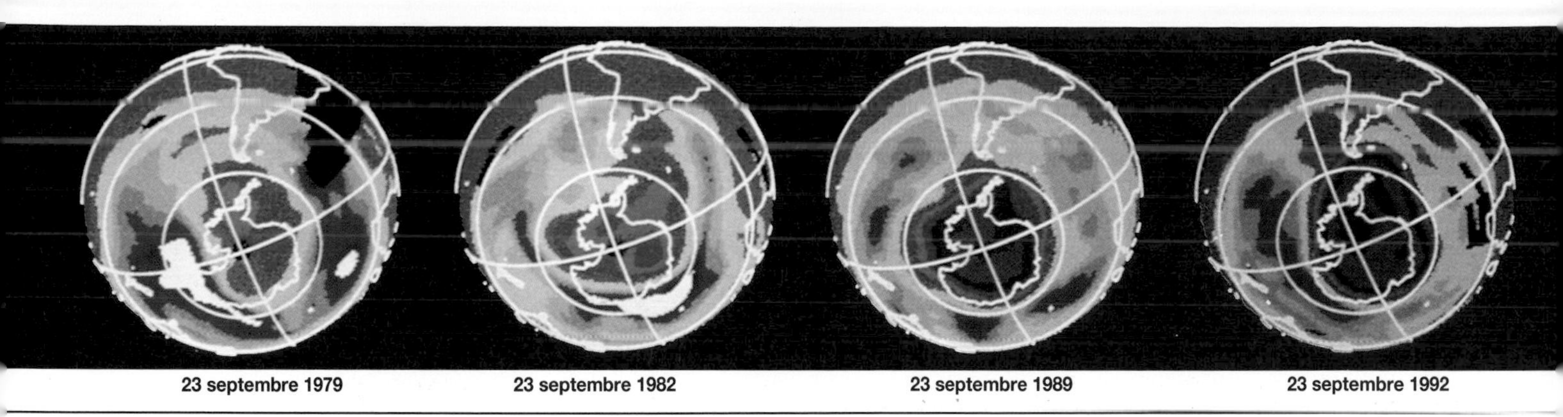

chlore peut répéter ce cycle plusieurs milliers de fois.

Particulièrement grave en Antarctique, la diminution de la couche d'ozone ne se limite pas à cette région du globe. D'après les données transmises durant plus de douze ans par le satellite Nimbus 7, elle atteint environ 6 % à certaines périodes de l'année en diverses régions de l'hémisphère Nord.

Cette perte est peu à peu compensée. Mais, pendant une partie de l'été, nous risquons d'être davantage exposés à l'action néfaste des rayons ultraviolets, dont la couche d'ozone nous protège d'habitude en les absorbant. Or, ces rayons provoquent des cancers de la peau et font baisser les rendements agricoles. D'après certains experts médicaux, dans cinquante ans, on comptera chaque année aux États-Unis environ 200 000 morts par cancer de la peau contre 9 300 actuellement.

Des voitures à hydrogène

Les réserves mondiales de combustibles fossiles s'épuisent peu à peu. Parallèlement, l'industrie en utilise de plus en plus, ce qui affecte notre atmosphère et risque même de modifier notre climat.

Pour régler le problème, beaucoup de savants croient en l'avenir de l'utilisation de l'hydrogène, gaz propre et facile à produire, comme combustible. En brûlant, il se combine à l'oxygène de l'air pour produire de l'eau. Sa seule action polluante est mineure : son utilisation dans un moteur peut dégager de l'oxyde nitrique par action de l'azote présent dans l'air sur l'oxygène non brûlé dans les cylindres. Ce phénomène est commun à tous les moteurs à combustion interne, quel que soit le carburant.

La technologie a déjà fait des pas de géant. Les constructeurs automobiles Mazda, Daimler-Benz et BMW ont même réalisé des prototypes. Mais bien des problèmes restent à régler. Par exemple, pour tenir en quantité suffisante dans un petit réservoir de voiture, le gaz doit être liquéfié. L'ennui, c'est que l'hydrogène devient liquide à une température de – 253 °C. Pour qu'il ne se vaporise pas rapidement, l'isolation doit donc être parfaite. BMW a mis au point un réservoir de 93 litres surisolé et à double paroi sous vide. Mais, même dans ces conditions, une voiture en stationnement perd environ 2 % de son hydrogène.

De plus, l'hydrogène liquide rend les métaux cassants. À la différence de l'essence, il n'a pas de propriétés lubrifiantes. Quant à réaliser une pompe et un système d'injection adaptés à une température aussi basse, ce n'est pas simple. Pourtant, les chercheurs croient la réussite possible.

Mais la principale difficulté est peut-être ailleurs. En effet, pour stocker et vendre de l'hydrogène, les stations-service auraient besoin d'un matériel radicalement nouveau : des cuves à isolation irréprochable, peut-être réfrigérées, et un modèle de pompe bien particulier. Les tuyaux actuellement utilisés pour l'essence ne serviraient plus à rien : l'hydrogène liquide les briserait comme du verre. Et, par mesure de sécurité, la vente en self-service serait peut-être interdite.

Relativement simple, la fabrication d'hydrogène est à la portée de n'importe quel pays, ce qui pourrait réduire la dépendance envers des pays producteurs. On le produit d'ordinaire par circulation de vapeur sur du coke chauffé à 1 000 °C. Or, cela brûle de l'énergie et dégage du monoxyde de carbone (CO), un gaz très toxique. Si on le rend inoffensif en le transformant en gaz carbonique, on revient au point de départ : en voulant remplacer les moteurs à essence qui dégagent du gaz carbonique, on a trouvé un autre moyen de contribuer à l'effet de serre.

Passons aux bonnes nouvelles. Les spécialistes du solaire conseillent un moyen très simple de produire un hydrogène non polluant. Comme on le démontre au lycée en classe de physique, un courant électrique qui traverse de l'eau produit des bulles d'hydrogène sur une électrode et de l'oxygène sur l'autre. Avec des cellules photovoltaïques, qui donnent de l'électricité à partir de la lumière solaire, on pourrait fabriquer de l'hydrogène selon cette méthode, sans dégagement de gaz carbonique ni aggravation de l'effet de serre.

Pour la science moderne, cela ressemble à un rêve plus merveilleux encore que la transformation du plomb en or.

Les voitures de demain rouleront peut-être à l'hydrogène, non polluant et facilement disponible. Ce prototype Mazda HR-X peut parcourir 200 km avec un plein, ce qui le destine à un usage urbain.

Des espèces menacées

Malgré notre soif de connaissances, nous savons peu de choses sur la faune et la flore avec lesquelles nous partageons la planète. Beaucoup d'espèces n'ont jamais été identifiées. Et, parmi les autres, relativement peu ont été étudiées en détail.

D'après l'Union internationale de conservation des espèces (UICE), qui fait autorité en la matière, 2 750 vertébrés et 2 250 invertébrés sont en danger, de même sans doute que 25 000 plantes. L'UICE reconnaît que ses travaux présentent des lacunes importantes, surtout en ce qui concerne la faune des forêts tropicales humides, dont l'habitat se rétrécit de jour en jour.

Depuis l'apparition de la vie sur la Terre, quelque 500 millions d'espèces différentes s'y sont développées, dont environ 490 millions sont aujourd'hui éteintes. La plupart ont disparu selon le processus naturel de l'évolution : elles n'ont pu s'adapter à la lutte imposée par leurs rivales ou aux exigences d'un environnement en mutation permanente.

Depuis deux cents ans, mais surtout depuis 1950, l'hécatombe s'est aggravée dans des proportions énormes, animaux et végétaux étant incapables de résister au prédateur le plus redoutable de la nature : l'homme. Tandis que notre population atteignait son niveau actuel de 5,4 milliards d'individus, nous avons détruit de bien des manières l'habitat des autres espèces.

Les villes se sont étendues en dévorant les bois et les prairies. Une grande partie de nos campagnes ont dû céder la place à de nouvelles routes. Mines et usines ont empoisonné les rivières. Nous avons abattu des hectares de forêt pour en utiliser le bois, asséché des marécages et noyé des vallées derrière nos barrages.

Nous avons labouré la terre pour nos cultures, privant ainsi les bêtes sauvages de nourriture. Nous avons laissé notre cheptel épuiser les pâturages. En dégradant le sol, nous avons endommagé ou détruit le milieu naturel des plantes et des animaux. À cause de nous, des rivières se sont envasées et toute vie y a souvent disparu. Si nous avons d'abord tué le gibier pour survivre, nous continuons aujourd'hui à le faire par plaisir. Nous persistons à surexploiter les mers.

Partout où ils allaient, nos ancêtres emmenaient des plantes et des animaux. Et cela a eu bien des effets dévastateurs, car, introduits dans des milieux qui leur étaient étrangers, le chien, le chat ou le lapin sont souvent retournés à l'état sauvage et ont parfois détruit les espèces locales. Pour satisfaire la passion des pêcheurs à la ligne, nous avons déversé dans nos rivières et nos lacs la truite brune, la truite arc-en-ciel, la carpe d'Europe et la perche, ou encore des espèces exotiques qui ont anéanti tout le reste.

Alors que la faune se raréfie, collectionneurs et touristes sont avides de trophées exceptionnels. Des braconniers font des massacres pour quelques peaux, de l'ivoire et une poignée de cornes. D'autres font fortune dans la contrebande d'animaux vivants et de plantes rares.

En 2025, le monde comptera sans doute 8,5 milliards d'êtres humains, à qui il faudra fournir logement, nourriture et travail. Heureusement, nous sommes de plus en plus nombreux à avoir conscience de la nécessité absolue de sauver la faune et la flore, pour notre propre salut.

Environ 40 % des médicaments essentiels à notre santé sont d'origine végétale, microbienne ou animale. Grâce à deux médicaments issus de la minuscule pervenche rosée de Madagascar, par exemple, la mortalité infantile due à la maladie de Hodgkin ou aux leucémies lymphoïdes a pratiquement disparu. L'if du Pacifique donne du taxol, une arme efficace contre certains cancers, dont le cancer des ovaires. Pourtant, la pharmacopée n'utilise qu'environ 3 % des plantes à fleurs du monde entier. Et, chaque jour, quelque part sur le globe s'éteignent une ou deux espèces végétales qui seraient peut-être de précieuses alliées dans notre lutte contre les maladies épidémiques.

La survie de l'humanité passe peut-être par sa réconciliation avec la nature...

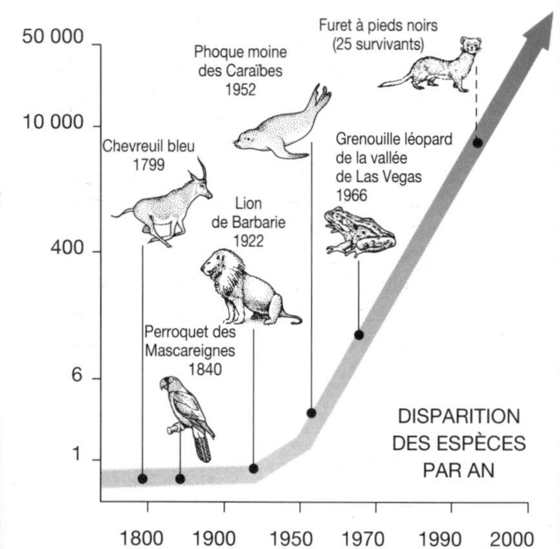

L'extinction des espèces animales est surtout due à la destruction de leur habitat. Ce graphique montre l'aggravation des disparitions depuis 1800, avec l'exemple de certaines espèces et l'année au cours de laquelle les derniers représentants ont été observés. Le furet à pieds noirs d'Amérique est en danger, car les agriculteurs empoisonnent le chien de prairie, sa proie favorite. La tendance générale ne fait que s'accentuer avec l'expansion de la population humaine.

Des expressions bien étranges

Le vieux démon de l'ivrognerie hante bien des dictons, dont beaucoup précèdent cette enluminure anglaise du XIVe siècle.

Soûl comme un Polonais

Pourquoi la langue française prête-t-elle pareille réputation d'ivrognerie aux Polonais, qui sont bien loin d'en avoir le monopole ? L'expression viendrait d'un épisode de la guerre d'Espagne, pendant l'épopée napoléonienne.

Il s'est produit au col de Somosierra, point stratégique d'une importance capitale, car il contrôlait l'accès à Madrid par le nord. Solidement tenu par les Espagnols, l'endroit était réputé imprenable par la Grande Armée. Pourtant, les cavaliers polonais qui faisaient partie de cette dernière n'hésitèrent pas à charger au grand galop, sabre dans une main, pistolet dans l'autre et rênes entre les dents. Leurs pertes furent énormes, mais ils enlevèrent la position.

Après ce haut fait d'armes, les survivants fêtèrent leur victoire par des libations à faire rouler sous la table les plus chevronnés des grognards.

Napoléon, dit-on, fut très impressionné par l'événement. Aux membres de son état-major qui lui parlèrent avec mépris de l'ivrognerie des Polonais, il rétorqua sèchement ne voir aucun inconvénient à ce qu'elle fût imitée de tous, pourvu que leur bravoure le fût aussi.

Ce sanglant épisode trouve deux échos dans l'histoire moderne : pendant la guerre civile espagnole, le col de Somosierra fut à nouveau, et pour la même raison, l'enjeu de combats atroces entre franquistes et républicains. Et en 1939, l'armée polonaise fit preuve du même panache suicidaire en opposant une charge de cavalerie aux *Panzerdivisionen* de l'envahisseur nazi, cette fois sans aucun espoir de succès.

Pourquoi dit-on : « Savoir sur le bout des doigts » ?

Nous avons tous l'expérience de leçons sues, ou que nous aurions dû savoir, sur le bout des doigts, c'est-à-dire parfaitement bien. Cette locution est une variante de savoir « sur l'ongle », du latin *ad unguem*. Cette expression viendrait des marbriers qui tâtaient au moyen de l'ongle – du bout du doigt – la jointure des marbres rapportés afin de savoir si elle était bien faite.

Pourquoi dit-on : « Faire long feu » ?

On utilise communément l'expression « ne pas faire long feu » pour dire ne pas réussir, ne pas atteindre son but, ce qui en réalité est totalement impropre, l'expression correcte étant « faire long feu », par allusion aux premières armes à feu, dont la charge en brûlant lentement lançait mollement le projectile.

Pourquoi dit-on : « Faire un four » ?

« Faire un four » est une expression que l'on trouve employée dès 1660 dans le sens qu'elle a aujourd'hui : celui d'un échec, d'un insuccès. L'origine de cette curieuse locution a donné lieu à diverses interprétations. Selon l'une d'elles, « faire un four » signifiait, dans l'argot des comédiens, éteindre la salle afin de la rendre noire comme dans un four lorsqu'il y avait trop peu de spectateurs et qu'on avait été obligé de les renvoyer sans jouer.

Selon une autre explication, « faire un four » serait un calembour à partir de l'expression « pièce de four », qui désignait un gâteau cuit au four. Ainsi, par extension, on a pu nommer pièce de four une représentation donnée par temps très chaud, où le public fuyait les salles de spectacle. On aurait donc dit « faire une pièce de four », puis, en abrégeant, « faire un four ».

Pourquoi dit-on : « Coiffer sainte Catherine » ?

Si l'expression « coiffer sainte Catherine » ne désigne plus aujourd'hui qu'un élégant défilé de coiffures et de chapeaux, il n'en fut pas toujours ainsi. Cette locution, à connotation très péjorative, se rapportait jadis aux filles de plus de vingt-cinq ans encore célibataires, c'est-à-dire aux « vieilles filles ». L'origine de cette expression remonte à l'usage des pays chrétiens qui voulait que l'on coiffe les statues des saints ou saintes se trouvant dans les églises. Sainte Catherine, dont le nom signifie « la pure », étant la patronne des vierges, c'est tout naturellement qu'était confié le soin de la parer à des jeunes filles, qui en tiraient fierté. D'où l'ironique expression appliquée aux filles plus âgées qui, n'ayant pas trouvé de mari, étaient toujours chargées de coiffer sainte Catherine. On disait aussi, mais l'expression n'est pas restée en usage, que ceux qui restaient vieux garçons « portaient la crosse de saint Nicolas ».

Pourquoi dit-on : « Découvrir le pot aux roses » ?

Cette expression s'emploie lorsque l'on a découvert le fin mot d'une énigme ou que l'on a réussi à percer un secret bien gardé. L'origine de cette locution est elle-même un mystère, mais deux hypothèses sont souvent avancées. Selon la première, le pot aux roses serait en fait le pot au rose, c'est-à-dire le pot qui contient le fard – le rose – qu'utilisent les femmes. Ainsi, l'expression signifierait littéralement découvrir les secrets de toilette d'une femme, ou de façon plus large, pénétrer son intimité.

L'autre explication propose de prendre pot aux roses au pied de la lettre. Il s'agirait des pots de fleurs qui ornaient les balcons des belles et sous lesquels les amants cachaient les billets doux. Découvrir le pot aux roses, serait donc, pour un mari soupçonneux, découvrir et soulever le bon pot.

Que signifie l'expression : « Après vous, messieurs les Anglais » ?

Cette formule, qui signifie « à vous de commencer », aurait été prononcée pendant la bataille de Fontenoy, le 11 mai 1745, qui vit la victoire du maréchal de Saxe sur les Anglais. Au plus fort de la bataille, les Anglais décidèrent de masser leur infanterie en colonne et de charger le centre de l'armée française. Lorsque la tête de cette colonne fut à cinquante pas des soldats français, les officiers se saluèrent et lord Charles Hay dit, en ôtant son chapeau : « Messieurs les Français, tirez ! » Alors le comte d'Anterroche, s'avançant à son tour, répondit : « Après vous, messieurs les Anglais, nous ne tirons jamais les premiers ! » Malgré le lourdes pertes, la France l'emporta et le comte d'Anterroche, pourtant frappé de sept balles, vécut jusqu'à quatre-vingts ans.

Pourquoi dit-on : « Dormir sur ses deux oreilles » ?

« Dormir sur ses deux oreilles » est une locution pour le moins étrange et assez difficile à prendre au pied de la lettre. Son emploi est cependant attesté depuis fort longtemps. En réalité, il semble que ce ne soit qu'une mauvaise traduction du latin *In utramvis aurem dormire*, dormir sur celle des deux oreilles que l'on veut, c'est-à-dire sans crainte ni inquiétude. Ne pouvant traduire correctement le latin *utramvis*, l'usage a consacré l'emploi des deux oreilles. On trouve néanmoins cette expression sous une forme correcte chez différents auteurs, notamment La Fontaine :

... Je vous conseille
de dormir comme moi, sur l'une et l'autre
oreille.

Pourquoi dit-on : « À la Saint-Glinglin » ?

Promettre de faire quelque chose pour la Saint-Glinglin, c'est dire de façon désinvolte qu'on ne fera rien ; ce saint n'existant pas dans le calendrier, on serait bien en peine de lui donner une date. Mais il n'est pas sûr que Glinglin soit à chercher dans la foule immense des bienheureux : le saint dont il est question serait une déformation de seing, qui signifie signal. Le seing glinglin serait donc en fait le signal qui « glingue », c'est-à-dire qui sonne, en définitive le signal de la trompette du Jugement dernier. Le mot seing s'est écrit par la suite saint, sans que le sens en soit notablement modifié puisqu'il s'agit dans les deux cas de renvoyer quelqu'un à la fin des temps.

L'argent n'a pas d'odeur

Celui pour qui l'argent n'a pas d'odeur se vante rarement de l'origine de ses fonds, considérant qu'elle manque d'honorabilité. L'expression remonte à l'empereur Vespasien, au Ier siècle après J.-C. Son prédécesseur, Néron, avait vidé le Trésor public par ses extravagances, et les troubles qui s'ensuivirent aggravèrent la situation. Vespasien, à la recherche de revenus pour renflouer les caisses de l'État, créa un impôt sur l'urine, indispensable au travail des teinturiers, ce qui excita la verve des Romains. Comme son fils lui rapportait les plaisanteries douteuses qui couraient dans Rome, l'empereur lui mit une pièce d'or sous le nez en lui disant : « Ça ne sent rien. »

Les railleries traversèrent les siècles puisque les urinoirs publics construits au XIXe siècle à Paris reçurent le surnom de... vespasiennes.

Pourquoi dit-on : « Faire amende honorable » ?

Cette expression, qui signifie avouer ses torts, demander pardon, vient de l'ancien droit, où l'amende honorable consistait dans un aveu public que le condamné était tenu de faire de son crime.

On distinguait deux sortes d'amendes honorables : l'amende honorable sèche et l'amende honorable *in figuris*. La première se faisait au tribunal, nu-tête et à genoux. La seconde se faisait en place publique, en présence de la foule. Le condamné, vêtu d'une chemise, la corde au cou, tête et pieds nus, un cierge à la main et portant sur la poitrine et les épaules un écriteau sur lequel se trouvait la mention du crime à expier, était amené par le bourreau. Cette peine fut définitivement abolie en 1830.

Franchir le Rubicon

L'expression littéraire « franchir le Rubicon » désigne une décision irréversible, à partir de laquelle on ne pourra plus faire machine arrière. Le Rubicon est un petit cours d'eau d'Italie qui prend sa source dans l'Apennin toscan et se jette dans la mer Adriatique à Gatteo a Mare, à une quinzaine de kilomètres au nord de Rimini. Dans l'Antiquité, il constituait la frontière entre la République romaine et la Gaule Cisalpine, c'est-à-dire située au sud des Alpes, dont Jules César était proconsul. En faisant franchir le Rubicon à son armée, en 49 avant J.-C., celui-ci déclarait du même fait la guerre au sénat et à son grand rival, Pompée.

Le tracé exact du Rubicon fut par la suite l'objet de controverses. Il pouvait correspondre à trois rivières : le Pisciatello, l'Uso et le Fiumicino di Savignano. En 1756, une bulle pontificale trancha en faveur du premier. Mais la querelle n'était pas réglée. En comparant les distances relatées par Suétone, Plutarque et Lucain, des universitaires établirent que César avait en fait franchi le Fiumicino. En 1932, celui-ci retrouva son nom de Rubicon.

En franchissant le Rubicon, César, proconsul de Gaule Cisalpine, bravait la loi romaine, qui ne l'autorisait à commander une armée que dans sa province.

Ce que vous avez toujours voulu savoir...

Tel un ballon géant, la Lune se lève sur les tours du World Trade Center, à New York. L'antenne de TV culmine à 521 m au-dessus du sol.

Une Lune à géométrie variable

En mer ou en plaine, regarder la Lune se lever a toujours quelque chose de magique : assez bizarrement, elle semble alors énorme et donne l'impression de monter très vite, tel un énorme ballon qui décollerait dans la nuit. Mais dès qu'elle est un peu plus haut dans le ciel, elle paraît beaucoup plus petite et son ascension devient presque imperceptible.

La taille et la vitesse de la Lune sont constantes. Par rapport à nous, elle se déplace à 97 200 km/h, sur une orbite légèrement excentrée qui la maintient en moyenne à environ 384 400 km de la Terre. Toute évolution de son apparence ou de sa vitesse est donc due à une illusion d'optique. On l'attribue parfois à une distorsion due à l'atmosphère, qui agrandirait son image. Il n'en est rien : en fait, les phénomènes atmosphériques ont plutôt l'effet inverse.

L'illusion vient de la manière dont notre cerveau interprète les informations. À son lever, la Lune se trouve sur l'horizon et nous paraît trois fois plus lointaine que lorsqu'elle parvient au zénith, d'après les calculs élaborés il y a près de deux siècles pour l'ensemble de la voûte céleste par le mathématicien et astronome anglais Robert Smith. En effet, les objets terrestres (notamment arbres et bâtiments) nous poussent à des comparaisons erronées.

Paradoxalement, c'est pour la même raison que la Lune paraît alors plus grande. Dès qu'elle est haut dans le ciel, nous n'avons plus de point de comparaison. De même, si nous avons l'impression qu'elle monte plus vite, c'est parce que nous voyons s'élargir constamment son écart avec l'horizon. Ensuite, cet écart devient trop grand pour que nous en percevions la variation.

Autre exemple curieux : en regardant la Lune avec des jumelles, beaucoup de gens ont l'impression bizarre de la voir plus petite qu'à l'œil nu. C'est sans doute parce que leur champ de vision ne comporte alors plus rien d'autre, ce qui les prive d'éléments de comparaison.

Pour voir le disque lunaire rapetisser brusquement, essayez donc ce tour : tenez un petit pois à bout de bras et comparez-le à la Lune. Vous aurez la surprise de constater que celle-ci paraît alors deux fois plus petite que lui.

Une odeur de terre fraîche

Nous avons tous remarqué à quel point la terre peut sentir bon après la pluie, surtout en été, lorsque le soleil brille après une averse brève et violente. Cela est dû au fait que les gouttes d'eau ont entraîné avec elles la poussière en suspension dans l'air.

Mais il y a aussi une autre raison : la pluie dégage du sol des composés chimiques à odeur douceâtre nommés géosmines. Ils sont produits par des microbes tels que les actinomycètes filamenteux. Certains servent de base à des médicaments, par exemple le streptomyce, d'où est issue la streptomycine.

En faisant monter la vapeur du sol, la chaleur solaire rend leur odeur encore plus perceptible.

La mode de la perruque

Les Égyptiens de l'Antiquité connaissaient déjà la perruque : tissée avec netteté, elle servait à les protéger du soleil et se portait sur un crâne rasé. Mais en Europe, il fallut

attendre la fin du XVIe siècle pour que coquetterie et souci de dissimuler la calvitie la fassent réapparaître.

La reine Élisabeth Ire d'Angleterre en relança la mode en n'apparaissant jamais sans une perruque auburn, car elle ne supportait pas de voir blanchir sa chevelure rousse. Un peu plus tard et de l'autre côté de la Manche, en 1624, Louis XIII fit sensation en arborant de longues perruques bouclées tombant parfois jusque sur ses épaules. Naturellement, ses courtisans l'imitèrent à qui mieux mieux, ce qui fit naître une véritable industrie.

En 1665, la corporation des perruquiers français connaissait une prospérité sans précédent. D'abord, certaines professions étaient identifiées par des perruques bien distinctes. Mais surtout, la perruque poudrée était un article de mode absolument indispensable aux aristocrates des XVIIe et XVIIIe siècles, soucieux d'élégance. Pratiquement indissociable de leur caste, elle fut d'abord mise à mal puis définitivement balayée par la Révolution française. Les tableaux du Grand Siècle nous prouvent combien les postiches aux boucles argentées faisaient fureur parmi nobles dames et gentilshommes. En effet, si notre époque glorifie la jeunesse, la sagesse symbolisée par une chevelure

Les caricaturistes du XVIIIe siècle ne se privaient pas de railler les extravagances de la mode, notamment en matière de coiffure. Les perruques féminines étaient parfois de véritables échafaudages exigeant des heures de travail. Construites sur des armatures de fil de fer bourrées de crin, elles mesuraient parfois plus de 1 m de haut et étaient ornées de plumes, de bijoux et de rubans. Tout en brocardant ces excès, cette gravure anglaise de 1776 fait allusion à la bataille de Bunker Hill, premier affrontement important de la révolution américaine. Les Britanniques l'emportèrent au prix de lourdes pertes, les insurgés américains ayant épuisé leurs dernières cartouches.

grise était alors du dernier chic. « Tout le monde veut paraître vieux », déclarait à Versailles une dame d'honneur de la cour du Roi-Soleil. « Car paraître vieux, c'est paraître sage. »

Le chapeau, accessoire de fête

Symbole de fête, le chapeau fantaisie s'inspire d'une tradition inaugurée par les Romains à l'occasion des saturnales. Pendant cette période de liesse collective où tous les hommes étaient égaux, les chapeaux pointus étaient l'apanage des esclaves affranchis le temps des réjouissances. Le port de couvre-chefs multicolores aux formes étranges et parfois assortis d'un masque était d'usage dans les cortèges et facilitait le brassage des classes sociales.

Question d'accent

Si, au nom de François Ier, Jacques Cartier a pris possession du Canada en 1534, l'implantation de son pays en Nouvelle-France n'a vraiment commencé qu'en 1604, sous la houlette de Samuel de Champlain et dans l'île de Sainte-Croix, devenue depuis lors territoire américain. Quatre siècles et demi plus tard, la langue française est toujours présente outre-Atlantique, mais l'accent n'y a plus rien de comparable avec celui des Français de France, comme on dit au Québec.

Ce parler savoureux est en grande partie celui des terroirs d'origine des colons. En effet, ces sonorités ne sont pas surprenantes, la majorité des familles québécoises étant originaire du Perche, de la Normandie ou de la Picardie (les Acadiens des provinces atlantiques, ensuite expulsés en Louisiane, venaient plutôt du Poitou et de la Saintonge).

D'autre part, la langue de Montaigne a sensiblement changé depuis son apparition dans le Nouveau Monde. Certes, les Canadiens français ont fini par se créer un accent bien à eux. Mais paradoxalement, c'est en France, et en particulier dans le Bassin parisien, que l'évolution a été la plus importante.

À la différence des Québécois, les Français, notamment, ne roulent plus les *r* que dans certains accents régionaux. Autre modification : le son *oi* se prononçait naguère *oué*, comme c'est encore parfois le cas outre-Atlantique, mais beaucoup plus rarement dans les provinces françaises.

D'après les linguistes, l'accent français a tellement changé en trois cents ans que les érudits du XVIIe siècle seraient ébahis par les discours des personnalités françaises actuelles. L'accent du Québec aurait pour eux des tonalités plus familières. Mais y retrouveraient-ils pour autant leur langue ? Certainement pas, car l'influence de l'anglais y est omniprésente, même dans des expressions d'allure très vieille France : aller magasiner (faire ses courses), par exemple, ne s'est jamais dit en Europe et est la traduction mot à mot de l'anglais *to go shopping*. Cela dit, la fin de semaine, chère aux Montréalais, semble bien préférable au week-end, installé à Paris par le franglais.

De la même manière, la langue anglaise a changé depuis son apparition dans le Nouveau monde. Paradoxalement, c'est en Grande-Bretagne, et en particulier dans le sud-est de l'Angleterre, que l'évolution a été plus importante. Les Anglais, notamment, ne roulent plus les « r », alors que les Ecossais le font toujours.

Cette enseigne de chapellerie de 1816 propose des chapeaux pour toutes les occasions.

Quelle est l'origine de la bûche de Noël ?

L'origine de la bûche de Noël est très ancienne. L'usage voulait autrefois qu'on plaçât une grosse bûche dans la cheminée avant de se rendre à la messe de minuit, la veille de Noël. Par tradition, la souche devait provenir d'un arbre fruitier au bois résistant. Avant de la faire brûler, on répandait sur l'écorce un verre de vin ou une pincée de sel pour éloigner les esprits malins. Les braises et les cendres dotées de pouvoirs magiques, étaient mises de côté pour allumer la bûche de l'année suivante. Ce rituel subsiste aujourd'hui, mais sous la forme d'un gâteau de Noël composé d'une génoise fourrée de crème au beurre et façonné en forme de bûche.

Des oiseaux au courant

Pourquoi les oiseaux perchés sur les lignes à haute tension ne se font-ils jamais électrocuter, même sous une pluie battante ? Parce qu'ils n'ont aucun contact direct avec le sol.

Un courant électrique ne circule que s'il y a constitution d'un circuit fermé. Perché sur son câble électrique, l'oiseau ne risque rien, grâce aux plots isolants de verre ou de céramique qui empêchent le courant de parvenir à la terre par l'intermédiaire du poteau. Mais si l'oiseau touchait aussi une branche d'arbre, le courant pourrait atteindre le sol par l'intermédiaire de son corps. Le circuit serait fermé et il serait électrocuté.

Cette hypothèse est encore plus probable sous la pluie, car l'eau est un bon conducteur électrique. C'est la raison pour laquelle on élague les arbres près des lignes à haute tension. Cela explique aussi pourquoi il est dangereux de s'abriter d'un orage sous un arbre : si la foudre frappe celui-ci, elle risque de passer de l'arbre à votre corps. À moins, hypothèse hasardeuse, que l'écorce ne soit assez lisse pour que le courant suive jusqu'au sol le cheminement de l'eau sur sa surface.

Tels des funambules, les oiseaux choisissent souvent les fils pour se regrouper. Sur des câbles superposés, leurs mouvements et leur poids provoquent parfois des courts-circuits.

Le poids et la taille

Si on mélange des billes de différentes tailles dans un pot que l'on secoue ensuite, l'effet est assez curieux : pour peu que le pot reste droit, les billes les plus petites, et donc les plus légères, glissent pourtant peu à peu au fond tandis que les plus grosses et les plus lourdes restent en surface.

C'est évident : seules les billes les plus petites peuvent occuper les espaces vides du mélange. Certes, s'il s'en déplaçait tout un groupe en même temps, une grosse bille tomberait pour occuper l'espace libéré. Mais c'est peu probable dans un mélange homogène.

C'est la même chose dans un paquet de muesli acheté au supermarché : plus gros

VIVE LE DESIGN ITALIEN

Voilà environ trente ans que l'Italie est championne toutes catégories de l'esthétique industrielle, que ce soit dans l'automobile, l'habillement, la coutellerie ou l'ameublement. À la section Design du Musée d'art moderne de New York, la production italienne est de loin la plus représentée. C'est même à ce talent que certains économistes attribuent le miracle italien vécu dans l'après-guerre par l'industrie de la péninsule.

Avant la Seconde Guerre mondiale, l'esthétique industrielle était l'apanage des Allemands. Pendant les années 1920, le mouvement du Bauhaus fut ainsi le premier à marier fonction et style des objets quotidiens, et à tenter d'intégrer l'art à la civilisation industrielle. Pendant les années 1950, les Scandinaves prirent la relève, notamment grâce aux lignes nettes de leurs meubles de teck et à leur utilisation généreuse du verre et des lamifiés.

Depuis lors, les Italiens ont pris le haut du pavé. Ils produisent des objets non seulement fonctionnels mais si esthétiques qu'on les garde parfois pour le plaisir, même quand ils sont hors d'usage. Cela est dû en partie à l'histoire culturelle de ce pays. Souvent dotés d'une solide formation artistique, les stylistes italiens vivent dans un véritable sanctuaire de l'architecture et de la peinture. Le respect de la beauté classique y est encouragé par les industriels, qui acceptent volontiers les audaces de couleurs et de formes.

Soucieux de donner à leurs produits une allure à la fois plus originale et plus pratique, les fabricants du monde entier se disputent les services des créateurs transalpins. Et, fort heureusement pour nous, le beau n'est pas réservé aux plus riches. Pour la plus grande joie de la génération actuelle, notre vie de tous les jours est embellie par des objets aussi humbles d'utilisation que superbes d'allure comme des bouilloires ou des sièges.

Élégants et bien conçus, ces produits sont caractéristiques du design italien. La bouilloire à sifflet est fabriquée par Alessi, le tabouret style siège de tracteur est dessiné par Achille Castiglioni et le bolide est une Lamborghini Countach.

et plus lourds, les fruits et les noix restent en surface, alors que les flocons de céréales sont au fond. Pendant leur transport, les paquets ont forcément été secoués plusieurs heures durant, ce qui a tassé leur contenu. De plus en plus réduits, les espaces vides ont alors fait office de tamis en ne laissant passer que les particules les plus fines. Si bien que les fruits donnent l'impression d'avoir été ajoutés après coup alors que le mélange était soigneusement dosé au départ.

Des millions d'appelés et un seul élu

Pourquoi les mâles produisent-ils des millions de spermatozoïdes pour féconder un seul ovule ? Cette question a donné lieu à de curieuses découvertes sur le comportement sexuel des primates, dont les quelque 200 espèces vont des minuscules lémuriens à l'homme, en passant par les gorilles et les babouins.

Les gorilles, par exemple, vivent en petits groupes où un mâle dominant contrôle plusieurs femelles. Mais les macaques vivent en groupes importants et se livrent à une lutte acharnée pour séduire et conquérir leurs belles.

Aussi étrange que cela puisse paraître, ces différents comportements ont une incidence sur la taille des testicules : ils sont petits chez le gorille, qui produit environ 65 millions de spermatozoïdes par éjaculation. Mais ils sont gros chez certains macaques, dont le nombre de spermatozoïdes se chiffre en milliards.

Cette différence de taille serait due à la nature de la lutte qu'ils doivent livrer pour se reproduire. Disposant à tout moment d'un véritable harem, le gorille n'a pas de rival immédiat. En revanche, le macaque en a beaucoup.

De plus, il faut compter avec le comportement versatile des femelles : dans toutes les espèces, y compris les insectes, elles sont rarement fidèles. Pour être fécondées, elles s'accouplent avec autant de mâles que possible, souvent en dehors de leur propre groupe.

Cela affecte aussi le comportement des mâles, dont la sécrétion de spermatozoïdes peut brusquement changer s'ils se sentent menacés. Un rat ayant des partenaires régulières libère ainsi quelque 29,7 millions de spermatozoïdes par éjaculation. Mais ce chiffre peut doubler s'il n'est pas sûr de conserver ses femelles.

La fidélité peut aussi affecter la production de sperme des humains, qui est en temps normal de 200 à 500 millions de spermatozoïdes. Des recherches sociologico-médicales ont établi que ce chiffre diminue dans un couple passant beaucoup de temps ensemble. Mais il augmente si l'homme est séparé de sa compagne, même si la fréquence de ses relations sexuelles reste constante.

Sur les millions de spermatozoïdes attirés par l'ovule, un seul pourra y pénétrer et le féconder. Cette illustration est inspirée d'une microphotographie d'un ovule et de spermatozoïdes.

Dur comme une noix

Si vous avez du mal à casser des noix sans les réduire en purée, vous n'êtes pas le seul : certaines, comme les noix de cajou ou les noix du Brésil, peuvent résister aux casse-noix les plus performants.

Les coquilles de noix ont une résistance à toute épreuve. Chaque année, les Américains jettent quelque 50 000 t de coquilles de noix de pecan, ce qui pose de sérieux problèmes d'élimination. Certaines finissent en « paillis » pour les jardins. D'autres servent d'abrasifs dans des sableuses, et ce précisément grâce à leur dureté. L'industrie du contreplaqué utilise parfois de la poudre de coquilles finement pilées : elle sert de support aux colles, qui peuvent ainsi être injectées en profondeur.

Les coquilles sont essentiellement composées de cellulose, d'hémicellulose et de lignine, c'est-à-dire de polymères qui donnent leur résistance aux bois durs. Les proportions de ces polymères étant sensiblement équivalentes dans les deux cas, on peut dire qu'en essayant de casser une coquille de noix, nous tentons en fait de briser une enveloppe de bois dur. De plus, la résistance de celle-ci est souvent améliorée par son élasticité.

Dure comme la pierre, la noix macadamia d'Hawaii est très difficile à casser. On en cultive aujourd'hui une variété à coquille plus tendre.

Sur le grand fleuve du temps

Le temps, d'après certains esprits frondeurs, est le meilleur moyen qu'ait trouvé la nature pour empêcher que tout se produise au même moment. Et après tout, cette définition en vaut bien une autre.

La plupart d'entre nous comparent sans doute le temps à un grand fleuve qui s'écoulerait inexorablement année après année. Cette conception prévalait aussi chez les scientifiques jusqu'à ce qu'Albert Einstein développe sa théorie de la relativité. En considérant le temps comme une autre dimension, elle devait bouleverser notre perception de la planète et de l'Univers.

En scrutant la lumière émise par une lointaine galaxie, les astronomes la voient en réalité telle qu'elle était il y a des milliards d'années. S'ils remontent ainsi jusqu'aux origines de l'Univers, ils voyagent par la pensée jusqu'au commencement du temps.

Pour mesurer ce dernier, nous pouvons étudier le mouvement des planètes et de la voûte céleste. C'est ainsi que nos ancêtres l'ont divisé en jours, mois et années. Ce sont des mesures naturelles. Le jour correspond à une rotation de la Terre sur elle-même d'un lever de soleil à l'autre, le mois à une rotation de la Lune autour de la Terre, et l'année à un cycle complet des quatre saisons.

L'invention de la semaine, qui remonte à quelques milliers d'années, coïncide peut-être avec l'apparition des premiers marchés. Les anciens avaient besoin d'une unité de temps inférieure au mois. Certains marchés d'Afrique ayant lieu tous les 4 jours, la semaine y avait cette durée. Mais elle atteignait 6 jours chez les Assyriens, 10 chez les Égyptiens et 8 dans la Rome archaïque.

Les cadrans solaires de voyage étaient à la mode au XVIe siècle. Leur ouverture tendait un fil servant de gnomon.

Vers l'an 4000 avant J.-C., les Babyloniens définirent leur semaine selon les quatre phases de la Lune, qui durent chacune environ 7 jours. Le sept était pour eux un chiffre magique. Ils comptaient ainsi sept corps célestes suprêmes (le Soleil, la Lune, Mercure, Mars, Jupiter, Vénus et Saturne) régissant chacun un jour de la semaine. Les Juifs avaient eux aussi une semaine de sept jours et attribuaient également un sens particulier au chiffre sept, symbole de l'illimité, maintes fois mentionné dans l'Ancien Testament : on y lit notamment que Dieu créa le monde en 6 jours et se reposa le septième.

Au IVe siècle avant notre ère, la semaine de 7 jours se généralisa dans tout l'Empire romain. Il nous en a légué les noms, eux-mêmes conformes à la tradition babylonienne. *Lunae dies* (jour de la Lune) a donné lundi, *Martis dies* (jour de Mars) mardi, *Mercurii dies* (jour de Mercure) mercredi, *Jovis dies* (jour de Jupiter) jeudi et *Veneris dies* (jour de Vénus) vendredi. Seuls samedi et dimanche sont issus du latin d'Église : *sabbati dies* (jour du sabbat) et *dies dominicus* (jour du Seigneur), au lieu des *Saturni dies* (jour de Saturne) et *Solis dies* (jour du Soleil) romains.

Ce calendrier julien perpétuel est allemand et date de 1520. Ses anneaux indiquent les mois et les jours, les noms des saints du jour et les signes du zodiaque. Le secteur en V énumère les fêtes religieuses à date fixe.

Mesurée par le passage de douze lunes (soit 29 jours et demi à chaque fois), l'année lunaire ne compte que 354 jours. Suffisante pour des indications approchées, elle présente donc vite un décalage avec le rythme des saisons. En 46 avant J.-C., Jules César, afin de limiter le pouvoir des pontifes, imposa au monde romain le calendrier julien. Proposé par l'astronome grec Sosigène d'Alexandrie, il donnait à l'année 365 jours, ou 366 tous les quatre ans.

L'année romaine commençant en mars, les septième, huitième, neuvième et dixième mois furent nommés septembre, octobre, novembre et décembre. Sosigène proposa d'alterner les mois de 31 et 30 jours. Février en comptait 29 (30 une année sur quatre), et septembre et novembre 31, au lieu de 30 actuellement.

À son arrivée au pouvoir, Auguste voulut qu'un mois portât son nom, à l'instar de *julius* (juillet), mois de son grand-oncle Jules César. En l'an 8 avant J.-C., il transforma *sextilis* (sixième mois de l'année) en *augustus,* devenu août. Mais *sextilis* comptait 30 jours et *julius* 31. Pour ne pas paraître inférieur à son prédécesseur, Auguste prolongea donc d'une journée son propre mois et ramena février à 28 ou 29 jours pour compenser.

Pour préserver autant que faire se pouvait l'alternance des mois de 30 et 31 jours, il donna 30 jours à septembre et à novembre et 31 à octobre et à décembre, conférant ainsi à l'année son découpage actuel.

La durée de l'année julienne demeurait inchangée. Mais elle présentait l'inconvénient de dépasser l'année solaire de 11 minutes et 10,3 secondes par an. Si bien qu'au XVIe siècle, le décalage était passé à 13 jours ; mais la réforme ne tint compte que des 10 jours de retard accumulés depuis le concile de Nicée, en 325, négligeant les 3 jours supplémentaires accumulés depuis l'adoption du calendrier julien, en 45 avant J.-C.

En 1582, le pape Grégoire XIII rectifia la situation en instaurant le calendrier grégorien. Il commença par transformer le 5 octobre en 15 (à la fureur de bien des fidèles, qui pensaient que leur vie avait été abrégée). Ensuite, il déclara que les années centenaires ne seraient bissextiles que si elles étaient divisibles par 400. C'est ainsi que 1896 a été bissextile, mais pas 1900. Grâce à cette correction mineure, le calendrier grégorien présentera moins d'une journée de décalage en 4906.

Grégoire XIII souhaitait que son calendrier fût adopté simultanément dans toute la chrétienté, mais la Grande-Bretagne protestante et ses colonies américaines de l'époque ne le firent qu'en 1752. Le calendrier julien accusant alors 11 jours d'écart, elles passèrent directement du 2 au 14 septembre. C'est pourquoi l'anniversaire de George Washington est maintenant célébré le 22 février, alors que, selon le calendrier de son temps, il est né le 11 février 1732.

Fabriquée en 1540 pour Henry VIII, cette horloge du palais de Hampton Court donne l'heure, le mouvement du Soleil et de la Lune et les signes du zodiaque. Le disque solaire central tourne sur lui-même en vingt-quatre heures.

Parallèlement à la définition d'un calendrier, les civilisations de l'Antiquité avaient besoin de mesurer l'écoulement de la journée. Les Égyptiens la divisèrent en 24 parties. Dès l'aube, ils suivaient la trajectoire du dieu-soleil Râ dans le ciel grâce à des cadrans solaires primitifs formés par l'ombre de baguettes fichées dans le sol. Quant aux 12 parties de la nuit, elles étaient égrenées par l'apparition de certaines étoiles ou constellations à l'horizon est. La durée des heures ainsi obtenues variait d'été en hiver.

Fabriquées par les Chinois il y a près de six mille ans, puis par les Égyptiens et les Grecs, les premières horloges étaient des clepsydres, c'est-à-dire des modèles à eau. Tels des sabliers, elles mesuraient le temps par la durée qu'un récipient mettait à se vider ou à se remplir d'eau. On les améliora ensuite par l'adjonction d'un cadran à tambour, mais les Grecs conservèrent le principe égyptien des heures inégales.

De même, les premières horloges mécaniques (peut-être fabriquées en Chine dès l'an 800) avançaient ou retardaient d'au moins un quart d'heure par jour, et l'heure à durée fixe n'apparut qu'au début du Moyen Âge, grâce aux savants arabes.

Au XVIe siècle, Galilée aurait, dit-on, observé l'oscillation d'un lumignon que l'on venait d'allumer dans la cathédrale de Pise. En le comparant aux battements de son pouls, il remarqua que la durée de chaque balancement était à peu près égale quelle qu'en soit l'ampleur. Il venait de découvrir le pendule, qui allait faire entrer l'horlogerie dans l'ère de la précision.

Celle-ci est aujourd'hui extrême. Les vaisseaux spatiaux sont guidés par des signaux radio chiffrés en nanosecondes (milliardièmes de seconde) et les atomistes raisonnent en picosecondes (millièmes de milliardième de seconde), voire en femtosecondes (millièmes de picoseconde). Ces horlogers de l'infiniment précis vous expliqueront qu'il y a plus de femtosecondes en une seconde que de secondes en 31 millions d'années.

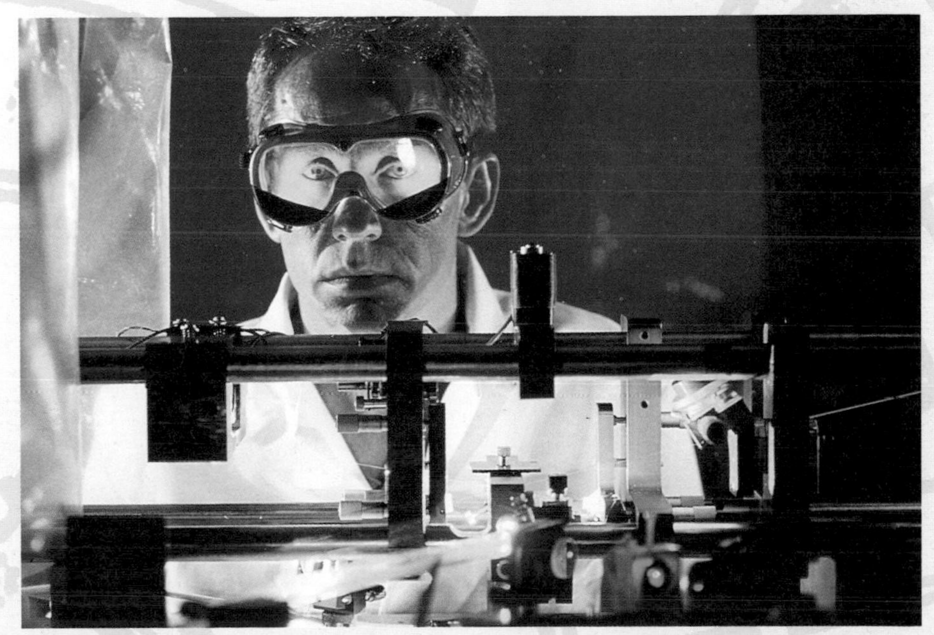

Le XXIe siècle exigera une précision encore irréalisable pour l'horlogerie contemporaine. Un chercheur de l'Institut américain des normes travaille à une horloge atomique qui, une fois terminée, sera 100 000 fois plus précise que les meilleurs modèles actuels.

Gaspard, Melchior et Balthazar

D'après le Nouveau Testament, les trois Rois mages offrirent à l'Enfant Jésus l'or, la myrrhe et l'encens. L'or a gardé sa réputation, mais la myrrhe et l'encens ne feraient guère des cadeaux présentables de nos jours.

Issues d'arbres originaires d'Arabie, ces résines étaient pourtant à l'époque aussi précieuses que le métal jaune. La myrrhe est un petit épineux dont l'écorce blanchâtre sécrète de la résine. Quant à l'encens, il vient d'un arbre poussant dans les terrains calcaires du sud de l'Arabie et de la Corne de l'Afrique. On le récolte de la même manière que le latex sur l'hévéa, grâce à une gouttière plantée dans le tronc pour récolter la sève.

Tous deux doivent leur renommée à l'utilisation cultuelle de la fumée aromatique dégagée par leur combustion. La myrrhe, toujours utilisée dans des brûloirs à encens par certaines Églises chrétiennes, était déjà prisée des embaumeurs égyptiens. Ils utilisaient sa résine, de même que d'autres épices, pour l'embaumement car elle contient une huile antiseptique et arrête la décomposition.

L'encens a lui aussi une longue histoire. Vers l'an 1495 avant notre ère, Hatshepsout, reine d'Égypte, ordonna la première expédition botanique dont l'histoire ait gardé la trace. Ses émissaires lui rapportèrent une trentaine d'arbres à encens qu'elle fit planter autour de son temple, à Deir el-Bahari. Quand on faisait brûler de l'encens sur un autel, sa fumée était censée porter aux dieux les prières des hommes. Dans les cérémonies de crémation, son usage avait pour but d'assurer l'immortalité et, plus prosaïquement, de masquer l'odeur du cadavre...

Dans l'Antiquité, le prix de l'encens atteignait des sommets. Des caravanes venues d'Arabie l'apportaient sur la côte égyptienne, mais elles étaient souvent attaquées par des pillards. En 950 avant J.-C., lorsque la reine de Saba rendit visite au roi Salomon, elle lui fit présent d'un peu de myrrhe. Elle lui aurait demandé, dit-on, d'assurer par son intervention personnelle la sécurité de la route de l'encens. Le royaume de Saba, devenu depuis lors le Yémen, était en effet gros producteur de la précieuse résine. D'après les historiens, la souveraine voulait sans aucun doute préserver le bénéfice représenté par un produit si coûteux que seuls les rois et les nobles pouvaient se l'offrir.

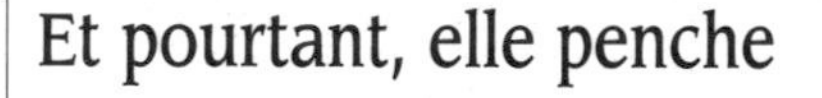

Et pourtant, elle penche

La tour de Pise, qui mesure 58,40 m de haut, a commencé à pencher peu après le début de sa construction, en 1174. Cinq ans plus tard, alors que celle-ci était à moitié achevée, on interrompit les travaux faute de capitaux. Heureusement : la tour se serait effondrée si on avait poursuivi son édification.

Au début, elle penchait vers le nord. Les maçons firent alors varier l'épaisseur des blocs de marbre pour corriger ce défaut, qui s'aggravait avec la hauteur. Sur le côté nord du premier étage, les blocs ont 1 cm de moins que sur le côté sud. Mais au quatrième, la différence atteint 10 cm.

Les travaux reprirent en 1272, alors que la tour s'était presque redressée. Mais cette fois, elle se mit à pencher vers le sud. Au septième étage, la construction fut à nouveau interrompue pendant environ quatre-vingts ans, toujours pour une raison fortuite. En une ultime tentative pour redresser la tour, on la dota d'un clocher asymétrique : on y arrive par quatre marches côté nord et six côté sud.

Aujourd'hui, la construction penche toujours vers le sud, où l'écart avec l'autre côté atteint 2,50 m. C'est l'insuffisance des fondations qui est en cause : elles ne font que 3 m de profondeur alors que le bâtiment pèse 14 453 t. De plus, le sol est sableux au nord et limoneux au sud, où il se comprime donc davantage, ce qui explique l'inclinaison.

Tous les travaux d'amélioration ont aggravé la situation. En 1934 on a injecté des tonnes de ciment dans 361 trous forés dans les fondations. Cette année-là, la

Dans le sultanat d'Oman, la résine s'écoule d'un arbre à encens et se solidifie rapidement (ci-dessus). À l'époque du Christ, l'Arabie exportait 3 000 t d'encens par an pour consacrer les temples, soigner les maux et masquer les odeurs désagréables.

La tour de Pise penche depuis huit cents ans sans dommages. Mais elle s'incline de plus en plus vite, ce qui augure mal de l'avenir.

tour s'est inclinée davantage que pendant les quinze précédentes.

Des chercheurs ont établi que la construction bougeait d'heure en heure en réagissant à la chaleur solaire. Plus récemment, des capteurs ultrasensibles ont été placés dans les fondations. Ils montrent qu'en se réchauffant la tour ébranle ses fondations, ce qui aggrave l'inclinaison. La vitesse de celle-ci a doublé depuis la Seconde Guerre mondiale et augmente actuellement de près de 2 mm par an, rapprochant ainsi la tour de l'instant fatal où elle s'écroulera.

On craint aussi que toute la construction n'explose sous ses contraintes internes. En 1992, on l'a renforcée en la ceinturant de huit câbles de métal. L'année suivante, on a lesté ses fondations de 600 t de plomb.

Les propositions les plus diverses affluent chaque jour du monde entier. L'une des plus radicales prévoit de démonter la tour pierre par pierre pour la reconstruire droite. Mais les Pisans y sont farouchement opposés. Après la fermeture de « leur » tour, le tourisme a chuté de 25 %. En fait, tout le monde veut que la tour reste penchée, pourvu qu'elle soit sûre.

Le V de la victoire

Fait avec deux doigts de la main, le signe V n'a longtemps eu dans bien des pays qu'un seul sens : l'insulte. Cette habitude est d'ailleurs toujours très vivace.

Si les deux doigts sont levés et immobiles, ils peuvent soit désigner le chiffre deux, soit revendiquer la victoire.

Reste à savoir d'où vient l'insulte sexuelle. À l'époque romaine, le signe se faisait avec un seul doigt ou le pouce, que l'on pouvait considérer comme des symboles phalliques. C'est toujours valable dans certains pays, où les auto-stoppeurs qui tendent le pouce risquent d'être bien mal compris.

Ce geste obscène est sans aucun doute très antérieur au V de la victoire, immortalisé par Winston Churchill pendant la Seconde Guerre mondiale. Le Premier ministre britannique le faisait alors pour galvaniser ses troupes, stimuler l'ardeur au travail dans les usines d'armement ou remonter le moral des victimes de bombardements. Mais son geste était sensiblement différent, car il tournait toujours la paume de la main vers les spectateurs.

D'après certains de ses proches, l'ambiguïté du signe amusait Churchill. En fait, il adressait un symbole de victoire aux Britanniques et aux alliés, mais aussi une insulte à l'ennemi.

S'il l'a rendu célèbre, il ne l'a pas inventé. Après l'occupation de la Belgique par l'Allemagne, en 1940, une des premières manifestations de résistance fut d'y griffonner le sigle RAF (pour Royal Air Force) à la craie sur les murs. Ces trois lettres présentaient toutefois un double inconvénient : d'abord, beaucoup de gens ignoraient leur sens ; ensuite, les écrire prenait trop de temps, surtout dans les endroits les plus en vue et donc probablement surveillés de près par la Gestapo.

Début 1941, l'avocat belge Victor de Lavelaye eut une idée géniale, peut-être inspirée par son prénom : dans une émission de la BBC à destination de la Belgique occupée, il proposa une grande campagne du V de la victoire, qui convenait aussi pour l'anglais victory (en flamand, il prenait le sens de *vrijheid*, c'est-à-dire liberté).

La propagande développa rapidement ce thème. Dans l'alphabet Morse, V s'écrit « point-point-point-trait », ce qui est facile à marteler à la radio et en frappant du poing sur une planche. Or, c'est exactement sur ce rythme que s'ouvre la 5e symphonie de Beethoven, dont la première mesure constitua donc un indicatif idéal pour les émissions de la BBC vers l'Europe occupée.

La campagne eut un tel succès que les nazis voulurent la détourner au profit du vieux mot germanique *Viktoria*. Ils déployèrent même un énorme V sur la tour Eiffel. Trop tard. Le sens des quatre notes de la BBC étant désormais solidement établi, Churchill leur donna un équivalent visuel en transformant un vieux geste obscène en symbole d'espoir. Et si nul ne martèle plus aujourd'hui le V de la victoire, le signe du vieux lion fait toujours florès. Quel qu'en soit le sens.

Margaret Thatcher, alors Premier ministre britannique, annonce une victoire électorale par le V de la victoire, qu'immortalisa son illustre prédécesseur Winston Churchill.

Le Me 262 fut le premier avion à réaction opérationnel.
À gauche, son concepteur Willy Messerschmitt.

Le bleu et le rose

Jadis, la superstition voyait des esprits aussi malins qu'omniprésents rôder autour du berceau pour faire du mal au nouveau-né, voire pour l'emporter. Le bleu, couleur magique puisqu'elle venait du ciel, était censé effrayer ces forces maléfiques.

Mais, comme de juste, on ne protégeait que les garçons. Par la suite, une légende allemande fit naître les petites filles dans des roses et on prit l'habitude de les habiller dans cette couleur. La coutume se mêla à celle de la Grande-Bretagne et la mode du rose pour les filles et du bleu pour les garçons se répandit dans toute l'Europe.

Psychologues et stylistes savent depuis longtemps que toute couleur peut être chargée de sens. L'exemple le plus courant est celui du feu rouge, qui impose l'arrêt immédiat. De même, l'alerte rouge, issue de la guerre froide, annonce un risque d'agression nucléaire.

Dans notre culture, l'association du rouge au danger est sans doute inspirée de la couleur du sang ou du feu. Mais pour les Chinois et les Russes, rouge signifiant beau en russe, c'est la couleur du bonheur. Cette différence de signification n'est pas un cas isolé : la couleur du deuil, par exemple, est le noir chez nous et le blanc en Extrême-Orient.

Dans une maternité de Chicago, les bébés sont faciles à reconnaître : couvertures roses pour les filles et bleues pour les garçons.

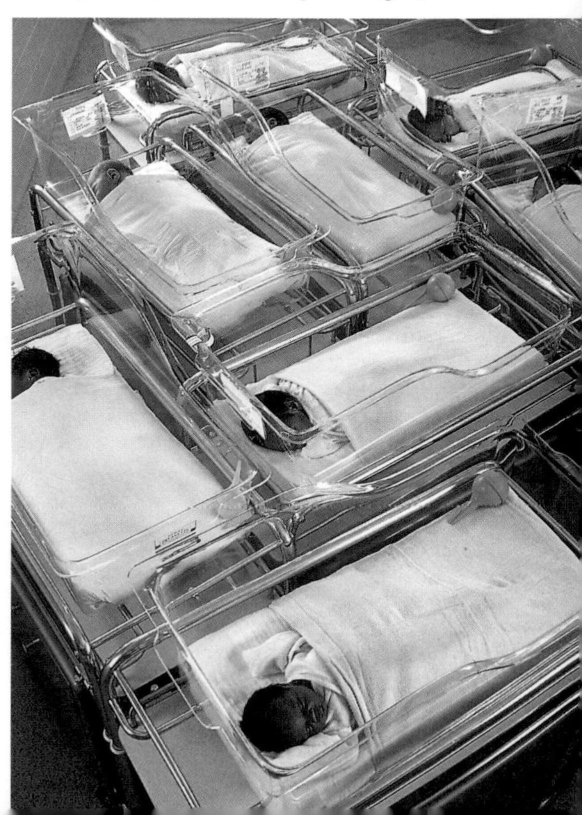

Une réaction bien lente

En 1929, l'ingénieur britannique Frank Whittle avait déjà compris que les avions classiques auraient du mal à dépasser les 6 000 m d'altitude, l'air étant à ce niveau trop raréfié pour le bon fonctionnement des hélices et des moteurs. Près de dix ans avant le début de la Seconde Guerre mondiale, il déposa un brevet d'avion à réaction, mais ne trouva aucun industriel prêt à s'y intéresser.

En 1934, le physicien allemand Hans von Ohain, qui n'avait alors que vingt-trois ans, eut une idée similaire. Deux ans plus tard, il fut embauché par le constructeur aéronautique Ernst Heinkel. Celui-ci lui fit jurer le secret, car il redoutait que les bureaucrates hitlériens du ministère de l'Air ne reprennent les travaux à leur compte.

Parallèlement, Whittle avait trouvé en 1935 une oreille favorable auprès de deux industriels. Le 12 avril 1937, il essaya le premier réacteur du monde, mais ne parvint à le faire tourner que brièvement.

Si Whittle avait été plus écouté, la Grande-Bretagne aurait abordé la Seconde Guerre mondiale avec une supériorité aérienne écrasante. Mais il se ruina presque pour améliorer son moteur avant que, en juin 1939, le ministère de l'Air lui commande enfin un réacteur léger.

Les Allemands avaient pris de l'avance : le réacteur de von Ohain étant fin prêt, Heinkel le présenta en juillet à Hitler, qui ne fut guère enthousiaste. Pour emporter son adhésion, Heinkel monta son nouveau moteur sur un prototype, le He 178, dont le premier essai en vol eut lieu dès le 27 août 1939. Et pourtant, malgré les multiples invitations du constructeur, les dignitaires de la Luftwaffe refusèrent d'assister aux décollages.

Le 15 mai 1941, les Britanniques essayèrent eux aussi leur premier avion à réaction, le E 28/39. Winston Churchill assista aux essais d'une deuxième version, mais Whittle ne fut même pas invité.

Étant sûr que l'issue de la guerre ne dépasserait pas la défaite française de plus d'un an, Hitler interdisait toute recherche militaire à long terme. Mais deux ingénieurs du ministère de l'Air passèrent outre. Ayant eu vent de l'invention de Heinkel, ils proposèrent à son concurrent, Willy Messerschmitt, le contrat d'un chasseur à réaction, le Me 262. Furieux, l'état-major ordonna l'arrêt immédiat du projet.

Messerschmitt n'en tint pas compte. Fin 1943, il était prêt à passer du simple prototype à la production en série. Heureusement pour les alliés, Hitler exigea la transformation du chasseur en bombardier. Dix mois furent ainsi perdus, ce qui eut des conséquences énormes : sans supériorité aérienne, les alliés auraient certainement subi des pertes beaucoup plus lourdes lors du débarquement de Normandie, qui aurait peut-être même échoué.

Le 18 mars 1945, le Me 262 connut un baptême du feu tardif et triomphal contre les Forteresses volantes et les Liberators alliés. Sa rapidité était si foudroyante que les mitrailleurs américains n'arrivaient même pas à faire pivoter leur tourelle assez vite pour le viser, et dix-huit de leurs bombardiers furent abattus.

Le monstre du loch Ness

Le 2 mai 1933, un article du quotidien écossais *Inverness Courier* suscita une controverse qui vient de prendre fin.

Il relatait qu'un certain Alex Campbell, citoyen de Fort Augustus, avait aperçu quelque chose de bizarre dans les eaux sombres du loch Ness. Or, il y avait bien deux cents ans que soudards, pêcheurs et colporteurs racontaient d'étranges histoires sur la présence de mystérieuses créatures, voire d'un « monstre à l'allure effrayante » dans le loch. Certains historiens affirmaient, sans beaucoup de preuves, que celui-ci devait son nom à Nessa, nymphe de la mythologie celtique. D'autres soutenaient qu'en l'an 565 saint Columba, poète irlandais ayant converti les Pictes au christianisme, avait assisté sur les rives de la rivière Ness aux funérailles d'une victime du monstre. Frappé d'épouvante, celui-ci aurait pris la fuite au commandement du saint.

Le loch Ness est la plus grande étendue d'eau douce de Grande-Bretagne. Il mesure environ 39 km de long sur 1,6 km de large. Ses rives plongent droit dans une eau ténébreuse et tourbeuse dont la profondeur excède parfois 300 m. Fréquentes et imprévisibles, les bourrasques y alternent avec des brumes mélancoliques. C'est en bateau qu'on découvre le mieux cet endroit parfois sauvage et austère d'où le mystère n'est jamais absent.

Pour quelque obscure raison, l'article de 1933 fit grand bruit, à la différence de la tradition qui l'avait précédé. Avant même le début de l'été, Inverness fut envahi de journalistes venus du monde entier, y compris New York et Tōkyō. En avril 1934, R. K. Wilson, chirurgien londonien en vacances dans les Highlands, photographia ce qui semblait être la tête et le cou d'une étrange créature nageant à fleur d'eau. Certains biologistes émirent l'hypothèse d'un plésiosaure, reptile marin en principe disparu depuis 70 millions d'années.

Dès lors, les on-dit devinrent certitudes. On raconta que le monstre avait quitté le loch, attrapé un mouton et bondi sur une route pour replonger illico dans son antre. On lui imputa la disparition d'une vieille dame et un chasseur de grands fauves retrouva même ses traces sur une plage. L'enquête conclut à un canular effectué avec une patte d'hippopotame.

Chaque jour apportait sa rumeur ou son explication. Certains crurent ainsi à un crocodile et d'autres à un zeppelin allemand abattu pendant la Grande Guerre qui aurait brièvement refait surface.

Jusqu'à la Seconde Guerre mondiale, la presse continua à faire état de nouveaux témoignages. Le monstre se manifestait surtout en plein été, période de vaches maigres pour les journalistes, que la pénurie d'informations contraint alors à traquer le sensationnel.

Rumeurs et canulars se mêlent dans la légende du monstre du loch Ness. Elle s'est avérée une mine d'or pour le tourisme et l'industrie de la carte postale et des souvenirs en tout genre.

Pendant le conflit, Nessie, comme on l'appelait désormais, choisit la discrétion. Il refit surface en 1960 lorsque l'ingénieur aéronautique anglais Tom Dinsdale filma le déplacement rapide d'une forme sombre en travers du loch. Après étude de la pellicule, les services de reconnaissance aérienne de la Royal Air Force déclarèrent que cette étrange apparition était « probablement un objet inanimé ». Cela n'apaisant pas le débat, les chercheurs décidèrent d'en avoir le cœur net.

En 1972, l'Académie américaine des sciences appliquées observa les eaux du loch avec une caméra sous-marine et un sonar. Après traitement par ordinateur, une image sembla révéler la nageoire d'un énorme animal, mais rien n'était sur. Une deuxième étude, en 1975, incita l'Académie à retenir l'hypothèse d'une créature aquatique de très grande taille. Un an plus tard, le *New York Times* versa 25 000 dollars pour contribuer au financement d'une nouvelle expédition, laquelle fut un échec. Juste avant de mourir, Alex Campbell a annoncé être à l'origine de ce canular, mettant définitivement fin à la légende du monstre du loch Ness.

DE LA DYNAMITE AUX PRIX NOBEL

La médaille Nobel porte l'effigie de l'inventeur de la dynamite.

Il n'existe pas de distinction plus prestigieuse que les prix Nobel. Matérialisés par un versement de quelque 6 500 000 F (900 000 dollars), un diplôme et une médaille, ils sont décernés chaque année aux auteurs des travaux les plus éminents en physique, chimie, physiologie et médecine, littérature et économie, ainsi qu'à la personne ayant le mieux servi la cause de la paix.

Mort en 1896, le chimiste suédois Alfred Nobel est l'inventeur de la dynamite (son frère cadet a d'ailleurs été tué dans l'explosion de son usine). Paradoxalement, l'énorme fortune que lui valut cette œuvre destructrice devait récompenser chaque année les personnes ayant « rendu à l'humanité les plus grands services », selon les termes de son testament.

L'interprétation du document prit quatre ans et la fondation Nobel, créée en 1900, décerna ses premiers prix l'année suivante. Depuis lors, l'envie qu'ils suscitent est à la mesure de leur gloire. On a même accusé certains savants d'accélérer ou de ralentir la publication de leurs travaux pour mieux éviter la concurrence de leurs rivaux.

Leur attribution a souvent suscité la controverse ou frisé l'incident international. En 1958, les Soviétiques sommèrent Boris Pasternak de refuser son prix Nobel de littérature. En 1970, ils affirmèrent que celui d'Aleksandr Soljenitsyne recouvrait des mobiles politiques. Il défia néanmoins Moscou en l'acceptant et fut exilé quatre ans plus tard. Enfin Jean-Paul Sartre refusa de lui-même le prix Nobel de littérature en 1964.

Index

Cet index comprend les noms des principaux lieux, personnages, monuments et œuvres figurant dans les textes. Les chiffres en romain gras (**4**) renvoient soit à un article entier, soit à un détail intéressant ; les chiffres en romain maigre (73), aux noms seulement cités ; les chiffres en italique (*31*), aux noms cités dans les légendes des illustrations. Les chiffres suivis d'un astérisque (145*), en romain gras ou maigre, ou en italique, renvoient aux encadrés.

A

B

C

D

E

F

G

H

I

J

K

L

M

N

P

Q

R

S

T

U

V

W

Y

Z

Crédits photographiques

Abréviations : g = gauche ; c = centre ; d = droit ; h = haut ; b = bas ; APL = Australian Picture Library ; BAL = Bridgeman Art Library ; BC = Bruce Coleman ; Coo-ee H = Coo-ee Historical Picture Library ; HD = Hulton Deutsch ; MEPL = Mary Evans Picture Library ; NPHA = Natural History Photographic Agency ; OSF = Oxford Scientific Films ; PEP = Planet Earth Pictures ; PhRes = Photo Researchers Inc. ; PLA = The Photo Library Australia ; SPL = Science Photo Library ; SpPix = Sporting Pix ; TBA = The Bettman Archive ; TGC = The Granger Collection ; TIB = The Image Bank ; TSA = Tom Stack & Associates ; TSW = Tony Stone Worldwide ; V&A = reproduit avec l'autorisation du Victoria and Albert Museum.

Couverture : Toutes les photos de couverture apparaissent dans le livre, sauf celle du Papillon, Sunset/Animals, Animals.

7 h, David Malin/ROE/AAT Board 1985 ; bg, MEPL ; bd, NASA/SPL/PLA. **8** TGC. **9** h, Photri ; b, SPL/PLA ; d, Margaret Harwood/American Institute of Physics/Emilio Segré Visual Archives. **10** hd, NASA/SPL/PLA ; hg *Artist Oliver Rennert*. **11** h, Jack Finch/SPL/PLA ; b, Mt Wilson Palomar Observatories/CIT. **12** h et bg, TGC ; bd, Culver. **13** Photri. **14** Fred Spenak/SPL/PLA. **15** TGC. **16** Reg Morrison/Auscape. **17** NASA/SPL/PLA. **18** h, Lionel F. Brown/TIB ; b, NASA. **19** MEPL. **20-21** TGC. **20** g, TGC ; d, E.T. Archive ; b, Culver. **21** h, J.-L. Charmet ; bg, Manfred L. Kreiner/QUICK/Camera Press/Austral ; bd, NASA/SPL/PLA. **22** TGC. **23** Culver. **24** h, NASA/SPL/PLA ; b, TGC ; bg, orbite de Vénus, d'après une illustration de *The Universe* par W.J. Kaufmann (W.H. Freeman & Co. 1985). **25** NASA/SPL/PLA. **26** h, MEPL ; b, Planetary Society. **27** g, TGC ; d, Photo Research Int./PLA. **28-29** NASA/SPL/PLA. **30** SPL/PLA. **31** h, TGC ; b. Dario Perla/Horizon. **32-33** h, évolution stellaire, d'après une illustration de *The Children's Space Atlas* (Quarto Publishing 1991). **33** Ronald Grant Archive. **34** b, expansion de l'Univers, d'après une illustration de *The Children's Space Atlas* (Quarto Publishing 1991). **35** h, FPG/Austral ; bg, Jay Maisel TIB ; bd, Comstock. **36** Erich Schrempp/PhRes. **37** Nicolas Foster/TIB. **38** Alex Bartel/SPL/PLA. **39** h, Robert Harding Pic. Lib. ; b, TGC. **40** John Sandford/SPL/PLA. **41** NASA. **42** g, MEPL ; d, John Cleare. **43** Michael Holford. **44** g, APL ; d, UPI/Bettmann. **45** UPI/Bettmann. **46** Christie's London/BAL. **47** h, Bettmann ; b, M. Kraft/Auscape. **48** h, Simon Fraser/SPL/PLA ; b, Durieux/Sipa/Austral. **49** M. Kraft/Auscape. **50** h, Anthony Howard/Comstock ; b, P.V. Tearle/PEP. **51** h, TGC ; b, TBA. **52** h, Ron Ryan Coo-ee ; b, *le Monde* du 25-08-92, extrait d'un article de Y. Rebeyrol. **53** g, Francis Alain/Explorer/Auscape ; d, John & Gillian Lythgoe PEP ; b, Studio 9. **54-55** b, SPL/PLA. **54** b, NASA. **55** g, Kalt/Zefa/APL ; d, David R. Austen ; b, Reuters/Bettmann ; bd Walker/Shooting Star/Austral. **56** g, Howard Platt/PEP ; d, Steve Dunwell/TIB ; b, Nuridsany & Perennou/SPL/PLA. **57** h, UPI/Bettmann ; b, Coo-ee H. **58** h, FPG/Austral ; b, MEPL. **59** h, Michel Klinec BC ; bg et bd, John Lythgoe/PEP. **60** Pictor/Austral. **61** h et b, Hans Reinhard/BC. **63** h, Philip Fischer ; b, TGC. **64** Wolfang Steche/VISUM. **65** hg, Oliver Strewe/APL ; hd, *Artist David Carroll* ; b, Centre de documentation et d'information sur le bruit, SRD/J.-P. Germain. **66** h, NASA/Science Source/PhRes ; b, Walter Bibikow/TIB. **67** h, Yan/Rapho/PhRes. **68** h, Picturepoint ; bg, *Artist David Carroll*. **69** h, Nick Rains ; b, Richard Woldendorp/Photo Index. **70** *Artist David Carrol*. **70-71** Jay Maisel/TIB. **71** h, Manfred Kage/SPL/PLA ; b, Tommaso Guicciardini/SPL/PLA. **72** g, *Artist David Carroll* ; d, David Parker/SPL/PhRes. **73** h, Prof. P. Motta.SPL/PLA ; bg, Richard Hutchins PhRes ; bd, Dennis Stock/MAGNUM. **74** Mark Grimberg/TIB. **75** h, Bob Martin/Allsport/APL ; b, Dr Jeremy Burgess/SPL/PLA. **76** h, Popper/SpPix ; b, Courtesy Philip Bush. **77** g, TGC ; d, MEPL. **78** h, K. Parker/Zefa/APL ; b, Coo-ee H. **79** h, MEPL ; b, Gerard Champlong/TIB. **80** h, Sheila Terry/SPL/PLA ; b, APL. **81** MEPL. **82** Rory McClenaghan/SPL/PLA. **83** International Ph. Lib. **84** TSW/PLA. **85** h, Robert Farber/TIB ; d, test d'altération de la vision chromatique reproduit avec l'autorisation d'*Ishihara's Tests for Colour Blindness* (Kanehara & Co., Tokyo). Colour blindness can be detected accurately only by using the original plates. **86** c, greffe de la cornée, d'après une illustration de Theres Biedermann dans *Graphis Diagram 1* (Graphis Press Corp. 1988) ; bd, Fotopic/APL. **87** TGC. **88** h, Prof. P. Motta/SPL/PLA ; b, SPL/PLA. **89** TBA. **90** SPL/PLA ; *Artist Oliver Rennert* coagulation du sang, d'après une illustration de *American Medical Association, Home Medical Encyclopedia* (Dorling Kindersley and AMA 1989). **91** g, SPL/PLA ; d, TBA ; b, TGC. **93** h, SPL/PLA ; bg, International Ph. Lib. ; bd, Dan Smith TSW/PLA. **94** g, TGC ; d, TBA ; b, HD/PLA. **95** SPL/PLA. **96** h, J.-L. Charmet ; b, George Bernhard/SPL/PhRes. **97** TGC. **98** HD/PLA. **99** g, bibliothèque interuniversitaire de Médecine ; d, Howard Sochurek/The Stockmarket. **100** SPL/PLA ; coupe de cerveau, d'après une illustration de *AMA Medical Library, The Brain and Nervous System* (Dorling Kindersley and AMA 1989). **101** Mandfred Kage/SPL/PLA. **102** Scott Kamazine/PhRes. **103** Bill Robbins/TSW/PLA. **104** SPL/PLA. **105** h, TGC ; b, Bill Holden/APL. **106** h, Barts Medical Library ; bg, *Artist David Carroll* ; bd, Dale O'Dell/The Stockmarket. **107** SPL/PLA. **108** h, SPL/PLA ; b, Dr Michael Klein. **109** Pictor/Austral. **110** g, J.-L. Charmet ; d, TBA ; b, SPL/PLA. **111** g, Harry Langdon/Shooting Star/Austral ; d, David Woods/The Stockmarket. **112** Association des sociétés françaises d'autoroutes. **113** Roger Ressmeyer/Starlight. **114-115**, David J. Carol/TIB. **114** h, Phototake/Stockphotos ; b, Cecil Fox/Science Source/PhRes ; bd, SPL/PLA. **115** h, Art Stein/PhRes ; b, HD/PLA. **116** g et d, Dr Rob Stepney/SPL/PLA ; b, SPL/PLA. **117** h et b, Lennart Nilsson/Boehringer Ingelheim Int. GmbH. **118** h, Coo-ee H ; b, Robin Ekta/Orop/Austral. **119** h, Prado, Madrid/Index/BAL ; b, *Artist Oliver Rennert* cycles du sommeil, d'après une illustration de *The Guinness Encyclopedia* (Guinness Publishing 1990). **120** Otto Greule/Allsport/APL. **121** g, TGC ; dh, TBA ; dc, Vinnie Zuffante/Starfile/APL ; db, Archive/PhRes. **122** APL. **123** h, J.M. La Roque/Auscape ; bg, Anne Sager/PhRes ; bd, Jean-Paul Ferrero/Explorer/PhRes. **124** h, A.B. Dowsett/SPL/PLA ; b, Coo-ee H. **125** h, Ronny Jaques/PhRes ; b, Nick Rains. **126** Nestlé S.A. **127** h, C.P. Fischer/Zefa/APL ; b, Hanya Chlala/APL. **128** h, Michael Melford/TIB ; b, Olympia/APL. **130-131**, TSW/PLA ; h, Laynia Yann/Explorer/Auscape. **131** h et c, TGC ; b, MEPL. **132** SRD/Studio des Grands-Augustins. **133** TGC. **134** Adam Woolfitt/Comstock. **135** h, Nick Rains ; c, Olympia/APL ; b, J.N. Reichel/PhRes. **136** g, FPG/Austral ; d, Champagne Bollinger. **137** g, MEPL ; d, Philip Quirk/Wildlight ; b, Coo-ee H. **138** h, T.D. Winter/Robert Harding ; b, Scoopix. **139** g, MEPL ; d, David Beatty/Comstock. **140** h et b, TGC. **141** g, Sygma/Austral ; d, Angela Fisher/Robert Estall Photographs ; b, Stephen Dalton/ phRes. **142** Carol Beckwith/Robert Estall Photographs. **143** h, Jane Burton/BC ; b, TGC. **144** hd, reproduit d'après L. Kybalova, O. Herbenova et M. Lamarova, *The Pictorial Encyclopedia of Fashion* (Aventinum, Prague 1966) ; bg, Popper/SpPix ; bd, Sipa/Austral. **145** h et b, MEPL. **146** h, Nick Rains ; b, Pictor/Austral ; d, British Textile Council. **147** g, Rex/Austral ; d, C. Barthélemy/Sipa/Austral. **148** h, HD/PLA ; b, Henry Ausloos/NHPA. **149** h, Laurie Campbell/NHPA ; b, Cath Wadforth/University of Hull/SPL/PLA. **150** g, London News Service/Austral ; d, Gérard Lacz/NHPA. **151** h, Pierre Sun/Sipa/Austral ; d, Erika Stone/APL ; c, Chris Bell/Rex/Austral ; b, FPG/Austral. **152** g, Coo-ee H ; d, J.M. Labat/Auscape ; c, Private Collection/BAL. **153** C.A. Henley/Auscape. **154** g, Jane Burton/BC ; d, Nick Rains ; b, Beatrix Potter/Frederick Warne & Co. **155** g, Science Museum, London/Michael Holford ; d, Sygma/Austral. **156** V&A/Design Council London. **157** h, Dr Jeremy Burgess/SPL/PLA ; b, Bob Martin/Allsport/APL. **158-159** g et d, Ron Ryan/Coo-ee. **160-161**, MEPL. **160** h, MEPL ; bg, SPL/PLA ; bd, Dr Jeremy Burgess/SPL/PLA. **161** g, TBA ; hd, MEPL ; bd, TGC. **162** TBA. **162-163** APL. **164** h, Dr Jeremy Burgess/SPL/PLA ; c et b, TGC. **165** Dr Jeremy Burgess/SPL/PLA. **166** Arthur Meyerson/TIB. **167** h, Pictor/Austral ; b, Lux by Electrolux. **168** h, Ormond Gigli/Camera Press/Austral ; b, *Illustrated London News*/MEPL. **169** h, Mitchell Library/APL ; b, Rex/Austral. **170** h, Gravure sur bois de K. Utamaro/TBA ; b, Rex/ Austral. **172** h, Michael Holford/V&A ; b, Hanns-Frieder Michler/SPL/PLA. **173** d, Pictor/Austral. **174** h, Coll. Robert Wyatt/BAL ; bd, Dr Tony Brain/SPL/PLA ; bg, alphabet, d'après un tableau de la *Guinness Encyclopedia* (Guinness Publishing 1990). **175** h, TGC ; bg, UPI/Bettmann ; bd, New York Public Library, avec l'autorisation de New York *Daily News*. **176** h, Francisco Hidalgo/TIB . **177** TBA. **178** g, Nick Nicholson/TIB ; d, Picturepoint. **179** *Artist David Carroll*. **180** hd, *Artist David Carroll* ; bg, MEPL ; bc, Dr Jeremy Burgess/SPL/PLA ; bd, TBA. **181** h, TBA ; b, UPI/Bettmann. **182** UPI/Bettmann. **183** h, FPG/Austral ; bg, *Artist David Carroll* ; b, Paul Slaughter/TIB. **184** g, UPI/Bettmann ; d, Reuters/Bettmann ; b, Dick Hanley/PhRes. **185** h, HD/PLA ; c, MEPL ; b, Sygma/Austral. **186** b et **186-187** TSW/PLA. **188** h, Coo-ee H ; b, Don Skirrow. **189** g, Images ; hd, Alpha/Austral ; bd, Popper/SpPix. **190** Musée de la Chartreuse, Douai/Giraudon/BAL. **191** h, MEPL ; bg, Pictor/Austral ; bd, Mark Lang/Wildlight. **192** h, J.-L. Charmet ; c, APL ; b, TGC. **193** h, V&A/BAL ; b, Scope/J.-P. Bonhommet. **194** Private Collection/BAL. **195** g, MEPL ; d, J.-L. Charmet. **196** h, MEPL ; b, Images. **197** h, J.-L. Charmet ; b, UPI/Bettmann. **198** h, TBA ; b, Brian Shuel/Collections. **199** Sonia Halliday. **200** h, MEPL ; b, Leigh Clapp/PLA. **201** hg, C.M. Dixon ; hd, Sipa/Austral ; c, Michael Dixon ; b, J.-L. Charmet. **202** TBA. **203** h, Sandy Roessler/Stockshots ; b, Syndicated Features/Austral. **204-205** Graham Monro. **205** Popper/SpPix. **206** t, G. & M. David de Lossy/TIB ; b, Graham Monro. **207** h, J.-L. Charmet ; b, Pictor/Austral. **208** Kim Taylor/BC. **209** h, Larry Dale Gordon Studio/TIB ; b, Tapabor/Kharbine. **210** Images. **211** h, MEPL ; b, TBA. **212** Images. **212-213** Ancient Art & Architecture. **214-215**, Nick Rains. **214** h, Ancien Art & Architecture ; b, TGC. **215** g, Coo-ee H ;

d, TGC ; c, TBA ; b, MEPL. **216** Dr Scott Nielsen/BC. **217** h, Popper/SpPix ; b, MEPL. **218** TGC. **219** h, Michael Freeman/BC ; b, C.M. Dixon. **220** h, TGC ; b, Anthony Blake Photo Library. **221** Herbert Kranawetter/BC. **222** h, Collections ; b, Giraudon. **223** g, Bob Martin/Allsport/APL ; d, Shooting Star/ Austral ; b, R. Landau/ WL/APL. **224** London *Daily Express*/Archive/APL. **225** h, Picturepoint ; b, Scala. **226** h, Robert Harding. **226-227** b, Adam Woolfitt/*National Geographic*/Nippon Television. **227** g et d, Vatican Museums/Nippon Television. **228** g, V&A/BAL ; d, Erich Hartmann/ MAGNUM. **229** h, Mansell Coll. ; g, Coram Foundation/BAL ; d, Private Collection/BAL. **230** h, Picturepoint ; b, Aquarius PhLib. **231** h, TBA ; b, Camera Press/Austral. **233** g, Culver ; d, Kobal Coll. **234** g, TGC ; d, Pictor/Austral. **235** TGC. **236** h, Kobal Coll. ; c, Shooting Star/Austral ; b, Nick Nicholson/TIB. **237** h, Fotos Int./Austral ; b, UPI/Bettmann. **238** g et d, Sygma/Austral. **239** h, Kobal Coll. ; b, UPI/Bettmann. **240** h, Austral ; b, Picturepoint. **241** h, Rex/Austral ; c et b, TGC. **242** h, Paul Bryden Coll./Nick Rains ; b, Giraudon. **243** h, Sipa/Austral ; c, Glenn A. Baker Coll. ; b, Fotofest/Retna/APL. **244** g, UPI/Bettmann ; c, Coo-ee H ; b, G. Vandystadt/Allsport/APL. **245** h, MEPL ; b, TGC. **246** h, HD/PLA ; b, TSW/PLA. **247** h, Allsport/APL ; b, UPI/Bettmann. **248** h, *Illustrated London News* ; b, Allsport/APL. **249** h, Picturepoint ; b, TGC. **250** h, TGC ; b, Vandystadt/P. Vielcanet. **251** h, Lo Linkert ; b, Tony Feder. **252-253** h, G. Vandystadt. **252** b, UPI/Bettmann. **253** c, HD/PLA ; b, David Rogers/Bob Thomas/pPix. **254-255**, Kishimoto/ Live Action. **254** g, Popper/SpPIX ; d, Coo-ee H ; b, HD/PLA. **255** g, APL ; d, Dave Cannon/TSW/PLA ; b, International. **256** Marylebone Cricket Club/BAL. **257** g, Nick Rains ; d, Simon Bruty/Allsport/APL. **258** h, Professional Sport, London ; b, MEPL. **259** h, Michel Hans/Vandystadt/APL ; b, Presse-Sports/Cleriot. **260** h, Clive Brunskill/Bob Thomas/SpPix ; b, Chris Cole/Allsport/APL. **261** h, Günter Ziesler/BC ; bg, Michael & Patricia Fogden ; bd, Rod Planck/TSA. **262** Günter Ziesler/BC. **263** h, Hans Reinhard/BC ; b, E.A. Jones/NHPA. **264** g, *Artist Oliver Rennert* ; h, John Shaw/Auscape. **265** h, Raghu Rai/MAGNUM ; b, G.D. Plage/BC. **266** h, Günter Ziesler/BC ; b, Jane Burton/BC. **267** h, Y. Arthus-Bertrand/Ardea London ; le yeux du chat, d'après une illustration de *Grzimek's Encyclopedia of Mammals* (Kindler Verlag) ; b, Sue Earle/PEP. **268** hg, les griffes du chat, d'après une illustration de *Grzimek's Encyclopedia of Mammals* (Kindler Verlag) and *Great Cats* (Weldon Owen 1991) ; b, TGC. **269** M. Tuttle/Bat Conservation Society. **270** h, Jones/APL ; b, MEPL. **271** h, V&A/BAL ; b, J. & G. Lythgoe/PEP. **272** h, David E. Rowley/PEP ; b, Jeff Foott/Auscape. **273** P. Morris/Ardea London. **274-275**, William Curtsinger/Zefa/All Stock/APL. **274** g, J.L.B. Smith Institute ; c, UPI/Bettmann ; d, Dr Hans W. Fricke. **275** h, c et b, Dr Hans W. Fricke. **276** TGC. **277** D. Parer & E. Parer-Cook/Auscape. **278** h, Jean-Paul Ferrero/Auscape ; b, APL. **279** h, Ron & Valerie Taylor/Ardea London ; b, Dr Freider Sauer/BC. **280** h, MEPL ; b, APL. **281** fond, Larry Tackett/TSA ; hg, Bill Wood/NHPA ; hd, Kelvin Aitken/A.N.T. Photo Library ; c, Ed Robinson/TSA ; bg, Brian Parker/TSA ; bd, Ron & Valerie Taylor/A.N.T. Photo Library. **282** George I. Bernhard/NHPA. **283** Frances Furlong/BC. **284** g, Dr Jeremy Burgess/SPL/PLA ; d, J.B. & S. Bottomley/Ardea London ; b, Jane Burton/BC. **285** g, Andy Purcell/BC ; d, John Markham/BC. **286** George McCarthy/BC. **287** g, G.C. Kelly/TSA ; cg, Peter Jackson/BC ; cd, Mike Brown/OSF ; d, Günter Ziesler/BC ; c, Jeff Foott/BC. **288-289**, John Downer/PEP ; **288** g, David Hosking/FLPA ; d, Michael & Patricia Fogden/BC. **289** g, Yves Lanceau/Auscape ; cg, Hans Reinhard/BC ; cd, Marie Read/BC ; d, Ralph & Daphne Kellet/A.N.T. Photo Library. **290** hg, A.S. Weaving/Ardea London ; hd, *Artist Oliver Rennert* ; b, Jean-Paul Ferrero/Auscape. **291** h, TGC ; b, G. Lewis/APL. **292** h, Graham Robertson/Auscape ; b, Cyril Webster/A.N.T. Photo Library. **293** h, Coo-ee H ; b, John Carnemolla/APL. **294** h, collection privée/BAL. **294-295** Bob & Clara Calhoun/BC. **295** h, Nigel Blake/BC ; sonogramme de chant d'oiseau, d'après W.H. Thorpe's *Bird Song* (Cambridge University Press 1958). **296** Michael & Patricia Fogden. **297** cd, *Artist Oliver Rennert* ; b, Mark Mattock/PEP. **298** h, Günter Ziesler/BC ; b, Hugh Jones/PEP. **299** D. Parer & E. Parer-Cook/Auscape. **300** h, Frans Lanting/Zefa/All Stock/APL ; b, Dr Alex Ritchie. **301** h, *Artist Oliver Rennert* ; b, Jane Burton/BC. **302** h, Michael & Patricia Fogden ; b, Michael Fogden. **303** g, Jean-Paul Ferrero/Auscape ; d, Michael & Patricia Fogden. **304** J. Lotter/TSA. **305** g, Michael & Patricia Fogden ; d, Dr J.A.L. Cooke/OSF ; b, Densey Clyne/A.N.T. Photo Library. **306** hg, Ivan Polunin/A.N.T. Photo Library ; hd, Ivan Polunin/NHPA ; b, G.I. Bernard/OSF. **307** Kobal Coll. **308** h, Jacques Six/Auscape ; b, *Artist Oliver Rennert*. **309** TGC. **310** h, Michael & Patricia Fogden ; b, John Downer/PEP. **311** g, LSF/OSF ; d, Culver ; b, institut Pasteur. **312** h, SPL/PLA ; c, Sinclair Stammers/OSF ; b, Stuart Franklin/MAGNUM. **313** h, Leonard Lee Rue/BC ; b, Otto Rogge/A.N.T. Photo Library. **314** h, S. Wilson/A.N.T. Photo Library ; c, Stephen Dalton/NHPA ; b, Don & Esther Phillips/TSA. **315** SPL/PLA. **316** g, Dr Paul A. Zahl/PhRes ; c, Adrian Davies/BC ; d, Sean Morris/OSF. **317** h, Stephen Dalton/NHPA ; b, Adam Hart-Davis/SPL/PLA. **318** h, Jeff Foot Prod./BC ; bg, Ardea London ; bd, Carol Gilkson/Macquarie University. **319** Michael Freeman/BC. **320-321**, Larry Mulvehill/PhRes. **320** g, John Shaw/BC ; c, Eric Lindgren/Ardea London ; d, Bert Wells/OSF. **321** g, Michael Fogden/OSF ; d, John Bavosi/SPL/PLA. **322** E.J. Cable/TSA. **322-323** Jean-Paul Ferrero/Auscape. **323** Hans Reinhard/BC. **324** hg, Ian Beames/Ardea London ; bd, TGC. **325** g, Coo-ee H ; d, Lynn Abercrombie ; b, John Walsh/PhRes. **326** h, Dirk Reinhartz/VISUM ; b, Rolf Nobel/VISUM. **327** Luis Castaneda/TIB. **328** Catherine Lee/Physics Photography Unit/University of Oxford. **329** h, NASA/SPL/PLA ; b, Rex/Austral. **330** Walt Anderson/TSA. **331** h, British Library, Londres/BAL. **332** b, HD/PLA. **333** Robert J. Herko/TIB. **334** TGC. **335** J.-L. Charmet. **336** Ron Ryan/Coo-ee ; bg, Murray Alcosser/TIB ; c, Alessi s.p.a. ; bd, Zanotta s.p.a. **337** h, Francis Leroy/Biocosmos/SPL/PhRes ; b, Stuart Owen Fox. **338-339** TBA. **338** h, TGC ; c, TBA ; b, BAL. **339** h, Coo-ee H ; b, SPL/PLA. **340** b et c, Lynn Abercrombie ; d, Gianni Giansanti/Sygma/Austral. **341** AP/AAP. **342** g, Süddeutscher Bilderdienst ; d, Ullstein Bilderdienst ; b, Kay Chermush/TIB. **343** h, Valentines Postcards/Coo-ee H ; b, Mitchell Lib./State Lib. of NSW/avec l'autorisation de la Fondation Nobel.

TOUS LES POURQUOI DU MONDE
est publié par Sélection du Reader's Digest

Photocomposition : Empreintes, Antony
Photogravure : Colourscan Overseas Co. Pte Ltd, Singapour
Impression : Maury, Malesherbes
Reliure : Brun, Malesherbes

PREMIÈRE ÉDITION
Deuxième tirage
Achevé d'imprimer : septembre 1995
Dépôt légal en France : octobre 1995
Dépôt légal en Belgique : D 1994 0621 22

IMPRIMÉ EN FRANCE
Printed in France

031 FR.19,980
W629

TOUS LES POURQUOI DU MONDE
41,15$

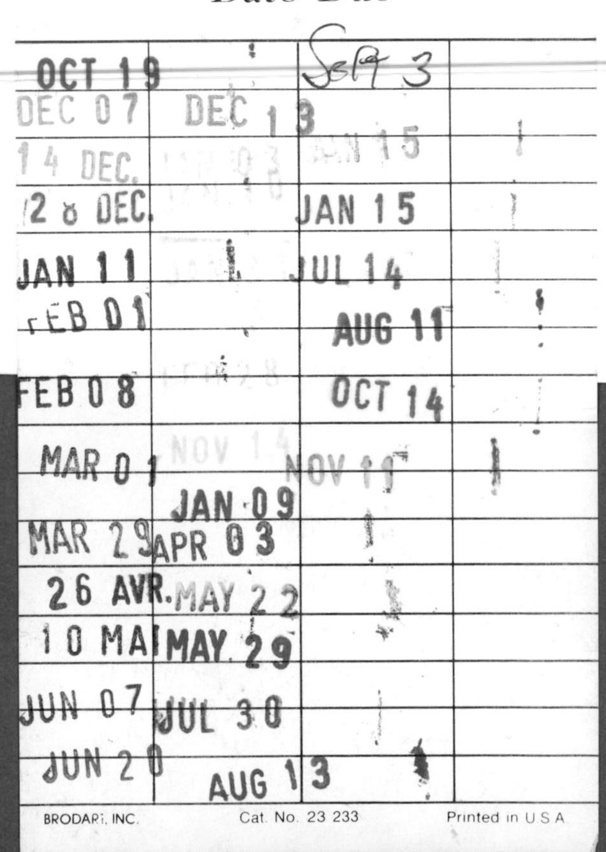